L'ÉTAT DE LA FRANCE

PENDANT LA RÉVOLUTION

1789-1799

LIBRAIRIE DU BICENTENAIRE DE LA RÉVOLUTION FRANÇAISE

Publiée avec le concours des :

Ministère de la Recherche et de la Technologie
Ministère de la Culture (Centre national des lettres)
Ministère de l'Éducation nationale
Ministère des Relations extérieures

Parus dans la même série :

- *La Gauche et la Révolution française au milieu du XIXe siècle, Edgar Quinet et la question du jacobinisme 1865-1870.* François FURET, Hachette.
- *La Révolution française, images et récit.* Michel VOVELLE, Livre Club Diderot/Messidor.
- *Histoire de l'École polytechnique.* A. FOURCY, Introduction par Jean DHOMBRES, éditions Belin.
- *La République avait besoin de savants.* Janis LANGUINS, Préface par Emmanuel GRISON, éditions Belin.
- *Condorcet.* Keith BAKER, Hermann.
- *La Révolution française vue par les Allemands.* Textes 1789-1830. Joël LEFEBVRE, Presses universitaires de Lyon.
- *Sciences à l'époque de la Révolution française : recherches historiques.* Dir. R. RASHED, Librairie Blanchard.
- *Atlas de la Révolution française.* Coordination scientifique Claude LANGLOIS, éditions de l'École des hautes études en sciences sociales.
- *Des principes et des causes de la Révolution en France.* Sénac de MEILHAN, Préface de Michel DELON, Desjonquères.
- *Le Tribunal de cassation et les pouvoirs sous la Révolution* (1790-1799) par Jean-Louis HALPERIN, L.G.D.J.
- *Histoire provinciale de la Révolution française.* Dir. L. BERGERON et J. MAYAUD, Privat.
- *Les Horizons de la liberté : naissance de la Révolution en Provence (1787-1789).* Monique CUBELLS, Edisud.
- *L'Homme de lettres et l'artiste dans la Révolution.* Armand Colin.
- *État de la France pendant la Révolution (1789-1799).* Collectif sous la direction de Michel VOVELLE, La Découverte.
- *Les Ventres de Paris : pouvoir et approvisionnement dans la France d'Ancien Régime.* S. KAPLAN, Fayard.
- *La Guerre du blé au XVIIIe siècle.* Collectif, Édition de la Passion.

L'ÉTAT DE LA FRANCE

PENDANT LA RÉVOLUTION

1789-1799

Sous la direction de Michel Vovelle

Ouvrage publié avec le concours du Centre national des lettres

ÉDITIONS LA DÉCOUVERTE

1, place Paul-Painlevé, 75005 Paris, tél. (1) 46.33.41.16

Direction

Michel Vovelle.

Conception

Michèle Belle-Labat, Françoise Brunel, Jacques Godechot, Jeffry Kaplow, Thierry Paquot, Michel Vovelle.

Coordination

Michèle Belle-Labat, Thierry Paquot.

Rédaction

Maurice Agulhon, Antoine de Baecque, Renée Balibar, Pierre Barberis, Jean Bart, Gérard Béaur, Yves Benot, Georges Bensoussan, Jean-Paul Bertaud, Jean-Michel Besnier, Serge Bianchi, Michelle Biget, Olivier Blanc, Jean Boutier, Philippe Boutry, Françoise Brunel, Haim Burstin, Serge Chassagne, Jean Chesneaux, Georges Clause, Dominique Colas, Monique Cubells, Marcel David, Bernard Derouet, Marcel Dorigny, François Dornic, Jacques Dupâquier, Anne-Marie Duport, Catherine Duprat, Roger Dupuy, Gilbert Faccarello, Arlette Farge, Alan Forrest, Robert Forster, Claire Gaspard, Florence Gauthier, Jacques Gélis, Maurice Genty, Claude Gindin, Jacques Godechot, Dominique Godineau, Ronald Gosselin, Jean-Pierre Goubert, Philippe Goujard, Michelle Goupil, Roger-Henri Guerrand, Jacques Guilhaumou, Jean-Yves Guiomar, François Hincker, Jean-Pierre Hirsch, Paul d'Hollander, Guy Ikni, Dominique Julia, Jeffry Kaplow, Catherine Kawa, François Lebrun, Alain Le Guyader, Guy Lemarchand, Daniel Ligou, Daniel Lindenberg, Élisabeth Liris, Jean-Noël Luc, Colin Lucas, Hervé Luxardo, Claude Manceron, Daniel Martin, Jean-Luc Mayaud, Claude Mazauric, Raymonde Monnier, Véronique Nahoum-Grappe, Marie-Vic Ozouf-Marignier, André Palluel-Guillard, Thierry Paquot, Claude Petitfrère, Bernard Plongeron, Francis Pomponi, Philippe Raynaud, Pierre Retat, Caroline Rimbault, Frédéric Robert, Christian Ruby, George Rudé, Jean Sandrin, Jean-Marie Schmitt, William Serman, Jacques Solé, Michaël Soubbotnik, Philippe Steiner, Jean-Paul Thomas, Louis Trenard, Michel Troper, Élisabeth Tuttle, Michel Vovelle, Immanuel Wallerstein, Denis Woronoff.

Cartographie

Études et cartographie (Lille).

Bibliographies et filmographie

Michèle Belle-Labat.

Chronologie

Michèle Belle-Labat, Hervé Luxardo, Jean Sandrin.

Vignettes

Recueil des médailles et des monnaies par A.L. Millin, membre de l'Institut et conservateur des Médailles à la Bibliothèque impériale de France, publié à Paris, M DCCC VI, et collection privée.

Couverture

Gérard Berton.

Fabrication

Monique Mory.

ISBN 2-7071-1748-X

Les titres et intertitres sont de la responsabilité des éditeurs.

Avant-propos

En présentant cet *État de la France pendant la Révolution,* nous ne chercherons pas à masquer le paradoxe de la démarche, qui en fait peut-être aussi l'originalité. Cet ouvrage n'est ni une nouvelle histoire de la Révolution ni une encyclopédie. C'est une invitation, par le biais d'un parcours à travers les multiples aspects de la vie des gens, de *tous les gens,* riches ou pauvres, villageois ou citadins, révolutionnaires ou oppositionnels, à revisiter la France de la décennie 1789-1799. La Révolution comme si vous y étiez ?

Nous savons les difficultés d'une telle ambition, sans doute excessive. Nous connaissons le danger de transcrire en *tableau* ce qui est en réalité un *mouvement,* dans des années ou des mois où tout change incessamment. Et en transposant, deux siècles en amont, la série de nos curiosités actuelles, nous avons pris le risque calculé de l'anachronisme. C'est bien la France de 1989 qui interroge celle de 1789. Pour s'y retrouver ? Pas nécessairement, mais pour mieux sentir la différence et mesurer les héritages et les mutations. On peut ainsi deviner ce que l'on trouvera dans ce livre et ce que l'on n'y trouvera pas. L'histoire « événementielle », comme on dit, ne sera pas oubliée, car elle est essentielle en ces temps troubles et troublés de la période révolutionnaire : mais on se contentera de rappeler très brièvement la respiration d'ensemble, et de renvoyer à une chronologie précise et mondiale. Ce que l'on appréciera, je l'espère, c'est l'attention toute particulière portée à la vie des gens. Non pas une simple évocation superficielle, au quotidien, mais l'environnement réel dans lequel ils naissent, aiment, vivent et meurent. Les cadres institutionnel, économique, social, démographique, culturel, tous en pleine restructuration, constituent le décor de cette civilisation matérielle, de cette nouvelle sociabilité, de cet imaginaire, sollicité, pour reprendre l'expression célèbre de Georges Lefebvre, par les deux pulsions contradictoires de l'espérance et de la peur.

De cette France en mutation nous tenterons de restituer l'épaisseur par toute une série de portraits où les héros anonymes côtoient les héros officiels, à partir également d'une série de monographies régionales qui éclairent cet « agrégat inconstitué de peuples désunis » en train de devenir une nation moderne. Ce faisant, nous ne cherchons pas à donner une vie factice au passé, mais bien à faire valoir ce qui reste vivant d'une telle aventure collective. La Révolution française est-elle devenue lointaine, exotique ? On l'a dit *un objet froid.* Et voici qu'aujourd'hui, à la veille du bicentenaire, on assiste à un réveil, stimulant très souvent au niveau du débat d'idées, parfois de mauvais aloi, lorsqu'il ne s'agit, à travers l'anathème d'une condamnation sans appel, que de fermer la porte à tout effort de compréhension.

Le débat d'idées n'est pas esquivé ici. Une séquence entière est consacrée à l'héritage de la Révolution française à travers l'historiographie, mais aussi la mémoire, et les différentes images véhiculées jusqu'à nos jours par l'imaginaire social. Le parti pris de cet ouvrage collectif regroupant toute une pléiade de spécialistes – historiens, mais aussi littéraires, philosophes, économistes et politologues – a été un souci de pluralisme, propre à associer des regards différents sur la Révolution. Le discours qui en résulte n'a rien de monolithique : il reflète les lectures diverses que l'on peut appliquer à ce chantier toujours ouvert et à ce jour en plein renouvellement. Il n'en devient pas pour autant cacophonique, ou contradictoire. L'objet Révolution, dans ses multiples facettes, avec toutes les tensions qu'il révèle, conserve toute la cohérence d'une expérience collective que chacun interroge, au moyen de sa propre problématique.

C'est le dernier pari et le dernier paradoxe que nous avons tenté d'assumer : faire partager nos enthousiasmes et aussi nos interrogations, tout en manifestant, en permanence, une objectivité et une sérénité qui n'excluent pas la ferveur ou la sympathie. La « Grande Révolution » n'est pas un bloc qu'il faut prendre ou rejeter, elle est un mouvement de notre histoire nationale aux répercussions mondiales qu'il convient de connaître pour mieux affronter les enjeux de notre monde moderne.

Michel Vovelle

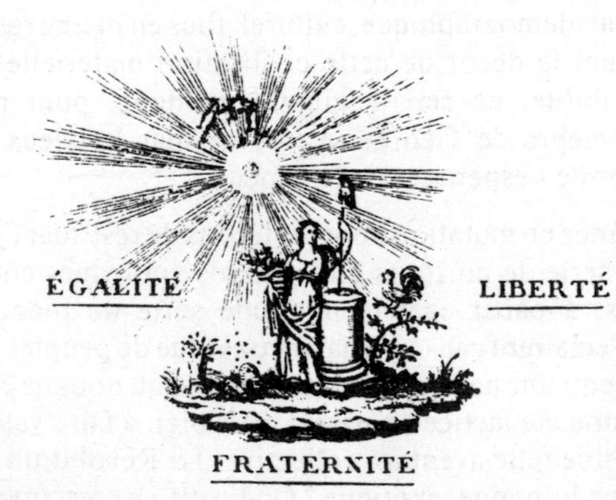

Présentation

L'ÉTAT DE LA FRANCE PENDANT LA RÉVOLUTION (1789-1799) comporte six grandes parties (soit 195 articles rédigés par 95 auteurs) :

1. CONTEXTES

Huit articles de fond décrivent le décor politique, économique et idéologique de l'Europe et du monde avant la Révolution. Ils analysent le pourquoi et le comment des changements qui s'annoncent et des invariants qui se perpétuent.

2. LES TEMPS DE LA VIE

Sept chapitres et 57 articles présentent de manière à la fois documentée et synthétique les caractéristiques de la vie quotidienne à cette époque à la ville et à la campagne : la naissance, l'enfance, la vie de famille, les rêves et les passions, le travail, le gîte et le couvert, les plaisirs et les loisirs. La culture y tient une place de choix, tant les arts et la littérature ont été mobilisés par les événements et les idéaux politiques.

3. EUX ET NOUS

Six chapitres, 47 articles et 20 portraits décrivent la vie politique particulièrement agitée de cette période. Les hésitations des uns, les certitudes des autres, les réformes institutionnelles, les nouvelles organisations territoriales et juridiques, la Révolution et ses excès, la contre-révolution et ses divisions, le temps des guerres, l'Église et l'État, l'économie entre libéralisme et étatisme, tous ces thèmes essentiels sont minutieusement étudiés à la lumière des travaux les plus récents. Un écrivain passionné d'histoire, Claude Manceron, a brossé les portraits d'une vingtaine d'acteurs exceptionnels d'une histoire exceptionnelle : des figures d'hommes et de femmes au destin peu ordinaire.

4. LA FRANCE DES RÉGIONS

Trois articles de fond dessinent les nouveaux cadres spatiaux de la Révolution, et 23 études régionales replacent au niveau provincial et local les grandes modifications impulsées par le pouvoir révolutionnaire. Nous voyons ainsi qu'une décision d'en haut n'a pas les mêmes effets immédiats en Auvergne ou en Picardie.

5. ACQUIS ET DÉBATS

Six chapitres et 37 articles établissent un premier bilan sans concession de la Révolution. Ils mesurent également l'impact de celle-ci en France et dans le monde en établissant une géographie des influences et une généalogie des idées révolutionnaires aux XIXe et XXe siècles.

6. L'ÉTAT DU MONDE

Une précieuse chronologie *mondiale* permet au lecteur de retrouver le contexte d'un fait et de suivre l'enchaînement des événements.

LES CARTES

Trente-quatre cartes et schémas facilitent la compréhension de l'analyse en en donnant la dimension spatiale.

LES CHIFFRES

Les données statistiques présentées sont d'abord indicatives de tendances et ont pour but de donner des ordres de grandeurs. Elles ont été comparées à plusieurs sources et retenues comme les plus fiables, mais il convient de les manier avec les précautions d'usage.

LES BIBLIOGRAPHIES

L'extraordinaire littérature provoquée par la Révolution de 1789 remplirait des ouvrages entiers de bibliographie. Aussi avons-nous préféré ne retenir que les œuvres *classiques* et les essais et études les plus récents renouvelant les diverses thèses et enrichissant les débats.

LES FILMS

Un choix de films est également proposé, sans prétention d'exhaustivité.

L'INDEX

1 200 entrées permettent de retrouver rapidement la personne recherchée.

Table des matières

EUX ET NOUS

LA FRANCE DES RÉGIONS

ACQUIS ET DEBATS

L'ETAT DU MONDE

CONTEXTES

L'ère des révolutions

La Révolution française est-elle un fait isolé dans le monde ? Un « coup de tonnerre » dans un ciel serein ? L'examen des événements survenus dans le monde occidental contredit cette opinion : la Révolution française s'insère, en effet, dans une série de révolutions qui ont secoué l'Europe et l'Amérique au cours du dernier tiers du XVIIIe siècle, et qui se sont prolongées pendant la première moitié du XIXe siècle, et même au-delà.

Certes, avant 1770, des « émotions » populaires, des « attroupements », des « manifestations » ont lieu en Europe, mais, vite apaisés, ils ne sont pas suivis de changements importants dans les gouvernements, les administrations ou la société. La Révolution américaine, au contraire, entraîne non seulement une modification radicale du régime, mais une transformation de la société et de l'économie.

La victoire des « Insurgents » américains

La Révolution américaine commence aux environs de 1770. Elle est d'abord la conséquence de la guerre de Sept Ans (1756-1763) et du traité de Paris qui y a mis fin. Par celui-ci, en effet, la France cédait à la Grande-Bretagne tous les territoires qu'elle possédait sur le continent nord-américain, c'est-à-dire non seulement le Canada, mais aussi les riches terres qui vont des Appalaches au Mississippi. Les colons britanniques établis au sud du Canada, qui étaient les principaux artisans de la victoire anglaise, désiraient les occuper, mais le gouvernement britannique décida de les réserver à ses nouveaux sujets canadiens ou à de futurs immigrants, et, dès le 7 octobre 1763, il interdit aux colons anglais de s'y installer. De plus, estimant que ces colons, profiteurs de la guerre, devaient en payer les frais, il augmenta leurs impôts ou en créa de nouveaux, par exemple le droit de timbre sur les papiers de commerce et les journaux institué par le *Stamp Act.*

Ces décisions provoquèrent un vif mécontentement. Pour la première fois, les délégués de neuf colonies anglaises se réunirent en un Congrès, à New York en 1765. Celui-ci réprouva le principe des « impositions sans la représentation » au Parlement de Londres et dénia donc à ce dernier le droit de taxer ses sujets britanniques outre-mer. Les colons décidèrent de boycotter les marchandises britanniques. Les Anglais ripostèrent. On en vint à se battre. Les premiers coups de feu furent échangés le 5 mars 1770 : ce fut le massacre de Boston (trois Bostoniens tués). La Révolution américaine était commencée.

Elle fut marquée par quelques événements importants. Ainsi, en 1774, la fermeture du port de Boston par le gouvernement britannique et le *Quebec Act* – qui, pour empêcher la révolte de gagner le Canada, garantissait aux habitants de ce pays le maintien de leur langue (française), de leur religion (catholique) et de leurs institutions – exaspérèrent les colons anglais. Un « Congrès continental » se réunit à Philadelphie le 5 septembre 1774 et remit au gouvernement anglais une solennelle protestation. En même temps, des associations de Fils de la liberté organisaient la lutte des « patriotes » contre les Anglais, et contre les *tories* ou loyalistes, partisans de la soumission à la métropole. Au début d'avril 1775, une troupe de soldats anglais, partie de Boston, s'efforça de disperser les rassemblements de patriotes dans les villages de Concord et de Lexington. De véritables combats s'engagèrent. Les Habits rouges perdirent le dixième de leurs effectifs (247 hommes sur 2 500), trois fois plus que les patriotes. Concord et Lexington furent les premières victoires des révolutionnaires américains. En mai 1775, un IIe Congrès continental appela tous les citoyens aux armes, les organisa en milices et en confia le commandement au général George Washington, un des vainqueurs de la guerre de Sept Ans. Dans une vigoureuse brochure intitulée *Le Bon Sens,* l'écrivain anglais Thomas Paine recommanda aux colonies américaines de former une république indépendante.

Le 7 juin 1776, Richard Henry Lee, député de la Virginie, proposa au Congrès continental la formation d'une Fédération américaine. Un comité de cinq membres, présidé par Thomas Jefferson, rédigea la Déclaration d'indépendance des États-Unis, qui fut publiée le 4 juillet 1776.

Pendant deux ans encore, les *insurgents* luttèrent à peu près seuls contre les troupes britanniques, aidés seulement par quelques volontaires enthousiastes venus d'Europe tels que le Prussien von Steuben, le Polonais Tadeusz Kosciuszko ou le Français Marie Joseph de La Fayette. Mais après la capitulation en rase campagne du général anglais John Burgoyne, à Saratoga, le 17 octobre 1777, les États-Unis obtinrent l'alliance de grandes puissances européennes : la France (6 février 1778), l'Espagne (1779) et la Hollande (1780). De plus, la Russie organisa une « ligue des neutres » chargée de faire respecter la « liberté des mers » par l'Angleterre (1780). La France envoya aux États-Unis un corps expéditionnaire commandé par le comte J.-B. de Rochambeau. Celui-ci, en coopération avec l'armée de Washington, fit capituler les dernières troupes anglaises à Yorktown le 19 octobre 1781 : la Révolution américaine l'emportait. L'indépendance des États-Unis fut reconnue par l'Angleterre aux traités de Londres (30 novembre 1782) et de Versailles (3 septembre 1783).

La Révolution américaine fut-elle une « véritable » révolution ? C'est incontestablement une révolution *politique* par la substitution d'une république indépendante à une monarchie colonisatrice, une révolution *sociale* avec la publication par chacun des treize États confédérés d'une constitution, en général précédée d'une « déclaration des droits ». Celle de la Virginie servira d'ailleurs de modèle en France, en 1789. Puis, c'est l'ensemble des États-Unis qui proclama une Constitution en 1781 – Constitution remplacée en 1787 par une autre, plus efficace, encore en vigueur. Révolution sociale aussi par la confiscation et la vente aux patriotes des biens des loyalistes émigrés, ainsi que par l'abolition des redevances quasi féodales qui pesaient sur certaines terres. Révolution *économique,* enfin, par la suppression de l'« exclusif », qui réservait à la métropole le droit de transformer les matières premières produites par les colonies, et le monopole de leur transport.

Toutes ces nouveautés furent vite connues en Europe, grâce à la presse et aux livres. Les mots « patrie », « patriote », « liberté », « constitution », « déclaration des droits », « clubs » entrèrent progressivement dans le langage courant. Les Américains, pour obtenir l'alliance ou la sympathie des puissances européennes, firent de la propagande en faveur de leurs nouvelles institutions : ainsi, John Adams, ambassadeur à La Haye, Benjamin Franklin, puis Thomas Jefferson, à Paris. Les Européens qui avaient combattu en Amérique rapportèrent avec enthousiasme ce qu'ils avaient vu : La Fayette en France, Kosciuszko en Pologne, Mazzei en Italie.

L'échec des révolutions « atlantiques »

En Europe, ceux qui étaient ou qui se croyaient opprimés voulurent imiter les Américains. En Irlande, les volontaires appelés à la défense de l'île réclamèrent, les armes à la main, l'abolition du *Bill of Test* qui écartait les catholiques des fonctions publiques. Il fut supprimé pour la seule Irlande. Mais cette décision mécontenta les protestants anglais, qui se soulevèrent à Londres sous la direction d'un certain Gordon : ce furent les *Gordon Riots,* émeutes qui durèrent huit jours, provoquèrent 300 morts et 36 incendies, et furent les plus graves que connut Londres au XVIIIe siècle. Mais elles n'entraînèrent aucun bouleversement politique ou social.

Il n'en alla pas de même aux Pays-Bas. Le souverain, Guillaume V, stathouder du pays, voulait augmenter ses pouvoirs et même prendre le titre de roi. Les municipalités composées surtout de bourgeois s'y opposaient. Imitant les *insurgents* américains, des patriotes, démocrates hostiles tout autant aux tendances absolutistes du stathouder qu'aux bourgeois des municipalités, formèrent un parti. En 1781, l'un d'eux, Van der Capellen, publia un *Discours au peuple des Pays-Bas,* appel enflammé à la liberté et à la lutte contre la tyrannie. La victoire des *insurgents* américains les poussa à réclamer à Guillaume V de profondes réformes, qu'il refusa. Patriotes et bourgeois s'allièrent alors, formèrent des clubs, des comités de correspondance, une garde civique et recherchèrent, comme les patriotes américains, l'appui de la France. En 1784, l'émeute gronda dans les principales villes et des journaux révolutionnaires furent publiés. En 1785, une sorte de levée en masse fut décrétée par les États de Hollande, et, à La Haye, une émeute menaça pendant trois jours le palais de Guillaume V. Un an plus tard, les patriotes, pensant avoir gagné la partie, destituèrent le stathouder et chargèrent une commission de cinq membres de « restaurer les institutions républicaines ».

Mais alors, le stathouder appela à l'aide l'Angleterre, et son beau-frère le roi de Prusse, Frédéric-Guillaume II. Ce dernier lui envoya une armée, commandée par le duc de Brunswick, tandis que la flotte britannique croisait le long des côtes des Pays-Bas. Les Prussiens battirent les patriotes et restaurèrent le stathouder dans ses fonctions, en septembre 1787. Une violente réaction s'abattit sur les Pays-Bas : une centaine de patriotes furent emprisonnés et un grand nombre (40 000 selon certains) durent se réfugier en France et en Belgique.

En Belgique, précisément, la Révolution se développa en 1787. L'empereur germanique, Joseph II, dont le pays dépendait, avait voulu y introduire d'importantes réformes religieuses, administratives et économiques. Or ces réformes mécontentèrent à la fois les conservateurs (ou statistes), conduits par l'avocat Van der Noot, et les patriotes, dirigés par un autre avocat, Vonck, qui les jugèrent insuffisantes. Au début statistes et vonckistes s'unirent et chassèrent les Autrichiens. Les patriotes belges rédigèrent, le 11 janvier 1790, un Acte d'union des provinces beiges, calqué sur la Constitution américaine de 1781. Mais vonckistes et statistes ne tardèrent pas à se diviser, surtout lorsque, après la mort de l'empereur Joseph II, son frère Léopold lui succéda (février 1790) et qu'il parut disposé à retirer les réformes. Les troupes autrichiennes réoccupèrent la Belgique. Dans l'évêché de Liège voisin, les habi-

LES RÉVOLUTIONS DANS LE MONDE

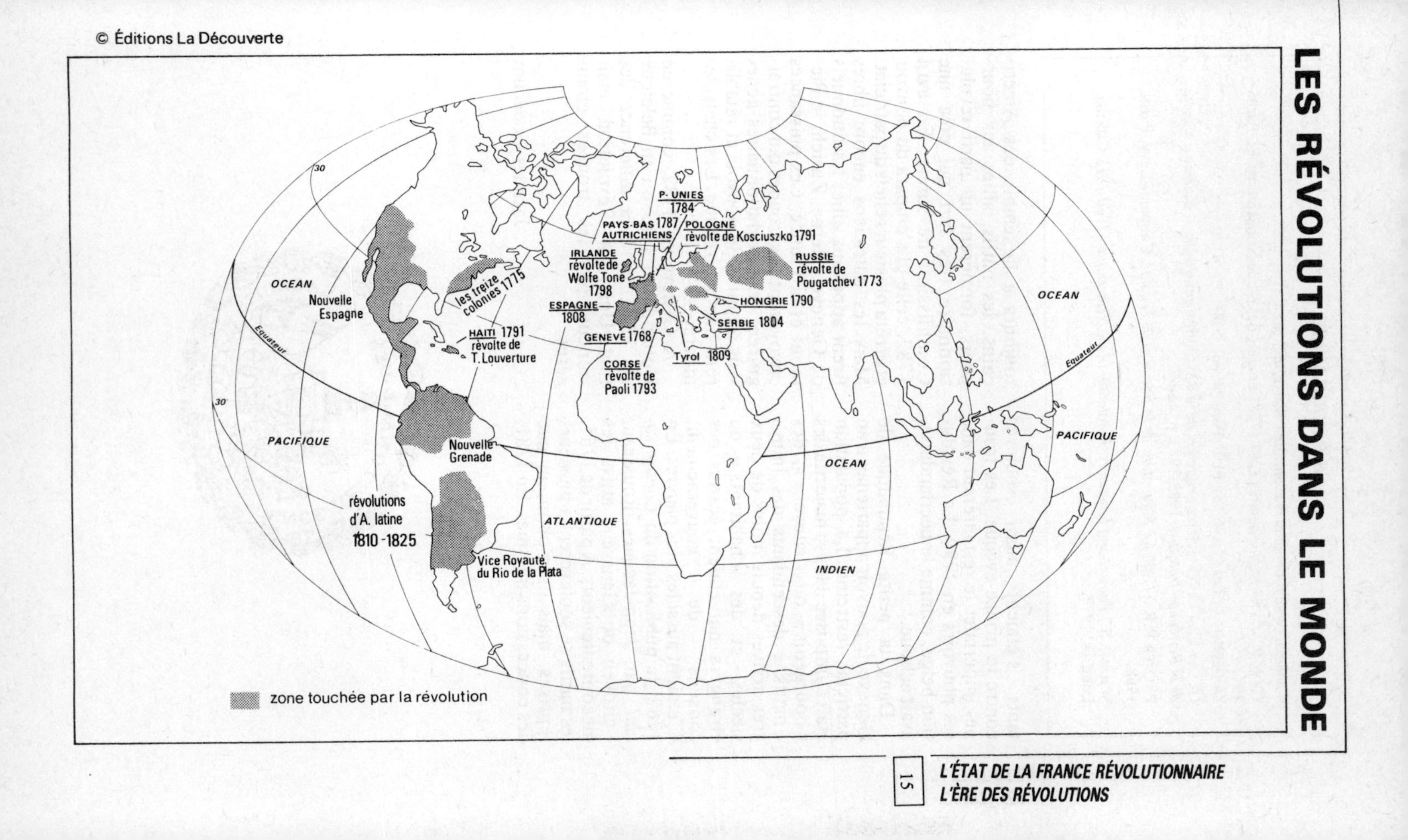

BIBLIOGRAPHIE

Colloque sur la Révolution brabançonne, Bruxelles, 1984.

GEYL P., *La Révolution batave (1783-1798),* Société des études robespierristes, Paris, 1971.

GODECHOT J., *Les Révolutions,* PUF, Paris, 4e éd., 1986.

GOLAY E., « Les caractères originaux de la Révolution genevoise », *Bulletin d'histoire de la Révolution française,* 1982-1983, p. 45-67.

PALMER R.R., *1789, les Révolutions de la liberté et de l'égalité,* Calmann-Lévy, Paris, 1968.

SCHAMA S., *Patriots and Liberators. Revolution in the Netherlands, 1780-1813,* Collins, Londres, 1977.

tants s'étaient aussi soulevés contre le prince-évêque. Les troupes impériales le restaurèrent dans ses pouvoirs en 1790. La Révolution belge, comme la néerlandaise, avait échoué.

Dans la petite République de Genève, le pouvoir appartenait à un patriciat restreint. La population était composée dans sa majorité des « bourgeois » ou « citoyens », des « natifs », descendants des immigrés arrivés depuis moins de deux siècles, et des « habitants » ou étrangers qui étaient écartés des conseils de gouvernement. C'étaient aussi les plus pauvres. En 1762, la publication du *Contrat social* par Jean-Jacques Rousseau, « citoyen de Genève », attisa les mécontentements. A partir de 1765, les natifs se soulevèrent à plusieurs reprises, mais ils n'obtinrent que des concessions minimes. En 1781, toujours à l'exemple des Américains, les natifs, alliés aux bourgeois, formèrent un parti révolutionnaire très fort qui créa une Commission de sûreté. En avril 1782, celle-ci s'empara du pouvoir et arrêta plusieurs chefs du patriciat. Mais les patriciens encore libres firent appel aux alliés traditionnels de Genève : Berne, Zurich, le Piémont et la France. Ces puissances envoyèrent des troupes qui contraignirent les révolutionnaires genevois à quitter le pouvoir et rétablirent l'ancien régime. Les chefs démocrates s'exilèrent.

A Genève en 1782, comme en Hollande en 1787 ou en Belgique en 1790, et à la différence des États-Unis, la Révolution était vaincue par les troupes étrangères.

Jacques Godechot

Le modèle anglais et ses répercussions

Le 30 janvier 1649, Charles Stuart Ier, roi d'Angleterre, est décapité devant son palais de Whitehall à Londres. Quelques jours plus tôt, une cour de justice organisée par le Parlement l'avait condamné à mort comme traître au royaume, à peine un mois après avoir déclaré que désormais le royaume d'Angleterre était un *commonwealth* : une république. Un siècle et demi avant 1792 et la naissance de la Première République française, une révolution met fin à la monarchie anglaise et bouleverse toutes les institutions traditionnelles ; Oliver Cromwell, gentilhomme puritain du Cambridgeshire, stratège brillant et homme politique avisé, domine cet interrègne jusqu'à sa mort en 1658.

En 1660, les dirigeants parlementaires, usés par des guerres et des divisions internes, abandonnent la forme républicaine de gouvernement et installent sur le trône le fils même du traître, Charles II, réfugié d'abord en France, puis en Hollande. Le troisième acte de ce drame se joue en 1688 ; le jeune frère de Charles, Jacques II, roi depuis quatre ans, qui a tenté de réintroduire des pratiques absolutistes et tolère trop bien les catholiques, doit fuir l'Angleterre devant une noblesse divisée et un Parlement à nouveau au bord de la révolte. Cette fois, les gentilshommes et marchands offrent le trône à Guillaume d'Orange, stathouder des Provinces-Unies et marié à la fille de Jacques II. Guillaume, ravi de disposer de la nouvelle flotte anglaise dans sa lutte contre Louis XIV, « envahit » l'Angleterre, et Jacques s'enfuit en France. Tout en précisant ses conditions, le Parlement reconnaît Guillaume et Marie comme souverains. Cet événement que les Anglais appellent « la Révolution glorieuse de 1688 » n'en est pas une, mais, sous ce règne, un équilibre plus stable des forces sociales et politiques se met en place. A partir de 1713, l'Angleterre, grande gagnante des guerres continentales, est prête à se lancer plus avant dans l'aventure du capitalisme commercial et colonial.

C'est à l'intérieur de ce canevas chronologique que se posèrent les principales questions de toute révolution : qui doit gouverner ? comment et au profit de qui ? En répondant de diverses façons, les Anglais – mais aussi les Écossais et les Irlandais – se mobilisèrent pour défendre leurs intérêts et s'affrontèrent, souvent sans faire de quartier. De même, les réponses à ces questions furent l'héritage de leurs descendants dans le monde atlantique d'abord, puis sur le continent.

L'explosion démographique de l'Europe au XVIIIe siècle

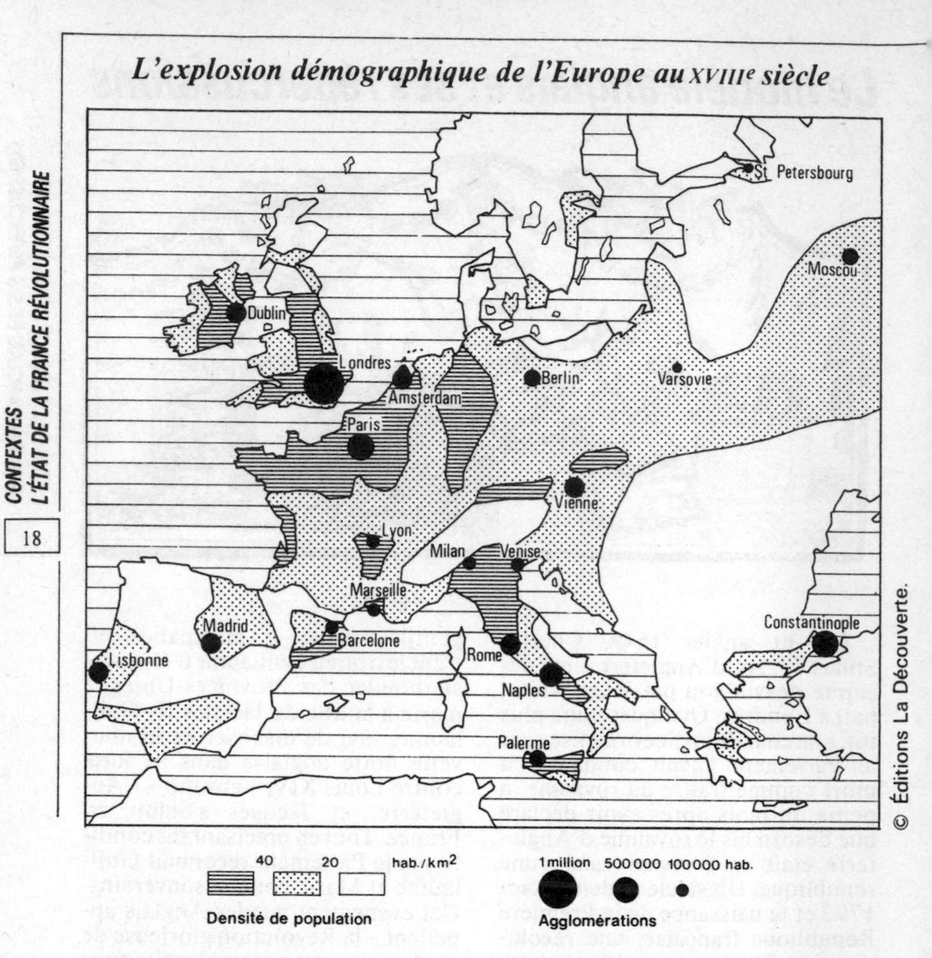

« Une révolution puritaine »

Les conditions de la Révolution anglaise des années 1640 rappellent celles des grandes révolutions de 1789 à 1917 : par la tentative absolutiste de Charles Ier qui cherche à gouverner seul sans le soutien des classes traditionnellement acquises à la politique royale, petite noblesse (la *gentry*) et bourgeoisie ; et par la faillite des finances royales, provoquée par la hausse séculaire des prix et les dépenses somptuaires toujours plus grandes, faillite qui, en 1639, laisse Charles impuissant devant le soulèvement de l'Écosse. En revanche, un des traits originaux de cette révolution est le poids des idéologies religieuses : « révolution puritaine », dit-on, et effectivement, dans les années 1630, la plupart des adversaires du roi exigent une nouvelle réforme de l'Église d'Angleterre fondée sur un calvinisme rigoureux, une décentralisation ecclésiastique et une prédication régulière ancrée dans la parole biblique. Ils protestent contre la politique menée vigoureusement par l'archevêque William Laud, qui veut une liturgie proche de celle de l'Église catholique romaine.

Dès 1628, au moyen d'une pétition au roi : *The Petition of Rights,* la Chambre des communes s'était élevée contre l'arbitraire royal et avait exigé une part dans les décisions politiques. En 1640, Charles est contraint de convoquer à nouveau un Parlement. Deux ans plus tard, l'affrontement tourne au conflit ouvert : d'un côté, les nobles royalistes de l'armée des « Cavaliers », recrutés parmi les grandes familles nobles, une partie de la *gentry*, et les catégories sociales liées au service de la cour, et de l'autre, sous l'étendard du Parlement, les familles puritaines de la *gentry*, et les couches urbaines de marchands, maîtres artisans et hommes de loi. Par deux fois, de 1642 à 1646, puis en 1648, l'armée, financée et organisée par le Parlement et commandée par Oliver Cromwell, remporte la victoire contre les Cavaliers. Charles Ier devient le prisonnier de la Chambre des communes, on l'enferme à l'île de Wight.

« Les Niveleurs »

Des groupes sociaux plus modestes – boutiquiers, artisans, prédicateurs itinérants, etc. – manifestèrent d'abord en masse contre la politique de Charles dans les rues de Londres, et dans les comtés. Ce sont eux qui fournirent les soldats volontaires pour mettre fin au danger royaliste.

A partir de 1644, ils rédigèrent des pétitions au Parlement et exigèrent de plus en plus bruyamment des transformations profondes de la vie politique et économique. La peur que leurs porte-parole, John Lilburne, William Walwyn ou Richard Overton, provoquèrent chez les gouverneurs « naturels » du pays se reflète dans le surnom qui leur fut donné : « les Niveleurs ». Dans de nombreux pamphlets, les représentants des producteurs indépendants modestes de la petite-bourgeoisie – souvent membres des jeunes sectes protestantes – demandèrent la liberté de conscience, l'égalité de tous devant la loi, et de 1647 à 1649, en pleine crise révolutionnaire, élaborèrent *l'Accord du peuple*, une constitution démocratique fondée sur le droit naturel, le consentement populaire et le suffrage élargi à tous ceux qui vivent de leur travail.

A la fin de 1648, devant la radicalisation politique provoquée par ces Niveleurs, les partisans de la révolution parmi les classes possédantes sont moins nombreux. La plupart des membres du Parlement sont prêts à négocier le retour du roi, mais hésitent, par crainte de perdre le contrôle des affaires publiques, à traiter avec Charles Ier, obstiné dans la défense de ses prérogatives et de son Église. La fin du dilemme est brusquée par un groupe d'officiers de l'armée, parmi lesquels Oliver Cromwell et son gendre, Henry Ireton, par quelques républicains convaincus comme Henry Marten, soutenus par des prédicateurs puritains et par de petites gens qui croient, avec les Niveleurs, qu'une république répondrait à leurs aspirations.

Une révolution sans dérapage

La Révolution se déroule rapidement et en deux temps : l'armée occupe Londres, et, le 6 décembre 1648, des militaires séquestrent les plus conservateurs des parlementaires : c'est *Pride's Purge*. Le Conseil de l'armée organise une cour d'exception pour juger le roi. Mais, très vite, la contestation populaire, d'une part, et l'agitation en faveur de la monarchie, de l'autre, amènent les militaires à pactiser avec les modérés du Parlement et de l'administration. Derrière un écran idéologique de paroles tantôt républicaines, tantôt millénaristes – on parle en effet beaucoup du règne des saints –, les « gouverneurs naturels » du pays oublient leurs différences et serrent les rangs. Le 15 mai 1649, à Burford, une répression violente écrase les débuts d'une mutinerie qui, au nom de l'espérance égalitaire, s'étendait dans l'armée. Le nouveau pouvoir laissera moisir en prison les porte-parole des Niveleurs. La révolution populaire n'aura pas lieu.

L'interrègne de 1649 à 1660 fait l'expérience de trois Parlements, élus ou cooptés, et à partir de 1654, d'un régime de dictature militaire sous Oliver Cromwell, devenu

« Protecteur » du royaume. La restauration de Charles II en 1660 est accueillie avec soulagement par la *gentry* et la grande bourgeoisie ; désormais les classes populaires n'ont plus la parole. L'Église d'Angleterre et l'épiscopat démantelés en 1642 sont rétablis dès 1661 ; de même, la Chambre des lords, abolie en 1649, reprend ses fonctions et son veto législatif. La monarchie retrouve ses droits : le roi nomme ses ministres et son veto est sauvegardé.

Peut-on parler de Révolution ? N'est-ce pas plutôt un retour au *statu quo* d'avant 1642 ? Aujourd'hui encore, les historiens en débattent avec passion. Il n'en demeure pas moins que désormais le roi d'Angleterre sait qu'il a le « cou sur les épaules » ; la forme du pouvoir s'est modifiée. Les représentants de la noblesse, la *gentry* et la bourgeoisie accordent les subsides nécessaires au souverain et votent les finances de sa politique. Les droits individuels sont garantis : plus de cours arbitraires, royale ou ecclésiastique, ni, à partir de l'*Habeas Corpus Act* de 1679, de lettres de cachet ; dix ans plus tard, la Déclaration des droits accorde une liberté d'expression aux possédants, et une tolérance de fait offre un minimum de sécurité aux sectes protestantes. Plus encore, l'abolition des contrôles royaux sur les transactions d'origine féodale favorise l'agriculture capitaliste, et la fin des monopoles commerciaux donne une liberté réelle à l'entrepreneur. La suprématie maritime de l'Angleterre, créée par les victoires de la marine du *commonwealth* sur les « rouliers de la mer » hollandais, la colonisation brutale de l'Irlande et le triomphe de Guillaume II sur la France ouvrent de nouvelles perspectives d'hégémonie pour les classes dirigeantes anglaises. Celles-ci, par la création de la Banque d'Angleterre en 1694, se donnent des moyens financiers à la hauteur de leurs ambitions. Ces conditions nouvelles sont les fruits de ce qu'il convient encore d'appeler la première révolution bourgeoise d'Europe.

Un double héritage

La Révolution anglaise lègue un double héritage. Elle présente en fait aux générations suivantes deux modèles. C'est « la Révolution glorieuse » de 1688 que, à la suite de John Locke, Voltaire et Montesquieu considèrent comme un pouvoir politique stable et équilibré, garantissant une liberté d'action à l'aristocratie et à la bourgeoisie. C'est autour d'elle que, dans les années 1770, les planteurs patriciens de la Virginie et les marchands de Boston et de Philadelphie se rallient au cri de « pas d'impôts sans représentation au Parlement ! ». C'est d'elle encore qu'il s'agit dans la croyance libérale de l'Europe du XIXe siècle en la « Constitution anglaise » ; mais l'histoire à cette époque occulte tout de l'impulsion populaire de cette révolution.

Car un autre modèle révolutionnaire survit, légué par les perdants de la Révolution anglaise, par un John Milton, par les Niveleurs, ou par un Algeron Sidney. Il fait son chemin au XVIIIe siècle dans l'Angleterre d'Horace Walpole, aux colonies anglaises d'Amérique du Nord, puis en France. Dès 1750, dans les treize colonies d'Amérique, le droit naturel, le consentement populaire des gouvernés et la sauvegarde des libertés du peuple sont des notions exposées avec une ferveur renouvelée dans la contestation du pouvoir colonisateur, et deviennent une composante importante de l'idéologie de la guerre d'Indépendance américaine. Dans *Les Chaînes de l'esclavage* publiées en 1775, Jean-Paul Marat, le futur « Ami du peuple », critique l'égoïsme des classes dirigeantes anglaises et avertit les Français qu'il serait futile de se battre pour la liberté, et puis de la perdre comme l'avaient fait les Niveleurs. Les « jacobins » anglais des années 1790 renouent avec la tradition des pétitions et des manifestations massives comme moyen pour contester la monarchie elle-même. Ils subissent la même répression. Enfin, cinquante ans plus tard, le premier grand mouvement ouvrier anglais, le chartisme de 1848, reprend à son compte le mode d'action et les exigences populaires de 1648 : sa Grande Charte, ou pétition, signée par plusieurs millions de personnes, demande le suffrage universel masculin et la liberté d'expression et de réunion.

Si l'expérience révolutionnaire anglaise n'a pas donné forme à une république durable, elle a cependant créé un modèle d'action populaire et une idéologie démocratique voués à un réel avenir.

Elisabeth Tuttle

Les dilemmes du capitalisme

Ce fut, écrivait Ernest Labrousse, « le grand siècle de la prospérité », au moins à partir des années 1730. Il y eut pourtant, et régulièrement, des crises dites « d'Ancien Régime », issues de mauvaises récoltes et qui créèrent de grands malheurs pour les petits paysans. Bien que ces disettes eussent provoqué une hausse importante des prix de vente, le petit paysan n'en profita nullement. Étant donné la réduction des quantités de grains qu'il put récolter, il ne lui resta rien pour la vente sur le marché. Souvent il devint même acheteur sur ce marché à prix gonflés.

Traditionnellement les années de mauvaises récoltes étaient compensées par d'autres années, normalement équivalentes, de bonnes récoltes. Mais, après 1730, le petit paysan se trouva face à une autre exigence — celle des rentes qui, elles aussi, s'orientèrent à la hausse, et cela de façon plus constante.

Pour comprendre ce phénomène, il faut distinguer entre la production pour le marché plus ou moins strictement local, où jouaient ces effets de disettes périodiques, et la production pour un marché plus étendu. Là, les prix élevés, produits d'un siècle de prospérité, entraînèrent l'accroissement de la production à long terme de la part de ceux qui détenaient de grandes (et même moyennes) exploitations. Pour augmenter la production, les propriétaires disposaient de deux armes principales : une amélioration de la technologie, et une hausse des rentes (mode d'incitation à un travail plus intensif). Ils utilisèrent la première arme plus qu'on ne le dit et probablement autant qu'on pouvait le faire à l'époque, mais elle ne suffit pas.

Ce fut donc vers la rente que s'orientèrent les propriétaires soucieux de réaliser des gains dans un marché en expansion. Qui étaient ces grands propriétaires ? La majorité était des nobles ou des ecclésiastiques. D'autres étaient des bourgeois qui allaient être anoblis ou qui du moins cherchaient à l'être. Mais c'est le titre de propriétaire et non celui de noble qui leur profita le plus, puisque c'est la rente foncière qui fut l'élément le plus dynamique de ce siècle – davantage que les droits féodaux, la dîme, ou les impôts.

On ne négligeait pourtant rien. Les seigneurs rappelaient ou même inventaient des droits seigneuriaux tombés en désuétude, essayaient d'accaparer des communaux et d'éliminer la vaine pâture et le droit de parcours, augmentaient les banalités. On qualifie souvent ces diverses tentatives de « réaction seigneuriale », bien qu'il faille les replacer dans un contexte plus large. Car, en même temps, on utilisait tous les moyens dont dispose un bon entrepreneur pour rechercher le profit : une bonne gestion fondée sur la comptabilité, l'arpentage et un contrôle plus assidu, ainsi que le stockage, la spéculation ou la forclusion.

Ces gains des grands propriétaires nuisaient aux revenus moyens des laboureurs. Ceux-ci durent en effet payer un loyer « multiplié par 160 » en un siècle, ce qui dépassait largement les possibilités réelles de gain liées à l'augmentation de la productivité. Ils devaient donc souvent « recourir à un second métier pour augmenter simplement les annuités de leur terre » (Michel Morineau).

Tout n'était peut-être pas rose pour les grands propriétaires. Il est sûr que la structure juridique compliquée de la France entravait de diverses façons la circulation des produits. Mais il faut quand même rappeler à cet égard que les Cinq Grosses Fermes, terres des céréales à l'intérieur desquelles il n'existait ni douane ni péage, étaient aussi grandes en superficie que l'Angleterre, et constituèrent probablement à l'époque la plus grande zone de libre commerce en Europe.

Au moment du traité de Paris de 1763, qui termina la guerre de Sept Ans, la France ne manifesta aucune faiblesse notoire par rapport à son grand rival britannique, ni sur le plan de l'agriculture ni sur celui de l'industrie. Sur le continent européen, ses produits se vendaient bien, et mieux que ceux d'Angleterre. Mais après 1763, la France fut plus ou moins coupée du commerce américain et asiatique. Elle gardait, bien sûr, Saint-Domingue, ce qui était loin d'être négligeable, parce qu'il s'agissait là du plus riche producteur mondial de sucre. Et elle restait puissante en Méditerranée, surtout après avoir annexé la Corse en 1768.

Néanmoins, la défaite globale de 1763 sapa l'économie française de deux façons. Elle brisa l'élan des entreprises du Ponant, zone de pointe pour la France. Et elle mena les finances de l'État à un déséquilibre qui allait devenir critique et ébranler le régime. Il se produisit donc une crise aiguë pour les forces capitalistes, et c'est à la lumière de cette crise qu'il faut étudier l'histoire de la France entre 1763 et 1789.

C'est à ce moment-là que les diverses élites – intellectuels, bureaucrates, agronomes, industriels, hommes d'État – commencèrent à exprimer certains doutes sur le triomphe de la France dans sa grande rivalité avec l'Angleterre, émettant l'idée qu'à certains égards leur pays avait régressé et qu'il faudrait « rattraper » une prétendue avance britannique. Ces attitudes constituaient une réponse très exagérée à quelque écarts passagers, mais l'effet n'en fut pas moins réel.

Le capitalisme agricole

Sur le plan de l'agriculture, on fit trois grands efforts de transformation : réorganisation de la structure des droits de propriété, « libération » des prix des céréales, et améliorations agronomiques.

La réorganisation des structures de propriété fut poursuivie principalement en deux domaines : la division des communaux, et l'abolition de servitudes collectives (surtout la vaine pâture obligatoire). A cause de la faiblesse de l'État, il fallut poursuivre cette politique de réforme au niveau de chacune des provinces. On parvint à obtenir des autorisations provinciales successives, pour la division des communaux entre 1769 et 1781, et pour la suppression de la vaine pâture entre 1766 et 1777. La monarchie favorisa cette politique en offrant des avantages fiscaux à ceux qui faisaient emblaver les terres incultes, ce qui encouragea l'usurpation des terres. Pour Marc Bloch c'était un effort « grandiose », conçu précisément pour imiter les législations anglaises sur les *enclosures*. Mais, ajoute-t-il, les réformateurs se trouvèrent vite devant des « difficultés insoupçonnées » et ne résistèrent pas à un « vent de timidité et de découragement ».

Ces difficultés exprimaient-elles simplement le poids d'une certaine tradition « féodale » ? Peut-être, mais il existe une explication plus simple. Devant les positions contradictoires — laboureurs favorisés par la suppression de la vaine pâture mais défavorisés par la division des communaux, grands propriétaires favorisés par la division (à cause des droits de triage) mais défavorisés par la suppression de la vaine pâture (à cause de l'émiettement de leurs terres) —, il fallait une forte mainmise parlementaire pour dompter les oppositions et regrouper les terrains, et cela n'existait pas. Comme le dit Bloch : « Naturelle dans [l'Angleterre] où la plus grande partie des tenures n'étaient point parvenues à conquérir la perpétuité [*l'enclosure*], en France, était-elle concevable ? Les économistes, les administrateurs, n'en envisagèrent même pas la possibilité. Ils se bornaient... à la persuasion. » C'était donc la rigidité des droits de propriété (des paysans) qui entravait l'accumulation de capital. La France semblait même s'être trop tôt débarrassée de ses flexibilités « féodales ».

La libération des prix des céréales fut édictée en mai 1763 et en juillet 1764, la libre circulation des grains à travers la France et leur libre exportation constituant une réponse à la défaite « humiliante » de 1763 avec ses effets « démoralisants ». Cette libéralisation, « événement sensationnel », ne survécut pas aux difficultés économiques de 1770 (Steven Kaplan). Qui la favorisa, et pourquoi seulement entre 1763 et 1770 ? Est-ce par accident que ces années furent justement celles où, dans les relations propriétaire-tenancier, l'avantage revenait au tenancier ? Dans cette conjoncture, la libéralisation du commerce des grains servait bien les grands propriétaires en maintenant le niveau de profit grâce à l'augmentation de la vente totale. Ce ne fut plus nécessaire après 1770, quand la rente remonta, ce qui pourrait bien expliquer le renversement de la position de ces derniers ; dès lors, le patriarcat foncier, comme dit Labrousse, « connaît son bonheur ». « [...] Le revenu principal, le fermage, monte, monte violemment. Le capitalisme foncier ne fait pas seulement figure de puissant secteur social abrité. Il attaque, il avance à une allure record, et devant lui, le profit paysan recule en déroute. »

Quant à l'agronomie, on exagérait toujours l'avance anglaise et on minimisait les efforts français. Il est sûr néanmoins que, le sol anglais se prêtant mieux aux nouvelles méthodes, l'Angleterre progressait relativement plus vite. En somme, le dilemme essentiel ne concernait pas l'agriculture, la France étant en mesure de « se suffire à la veille de la Révolution » (Georges Lefebvre).

Le problème se posait-il donc sur le plan de l'industrie ? L'industrie cotonnière française fut non seulement plus importante que sa concurrente anglaise pendant la plus grande partie du XVIIIe siècle, mais elle doubla dans les trente années qui précédèrent 1763. Ce n'est qu'après cette date que l'industrie anglaise prit son essor, et surtout dans les années 1780.

Comment s'explique cet essor anglais ? Sans doute les « inventions » jouèrent-elles un rôle. Mais pour Fernand Braudel, le triomphe de l'Angleterre sur le marché mondial a pour origine ses échecs chez elle. « On voit bien [...] comment l'Angleterre a "marginalisé" son commerce. Le plus souvent, elle y a réussi par la force : dans l'Inde en 1757, au Canada en 1762, sur la côte d'Afrique, elle bouscule ses rivaux [...]. Ses hauts prix intérieurs [...] la poussent à s'approvisionner en matières premières [...] dans les pays de bas prix. »

Tout de même, bien que lancée sur cette voie précisément pour surmonter ses difficultés, l'industrie anglaise ne naviguait pas seule. Elle fut bel et bien protégée par son État, comme le rappelle Paul Mantoux : « Que l'industrie anglaise du coton ait grandi sans protection en face de la concurrence étrangère, rien n'est plus inexact. Car les prohibitions dont elle avait failli être victime elle-même subsistèrent à son bénéfice. L'importation des tissus de coton imprimés, de quelque provenance que ce fût, demeura interdite. On ne peut imaginer de protection plus complète : elle assurait aux producteurs un véritable monopole sur le marché national [...]. Et non seulement le marché intérieur leur fut réservé, mais des mesures furent prises pour les aider à conquérir les marchés extérieurs : une prime leur fut allouée pour chaque pièce de calicot ou de mousseline exportée. »

Avec tout cela, l'avantage anglais était encore mince dans les années 1780, et les Anglais « ne pouvaient espérer [le] maintenir longtemps », comme le remarque Maurice Lévy-Leboyer. Il ajoute qu'il n'était maintenu que par « l'instabilité politique » du continent et que « de ce point de vue, la Révolution française a été une catastrophe nationale ».

Si les vrais dilemmes ne se trouvent pas, à proprement parler, dans la sphère de la production, il nous faut nous reporter à la sphère politique. On sait bien qu'entre 1763 et 1789, de Choiseul à Turgot, Necker, Vergennes, et Calonne, l'État français fut l'arène d'une grande lutte entre ceux qui prônaient une ouverture « libérale » et ceux qui tenaient à maintenir le rôle « protectionniste » de l'État.

Ce débat, que presque tous les États du monde ont connu depuis, fut conduit sous la menace de problèmes financiers. Le bien-être du Trésor fut parfois préféré à la croissance à long terme du pays. Et les réformateurs virent leur tâche encore compliquée par la résistance intéressée des parlements. Régine Robin souligne le rôle décisif d'une magistrature qui bloquait « toutes les tentatives de compromis » et en attribue la responsabilité à une « aristocratie en perte de vitesse ». Il semblerait que ce fût le contraire. C'est l'œuvre d'une classe de capitalistes fonciers qui n'étaient pas prêts à partager leurs profits avec l'État.

Or, les dépenses de l'État français

BIBLIOGRAPHIE

BLOCH C., « Le traité de commerce de 1786 entre la France et l'Angleterre », *Études sur l'histoire économique de la France (1760-1789),* A. Picard et Fils, Paris, 1900.

BRAUDEL F., *Civilisation matérielle, économie et capitalisme, XVe-XVIIIe siècles,* Armand Colin, Paris, 1979.

GOUBERT P., *L'Ancien Régime,* Armand Colin, Paris, 1979.

LABROUSSE C.E., *La Crise de l'économie française à la fin de l'Ancien Régime et au début de la Révolution,* PUF, Paris, 1943.

LÉON P., « Structure du commerce extérieur et évolution industrielle de la France à la fin du XVIIIe siècle », *Conjoncture économique, structures sociales : Hommage à Ernest Labrousse,* Mouton, Paris, 1974.

LÉVY-LEBOYER M., *Les Banques européennes et l'industrialisation internationale, dans la première moitié du XIXe siècle,* PUF, Paris, 1964.

MANTOUX P., *La Révolution industrielle au XVIIIe siècle,* Ed. Génin, Paris, 1959.

MORINEAU M., *Les Faux-Semblants d'un démarrage économique : agriculture et démographie en France au XVIIIe siècle,* Armand Colin, Paris, 1971.

ROBIN R., « La nature de l'État à la fin de l'Ancien Régime : formation sociale, État et transition », *Dialectiques,* nos 1-2, 1973.

s'accrurent pendant tout le siècle, et surtout après 1763, sans que n'augmentent les revenus. Il y eut même un petit recul. Encore une fois, comme le souligne Pierre Goubert, c'est la faiblesse de l'État qui en était la cause, avec ses problèmes de trésorerie autant que de budget – multiplicité des caisses et des collecteurs, retards dans l'envoi, inefficacité bureaucratique. Pour ne pas parler du système des fermiers généraux qui drainaient les recettes. S'ils avaient été cantonnés par Necker dans un rôle plus administratif, les fermiers généraux restaient puissants de par leur richesse.

Ce fut la guerre de l'Indépendance américaine qui fit doubler les dettes étatiques, situation qui ne fut pas allégée par le développement du commerce franco-américain après 1783 comme on l'avait espéré. En 1788, le service de la dette atteignit 50 % du budget. L'État britannique, devant le même dilemme, pilla le Bengale pour racheter la dette nationale des Hollandais.

En marge d'un mémoire de Turgot, Louis XVI écrivait en 1776 : « Voilà le grand grief de M. Turgot. Il faut, aux amateurs de nouveautés, une France plus qu'anglaise. » Le scepticisme du jeune roi était à vrai dire fondé. D'un côté, les « détenteurs de la rente » ne lâchaient aucune miette de leurs avantages de la décennie 1780 et avaient donc, peut-être, « scié la branche sur laquelle ils étaient assis » (E. Le Roy Ladurie). De l'autre, les conseillers du roi, à cause de leur frustration dans la réforme du système fiscal, le poussaient sur une voie plus facile – l'augmentation des revenus grâce aux douanes.

On arriva ainsi aux négociations commerciales avec l'Angleterre et au traité d'Eden de 1786. Pour récupérer la contrebande et essayer d'augmenter la vente des vins, la France exigea de son industrie cotonnière une brusque ouverture, au moment précis où elle subissait un retard transitoire. Quand survint le « véritable déluge » (M. Morineau) des tissus anglais, la réaction fut immédiate et les protestations nombreuses dans les cahiers de doléances et dans les caricatures circulant à Paris en 1788. Dans une encyclopédie de 1789 on lit :

« Nous venons de faire un traité de commerce avec l'Angleterre, qui pourra bien enrichir nos arrière-neveux, mais qui a ôté le pain à 500 000 ouvriers dans le royaume, et ruiné 10 000 maisons de commerce. »

Mais les négociateurs du traité, et c'est le pire sans doute, ne se souciaient pas de telles réactions. Le 21 mai 1786, Gérard de Rayneval exposait au Conseil d'État les perspectives du traité : « Supposons que ce résultat trompât nos augures, vaut-il mieux faire prospérer quelques manufactures de fer et d'acier, ou bien étendre la prospérité du royaume ? augmenter le nombre des fabricants, ou bien celui des cultivateurs ? et supposons que nous soyons inondés de quincaillerie anglaise, ne pouvons-nous pas la revendre en Espagne ou ailleurs ? »

C'est donc allègrement qu'il envisageait « une marginalisation tranquille » de la France. Elle aurait grossi les coffres de l'État tout en court-circuitant les parlements trop dominés par les capitalistes fonciers, ce qui aurait compromis les possibilités du XIXe siècle.

Voilà donc, à la veille de 1789, les dilemmes que posait à une France menacée par sa grande rivale, l'Angleterre, un capitalisme en plein essor dans une économie-monde capitaliste. Pour en sortir, on choisit de faire une révolution. Reste à discuter si elle réglait le problème...

Immanuel Wallerstein

La fin de la société d'ordres

Sous l'Ancien Régime, la société française était divisée en trois ordres : le clergé, la noblesse et le tiers état. Les deux premiers ordres étaient des ordres privilégiés, leur privilège le plus éclatant était la dispense d'un des plus anciens impôts, la taille. Payer la taille était le signe de la roture, c'est-à-dire de l'appartenance au tiers état.

Une société en ordres

Le clergé comptait, en 1789, environ 406 000 membres. Il était divisé en clergé séculier (les évêques, curés et vicaires) et clergé régulier (moines et religieuses). Le clergé séculier se subdivisait en haut clergé (les archevêques, évêques et chanoines) et bas clergé (curés et vicaires). Il existait 121 évêchés et 18 archevêchés d'importance très inégale ; presque tous les évêques et archevêques étaient nobles. Environ 8 000 chanoines, membres des chapitres, en comptant parmi eux les chanoines d'églises collégiales, étaient chargés d'administrer les diocèses. Beaucoup étaient nobles (notamment à Paris, Lyon et Marseille). Le bas clergé se composait d'environ 40 000 curés et 50 000 vicaires. Les curés avaient une grosse influence dans leur paroisse, c'étaient eux qui tenaient les registres de l'état civil.

Le clergé régulier comprenait les ordres de religieux et de religieuses. Ils s'étaient multipliés en France au XVIIe siècle, mais leur recrutement se tarissait depuis 1750. Il existait néanmoins, en 1789, 625 abbayes d'hommes et 253 de femmes.

Les revenus du clergé étaient considérables. Ils provenaient, d'une part de leurs biens, inaliénables, d'autre part de la dîme, en théorie le dixième des productions de l'agriculture, souvent plus (le huitième), parfois moins (le quatorzième). En dépit des controverses, on estime la valeur des biens du clergé entre deux et quatre milliards de livres, rapportant annuellement environ 100 millions, auxquels il faut ajouter une somme à peu près égale pour les dîmes. Le clergé de France était donc très riche, mais cette richesse était inégalement répartie. Si certains évêques ou archevêques menaient une vie fastueuse, beaucoup de curés étaient réduits à la « portion congrue ».

Le clergé était le seul ordre vraiment organisé. Il tenait tous les cinq ans des assemblées qui élisaient deux « agents généraux » pour le représenter entre les sessions. Les assemblées veillaient surtout au maintien des privilèges fiscaux du clergé : il ne payait aucun des impôts directs qui pesaient sur les deux autres ordres, mais votait un « don gratuit » d'importance variable : 10 millions de livres en 1772, 18 en

1785, mais en moyenne pour le XVIIIe siècle 3 millions par an. C'était très peu.

La noblesse n'était pas si bien organisée. Elle comprenait, à la fin de l'Ancien Régime, environ 52 000 familles, soit 220 000 personnes. Comme le clergé, elle était divisée en plusieurs catégories. La noblesse héréditaire ou « de race », remontant au-delà du XVIe siècle, ne comptait que très peu de membres, peut-être 10 000. La noblesse de robe devait son rang à l'exercice présent ou passé de certaines charges anoblissantes, personnelles ou transmissibles. Necker, à la veille de la Révolution, avait répertorié environ 4 000 offices conférant la noblesse, depuis les plus importants conseillers dans une cour souveraine jusqu'aux moins considérés des secrétaires du roi (la « savonnette à vilain »). La « noblesse de cloche » provenait de l'exercice des charges municipales dans certaines villes, par exemple les capitouls de Toulouse. Le service dans l'armée pouvait offrir, à partir d'un certain grade, la noblesse transmissible, du moins avant le règlement de 1781 qui réservait l'accès aux grades aux seuls nobles. Enfin, de temps en temps, pour se procurer de l'argent, la monarchie mettait en vente des titres de noblesse, un écrit de 1771 confirma les anoblis par achat.

Numériquement, en face des deux ordres privilégiés, le tiers état, comme l'a écrit Sieyès, était « tout ». Et il continuait : « Qu'a-t-il été jusqu'à présent dans l'ordre politique ? Rien. Que demande-t-il ? A y devenir quelque chose. »

Cette aspiration avait été entendue par le gouvernement monarchique, qui avait fait au Tiers quelques concessions : ainsi, dans les assemblées provinciales créées par Calonne en 1787, devait-il y avoir autant de députés du Tiers que des deux ordres privilégiés. Lorsque la convocation des États généraux fut annoncée par Brienne le 5 juillet 1788, de multiples pamphlets réclamèrent le « doublement du Tiers » et le « vote par tête » sans lequel ce doublement n'aurait aucun effet. Necker obtint du Conseil du roi le doublement du Tiers, le 27 décembre 1788, mais il ne put faire décider le vote par tête.

Cette absence de décision fut précisément la cause du long conflit qui opposa le Tiers aux ordres privilégiés, lors de la réunion des États généraux en mai-juin 1789. Le refus de la noblesse et du clergé de vérifier les pouvoirs en commun signifiait que les deux ordres privilégiés ne voulaient pas de l'égalité avec le Tiers. C'est seulement le 12 juin que cette résistance commença à faiblir, lorsque quelques curés vinrent rejoindre le Tiers. Le 17 juin, passant outre à l'absence de la majorité des privilégiés, le Tiers, considérant qu'il représentait les « 98 centièmes de la nation », déclara former une « Assemblée nationale ». Le roi, ayant tenté sans succès de dissoudre cette Assemblée, les 20 juin (Serment du Jeu de paume) et 23 juin (séance royale), invita à contrecœur, le 27, les députés du clergé et de la noblesse à former avec ceux du Tiers une Assemblée nationale. Il avait l'intention de la dissoudre, car, depuis le 22 juin, il envoyait aux troupes en garnison sur les frontières du Nord et de l'Est l'ordre de se concentrer autour de Paris et de Versailles. Le 11 juillet, Louis XVI renvoyait Necker, le ministre libéral, ce qui semblait préluder à une dissolution de l'Assemblée. Mais ce fut l'insurrection parisienne, la prise de la Bastille et la capitulation du roi, qui, le 17 juillet, vinrent à Paris sanctionner les faits accomplis.

La Déclaration des droits et la fin des privilèges

La nuit du 4 Août, la noblesse et le clergé abandonnèrent leurs privilèges, mais c'est la Déclaration des droits de l'homme et du citoyen qui, le 26 août, proclama l'égalité. Son article premier déclare en effet : « Les hommes naissent libres et égaux en droits. » Les hommes, c'est-à-dire tous les êtres humains. Dans son étude de la Déclaration, publiée en 1790, un conseiller du

Parlement de Paris, Morel de Vindé, homme des Lumières, mais assez modéré, explique cet article fondamental : « L'Assemblée a voulu dire qu'aucun citoyen ne peut être dépendant ni esclave d'un autre citoyen. » Mais il ajoute : « Prenez bien garde, mes amis, qu'il serait dangereux de mal entendre le mot égalité, et d'en tirer des conséquences qui troubleraient la société. Sans doute, tous les hommes ont également le droit d'être libres, de conserver ce qui leur appartient, de vivre en sûreté, de résister à l'oppression ; mais tous ne peuvent avoir égalité de talents, d'esprit, de force, de richesse parce que tous n'ont pas reçu de la nature les mêmes avantages [...]. Il y a donc dans la société une égalité de droits nécessaire mais il y a aussi une inégalité indispensable [...]. Le respect de cette inégalité naturelle est même un des premiers devoirs de l'homme qui vit en société, parce que chaque citoyen a essentiellement et également le droit de conserver sa propriété, quelque faible ou quelque considérable qu'elle puisse être. »

C'est en tenant compte de ces considérations que la Constituante et les assemblées postérieures appliqueront, dans la pratique, l'article Ier de la Déclaration des droits de l'homme.

D'abord l'égalité entre les hommes du sexe masculin. Les décrets des 4-11 août avaient supprimé les privilèges, donc les ordres privilégiés. Ils avaient aboli la dîme, une des sources de la richesse du clergé. Le 5 novembre 1789, celui-ci perdit l'autre source de sa richesse, ses biens, qui furent mis à la disposition de la nation. Les membres du clergé n'étaient plus que des citoyens comme les autres, les uns « fonctionnaires publics » (évêques, curés, vicaires), les autres pensionnés de l'État (anciens religieux ou religieuses).

La dernière trace légale de l'existence de la noblesse en tant qu'ordre privilégié disparut lorsque le décret du 20 juin 1790 stipula : « La noblesse héréditaire est pour toujours abolie en France. En conséquence les titres de marquis, chevalier, écuyer, comte, vicomte, messire, prince, baron, vidame, noble, duc et tous autres titres semblables ne pourront être pris par qui que ce soit, ni donnés à personne ; aucun citoyen ne pourra porter que le vrai nom de sa famille ; personne ne pourra faire porter une livrée à ses domestiques ni avoir des armoiries [...] les titres de monseigneur et messeigneurs ne seront donnés à aucun corps ni à aucun individu, ainsi que les titres d'altesse, d'éminence, de grandeur. »

En 1789, il y avait encore environ 1 500 000 serfs en France, surtout en Franche-Comté, en Bourgogne et dans le Nivernais. Le serf avait pour principale caractéristique d'être « attaché à la glèbe », c'est-à-dire à son village natal. S'il déguerpissait, abandonnant ainsi son habitation, ou s'il mourait sans héritier direct, ses biens allaient au seigneur (le serf avait la mainmorte pour tester). La servitude personnelle et la mainmorte, abolies en principe dans la nuit du 4 Août, le furent, en fait, par le décret du 15 mars 1790.

L'esclavage, condition beaucoup plus rigoureuse que le servage, n'existait plus sur le sol de France depuis le XVe siècle, mais il y avait des esclaves noirs dans les colonies françaises, notamment aux Antilles et aux Mascareignes où la « traite » les amenait d'Afrique. L'article Ier de la Déclaration des droits imposait leur libération et la Société des amis des Noirs, fondée en 1787, la réclamait. C'est la Convention qui abolit l'esclavage dans les colonies françaises par la loi du 4 février 1794. Il devait y être rétabli par Bonaparte le 10 mai 1802.

De la tolérance à la liberté d'opinion...

La devise de la monarchie était : « Un roi, une foi, une loi. » Tous les Français devaient, théoriquement, être catholiques, et par la révocation de l'édit de Nantes, en 1685, le roi avait interdit la religion protestante en France. Cependant cet édit de révocation ne s'appliquait ni à la Lorraine ni à l'Alsace, provinces récemment conquises où protestants et juifs étaient relativement nombreux. Par ailleurs, un million de protestants n'avaient pas émigré et célébraient clandestinement leur culte. Sous la pression de l'opinion publique, mue par les Lumières, le gouvernement de Louis XVI avait publié le 19 novembre 1787 un édit de Tolérance qui rendait aux protestants leur état civil, mais non la liberté de leur culte. Cet édit se heurta d'ailleurs à une vive opposition des parlements de Paris, Toulouse, Besançon et ne fut « enregistré » qu'en 1788, quelques mois avant la Révolution. Néanmoins, les protestants furent électeurs et éligibles aux États généraux, une quinzaine furent même élus, notamment les pasteurs Jeanbon Saint-André à Montauban et Rabaut Saint-Étienne à Nîmes.

L'article X de la Déclaration des droits de l'homme précisait : « Nul ne doit être inquiété pour ses opinions, même religieuses, pourvu que leur manifestation ne trouble pas l'ordre public établi par la loi. » Cet article était quelque peu restrictif. Mirabeau avait protesté : « La liberté la plus illimitée est à mes yeux un droit si sacré que le mot "tolérance" me paraît en quelque sorte tyrannique, puisque l'existence de l'autorité qui a le pouvoir de tolérer attente à la liberté de penser. » L'article X fut d'ailleurs complété par la loi du 24 décembre 1789 qui déclara que les protestants étaient admissibles à tous les emplois, et que leurs biens confisqués en 1685, s'ils se trouvaient encore aux mains de l'État, leur seraient restitués.

Les juifs étaient moins nombreux : 50 000 environ, divisés en deux groupes inégaux, 40 000 askhénazes en Lorraine et Alsace et 10 000 sépharades dans le Sud-Ouest et le comtat Venaissin, qui d'ailleurs appartenait encore au pape. Les juifs de Bordeaux et de Bayonne étaient *marranes,* c'est-à-dire émigrés d'Espagne ou du Portugal comme catholiques, ils pratiquaient en secret le culte juif. Mais ils paraissaient assez assimilés et furent électeurs aux États généraux. Ceux d'Alsace et de Lorraine étaient considérés comme des étrangers. Toutefois l'abbé Grégoire, curé d'un petit village lorrain, avait, dans un mémoire retentissant adressé à l'académie de Metz, plaidé pour leur assimilation. La Constituante accorda le 28 janvier 1790 tous les droits de citoyens aux juifs de Bordeaux, de Bayonne et d'Avignon. Les juifs de Paris et de l'Est continuèrent leurs démarches et leurs pétitions, mais ce n'est que le 27 septembre 1791, seulement trois jours avant de se séparer, que la Constituante leur accorda les droits de citoyens, à condition qu'ils prêtent le serment civique.

... mais l'égalité ?

Toutefois une grande masse de Français ne possédait toujours pas l'égalité civile, encore moins l'égalité politique avec les hommes : c'étaient les femmes. Certes, elles avaient publié des pamphlets, adressé au roi ou à la Constituante quelques pétitions, mais ils avaient été accueillis avec le sourire, et même avec mépris. Robespierre pourtant avait réclamé pour elles le droit de vote, mais sa motion avait été repoussée à la quasi-unanimité. Les Assemblées suivantes persistèrent dans la même attitude, et les femmes, en France, ne reçurent aucun droit politique. En revanche, la Législative leur accorda, le 20 septembre 1792, l'égalité des droits civils, qu'elles ne possédaient pas sous l'Ancien Régime. Désormais, la femme put s'obliger pour autrui et être témoin dans un acte d'état civil. La Constituante ne précisa pas non plus le statut de la femme mariée. Les nombreuses incapacités, variables d'ailleurs selon les provinces, dont la femme était frappée sous l'Ancien Régime furent implicitement maintenues, et reparurent, unifiées, dans le Code civil de 1804.

Même les enfants avaient un statut inégal avant 1789. Les bâtards, appelés à partir de 1790 « enfants naturels », n'avaient pas les mêmes droits civils que les enfants légitimes. Ils ne pouvaient prétendre à l'héritage d'aucun bien, ni de leur père ni même de leur mère. A leur mort, leurs biens étaient dévolus à leur seigneur, ou au roi. Ni la Constituante ni la Législative, bien que la question eût été discutée, ne modifièrent cette situation. Il fallut attendre la Convention pour qu'une certaine égalité s'établît entre enfants légitimes et naturels. La loi du 12 brumaire an II (2 novembre 1793) assimile complètement aux enfants légitimes les enfants naturels, à condition que ceux-ci ne soient ni adultérins ni incestueux. Les enfants adultérins ne devaient recevoir que le tiers de la part des légitimes. Toutefois, pour hériter, les enfants naturels devaient être reconnus publiquement par le père devant l'officier d'état civil, et avoués par la mère. La recherche de la paternité n'était pas admise.

Innovation capitale, et dans une certaine mesure contraire à la Déclaration des droits, la loi était rétroactive jusqu'au 14 juillet 1789, en ce sens que les enfants naturels encore vivants étaient admis à égalité avec les légitimes à la succession de leurs parents décédés depuis le 14 juillet 1789. Ceux dont les parents étaient morts avant cette date ne recevaient que le tiers de la part des légitimes. À partir de la date de la promulgation de la loi, les enfants naturels pourraient prendre leur part dans l'héritage des collatéraux. Cette législation, très libérale, devait être abolie par le Directoire dès le 2 août 1796. Le Code civil de 1804 écarta de nouveau les enfants naturels de la famille et rétablit l'inégalité entre naturels et légitimes.

L'égalité civile, malgré la Déclaration des droits, n'était donc pas complète. Mais, dans le domaine politique, les inégalités étaient encore plus grandes. Pour les élections aux États généraux, tous les Français du sexe masculin, âgés de plus de vingt-cinq ans et payant une contribution, avaient eu le droit de vote au premier degré. La Constitution de 1791 réduisit encore ce droit, en distinguant, sur la proposition de Sieyès, citoyens actifs et citoyens passifs. Seuls les premiers avaient le droit de vote. Or, pour être citoyen actif, il fallait être âgé de vingt-cinq ans, être domicilié depuis un an dans la ville ou le canton, ne pas être domestique, être inscrit à la garde nationale de son domicile, avoir prêté le serment civique, n'être, ni en état d'accusation, ni failli, ni insolvable non libéré et, surtout, payer une contribution directe égale à trois journées de travail. Le suffrage était donc censitaire. De plus il était à deux degrés. Pour être électeur au second degré, il fallait être propriétaire, usufruitier, ou fermier d'un bien évalué à la valeur locale d'un nombre de journées de travail, variant de 150 à 400, selon l'importance des communes.

Sur 7 000 000 d'hommes âgés de vingt-cinq ans, la France comptait environ 4 300 000 citoyens actifs, parmi lesquels 40 à 50 000 « électeurs ».

La Législative, avant de se séparer, institua, comme mode d'élection à la Convention, le suffrage universel masculin. Tout Français âgé de vingt et un ans, domicilié depuis un an, vivant de son revenu ou du produit de son travail, et n'étant pas domestique reçut le droit de vote. Mais le suffrage à deux degrés fut maintenu.

La Constitution de l'an III, qui créa le régime du Directoire, revint au suffrage censitaire : furent électeurs les hommes de vingt et un ans, nés en France, y résidant depuis un an, non domestiques, inscrits sur le registre civique du canton et payant une contribution directe ou ayant fait une ou plusieurs campagnes pour l'établissement de la république. Le mode de suffrage à deux degrés était maintenu. Ainsi, pour toute la France, n'y avait-il que 30 000 à 40 000 « grands électeurs », nombre qui persistera jusqu'en 1848.

Pendant toute la période révolutionnaire, l'égalité politique affirmée dans la Déclaration des droits de l'homme de 1789, reproduite en 1793 et 1795, n'a donc pas été appliquée.

Jacques Godechot

L'Europe des philosophes

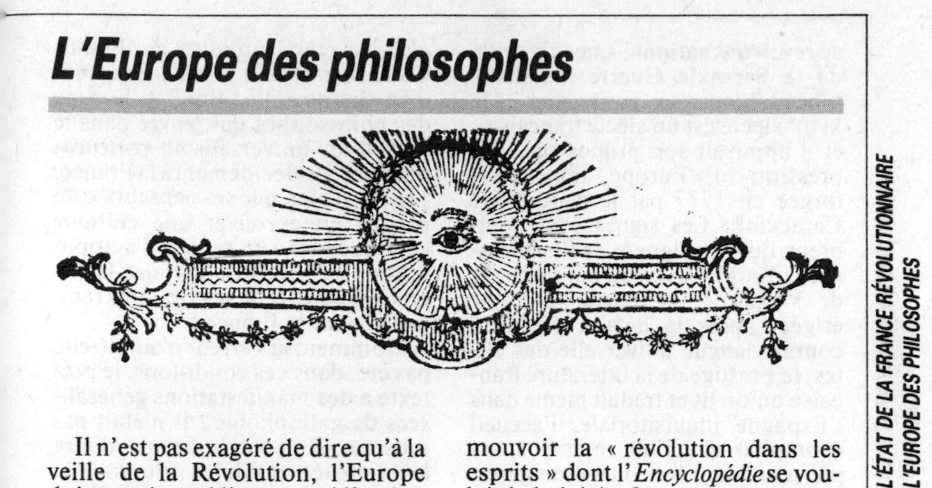

Il n'est pas exagéré de dire qu'à la veille de la Révolution, l'Europe doit son visage à l'œuvre et à l'action des philosophes. Elle est une réalité qui tient davantage aux écrits et aux pérégrinations des penseurs qu'à la politique concertée des princes. Elle est donc, si l'on préfère, une idée qui se transforme peu à peu en une exigence pratique. Le XXe siècle n'a vraisemblablement pas achevé ce mouvement, ce qui justifie l'intérêt aujourd'hui porté à la philosophie des Lumières et à ceux qu'on voudrait nommer les Pères fondateurs de l'Europe.

L'espace européen était déjà, au XVIIIe siècle, balisé par les voyages qu'effectuaient traditionnellement les jeunes nobles pour parachever leur éducation. Les philosophes, comme Leibniz au XVIIe siècle, contribueront à infléchir cet usage dans le sens d'un cosmopolitisme actif. De ce point de vue, la figure la plus marquante est sans doute celle de Voltaire attestant son européanité par « plusieurs incursions en Hollande, un séjour anglais, des visites en Prusse, les délices des "courettes" allemandes, celles de Saxe-Gotha, de Hesse-Cassel, de Mannheim, de Bayreuth, l'horreur de la "barbarie iroquoise" de Francfort-sur-le-Main, ville libre d'Empire où il est arrêté par les sbires de Frédéric II... enfin l'installation en Suisse, aux Délices, près de Genève » (cf. Christiane Mervaud : « L'Europe de Voltaire », *Le Magazine littéraire,* février 1987). Un homme de lettres pouvait-il mieux arpenter le champ européen et promouvoir la « révolution dans les esprits » dont l'*Encyclopédie* se voulait le bréviaire ?

Une Europe française

Les historiens des idées ont décrit les mutations qui affectèrent l'Occident après la dislocation de la chrétienté au XVIe siècle ; les frontières, les langues et les institutions commencèrent alors à se préciser pour aboutir, au XVIIe siècle, à une sorte de « nationalisation de la culture » (G. Gusdorf). Dans ce contexte, la communication des pensées et la circulation des élites concoururent, au Siècle des lumières, à façonner une unanimité spirituelle susceptible de contrebalancer la conscience des particularismes nationaux en voie de développement. L'accueil que l'Europe réservera à la Révolution française traduira, dans son ambivalence, les effets de la juxtaposition d'un certain universalisme avec l'attachement aux valeurs nationales : on y déchiffrera aussi bien un événement de portée internationale et universelle que le produit de la folie d'un peuple au génie discutable. Ainsi Catherine II, la fervente élève de Voltaire et de Buffon, voudra-t-elle, après l'exécution de Louis XVI, « exterminer jusqu'au nom de Français ».

Le prestige de la France au XVIIIe siècle fut sans aucun doute pesant pour une Europe en quête d'elle-même. Louis Réau, attentif au réveil des nationalismes à la veille de la Seconde Guerre mondiale, n'hésitait pas à écrire que « le XVIIIe siècle est un siècle français » ; et il appuyait son propos sur l'expression d'« Europe française », forgée en 1777 par le marquis de Caraccioli. Les signes sont nombreux qui témoignent de l'hégémonie culturelle exercée par la patrie de Voltaire : la langue française érigée, après la défaite du latin, comme langue universelle des élites, le prestige de la littérature française qu'on lit et traduit même dans l'Espagne inquisitoriale, l'accueil triomphal que l'on réserve à ses penseurs dans les cours étrangères. Il n'est guère que l'Angleterre pour résister à la francophilie européenne et pour se prêter avec la France à un échange équilibré de génie : l'abbé Prévost, Montesquieu et Voltaire vont chercher outre-Manche ce que Chesterfield, Horace Walpole ou Gibbon glanent en France et, si Richardson s'inspire de *La Vie de Marianne* de Marivaux, sa *Clarissa Harlowe* suscite *La Nouvelle Héloïse* de Rousseau.

Il n'empêche que, l'Angleterre mise à part, le ton est donné partout par la France : l'Italie et l'Espagne ne jurent que par Voltaire. La Hollande s'est offerte, depuis au moins Descartes, à la pénétration de penseurs à l'esprit libre, et elle accueille, depuis la révocation de l'édit de Nantes, des écrivains protestants de l'envergure de Pierre Bayle. L'Allemagne de Leibniz et de Frédéric II s'est mise avec enthousiasme au français ; elle cultive l'esprit voltairien avec Lessing ou Wieland et l'esprit rousseauiste avec Schiller ou Goethe ; Louis Réau la désigne même comme « un centre de distribution et de réexpédition de la pensée française dans l'Europe septentrionale et orientale ». La Pologne aussi met à contribution les philosophes français : Rousseau lui consacre un projet de constitution, Mably lui dédie un traité politique et Condillac lui offre un manuel de logique qui connaîtra trois éditions polonaises de 1802 à 1819. Qu'il suffise de rappeler, à propos de la Russie, qu'à une époque où l'*Encyclopédie* était interdite en France Catherine II alla jusqu'à proposer d'en financer l'édition ! L'Europe des philosophes qui œuvre dans le sens d'un universalisme paneuropéen profite décidément à la France. Tant et si bien que ses penseurs vont parfois en éprouver une certaine gêne et céder à un réflexe d'autopunition, tel l'illustre Voltaire félicitant Frédéric II de ses victoires remportées sur la France !

Comment la Terreur n'aurait-elle pas été, dans ces conditions, le prétexte à des manifestations généralisées de gallophobie ? Il n'était pas sans risques pour la France d'être ainsi enviée et adulée ; devenue le point de mire – le pays des « Huns de l'Occident » (Stolberg) –, elle ne pouvait échapper à l'opprobre jetée sur elle par l'Europe, et la chute de Napoléon confirmera décidément la fin de son empire culturel. Le résultat en sera une exacerbation des sentiments nationaux, ce que l'« Europe française » avait au moins permis de conjurer.

« L'esprit des Lumières »

Lorsqu'au lendemain de la guerre de Sept Ans, Voltaire écrit : « Presque toute l'Europe a changé de face depuis cinquante ans » (*Traité sur la tolérance,* 1763), il exprime un sentiment partagé par tout ce que le monde occidental compte d'intelligences : le sentiment d'une victoire remportée sur l'obscurantisme, sur les préjugés et les particularismes ; l'assurance qu'un irréversible progrès s'accomplit en direction de la tolérance, du savoir et de la paix ; bref, la conviction que la barbarie appartient au passé. Pas une nation, pas une académie, pas un salon qui ne s'efforce de communiquer cet optimisme.

« L'esprit des Lumières », c'est cette unanimité à tenir la raison pour la chance de l'humanité et le culte du savoir – savoir du monde et savoir de soi – pour son obligation inconditionnelle. Ernst Cassirer met l'accent sur la fascination, voire l'euphorie, que le Siècle des lumières éprouve à l'égard du pouvoir qu'il exerce sur les choses. « La "raison", écrit-il, est le point de rencontre et le centre d'expansion du siècle, l'expression de tous ses désirs, de tous ses efforts, de son vouloir et de ses réalisations. » L'Europe des philosophes se rallie au newtonianisme comme à sa cause commune : elle y puise l'idée d'une raison une et immuable ainsi que celle d'un monde homogène, accessible par la voie de l'observation et de l'expérience. Ainsi dotée d'une référence commune, son programme méthodique est tout tracé : montrer comment la raison est à l'origine de l'organisation interne et de l'enchaînement des phénomènes et, ce faisant, attester l'unicité de l'esprit qui conçoit le monde. La solidarité de l'Europe est donc bien épistémologique et cela donne d'autant plus de crédibilité à la conception morale et politique d'une humanité à construire.

Cassirer souligne l'impact de la démarche scientifique des Lumières dans le champ politique : il n'est en effet nullement indifférent de s'efforcer de comprendre les choses apparemment simples en les décomposant dans leurs éléments pour ensuite les reconstruire. Généralisée à l'ensemble du savoir, cette méthode issue de la physique galiléenne fonde le programme de l'*Encyclopédie* dont l'ambition ne vise à rien moins que « changer la façon commune de penser » (Diderot). Elle porte aussi, en général, à vouloir pénétrer ce qui se donne comme immédiat à la conscience naïve, jusqu'à en éprouver la teneur rationnelle, c'est-à-dire la légitimité. Condillac a utilisé cette méthode – qu'on qualifiera plus tard de « généalogique » – pour parachever l'œuvre de Locke sur le front de la psychologie ; Montesquieu l'a mobilisée sur le terrain de la sociologie, après que Hobbes eut frayé la voie en traitant l'État et la société comme de simples corps, en tant que tels décomposables : « Montesquieu, écrit Cassirer, n'entend pas seulement décrire les formes et les types de constitutions – despotisme, monarchie constitutionnelle, constitution républicaine – et exposer empiriquement leur manière d'être. Son ambition est plus haute : reconstruire ces régimes politiques à partir des forces qui les constituent. » La volonté de maîtrise qui caractérise les Temps modernes se satisfait d'abord dans cette vocation à décomposer pour reconstruire. La Révolution lui offrira une autre façon de s'exprimer...

La force de l'universel

Le privilège de cette époque, sa grandeur, se reconnaît à la cohérence de ses aspirations et de ses intérêts intellectuels. Ainsi ses maîtres à penser s'accordent-ils à dispenser un message unique, propice à l'émancipation du genre humain : c'est Spinoza assignant à la cité de réaliser « cette forme exquise de bonheur individuel : la liberté absolue de penser, de publier, de s'exprimer, de convaincre, d'écrire » (Pierre Chaunu) ; c'est Locke, théoricien du pacte social et du droit de propriété fondé sur le travail, qui exerce sur l'idée de pouvoir royal la critique qu'il mènera ensuite contre les idées innées ; c'est Leibniz, enfin, qui accrédite, au niveau du système de la nature – mais aussi, malgré lui, au niveau du système social –, l'idée de développement pour l'opposer à celle de la fixité des espèces – et *a fortiori* des rangs sociaux – qui dominait jusque-là. L'Europe qui change, au milieu du XVIIIe siècle, paraît bien savoir ce qu'elle veut.

Serait-ce que le désir de révolution la tenaille déjà et que, si elle fait fête à ses philosophes, c'est pour elle une manière d'aiguiser ce désir ? Outre que ni Voltaire, ni Diderot, ni même Rousseau n'encouragent au Grand Soir, les options politiques de l'Europe cultivée ne s'inscrivent pas sous le signe d'un changement radical de société. Les maîtres à penser offrent certes les armes d'une critique du *statu quo* mais aucunement les instruments pour un laboratoire des utopies. Le réformisme est la limite de l'audace politique de l'Europe des philosophes. L'idéal tient, pour la plupart, dans l'imitation et l'amélioration des deux modèles politiques dominants, à savoir la monarchie tempérée anglaise et la monarchie administrative française. Peut-être faudrait-il ajouter, pour être juste, que l'Angleterre jouit sur le plan politique d'une considération plus grande auprès de l'opinion publique européenne.

Montesquieu, Voltaire et nombre d'autres penseurs s'accordent à présenter la Constitution anglaise à la fois comme un défi et comme une source d'inspiration : « Champions d'un pouvoir judiciaire indépendant de l'exécutif, portant aux nues une presse qui leur apparaissait libre et non censurée, ils célébraient avec orgueil le contrôle démocratique des deniers publics et un pouvoir parlementaire régulier qui freinait résolument les initiatives irréparables de l'exécutif. » Léo Gershoy qui formule cette observation admet que le monde occidental, tel qu'il se manifeste dans l'Europe des philosophes, s'achemine vers la démocratie mais sans que l'autorité des princes soit fondamentalement contestée. Le trait marquant, c'est l'ajustement du pouvoir politique au niveau atteint par la réflexion philosophico-politique : « Le monarque éclairé du XVIIIe siècle voit la quête du pouvoir à la lumière d'objectifs idéaux : devoirs plus étendus envers ses sujets, obligations sociales plus vastes. » Le progressisme des philosophes ne les empêche donc pas d'exalter les droits de l'État, pour lequel ils n'invoquent évidemment plus la légitimité divine. Le baron d'Holbach veut bien envisager qu'à la fin des fins le prince devienne superflu, « mais pas avant d'avoir banni cette ignorance qui faisait du peuple la proie des démagogues, de cruels fanatiques, ni d'avoir accompli son destin, qui était de former ses sujets à leurs responsabilités de citoyens ». Ainsi est-on fondé à considérer le despotisme éclairé comme le nerf du consensus de l'élite intellectuelle.

D'où vient donc que l'Europe se soit trouvée bouleversée, voire traumatisée, par la Révolution française ? Au point même de donner à penser qu'elle ne s'était jamais autant sentie une et indivisible — comme un grand corps qui réagit d'un bloc à quelque agression. Les réactions à 1789 (puis à 1793) ont en effet prouvé que l'idée que les pays d'Europe obéissaient à un destin commun avait progressé. Elles ont démontré que ce que Habermas décrit comme « espace public » existait bel et bien. En ce sens, la Révolution, acceptée ou rejetée — brisant en tout cas l'indifférence et l'égocentrisme —, a fonctionné comme un révélateur d'identité : identité européenne en tant qu'elle recueillait les suffrages de l'opinion, identité nationale en tant qu'elle s'en voyait privée.

Mais, plus fondamentalement, la Révolution, prenant à témoin l'Europe tout entière, a consacré l'apo-

BIBLIOGRAPHIE

CASSIRER E., *La Philosophie des Lumières,* Fayard, Paris, 1966.

CHAUNU P., *La Civilisation de l'Europe des Lumières,* Arthaud, Paris, 1971.

GUSDORF G., *La Révolution galiléenne,* t. I, Payot, Paris, 1969.

GUSDORF G., *Les Principes de la pensée au siècle des Lumières,* Payot, Paris, 1971.

HAZARD P., *La Pensée européenne au XVIIIe siècle. De Montesquieu à Lessing,* Fayard, Paris, 1979.

MERVAUD Ch., *Voltaire et Frédéric II. Une dramaturgie des Lumières, 1736-1778,* Éd. Voltaire Foundation, Oxford, 1985.

MERVAUD Ch., « L'Europe de Voltaire », *Le Magazine littéraire,* février 1987.

RÉAU L., *L'Europe française au siècle des Lumières,* Albin Michel, Paris, 1938, rééd. 1971.

gée de l'intérêt pour la raison qui définit précisément l'esprit des Lumières. Sans elle, la raison aurait-elle aussi vivement révélé l'universel qu'elle fonde et poursuit inlassablement ? En ce sens, l'Europe des philosophes a effectivement trouvé sa vérité dans la Révolution.

Jean-Michel Besnier

Dieu contesté : l'éclipse du sacré

Pour ceux qui, dans le camp de la contre-révolution, ont médité au lendemain de l'événement sur les causes de la Révolution, fondant une tradition durable, il a été évident que l'attaque contre la religion, prolongeant la contestation en cours durant le XVIIIe siècle, tient une place essentielle : ainsi en ont jugé de Maistre, Bonald et bien d'autres. Mais ce discours n'est pas sans nuances : il comporte au moins, en simplifiant beaucoup, deux variantes. Pour les uns, la France était toute chrétienne à la fin de l'Ancien Régime, dans ses profondeurs du moins, et malgré la contestation de surface entretenue par les philosophes. C'est l'événement révolutionnaire lui-même, porteur de tant d'outrages contre l'Église, qui aurait déclenché le mouvement de déchristianisation dont le XIXe siècle donnera la mesure.

Pour d'autres, le ver était dans le fruit, et l'attaque antireligieuse conduite par les philosophes, relayée par les sociétés de pensée et loges maçonniques, a sapé non seulement les institutions, mais tout le système des valeurs monarchiques, religieuses et familiales indissolublement liées.

Qui a tort, qui a raison ? Une approche plus sereine aujourd'hui incite à infléchir cette problématique : sensible à l'intensité de l'attaque menée contre l'Église et la religion par tout le courant des Lumières, elle s'interroge sur sa portée et sa diffusion réelle. Quand, comment, dans quels milieux et sous quelles formes pénètre jusqu'à un milieu populaire ce que l'on peut qualifier, selon ce que l'on voudra, en termes de laïcisation, de sécularisation, d'évolution profane, et pourquoi pas de déchristianisation ?

Écrasons l'infâme !

On se contentera de rappeler l'ampleur et le succès de la campagne menée par les philosophes : depuis les grands textes du début du siècle, le *Dictionnaire philosophique* de Bayle, ou, connu partiellement grâce à Voltaire, le *Testament* du curé Meslier, attaque frontale contre la religion, les épisodes en ont été marqués par la guerre d'escarmouches telles que les *Lettres persanes* de Montesquieu (1721) ou les *Lettres philosophiques* de Voltaire en ont été l'illustration. Entre 1740 et les années cinquante, l'argumentation se précise quand Condillac publie son *Essai sur l'origine des connaissances,* Diderot sa *Lettre sur les aveugles à l'usage de ceux qui voient* alors même que débute la publication de l'*Encyclopédie.*

Les affrontements suscités par la suppression de la Compagnie de Jésus en 1762-1763, avec le réquisitoire de La Chalotais, marquent une autre étape du conflit, cependant que dans les années 1770, les représentants du matérialisme des Lumières, Helvétius et d'Holbach, formulent les attaques les plus radicales dont se nourrira le discours révolutionnaire (d'Holbach : *Le Christianisme dévoilé, ou la Politique naturelle*).

Mais c'est alors aussi qu'une autre lecture – aussi dangereuse pour la religion, quoique différente dans son inspiration – se diffuse à partir des écrits de Rousseau, qui propose dans le *Vicaire savoyard* le modèle de la religion, à la fois naturelle et civique.

A la veille de la Révolution, l'arsenal (comme on dit) de l'argumentation antireligieuse est déjà constitué, diffusé et relayé par les écrits, les sociétés de pensée et les supports de sociabilité nouveaux, bien que les loges maçonniques n'aient pas été, on le sait, le foyer organisé d'un complot obscur contre le roi et la religion. Si les cahiers de doléances, critiques à l'égard des abus de l'Église-institution, restent très généralement d'une orthodoxie stricte, rêvant du triomphe du bon prêtre, en même temps officier de morale, les pamphlets qui se sont multipliés depuis 1788 attaquent violemment l'ordre du clergé.

Celui-ci s'est défendu, pendant tout le siècle, contre les attaques dont il mesurait le danger. Daniel Mornet avait recensé entre 1715 et 1789 plus de 900 noms d'apologistes chrétiens, défenseurs souvent besogneux d'une religion sur le qui-vive, qui refuse de s'ouvrir aux nouveautés, même s'il y a quelque facilité à écrire comme Roland Barthes que la chance de Voltaire fut d'avoir des contradicteurs qui s'appelaient Nonotte et Patouillet !

Défensive embarrassée contre une attaque multiforme ; le discours des Lumières, on l'aura senti, n'est pas monolithique : il y a certes une réelle convergence dans la mise en cause des privilèges de l'Église comme institution, de sa richesse réelle et parfois exagérée, du parasitisme de clercs qui ne se reproduisent pas et ne créent pas de richesse, de l'intolérance surtout qui fait de la religion chrétienne, et en l'occurrence du catholicisme romain principalement, un instrument du « fanatisme » et de la « superstition », et par là même le frein majeur à l'expansion des Lumières. Mais les contre-systèmes sont multiples : Diderot, Helvétius ou d'Holbach (Sade aussi à sa façon) représentent la veine matérialiste française, alors que la lecture déiste demeure, semble-t-il, majoritaire, tant en continuité avec l'idée voltairienne du Dieu horloger, que sous l'influence rousseauiste, qui renvoie à ce grand être, Dieu de la nature, du sentiment et de la morale, vers qui se tourne le vicaire savoyard. Si profondes que soient ces discordances, elles ne laissent pas de faire subsister, au niveau de l'air du temps, l'idée d'une religion épurée, civique et naturelle tout à la fois. Mais jusqu'à quel point ces idées ont-elles pénétré ?

La France est-elle encore une chrétienté unanime ?

Le royaume est-il encore, en 1789, un État de chrétienté... l'argument ne peut être écarté sans examen. Il est incontestable qu'au cœur du XVIIIe siècle, on peut apprécier les fruits de près de deux siècles de reconquête catholique, depuis les lendemains du concile de Trente. A lire les enquêtes pastorales, ou les descriptions plus directes des Mémoires et correspondances, on mesure à quel point le personnage du prêtre, désormais formé dans les séminaires, régularisé dans sa vie et dans ses mœurs, a changé. L'image du « bon prêtre » que livre la littérature n'est pas une fiction.

Mais le peuple chrétien lui-même apparaît fort discipliné, si l'on s'en tient du moins aux gestes massifs qui rythment les saisons de la vie : baptêmes, mariages religieux et sépulture chrétienne sont le lot de tous, à part la poignée de juifs et les protestants que l'on s'obstine à considérer comme « nouveaux convertis », mais qui n'en refusent pas moins les disciplines imposées, jusqu'à ce que l'édit de Tolérance, en 1787, les dote au moins d'un état civil séparé. 95 à 97 % de conformistes suivant les régions : que peut-on demander de mieux ? Il est vrai que si l'on passe à un test plus sensible des attitudes et des ferveurs, comme la communion au temps de Pâques, obligation canonique, les contrastes se creusent : il est des lieux où les pascalisants demeurent la grande majorité, d'autres où ils se font rares ; un vif contraste entre campagnes (où l'on se compte et se surveille) et villes (lieux d'un certain anonymat) s'inscrit ainsi : derrière l'unanimité apparente, des cassures se dessinent.

Les indicateurs de la pratique

Trouver les supports appropriés qui, au-delà de l'apparente unanimité, enregistrent les changements de la sensibilité collective : on peut le faire en suivant le flux des vocations ecclésiastiques, tant à partir des registres d'ordinations de prêtrise (ou des « titres cléricaux » qui y conduisent) que de la statistique du peuplement des couvents et maisons religieuses. Il s'est bien passé quelque chose, autour de 1750 : les courbes des ordinations de prêtrise, soutenues à un niveau élevé depuis le début du siècle, fléchissent alors (parfois plus tôt dans les diocèses les plus directement affectés par la crise janséniste, parfois plus tard, dans les années 1770). De même les couvents se dépeuplent, à commencer par les ordres masculins, les maisons féminines résistant mieux. Pour répondre à la crise, on a convoqué dans les années 1760 une « commission des réguliers » qui a procédé à des réunions et à des suppressions de couvents : effet ou cause ? Le déclin des ordres religieux s'en est trouvé à la fois sanctionné et accéléré. Au moment même où Diderot dans *La Religieuse* dénonce les vocations forcées, la remise en cause d'une pratique sociale s'inscrit dans le recul des vocations.

Mais on a valorisé, depuis peu, une autre source, plus directe ou plus indiscrète, sur les attitudes collectives à partir de l'étude des testaments, une pratique sociale très répandue puisqu'elle touche, dans de nombreuses régions, moitié ou plus des adultes, et que le testament spirituel y tient une place notable à côté de la disposition des biens. En Provence d'abord, à partir de dizaines de milliers de cas, puis à Paris, et dans nombre d'autres sites, de l'Ouest au Centre et au Midi, on a dénombré les gestes devant le dernier passage : élections de sépulture (l'église préférée au cimetière) ; cortèges funèbres, avec l'ostentation durable des pompes baroques ; legs pieux aux hôpitaux ou aux pauvres « en liberté » ; appartenance et dons à des confréries – singulièrement dans le Midi –, ces confréries de pénitents dont la gestion de la mort est l'une des charges ; mais aussi, tout simplement, formulation des recours pieux à Dieu, à la Vierge et à leurs saints dans leur prolixité modulée de la profusion baroque au silence complet. Voilà les questions que l'on peut poser à cette source riche : avec une convergence manifeste, un fléchissement s'enregistre. Au début du XVIIIe siècle, les négociants marseillais, à plus de 80 %, demandaient célébration de messes pour le repos de leur âme, en quantité considérable – 5 à 20 000 messes ; à la veille de la Révolution, moins de la moitié (45 %) se conforment à ce geste. Toute une convention sociale a basculé, comme on se désintéresse du lieu d'élection de la tombe (il est vrai qu'un édit royal, depuis 1771, interdit la sépulture dans les églises : reflet autant que cause de l'abandon d'une pratique). Les confréries sont délaissées, l'ostentation des pompes baroques devient suspecte, la charité qui change de style en devenant la « bienfaisance » régresse, le cercle des parents et amis clercs ou religieux s'étrique... et le ciel se dépeuple au fil de la lecture d'invocations de plus en plus laconiques, jusqu'au silence total.

Cette tendance, trop générale pour n'être pas significative, demande à être modulée et interprétée. Dans sa chronologie d'abord : Paris, étudié par Pierre Chaunu et ses élèves, bouge beaucoup plus tôt, trahissant dès le début du XVIIIe siècle l'amorce d'un tournant. En Provence, les sites jansénistes frémissent dès 1730, au cœur de la crise religieuse, mais le tournant le plus général s'inscrit entre 1750 et 1770. Toutefois, il existe des zones rétives, ou fidèles, stabilisées à un très haut niveau de pratique jusqu'à la fin du siècle : dans ce Midi de référence, c'est le cas à Nice, comme dans la haute Provence alpine. On peut extrapoler sans crainte, sur la base de sondages nombreux : dans l'espace français, le tournant des années 1750 reflète un constat général, sous réserve des contrastes régionaux qu'il révèle entre villes et campagnes – les premières, sites de mobilité, les secondes, conservatoires de traditions.

Puis le contraste s'inscrit aussi en termes de dimorphisme sexuel : la fidélité est l'affaire des femmes, l'abandon en tous lieux plus marqué chez les hommes. Un dimorphisme naît que l'évolution ultérieure accentuera. Raisonnant en termes d'appartenance sociale, on constate que l'évolution prend naissance au sein des groupes bourgeois – des robins et membres des professions libérales comme de la bourgeoisie des « talents », au monde du négoce, touchant, mais de façon limitée, l'aristocratie nobiliaire pour se propager aux milieux des petits producteurs indépendants urbains – l'échoppe et la boutique, comme on dit alors – et partiellement à certains groupes du salariat. Mais la paysannerie est très inégalement concernée, offrant des môles de résistance. Cette sociologie suggère un type de diffusion, par imitation descendante : prendrions-nous sur le fait la diffusion verticale des Lumières ?

Témoignages convergents

Reste qu'une source, ou qu'une brassée de textes, si concluants soient-ils dans leur convergence, ne suffit pas à apporter une démonstration. Mais d'autres indices s'offrent à nous. On a étudié (Maurice Agulhon) l'évolution des confréries, ces structures associatives, de dévotion généralement, qui tiennent, dans le Midi en particulier, une place remarquable. Suivant au fil du siècle l'évolution de ces groupements, des confréries de jeunesse ou de charité, en voie d'institutionnalisation, aux confréries « luminaires » qui desservent la chapelle ou l'autel d'un saint, et bien sûr à ces pénitents qui constituent une des originalités du Midi, Maurice Agulhon a pu suivre les étapes d'un déclin relatif, mais plus encore d'une mutation sociologique marquée par l'abandon des élites nobiliaires et bourgeoises, trouvant dans les loges maçonni-

BIBLIOGRAPHIE

VOVELLE G. et M., *Vision de la mort et de l'au-delà en Provence d'après les autels du purgatoire, XVe-XXe siècles,* Armand Colin, Paris, 1970.

VOVELLE M., *Piété baroque et déchristianisation en Provence au XVIIIe siècle : les attitudes devant la mort d'après les clauses des testaments,* Plon, Paris, 1973.

VOVELLE M., *Mourir autrefois : attitudes collectives devant la mort aux XVIIe et XVIIIe siècles...,* textes choisis et présentés par M. Vovelle, Gallimard/Julliard, Paris, 1974.

ques un cadre d'accueil mieux adapté à leur culture, ce qui a accentué la « démocratisation » relative de groupements où boutiquiers et commerçants (les futurs sans-culottes) coudoient désormais les petits notables. Chemin faisant, c'est la finalité même de ces groupements qui a changé ; évolution profane et sécularisation, dit l'auteur... Peut-on pousser plus loin en parlant de l'amorce d'une déchristianisation ?

D'autres indices nous sollicitent, plus sophistiqués ou au contraire plus directs. Si les testaments livrent, à travers le recul d'une certaine sensibilité baroque, l'indice d'une désacralisation partielle de la mort, on peut se tourner aussi vers les attitudes devant la vie, ou la famille. Et sans déborder plus qu'il n'est légitime sur le territoire du démographe, on rappellera ces changements en profondeur qui s'inscrivent au fil des courbes de l'illégitimité, des conceptions prénuptiales, des pratiques contraceptives que l'on voit se développer dans les villes et certaines campagnes à partir des années 1770. Par le biais des attitudes devant la vie, s'inscrit le changement des visions du monde.

Confessions indirectes, confessions indiscrètes : on rêve de témoignages qui introduisent aux représentations culturelles proprement dites. En rusant là encore avec les sources, il est loisible d'en rencontrer. N'est-ce pas un Dieu plus lointain qui s'esquisse, lorsqu'on analyse, à travers les tableaux et retables des autels des âmes du Purgatoire, les représentations de l'au-delà au fil du XVIIIe siècle ? Les saints de tradition, grappe serrée des intercesseurs anciens, se font rares, la Vierge même, en ce siècle qui la révère, devient discrète, alors que l'image doloriste du Christ de Pitié s'efface derrière celle de l'Enfant-Jésus. Mais celui-ci même régresse : un ciel dépeuplé, abstrait dirait-on, laisse désormais parfois apparaître un triangle lumineux, un rai de lumière... L'Être suprême peut-être ?

Puis, dans leurs lectures, ces Français du XVIIIe siècle ont changé de goûts : la littérature de théologie, ou simplement de dévotion, au comptage des livres publiés avec privilège, régresse spectaculairement, relayée par la rubrique des sciences et des arts. Les belles-lettres, le roman, les voyages, la politique s'imposent à une sensibilité renouvelée, qui semble se détacher de la religion. Et les cartes font apparaître une France qui « consomme » en majorité une littérature profane, en contrepoint d'une France fidèle à la librairie de dévotion, dans l'Ouest, ou le Nord-Est. Spatialisation que nous retrouverons par la suite.

Face à cette brassée d'indices, contestables si pris isolément, mais impressionnants par leur convergence quand ils sont réunis, risquerons-nous le mot de déchristianisation ? C'est une responsabilité que pour notre part nous assumerons sans hésiter.

Michel Vovelle

Le despotisme éclairé

C'est devenu l'usage, depuis le siècle dernier, d'appeler « despotisme éclairé » la politique suivie par les grands monarques réformateurs du XVIIIe siècle, et soutenue par une partie importante des philosophes, mais il eût sans doute mieux valu parler d'*absolutisme éclairé,* puisque les princes qui se réclamaient des Lumières se présentaient bien plus comme des *serviteurs* de l'État que comme des *maîtres* de leurs sujets. L'expression traditionnelle, néanmoins, a le mérite de bien montrer la nature paradoxale du phénomène : par leurs principes de légitimité (l'utilité sociale et la raison, et non le « droit divin » ou la tradition), les monarques éclairés ont contribué à ruiner l'ordre social traditionnel, alors même que leur politique, qui tendait à renforcer le pouvoir des monarques, était rien moins que libérale.

La principale raison du (relatif) succès de Frédéric II et de ses épigones auprès de l'opinion tient à un trait typique de la philosophie des Lumières et, notamment, de sa variante française : pour Voltaire ou Diderot, la principale question n'est pas tant de savoir *qui* doit régner, ni même de fixer les limites du pouvoir souverain, mais bien plutôt de faire en sorte que, au-delà de la *personne* des gouvernants, ce soit la raison qui règne : pour comprendre l'idéal de l'absolutisme éclairé, il faut donc rendre compte à la fois d'un certain type de pratique politique (l'effort de rationalisation de la société accompli par certains princes européens) et d'une mutation de la pensée politique qui met surtout en avant l'exigence d'une action rationnelle des gouvernants, en reléguant au second plan la question de l'identité de souverain et celle des garanties de la liberté.

Les expériences de « despotisme éclairé »

Le plus illustre des « princes éclairés » est sans nul doute Frédéric II de Prusse, qui sembla appliquer avec succès une formule politique dont il était aussi un éminent théoricien. Son but est la *rationalité de l'État,* qui doit à la fois augmenter sa puissance et assurer la sécurité et le bien-être des citoyens, en développant le commerce et les manufactures, en garantissant la tolérance religieuse et en réduisant les pouvoirs des aristocraties traditionnelles. Pratiquement, le roi de Prusse apparaît surtout (la tolérance mise à part) comme un élève de Louis XIV : il réduit l'indépendance des magistrats de l'ordre judiciaire (trop attachés à ses yeux à des usages archaïques et à des règles incohérentes), soumet la noblesse à l'État tout en garantissant ses principaux privilèges ; sa politique économique (essentiellement protectionniste) ne s'écarte guère des recettes éprouvées du colbertisme.

Du point de vue théorique, en revanche, Frédéric II est beaucoup plus hardi, si l'on en juge par les thèses développées depuis l'*Anti-Machiavel* (1740) jusqu'à l'*Essai sur les formes de gouvernement* (1781) : il refuse à la fois le droit divin et la raison d'État, affirme que le pouvoir est fondé sur un *contrat*, et fait des rois des « hommes comme les autres » qui ne sont que les premiers « fonctionnaires » de leurs royaumes. Jusqu'à un certain point, cependant, ces thèses (nullement originales) viennent du fond commun de la philosophie moderne qui, depuis Hobbes et — en Allemagne même — Puffendorf, avait déjà apporté bien des arguments nouveaux à la cause de la monarchie ; rien n'est plus significatif à cet égard que la critique que fait Frédéric II de Machiavel : tout en dénonçant les thèses les plus scandaleuses du *Prince*, le roi de Prusse est en fait lui-même fidèle à l'inspiration profonde de Machiavel, puisqu'il récuse par-dessus tout la confusion introduite par le christianisme, pour mettre au premier plan les intérêts de la cité.

Comment expliquer, dans ces conditions, le prodigieux succès qu'a eu dans l'opinion éclairée l'action du roi de Prusse ? Il provient d'abord du fait que, par rapport aux précédents monarques rationalisateurs (comme Louis XIV en France), le « Salomon du Nord » semble apporter un surcroît de conscience et d'intelligence politique, en élevant à la dignité de *principes rationnels* ce qui n'était jusqu'alors que des maximes de prudence facilement oubliées, et en émancipant la monarchie de ses liens historiques avec la religion. On s'explique donc aisément l'admiration de Voltaire ou de d'Alembert pour Frédéric II.

Rappelons tout d'abord la place centrale qu'occupe, dans l'*Essai sur les mœurs* de Voltaire, le problème des rapports entre le pouvoir temporel et le pouvoir spirituel tels que l'ont posé, à la fin du Moyen Age, les conflits successifs entre le pape et l'empereur ; aux yeux de Voltaire, la liberté dépend moins du régime juridique que d'une condition politique : l'émancipation de l'État de la tutelle des religions chrétiennes dont le fanatisme divise la cité, en même temps qu'il détourne les hommes de leurs tâches terrestres : la tolérance dont Frédéric II faisait preuve, qui s'accompagnait d'une certaine liberté de la presse et d'un effort réel pour accroître la richesse nationale, pouvait légitimement lui apparaître comme une application (et une confirmation) des doctrines « philosophiques ». Quant aux aspects « absolutistes » de l'action de Frédéric II, il suffisait, aux yeux des philosophes, qu'ils fussent dirigés contre les incohérences de la tradition et les résistances d'un public encore insuffisamment éclairé, pour qu'ils devinssent légitimes ; or, tel était bien le cas puisque l'activisme de Frédéric II et de son chancelier Samuel von Cocceji (1679-1755) visait essentiellement à systématiser le droit allemand et à y introduire de la clarté par la codification.

Frédéric II a eu de nombreux imitateurs dans les cours européennes du XVIIIe siècle, de Catherine II en Russie à Joseph II en Autriche, qui ont eu en commun le souci de renforcer l'État et de rationaliser le droit et l'économie. Il faut se garder, néanmoins, d'identifier trop vite les diverses expériences et de minimiser des différences importantes, qui ont conduit M. Lhéritier à distinguer assez nettement deux périodes, frédéricienne et humanitaire, dans le despotisme éclairé.

La Sémiramis du Nord

Catherine II, la « Sémiramis du Nord », est apparue très vite comme le plus éminent des émules du roi de Prusse. Rétrospectivement, son action semble plutôt grevée par un certain *cynisme*, tant est fort le contraste entre le radicalisme de ses principes et le caractère très limité de son œuvre réformatrice.

Dans la célèbre *Instruction pour la commission chargée de dresser le projet d'un nouveau code des lois* (le *Nakaz*, en russe), élaborée pour la commis-

BIBLIOGRAPHIE

BLUCHE F., *Le Despotisme éclairé* (1969) ; rééd. Hachette, coll. « Pluriel », Paris, 1985.

CHEVALLIER J.-J., « Despotisme éclairé », in *Encyclopædia Universalis.*

DERATHÉ R., « Les philosophes et le despotisme », in P. Francastel, *Utopies et institutions au XVIIIe siècle,* Mouton, Paris, 1963.

LHÉRITIER M., « Le Despotisme éclairé de Frédéric II à la Révolution française », in *Bulletin du Comité international des sciences historiques,* n° 35, juin 1937.

POMEAU René, *Politique de Voltaire,* Armand Colin, coll. « U », Paris, 1963.

sion de réforme législative de 1767, on reconnaît partout l'influence des Lumières françaises, de Montesquieu et, surtout, du juriste milanais Beccaria. Un des buts principaux est en effet (comme chez Beccaria) de garantir en même temps la puissance de l'État et la sécurité des citoyens par la rationalisation du droit, qui implique à la fois l'élimination des cruautés inutiles de la législation pénale et la définition rigoureuse des délits : « Le meilleur frein du crime n'est pas la sévérité de la peine, mais la certitude d'être puni, si l'on a transgressé les lois » (art. 22) ; plus généralement, Catherine II déclare qu'elle veut promouvoir à la fois le bonheur des citoyens (par l'amélioration de leur condition matérielle), la liberté d'opinion et de religion et la diffusion des Lumières. Cependant, ce beau programme a eu fort peu d'effets : le règne de Catherine II est certes marqué par un certain développement de l'instruction, mais plus encore par le renforcement du servage et l'alliance renouvelée de la couronne et de la noblesse ; dans le *Nakaz* lui-même, d'ailleurs, la souveraineté du monarque reste, au moins pour ce qui concerne la Russie, la condition suprême du bien de l'État : de là découlent la recherche de la puissance et le refus de toutes les institutions qui asservissent le souverain à la tradition, en même temps que cela implique que l'on s'en remette entièrement au prince pour la réalisation des réformes.

A l'inverse de Catherine II, Joseph II, moins cultivé, a eu des intentions réformatrices certainement plus sincères, mais n'a pu convaincre la majorité de ses sujets du bien-fondé de sa politique ; s'il a plutôt cherché à utiliser les feuilles gagnées aux idées des Lumières qu'il n'a établi une vraie liberté de la presse, il a opéré des transformations importantes dans le droit autrichien (abolition du droit d'aînesse, légalisation du mariage civil, abolition de la peine de mort et de la torture, introduction du concept de *préméditation* dans le droit criminel, etc.). Son relatif échec, dû sans doute à son absence de souplesse, invite en revanche à réfléchir sur ce qui est la principale aporie de l'absolutisme éclairé : l'impossibilité de séparer la *rationalisation de la domination* et l'extension du *pouvoir de l'opinion publique.*

Absolutisme éclairé, despotisme légal

Il convient d'abord de corriger ce qu'a d'excessif un des lieux communs de la critique conservatrice des Lumières : s'ils ont soutenu Frédéric II et Catherine II, ni Voltaire, ni d'Alembert, ni Diderot n'ont fait l'éloge des aspects proprement *despotiques* de leur action ; au contraire, l'histoire de leurs rapports avec les monarques réformateurs est plutôt celle d'une progressive déception devant la réalité de leur action.

Il reste cependant que la rencontre entre les Lumières (et, singulièrement, les Lumières *françaises*) et l'absolutisme éclairé n'aurait pas été possible s'il n'y avait pas eu, dans la philosophie, des éléments étrangers à la pensée libérale, qui expliquent le préjugé favorable dont ont joui les monarques réformateurs.

Le problème central est sans doute celui du *rationalisme législatif* du XVIIIe siècle, commun à la plupart des penseurs français (de Voltaire à Condorcet) et dont l'expression la plus parfaite se trouve dans l'œuvre de Beccaria. Cette doctrine subordonne logiquement le problème de la *liberté* à celui de la *rationalisation* du droit, tout en cherchant à synthétiser les deux tendances antinomiques (« absolutiste » et « libérale ») du droit naturel moderne. Dans cette perspective, l'arbitraire qui règne dans le droit traditionnel est dû à son caractère irrationnel, marqué par le poids de la coutume et de la jurisprudence, qui constitue à la fois une entrave à l'action de l'État (gênée par le poids des usages) et une menace pour la liberté et la sécurité des citoyens (qui ne connaissent pas les limites précises du permis et de l'interdit et sont à la merci de l'arbitraire du juge). Inversement, la réduction du *droit* à la *loi,* qui doit être une règle *générale,* est supposée permettre à la fois le renforcement de l'État et la garantie de la liberté ; philosophiquement, cela signifie que l'on met au principe de l'État une idée rationnelle (l'utilité), qui fait du présent la catégorie première de la politique : si la coutume et la jurisprudence subordonnent le corps social à la volonté des générations passées, la loi traduit la volonté générale présente. Le succès de Beccaria dans toute l'Europe éclairée est dû en grande partie à ce qu'il explicitait les principes sous-jacents d'idées et d'aspirations très largement partagées ; la sympathie des philosophes pour Frédéric II ou Catherine II s'explique de même très aisément : si ceux-ci refusaient de limiter leur autorité, c'était, pensait-on, pour émanciper la politique de la tradition, et pour mieux la soumettre au principe rationnel de l'utilité publique.

A côté des *philosophes* proprement dits, il faut aussi faire une place aux *physiocrates,* et à la théorie du *despotisme légal,* introduite par l'un d'entre eux, Le Mercier de la Rivière, dans son livre *L'Ordre naturel et essentiel des sociétés politiques* (1767). Pour Le Mercier de la Rivière, le programme économique des physiocrates (la prééminence de l'agriculture et de la propriété foncière, la liberté du commerce des grains, le « laissez-faire ») ne peut être accompli que si l'on rompt les entraves que constituent les institutions féodales ou corporatives : c'est pourquoi il refuse le système des freins et contrepoids de la tradition anglaise et de Montesquieu, pour défendre au contraire les prérogatives du roi. D'un autre côté, le « despotisme » du monarque n'est pas celui de sa *volonté* propre, mais au contraire celui de l'*évidence* et des *lois* de la nature qu'il se contente de *constater ;* en outre le pouvoir du prétendu souverain est étroitement circonscrit à la sphère de la législation (c'est-à-dire des règles *générales*), et en dehors de celle-ci, la plus grande liberté est de rigueur : le refus des procédés constitutionnels libéraux s'inscrit donc en fait dans une politique dont le but est de promouvoir l'autonomie individuelle et de réduire l'emprise de l'État sur la vie sociale.

Le destin de la pensée physiocratique illustre bien, au-delà des ambiguïtés de la pensée du XVIIIe siècle, son caractère virtuellement anti-autoritaire, voire démocratique. Au point de départ, la critique de la tradition au nom de l'évidence a un aspect « élitiste », puisqu'elle est dirigée contre les « préjugés » et le « consentement universel » ; inversement, le critère de l'« évidence » est potentiellement *égalitaire,* dans la mesure où il s'oppose à toute *autorité* établie, et où il présuppose l'idée cartésienne de l'égalité des hommes devant le « bon sens » : c'est pourquoi, chez les représentants tardifs de la physiocratie (Turgot et surtout Condorcet), la critique de la tradition au nom de l'évidence conduit à la défense de la *publicité.*

Rétrospectivement, le travail accompli par la philosophie des Lumières, lorsque celle-ci trouvait dans l'*utilité* le principe de légitimation de l'autorité politique, conduisait à une situation instable, où les monarchies traditionnelles n'étaient provisoirement renforcées que pour voir leurs bases ruinées. En ce sens, comme l'avait bien vu Hegel *(Phénoménologie de l'esprit)*, l'absolutisme éclairé et les Lumières trouvent leur « vérité » dans la Révolution, qui met au premier plan le problème de l'*identité* du souverain (la nation ou le roi). De là, le rapport complexe qui relie les hommes de la Révolution aux philosophes admirateurs de Frédéric II ou aux théoriciens du « despotisme légal » : ils partagent avec leurs prédécesseurs le culte de la législation et la méfiance à l'égard de la jurisprudence ou de l'idée de Loi fondamentale (liée pour eux au culte de la tradition), ils cherchent (avec Condorcet) à réduire le poids des préjugés dans l'opinion publique par la diffusion des Lumières, mais ils ne peuvent plus s'en remettre au monarque pour rationaliser l'ordre social.

Philippe Raynaud

Les sociétés de pensée

La vie intellectuelle est toujours plus ou moins une vie sociale, entendons une vie collective. Les penseurs créateurs eux-mêmes ont besoin de se confronter quelquefois avec leurs pairs. A plus forte raison, leur public de lecteurs ne peut s'étendre que grâce aux groupes où circulent les modes et les notoriétés. Pas de pensée libre sans réseaux de communication.

Or la pensée des Lumières est une pensée officiellement (sinon pratiquement) suspecte dans un royaume officiellement catholique. Seule la religion dispose des réseaux de la prédication et de l'enseignement. Certes, ce monopole est déjà rompu pour l'édition et la librairie. Reste que les lumières de la raison, de la pensée sans dogmes, du tâtonnement personnel, même quand elles ne sont pas persécutées, ne disposent pas des grands réseaux de circulation institutionnels. Elles s'impriment, mais où les lit-on ? Où en parle-t-on ?

Les académies de province

L'État, dans l'ancienne monarchie, ne reconnaît pas au sujet individuel le droit d'association. La société d'Ancien Régime est une société de corps, c'est-à-dire de groupements qui sont reconnus et transformés en institutions, avec statuts, lettres patentes et protection légale. S'ils ne l'étaient pas, ils relèveraient de la catégorie séditieuse des assemblées, cabales, sectes ou coteries, choses punissables. Mais, reconnu, un groupe de lettrés est une académie. Ce modèle s'est développé au long du XVIIe et surtout du XVIIIe siècle, jusqu'à constituer le vaste réseau qu'a récemment étudié Daniel Roche. Il nous décrit un ensemble d'une quarantaine d'académies de province, implantées dans toutes les villes où existent à la fois la masse d'habitants et la pluralité de fonctions (administrative, judiciaire, religieuse, économique) d'un chef-lieu provincial. C'est dans leur sein que les trois ordres reconnus par l'État amorcent leur rééquilibrage : sur 6 000 membres environ dénombrés tout au long des trois derniers règnes, il n'y a que 20 % de membres du clergé (c'est une moyenne, et l'évolution tend vers leur diminution numérique), 37 % de nobles et 43 % de roturiers ; ces derniers viennent, comme il est naturel, des professions bourgeoises les plus liées à l'étude, médecins, avocats, procureurs, voire des rentiers oisifs. Il s'agit donc là d'une classe supérieure élargie aux couches quasi privilégiées du tiers état, bien plus que d'une classe montante porteuse directe du dynamisme industriel.

La culture, d'autre part, en ces académies à vocation polyvalente (arts, lettres, sciences, histoire, agronomie), paraîtrait, aux critères d'aujourd'hui, culture d'amateurs plus que de professionnels. Enfin les académiciens de province ont, dans l'ensemble — 1789 le montrera —, plus d'attachement à l'ordre établi et à la religion qu'à la subversion sociale ou à la philosophie.

Reste que l'État monarchique intégrait sans vraiment la contrôler cette élite qui donnait au royaume une partie de son lustre et au pays sa bonne volonté. Aussi les pensées nouvelles s'y sont fait connaître, et parfois encourager. Pensons à Jean-Jacques Rousseau écrivant son premier brûlot pour un concours de l'académie de Dijon (1754). Pour les Lumières, il y avait là un support par occasion, sinon par destination.

Des salons aux cafés...

Tout n'est pas officiel cependant, dans la vie sociale. La société civile a sa vitalité propre. Depuis longtemps elle était parvenue à la « civilisation des mœurs » (Norbert Élias) : se coudoyer, se parler avec un minimum de politesse, et s'affronter sans en venir aussitôt à l'injure et aux coups. L'impulsivité savait se refréner et se refouler au profit d'un code de civilité reconnu. C'est en ce sens que les vieux auteurs identifiaient la « sociabilité » à la « civilisation ». Non pas la sociabilité au sens objectif et universel que lui donnent certains sociologues (la manière d'être avec autrui, qu'elle soit bonne ou mauvaise, fruste ou raffinée), mais la sociabilité devenue normative, manière d'être civilisée, c'est-à-dire verbalisée, rituelle, pacifique. Dans ce système de règlement des rapports sociaux quotidiens, la solution d'un conflit par la force subsiste comme exception : la rixe sera perçue comme vulgaire ; et le duel, rixe des grands, se codifiera et se raréfiera. Dès les XVIe et XVIIe siècles les bonnes manières étaient passées de la cour aux demeures des grands, où les dames présidaient aux réunions de salons. La sociabilité, qui occupe l'immense temps libre d'élites rentières, qui associe les plaisirs des jeux et ceux de la galanterie et qui leur ajoute souvent l'aliment intellectuel de la conversation, c'est la vie de salon. Elle a été cent fois évoquée, et le XVIIIe siècle la trouve bien établie.

Ce qui caractérise plutôt le temps des Lumières c'est l'extension de cette sociabilité. Extension d'abord parce qu'il y a de plus en plus de salons possibles, dans la mesure même où l'aisance se répand. Au temps de Molière, on pouvait encore ridiculiser une bourgeoise qui prétendait recevoir des amis chez elle pour leur offrir une conversation lettrée : *Les Femmes savantes* sont un peu le pendant féminin (anti-féminin...) du *Bourgeois gentilhomme.* Mais, au XVIIIe siècle, le salon bourgeois n'est plus ridicule, parce qu'il est multiplié. Chaque quartier de Paris, chaque ville de province peut avoir plusieurs familles de bourgeois assez riches pour offrir de semaine en semaine à un groupe de visiteurs habituels, dans une pièce de réception assez vaste, du feu, de la chandelle, des rafraîchissements, des cartes à jouer, avec le goût de parler opéra.

Extension ensuite parce que la sociabilité peut s'installer en d'autres lieux que les salons. Désormais, des messieurs, avant d'aller passer la soirée dans le salon d'une dame, voire — à la limite — *au lieu* d'aller dans les réceptions de salons, ou bien en alternance avec les mondanités de salon, choisissent de transporter leurs loisirs lettrés et polis autour des tables des cafés. Certes le siècle des Lumières n'a pas créé le débit de boissons support de sociabilité ! Chacun sait que depuis longtemps les paysans qui s'attardent le dimanche après-midi à l'auberge du bourg — ou les hommes du peuple dans les tavernes — ne font pas qu'étancher leur soif ; il y a aussi le temps qui passe, le plaisir d'être ensemble, et celui du jeu. Mais il y a souvent, au terme, la beuverie, le tapage et la rixe ; assez souvent, en tout cas, pour donner au débit de boissons du peuple sa mauvaise réputation séculaire. Le café au contraire, qui paraît avec la Régence, aura une image de distinction : il est mieux meublé et mieux équipé, des messieurs y viennent, on y boit des breuvages nouveaux et délicats, on y joue à des jeux subtils (le billard, les échecs), et on s'y tient assez bien pour que, sans vacarme ambiant et sans échange de gros mots, la conversation soit possible. Comme dans un salon, en somme, que le café prolonge, reproduit et concurrence à la fois.

Tout cela a été depuis longtemps repéré, et marqué dans l'histoire, depuis le café Procope jusqu'aux cafés du Palais-Royal. Le commentaire le plus connu est celui de Michelet qui, dans une antithèse puissante, a opposé le café du XVIIIe siècle à la taverne du XVIIe, comme s'opposeraient le café au vin, la boisson qui excite l'esprit à la boisson qui l'assomme, le lieu de la conversation intelligente au lieu du tapage grossier, bref, pour tout dire, les Lumières aux coutumes d'antan. Admettons l'antithèse pour sa simplicité pédagogique et renonçons à la nuancer.

... et aux clubs

Il est plus intéressant de se demander si la sociabilité des Lumières n'atteint pas déjà, au-delà du café, une nouvelle capacité d'expression et de diffusion. C'est le problème du cercle.

Tout débit de boissons, s'il offre passe-temps et joies de convivialité en sus de la boisson consommée, devient naturellement un lieu de fréquentation régulière et d'interconnaissance : tout café vit avec des habitués. De là à ce que ces habitués monopolisent une arrière-salle et se constituent en « société » (« club » à l'anglaise, « cercle » à la genevoise), il n'y a qu'un pas à franchir. Nous avons certainement eu tort, il y a dix ans, de dater pour l'essentiel l'apparition du cercle en France aux lendemains de la Révolution. Que sont en effet ces sociétés de lecture, chambres de lecture, sociétés (ou chambres) littéraires qu'on signale dans maintes villes de province dix, vingt ou quarante ans avant 1789, sinon déjà une association volontaire d'hommes se connaissant, se choisissant et s'organisant pour avoir ensemble un lieu où commenter et lire à frais communs des publications, un lieu où jouer et passer la soirée ? Loin d'être des académies au petit pied, ce sont plutôt des sortes de cafés (mais échappés du support commercial) ou des sortes de salons (mais émancipés de l'ascendant de l'hôtesse et du poids de la mondanité).

Associations volontaires, donc incompatibles avec le droit de la société d'ordres ? Sans doute. Dans ce domaine aussi, l'épanouissement d'institutions de plus en plus complexes de la société civile submergeait l'État monarchique.

Ces sociétaires, polis et cultivés par définition, étaient-ils révolutionnaires ? Pas tous, la suite allait bien le montrer. Toute la vie intellectuelle n'était pas « éclairée ». Mais la sociabilité nouvelle qui s'instituait alors peut tout de même être tenue pour libérale, d'abord parce qu'elle véhiculait, entre autres idées, celles des Lumières, ensuite parce que son existence même était libérale en son principe.

La franc-maçonnerie, « un fait social majeur »

On peut en dire autant de la plus connue des instances de la sociabilité des Lumières, la franc-maçonnerie. Les raisons pour lesquelles cette société, moderne par essence (adhésion volontaire, libre, choisie) et, de plus, virtuellement inquiétante par son caractère secret, a été tolérée par la monarchie deman-

Densité d'implantation des loges maçonniques à la veille de la Révolution (par généralité)

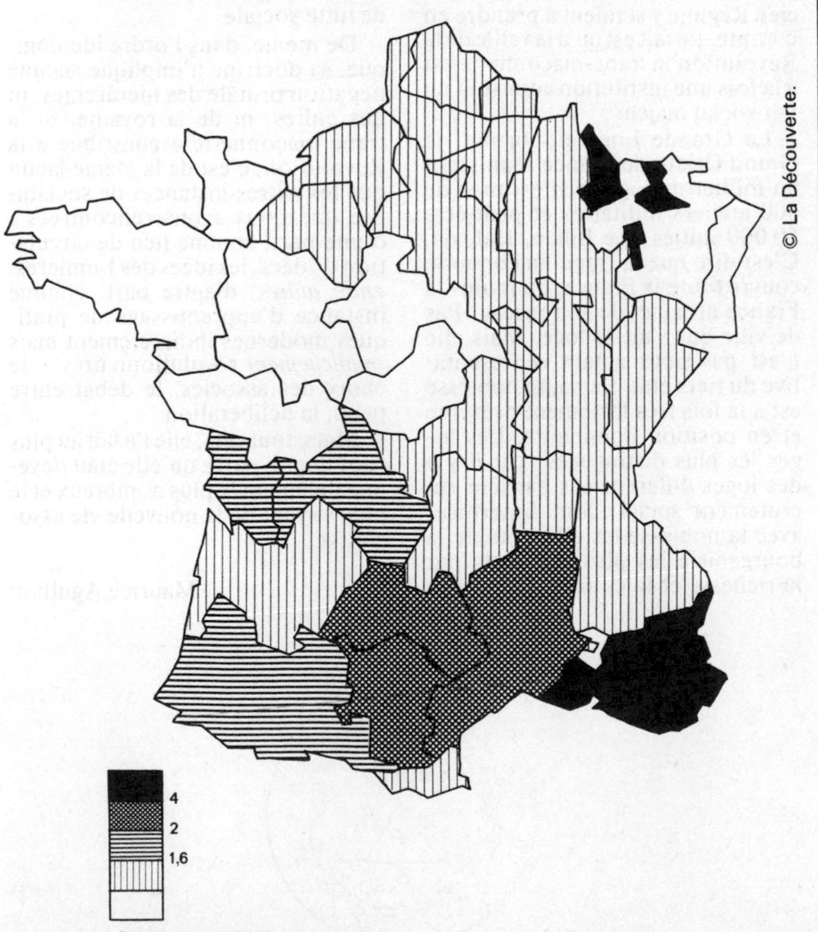

BIBLIOGRAPHIE

AGULHON M., *Pénitents et francs-maçons de l'ancienne Provence,* Fayard, Paris, 1968.

AGULHON M., *Le Cercle dans la France bourgeoise, 1810-1848,* Armand Colin, Paris, 1977.

CHEVALLIER P., *Histoire de la franc-maçonnerie française,* 3 vol., Fayard, Paris, 1975.

GOUBERT P. et ROCHE D., *Les Français et l'Ancien Régime,* 2 vol., Armand Colin, Paris, 1984.

HALEVI R., *Les Loges maçonniques dans la France d'Ancien Régime : aux origines de la sociabilité démocratique,* Armand Colin, Paris, 1984.

QUENIART J., *Culture et société urbaines dans la France de l'Ouest au XVIIIe siècle,* Klincksieck, Paris, 1978.

ROCHE D., *Le Siècle des Lumières en province. Académies et académiciens provinciaux,* Paris-La Haye, Mouton, 1978.

deraient un examen complexe que nous ne saurions développer ici : toutes les contradictions internes et tout l'essoufflement de l'État d'Ancien Régime y seraient à prendre en compte. Le fait est qu'à la veille de la Révolution la franc-maçonnerie est à la fois une institution admise et un fait social majeur.

La Grande Loge et, surtout, le Grand Orient de France réunissent un millier de loges civiles, près de 300 ateliers militaires et peut-être 50 000 initiés (Le Bihan, Halévi). C'est dire que la franc-maçonnerie couvre toute la France, du moins la France urbaine, de son réseau. Pas de ville qui n'ait sa loge. Mais elle n'est pas pour autant représentative du tiers état. La haute noblesse est à la fois très fortement présente et en position dominante. Les loges les plus distinguées (car il y a des loges différenciées par leur recrutement social) font fraterniser avec la noblesse les éléments de la bourgeoisie les plus éminents par la richesse et la culture. C'est dire que la franc-maçonnerie, dans sa structure, préfigure plutôt une société modernisée par une révolution à l'anglaise qu'une révolution de lutte sociale.

De même, dans l'ordre idéologique, sa doctrine n'implique aucune négation brutale des hiérarchies, ni des cultes, ni de la royauté. Si la franc-maçonnerie a contribué à la Révolution, c'est de la même façon que les autres instances de sociabilité que nous avons rencontrées : d'une part, comme lieu de circulation d'idées, les idées des Lumières, *entre autres ;* d'autre part, comme instance d'apprentissage de pratiques modernes indirectement mais *implicitement* révolutionnaires : le choix des associés, le débat entre pairs, la délibération.

Mais, tout cela, elle l'a fait au plus haut degré, parce qu'elle était devenue l'élément le plus nombreux et le plus voyant de la nouvelle vie associative.

Maurice Agulhon

LES TEMPS DE LA VIE

NAÎTRE ET GRANDIR

Godard

France « naturelle » et France contraceptive

Le trait majeur de l'histoire démographique de la France est la baisse précoce de la natalité qu'on y observe au XIXe siècle : alors que toutes les nations européennes ou presque ont conservé un mouvement naturel fortement positif jusque vers 1880, la population française n'a maintenu ses effectifs que grâce à l'allongement de la durée moyenne de la vie. Du coup, sa part dans l'ensemble européen est tombée, dans le cadre des frontières actuelles, de 15 % environ en 1789 à 10 % en 1914, et ce déclin relatif a eu d'importantes conséquences politiques, économiques et militaires.

Les « funestes secrets »

Le problème est de savoir quelle est la responsabilité de la Révolution française dans cette évolution désastreuse. Pour la plupart des auteurs, la réponse ne fait pas de doute : « La Révolution inculqua dans l'esprit des Français trois dispositions d'esprit qui firent, dans le cours des siècles, d'incessants progrès : l'affaiblissement des croyances religieuses ; l'esprit démocratique ; l'individualisme », écrit Jacques Bertillon dans *La Dépopulation de la France* (1911).

Pourtant, de nombreux textes du XVIIIe siècle semblent indiquer que la pratique généralisée de la contraception est bien antérieure. Le plus célèbre est celui de Jean-Baptiste Moheau, auteur du premier traité sur *La Population de la France* (1778) : « Les femmes riches pour qui le plaisir est le plus grand intérêt et l'unique occupation ne sont pas les seules qui regardent la propagation de l'espèce comme une duperie du vieux temps ; déjà les funestes secrets inconnus à tout animal autre que l'homme ont pénétré dans les campagnes ; on trompe la nature jusque dans les villages. »

On a objecté que ces textes ne prouvent rien, et Louis Henry en a fait une critique pertinente dans l'ouvrage collectif publié par l'INED en 1960 : *La Prévention des naissances dans la famille,* mais le débat restait ouvert.

Grâce aux résultats obtenus par la démographie historique, on peut reprendre la question sur des bases plus scientifiques. L'enquête de l'INED sur le mouvement de la population française de 1740 à 1829 (publiée en grande partie dès 1975 dans un numéro spécial de la revue *Population*) a prouvé que le nombre annuel des naissances a légèrement progressé dans les cinquante dernières années de l'Ancien Régime : 977 000 en moyenne dans la décennie 1740-1749 ; 1 061 800 dans la décennie 1780-1789.

Comme ce progrès a été moins rapide que celui de la population totale (environ 24 600 000 habitants en 1740, environ 28 600 000 en 1790), le taux de natalité a baissé un peu (39,9 pour mille en 1740-1744 ; 38,1 pour mille en 1785-1789), mais cette baisse ne signifie pas grand-chose, car le taux de natalité n'est pas un bon instrument de mesure : il dépend trop de la répartition par âges de la population et surtout de la nuptialité ; or l'âge moyen au mariage et la fréquence du célibat avaient fortement augmenté entre 1740 et 1789.

Avec la méthode de reconstitution des familles inventée par Louis Henry en 1956, on dispose d'un outil d'observation de la fécondité légitime beaucoup plus subtil et précis : fondée sur le dépouillement nominatif intégral des registres paroissiaux dans une paroisse donnée, elle permet de construire des tableaux statistiques donnant, par exemple, la fécondité légitime par groupes d'âges en fonction de l'âge au mariage de la femme, ou encore la répartition des âges à la dernière maternité, etc.

La plupart des 500 monographies paroissiales menées à bien selon cette méthode ont abouti à des résultats contradictoires : dans certains villages, la restriction des naissances reste à peu près inconnue jusqu'à la Révolution ; dans d'autres elle est évidente pour les mariages conclus après 1740 et surtout après 1770.

Un timide malthusianisme

Une synthèse est maintenant possible grâce à une autre enquête de l'INED, fondée sur la reconstitution des familles dans un échantillon de 40 villages, représentatif de la France rurale. La fécondité légitime y a diminué légèrement avant la Révolution, surtout si l'on prend comme base de référence les mariages de la période 1720-1739, particulièrement « productifs » (bien que, même alors, la fécondité ne pût être qualifiée de « naturelle »). Le nombre moyen de naissances par famille, calculé par élimination de l'incidence de la mortalité des jeunes parents, tombe de 6,15 à 5,96 (mariages de 1740-1769), puis à 5,63 (mariages de 1770-1789). Baisse modérée, comparativement à celle qu'on observera ensuite (4,88 pour les mariages de 1790-1819), mais non négligeable, qui a pu amorcer l'effondrement du début du XIXe siècle.

BIBLIOGRAPHIE

BARDET J.-P., *Rouen aux XVIIe et XVIIIe siècles. Les mutations d'un espace social,* SEDES, Paris, 1983.

BERGUES H., « La prévention des naissances dans la famille », *Travaux et Documents,* cahier n° 35, INED, PUF, Paris, 1960.

DUPÂQUIER J., *La Population française aux XVIIe et XVIIIe siècles,* PUF, coll. « Que sais-je ? », Paris, 1979.

DUPÂQUIER J. (sous la direction de), *Histoire de la population française,* 4 vol., PUF, Paris, à paraître à partir de novembre 1987.

HENRY L., *Manuel de démographie historique,* Droz, Genève-Paris, 1967.

Population, « Démographie historique », n° spécial, novembre 1975.

Par ailleurs, on sait que la restriction volontaire des naissances était pratiquée dès le début du XVIIIe siècle dans un groupe social restreint : celui des ducs et pairs. Chez les duchesses mariées avant 20 ans, l'âge moyen à la dernière maternité est descendu, en un siècle, de 31 ans à 25 ans. De même dans la ville de Rouen, étudiée par J.-P. Bardet, la contraception se généralise dans la haute bourgeoisie avant même la mort de Louis XIV, gagne les classes moyennes vers 1730, puis le petit peuple vers 1760. Au même moment, dans le Vexin français, on observe une baisse significative de la fécondité.

Pourtant la grande masse de la population française s'est contentée de pratiquer, au milieu du siècle, un malthusianisme diffus, discret, timide, qui ne permet pas de parler de « révolution démographique ». C'est seulement à partir de 1789 que l'on détecte, au moins dans le Bassin parisien, un véritable changement des comportements populaires. S'il est donc abusif d'expliquer par la Révolution le changement des attitudes à l'égard de la vie, il n'en reste pas moins qu'elle a accéléré le changement, et l'a rendu irréversible.

Jacques Dupâquier

La venue au monde

Un observateur qui se contenterait d'une vision rapide et globale des conditions de la naissance sous la Révolution conclurait sans doute à une relative permanence. La naissance et la mort sont des événements suffisamment forts au sein de toute société pour résister au changement, si profond soit-il en apparence du moins.

Les « petits secrets » de la matrone

L'accouchement demeure indiscutablement une affaire de femmes ; à la campagne, et dans une large mesure encore à la ville, l'accoucheuse, la matrone surtout, prête ordinairement son concours pour la mise au monde du nouvel être ; issue de la communauté ou du quartier, elle a une perception sensible, presque affective de ce qu'est la naissance ; son savoir est fait d'expérience : il faut qu'elle ait été mère pour accoucher les autres ; elle use de « petits secrets » que lui a transmis celle qui l'a précédée dans la fonction. Son comportement n'a qu'un seul but : mettre à l'aise la femme en couches pour qu'elle fasse son enfant le plus vite possible, puisque ce que l'on redoute le plus, c'est l'accouchement qui traîne et qui risque au bout du compte de mener la mère et l'enfant au tombeau. Il en est tant qui disparaissent ainsi... Parce que la mère a un bassin trop étroit ; parce que l'enfant est « mal tourné » et que l'on ne sait pas faire autre chose que de tirer avec force sur le bras ou la jambe qui se présentent au passage...

Dans la communauté villageoise l'accoucheuse se voit reconnaître un rôle de démiurge. L'enfant n'étant pas considéré comme « terminé » à la naissance, c'est à elle que revient le privilège de compléter l'œuvre de la nature, en remodelant le crâne et le nez, ou en coupant le filet de la langue, conformément au modèle idéal que la société s'est donné. Les rites magiques jouent aussi un rôle pour l'avenir du nouveau-né ; la matrone y a recours, parfois même pour influer sur sa destinée. Ce comportement renvoie en fait à une conception « naturaliste » de l'existence qui fait de la terre le vivier où se renouvellent toutes les espèces, donc l'espèce humaine ; et cette conscience de la vie est conscience d'un cycle où tout s'enchaîne, où la mort n'est qu'une étape de la vie. Les adultes en âge d'avoir des enfants sont le lien entre les ancêtres et les nouveau-nés, entre le passé et le futur. L'accoucheuse contribue activement au maintien de cette structure circulaire ; souvent elle s'occupe de la toilette des morts, tenant ainsi les deux bouts de l'existence humaine. Et en recevant les enfants « dans son tablier », elle garantit la permanence de la lignée communautaire : en ce sens elle « refait » des ancêtres.

De nouveaux comportements

L'homme de la campagne avait du corps une image ambivalente ; son corps était autonome depuis la rupture du cordon, mais la force de la lignée, l'emprise communautaire étaient telles qu'il avait le sentiment d'appartenir à un grand corps collectif : son corps était « le sien », mais il était aussi un peu « les autres », ceux de la lignée dont il était solidaire. Parce que son horizon du monde est plus vaste depuis les grandes découvertes, parce qu'il situe différemment son corps dans le cosmos depuis Copernic et Kepler, parce que le souci de soi passe au premier plan, l'homme de la ville se crée un autre imaginaire du corps. Il a surtout le sentiment de pouvoir disposer de son corps, d'un corps qui est vraiment « le sien ». Une telle évolution s'explique par le relâchement du lien avec la lignée ; à la ville, il y a de moins en moins de place pour les ancêtres. Mais en arrachant symboliquement son corps à la souche communautaire, l'individu le fragilise ; il faut le protéger de la maladie, de la souffrance et de la mort précoce. De la mort en couches par exemple. A partir de la fin du XVIIe siècle, la demande sociale favorise l'émergence du chirurgien-accoucheur.

Cette transformation de la conscience de la vie a cheminé longtemps avant de s'affirmer ; elle s'impose précisément avec les grands craquements des Lumières, au XVIIIe siècle. Et la séquence révolutionnaire vient couronner en quelque sorte le mouvement à long terme.

La Révolution marque un tournant démographique ; de nouveaux comportements ébauchés tout au long du siècle dans les milieux de l'aristocratie et de la grande bourgeoisie se généralisent alors à l'ensemble de la population ; la famille française des premières années du XIXe siècle s'est fortement éloignée des modèles d'Ancien Régime, et annonce à bien des égards la famille contemporaine. Il est en effet des signes qui ne trompent pas. Comme la chute de la fécondité légitime, qui affecte tous les milieux sociaux, tant à la ville, où elle est bien entendu plus accentuée, qu'à la campagne ; la descendance des mariages ruraux, qui avait baissé de 10 % en un siècle, diminue de 13 % en vingt ans. Le taux de natalité, qui était encore de 39 ‰ dans les années précédant la Révolution, passe à moins de 33 ‰ après 1800. Il en résulte à terme une baisse du nombre des naissances annuelles : 1 200 000 en 1794, mais seulement 1 100 000 en 1799, et 965 000 en 1801. Certes, les pertes militaires, l'accroissement du célibat ont leur part dans cette évolution ; mais ce sont fondamentalement les attitudes nouvelles devant la vie qui expliquent ces décrochements. D'autres indices en témoignent, comme le doublement en vingt ans des naissances illégitimes, ou la baisse de l'âge moyen des femmes à la dernière maternité, ou encore la baisse du nombre d'enfants par famille complète. A partir des centres urbains, la restriction des naissances commence alors à progresser en tache d'huile dans les campagnes environnantes.

La famille traditionnelle est ébranlée par les crises politiques, le marasme économique, les répercussions directes ou indirectes des guerres révolutionnaires ; et l'existence de la mère et de l'enfant s'en trouve fragilisée. La crise du Directoire, en 1796-1797, vient faucher par milliers les nourrissons ainsi que les femmes affaiblies par l'accouchement et la sous-alimentation. La situation est sans doute aggravée par la désorganisation des institutions sanitaires. Le départ massif des chirurgiens aux armées à partir de 1793 laisse les populations civiles démunies.

Populationnisme et régénération

Ce constat-là n'est pas nouveau. La mortalité relativement élevée des femmes en couches et des nouveau-nés avait été déjà largement dénoncée à partir des années 1760 ; et le discours populationniste avait sous-tendu l'important effort consenti pendant trente ans par l'administration royale ; en particulier lorsqu'on s'était lancé dans la grande entreprise des cours d'accouchement, destinés à former des sages-femmes de campagne et des accoucheurs de petites villes. La Révolution reprend largement à son compte cet effort. Au printemps de 1789, de nombreux cahiers montrent le désir des communautés de disposer d'accoucheuses prudentes et d'accoucheurs compétents. De multiples mémoires écrits par des praticiens soulignent au fil des années l'urgence de la situation. C'est au printemps de 1792, au moment où éclate la guerre, que le mouvement prend de l'ampleur. De vibrants appels prétendent réveiller l'opinion et l'autorité compétente : « Conserver des citoyens à la société », « Garantir à la République la fécondité des mères », « Préserver les avantages d'une population nombreuse surtout chez un grand peuple qui veut vivre libre et indépendant », tous ces accents témoignent à l'évidence d'une prise de conscience ; et il n'est donc pas étonnant que la formation des sages-femmes ait été considérée par la Révolution comme une priorité. D'ailleurs, les cours d'accouchement n'ont pas cessé à la Révolution ; et si un fléchissement de l'effort avait été perceptible dès le milieu des années 1780 avec la crise financière, seules les années noires de 1796-1797, où partout on touche le fond, les feront interrompre temporairement. Plus de cinquante villes accueillent ainsi, parfois pendant plusieurs années de suite, des élèves envoyées par leur village ou leur quartier. En pleine guerre de Vendée, les cours continuent à fonctionner à Angers et à Fontenay-le-Comte.

Mais, comme il faut sans cesse tirer sur les crédits, on évite de plus en plus la dispersion ; on centralise le cours à la grande ville. Les praticiens en renom, Baudelocque, Chaussier ou Dubois – le futur accoucheur de l'impératrice –, y poussent, parce qu'ils voient dans cette centralisation un moyen de mieux contrôler les sages-femmes et d'asseoir la prédominance des accoucheurs. Dans la grande loi de ventôse an XI (1803), qui réorganise les études médicales pour près d'un siècle, l'article 30 prévoit qu'un cours d'accouchement doit avoir lieu au chef-lieu du département, tout en avantageant l'hospice de la maternité de Paris. Une orientation qui s'inscrit parfaitement dans le schéma de centralisation du Consulat, puis de l'Empire.

Derrière le discours populationniste, on en voit apparaître un second, sur la régénération de l'homme par la Révolution. A travers l'enfant qui vient de naître et qui est l'avenir de la République, c'est l'homme nouveau que l'on prétend façonner. La création de l'état civil, l'apparition de la prénomination révolutionnaire, alors que s'effondrent les structures d'une Église autrefois attentive à l'enfance, manifestent cette émergence du nouveau citoyen. En protégeant l'enfant dès le berceau, en reportant sur lui les espérances de la République, on prépare la venue de l'âge d'or, le bonheur du peuple et le triomphe de la vertu.

L'aventure collective qu'est la construction de ce monde nouveau constitue alors plus qu'une épreuve politique : une possibilité de se réaliser autrement. L'un des acquis les plus durables de la Révolution est sans doute d'avoir donné à toute une

BIBLIOGRAPHIE

GÉLIS J., *L'Arbre et le fruit ; la naissance dans l'Occident moderne, XVIe-XIXe siècle*, Fayard, Paris, 1986.

GÉLIS J., *La Sage-Femme ou le médecin ; naissance et conscience de la vie à l'époque moderne*, Fayard, Paris, à paraître printemps 1988.

LAGET M., *Naissances ; l'accouchement avant l'âge de la clinique*, Seuil, Paris, 1981.

génération de jeunes hommes le sentiment qu'il était désormais possible de laisser une autre trace que l'enfant ici-bas. La conscience de s'inscrire dans l'histoire, de vivre le temps fort d'une époque a renforcé le courant d'individualisme tout en construisant une œuvre collective. C'est là un véritable renversement de perspective par rapport à la manière d'être et de penser des vieilles sociétés rurales, où l'homme n'était qu'une pièce anonyme de la grande mécanique créée par Dieu, et n'aurait jamais imaginé pouvoir devenir l'artisan de son propre destin.

Jacques Gélis

Un nouveau regard sur l'enfance

A la fin du XVIIIe siècle, les adultes portent sur les enfants un regard modifié par la lente prise de conscience de leur spécificité. La législation révolutionnaire concrétise cette nouvelle attitude.

Jusque-là, la contraception limitée et peu efficace, l'idée religieuse que l'union est justifiée par la procréation aboutissent à des naissances nombreuses. La forte mortalité infantile (la moitié des enfants ne dépassent pas 20 ans) provoque l'acharnement à mettre au monde l'héritier qui sera le « bâton de vieillesse ». Arrivé « par hasard », l'enfant est souvent une gêne dans le travail pour les artisans et boutiquiers, un risque de perte d'emploi pour les domestiques, une limitation des loisirs et une perturbation du jeu social des parents dans les milieux favorisés. Aussi est-il souvent un mal subi mais nécessaire. L'indifférence parentale en est la contrepartie. Et on cherche à s'en débarrasser par l'envoi chez la nourrice – voire l'abandon –, l'éducation par les domestiques, les précepteurs ou l'internat, l'apprentissage chez un patron. Considéré comme un adulte en réduction, l'enfant supporte l'autorité paternelle, selon le modèle familial de la toute-puissance royale. Dans les provinces de droit romain (surtout le Sud), le père a tous les droits sur sa progéniture, fût-elle mariée. En revanche, dans les pays de droit coutumier, il ne la conserve que jusqu'au mariage ou à la majorité.

Un changement dans l'attitude se produit au XVIIIe siècle où l'enfant apparaît comme l'espoir d'une richesse future : main-d'œuvre agricole et manufacturière, soldat pour le pays le plus puissant d'Europe, colon pour les lointaines Amériques.

Il convient donc d'en sauver le maximum. L'intervention du médecin lors de l'accouchement, la meilleure formation des sages-femmes doivent réduire la mortalité postnatale. Les survivants sont entourés de soins adaptés à leur fragilité. La mise en nourrice, qualifiée d'allaitement mercenaire, est blâmée et l'allaitement maternel prôné. L'inoculation, puis la vaccination préservent du fléau de la variole. L'*Émile* de Jean-Jacques Rousseau (1762) propose un nouveau modèle d'éducation dit « à la Jean-Jacques » : liberté de mouvement pour les corps par la suppression des

BIBLIOGRAPHIE

ARIÈS P., *L'Enfant et la vie familiale sous l'Ancien Régime,* Plon, Paris, 1960 ; rééd. Seuil, 1975.

FLANDRIN J.-L., « L'attitude à l'égard du petit enfant et les conduites sexuelles dans la civilisation occidentale : structures anciennes et évolution », *Annales de démographie historique,* 1973.

SANDRIN J., *Enfants trouvés, enfants ouvriers,* Aubier, Paris, 1982.

langes et des maillots qui garrottent l'enfant, bain quotidien matinal, le plus souvent à l'eau froide. Toutes pratiques mises à la mode dans les milieux « éclairés » de l'aristocratie et de la haute bourgeoisie, imitées progressivement par la bourgeoisie, mais ignorées par l'énorme masse des ruraux et des couches populaires urbaines.

Parallèlement, la réflexion des Philosophes dégage une nouvelle conception des relations parent-enfant. L'autorité des adultes ne vise qu'à préserver l'enfant qui est un être faible. Le père doit partager son autorité avec la mère, qui obtient ainsi une promotion de son rôle dans la famille. L'autorité n'est plus imposée arbitrairement, mais devient naturelle ; elle n'est plus illimitée, mais rencontre des bornes créées par la nature spécifique de l'enfance. Rousseau radicalise cette conception en affirmant que « les liens naturels sont dissous lorsque le besoin de l'enfant cesse ». Alors chacun reprend son indépendance. Seule l'affection née de la qualité de l'éducation reçue permet de maintenir le respect que l'on doit à des bienfaiteurs.

Ce nouveau regard sur l'enfance, les politiciens révolutionnaires l'inscrivent dans la législation de la France nouvelle. Le décret du 15 avril 1790 substitue des tribunaux de famille à l'autorité paternelle unique, et à 21 ans l'autorité cesse. Le décret du 28 août 1792 confirme la suppression de la toute-puissance paternelle sur les enfants majeurs. Dépourvus de tous droits dans la France d'Ancien Régime, les enfants illégitimes voient leur situation s'améliorer. Le 4 juin 1793, les enfants naturels, sous réserve qu'ils ne soient ni adultérins ni incestueux, sont admis à la succession de leurs parents et, le 2 novembre 1793, sont assimilés aux enfants légitimes pour le partage. Fait sans précédent et unique, cette loi est rétroactive jusqu'au 14 juillet 1789 ! Mais devant l'avalanche des demandes de révision des partages faits, les thermidoriens supprimeront la rétroactivité le 2 août 1796. Le 28 juin 1793, la loi sur l'assistance aux filles mères et aux enfants trouvés institue une maison de maternité par district et décrète qu'à compter du 14 juillet les enfants trouvés seront appelés « enfants naturels de la patrie ». Toutes ces dispositions visant à égaliser les situations entre les enfants et à les libérer seront supprimées par le Code civil napoléonien qui rétablira la structure hiérarchique et « moralisera » la famille.

Jean Sandrin

Symbolique des âges

« Les jeunes gens iront au combat ; les hommes mariés forgeront les armes et transporteront les subsistances ; les femmes feront des tentes et serviront dans les hôpitaux ; les enfants mettront le vieux linge en charpie ; les vieillards se feront transporter sur les places publiques pour exciter le courage des guerriers, prêcher la haine des rois et l'unité de la République. » Cette rédaction du décret de la « levée en masse » du 23 août 1793 classe les individus, égaux en devoirs et en droits, par tranche d'âge et par sexe.

L'enfance, c'est le temps de l'innocence couronnée de violettes (projet pour la célébration de la fête de l'Être suprême en juin 1794). Passé le cap souvent fatal des premières semaines, les enfants participent à la création de la société nouvelle comme acteurs des festivités publiques. On les exhibe « pressant le sein de leurs mères, celles-ci les saisissant, les soulevant dans leurs bras, les présent[ant] en hommage au Père de la Nature » (fête de l'Être suprême).

C'est ensuite le temps du travail et de l'étude : enfants de paysans aidant aux travaux agricoles, fils de prolétaires besognant dans les manufactures et même enfants trouvés (désormais enfants naturels de la patrie) que l'on confie à des entrepreneurs avides. Bien qu'il faille « éviter que l'homme ignorant soit à la merci du charlatan et trop dépendant de l'homme instruit » (Talleyrand), quel temps reste-t-il pour l'école, pourtant obligatoire ? A la campagne, l'éloignement du local, les difficultés des déplacements en rendent la fréquentation épisodique, surtout en hiver, saison pourtant la plus favorable à la scolarisation. En ville, les écoles trop peu nombreuses n'accueillent qu'une partie infime des enfants scolarisables. Si l'instruction primaire est quelque peu malmenée, la République n'oublie pas que l'enfant est un futur soldat. On voit fleurir « les bataillons de jeunesse », regroupant les fils de sans-culottes, où on apprend le maniement d'armes. Beaucoup plus ambitieuse est la création de l'École de Mars, à Paris. Chaque district doit y envoyer six adolescents, pris par moitié chez les ruraux et chez les citadins. Là, ils reçoivent « une éducation révolutionnaire et toutes les connaissances et les mœurs d'un soldat républicain ». Ceux-là deviendront des officiers aguerris et patriotes.

Les adolescentes sont de toutes les fêtes civiques : jeunes vierges vêtues d'une tunique blanche « à l'antique » (fête de l'Être suprême), elles portent une ceinture tricolore et une branche de laurier (fête du Triomphe des armées, nivôse-pluviôse an II). Trop souvent elles servent de faire-valoir aux hommes : c'est la préfiguration de leur rôle d'adulte ! L'égalité des sexes est refusée par la plupart des politiciens révolutionnaires (Condorcet excepté) qui ne conçoivent la femme que comme mère et épouse et lui refusent tout accès à la vie politique.

Sur l'autre versant de la vie, « couronnée de pampre et d'olivier », la vieillesse aux cheveux blancs est l'objet de soins émus et reconnaissants. Témoins d'une époque révolue, en évoquant leur passé, les vieux doivent fortifier dans les âmes la haine de l'Ancien Régime et de ses partisans. Pour la fête de l'Être suprême, le peintre David prévoit que « les yeux mouillés de larmes, les vieillards présentent l'épée aux défenseurs de la Liberté ». Connaissant enfin une France où le « bonheur est une idée neuve », ils apportent leur concours actif à toutes les fêtes publiques. A celle de l'Unité, quatre-vingt-six vieillards représentant les quatre-vingt-six départements viennent s'abreuver à la coupe de la Fraternité et de l'Égalité que remplissent deux ruisselets jaillissant des mamelles de la statue de la Nature. En 1794, le calendrier des fêtes décadaires compte à côté de la célébration des Époux, du Bonheur, une fête de la Vieillesse (fructidor an IV) où « les deux pères et les deux mères de famille du canton seront conduits avec respect par de jeunes enfants de leur maison au lieu de réunion. Dès le matin, les jeunes gens auront été parer de verdure la maison des quatre vieillards. Tous les vieillards de la commune âgés de soixante ans et plus seront invités à se rendre au lieu de la fête où les quatre vieillards occuperont une place distinguée ; les jeunes femmes leur présenteront des fleurs ».

Entourés du respect de tous, ils pourront s'éteindre paisiblement : ceux munis des sacrements iront rejoindre ceux pour qui la mort « est un sommeil éternel ».

Jean Sandrin

L'hôpital et la crise hospitalière

Fort ancienne, la crise hospitalière a suscité l'un des débats majeurs du XVIIIe siècle. Des encyclopédistes à Necker, une critique virulente dénonce l'hôpital comme réclusionnaire, avilissant, inapte à assurer sa double mission d'assistance et de soins.

« La lente servitude des hôpitaux » (Turgot)

Institution polyvalente, en effet. Sur les quelque deux mille établissements dénombrés par l'enquête de la Constituante en 1790-1791, les « hôpitaux » non spécialisés, d'ancienne fondation, demeurent les plus nombreux (71 % des établissements, 27 % des lits), accueillant toujours indistinctement malades, enfants trouvés, infirmes, incurables, insensés et pauvres non valides. Au contraire, les hôtels-Dieu (20 % des établissements, 19 % des lits) sont des lieux de soins réservés aux malades présumés curables. Quant aux gigantesques « hôpitaux généraux » formés depuis 1656 et, en principe, destinés au renfermement des pauvres (9 % des établissements, 53 % des lits), ils accueillent aussi incurables, insensés et certains prisonniers. Au total, 37 % des lits seulement sont utilisés pour les malades.

Les revenus des hôpitaux – bienfonds, rentes et octroi – s'élèvent à 29 millions en 1789. Leur implantation très inégale favorise les villes (57 % des établissements, pour moins de 20 % de population urbaine) et quelques régions, Paris (le quart des revenus hospitaliers du royaume), le Midi méditerranéen, le sillon rhodanien et les Flandres. Mal gérés, écrasés de dettes et charges, certains hôpitaux sont au bord de la ruine.

Dans la ligne des propositions de Turgot, l'objectif de la Révolution est triple : décharger l'hôpital de sa population d'assistés en instaurant des secours à domicile, assurer une meilleure répartition des revenus hospitaliers entre les régions, améliorer l'hygiène et les soins des établissements destinés aux malades. La redistribution des revenus chari-

BIBLIOGRAPHIE

ACKERKNECHT L.H., *La Médecine hospitalière à Paris, 1794-1848*, Baltimore, 1967 ; éd. française, Payot, Paris, 1986.

JEORGER M., « La structure hospitalière de la France sous l'Ancien Régime », *Annales Économies, Sciences, Civilisations*, sept.-oct. 1977.

tables supposait l'aliénation des biens-fonds des hôpitaux pour en réunir le produit en masse commune. Ce principe est adopté par la Constituante sur proposition du Comité de mendicité et du Comité ecclésiastique, mais son exécution différée jusqu'à l'époque de l'entrée en application des secours à domicile.

Dans une première période (1789-messidor an II), les hôpitaux conservent donc la jouissance de leurs revenus tout en recevant du Trésor public diverses allocations destinées à compenser les pertes subies du fait de la législation révolutionnaire (suppression des dîmes, octroi et redevances féodales). La seconde période, de messidor an II à fructidor an III (juillet 1794-août 1795), est celle de l'aliénation. Le produit des ventes est versé au Trésor qui, en retour, est tenu de prendre à sa charge les dépenses et dettes des hôpitaux. Malgré l'importance des crédits qui leur sont alloués – 82 millions en l'an III –, ceux-là pâtissent lourdement de la situation de crise économique et financière, doublée d'une crise de personnel consécutive à la dissolution des congrégations. Sous la pression des administrations hospitalières, la Convention suspend alors les aliénations. Après fructidor an III, la dernière période est celle de plusieurs années de difficultés jusque vers l'an VII-an VIII. Rentrés en jouissance de leurs biens non aliénés, les hôpitaux voient d'abord leurs pertes mal compensées par des allocations publiques insuffisantes avant que la reconstitution de leurs revenus ne fasse l'objet d'une triple action.

La loi du 16 vendémiaire an V (7 octobre 1796) leur alloue des indemnités égales à ce que produisaient en 1790 leurs biens vendus jusqu'à ce que ces biens leur aient été remplacés en biens nationaux ou rentes de même valeur (en fait, les remplacements en biens-fonds ne seront que partiels). Des recettes nouvelles leur sont affectées par le rétablissement du droit des pauvres et de l'octroi (an V-an VIII). En l'an VII, obligation est faite aux communes de leur fournir, en cas de besoin, des crédits complémentaires. A l'issue d'une crise sérieuse mais transitoire, cette transformation du financement des hôpitaux (moins de loyers et fermages, davantage de rentes, recettes variables et crédits d'octroi) leur est, à terme, bénéfique. Dès l'an XII, les recettes des hôpitaux et hospices parisiens sont supérieures à celles de 1789. Un rapport au roi de Lainé, en 1818, estime qu'en 1815 les revenus des seuls hôpitaux urbains atteignaient 33 à 34 millions (environ + 15 % par rapport à 1789). Le chiffrage national fourni par la première *Statistique de la France* est de 51 millions en 1833 (+ 75 %).

Naissance de l'hôpital moderne

Avec la Convention débute la longue histoire de l'humanisation des lieux de soins et la transformation de l'hôpital en lieu d'enseignement. C'est en l'an II qu'est prescrite la règle du lit individuel par malade et que Pinel fait libérer de leurs chaînes les fous de Bicêtre.

La loi du 14 frimaire an III (4 décembre 1794) institue trois écoles centrales de santé à Paris, Montpellier et Strasbourg. L'école de Paris admet chaque année trois cents boursiers recrutés par concours. Elle dispense un enseignement doublement novateur, car associant, pour la première fois, formation médicale et chirurgicale, instruction théorique et pratique hospitalière. L'hôpital, dont les malades sont désormais traités par les médecins les plus qualifiés, rend possible la multiplication des observations, il ouvre la voie à une médecine « clinique », médecine d'examen au lit du malade qui fonde la connaissance des maladies sur l'étude des symptômes et permet l'établissement de séries statistiques. Parmi les premiers enseignants de l'école, Pinel, Corvisart, Hallé. En moins de vingt ans vont y être formés Bichat (anatomiste),

Broussais, Bretonneau, G.L. Bayle, Laënnec, Récamier (cliniciens), Dupuytren, Lisfranc, Velpeau (chirurgiens), Ferrus, Esquirol, A.L. Bayle (aliénistes) et les pionniers de la médecine légale, de l'hygiène publique et de la statistique médico-sociale que sont Darcet, Foederé, Benoiston de Châteauneuf, Villermé et Parent-Duchâtelet. Jusque dans les années 1840 où elle perd sa suprématie au profit de l'Allemagne, l'école médicale de Paris est la première au monde.

Catherine Duprat

Assistance et Bienfaisance nationales

« La société doit la subsistance aux citoyens malheureux, soit en leur procurant du travail, soit en assurant les moyens d'exister à ceux qui sont hors d'état de travailler. » Par cet article de la Déclaration de 1793, la France, la première, met au rang des droits de l'homme le droit à l'assistance, une assistance reconnue dette nationale et dispensée sur fonds publics.

Droit de l'homme, dette sociale

Le débat sur la réforme de l'assistance est au cœur de la réflexion sociale des Lumières, à la confluence des problèmes du travail, de la santé publique et de la famille. Depuis Turgot et l'article « Fondation » de l'*Encyclopédie,* ministres réformateurs, membres de la Société royale de médecine, enquêteurs de l'Académie des sciences et rapporteurs des assemblées provinciales ont été unanimes dans leur condamnation de l'assistance hospitalière. Lieu de déchéance, d'oisiveté et de pestilence, l'hôpital, cloître et prison, concentre toutes les hantises du siècle. Pourtant, hormis quelques secours paroissiaux ou bureaux des pauvres municipaux – uniquement urbains –, l'assistance demeure massivement hospitalière.

Selon Necker, en 1784 les hôpitaux accueillent ou renferment 110 000 pauvres, y compris les pauvres malades. C'est beaucoup et c'est très peu. Sur les 610 millions de dépenses de l'État en 1781, l'assistance ne reçoit que 1,8 million (secours aux hôpitaux, actes de bienfaisance du roi). Disposant de 29 millions de revenus, les hôpitaux passent pour riches. Mais que dire de leur gestion ? Cas extrême, sans doute, que l'hôpital général de Paris, le plus grand et le mieux doté avec ses dix maisons, 12 000 pauvres et 3 600 000 livres de revenus en 1789. Or, là-dessus, n'est employé à l'entretien des pauvres que 1 050 000 livres, le reste passant en charges, réparations, engagements, rentes dues et frais d'administration. « Cette disproportion est effrayante », notait La Rochefoucauld-Liancourt.

C'est au Comité de mendicité de la Constituante que l'on doit la première recension nationale des fonds à destination charitable, la première estimation chiffrée de la population indigente (5 % en année commune, 10 à 12 % en temps de crise), la première formulation de la doctrine révolutionnaire (secours en travaux pour les pauvres valides, pensions à domicile pour les non-valides inaptes au travail), enfin la prescription des grandes lignes de la réforme : aliénation des biens hospitaliers, réunion du produit en masse commune, puis redistribution nationale des crédits d'hôpitaux et secours à domicile au prorata de la population indigente des départements. La Constituante et la Législative devaient en différer l'exécution, se bornant à ouvrir des crédits pour travaux de secours et subventions complémentaires aux hôpitaux. Dès 1789 s'étaient formés dans les villes les premiers comités fraternels de bienfaisance distribuant des secours à domicile : de 1791 à l'an X, le nombre annuel d'indigents parisiens ainsi secourus allait osciller de 72 000 à 118 000.

Dans l'action sociale et la législation de la Convention, une place centrale est faite à l'assistance. En l'an II, c'est à 350 millions – en assignats stabilisés – que s'élèvent les crédits pour travaux de secours, subventions de complément aux hôpitaux civils et militaires, pensions de secours à domicile, pensions aux familles des combattants, allocations individuelles, secours aux réfugiés et sinistrés.

Les lois des 19 mars 1793, 28 juin 1793, 24 vendémiaire an II (15 octobre 1793) et 22 floréal an II (11 mai 1794) ont défini la nature et les modalités de la nouvelle Bienfaisance nationale. Pour les valides au chômage, des travaux de secours, mais temporaires – limités à la morte-saison – et rémunérés aux trois quarts du tarif de l'entreprise privée. Pour les non-valides, des secours à domicile qui préservent la dignité de l'individu, ses liens sociaux et familiaux. « Plus d'hôpitaux », dit Barère en l'an II, c'est-à-dire plus d'hôpital général, sauf impérieuse nécessité (enfants abandonnés non placés, infirmes sans famille). Sont donc pensionnés les femmes en couches et mères-nourrices, y compris les filles mères, les enfants des familles nombreuses, les vieillards et les infirmes.

Plus que simple dispositif d'assistance, il s'agit là d'une véritable législation sociale. Ainsi, des prestations familiales à l'accès modulé en fonction des ressources. Pour en bénéficier, il faut trois enfants à l'indigent, quatre au pauvre, cinq au moins pauvre. Ainsi s'exprime la globalité d'un projet intégrant secours, instruction, travail et santé. Pensionnés jusqu'à douze ans, les enfants sont tenus de fréquenter les écoles nationales avant d'être placés en apprentissage aux frais de la nation. C'est leur travail passé que sont censées rétribuer les pensions de retraite versées aux sexagénaires et dont mendiants et rentiers sont exclus. Allaités au lait maternel, les enfants doivent être inoculés sous peine de perdre les secours. Des officiers de santé visitent les familles assistées et, pour les maladies courantes, les traitent gratuitement à domicile : ils délivrent aux malades médicaments, aliments reconstituants et indemnités journalières de maladie.

Son caractère très avancé a parfois fait taxer cette législation d'utopie futuriste au coût somptuaire et donc inappliquée. Rien de tel, en fait. Précisément chiffrée par Barère, son rapporteur, la loi du 22 floréal an II sur l'assistance aux habitants des campagnes avait contingenté les inscriptions aux rôles de secours à partir de l'estimation – assurément trop faible – des 5 % de population indigente proposée par le Comité de mendicité : elle ne prévoyait donc que 106 000 pensionnés ruraux, soit une dépense annuelle de 13,3 millions. Aussi les pensions promises furent-elles versées, mais leur montant, substantiel en l'an II, de 80 à 160 livres, devait bientôt être érodé par la dépréciation monétaire. Deux années durant, la loi de Bienfaisance nationale fut cependant exécutée et les titres de leurs pensions remis à leurs bénéficiaires lors de l'étonnante fête du Malheur instituée par les républicains de l'an II pour honorer leurs frères indigents.

Un héritage amputé

Le Directoire met fin à cette assistance nationale par trois lois de vendémiaire à frimaire an V (octobre à décembre 1796). Seuls, les enfants trouvés perçoivent encore des allocations du Trésor. Rétablis dans la jouissance de leurs biens non vendus, les hôpitaux se verront remplacer leurs biens aliénés (en fait partiellement) et doter de nouvelles recettes (droit des pauvres sur les spectacles, puis octroi) ; après quoi prendront fin toutes subventions de l'État. Dans les communes seront formés des bureaux de bienfaisance, également financés sur le droit des pauvres et l'octroi, et par des dons libres. Leurs administrateurs distribueront des secours à domicile « en nature autant que possible ».

Double régression que ces mesures. Plus de droit aux secours pour l'indigent. L'hôpital ne l'accueille, le bureau ne l'assiste qu'en fonction des moyens financiers qui sont les leurs. Plus d'égalité aux secours sur l'ensemble du territoire. Les régions bien pourvues en hôpitaux vont maintenir et accuser leurs privilèges : c'est aux établissements existants qu'iront les dons et legs aux pauvres du siècle suivant. Bénéficiaires exclusives du droit sur les spectacles et de l'octroi, les villes seules seront en mesure de financer des bureaux : 16 % des communes en seront dotés au début du XIXe siècle.

L'héritage de l'an II fonde cependant l'assistance contemporaine. Pour n'être plus « nationaux », les secours demeurent « publics ». Quoique défrayé de sa dépense, l'État en conserve seul la direction et le contrôle. Irréversible est l'abandon de l'ancienne police des pauvres par la réclusion, définitif le partage entre l'hospice, lieu d'asile, le bureau de secours – origine de notre bureau d'aide sociale – et l'hôpital, lieu de soins et, bientôt, d'enseignement. Publics et laïcisés, les établissements d'assistance fonctionnent sous la surveillance des administrations civiles et leur rendent des comptes financiers. Différent de celui de l'Ancien Régime – moins de revenus immobiliers, davantage de rentes et allocations d'octroi –, le patrimoine des pauvres, mieux géré, aura doublé en quarante ans. Selon la première *Statistique de la France,* les bureaux de bienfaisance de 1833 disposeront de 10 millions de revenus, les hôpitaux et hospices de 51 millions.

Catherine Duprat

Maladies et carences

Il n'est que de consulter les maigres inventaires après décès dans les secteurs délaissés de notre pays (massifs montagneux, Bretagne intérieure, Sologne, Dombes) pour constater l'extrême pauvreté de ceux qui, pourtant, avaient assez de bien pour qu'un greffier se soit dérangé. Aucun document sériel ne décrit la misère extrême d'une « population flottante » qui, par suite d'une peur, d'une rumeur, d'un nuage de poussière annonçant l'ennemi et ses ravages, se presse sur les routes pour rejoindre la ville voisine, supposée charitable et, souvent, crispée de peur.

« Au pain et à l'eau »

Que survienne un grand hiver (1789), une sécheresse exceptionnelle (1785) ou un printemps pourri, c'est le désarroi, le passage de la pauvreté à la misère. On se précipite sur les baies et les herbes sauvages ; on ingurgite des seigles ergotés, qui répandent le « mal des ardents » ; on dévore des « bleds verts » après les avoir fait griller.

En temps ordinaire, le pain est la nourriture essentielle ; non pas le pain blanc réservé aux nantis des villes et aux « coqs de village », mais un pain bis, souvent mêlé de son, rudé à digérer. Bon an mal an, on fait bombance lors des grandes fêtes carillonnées, avec excès, par volonté de rupture avec le brouet quotidien. « Au pain et à l'eau », tel est le régime des classes populaires, encore l'eau est-elle souvent impropre à la consommation humaine. Faire maigre n'est pas encore une vertu...

La ration se monte à 2 500 calories par jour pour les adultes. Elle est insuffisante pour le travailleur agricole comme pour l'artisan de la ville. Pis encore, le déficit en protéines animales et en lipides et, surtout, de graves avitaminoses (vitamines C et D) favorisent l'extension de « mortalités » faucheuses d'hommes, ou bien encore retardent les guérisons, provoquent complications ou rechutes au moment même où la terre, qui n'attend pas, a besoin de bras.

Sans stocks, sans épargne, les pauvres voient venir avec crainte le moment de la « soudure » entre deux récoltes. Le temps qu'il fait est leur hantise. Ils savent qu'ils n'auront pas les moyens nécessaires pour acheter au prix fort, à la différence des riches, nobles ou bourgeois. A la limite, ils redoutent de devoir manger les semences.

Avant 1789 comme après, c'est le lot commun d'une France profonde essentiellement rurale que ne touchent guère ni les progrès accomplis dans la conservation des grains, ni l'amélioration du réseau routier, ni le désenclavement partiel de régions entières grâce à l'établissement d'un marché national de consommation. La disette a chassé la famine ; les crises de subsistance, généralement larvées, existent encore. En quelques semaines, le prix des céréales est multiplié par deux ou trois : en l'an III (1795), en 1811-1812, en 1816-1817 et jusqu'en 1847.

En temps de paix, la situation des classes populaires est déjà délicate. En temps de guerre, à la fois civile et étrangère, dès lors que l'organisation des secours correspond à un vain mot, que les troupes traînent derrière elles leur cortège dévastateur et pratiquent la politique de la « terre brûlée », le tableau s'assombrit. En dépit des marmites populaires improvisées, malgré les diverses tentatives d'assistance aux déshérités, marasme physiologique, entassement dans les logements et carences alimentaires sont graves de conséquences. Un « sous-développement » chronique attise les ravages causés par les maladies infectieuses, tout spécialement au sud de la ligne Saint-Malo-Genève.

De façon générale, la stature des conscrits traduit fidèlement le niveau sanitaire général. Les hommes de haute stature (plus de 1,72 m) sont issus du Nord-Est. Ceux de taille moyenne (entre 1,61 et 1,72 m) viennent de Provence ou du Dauphiné. Les « petits hommes » (moins de 1,61 m) se recrutent principalement en Auvergne et en Bretagne, mais aussi dans le Sud-Ouest.

Les disettes, la guerre, l'occupation étrangère, la désertion des campagnes par les paysans enrôlés (1814-1815) engendrent le malheur, notamment biologique. Dans les riches campagnes de la Brie et de la Bourgogne, c'est la sous-production. « Le plus grand abaissement de

BIBLIOGRAPHIE

Annales Économies, Sciences, Civilisations, n° spécial, « Histoire biologique et société », n° 6, nov.-déc. 1969.

Annales Économies, Sciences, Civilisations, n° spécial, « Médecins, médecine et société en France aux XVIIIe et XIXe siècles », n° 5, sept.-oct. 1977.

ARON J.-P., DUMONT P., LE ROY LADURIE E., *Anthropologie du conscrit français, 1819-1826,* Mouton, Paris-La Haye, 1972.

DARMON P., *La Longue Traque de la variole,* Librairie académique Perrin, Paris, 1986.

DESAIVE J.-P., GOUBERT J.-P., LE ROY LADURIE E., MEYER J., PETER J.-P., *Médecins, climat et épidémies à la fin du XVIIIe siècle,* Mouton, Paris-La Haye, 1972.

GOUBERT J.-P., *Malades et médecins en Bretagne, 1770-1790,* Klincksieck, Paris, 1974.

LEBRUN F., *Se soigner autrefois. Médecins, saints et sorciers aux XVIIe et XVIIIe siècles,* Messidor/Temps actuels, Paris, 1983.

LEBRUN F., *Les Hommes et la mort en Anjou aux XVIIe et XVIIIe siècles,* Mouton, Paris-La Haye, 1971.

la taille moyenne des Français dans la première moitié du XIXe siècle, 1,642 m en 1836 et 1837, porte sur les jeunes gens nés de 1813 à 1815, époque désastreuse où la guerre décime la plus belle population de France. » Une amélioration ne commence à se dessiner que pour les conscrits conçus après 1828.

Fléaux et maladies

La France d'entre 1789 et 1815 bénéficie d'une conjoncture éminemment favorable : la peste a disparu depuis 1720 et le choléra ne se montre qu'à partir de 1832. Il n'empêche qu'à coups plus ou moins réguliers l'épidémie est là, d'autant plus terrible qu'on ne sait ni la prévenir, ni l'identifier, ni la guérir. Ce fléau épidémique a pour noms actuels : dysenterie, paludisme, typhus, scarlatine, variole..., sans oublier la kyrielle des grippes, angines, diphtéries et affections pulmonaires. L'endémie paludéenne sévit dans des contrées entières : Sologne, Saintonge, Dombes, Bas-Languedoc, Landes. Par vagues régulières (tous les cinq à sept ans), la variole effectue des coupes claires dans les rangs des adolescents et des enfants, sans épargner les adultes. La pratique de l'inoculation (après 1750) est incertaine et complexe. En revanche, l'intervention de l'État impérial, grâce à la découverte de la première vaccination (Jenner, 1796), est source de changement : en 1805, la variole tue dix fois moins qu'en 1800.

Jean-Pierre Goubert

Espérance de vie et mort

Il est bien difficile de connaître la mortalité des Français au moment de la Révolution. La plus ancienne table de mortalité « nationale », celle de Duvillard, n'a été publiée qu'en 1806, et on sait maintenant qu'elle a été construite, selon une méthode peu recommandable, à l'aide de matériaux disparates datant de la fin de l'Ancien Régime.

Heureusement, l'enquête de l'INED sur l'histoire de la population française, dont les principaux résultats ont paru en 1975, a jeté de nouvelles lumières sur cette question obscure. L. Henry et Y. Blayo ont reconstitué les pyramides des âges, de cinq en cinq ans, dans le cadre du territoire actuel, depuis 1740 ; et des tables abrégées de mortalité des deux sexes, pour chaque décennie, jusqu'en 1820-1829.

Pour la période 1790-1799, ces tables n'ont été données que pour le sexe féminin : en effet, la méthode impliquait, pour éviter les erreurs, de travailler sur une population fermée, c'est-à-dire sans migrations. L'hypothèse était soutenable pour les femmes, moyennant certaines réserves, sur lesquelles nous reviendrons ; mais certainement pas pour les hommes, à cause des pertes militaires non enregistrées, qui peuvent être assimilées, en un certain sens, à une émigration définitive. C'est même par comparaison des statistiques de décès par âges pour les deux sexes que les auteurs ont pu tenter d'établir un bilan des pertes de l'époque révolutionnaire.

Recul important de la mortalité ?

Quoi qu'il en soit, la table de mortalité du sexe féminin pour la période 1790-1799 témoigne d'un important recul de la mortalité : le quotient de mortalité infantile (décès avant un an, rapporté aux naissances vivantes) serait descendu de 265 à 234 ‰, celui des filles de un à quatre ans de 243 à 213 ‰. Ainsi le nombre des survivantes au 5e anniversaire, pour mille naissances vivantes, serait passé de 556 à 603, alors qu'il n'avait atteint que 572 pendant la meilleure des cinq dernières décennies de l'Ancien Régime.

Même pour les adultes, l'espérance de ce vie semble augmenter : au 20e anniversaire, elle atteint désormais 38,6 ans (le meilleur record précédent était celui de la décennie 1770-1779, avec 37,8 ans) ; et, au 40e anniversaire, elle retrouve le bon score de la décennie 1750-1759, avec 25,1 ans.

Or ces progrès sont peut-être illusoires : une augmentation du sous-enregistrement des décès, provoquée par la laïcisation de l'état civil, par les troubles intérieurs ou par la mauvaise volonté de la population, pourrait expliquer, au moins en partie, la réduction apparente du nombre des morts. Sinon, quelle pourrait en être la cause ? Il n'y a pas eu de progrès médicaux, et la vaccination, inventée par Jenner en 1796, n'a pu avoir d'effet en France avant les premières années du XIXe siècle. D'autre part, la mobilité accrue des populations aurait dû favoriser la diffusion des épidémies...

Pour évaluer la surmortalité accidentelle du sexe masculin de 1790 à 1815, L. Henry et Y. Blayo ont calculé, dans chaque groupe de générations, le nombre des décès manquants (théoriquement, dans une population fermée, le total des décès d'une génération devrait être rigoureusement égal à celui des naissances), et comparé le sous-enregistrement pour les deux sexes, compte tenu de la surmortalité masculine en temps normal. Ils évaluent, sur ces bases, les pertes militaires — y compris les décès enregistrés dans les hôpitaux et les décès transcrits sur les registres mortuaires — à 1 300 000 pour l'ensemble des guerres de la Révolution et de l'Empire, dont 203 000 pour les années 1790-1794, et 235 000 pour les années 1795-1799. Leurs estimations pour la période impériale étant inférieures à celles proposées par J. Houdaille après enquête directe dans les registres matricules des régiments de l'époque, ils admettent l'idée d'une majoration de 10 %, ce qui donnerait donc 480 000 morts environ de 1790 à 1799.

Cette évaluation est peut-être valable pour les militaires de l'armée régulière ; elle nous paraît insuffisante pour la population totale. En effet, les calculs de L. Henry et Y. Blayo reposent sur deux hypothèses : la première est que la population féminine constituerait une population fermée ; la seconde que les décès manquants dans toutes les générations seraient ceux d'enfants de moins de cinq ans.

Or il est bien évident qu'il y a eu, parmi les émigrés — qui n'étaient pas tous des aristocrates, loin de là —, plusieurs dizaines de milliers de femmes, dont beaucoup ne sont jamais rentrées ; et surtout que davantage encore sont mortes sur le territoire national sans que leur décès ait jamais été enregistré, en particulier au cours de la guerre civile (20 000 peut-être à l'issue de la « virée de galerne »).

Prenons l'exemple de la région Bretagne-Anjou, telle qu'elle est définie dans l'enquête de l'INED (la Vendée, le Maine-et-Loire et les cinq départements bretons). La statistique des décès ruraux (INED) est anormalement basse pour la période 1790-1799 : 830 000 au total, alors qu'on avait trouvé 1 042 000 pour la décennie prérévolutionnaire. Dans le détail, aucune augmentation n'apparaît même en 1793 et 1794 !

L'explication est simple : l'enquête de l'INED repose sur des comptages opérés dans un échantillon de paroisses tiré au hasard, méthode impeccable du point de vue scientifique, mais qui implique, quand les registres manquent, de recourir à un échantillon de remplacement. Or ce dernier cas n'est nullement fortuit ; en Vendée, par exemple, les registres ont brûlé en même temps que les villages. Pour opérer des dépouillements, il faut donc se rabattre sur des communes « normales », c'est-à-dire sur des communes épargnées.

Pour cette région Bretagne-Anjou, on n'observe, au cours des cin-

Densité des populations en France à la fin de l'Ancien Régime

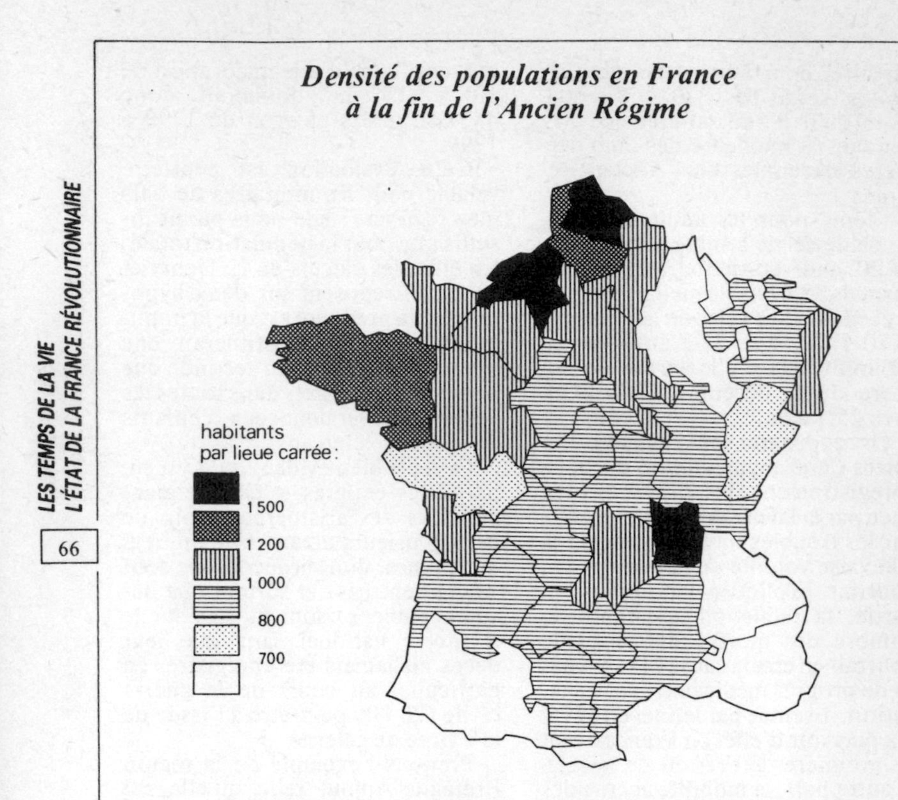

Variation de la population entre 1790 et 1806

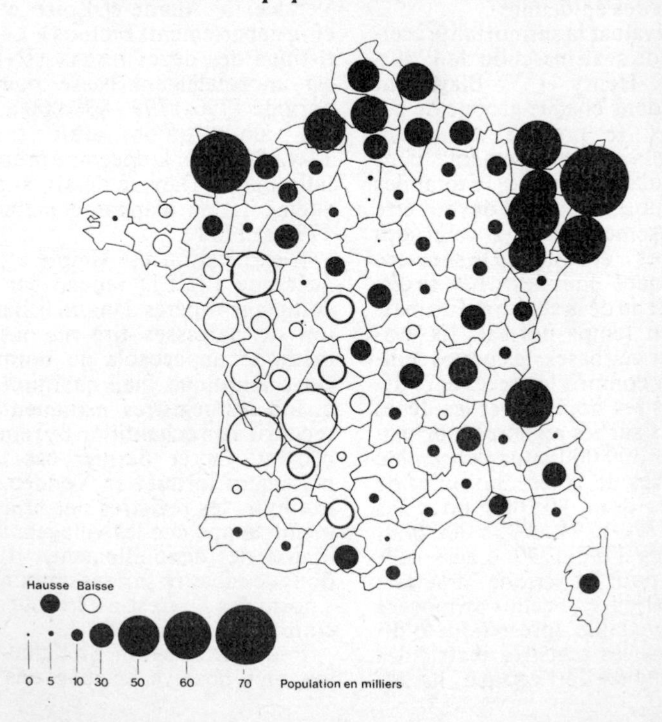

quante dernières années de l'Ancien Régime, qu'un excédent moyen annuel du mouvement naturel égal à 539. Or, pendant la décennie révolutionnaire, l'excédent passe à 20 200 par an en moyenne, soit 202 000 en dix ans ; alors qu'entre les recensements de 1791 et de 1801, la population des sept départements concernés est tombée de 3 101 000 à 2 688 000, soit une perte nette de 413 000. Ce ne sont ni les migrations ni le sous-enregistrement des décès d'enfants qui peuvent expliquer cet énorme écart de 615 000 entre les deux sources, d'autant plus que le sous-enregistrement des décès d'enfants était minime, et peut-être même inexistant avant la Révolution, dans toute cette région. Il faut donc admettre que le déficit s'explique par la guerre de Vendée, la chouannerie, et les décès de soldats bretons hors des frontières.

Un million de disparus

A l'échelle de la France entière, il est difficile d'être si précis, mais l'examen du sous-enregistrement des décès par groupes de générations présente des anomalies curieuses : la proportion des décès manquants pour le sexe féminin s'établit d'abord à 10 % dans les générations 1740-1744 ; elle augmente ensuite peu à peu pour atteindre 12,7 % dans la cohorte 1755-1759, puis se réduit à 5,4 % dans la cohorte 1775-1779, et se stabilise à peu près. Comment le sous-enregistrement des décès d'enfants aurait-il pu suivre une évolution aussi chaotique ?

Admettons que celui-ci ait effectivement concerné 10 % des effectifs dans les générations 1740-1744 ; puis qu'il se soit réduit à 0,5 % tous les cinq ans, du fait du progrès indéniable de l'enregistrement à partir de la déclaration royale de 1736 (donc qu'il ait été de 9,5 % pour la cohorte 1745-1749, 9 % pour la cohorte 1750-1754, etc.), pour tomber finalement à 5,5 % à la veille de la Révolution. Alors il faudrait conclure que, parmi les 1 525 000 décès féminins non enregistrés dans les générations 1740-1769, 254 000 environ correspondraient à des décès de femmes adultes pendant la période révolutionnaire, et 1 271 000 à des décès d'enfants en bas âge à l'époque de Louis XV.

Du coup, il faudrait ajouter aux pertes militaires 254 000 décès pour le sexe féminin, et autant pour le sexe masculin, puisque l'évaluation précédente a été faite par soustraction. On aboutirait ainsi, pour le total des pertes provoquées par la Révolution, y compris l'émigration définitive, à un total approximatif de 950 000 personnes. Retenons une fourchette de 900 000 à 1 000 000, dont 480 000 militaires de l'armée régulière.

Cette évaluation nous amène à remettre en cause le chiffre proposé par l'INED pour la population française, dans les limites du territoire actuel, au 1er janvier 1790 : il faut probablement le porter de 28,1 à 28,6. Malgré tout, la France aurait encore gagné un demi-million d'habitants au cours de la décennie révolutionnaire. Quant à la table de mortalité féminine calculée pour cette période, sa qualité apparaît maintenant assez douteuse ; peut-être faut-il admettre quand même une réduction de la mortalité des enfants.

Jacques Dupâquier

AMOUR ET SEXUALITÉ

La fièvre des mariages

Alors que sous le règne de Louis XVI, entre 1774 et 1792, le nombre annuel des mariages en France oscille peu, autour d'un chiffre moyen de 230 000, avec un minimum de 211 000 en 1778 et un maximum de 257 000 en 1780, brusquement on enregistre 327 000 mariages en 1793 et 325 000 en 1794, pour retrouver, dans les années suivantes, les chiffres moyens antérieurs. Les données détaillées permettent de constater que le phénomène est sensible à Paris dès les derniers mois de 1792 et qu'il est général, affectant aussi bien les campagnes – soit 80 % de la population – que les villes. Comment s'explique cette fièvre des mariages, aussi brutale que temporaire ?

Une école de patriotisme

La première hypothèse réside dans la propagande qui, depuis 1789 et surtout à partir de 1792, entoure l'institution même du mariage. En effet, alors que la population s'accroît notablement depuis le début du XVIIIe siècle, les contemporains s'imaginent au contraire qu'elle régresse, et les révolutionnaires – des constituants aux conventionnels – voient dans le mariage un lien social indispensable, et dans une forte natalité susceptible de renforcer la grande nation, un véritable devoir patriotique. Au lendemain du 10 août 1792, le mariage devient l'institution fondamentale de la jeune République et la famille, la première école du patriotisme. Cette intense propagande a certainement joué un rôle dans le relèvement de la nuptialité et dans le recul corrélatif du célibat définitif. Et cela d'autant plus que la nouvelle législation favorise directement et indirectement la nuptialité.

En effet, le 20 septembre 1792, à la veille de laisser la place à la Convention qui allait proclamer la République le 22, l'Assemblée législative laïcise l'état civil et autorise le divorce. Le mariage est désormais enregistré devant les officiers municipaux, avant ou après la bénédiction éventuelle de l'Église (qui n'est donc nullement interdite). Les fiançailles sont supprimées, de même que la plupart des empêchements reconnus par le droit canon, notamment ceux liés à la consanguinité. Les jeunes gens de plus de 21 ans peuvent se marier sans le consentement de leurs parents, et non plus après 30 ans pour les garçons et 25 ans pour les filles comme dans la législation antérieure. Une seule publication du futur mariage est obligatoire, huit jours seulement avant sa célébration. Enfin, le divorce est admis, non seulement pour sept motifs bien déterminés – entre autres la démence, les sévices corporels, la condamnation à une peine infamante –, mais aussi par consentement mutuel et même pour incompatibilité d'humeur. De plus, la procédure est simple et peu coûteuse. On conçoit aisément que ces profonds changements de la législation, et notamment l'instauration du divorce, aient pu favoriser les mariages dans les derniers mois de 1792 et les premiers mois de 1793. En effet, malgré le frein qu'a pu constituer dans une société restée chrétienne en profondeur le fait que l'Église continue à ne pas reconnaître le divorce, de nombreux couples, parfois âgés, vont profiter de la loi du 20 septembre pour régler définitivement de vieux contentieux et rompre une union devenue insupportable, depuis longtemps souvent. Cela explique que plus de la moitié des divorces, enregistrés à Rouen entre 1792 et 1803, l'aient été dans les vingt-sept mois qui vont d'octobre 1792 à décembre 1794. Or, dans une proportion importante, le divorce est suivi du remariage de l'un au moins des ex-époux, quand ce n'est pas des deux, chacun de leur côté. D'une façon plus générale, ces diverses mesures législatives ont, à l'évidence, facilité des unions qui, sans elles, n'auraient pu être contractées (que l'on pense seulement à la consanguinité ou au consentement des parents) ou ne l'auraient été que plus tardivement.

Échapper au service militaire ?

Quant à la volonté d'échapper au service militaire, souvent invoquée – à tort – comme seul facteur d'explication, elle a incontestablement contribué à la multiplication des unions en 1793 et 1794. En déclarant la guerre « au roi de Bohême et de Hongrie », en avril 1792, la France révolutionnaire s'est engagée dans la guerre contre l'Europe. Très vite, les effectifs constitués par les anciennes troupes de ligne et les bataillons de volontaires recrutés en juin 1791 parmi les gardes nationaux se révèlent insuffisants. Le 11 juillet 1792, l'Assemblée législative décrète « la patrie en danger » et

Les mariages pendant la Révolution

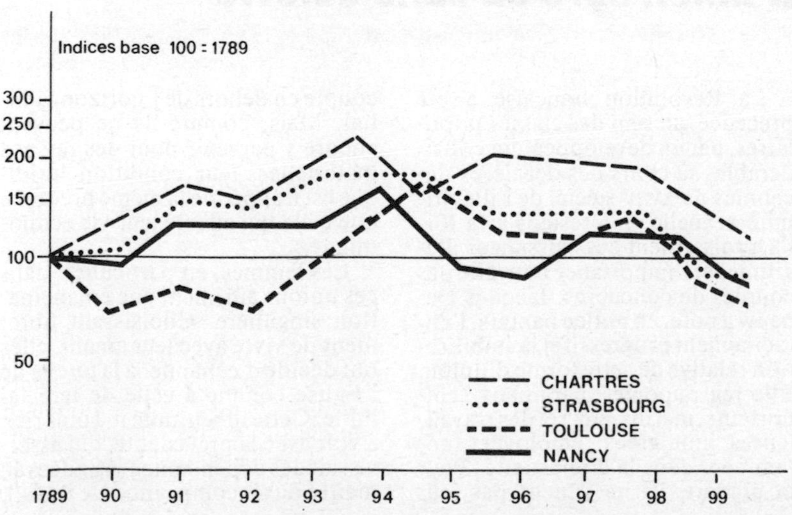

Indices base 100 = 1789
300
250
200
150
100
50
CHARTRES
STRASBOURG
TOULOUSE
NANCY
1789 90 91 92 93 94 95 96 97 98 99

BIBLIOGRAPHIE

BERTAUD J.-P., « Les mariés de l'an II », *L'Histoire*, mai 1982, n° 45, p. 38-45.

BLAYO Y., « Mouvement naturel de la population française de 1740 à 1829 », *Population*, novembre 1975, n° spécial, p. 15-64.

GARAUD M., *La Révolution française et la famille*, PUF, Paris, 1978.

LEBRUN F., *La Vie conjugale sous l'Ancien Régime*, Armand Colin, Paris, 1975.

PERROT J.-C., *Genèse d'une ville moderne : Caen au XVIIIe siècle*, Mouton, Paris, 1975.

fait appel à de nouveaux volontaires. En février 1793, la Convention décide la levée, dans tout le pays, de 300 000 hommes, par tirage au sort – seuls les hommes mariés sont dispensés de « tirer ». Enfin, le décret du 23 août 1793 organise la levée en masse : tous les célibataires et veufs de 18 à 25 ans, sans enfants, sont enrôlés et envoyés au combat. Le texte proclame en effet que « tous les Français sont en réquisition permanente pour le service des armées ; les jeunes gens iront au combat ; les hommes mariés forgeront les armes et transporteront les subsistances ; les femmes feront des tentes, des habits et serviront dans les hôpitaux ; les enfants mettront du vieux linge en charpie ; les vieillards se feront porter sur les places publiques pour exciter le courage des guerriers, prêcher la haine des rois et l'unité de la République ». Ainsi, pour beaucoup de jeunes Français, notamment de jeunes ruraux qui répugnent à quitter leur village et à aller se battre au loin pour une République qui les a en partie déçus, le mariage apparaît comme la seule solution permettant d'échapper à cette terrible éventualité.

Exaltation officielle du mariage, facilités législatives accordées à celui-ci, possibilité d'échapper au service militaire et aux redoutables dangers qu'il représentait : ces diverses raisons – en partie contradictoires au regard de l'idéal patriotique de l'an II – ont certainement joué, dans des proportions impossibles à évaluer, pour aboutir à cette « ruée au mariage » des années 1793 et 1794.

François Lebrun

L'union libre du sans-culotte

La Révolution française a été précédée, au sein des classes populaires, par un développement considérable, au cours des dernières décennies du XVIIIe siècle, de l'illégitimité sexuelle. L'attestent à la fois l'accroissement des naissances illégitimes et l'importance nouvelle des couples de concubins. Jacques Depauw a noté, en milieu nantais, l'enracinement progressif et la stabilisation relative de cette forme d'union. Elle regroupe des marginaux (colporteurs, marins, etc.) et des travailleuses immigrées, employées notamment dans la domesticité. Pour la plupart, ils ne situent pas leur couple en dehors de l'horizon familial. Mais, comme ils ne peuvent encore y parvenir pour des raisons matérielles, leur condition juridique est frappée de la même précarité que celle qui affecte leur vie économique.

Les femmes, en particulier, dans ces unions affirment une émancipation singulière. Choisissant librement de vivre avec leur amant, elles ont décidé d'échapper à la tutelle de l'Église comme à celle de leur famille. Cette illégitimité n'a plus rien à voir avec la précédente, qui asservissait des dépendantes résignées au maître ou au compagnon de travail.

Shorter a sans doute exagéré l'importance de la « révolution sexuelle », attestée, en milieu urbain et populaire, par ces pratiques inédites, parfois encore accompagnées de formes de conduite très proches de la prostitution féminine ou de l'exploitation masculine. Mais, à la veille de 1789, les villes françaises connurent incontestablement, chez les prolétaires, une tendance à la formation de couples désacralisés, délivrés à la fois du contrôle religieux et de celui des parents.

Pour Arlette Farge, ce type de concubinage est bien réel dans le Paris du XVIIIe siècle. Les couples qu'il concerne sont moins composés de gens vivant dans la honte ou l'interdit que d'indigents, attendant de pouvoir enfin payer, un jour, les frais de leurs noces. Ils font même parfois une déclaration officielle, devant le commissaire de police de leur quartier. Les autorités et le voisinage sont scandalisés, vers 1780, par ces ouvriers parisiens austères, à la vie familiale irréprochable, mais qui sont parfaitement méprisants envers les sacrements de l'Église.

Des parents bafoués ou des époux abandonnés ont, d'autre part, depuis toujours combattu les formes d'union libre. La femme, surtout, était visée dans cette tentative de rétablir l'ordre traditionnel menacé par la passion des amants. Mais l'ébranlement de celui-ci, bien antérieur à la Révolution, permet de relativiser, notamment dans la capitale, l'importance des transformations que 1789 a apportées aux formes sociales et juridiques de la sexualité.

Bâtard de père en fils

Albert Soboul, dans son admirable tableau des sans-culottes parisiens de l'an II, a fait de leur goût pour l'union libre la preuve de leur absence de préjugés. Il a relevé que, si certaines de ces unions étaient parfois régularisées après une naissance, beaucoup ne l'étaient jamais. Concubinage et enfants naturels sont donc un élément fondamental de la sexualité du temps. Le 13 octobre 1792, à Bondy, un compagnon maréchal de 26 ans se présentait devant l'assemblée générale de sa section, en compagnie d'une jeune fille de 17 ans, à laquelle l'unissaient depuis dix-huit mois « les liens du plus tendre attachement ». Ils avaient fait baptiser « sous leurs noms respectifs » un enfant « provenant du commerce libre dans lequel ils avaient vécu depuis le temps ». Ils venaient tous deux faire constater « l'authenticité de leur amour » fondé sur « le vœu... formel et réciproque qui les engageait l'un à l'autre ». L'assemblée, « par respect pour les mœurs et pour le sentiment le plus respectable de la nature », enregistra officiellement leur déclaration.

Mais le plus souvent, une pareille procédure était considérée comme aussi superflue que les formalités légales du mariage. Dans une pétition en faveur de l'égalité des droits entre enfants naturels et légitimes en matière de succession, un sans-culotte, se prétendant maître maçon, se déclara avec quelque ostentation « bâtard de père en fils et père de six enfants dont la mère n'a jamais fréquenté le mariage ». Il ajoutait fièrement : « Ce qui n'empêche pas le ménage d'aller bon train et les marmots de pousser comme si le notaire et le curé y avaient passé. »

L'importance des unions libres, dans les classes populaires, explique sans doute l'insistance des sans-culottes à réclamer des droits égaux pour les enfants naturels et les femmes illégitimes. La section de Bon-Conseil reprocha par exemple, à la Convention, une loi sur les secours aux familles des soldats, qui avait ignoré « les êtres intéressants qu'un préjugé barbare avait jusqu'alors fait considérer comme illégitimes » et « les citoyennes qu'un sentiment de tendresse avait rendues fécondes, avant d'avoir rempli le vœu de la loi, c'est-à-dire en omettant la formalité qu'elle requiert pour autoriser l'union ».

Au temps du gouvernement révolutionnaire, les autorités sectionnaires ne firent d'ailleurs aucune

BIBLIOGRAPHIE

DEPAUW J., « Amour illégitime et société à Nantes au XVIIIe siècle », *Annales Économies, Sciences, Civilisations,* 1972.

SOBOUL A., *Les Sans-Culottes,* Seuil, Paris, 1968.

distinction entre les femmes et les enfants légitimes ou non. Mais, dès l'an III, les honnêtes gens regrettèrent que des secours fussent accordés « à des citoyennes qui ne sont point unies par les liens d'un légitime mariage à des citoyens qui sont aux frontières ». Le 20 messidor (8 juillet 1795), l'assemblée de la section de la Maison-Commune adopta leur point de vue.

Ces débats renvoient, comme tant d'autres aspects de la vie populaire du temps, moins à une nouvelle idéologie apparue alors qu'à l'héritage des conditions sociales, familiales et sexuelles immédiatement antérieures à 1789. En cela, le sans-culotte est moins un révolutionnaire et un libertaire qu'un héritier et un traditionaliste.

L'union libre, adoptée avec fierté par quelques militants parisiens, ne saurait donc être la preuve d'une sensibilité nouvelle créée par les suites de l'ébranlement dû à 1789. Il est d'ailleurs faux de limiter le phénomène à une pseudo-élite présente dans la capitale. Ses sans-culottes y agissaient et y parlaient comme les ouvriers des autres grandes villes françaises. En vivant au sein de couples concubins, ils ne songeaient pas à affirmer l'existence d'un nouveau modèle sexuel. Résolument conservateurs en matière de mœurs, comme l'a noté Georges Lefebvre, farouchement hostiles à la prostitution et aux vices des grands, ils préservaient les valeurs patriarcales au milieu même de leurs unions irrégulières. Nées de conditions matérielles difficiles comme du triomphe de l'affectivité, de l'individualisme et de l'intériorisation de l'amour, ces unions ne signifient pas l'abandon, par les classes populaires urbaines, de l'horizon familial traditionnel.

Jacques Solé

La prostitution et les sexualités de contrebande

« Elles se donnent après tout pour ce qu'elles sont ; elles ont un vice de moins – l'hypocrisie » : ce sont les filles publiques décrites par Louis Sébastien Mercier dans son *Tableau de Paris.* Tendresse et pitié pour ces victimes de la misère alternent avec un courroux mal maîtrisé pour les hommes de police qui les pourchassent impitoyablement et se servent d'elles comme espionnes du corps social (« ils se montrent plus horriblement corrompus que la plus vile prostituée »).

La police des mœurs

A Paris, où l'on compte à peu près 25 000 prostituées permanentes (soit 13 % des Parisiennes en « âge d'amour »), la fille de débauche a de multiples visages. La raccrocheuse des rues, ouvrière en linge ou blanchisseuse à d'autres occasions, qui déambule rue du Roi-de-Sicile n'a que peu à voir avec les grandes courtisanes, tenant hôtel ou carrosse doré, ni même avec les pensionnaires de petites maisons, soumises à l'âpre autorité de maquerelles ayant pignon sur rue.

La police sait parfaitement distinguer dans ce monde multiforme entre fille de rien et femme de maison publique.

Dans la rue, une politique répressive intense procède par rafles régulières. En ce cas, pas d'avocat, ni même de juridiction traditionnelle, mais un passage collectif en audience devant le lieutenant général de police. Une fois par mois, lui seul décide, au nom d'ordonnances répressives qui se succèdent tout au long du siècle : 1684, 1713, 1778 ponctuent le temps de réglementations de plus en plus sévères. La prison (c'est souvent la Salpêtrière), l'exil, la déportation (on se souvient de Manon Lescaut) sont au bout du chemin, mais aussi l'indignité de traitements qui révoltent l'opinion publique, et les maladies vénériennes, fléau du siècle des Lumières. Ainsi, chaque année, environ huit cents prostituées défilent devant le lieutenant sans possibilité de défense, puis s'en vont en charrette au lieu de leur châtiment. L'opinion publique n'est pas tendre pour cette réglementation draconienne, car elle sait à quel point le système de preuve est fragile : il repose uniquement sur une vague enquête de police. Enquête qui doit témoigner du « bruit public » ; ce qui laisse toutes portes ouvertes aux rumeurs et à la délation.

Chez les courtisanes et les filles galantes, dans les petites maisons, la police est également présente, mais d'une autre manière. Auprès du lieutenant général de police et ne dépendant que de lui, est créée en 1747 une charge d'inspecteur « de la partie des filles et femmes galantes ». Les inspecteurs Meusnier, puis Marais seront infatigables jusqu'en 1770, ne cessant d'infiltrer le milieu au moyen de leur armée d'observateurs. Non point tant pour réprimer que pour surveiller de très près les clients qui le font vivre. Des milliers de notes et de rapports de police racontent à l'infini les emplois du temps et les amours de tel ou tel marquis, tel ou tel magistrat, client fidèle d'une ou de plusieurs maisons. Les curés libertins eux-mêmes (entre 1755 et 1764) sont pris dans ces filets : on veut tout savoir de leurs liaisons de débauche et de leurs pratiques intimes, peut-être pour traquer le jansénisme, à moins que ce ne soit pour faire honte à l'Église.

Plus la police s'étend, plus la prostitution encombre et se rend visible dans les rues : l'utopie policière ne jugule rien. Il ne reste plus à Restif de La Bretonne qu'à rêver *(Le Pornographe)* sur la douceur de Parthénions, maisons de plaisir où les femmes, toujours belles et propres, se donneraient et se reproduiraient sans désordre aucun. Ce sont des rêves, même si Claude Nicolas Ledoux cherche à les traduire en architecture, à les ériger en pierre aux salines d'Arc-et-Senans.

Outre la prostitution, la police surveille et punit le « mauvais commerce » de quelque nature qu'il soit (les sodomites des Tuileries sont ainsi pourchassés). Par ce moyen, les commissaires et les inspecteurs pensent toucher des milieux délinquants qui leur donnent beaucoup de mal : bandes de voleurs, soldats déserteurs en congé, fameux filous.

Les sexualités hors la loi

A lire les registres minutieusement tenus des inspecteurs de police, notant chaque arrestation de malandrin, on comprend le mécanisme étonnant qui fait qu'à chaque exécution ou envoi aux galères d'un chef de bande, sa concubine ou maîtresse devient la compagne du chef suivant. Dans la sexualité de bande et de contrebande, le rôle des femmes est clair : elles sont les mailles vivantes de la chaîne des voleurs ; l'un vient à disparaître, sa compagne s'allie à l'autre, pour que rien ne se rompe. La circulation interne des femmes dans ce milieu n'a rien à voir avec le libertinage tel qu'on le conçoit habituellement, mais avec une stratégie bien simple, celle d'assurer autant que faire se peut continuité et stabilité à la bande.

BIBLIOGRAPHIE

BÉNABOU E.-M., *La prostitution et la police des mœurs, XVIIIe siècle,* Perrin, Paris, 1987.

PHAN M.-C., *Les Amours illégitimes, 1676-1786,* éd. CNRS, Paris, 1986.

ROCHE D., *Le Peuple de Paris. Essai sur la culture populaire au XVIIIe siècle,* Aubier, Paris, 1981.

Loin de la prostitution et de la dérive en bande, il existe encore d'autres écarts de conduite que l'ordre public ne tolère pas : ce sont les « mauvaises » liaisons d'époux ou épouses, de fils ou de filles, contre lesquelles se plaignent tant de parents. Dès lors, pour ce genre de forfait, les familles en appellent directement au roi, lui contant leurs mésaventures et l'implorant d'« accorder » au fautif un ordre royal suivi d'emprisonnement. Très nombreuses, les demandes d'enfermement de la part des familles sont emplies de passions transgressives et de folles amours tragiques et dérisoires. A ce malheur domestique, personne, si ce n'est le roi, ne peut remédier. Seule une lettre dûment signée de sa main sacrée peut en dernier ressort laver l'infamie.

On le voit, avec pour but « le bonheur social et la tranquillité des familles », la police élabore au XVIIIe siècle un vaste rêve : celui de construire une société paisible. A cette fin, elle pose ses yeux en tout lieu et en tout cœur, réprime le plus souvent arbitrairement et plonge dans la vie privée des individus, croyant contrôler une vie publique qui lui échappe constamment.

A la Révolution, tout bascule ; les cahiers de doléances remettent tout en cause : la misère est source de prostitution pour les femmes ; la richesse et le vice fabriquent la prostitution de l'aristocratie et du clergé. Dans un même élan de liberté et d'abolition des différences, les lettres de cachet sont honnies et deviennent le symbole de la tyrannie.

Libelles, pamphlets, satires se multiplient et, tandis que s'écrit la Déclaration des droits de l'homme, la Révolution, dans un grand vent de liberté, multiplie la parution de longues listes de filles avec adresses. Ainsi naît la publicité organisée de la prostitution. Quant aux lettres de cachet, elles seront effectivement abolies : pourtant, on ne cessera, par d'autres moyens inlassablement réinventés, de contrôler ou pourchasser toute forme de sexualité illégitime.

Arlette Farge

Le libertinage

« En entrant (le moine) Anselme mit 5 louis sur ma cheminée et me montrant un priape des plus gros, il me dit : "Foutre, avec un instrument comme cela, on ne devrait pas payer, mais il faut que le prêtre vive de l'autel", et aussitôt il me gîta sur mon lit [...] Ma foi, vivent les carmes s'ils ont tous la même vigueur... » « Viens donc Cascaret, viens fêter encore ce joli con doré qui reçut si souvent tes éloges et tes caresses... » Voici ce qu'un lecteur de la fin du XVIIIe siècle pouvait lire ici dans *La Correspondance d'Eulalie* (1785) et là dans *Le Diable au corps* (1803).

Tout au long du siècle des Lumières, les romans érotiques ont fleuri. Ils témoignent d'une nouvelle sensibilité amoureuse des élites aristocratiques et intellectuelles, d'une sensualité dont le corps érotique est l'axe central. Nombre d'esprits éclairés s'y lancent hardiment. Ainsi Mirabeau produit-il *L'Erotika*

Biblion (1783), *Le Rideau levé* (1788), et *Les Lettres à Sophie*, aux scènes si osées qu'il fut publié expurgé. Ces livres circulent dans les salons et les cabinets de lecture ; on les achète aussi, secrètement, aux colporteurs. Les histoires de mœurs débouchent toujours sur un appel à la liberté de l'esprit, voire à la libération des instincts. Le libertin c'est « l'affranchi » en latin, c'est aussi l'héritier d'un courant littéraire né au XVIe siècle dont la principale caractéristique est de ne pas suivre les lois de la religion. Voltaire assigne aux histoires galantes de « faire lire la vérité ». En 1748, Diderot rédige *Les Bijoux indiscrets*. Le sujet : un prince africain possède un anneau qui fait parler le « bijou » des femmes, est prétexte à peindre les travers de la société d'ordres. Les personnages ridicules n'y sont-ils pas avant tout ennemis des philosophes ? Le clergé y est souvent moqué ou présenté comme l'initiateur de l'amour libre (*La Vénus dans le cloître, ou la Religieuse en chemise* de l'abbé Jean Barrin). Quant aux héros, ils se refusent à dissocier liberté de penser et liberté sexuelle. C'est le cas du *Chevalier de Faublas* de Jean-Baptiste de Louvet (un futur girondin) dont le succès en 1787 entraîna des suites et des rééditions jusqu'en 1797. Le phénomène est général : cinq rééditions pour *L'Erotika Biblion* de Mirabeau entre 1783 et 1789, douze pour *L'Histoire de Dom Bougre* de Gervaise de La Touche... Andréa de Nerciat est un des meilleurs représentants de cette littérature avec *Félicia ou mes fredaines* (1775), *Monrose* (1792), *Les Aphrodites, fragment thali-priapique pour servir à l'histoire du plaisir* (1793) et *Le Diable au corps* (1803).

Ces livres nous ouvrent les portes de l'univers des libertins. C'est d'abord celui de la recherche du plaisir au nom de celle du bonheur (illusoire). On est à l'opposé des idées de Saint-Just : « Le bonheur est une idée neuve en Europe. » Seules la fantaisie sexuelle et la sensualité instinctive font agir les héros et non une utopie égalitaire. « La volupté est la seule véritable aventure » dans laquelle chacun retrouve son identité. Pour éviter l'ennui conjugal, que chacun pratique de « piquantes infidélités car il faut savoir que le parfait amour est une chimère ». « L'amour n'est ni constant ni austère », affirmait Diderot.

Une république de la luxure ?

Le marquis de Sade qui passa plus de vingt-huit ans en prison pour des actes de débauche avec des prostituées, accompagnés de flagellation, et surtout pour avoir tenu des propos blasphématoires – « Un de mes grands plaisirs est de jurer Dieu quand je bande » – et de ne s'en être jamais repenti, voyait dans le libertinage un moyen de libération de l'intelligence : « Plus un être a d'esprit, plus il brise les freins. » Mieux. Il veut établir la république de la luxure pour permettre aux « hommes de devenir des despotes [du corps des autres], sinon on en fait des factieux ». La fin ultime est de détruire tous les liens et de pratiquer une sorte de communisme des corps. Que chacun appartienne à chacune et réciproquement : « Prêtez-moi la partie de votre corps qui peut me satisfaire [...] et jouissez si cela vous plaît de celle du mien qui peut vous être agréable » *(Juliette)*. Selon Sade, l'homme revient grâce au libertinage à l'état de nature. L'ordre et le désordre, le vice et la vertu, le bon et le mal sont engendrés par la nature. « Osons arracher le voile, le besoin de foutre n'est pas d'une moindre autre importance que celui de boire et de manger » *(Juliette)*. Cette philosophie du désir et de l'instant se veut une arme de guerre contre les conventions sociales. Pourtant, ce libertin qui réclame dans « Français, encore un effort si vous voulez être républicains » l'indulgence pour les meurtriers s'indigne des massacres de Septembre 1792 et des noyades de Carrier. Le 8 décembre 1793, il est emprisonné pour « modérantisme ».

Le libertinage n'est pas qu'une

BIBLIOGRAPHIE

ALEXANDRIAN, *Les Libérateurs de l'amour,* Seuil, Paris, 1977.

HENRIOT E., *Les Livres du second rayon. Irréguliers et libertins,* « Le livre », Paris, 1925.

VAILLAND E., *Le Regard froid,* Grasset, Paris, 1963.

VERSINI L., *Laclos et la tradition,* Klincksieck, Paris, 1968.

Parmi les auteurs de l'époque, on peut lire :

LACLOS P. Choderlos de, *Les Liaisons dangereuses.*

RESTIF DE LA BRETONNE N., *Le Curé patriote* et *Le Paysan perverti.*

rêverie de littérateurs. Au XVIIIe siècle sont nées des sociétés secrètes ayant pour fin le plaisir amoureux. Dans l'une d'elles, dirigée par douze femmes, le postulant devait accomplir les douze travaux d'Hercule, à savoir « obtenir la faveur de toutes les belles ». Les représentations théâtrales étaient aussi fort prisées. Chez les Favart de Belleville, on rencontrait romanciers et auteurs tels Crébillon, Dancourt, Goldoni ou l'abbé de Voisenon. Mlle Guimard, entretenue par le maréchal-prince de Soubise, fit jouer dans sa maison une pièce « qui apparut délicieuse c'est-à-dire extrêmement grivoise, polissonne, ordurière ». On y dansait parfois vêtu d'une simple feuille de vigne. Pendant la Révolution, le libertinage (des mœurs) est obligé pour exister de se justifier. Ainsi dans *L'Almanach des adresses des demoiselles de Paris* (1791), on peut lire : « C'est uniquement par amour de la chose publique que nous avons entrepris ce divin opuscule. »

Si la Révolution française a exalté l'individualisme, elle a parallèlement développé une idéologie puritaine fort éloignée des idées libertines. Cette idéologie annonçait la morale austère de la bourgeoisie du XIXe siècle.

Hervé Luxardo

LA LOI

Le patrimoine et l'héritage

Rien ne laissait présager, à la veille de la Révolution, que le problème de la transmission du patrimoine donnerait lieu à dix années de controverses, d'incertitudes légales et de farouches résistances à certains bouleversements juridiques. Autant qu'on puisse en juger par les cahiers de doléances, cette question ne préoccupait pas beaucoup l'opinion publique en 1789. Mais les assemblées révolutionnaires ne pouvaient éviter d'aborder sur le fond un problème qui touchait de près au nouvel ordre social que l'on cherchait à mettre en place. Aux yeux d'une majorité d'hommes politiques, il fallait d'abord supprimer le privilège successoral de la noblesse et donc le droit d'aînesse ; mais aussi, en poursuivant l'œuvre inachevée de la monarchie, réaliser enfin l'unification juridique de la France partagée entre droit écrit et droit coutumier, et marquée par la multiplicité des coutumes provinciales ou micro-régionales.

Dès le début s'engagèrent, au niveau des commissions et des assemblées, de vifs débats dont l'enjeu portait sur les limites de l'autorité paternelle, sur le droit de faire ou non un testament, sur la possibilité d'avantager ou non l'un des héritiers. La plupart des députés des régions méridionales étaient habitués à un régime de liberté dans les arrangements successoraux, à la pratique de « faire un aîné » pour assurer la continuité de la « maison », ce qui avait été possible jusque-là dans les pays de droit écrit même pour les roturiers. A l'opposé, un groupe majoritaire de députés, issus principalement du tiers état et des régions de la moitié nord de la France, mais renforcés par un certain nombre de cadets du Midi, souhaitaient l'extension à tout le pays du droit coutumier épuré de ses éléments féodaux, et en tout cas un régime assez strict d'égalité dans les partages successoraux.

La fin du droit d'aînesse

C'est cette deuxième tendance qui inspira finalement dans sa totalité, sans aucun compromis, la législation révolutionnaire sur les successions. Une telle intransigeance, qui allait provoquer des difficultés qu'on n'imaginait pas aussi fortes, doit être replacée dans son contexte. En premier lieu, il s'agissait de saper les fondements de la noblesse, en favorisant par l'égalité successorale l'éclatement des patrimoines aristocratiques. On pensa aussi, notamment sous la Convention, empêcher ainsi les concentrations de fortune trop considérables, et promouvoir une société de petits propriétaires. Pour certains encore, il s'agissait de favoriser une plus grande circulation des biens, en supprimant tout ce qui assurait leur immobilité et leur inaliénabilité : retrait lignager, substitutions fidéicommissaires, mais aussi ensemble des pratiques de transmission intégrale du patrimoine.

L'argument principal en faveur de l'égalité successorale était cependant l'injustice de la situation faite aux cadets ou aux filles, spoliés de ce qui semblait être leur droit naturel à l'héritage. Mais on peut se demander quel fut le poids réel de motifs moins souvent affirmés ou moins explicitement formulés : l'égalité dans la cité ne devait-elle pas trouver son pendant et son reflet dans l'égalité au sein de la famille, matrice des hommes nouveaux et microcosme social ? L'autorité paternelle, soupçonnée parfois d'être « tyrannique » ou « despotique » (selon un vocabulaire très employé sous la Révolution et qui, bien sûr, n'est pas neutre), ne devait-elle pas être brimée, et régulée par la loi ? Et dans quelle mesure les familles, ces cellules sociales qui prétendaient à l'autonomie interne, qui cherchaient parfois à se perpétuer à la manière d'institutions, ne constituaient-elles pas un îlot de particularisme, et au fond un de ces « corps » que l'on avait voulu supprimer et qui s'interposaient entre les individus et l'État ?

La nouvelle législation successorale fut mise en place progressivement, de 1789 à 1795. Par les décisions prises au cours de la nuit du 4 août 1789, complétées par le décret du 8 avril 1791, le régime successoral féodal fut aboli, notamment le droit de masculinité et le droit d'aînesse. Cela touchait les successions nobles, mais aussi celles des roturiers dans les provinces où existait pour elles un droit d'aînesse coutumier comme en Béarn, ou une exclusion des filles comme en Normandie. Partout, le régime légal en l'absence de testament devenait le partage égal entre tous les enfants. Un nouveau pas fut franchi le 7 mars 1793 lorsque la Convention mit fin à l'un des principes essentiels du droit romain en supprimant le droit de tester en ligne directe, et en décidant que « tous les descendants ont un droit égal sur les biens de leurs ascendants ». Enfin, par les lois du 5 brumaire an II (26 octobre 1793) et du 17 nivôse an II (6 janvier 1794), la Convention proclama l'abolition de « toutes les lois, coutumes, usages relatifs à la transmission des biens par succession ou donation », et rendit cette mesure rétroactive depuis le 14 juillet 1789, ce qui devait permettre la réouverture de toutes les successions non égalitaires réalisées depuis cette date.

Dans les anciens pays de droit coutumier, la nouvelle législation n'apportait aucun changement notable par rapport aux pratiques suc-

BIBLIOGRAPHIE

GARAUD M. et SZRAMKIEWICZ R., *Histoire générale du droit privé français. La Révolution française et la famille,* PUF, Paris, 1978.

GOY J., « Transmission successorale et paysannerie pendant la Révolution française », in *Patrimoine et problèmes fonciers,* numéro spécial de la revue *Études rurales,* 1987.

LAMAISON P. et CLAVERIE E., *L'Impossible Mariage. Violence et parenté en Gévaudan, XVIIe-XIXe siècle,* Hachette, Paris, 1982.

OURLIAC P. et MALAFOSSE J. de, *Histoire du droit privé,* PUF, Paris, 1969-1971.

cessorales existantes, et son application ne posa pas de problèmes particuliers. En revanche, dans la plupart des régions de la moitié sud de la France, sa mise en œuvre représentait un bouleversement complet du mode de reproduction sociale. Elle risquait d'aboutir à la parcellisation ou à la disparition de nombre d'exploitations agricoles, là où dominait une paysannerie de petits et moyens exploitants propriétaires, pratiquant la transmission du patrimoine-outil de travail à un successeur unique ou principal. Le danger était d'autant plus grand qu'au même moment, les réformes religieuses avaient eu pour effet une réduction importante du nombre des fonctions ecclésiastiques, qui servaient traditionnellement à caser une partie des cadets.

Tourner la loi

On ne doit pas alors être surpris de l'ampleur des résistances, qui se manifestèrent par un nombre considérable de pétitions, de mémoires, de demandes d'éclaircissements, tant au cours des débats qu'après la parution des décrets. La sévérité de la nouvelle législation était accrue par la rétroactivité : celle-ci eut d'ailleurs peu d'efficacité, tant à cause des problèmes juridiques et matériels soulevés, qu'en raison de la lenteur parfois complice des tribunaux chargés des dossiers, et enfin parce que les exclus de l'héritage n'étaient pas encore prêts à faire valoir leurs droits au prix de la subversion du système familial et des valeurs auxquelles ils adhéraient eux-mêmes.

Pour les successions nouvelles à organiser, on vit se mettre en place très rapidement toute une gamme de parades et de détournements de la loi, destinés soit à préserver l'essentiel en attendant d'éventuels changements politiques, soit à conserver l'effet et l'esprit des anciennes pratiques en se conformant à la lettre des textes nouveaux. Dans les Pyrénées, les mariages d'héritiers furent retardés pendant plusieurs années, car c'était à leur occasion et dans leur contrat que se fixait ordinairement le sort du patrimoine familial. Certains autres mariages d'héritiers furent célébrés mais sans contrat, lequel sera rédigé *a posteriori* après la nouvelle loi de 1801. Des notaires ingénieux mirent au point des actes nouveaux destinés à se substituer aux contrats de mariage et aux testaments tout en ayant des effets identiques : compromis et accords amiables entre cohéritiers mis en scène devant le notaire, cessions de droits successifs, quittances de dot fictives, ventes à fonds perdu et reconnaissance de dettes faites par le père au profit de l'héritier désigné.

La Révolution, malgré sa volonté unificatrice, ne réussit donc pas à modifier sensiblement les pratiques régionales. Mais par son intransigeance, son incompréhension des réalités locales ou son refus d'en tenir compte, elle provoqua le mécontentement et la méfiance d'une partie importante des populations méridionales, notamment paysannes, qui pourtant ne lui étaient pas défavorables à d'autres égards.

Il fallut attendre le Consulat, avec les lois de 1801 et 1803, et surtout le Code civil de 1804, pour que se réalise le compromis jusque-là écarté : il devint possible aussi bien de pratiquer légalement des successions strictement égalitaires si on le souhaitait, que de consentir, dans d'autres cas, des avantages significatifs à un héritier principal.

Bernard Derouet

Le divorce

La législation révolutionnaire introduisit en France, en 1792, le divorce, dont très peu de cahiers de doléances avaient recommandé l'institution. Le projet fut vivement combattu par le clergé, et la Constituante assaillie de pétitions contradictoires. Ses principes semblaient devoir favoriser la reconnaissance du facteur de liberté et de bonheur social. L'ancienne législation, n'admettant que la séparation de corps, avantageait en fait les scandales et l'autorité excessive du mari. Juifs et protestants pratiquaient d'ailleurs déjà le divorce, et seule l'Église catholique l'interdisait aux siens.

Il appartint à la Législative, après de longs travaux, de régler la question, le 20 septembre 1792, en établissant sept cas déterminés de divorce et en reconnaissant celui par consentement mutuel ou pour incompatibilité d'humeur. La procédure adoptée était relativement longue et compliquée, sauf lorsqu'il s'agissait de cas bien déterminés. Moins arme anticatholique que moyen d'améliorer la morale sociale, cette nouvelle institution fut soutenue par la Convention. Mais le Code civil, tout en la maintenant, supprima la clause d'incompatibilité d'humeur. Il restreignit considérablement la possibilité de divorcer par consentement mutuel et réduisit à trois (dont l'adultère et les sévices) les motifs déterminés. La supériorité de l'homme sur la femme fut réaffirmée, en dépit du principe d'égalité de 1789. Les divorces se raréfièrent dès lors avant d'être à nouveau interdits après la chute de Napoléon.

Le fait des femmes

Leur libéralisation avait au contraire marqué la société française entre 1792 et 1802. Cette révolution juridique permit de régler des disputes conjugales nombreuses sous l'Ancien Régime. La loi de 1792, très en avance sur les législations étrangères, offrait de grandes facilités et des procédures très peu coûteuses. Elle représentait aussi un progrès notable sur les séparations de corps antérieures. Ainsi à Rouen, alors que 8 séparations seulement étaient intervenues dans les trois ans précédant la nouvelle législation, celle-ci entraîna près de 200 divorces par an entre 1793 et 1795. Ils tombèrent par la suite, en moyenne, à moins de 100, et à moins de 10, dès 1803.

Les demandes de divorce furent surtout le fait des femmes, en milieu urbain. Comme l'a indiqué R.G. Philips, elles furent à l'origine des deux tiers des divorces à Toulouse, Metz ou Rouen, utilisant tous les motifs possibles et, en particulier, ceux de l'absence, de l'abandon du conjoint ou des mauvais traitements. Il s'agissait là d'une réaction à l'infériorité légale et sociale qu'elles subissaient dans le cadre du mariage. La Révolution ayant peu changé, sur ce point, les mentalités, une action en divorce représenta, pour beaucoup, l'unique solution à leurs malheurs domestiques.

BIBLIOGRAPHIE

DESSERTINE D., *Divorcer à Lyon sous la Révolution et l'Empire,* Presses universitaires de Lyon, Lyon, 1981.

FARGE A., *La Vie fragile. Violence, pouvoirs et solidarités à Paris au XVIIIe siècle,* Hachette, Paris, 1986.

SOLÉ J., *L'Amour en Occident à l'époque moderne,* Albin Michel, Paris, 1976.

Les dépositions de ces femmes battues ou abandonnées constituent d'ailleurs de véritables cahiers de doléances sur leur condition.

Un phénomène citadin

Le phénomène concerna surtout les villes où le taux de divorce fut bien supérieur à celui des campagnes. On a longtemps expliqué cette disparité par l'influence du jacobinisme, alors que l'importance des divorces, entre 1792 et 1795, tient surtout au fait qu'ils épuisent un stock de frustrations accumulées par la législation d'Ancien Régime. Ce n'est ni l'idéologie ni un hypothétique relâchement des mœurs qui sont à la source de ce phénomène, mais les conditions matérielles de la vie familiale à la fin du XVIIIe siècle.

La ville, beaucoup plus que la campagne, offrait à la femme l'auberge, la pension ou la chambre garnie, soit un logement séparé, ce que l'étroitesse de la communauté rurale ne permettait pas. La communauté des voisines représentait de plus, en milieu urbain, une protection pour les candidates au divorce. Une semblable différence se retrouvait pour l'emploi. A la campagne, en quittant son domicile, la femme perdait, le plus souvent, son seul moyen de vivre. En ville, au contraire, lieu de travail et domicile commençaient à se séparer. A Rouen, par exemple, 97 % des femmes qui demandèrent le divorce avaient un emploi, dans le textile notamment. La ville leur offrait un marché du travail qui n'existait pas à la campagne où l'activité économique restait familiale. De sorte que les femmes divorcées furent souvent attirées par la ville.

Mais l'importance du phénomène citadin est surtout liée aux nouveaux comportements familiaux intervenus à la fin du XVIIIe siècle : l'individu s'émancipe de l'autorité traditionnelle, et l'économie familiale, avec ses habitudes de solidarité corporative, décline. Ainsi ces ruraux immigrés en ville constituent-ils un milieu favorable à l'application de la nouvelle législation révolutionnaire.

Cela est confirmé dans le cas de Lyon où le divorce a surtout concerné le milieu des artisans et celui des ouvriers en soie. Le divorce révolutionnaire y fut d'abord le fruit d'une revendication éphémère de libération féminine et utilisa, en premier lieu, les motifs d'abandon et de mauvais traitements. La tendance au divorce précoce fut fréquente.

Ce mouvement exprimait une revendication nouvelle de l'amour dans le mariage, plus manifeste encore à la génération suivante, où les candidates au divorce furent en général plus pauvres. Aussi le Code civil s'empressa-t-il de leur contester cette liberté, ce qui encouragea en retour le développement du concubinage.

Jacques Solé

Les divorces dans trois villes de France.

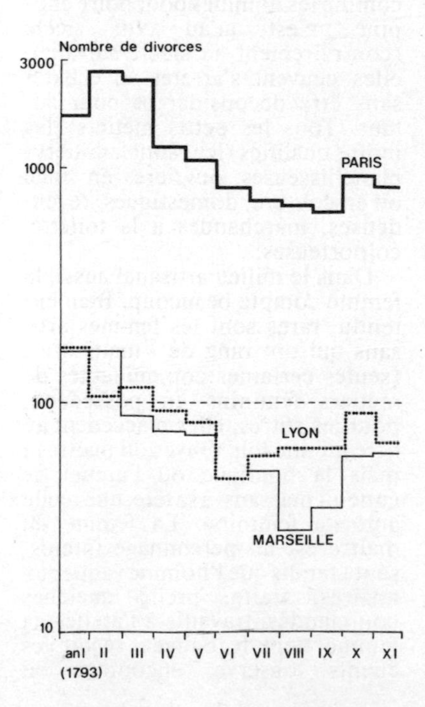

Le siècle de la femme

Il y a place et place ; comme toujours, en ce qui concerne la vie des femmes, rien n'est vraiment simple. En effet, on peut (on a pu) dire que le siècle des Lumières est par excellence celui de la femme : sa présence, visible partout, et son aisance à traverser le monde (qu'il s'agisse du grand ou du petit) plaident pour une société du XVIIIe siècle dont la mixité effective est flagrante, où la femme, constamment, tient place et prend parole.

En même temps, comment ne pas constater la claudication de cette société, puisque les femmes, aussi actives dans la vie sociale que dans la vie économique, sont totalement exclues de la maîtrise politique des événements, de la direction des affaires et qu'il ne leur est autorisé aucun accès direct aux formes de pouvoir. Absentes des pouvoirs politiques, comme des pouvoirs juridiques, économiques et scientifiques, elles sont hors des points d'ancrage privilégiés d'une nation française en pleine réflexion sur elle-même, d'un pays qui vit profondément ses mutations et ses remises en cause. C'est ce paradoxe qu'il faut éclairer et questionner tout à la fois.

Boire chopine au cabaret

A chaque niveau de la société, les femmes, donc, sont présentes, et leurs rôles, tenus à la fois pour indispensables et efficaces. Tout en bas de l'échelle sociale, la femme du peuple est fluide et mouvante. Active économiquement, elle travaille comme l'homme, et n'a d'ailleurs aucun moyen de faire autrement. Paysanne (ce qui représente 80 % de la population féminine) ou femme des villes, elle utilise ses jours à gagner sa vie. Si, par malchance, la terre n'est plus rentable, il lui faut quitter le village, seule ou accompagnée d'un membre de sa famille, pour retrouver à la ville le flot des migrants. A Paris, par exemple, les deux tiers des gens du peuple viennent de la campagne. L'instabilité économique, la perte fréquente d'emploi, la précarité des logements imposent une vie où les domaines privé et public se confondent. Pas d'intimité ni de chez-soi ; les femmes comme les hommes vivent dans la rue. Elles y travaillent, bien sûr, mais aussi elles participent activement à toutes les cérémonies publiques et religieuses. Assemblées pour les fêtes, les Te Deum, les processions à Sainte-Geneviève, elles assistent aussi en nombre aux exécutions publiques. Spectatrices de la scène royale, elles vivent dehors, dans leur quartier, accompagnées d'enfants qui souvent les aident dans leur travail ou même gagnent pour elles quelques sols. On les voit aussi au cabaret, attablées comme les hommes pour boire chopine ; c'est qu'au XVIIIe siècle (contrairement au siècle suivant), elles peuvent s'arrêter au cabaret sans être déconsidérées pour autant. Tous les petits métiers (les moins qualifiés) leur sont familiers : blanchisseuses, ouvrières en linge ou en couture, domestiques, revendeuses, marchandes à la toilette, colporteuses.

Dans le milieu artisanal aussi, la femme compte beaucoup. Bien entendu, rares sont les femmes artisans qui ont rang de « maîtresse » (seules certaines communautés de métiers féminins en possèdent ; pour les autres, elles n'accèdent au titre qu'une fois veuves du maître) ; mais la boutique ou l'atelier se conçoit mal sans, à sa tête, une réelle autorité féminine. La femme du maître est un personnage intéressant : tandis que l'homme vaque aux affaires, traite, prend quelques commandes, travaille à l'atelier, la femme tient le budget, reçoit les clients, observe, encourage ou donne des ordres aux apprentis, compagnons et garçons de boutique. Elle imprime sa marque sur l'atelier ; mais quand éclatent disputes ou rixes, elle est souvent la cible des injures ou des coups : preuve ambiguë de son pouvoir, mais aussi de la faiblesse de son sexe (rares sont les accès de colère directement dirigés contre le maître). La femme du maître est le maillon vulnérable, d'autant que son honneur et sa réputation représentent un réel capital économique pour le couple d'artisans. Capital réel, mais dès lors facile à mettre en doute. Et en dépit de son travail constant, elle n'a aucune responsabilité civile ; elle ne défile jamais au sein des communautés de métiers, ne participe à aucune jurande, aucune assemblée de maîtres, ne peut évidemment être élue à aucune fonction de représentation de la communauté.

Chez les notables, les magistrats, les aristocrates et les gens de cour, la femme, bien entendu, ne travaille pas. Mais sa tâche est fondamentale : tout entière dans le paraître, elle est le centre d'une société qui n'a d'yeux que pour elle, se conforme à ses goûts, à ses modes de sociabilité et se fie à son intelligence et à son savoir. Instruite, élégante, libre, elle évolue dans le monde de l'intelligence et du pouvoir, formant des cercles, des académies et des salons qui se réunissent autour d'elle, s'inspirent de sa pensée, de sa curiosité intellectuelle, profitent de sa créativité et de ses modes de relation pour s'instaurer en lieux de pensée. Des lieux de pensée d'où les hommes vont tirer de nombreuses formes de pouvoir réel. Partenaire de l'homme, elle suscite autour d'elle de multiples courants de pensée novateurs où philosophes, scientifiques, médecins et encyclopédistes savent puiser et innover. L'histoire a retenu quelques-uns de leurs noms ; mais elles, elles ont retenu de l'histoire qu'en dépit de leur savoir et de leur inventivité, jamais elles ne pourraient officiellement détenir une once quelconque des pouvoirs, dont pourtant elles aiment à débattre et entendre débattre.

« Si les femmes murmurent ou non »

Pourtant, tout au long du XVIIIe siècle, les femmes ne cessent de marquer la vie politique, et cela tous niveaux sociaux confondus. Elles agissent beaucoup et fréquemment, et le premier secrétaire du roi à la police le sait bien, qui envoie si souvent des émissaires dans le public pour entendre « si les femmes murmurent ou non ». On ne peut s'étonner de leur vivacité de réaction à l'événement public puisque leur mode de vie est à la fois d'y assister et de le fabriquer. C'est sur leurs clameurs entraînantes pour la foule que l'on compte au moment des passages royaux, mais ce sont ces mêmes cris que l'on redoute lorsque s'élève le prix du pain ou dès que sévit la disette. Au premier rang dans les émeutes (paysannes ou urbaines), elles incitent les hommes à la violence. Moins punissables que ceux-ci en raison de leur rôle de mères nourricières et reproductrices, elles envahissent la rue. On les dit féroces, cruelles, insistantes lors des supplices : peut-être sont-elles seulement d'autant plus pugnaces qu'elles n'ont d'autre forme de pouvoir reconnu que celui de la rue.

Les débuts de la Révolution seront marqués par leur influence, aussi bien dans les débats théoriques que dans les mouvements collectifs, puis elle seront rayées d'un coup d'une carte politique où elles n'avaient point encore accédé à part entière.

Ce déséquilibre entre une mixité de chaque moment dans tous les aspects de la vie sociale et une absence de reconnaissance de leur droit de cité, de leurs droits professionnels et politiques est une sorte de fine faille accolée au flanc du réel. Il faut essayer de comprendre à quels types de représentations renvoie cet état de fait et se méfier de certaines réponses trop simples qui se contentent d'établir une symétrie fallacieuse entre présence sociale et pouvoir politique. Que les femmes aient des pouvoirs au XVIIIe siècle ne

BIBLIOGRAPHIE

DUHET P.-M., *Les Femmes et la Révolution française,* Julliard, Paris, 1971.

FARGE A., *Le Miroir des femmes, textes de la bibliothèque bleue,* Montalba, Paris, 1982.

GODINEAU D., *Les Femmes et la Révolution française,* thèse inédite, 1987.

GONCOURT E. et J. de, *La Femme au XVIIIe siècle,* rééd. Flammarion, Paris, 1982.

HOFFMANN P., *La Femme dans la pensée des Lumières,* Ophrys, Paris, 1977.

peut en aucune façon contrebalancer le fait qu'elles n'aient aucun accès au pouvoir. Avoir des pouvoirs et avoir du pouvoir sont choses bien différentes.

Pour mieux comprendre, peut-être faut-il analyser les discours du temps traitant des femmes. Deux exemples sont particulièrement frappants : la littérature médicale et les textes de la littérature populaire.

La femme, cette inconnue

Dans ce siècle bruissant de volonté scientifique et rationnelle, le corps de la femme, dans sa différence avec celui de l'homme, reste une énigme, une étrangeté. On ne sait point encore comment s'effectue exactement la reproduction et on ignore toujours le rôle du sang menstruel. La femme est mystère et délicatesse ; la fièvre anatomiste révèle les organes utérins, et l'ouverture du ventre féminin se fait avec d'autant plus d'anxiété que les rapports médicaux sur les naissances et les accouchements racontent à longueur de page la violence prodigieuse du corps des femmes et leur infinie possibilité de donner le jour à des monstres ou à des prodiges. Délicate et furieuse, maladive et passionnelle, la femme vit au rythme d'un utérus, encore par trop mystérieux pour être bien nommé.

Par ailleurs, depuis longtemps, les petits livrets de la bibliothèque bleue (livrets de colportage vendus en grand nombre à la ville comme à la campagne) diffusent à propos des femmes bon nombre de satires, de légendes ou de préceptes. D'origine savante pour la plupart, ces textes ont déjà balayé de leur humeur et de leur vivacité les siècles précédents, mais les voici remis à l'ordre du jour, très en prise avec la causticité douce-amère du siècle des Lumières. Derrière l'apparente et simple dualité des images (femme dévoreuse, femme doucereuse), se lit une interrogation majeure qui se meut en certitude angoissée : femme et mort ont le même visage. Indubitablement, la femme entraîne au tombeau, sa séduction est une flèche empoisonnée qui transforme l'homme en victime ; la vie qui est en elle inexorablement conduit à la mort. Ces thèmes sont récurrents ; on les retrouve sous toutes les formes, accompagnés de métaphores brillantes, supportés par une iconographie la plupart du temps sans équivoque. Cette conviction d'une femme donneuse de vie et pourvoyeuse de mort entraîne des conséquences : vivre avec elle et se reproduire sont choses nécessaires et naturelles ; le mariage doit donc s'établir sur des bases permettant une sorte de paix momentanée, fabriquée sur un certain nombre d'éléments assurant la domination masculine. Dans les conseils pour se bien marier, on insiste beaucoup sur la nécessaire suprématie masculine en âge, en condition sociale et économique, en autorité : aussi faut-il transformer la femme, la rendre passive, soumise, alanguie et douce. Semblable à la mort, mais cette fois à la mort blanche, inanimée, et non à la mort faucheuse et active.

Bien sûr, ce ne sont que des représentations, et les livrets de la bibliothèque bleue disent non le réel mais l'imaginaire. Ils aident pourtant à comprendre, surtout si on les accompagne du discours médical, comment l'activité féminine du

XVIIIe siècle ne peut devenir une activité officielle, tout comme elle ne peut être reconnue en termes de pouvoir politique.

Quoi qu'il en soit de ce XVIIIe siècle paradoxal et contradictoire, dont il faut bien marquer la différence avec le XIXe siècle préoccupé de faire disparaître la femme de la scène publique, il est nécessaire, pour l'approcher, de toujours le réfléchir dans la perspective d'une confrontation entre le monde masculin et le monde féminin, et d'une élaboration des enjeux permanents qui se font entre ces deux mondes. L'histoire d'une société se fait à ce prix.

Arlette Farge

Hygiène et santé des Français

Au temps de la Révolution française, l'hygiène et la santé des Français restent ce qu'elles ont été depuis plusieurs lustres, voire bien davantage. Elles se signalent par certaines caractéristiques qui rappellent, à s'y méprendre, l'état que connaissent les populations vivant dans les pays en voie de développement.

« Témoin nasiculaire »

Le terme d'hygiène est connu seulement d'une mince élite : celle qui habite la ville, fréquente les salons, consulte les docteurs en médecine. Les équipements, tant privés que publics, sont pratiquement inexistants, même dans la capitale des Lumières. En 1793, le marquis de Villette, qui habite le quai Voltaire, se plaint que le devant de son logis « n'est qu'une immense latrine ». « En ma qualité de témoin *oculaire* et *nasiculaire,* écrit-il, je demande à la commune de me débarrasser de ce voisinage pestilentiel » (*La Chronique de Paris,* 7 janvier 1793).

En quelques années, la situation n'a guère évolué. Louis Sébastien Mercier, dans son *Tableau de Paris* (1789), exprimait la même répugnance et, ce faisant, manifestait le changement qui affectait la sensibilité éclairée. « Les trois quarts des latrines sont sales, horribles, dégoûtantes ; les Parisiens, à cet égard, ont l'œil et l'odorat accoutumés à ces saletés. Les architectes, gênés par l'étroit emplacement des maisons, ont jeté leurs tuyaux au hasard, et rien ne doit plus étonner l'étranger que de voir un amphithéâtre de latrines perchées les unes sur les autres, contiguës aux escaliers, à côté des portes, tout près des cuisines, et exhalant de toutes parts l'odeur la plus fétide. Les tuyaux, trop étroits, s'engorgent facilement ; on ne les débouche pas ; les matières fécales s'amoncellent en colonne, s'approchent du siège d'aisance... » Sous la Restauration, certains palais royaux, sans parler des habitations particulières, dégagent toujours des exhalaisons aussi fétides. « Nous nous souvenons, écrit Viollet-le-Duc, de l'odeur qui était répandue, du temps du roi Louis XVIII, dans les corridors de Saint-Cloud, car les traditions de Versailles s'y étaient conservées scrupuleusement. »

Pourtant, un revirement s'était opéré. La « voie royale » de l'hygiène avait été tracée par le directeur des Bâtiments et Jardins de Louis XVI. Un projet éclairé avait vu le jour ; il visait à construire aux Tuileries des latrines à deux sous au lieu et place des bouquets d'ifs. Ce beau projet ne fut pas exécuté sous la monarchie ; le capitaliste régicide que fut le duc d'Orléans fit inclure douze cabinets d'aisances dans le bel ensemble immobilier qu'il possédait au Palais-Royal. A deux sous le siège, la concession rapporte gros : douze mille francs (par an) en 1798.

BIBLIOGRAPHIE

FOUCAULT M., *Naissance de la clinique. Une archéologie du regard médical,* PUF, Paris, 1963.

GOUBERT J.-P., LORILLOT D., *1789. Le Corps médical et le changement,* Privat, Toulouse, 1984.

GOUBERT J.-P., *La Conquête de l'eau (...),* Laffont, Paris, 1986.

GUERRAND R.-H., *Les Lieux. Histoire des commodités,* La Découverte, Paris, 1985.

LAGET M. et LUU C., *Médecins et chirurgie des pauvres au XVIIIe siècle,* Privat, Toulouse, 1985.

MUCHEMBLED R., *La Sorcière au village (XVe-XVIIIe siècle),* Gallimard/Julliard, Paris, 1979.

VIGARELLO G., *Le Propre et le sale. L'hygiène des corps depuis le Moyen Age,* Seuil, Paris, 1985.

De luxueuses exceptions : bidets et pots à eau

Comme les « garde-robes hydrauliques » et autres « lieux à l'anglaise », salles de bains et baignoires restent de luxueuses exceptions qui se multiplient après 1760 et fleurissent sous l'Empire. La fameuse baignoire-sabot dans laquelle Marat fut assassiné est due à l'invention du chaudronnier Laval (vers 1780). Chères et lourdes, ces baignoires en cuivre étaient munies d'un rudimentaire appareil de chauffage.

La salle de bains, d'origine anglaise, fait alors son apparition. Les nouveaux riches de l'époque se targuent d'en posséder une. Le « businessman » Ouvrard, dans son château du Raincy, la faisait volontiers admirer à ses invités. « Cette salle de bains est un lieu ravissant. Il s'y trouve deux cuves en granit gris et noir, taillées chacune dans un seul bloc, et d'une énorme dimension. Elles sont enfermées dans quatre pilastres de même granit ; trois stores de satin blanc ferment comme un cabinet ces piliers de granit [...]. Le fond de la chambre est occupé par un vaste sofa circulaire en velours vert ; au-dessous sont représentés des sujets mythologiques parfaitement exécutés. »

Si la salle de bains était l'exception, le pot à eau et la cuvette, *a fortiori* le bidet (mobile) qu'emportent en campagne certains officiers, constituent des objets de luxe ou de demi-luxe, en vogue au XVIIIe siècle : ils enchantent de nouveau Merveilleuses et Incroyables. De même, les bains publics (dont la célèbre piscine Deligny, ouverte en 1786) font fureur chez les citadins les plus huppés. Les bains Vigier, tout comme le « Bain économique » de la rue de la Tannerie (à 15 centimes), reçoivent le Tout-Paris.

Les bains à domicile, puis les écoles de natation nées vers 1760-1780 se multiplient au début du XIXe siècle. On loue sa baignoire ; on paie l'eau au porteur qui la monte, toute chaude, seau après seau. Là encore c'est l'exception : ces baignoires à louer étaient quelques centaines en 1789, un millier vers 1830... Quant aux autres Français, ils se lavaient nus à la belle saison, dans la rivière proche ; ou pas du tout, par crainte de refroidissements, et surtout par manque d'habitude. La saleté régnait, les parasites aussi.

Les alarmes des hygiénistes

Des mœurs éloignées des nôtres, où l'excrément n'est pas objet de honte, mais renvoie souvent à la fécondité de la terre nourricière. Des croyances très enracinées dans la vertu de la crasse et des odeurs fortes. Une vieille prévention contre les bains, des équipements rudimentaires ou absents, qui font supposer une pudeur et un nez différents. Pas de réseaux techniques urbains : ni égouts ni adductions d'eau. Telle est la situation qui commence à alarmer certains hygiénistes avant la lettre. Les miasmes putrides – le microbe n'existait pas – sont censés envahir l'air et se propager, entrer par les ouvertures du corps, dont les pores de la peau, et pénétrer les corps fatigués.

Cette vision de la contagion recoupe certaines des idées médicales issues du pasteurisme. Suspendu dans l'eau en fines particules, l'excrément humain contient assez de germes pathogènes pour disséminer des « fièvres malignes », comme on disait alors. Ces maladies infectieuses, aujourd'hui bénignes ou guérissables (la typhoïde par exemple), étaient alors toujours dangereuses, sinon funestes. En particulier chez des êtres affaiblis par les privations, les disettes, des travaux agricoles longs et pénibles. Sans oublier la fragilisation que suscitent, au surplus, l'âge ou le sexe : femmes enceintes, vieillards – on l'était à 40 ou 50 ans –, bébés mis en nourrice, peu lavés et changés, à la merci de la première infection venue.

L'hygiène publique, comme la privée, se signale par son absence. En ville, le ramassage des ordures est inefficace, quand il existe. Les abattoirs municipaux font défaut. Absente, la surveillance des tueries, des tanneries, des mégisseries ; absentes, les lois sur les rejets des « industries » polluantes (les teintureries, par exemple) ; infects, le pied des murailles et des tours, les embryons d'égouts – à ciel ouvert –, les rivières et les ruisseaux qui roulent des eaux emplies de tripes, de boyaux, de sang, d'urine et d'excréments.

Encore s'agit-il des villes. Que dire des campagnes ? Quelques demeures confortables mises à part (tout est relatif...), les maisons des quartiers populaires des villes et les logis ruraux se ressemblent, ou peu s'en faut : peu ou pas aérés, humides, mal éclairés, dotés d'une cheminée qui « chauffe » la pièce unique où s'assemble la famille, parfois sans lit, du moins sans draps ni couettes. Comment le petit peuple pourrait-il résister longtemps aux assauts de la pluie, du froid, des grandes chaleurs, sans parler du péril infectieux ? Dans les quartiers populaires, l'entassement est aussi la règle – à Paris, Rouen ou Angers. Et, bien souvent, la situation n'évolue guère jusque vers 1900.

Jean-Pierre Goubert

AU JOUR LE JOUR

Propriétaires et locataires

Dans la littérature romanesque du XVIIIe siècle, on ne repère aucune de ces descriptions consacrées aux villes qui feront plus tard la réputation d'un Balzac et d'un Zola. Pour la province, il faut se contenter des notations d'Arthur Young dans ses *Voyages en France* de 1791. On retrouvera plus tard les mêmes dans les travaux de topographie médicale du début du XIXe siècle : insalubrité par suite d'une insuffisance totale de la voirie et entassement des familles dans des locaux trop étroits.

« Des agents d'oppression »

En ce qui concerne Paris, l'attention des observateurs, laudatifs depuis le Moyen Age, s'est avant tout portée sur les réalisations de prestige. Le ton change avec des pamphlétaires se rattachant au clan des « philosophes ».

Ainsi, dans son *Tableau de Paris* (1783-1789), Sébastien Mercier, amoureux passionné de sa ville, porte sur ses transformations des jugements qui rendent un son nettement prérévolutionnaire. Devant les nouveaux hôtels qui surgissent un peu partout, il dénonce leurs propriétaires. Ce sont des concussionnaires, des agioteurs, d'infatigables « agents d'oppression » : « Ces êtres sont séparés de la multitude autant par leur froide insensibilité que par leur opulence. Pas une de leurs demeures qui ne soit cimentée de larmes. »

Certes, on a beaucoup construit depuis quelque temps : « La maçonnerie a recomposé un tiers de la capitale depuis vingt-cinq années. On a spéculé sur les terrains ; on a appelé des régiments de Limousins et l'on a vu des monceaux de pierres de taille s'élever en l'air et attester de la fureur de bâtir. » Mais, demande Mercier, où sont les hôpitaux et les jardins ? « De hautes maisons ont frappé les regards au même lieu où l'œil voyait croître les légumes. » « Dans ces immeubles de rapport, les architectes, complices de l'avidité des propriétaires, ont calculé au plus juste le volume d'air dans leurs fameux "entresols" : ils ont jugé que l'occupant d'une boutique ne devait disposer au-dessus que d'un cachot. »

Et Mercier montre – pour la première fois dans l'abondante littérature traitant de Paris – un vrai quartier de pauvres, le faubourg Saint-Marcel, future amorce du 13e arrondissement, qui avait terrifié Rousseau à son arrivée dans la capitale : « En entrant par le faubourg Saint-Marceau, je ne vis que de petites rues sales et puantes, de vilaines maisons noires, l'air de la malpropreté, de la pauvreté, des mendiants, des charretiers, des ravaudeuses, des crieuses de tisanes et de vieux chapeaux. »

C'est bien là, nous dit Mercier, que logent les prolétaires : « Une famille entière occupe une seule chambre, où l'on voit les quatre murailles, où les grabats sont sans rideaux, où les ustensiles de cuisine roulent avec les vases de nuit. Les meubles en totalité ne valent pas vingt écus ; tous les trois mois, les habitants changent de trou parce qu'on les chasse faute de paiement du loyer. »

Le menu peuple gîte aussi dans l'île de la Cité, à l'aspect inchangé depuis le XIIIe siècle, un extraordinaire dédale de ruelles tortueuses, malpropres et malcommodes, coupées de fondrières, encombrées de carrosses et de troupeaux, infestées de malandrins. Un autre observateur rôde dans ces lieux, c'est l'infâme Restif de La Bretonne, le Hibou-Spectateur sans indulgence pour ce tableau pittoresque qui ravira plus tard les Romantiques : « La barbare et gothique Cité est plutôt un inextricable labyrinthe qu'une ville : figurez-vous des rues philadelphes, où deux personnes qui se rencontrent ne peuvent passer qu'en s'embrassant, tortueuses, malpropres... On y étouffe ; l'air ne circule pas ; on croit se promener au fond d'un puits » (*Les Nuits de Paris ou le Spectateur nocturne,* édition de Londres, 1788-1789).

L'entassement est d'ailleurs général pour toutes les familles populaires : dans la section du Théâtre-Français, un immeuble abrite vingt-sept locataires pour six pièces et quelques mansardes. Faubourg Saint-Antoine, une enquête sur inventaires après décès portant sur cent trente et une familles a montré que soixante-neuf vivaient dans une pièce, trente-deux dans deux et quinze seulement dans trois.

La cherté des loyers

De tels logements – sans eau et avec des privés bouchés presque en permanence – se paient cher et à date fixe. Mercier écrit : « On s'arrange avec tout le monde, même avec un juif, on ne s'arrange pas avec son principal locataire. Créancier impitoyable car il est talonné par le propriétaire qui l'est par le maçon. C'est le plus énorme délit que l'on puisse commettre dans une maison, ne pas payer son terme. Dans les faubourgs, il y a trois à quatre mille ménages qui ne paient pas leur terme et promènent tous les trois mois, de galetas en galetas, leurs pauvres meubles. »

Voici déjà dénoncée la tyrannie du « principal locataire » – intermédiaire seul connu du propriétaire – qui incarne la mentalité des possesseurs d'immeubles, groupe spécial dont l'importance va bientôt croître. Restif les décrit avec des accents prémonitoires : « J'ai toujours été blessé de l'insolente propriété des possesseurs de maisons, et même des principaux locataires de Paris. Un homme vous loge ; vous le payez, et il se croit encore le maître de limiter à son gré la jouissance de votre appartement ! Il vous oblige de rentrer à quelle heure il lui plaît ; il vous interdit tel passage ; il surveille votre conduite... Il faudrait apprendre aux propriétaires des maisons de Paris que la seule valeur intrinsèque du local est à eux, et la jouissance à celui qui paie. »

Pourtant, en cette période d'effervescence sociale où nombre de problèmes sont débattus sur la place publique, il n'existe aucune prise de conscience du problème du logement chez les locataires parisiens du tiers état. Rien ne concerne ce sujet dans les cahiers de doléances, à part ce souhait individuel, œuvre d'un inconnu : « Mettre des bornes à la cherté extravagante des loyers, et que le petit bourgeois ne soit pas obligé d'employer la moitié de son revenu pour mettre lui et sa famille à l'abri des injures de l'air. »

Les différentes assemblées révolutionnaires n'abordèrent jamais la question du logement et comment s'en étonner quand on sait l'origine sociale de leurs membres qui ne comptèrent à aucun moment un prolétaire parmi eux ? En revanche, sa portée n'échappait pas à Gracchus Babeuf. Dans son *Projet d'adresse aux Français,* il déclarait qu'en cas de succès de l'insurrection projetée, « le peuple serait à l'instant mis en possession de logements sains et commodes ». Où les aurait-il donc trouvés ?

« Bourgeois et prolétaires ne sont plus au même étage »

Si les locataires sont muets, les propriétaires ne se gênent plus pour imposer leurs « droits » à la base même de la nouvelle société. « Il est évident, écrit Dupont de Nemours, dans ses *Observations sur la Constitution du 5 fructidor an III,* que les locataires ne disposent des maisons d'habitation, n'y sont passagèrement les maîtres que comme avoués des propriétaires [...]. Il est évident que les propriétaires, sans le consentement desquels personne ne pourrait ni loger ni manger dans le pays, en sont les citoyens par excellence. Ils sont souverains, par la grâce de Dieu, de la nature, de leur travail, de leurs avances, des travaux et des avances de leurs ancêtres. »

Les dernières lignes de cette déclaration sans fard sont des plus importantes pour l'avenir. La bourgeoisie conquérante s'arroge des droits absolus sur les autres groupes sociaux : elle prétendra en outre les fonder sur une base morale. « L'homme sans propriété, s'écriait Boissy d'Anglas à la tribune de l'Assemblée le 5 messidor an III (23 juin 1795), a besoin d'un effort constant de vertu pour s'intéresser à l'ordre qui ne lui conserve rien. Un pays gouverné par les propriétaires est dans l'ordre social ; celui où les non-propriétaires gouvernent est dans l'état de nature. »

Les nouveaux seigneurs, désormais débarrassés des contraintes du catholicisme qui pouvaient, en certains cas, freiner leurs exigences, considèrent le logement comme une marchandise sur laquelle son « créateur » a tous les droits, y compris celui d'en fixer le taux de location à sa guise et même celui de ne pas l'entretenir. Puisque le bourgeois et le prolétaire ne sont plus placés au même étage dans l'espèce humaine, l'un incarnant le civilisé conscient, l'autre, le sauvage naïf, le premier doit être le seul juge de ce qui convient au second dans tous les domaines.

Au sujet de Paris, nous disposons, à l'aube du XIXe siècle, d'un avis précieux, celui du préfet de la Seine, Frochot, bientôt l'un des meilleurs collaborateurs de Napoléon Ier – il sera en poste jusqu'en 1812 –, dans son rapport sur l'état économique du département en 1801. Voici ce qu'écrit ce haut fonctionnaire : « Est-il d'une bonne politique et d'une administration sage de chercher à multiplier ici les manufactures, et de réunir ainsi sur un même point et dans une ville déjà si remplie de germes de fermentation, un grand nombre d'ouvriers dont il est toujours facile d'égarer l'esprit, et dont la réunion fournit aux malveillants et aux intrigants tant de moyens de troubler l'ordre et la tranquillité publique ? Ce doute est au moins permis. »

On ne saurait mieux dire : les prolétaires ne pourront jamais prétendre qu'à une place limitée dans l'espace parisien. Nombre de successeurs de Frochot s'emploieront à inscrire ce *numerus clausus* dans les faits.

Roger-Henri Guerrand

Que mangent les Français ?

L'aliment prioritaire, qui fournit souvent plus des deux tiers de l'apport calorique journalier dans l'alimentation populaire, et au moins la moitié pour les autres, est *le pain* : on consomme en effet un peu plus de 2 000 calories par jour et par personne à la fin de l'Ancien Régime, la grande majorité venant des céréales : la quantité de pain bis à farine blutée mise à la disposition de chaque Français en 1781-1790 s'élève à environ 800 grammes par jour. Malgré les efforts d'Antoine Augustin Parmentier (1737-1813) qui publie en 1773 un ouvrage sur les avantages nutritionnels de la pomme de terre, et qui tente d'en diffuser la culture, ce tubercule ne viendra concurrencer les céréales dans les apports caloriques de la plus grande partie de la population qu'après 1830. Pourtant, en 1740 en Moselle, la pomme de terre sort des jardins pour gagner les champs, et une statistique de l'an IX nous apprend qu'elle y couvre 15 625 ha (7,8 %) avec une production de 1 628 000 quintaux.

Du pain trempé dans la soupe

L'apport nutritionnel de base est donc constitué par les céréales, le plus souvent sous forme de pain. Du pain, des pains de toutes sortes et de toutes couleurs en fonction de la région, de la classe sociale et de la conjoncture économique. Tout au long du XVIIIe siècle, le froment a gagné lentement et sûrement en prestige et en surface cultivée sur la plus grande partie du territoire. Un pain de plus en plus blanc en ville, dont les formes longues ou rondes se sont maintenues jusqu'à nous ; un pain qui peut se conserver, et se consomme souvent trempé dans une soupe — en général au choux et au lard.

Cette dernière peut être enrichie par les « herbes » et « racines » des jardins : carottes, raves de toutes sortes, chicorée, salades diverses, ail, oignons, choux verts, ainsi que par des légumineuses diverses, pois, fèves, etc. Entre les XVIe et XVIIIe siècles arrivent les asperges, épinards, laitues, artichauts, petits pois, haricots, choux-fleurs, tomates, piments, et melons, entre autres. Le chou et la carotte sont les légumes les plus couramment rencontrés dans les textes. Ce qui ne doit pas masquer la grande variété des « herbes » du jardin potager, cultivé partout, souvent par les femmes, espace ouvert aux innovations et aux expériences.

En complément du morceau de pain, le fromage est présent sous des formes variées sur tous les terroirs ou presque, même s'il n'est que rarement cité dans les livres de cuisine — il est encore perçu comme un aliment sans intérêt culinaire et n'a pas la place gastronomique qu'il occupera aux XIXe-XXe siècles.

Les fruits, frais ou secs, peuvent aussi accompagner efficacement le pain, dans une collation, prise dehors, lors d'une pause dans le travail ou dans le voyage. Mais ils n'ont pas encore leur place dans le repas ou même dans le « repas rustique » qui régale Jean-Jacques Rousseau : laitage, œufs, « herbes », fromage, pain bis, et « vin passable ». Nous sommes loin des truites à la crème et des poulardes aux truffes offertes par Voltaire à Ferney.

Le vin, coupé ou non, souvent issu d'une production locale, est la boisson privilégiée en France au XVIIIe siècle. En son absence, toute une variété de boissons accompagnent les repas, cidre, poiré, bière, etc. Le « repas rustique » — soupe en sus — de Jean-Jacques est caractéristique de la réalité alimentaire quotidienne des larges couches rurales, car la viande en est absente.

La viande — au sens auquel nous l'entendons, et non pas en son sens ancien de « mets » — n'est en effet

BIBLIOGRAPHIE

Annales Économies, Sciences, Civilisations, « Histoire de la consommation », dossier présenté par MM. BENNASSAR et GOY, 30e année, nos 2-3, mars-juin 1975.

LABROUSSE E., *Esquisse du mouvement des prix et des revenus en France au XVIIIe siècle*, 2 t., Paris, 1934 ; rééd. Archives contemporaines, 1984.

LE GRAND D'AUSSY, *Histoire de la vie privée des Français*, 3 t., Ph. d. Pierres, Paris, 1782.

MORINEAU M., *Pour une histoire économique vraie*, PUL, Lille, 1985.

pas consommée aussi régulièrement qu'aujourd'hui : les rations de viande par personne et par jour, à la campagne (60 g) et en ville (120-210 g), seront les mêmes en 1850 qu'à la fin du XVIIIe siècle. Pour un adulte homme, on estime la consommation journalière entre 100 et 325 grammes. Elle se consomme bouillie ou rôtie, salée, fumée, ou confite, rarement grillée. Elle n'intervient de façon significative dans l'apport calorique et protéinique total que pour les couches sociales favorisées – et dans certains cas régionaux particuliers –, à tel point que cette consommation carnée est le signe et le symbole de l'aisance matérielle. Il s'agit alors d'une viande ovine, bovine, et de gibier. Pour les larges masses rurales, le porc tient la première place dans l'alimentation carnée ancienne, au point d'en être presque un emblème : rituellement mis à mort tous les ans, scène souvent reproduite dans l'iconographie, toutes ses parties ou presque seront consommées à plus ou moins long terme sous forme de jambon, boudin, saucisson, tripes, lard, etc.

Donc, bien plus que la viande, le pain trempé dans la soupe ou accompagné de laitages ou d'« herbes », arrosé de vin, reste l'aliment de base. La soupe est consommée même le matin dans les campagnes, malgré la concurrence de plus en plus sensible du café au lait en ville. A Paris et en région parisienne dès la seconde moitié du XVIIIe siècle, ce dernier s'est imposé. Le soir, la soupe dans toutes ses variantes est le plat familial urbain et rural avec des degrés de sophistication divers. Il traverse aussi quasiment toutes les couches sociales. Grâce à l'assimilation excellente au plan protéinique du mélange légumineuses/céréales, la soupe de légumes avec du pain est en fait une source assez correcte de protéines végétales.

Disparités et autarcie

Mais ces chiffres ne donnent qu'une vision d'ensemble qui écrase les disparités.

Première disparité, celle qui oppose l'alimentation des couches favorisées à celle des autres. L'alimentation des élites, grande bourgeoisie et noblesse de robe et d'épée, est évidemment très différente quant à l'apport calorique par personne et par jour et à la part des céréales dans cet apport : de deux à trois fois plus de calories, venues d'aliments plus variés et plus carnés. Les disparités régionales aussi sont gommées ; maïs en Aquitaine, châtaigne dans le Sud-Ouest, pomme de terre en Alsace, Lorraine et Franche-Comté, sarrasin dans l'Ouest, etc.

De même s'efface le caractère aléatoire et précaire de l'alimentation jusqu'au début du XIXe siècle. Comment conserver les denrées ? Une partie des caractéristiques alimentaires dans la France rurale d'Ancien Régime est liée à ce problème : sensible, dans le court terme de quelques mois, aux variations saisonnières du climat et des prix, le paysage alimentaire peut tout à coup virer au noir pour une large part de la population, la plus pauvre, celle qui est déjà menacée en année normale lors de la soudure : entre l'ancienne et la nouvelle récolte, les réserves s'épuisent.

Le rythme de la consommation des différents aliments varie aussi, et des cycles peuvent être perçus : l'opposition repas quotidien/repas festif est forte alors, et les quantités ingérées lors des fêtes familiales (noces) ou collectives (carnavals) n'ont rien à voir avec la soupe trempée de tous les jours. Des disparités de consommation existent sans doute entre les deux sexes : les femmes boivent-elles autant de vin et mangent-elles autant de viande que les hommes ? Y a-t-il une différence et à quel niveau ? Celui des stéréotypes ou celui des pratiques réelles ? Il est difficile de répondre à ce type de questions en l'état actuel des recherches.

De toute façon, le calcul de protéines animales par personne et par an ne peut être qu'approximatif, parce qu'elles proviennent de sources diverses et difficilement mesurables : les consommations de lait, œufs, fromages et même poissons, gibier braconné, etc., dans une économie agricole quelquefois presque autarcique, restent en partie invisibles. Le calcul des calories aussi est aléatoire : les consommations d'alcools forts, type eaux-de-vie, sont de plus en plus attestées en ville et ajoutent des calories pauvres à la ration quotidienne. Les noix, noisettes, champignons, et tout ce qui peut être cueilli dans les forêts inscrivent aussi leur apport nutritionnel en complément, de façon non visible pour l'historien. Il ne faut pas oublier non plus la consommation de poissons de mer sur les côtes et en ville (le hareng, la morue salée, par exemple, se retrouvent sur l'ensemble du territoire) et de poissons de lacs et de rivières dans les terroirs où cela est possible. Là aussi une consommation non monétarisée des produits de la pêche locale est une hypothèse plausible.

L'opposition ville/campagne enfin est très forte quant à l'alimentation dans la société d'Ancien Régime. Une plus grande consommation de viande, d'une part, et une plus grande diversité de choix alimentaires, d'autre part, caractérisent les consommations urbaines. Un exemple : le système du « regrat » (les restes des repas des « riches » sont revendus jusque dans la rue) permet la circulation de plus en plus dégradée de plats cuisinés sophistiqués. Des modes alimentaires peuvent se diffuser dans l'espace urbain : les pâtes et le café au lait au milieu du XVIIIe siècle par exemple. En revanche, le monde rural et villageois reste plus enraciné dans ses habitudes alimentaires, et ce jusqu'à la fin du XIXe siècle au moins.

Véronique Nahoum-Grappe

L'invention de la cuisine « bourgeoise »

Le terme de « bourgeois » n'a pas la même résonance sous l'Ancien Régime qu'aujourd'hui : lorsqu'en 1691 un auteur, Massialot, intitule son livre *Le Cuisinier royal et bourgeois* – ce dernier terme étant employé pour la première fois dans un titre de livre de cuisine –, il s'agit seulement pour lui d'ajouter à la fin de son ouvrage quelques recettes moins « chères » que les autres. En 1743 paraît la première édition de *La Cuisinière bourgeoise* de Menon, sans cesse rééditée au cours des XVIIIe-XIXe siècles : la cuisine « bourgeoise » est alors mise en scène (conjuguée au féminin, le « cuisinier » est un personnage trop noble pour être bourgeois...). Il s'agit dans ces ouvrages de toucher les « personnes d'une condition et d'une fortune médiocres ».

« [...] Je me suis attaché à éviter la dépense, à simplifier la méthode, et à réduire en quelque sorte au niveau des cuisines bourgeoises ce qui me

BIBLIOGRAPHIE

ARON J.-P., *Le Mangeur du XIXe siècle,* Laffont, Paris, 1973.

GOODY J., *Cooking, Cuisine and Class, a Study in Comparative Sociology,* Londres-New York, Cambridge University Press, 1982.

WHEATON B.K., *L'Office de la bouche ; histoire des mœurs de la table en France, 1300-1789,* Calmann-Lévy, 1985.

semblait ne devoir être réservé qu'aux cuisines opulentes... Si le coup d'œil et le bon goût y perdent quelque chose, la santé y gagnera... », nous dit Menon dans ses préfaces successives. La cuisine « bourgeoise » au XVIIIe siècle est une cuisine moins riche, plus légère au corps et à la bourse, et moins belle.

Goûts et techniques

Elle est l'appropriation et la simplification d'un modèle perçu comme aristocratique. La « cuisine bourgeoise » gastronomique, la grande cuisine française, telle que nous l'imaginons au XXe siècle, est en partie postérieure à la Révolution ; elle en est un des effets sociologiques pervers, non prévu : les cuisiniers des maisons aristocratiques sans emploi ont ouvert des restaurants où se sont précipités les bourgeois. Les grandes maisons, noblesse de robe ou d'épée, grande bourgeoisie, qui ont rivalisé de soupers tout au long du XVIIIe siècle et se sont disputé les grands cuisiniers, ont créé les conditions économiques et culturelles d'une évolution de l'art culinaire, et donc de cette « cuisine bourgeoise » française, caractéristique de l'identité nationale.

Quelles sont les caractéristiques de cette cuisine au XVIIIe siècle ? Ici interviennent plusieurs niveaux de recherche historique. L'histoire des techniques par exemple : jusqu'au XVIIIe siècle, un vin dit « vieux » n'a pas plus de deux à quatre ans, et le vin « nouveau », plus prisé, est de l'année. Ce n'est qu'au cours des XVIIe et XVIIIe siècles, en France, que l'usage des bouteilles de verre, bouchées avec du liège, permet un vieillissement du vin. Mais si, désormais, les vins qui vieillissent trouvent des amateurs, la norme est de ne pas les faire vieillir en bouteille. C'est seulement au XIXe siècle que la bourgeoisie inventera l'œnologie, liée étroitement à la gastronomie..

Autre niveau de recherche historique : l'histoire du « goût » et de l'innovation en matière de gastronomie. Quels sont les goûts alimentaires des Français à la fin du XVIIIe ? Sont-ils à l'origine de l'invention de la cuisine bourgeoise ? Par exemple, les Français préfèrent le pain blanc de froment à tous les autres, même s'ils sont souvent consommés par force, et le vin à toute autre boisson (sauf spécificité régionale : le cidre par exemple demeure la boisson quotidienne sur ses lieux de production).

En milieu urbain, les huîtres et les vins blancs de Champagne (techniquement mis au point depuis la fin du XVIIe siècle) sont le repas de fête par excellence et pas seulement dans les milieux privilégiés. Les artisans urbains peuvent se payer aussi dans la décennie 1770-1780 des liqueurs et des sorbets, des fruits à l'eau-de-vie, du café, du chocolat, du tabac à priser.

La « nouvelle cuisine »

Les recettes des livres de cuisine dévoilent un imaginaire alimentaire, partagé par l'ensemble des couches sociales, même les moins favorisées : ainsi la préférence est-elle massive depuis la fin du XVIIe pour les fonds de sauce gras (à base de beurre, huile ou lard, selon les régions), on prend goût au sucré, valorisé médicalement, mais on le sépare du salé dans les plats et donc dans le cycle du repas. La cuisine française bourgeoise du XVIIIe siècle n'utilise plus le mélange aigre-doux, et tend à repousser en fin de repas la note sucrée. Visant aussi à préserver la santé grâce à une plus grande simplicité, la « nouvelle cuisine » prétend rechercher le goût des aliments et non celui de leurs préparations et lutte contre les « roux » par exemple.

Si l'alimentation présente des caractères de monotonie et de précarité – surtout dans les campagnes et dans les milieux moins favorisés économiquement –, et reste marquée par la hantise majeure de conserver les denrées, elle offre aussi, surtout en ville, toute une diversité de choix, et ce pour de larges couches de la population urbaine – excepté bien sûr pour les grands pauvres qui peuvent à peine remplacer le bol de soupe claire par le bol de café au lait. Cette diversité permet un certain jeu dans la concurrence des modes et des innovations en matière de goût alimentaire.

Le souper, une des quatre fins dernières de l'homme...

Une autre manière bourgeoise de manger qui s'instaure alors est le souper intime et gastronomique, où la recherche culinaire est revendiquée en tant que telle par les élites. En ville surtout, mais aussi chez les notables provinciaux et ruraux, un changement se produit dans le rôle sociologique du repas et dans sa valeur comme événement culturel : le souper dont le rôle de socialisation est ancien devient un lieu de compétition culinaire, les bons cuisiniers ou réputés tels s'arrachant à prix d'or. Le souper, une des quatre fins dernières de l'homme à condition d'oublier les trois autres, selon le mot de Mme du Deffand, est plus privé, plus intime.

Peut-être est-ce là un début d'invention d'une cuisine bourgeoise ou plutôt d'une manière de manger caractéristique de la bourgeoisie et de ceux qui l'imitent : le repas bourgeois du XIXe siècle associera alors la compétition gastronomique fondée non plus seulement sur le rare, le spectaculaire, le cher, mais le bon, à une intimité sociale partagée, le temps d'un repas, avec les invités qui sont les supports des stratégies sociales mises en œuvre par les hôtes. L'invitation à souper, offerte et rendue, de gens intéressants (supérieurs hiérarchiques, artistes pauvres mais géniaux, belles femmes, etc.), telle que l'usage bourgeois du XIXe siècle la mettra en place, se fonde sur une exigence esthétique, celle de la qualité gastronomique des aliments. Ce lien entre gastronomie et sociabilité est devenu plus intime au XVIIIe siècle. Les soupers les plus exquis sont d'ailleurs aussi les plus « libertins », mêlant liberté sexuelle et libre pensée. Liqueurs, vins fins, mets choisis sont à l'honneur : de grands libertins, comme le marquis de Paulmy ou le comte d'Argenson, deviennent des spécialistes de la cuisine.

Pendant la période révolutionnaire, l'ensemble de cette recherche culinaire sera condamnée, comme signe immoral du luxe despotique. Mais précisément la valeur accordée à la recherche gastronomique par les élites du XVIIIe siècle dans leurs soupers hiérarchiques ou libertins sera plus tard récupérée par la bourgeoisie du XIXe siècle comme une de ses tactiques privilégiées dans sa stratégie d'ascension sociale. L'invention perpétuelle de la « cuisine bourgeoise » en France depuis cette époque s'appuie sur cette valorisation culturelle et sociale du fait de manger, héritée du XVIIIe siècle.

Véronique Nahoum-Grappe

Les habits font-ils le moine ?

La prise de la Bastille opère une profonde transformation dans la fonction sociale du costume. La fin de l'autorité d'une classe et d'une cour, l'inclination des esprits vers plus de simplicité et de liberté, la participation prépondérante de la masse ouvrière citadine aux événements modifient le rôle du costume. L'esprit des lois somptuaires qui se sont succédé pendant plusieurs siècles, expression de la hiérarchie sociale, est en voie de disparition. Il se manifeste avec éclat pour la dernière fois à l'ouverture des États généraux de 1789.

Comme Louis XIV l'avait décidé, un costume correspondant à l'importance particulière de chaque ordre est imposé aux députés : les ecclésiastiques devaient conserver la tenue correspondant à leur rang, les nobles ajoutaient à un habit élégant un chapeau à plumes blanches et une cape brodée d'or. Quant aux membres du tiers état, leur uniforme se limitait au noir, avec un petit manteau uni et un chapeau sans garniture aucune. Cette inégalité de tenue faisait connaître de façon choquante la position mineure attribuée aux députés du Tiers. Après la Révolution, les gouvernements successifs prendront soin de fixer les tenues attachées à chacune des fonctions publiques, bien que Mirabeau ait fait abolir par l'Assemblée constituante la distinction des costumes.

Pendant les premières années de la Révolution, le vêtement devient naturellement une marque visible de civisme ou d'opposition, suivant sa forme, sa couleur, sa dénomination. On se moque des jeunes aristocrates qui osent affronter la rue en costume de deuil, de demi-deuil, ou de « demi-converti ». Le fameux costume des sans-culottes, dessiné par le peintre Sergent, qui transpose « l'habit journalier de la campagne et des villes » est une tentative d'habillement populaire, et la pique tenue par le sans-culotte représente la souveraineté populaire par l'insurrection. D'autres essais échoueront : en 1793, un groupe d'artistes tente de lancer un costume typiquement révolutionnaire ; le sculpteur Espercieux propose le casque et la chlamyde des Grecs, Sergent souhaite, au nom de l'égalité, l'unicité de la tenue vestimentaire.

En mai 1794, le Comité de salut public invite Louis David à lui présenter des projets de costume national ; la tenue dessinée par le peintre – tunique, pantalon collant, bottines, bonnet rond à aigrette, large ceinture et manteau flottant sur les épaules – ne sera portée que par quelques-uns de ses élèves.

Chacun cependant cherche un détail vestimentaire propre à fêter la Révolution. L'engouement prérévolutionnaire qui consistait à donner aux modes nouvelles des termes d'actualité (découvertes, pays d'origine, événements politiques) continue de faire fureur. Tailleurs, marchandes de modes, journalistes fêtent à leur manière la prise de la Bastille. Sur une gravure du *Magasin des modes,* une femme en long fourreau bleu et blanc porte un bonnet « aux trois ordres réunis et confondus », sur le ruban duquel sont brodées en or une crosse, une épée et une bêche formant un trophée ; la cocarde nationale orne bien sûr le côté gauche de son bonnet, comme elle orne le chapeau ou la boutonnière de tous les patriotes.

« La prise de la Bastille par les Parisiens, événement dont le bruit a passé dans toute l'Europe et bien au-delà des mers, était un trait assez remarquable dans notre Révolution puisque c'est par lui peut-être qu'a commencé notre liberté pour qu'il donnât lieu à quelque mode... » (*Magasin des modes,* 11 novembre 1789). C'est ainsi que les hommes portent sur leurs souliers des boucles « à la Bastille » figurant un fort à trois tours, avec des créneaux, des canons, et des boucles « au tiers état ». Le cri de joie « Vive la nation » que lancent les Parisiens lors du retour des députés de l'Assemblée nationale de Versailles à Paris, après la prise de la Bastille, donne l'idée aux ouvriers, selon le journal, de faire des « boucles à la nation » ; celles-ci ne sont plus en argent mais en cuivre, et nombre de ceux qui font à la patrie le don de leurs boucles préfèrent les cordons ou les rubans noirs pour attacher leurs souliers. De même, les montres ne sont plus garnies de chaînes d'or mais de rubans de soie et les pommeaux des cannes sont de cuivre doré et non d'or. Les femmes revêtent un bonnet « à la citoyenne », une robe « à l'épargne » ; on dort sur des lits « à la Fédération », « à la Révolution » ou « patriotiques », et on se réveille au son du carillon d'une pendule civique... Les termes changent plus que les formes ; peu importe, pour vendre, il faut ajuster à l'actualité le rythme rapide des « créations ».

La floraison d'uniformes qui débute sous le Directoire et s'accentue sous l'Empire témoigne du rôle que peut jouer le costume dans une société où l'autorité militaire a un grand prestige. Affirmation de puissance, le costume militaire couvert de broderies influence jusqu'à l'habillement civil. La fureur des costumes administratifs est née d'une loi complémentaire à la Constitution de l'an III : les Cinq-Cents, les Anciens, les directeurs et leurs secrétaires, les ministres, quantité de fonctionnaires de divers services, tous portent des tenues nouvelles et extravagantes, soutien de leur prestige ; cette autorité nouvelle dont ils se sont investis s'affirme d'abord par leur apparence quotidienne.

Caroline Rimbault

Défilé de mode

Les bouleversements économiques et sociaux apportés par la Révolution française se traduisent naturellement par des évolutions dans la manière de se vêtir. Mais la flambée révolutionnaire n'entraîne pas la transformation complète des formes du costume qu'on aurait pu attendre.

Anglomanie et « fureur de l'antique »

Deux tendances coexistent dans la mode à la veille de 1789 : celle, assez occasionnelle, qui surcharge et complique, avec l'extravagance des larges paniers et des volumineuses coiffures, et celle qui, correspondant aux mouvements des idées, tend à la simplification.

C'est de Grande-Bretagne que vient alors l'inspiration. Les hommes adoptent la lévite à l'anglaise avec une culotte de peau et de longues bottes souples à revers. Ou encore le frac entièrement boutonné. L'engouement pour l'équitation est tel que la tenue de cheval se porte à la ville avec un habit en forme de redingote. Les femmes aussi empruntent à la Grande-Bretagne leur « robe à l'anglaise », ajustée à la taille avec une queue traînante et les coutures du dos renforcées par des baleines. La tournure a alors complètement remplacé les paniers. La « robe en redingote masculine », à revers ouvrant sur un jabot de dentelle, tantôt coupée à la taille comme un habit, tantôt entrouverte comme une redingote, laissant voir un petit gilet et des breloques, est très en vogue.

Une autre influence, d'ordre esthétique, joue en faveur de la simplicité : c'est le courant néoclassique qui s'inspire du costume antique. La « fureur de l'antique » des années 1800 est d'ores et déjà amorcée. Les femmes se parent de « robes de simplicité », aux tissus plus légers, renoncent à porter des corps de baleine, adoptent des robes-

BIBLIOGRAPHIE

BOUCHER F., *Histoire du costume en Occident de l'Antiquité à nos jours,* Flammarion, Paris, 1965.

CHALAMEL A., *Histoire de la mode en France,* Hennuyer, Paris, 1881.

DESLANDES Y., *Le Costume, image de l'homme,* Albin Michel, Paris, 1976.

WILHELM J., *Histoire de la mode,* Hachette, Paris, 1955.

chemises de mousseline blanche avec une ceinture sous les seins. Les robes de cotonnade imprimée ne sont plus réservées aux seules femmes du peuple, toutes les femmes jouent la simplicité. Elles ne se poudrent plus les cheveux et délaissent fards et mouches. Dans le même temps, les hommes renoncent de plus en plus nombreux à la perruque.

Les années révolutionnaires ne bouleversent pas ces tendances, mais le costume ne sera plus aussi étroitement lié à la classe sociale. Le monde d'hier disparaît pendant la période monarchique de la Révolution ; l'oisiveté n'est plus à l'honneur, la noblesse, privée de ses charges et pensions, le clergé de ses bénéfices et la riche bourgeoisie sont autant de clientèles perdues pour le luxe et l'ostentation.

Les premières années, les hommes conservent la culotte, l'habit à larges revers ou le frac collant, les bas rayés et les souliers à boucles ; ils ont abandonné, pour la plupart, la perruque poudrée. Les lignes générales de la robe à l'anglaise subsistent pour les femmes ; plus d'immenses chapeaux ni de manches énormes. Les caracos deviennent des corsages à basques minuscules dont les manches étroites descendent jusqu'aux poignets. On aime les fichus de linon, les ceintures de rubans à bouts flottants et les châles. Transformée, rayée aux couleurs nationales, la circassienne devient un costume populaire. Sur des chevelures aplaties, les femmes et les jeunes filles coiffent des bonnets de gaze garnis de cocardes ou de rubans tricolores. Les plus riches portent une alliance civique en or, mais la plupart arborent des bijoux très simples de cuivre ou d'acier. Les gardes nationaux – commerçants, petits boutiquiers – se promènent en uniforme ; cocardes, rubans et plumes garnissent les chapeaux des bourgeois ; les indiennes dont sont faites les robes des élégantes sont semées de bouquets bleu, blanc, rouge...

Feuilletons les pages du seul journal de modes qui survit à la Révolution française, le *Cabinet des modes* devenu *Magasin des modes* depuis 1786. Dirigé et écrit par le jeune Lebrun-Tossa, le luxueux journal, illustré de gravures enluminées, s'alarme d'abord d'une révolution qui risque de freiner la production de modes nouvelles et vise en premier lieu sa clientèle : l'aristocratie. Après avoir quelque peu hésité en juillet et août 1789, le *Magasin des modes* adopte la cause révolutionnaire et avec elle ses couleurs et son langage. Il devient une sorte d'almanach de la Révolution par l'image : une femme est vêtue « à la Constitution », une autre dite « patriote » porte le nouvel uniforme, une citoyenne désigne du doigt une aristocrate accoutrée à l'ancienne manière... « L'habit militaire est une chose trop nouvelle pour les Français, pour qu'il ne soit pas lui-même un objet de mode », écrit-on même dans le journal.

Bonnet rouge et carmagnole

C'est l'année 1792 qui, avec la chute de la monarchie et la promotion du mouvement populaire, marque une date notable dans l'évolution du costume, surtout masculin. Le port du bonnet phrygien se généralise chez les hommes désireux de montrer leur attachement à la liberté. Il est une des marques du pouvoir politique de ceux qui ne portent pas la culotte aristocratique, les sans-culottes, ainsi appelés par les ci-devant avant que le terme ne soit repris par les patriotes. Le sans-culotte porte un pantalon large à pont, en gros lainage, retenu par des bretelles, une courte veste, la carmagnole, un foulard autour du cou et des sabots. Cette tenue populaire coexiste avec le vêtement classique, qui demeure celui de presque tous les hommes importants : ainsi Robespierre, pincé dans un habit lumineux sur une culotte de nankin.

« A la Brutus » ou « en oreilles de chien »

Sous le Directoire, le costume masculin s'allège encore et accuse davantage les formes. La redingote croisée est à grands revers et à deux rangs de boutons, la cravate haute, le gilet échancré et à revers, le pantalon surtout devient collant. Les bottes sont très souples, les cheveux coupés court, « à la Brutus », ou longs, « en oreilles de chien » et couverts d'un haut-de-forme.

La mode féminine subit l'influence de la mode anglaise, qui, propagée par les émigrés, supprime définitivement les tournures. Le goût pour l'Antiquité s'accentue. Chemises et jupons sont abandonnés au profit de longues tuniques de gaze, de linon ou de mousseline dites « à la romaine », « à la vestale », « à la Diane ». La robe froncée, largement décolletée, se porte avec un châle ou un spencer, court boléro à manches longues. Un ruban, noué par-derrière, marque la taille sous les bras : c'est la ceinture dite « à la victime » ; les tabliers-fichus, sortes de doubles jupes, se multiplient.

Les perruques « à la grecque », de toutes les couleurs, sont à nouveau en vogue ; sur des coiffures plus simples, les femmes posent des capotes de soie garnies d'un velours noir, des toques et des turbans surmontés d'aigrettes, des chapeaux-cornettes à grande passe arrondie. Les poches sont remplacées par de petits sacs accrochés à la ceinture dits balantines ou réticules, et bientôt baptisés ridicules. Naturellement quelques élégantes commettent des excès : ces Merveilleuses, la belle Madame Tallien en tête, des comédiennes et quelques jolies femmes font scandale. Face aux extravagances de jeunes élégants, les Muscadins, les Merveilleuses montrent largement leur nudité sous des robes de tulle trop légères... Mais Madame Tallien et ses amies déguisées en nymphes chasseresses restent des exceptions, sans influence sur les lignes générales de l'habillement, qui connaîtront peu de changements de la Révolution à la fin de l'Empire. Le costume féminin à l'aube du XIXe siècle n'est, à quelques modifications près, que le prolongement des hardiesses de la fin de l'Ancien Régime, lorsqu'il était déjà soumis à la double influence de l'Angleterre et de l'Antiquité.

Caroline Rimbault

OÙ VIVRE ?

France urbaine, France rurale

La Révolution française, quoi qu'on fasse, conduit à focaliser l'attention sur le fait urbain et singulièrement parisien : c'est justice sans doute, si l'on tient compte du poids de l'influence de la capitale au fil des événements. De même, quand nous dressons aujourd'hui les cartes de la circulation des idées et des mots d'ordre, à partir de la confluence vers Paris des lettres, adresses, pétitions venues de l'espace français, prend-on conscience de l'importance des relais, si peu que ce soit « urbains ».

Toutefois l'importance de la Révolution paysanne dans son cours et ses expressions autonomes est là pour rappeler qu'à l'instar de la plupart des États européens, la France de la fin du XVIIIe siècle est un pays à forte dominante rurale. On estime en 1789 que la population urbaine est de l'ordre de 15 à 16 %, ce qui laisse 85 % de ruraux, dont 68 à 69 % de paysans. Tel quel, l'espace français, avec le semis urbain qu'il révèle, se situe à une place médiane en Europe entre, d'une part, les aires d'ancienne et dense urbanisation – Flandre, Pays-Bas, Rhénanie et péninsule italienne – auxquelles il ne participe que marginalement, ou la Grande-Bretagne, site d'explosion urbaine récente dans le cadre de la révolution industrielle commencée, et, d'autre part, le monde des villes de plus en plus rares lorsqu'on passe de l'Europe centrale à l'Europe orientale (même si l'on y rencontre, de Berlin à Moscou ou Budapest, les fortes croissances urbaines du XVIIIe siècle).

Le fait urbain

La France avec 45 villes de plus de 20 000 habitants ne fait pas mauvaise figure. Paris, sa capitale, compte sans doute en 1789 de 550 000 à 600 000 habitants qui en font la seconde ville d'Europe, après Londres, déjà millionnaire. Mais il y a un seuil marqué entre Paris et les plus grandes villes qui s'inscrivent à la suite : un peu plus ou un peu moins de 100 000 habitants (on en discute et nous n'entreprendrons pas de trancher) pour Lyon, Marseille, puis Bordeaux, Rouen, Nantes, et, sensiblement derrière, Toulouse et Lille sont seules à dépasser le chiffre de 50 000 habitants. Cette liste ébauchée introduit d'entrée à une typologie des grandes villes françaises, entendons de la trentaine qui s'inscrivent entre 20 et 50 000 habitants. L'importance du semis périphérique littoral reflète le rôle des grands ports, lieux d'implantation du grand commerce transatlantique ou méditerranéen : après Marseille, Bordeaux, Rouen et Nantes, en tête de liste, Toulon, Dunkerque ou Brest tiennent, avec des qualifications diverses, place honorable. Lyon, ville de la soie, mis à part, la fonction industrielle n'explique la place que d'un nombre modeste de grandes villes : Lille a une solide tradition textile, mais aussi d'autres qualifications comme capitale régionale. Amiens, Nîmes, Troyes ou Saint-Étienne peuvent seules être rangées au rang de villes industrieuses.

A considérer les autres, c'est-à-dire la majorité, on est frappé du primat des capitales régionales, lieux d'implantation d'un pouvoir : souvent villes de parlement et d'aristocratie de la robe et de la terre : Toulouse, Montpellier, Rennes, Aix, Grenoble, Besançon..., ou villes associant fonction militaire et de passage comme Strasbourg. C'est au niveau qui peut paraître aujourd'hui modeste de 20 à 30 000 habitants que s'inscrivent la plupart des capitales régionales : mais ce sont encore de bonnes villes que celles qui dépassent 10 000 habitants. Entre la petite ville d'environ 5 000 habitants et le bourg, où passe la frontière ? C'est le Consulat qui fixera à 2 000 habitants la frontière officielle. Malgré son arbitraire, elle nous rappelle l'importance d'un réseau de petites villes (et de gros bourgs), sites d'implantation de la bourgeoisie rentière, marchés et lieux de rencontre.

C'est leur densité qui établit la différence entre France urbanisée et France des villages : incontestablement urbanisé un Midi méditerranéen qui va du Bas Languedoc à la frontière du Var, et à un moindre degré l'Aquitaine de la moyenne Garonne. Mais on retrouve aussi un fort taux d'urbanisation autour de Lyon, comme dans la région du Nord ou la Haute Normandie. Si la frontière est fluide entre les deux réseaux des petites villes et bourgs et celui des villages, ce dernier reflète dans ses contrastes des héritages de très longue durée, opposant au maillage très serré de certaines régions – comme l'Ouest – les vastes superficies des communes du Sud-Est provençal ou alpin.

Entre France des villes et France des villages, si le poids des campagnes reste dominant, le pouvoir d'attraction des villes s'est renforcé au fil du siècle, à mesure que leur population s'accroissait, surtout après 1750. L'aire de drainage parisien couvre la majeure partie de la France septentrionale ; plus modestes, celles de Marseille ou de Bordeaux sont déjà largement taillées. C'est que les démographies urbaines sont fortement déficitaires, singulièrement dans les quartiers les plus pauvres : d'où l'importance des provenances extérieures – domestiques, compagnons, gagne-deniers mais aussi membres de la bourgeoisie et des élites, suivant des filières d'intégration plus complexes – pour assurer non seulement le maintien, mais la croissance.

Dans les villes de la France méditerranéenne, Aix, Toulon, Marseille, la part des conjoints « non natifs », venus d'ailleurs, s'est élevée du quart, ou moins, à la moitié au cours du XVIIIe siècle. Cet ordre de grandeur se retrouve à Paris, et dans la plupart des grandes villes : la Révolution va brutalement accentuer ce brassage.

Le grand remue-ménage

Jacques Dupâquier a parlé de « désurbanisation » de la France sous la Révolution et l'Empire. Incontestable, quoique limité, ce bilan doit être modulé dans le temps et dans l'espace. Chronologiquement, c'est la période impériale qui a connu la crise urbaine, et le repli le plus net, ainsi dans les grands ports comme Marseille ou Bordeaux.

La séquence proprement révolutionnaire a, au contraire, connu la

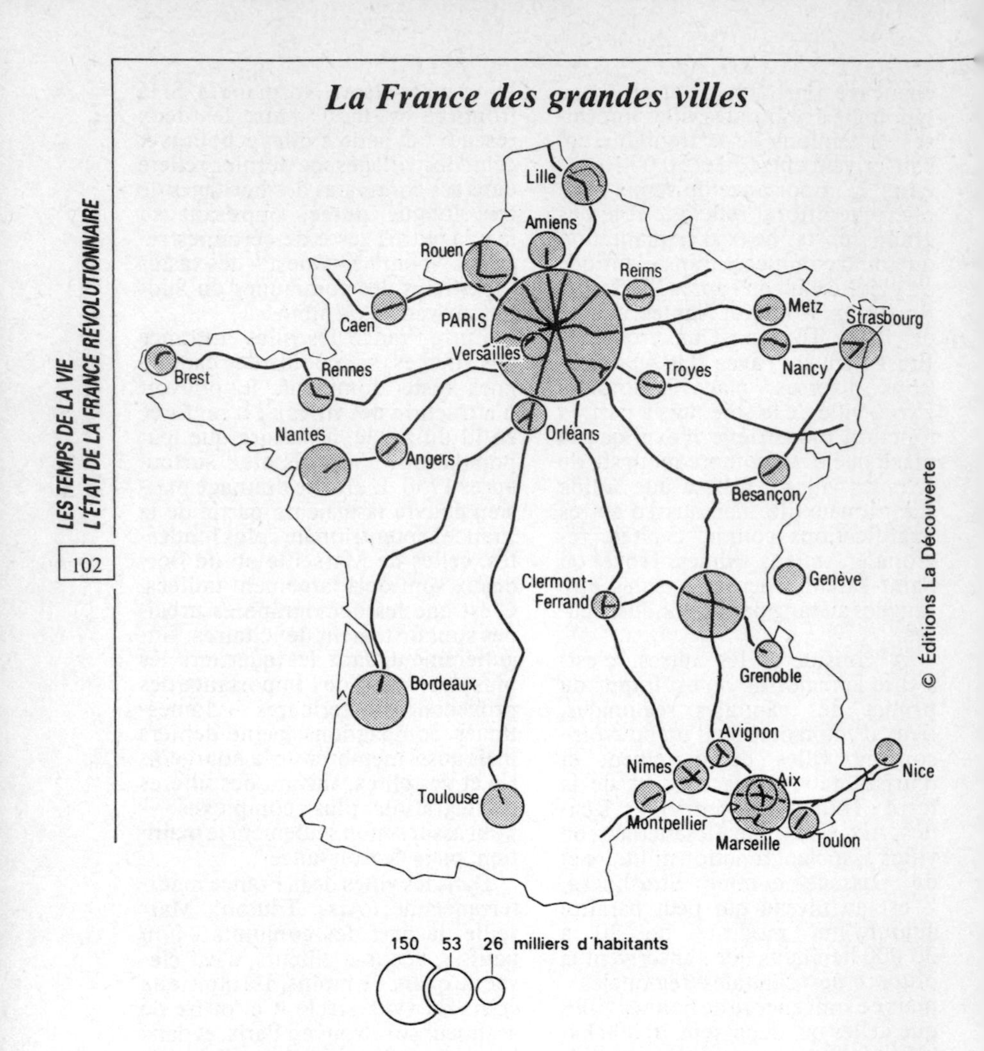

succession d'une phase de gonflement marqué de la population de nombreuses villes, suivie d'une stabilisation, voire d'un repli. C'est ce que nous disent les courbes de la nuptialité aussi bien à Nancy qu'à Toulouse ou à Chartres, qui s'élèvent dès 1791 pour atteindre en l'an II des taux égaux, voire supérieurs, à 200 % par rapport à 1789. Ce qui ne veut pas dire pour autant que ces populations aient doublé : la fièvre des mariages (étudiée par ailleurs) augmente la nuptialité, à population constante, et répond à d'autres sollicitations (levées d'hommes, puissant encouragement au mariage !). Mais il est incontestable que ces villes ont aussi reçu des apports nouveaux, en grand nombre : réfugiés du Nord, ou réfugiés de l'Ouest dans les cités d'entre Seine et Loire, mais aussi ruraux déracinés par « les crises » de la période, celle de 1788-1789, et celle de l'an III. Si l'on compare l'aire de recrutement des conjoints d'une ville moyenne (10 000 habitants) comme Chartres avant et pendant la Révolution, on prend la mesure de cette explosion relative de l'espace révolutionnaire : une demi-douzaine de (futurs) départements ont envoyé plus de cinq conjoints pour cent durant la décennie prérévolutionnaire, ce chiffre passe à 20 pendant la Révolution... entre-temps le pourcentage des conjoints « non natifs » s'est accru de 25 à 50 %, et ce tournant sera irréversible.

Dans un cas de ce genre, assez typique semble-t-il des villes du Bassin parisien, le grand remue-ménage révolutionnaire gonfle, momentanément au moins, les effectifs urbains, la ville gardant en temps de crise sa vocation de refuge et de pôle d'attraction. Mais peut-on extrapoler à partir de quelques cas ? Paris, pour ce que nous en savons, fait également succéder une phase de gonflement urbain, au début de la période, et une phase de reflux à partir du Directoire. Dans les villes du Midi, les bilans sont beaucoup plus contradictoires : la courbe de la nuptialité toulousaine, comparée à celles des villes septentrionales, commence par fléchir jusqu'en 1793, ne se gonfle qu'ensuite de 1794 à 1798... Montauban perd plus d'habitants qu'il n'en gagne et ce serait bien le cas aussi, tout compte fait, pour les villes provençales – Aix, Marseille... – touchées par l'intensité des épisodes de guerre civile, notamment le fédéralisme en 1793. Toulon pousse à l'extrême l'illustration de cette sensibilité aux malheurs du temps : le grand port de guerre comptait plus de 30 000 habitants, avec la garnison, la marine, et l'arsenal en 1789. Au lendemain de la rébellion, du siège et de la reconquête, on ne le crédite plus que de la moitié – 14 000 dit-on. Puis, devenu en l'an II l'arsenal de la République, « Port-la-Montagne » regagne au moins et sans doute dépasse ses effectifs de 1789, quand affluent de partout soldats, marins et ouvriers. En 1789, la moitié des conjoints étaient « natifs » ; en l'an III, 16 % des époux seulement, et 45 % des épouses sont toulonnais, les autres viennent de toute la France.

Toulon : cas exceptionnel sans doute. Mais il permet, en forçant le trait, d'imaginer ce qu'ont pu être, dans les villes françaises, les retombées du grand branle-bas révolutionnaire, dans leurs aspects positifs ou négatifs.

Michel Vovelle

La section

Initialement conçue comme une unité de vote pour la formation des assemblées primaires dans les communes de plus de 25 000 habitants, la section devient rapidement le lieu de réunions permanentes et le foyer d'une intense activité politique qui jouera un rôle moteur dans l'évolution de la Révolution.

Le 27 juin 1790, Paris est divisé en 48 sections qui portent le nom d'une rue ou d'un quartier (section du Roi-de-Sicile, section du Luxembourg). Chacune désigne un officier municipal et trois notables qui siégeront au conseil général de Paris. De même dans les 24 sections marseillaises, les 15 toulousaines, les 26 rouennaises, etc. En dehors des élections, l'assemblée ne peut se réunir sans convocation du conseil général de la commune, sauf si un dixième des citoyens actifs le réclame. En réalité, les citoyens, de plus en plus sensibles aux enjeux politiques révolutionnaires, prennent l'habitude de s'assembler spontanément pour débattre de tout événement et prendre parti sur telle ou telle question. Les villes se partagent en sections patriotes et sections modérées, distinctes par leur composition sociale et leurs aspirations.

Au printemps de 1792, la fréquentation des sections culmine. A Paris, les revendications populaires se font plus vives contre le veto royal, le complot aristocratique et les accapareurs. Les sans-culottes réclament pour les citoyens passifs le droit de vote et l'entrée dans la

BIBLIOGRAPHIE

ANDREWS R.M., « Réflexions sur la conjuration des Égaux », *Annales Économies, Sciences, Civilisations,* n° 1, janv.-févr. 1974.

SLAVIN M., *The Making of an Insurrection. Parisian sections and the Gironde,* Cambridge, Londres, Harvard University Press, 1986.

garde nationale. En juillet, ces derniers prennent la direction des sections, dont les assemblées siègent maintenant en permanence ; la section du Théâtre-Français institue le suffrage universel. A l'initiative du faubourg Saint-Antoine, un bureau central des sections forme le 10 août au matin la Commune insurrectionnelle. A son appel, les sans-culottes rejoignent les Fédérés aux Tuileries où, sous la pression des piques, ils contraignent le roi à capituler et l'Assemblée à convoquer une convention élue au suffrage universel.

C'est le monde de l'atelier et de la boutique qui forme les rangs des sections : artisans du bois, des métaux, du vêtement, du cuir et du bâtiment, commerçants de l'alimentation, coiffeurs. De la masse des simples militants et participants occasionnels se démarque l'élite des cadres et des meneurs. Les commissaires civils, qui se consacrent aux tâches administratives, sont souvent issus de la bourgeoisie instruite. Les comités révolutionnaires, chargés d'appliquer les mesures de sûreté générale, ont un recrutement plus populaire. Les liens sont étroits avec les sociétés populaires qui propagent les mots d'ordre et fournissent le personnel d'encadrement des sections. Le tutoiement, signe de la solidarité fraternelle, est de rigueur dans les assemblées, où règne une vive animation : on vote à voix haute, par assis ou levés, avec force acclamations et applaudissements. On rend hommage aux figures de proue de la révolution populaire : Marat, Hébert, Jacques Roux. Les sections se rebaptisent de noms aux connotations révolutionnaires (section des Piques, des Fédérés, etc.).

Le 10 août 1792 n'a pas stoppé les revendications sectionnaires. De l'Assemblée jugée trop modérée, on exige des mesures de répression de l'accaparement, de taxation et de réquisition des denrées, d'arrestation des suspects et de levée en masse ; on soutient la Montagne et l'on prépare l'insurrection de mai-juin 1793. En revanche, dans un grand nombre de villes provinciales comme à Lyon, Marseille et Toulon, les modérés et les girondins s'emparent des sections et en chassent les montagnards. Ce *mouvement sectionnaire* est à la base du fédéralisme et de la lutte contre-révolutionnaire.

A Paris, le conflit s'intensifie entre le mouvement populaire et le gouvernement montagnard, qui lui doit son avènement, mais cherche à ménager l'opinion modérée et à renforcer son contrôle aux dépens de la démocratie directe. A la suite de l'affirmation de la centralisation gouvernementale (décrets de frimaire an II), et surtout après la répression de Germinal, la vie des sections décroît. La réaction bourgeoise précipite leur déclin en supprimant leur autonomie (fructidor an III). La conspiration babouviste, qui s'appuie sur les anciens cadres sectionnaires de l'an II, ne parvient pas à restaurer la vitalité des sections, dont les assemblées ont été définitivement supprimées le 17 vendémiaire an IV (9 octobre 1795).

Marie-Vic Ozouf-Marignier

Une section faubourienne : le Finistère

C'est au cœur du faubourg Saint-Marcel que se trouve la section du Finistère, dans l'un de ces quartiers de l'Est parisien devenus célèbres pour le rôle qu'ils ont joué durant la Révolution. Loin du centre de la ville, loin du bruit des événements majeurs de la scène révolutionnaire, nous pénétrons ici dans un coin de Paris qui, tout en participant de la vie urbaine, garde – en cette fin du XVIIIe siècle – une personnalité autonome, des rythmes d'existence, des habitudes et des traditions spécifiques.

Nous sommes sur la Rive gauche, près de l'enceinte méridionale de Paris, dans un quartier qui s'étale autour de la Bièvre, petit affluent de la Seine, le long duquel se sont groupées des activités typiques qui dépendent de ses eaux. Ce sont les métiers qui, à cause du caractère polluant de leurs procédés, ont dû quitter depuis des siècles le centre de la ville, à la suite de plusieurs édits royaux : bouchers, tanneurs, teinturiers, amidonniers, brasseurs... Ils ont marqué de manière indélébile l'habitat de ce quartier.

Voilà donc un paysage typiquement faubourien, où une population d'environ 12 000 habitants s'entasse autour de certaines artères principales – comme la rue Mouffetard –, mais qui demeure semi-rural : la densité est de 76 habitants par hectare, chiffre moyen qui s'affaiblit encore à mesure que l'on s'approche des marges extérieures de la section débouchant sur la banlieue. Ici on trouve les jardiniers, les maraîchers et même les nourrisseurs de bestiaux qui travaillent aux alentours du marché aux chevaux. Située au-delà de la montagne Sainte-Geneviève, cette section, éloignée du centre, est donc caractérisée par des activités artisanales polluantes, des terrains vagues, des enclos d'établissements religieux ; mais y végète aussi une population particulièrement pauvre de travailleurs, avec un pourcentage très élevé d'indigents. Tous ces éléments concourent à faire de ce quartier, aux yeux des Parisiens, un lieu distinct, nullement attrayant, une excroissance malsaine et redoutable, car à l'aspect populaire s'ajoute une tradition de turbulence. Les témoignages du XVIIIe siècle insistent sur ce caractère mutin et querelleur, devenu, à la veille de la Révolution, un attribut du faubourg bien fixé dans la mentalité collective parisienne : c'est le lieu de la misère, l'abri pour échapper à la police, mais aussi le théâtre de la révolte.

Le monde de la boutique et de l'échoppe

La composition sociale de la section justifie en partie ces impressions : hormis les indigents enfermés dans d'importants dépôts, telle la Salpêtrière, une large base est composée de la grande masse des travailleurs dépendants, non spécialisés, attachés aux métiers les plus humbles, aux travaux de peine. Ils fluctuent dans un équilibre souvent précaire, au seuil du chômage, et approchent ainsi le monde de l'indigence. D'où la vive sensibilité du quartier aux problèmes des prix, du ravitaillement et de la vie chère, tout au long de la Révolution.

Une bonne quantité de petits producteurs indépendants se consacre aux métiers typiques du quartier, ou à ceux qui sont les plus répandus dans la capitale (alimentation, habillement, bâtiment). C'est le monde de la boutique et de l'échoppe, un des terrains de recrutement privilégié des sans-culottes.

Au sommet de la hiérarchie artisanale figure une couche de producteurs aisés enracinés dans la section, liés aux métiers traditionnels du quartier et issus souvent de véritables dynasties d'artisans. Ce sont bien sûr des tanneurs, des brasseurs, des teinturiers, mais aussi des entrepreneurs travaillant pour l'État dans le cadre de la manufacture royale des Gobelins ; le prestige de cet établissement, auquel les habitants sont fort attachés, en fait l'emblème du quartier et explique que le premier nom de la section ait été celui des Gobelins. Elle sera rebaptisée section du Finistère, en l'honneur des fédérés brestois de 1792, mais seulement après la chute de la monarchie, lorsque les nouvelles valeurs dérivées du combat politique et de l'esprit républicain se superposeront aux anciennes traditions des quartiers.

Un « foyer de radicalisme »

Bien que numériquement restreint, ce noyau d'artisans aisés joue un rôle extrêmement important au début de la Révolution. Ce sont eux qui, dans cette section, détiennent la place occupée ailleurs par les hommes de loi : celle de premiers « leaders » du mouvement révolutionnaire. Leur prééminence traditionnelle dans le quartier leur vaut la confiance des citoyens, et cela explique probablement l'attitude prudente, voire modérée, de la section du Finistère au cours des premières années révolutionnaires. Ce démarrage lent peut surprendre par rapport à la réputation du quartier : nous la voyons, en effet, plus repliée sur ses problèmes internes que concernée par les grands affrontements politiques. Mais c'est un calme trompeur, et, à partir des événements de 1791, la section se révèle un foyer de radicalisme et une pièce irremplaçable de la révolution parisienne. Protagoniste des journées des 20 juin et 10 août 1792, la section du Finistère, comme bien d'autres, remplace son personnel politique et dégage de nouvelles avant-gardes, issues d'un milieu nettement plus populaire. La vie politique se démocratise et se déploie autour de l'assemblée générale, de la société populaire et des autres nombreux organismes de l'univers sectionnaire. C'est là que se reflètent les grands conflits entre les différentes factions politiques. La vive activité militante déployée autour des cadres populaires et des patriotes avancés contribue au succès même du courant montagnard, à l'issue de luttes très aiguës.

Néanmoins la section du Finistère partagera le destin des autres sections parisiennes : les marges de son autonomie se réduiront à la suite de l'effort de « normalisation » et de centralisation mis en œuvre par le gouvernement révolutionnaire. Même là, la vie politique tendra à se « geler », avant de disparaître progressivement après la chute de la Commune robespierriste, le 9 thermidor an II.

Haim Burstin

La section de Marat

La section du Théâtre-Français, qui avait pris le nom de Marseille en l'honneur des fédérés marseillais hébergés aux Cordeliers quelques jours avant le 10 août, puis celui de Marat après l'assassinat de l'Ami du peuple en juillet 1793, comprenait l'ancien district des Cordeliers, celui-là même où Danton, Desmoulins et Marat étaient entrés dans l'histoire révolutionnaire. Un étonnant concours de circonstances fit de ce quartier un des pôles de la vie politique parisienne, un des foyers les plus ardents de la révolution démocratique, dont les prises de position firent date et qui se trouva au premier rang dans les mouvements révolutionnaires.

Une direction déterminée

Tout d'abord, l'influence des démocrates énergiques qui habitent la section, et parmi lesquels on trouve quelques-uns des futurs députés de la Montagne, est importante. Les électeurs de 1790 à 1792 ont nom Billaud-Varenne, Boucher Saint-Sauveur, Danton, Desmoulins, Fabre d'Églantine, Fréron, Marat, Sergent, Robert. Sans doute plus déterminante, car ces révolutionnaires n'ont plus sous la Terreur que de lointains rapports avec leur section d'origine, est la présence sur son territoire du célèbre Club des Cordeliers. L'état-major du club est composé des mêmes bourgeois déterminés qui dirigent la section; Vincent en est secrétaire-greffier. Momoro surtout, souvent président ou secrétaire du club, est un des cordeliers les plus influents de la section, dont il préside ordinairement l'assemblée générale et la société populaire jusqu'à son arrestation, le 23 ventôse an II (13 mars 1794).

Le quartier a joué un rôle d'avant-garde depuis le début de la révolution parisienne. Pour mieux saisir l'enjeu de ces luttes politiques, particulièrement vives sous la Convention, il faut présenter la structure sociale complexe de cette section relativement aisée, située au cœur des vieux quartiers de la Rive gauche.

Elle était déjà très urbanisée, avec cependant de grandes propriétés religieuses, principalement, à l'ouest, le couvent des Grands-Augustins et, au sud, celui des Cordeliers avec ses jardins, ainsi que quelques collèges, comme celui d'Harcourt. Le sud-ouest du quartier, plus calme, était en pleine rénovation à la suite du lotissement des terrains voisins du Théâtre-Français, terminé en 1782. Le quartier le plus ancien se trouvait au nord-est vers la Seine, autour de l'église Saint-André-des-Arts, aujourd'hui démolie. Des maisons datant d'un siècle ou plus bordaient les rues étroites et sombres comprises entre la rue de la Harpe et la rue Saint-André-des-Arts qui étaient les plus animées et les plus commerçantes.

Le poids des modérés

C'est dans ce secteur que la population était la plus dense. La section, qui comptait sous la Révolution entre 14 000 et 15 000 habitants, faisait partie des quinze sections les plus peuplées du centre. Le quartier cependant, de la Seine au Théâtre-Français, n'était pas dominé par les activités industrielles. Si la section comptait beaucoup d'imprimeurs et des éditeurs célèbres, elle était aussi le lieu de résidence de nombreux bourgeois et en particulier le fief des avocats et des gens de loi. C'est ce que confirme l'analyse des cartes de sûreté : en l'an II, 37 % des hommes ne relèvent pas des secteurs de la production et de la distribution. Si un tiers d'entre eux sont au service de l'État, les rentiers sont nombreux (27 %). Parmi les professions libérales (27 %), les hommes de loi sont les mieux représentés. Dans les autres secteurs d'activité (63 %), à côté des commerces d'alimentation et des métiers de la mode, on remarque l'importance des professions de l'édition (17,3 %) et de l'artisanat de luxe, localisé rue Dauphine. La section ne connaissait pas de très fortes concentrations ouvrières, en dehors de quelques grandes imprimeries et des entreprises de bâtiment. La population ouvrière du Théâtre-Français était plutôt une aristocratie ouvrière, typique de l'industrie de luxe parisienne.

Certes le Théâtre-Français était une section relativement aisée (la statistique des citoyens actifs de 1790 la place au onzième rang pour la proportion des citoyens aisés), mais les classes populaires n'étaient pas absentes. La bourgeoisie était partagée ; grâce à l'ascendant personnel de quelques grands chefs révolutionnaires, les partisans de la révolution démocratique l'avaient emporté sur les couches sociales plus conservatrices. Aux dirigeants bourgeois de la première heure furent associés à partir de 1793 des

BIBLIOGRAPHIE

BURSTIN H., *Le Faubourg Saint-Marcel à l'époque révolutionnaire. Structure économique et composition sociale,* Société des études robespierristes, Paris, 1983.

MELLIE G., *Les Sections de Paris pendant la Révolution française (21 mai 1790-17 vendémiaire an IV) : organisation, fonctionnement,* Société d'histoire de la Révolution française, Paris, 1898.

MONNIER R., « L'évolution du personnel politique de la section de Marat et la rupture de germinal an II », *Annales historiques de la Révolution française,* 1986, p. 50-73.

REINHARD H., *Nouvelle Histoire de Paris. La Révolution, 1789-1799,* Hachette, Paris, 1971.

SOBOUL A., *Les Sans-Culottes parisiens en l'an II : mouvement populaire et gouvernement révolutionnaire (2 juin 1793-9 thermidor an II),* Clavreuil, Paris, 1959 (2e éd.).

SOBOUL A. et MONNIER R., *Répertoire du personnel sectionnaire parisien en l'an II,* Publications de la Sorbonne, Paris, 1985.

éléments plus proches de l'artisanat. La démocratisation fut limitée et de courte durée : la riposte brutale du gouvernement contre les dirigeants cordeliers et les militants de la section (sept commissaires sont condamnés à mort en ventôse an II) rompit l'équilibre. Le retour en force de la bourgeoisie modérée, conjugué à la répression qui sévit contre les sans-culottes pendant plus d'un an, étouffa toute velléité de résistance. Les électeurs bourgeois de l'an IV réussirent à entraîner la section dans l'insurrection royaliste de vendémiaire. Les conditions de la lutte avaient changé : après le procès des hébertistes, le Club des Cordeliers qui avait été un des grands foyers du Paris révolutionnaire s'était effacé de la topographie politique de la capitale.

Raymonde Monnier

La garde nationale

Il n'y a pas d'étude approfondie et systématique de la garde nationale, pourtant l'une des pièces centrales du nouvel ordre civique instauré par la Révolution. Les gardes nationales, à Paris comme en province, naissent durant la crise de juillet 1789, à partir du réveil des anciennes milices bourgeoises. A Paris, c'est le Comité permanent des électeurs qui lève le 13 juillet 1789 une force de 48 000 hommes : elle est légalisée par Louis XVI le 17 et reçoit pour commandant La Fayette. L'exemple est imité dans toute la province et, malgré la diversité des statuts, l'institution des gardes nationales est avalisée en février 1790 par l'Assemblée constituante. Du printemps à l'été 1790, elles ont l'initiative dans le mouvement des fédérations. Mais c'est seulement le 28 juillet 1791, dix jours après la fusillade du Champ-de-Mars, qu'est voté le décret définitif sur leur organisation. « Qu'est-ce que la garde nationale ? C'est la nation armée pour défendre ses foyers » (Prieur). Mais une nation encore restreinte aux citoyens actifs.

De juillet 1789 à juillet 1791, la garde nationale est l'instrument d'affirmation du nouvel ordre bourgeois sur deux fronts : en première ligne face au péril contre-révolutionnaire qui la met parfois à l'épreuve (Montauban ou Nîmes en 1790), elle a aussi pour but de contenir la subversion populaire (elle peut recourir depuis octobre 1789 à la loi martiale). La Fayette, gardien de l'ordre, se porte à sa tête contre les citoyens qui voulaient détruire le château de Vincennes.

L'expression la plus spectaculaire de cette vocation répressive sera, après la fuite du roi à Varennes, le mitraillage des pétitionnaires démocrates le 17 juillet 1791, sanglant massacre où le maire, Jean Sylvain Bailly, et le commandant, La Fayette, engagent leur responsabilité.

En position malaisée entre ces deux vocations antagonistes, la garde nationale ne peut échapper aux tentations ou aux convoitises du césarisme : jouant de son prestige qui est grand, La Fayette, au sommet de sa popularité en juillet 1790 (fête de la Fédération), a développé les compagnies casernées et soldées que dénoncent les orateurs patriotes (Marat). Le modèle fait école, ainsi à Marseille où Lieutaud fait de la garde nationale un instrument de pouvoir personnel contre le club jacobin.

Toutefois la garde nationale ne deviendra pas cet instrument maniable et dynamique dont la droite rêve : l'instrument est hétérogène, souvent agent actif de la propagation de la dynamique révolutionnaire (les « armées grises » de la Provence en 1791-1792). Certes, elle a été parfois manipulée par la contre-révolution (les camps de Jalès en Ardèche), mais globalement la collusion massive avec celle-ci était inconcevable, surtout quand la pression entraînée par la guerre en 1792 en fait exploser les structures par l'entrée massive des citoyens passifs : basculement qui s'opère du printemps à l'été 1792. C'est le peuple en armes, gardes en uniforme mêlés à « l'armée des bonnets de laine » (Marat), qui prend les Tuileries le 10 août 1792. Un décret du 21 août sanctionne ce nouvel état de fait qui préfère au titre de garde nationale celui de « sections armées ».

Réorganisée à Paris sur la base des 48 sections parisiennes, dotée de compagnies d'artillerie, de commandants par section sous l'autorité d'un commandant unique, la garde nationale parisienne sera commandée successivement par le riche et populaire brasseur Santerre, puis par Hanriot, robespierriste fidèle, et qui jouera à sa tête un rôle historique lors de la journée du 2 juin 1793 qui vit la chute des girondins. « Canonniers à vos pièces » : la garde nationale est ici, plus que la foule armée, l'agent direct de la grande histoire. Mais Hanriot ne saura ou ne pourra défendre efficacement Robespierre dans la nuit du 9 Thermidor. La garde nationale n'a pas été le fer de lance de la « dictature révolutionnaire », rôle qui reviendrait plutôt (s'il faut un coupable !) aux armées révolutionnaires « instrument de la Terreur dans les départements » (Richard Cobb).

L'après-Thermidor entraîne sa réorganisation en pluviôse, puis en prairial an III et encore en thermidor an V. Ces changements, témoignages d'une attention inquiète, s'expliquent par la tentation, notamment des compagnies bourgeoises de l'Ouest parisien, d'intervenir, tant lors des soulèvements populaires de prairial an III que lors de l'insurrection royaliste manquée de vendémiaire an IV. Pour éviter de tels déboires, le Directoire brise les structures urbaines des gardes nationales, mais sait les retrouver en organisant les « colonnes mobiles » qui sillonnent les zones d'insécurité livrées au brigandage ou aux royalistes. L'appel au soldat, généralisé du Directoire à Brumaire, rend définitivement marginal le rôle des milices citoyennes.

Michel Vovelle

BIBLIOGRAPHIE

COMTE C., *Histoire de la garde nationale de Paris,* Sautelet, Paris, 1827.

DUPUY R., *La Garde nationale et les débuts de la Révolution en Ille-et-Vilaine (1789-1793),* Klincksieck, Paris, 1972.

Les représentants du peuple

1789 établit la pyramide d'institutions administratives qui, dans ses principes et dans sa forme, a subsisté jusqu'à nos jours. Dès sa formation, l'Assemblée nationale entend éliminer les forces d'opposition à son programme, dans leur expression non seulement politique et sociale, mais institutionnelle et territoriale.

C'est au niveau provincial, dans les cours souveraines et les états, que l'esprit de privilège est le plus développé. Ces institutions, qui contrôlent de vastes territoires, sont les bastions du particularisme. Lorsque les ministres prennent des mesures en faveur d'une répartition plus égalitaire des impôts et créent des assemblées provinciales placées sous la tutelle du gouvernement (1787), ils se heurtent à l'animosité d'une caste qui sent ses pouvoirs et son autonomie menacés par les progrès de l'absolutisme. L'élan patriotique et unitaire de 1789 compromet encore plus radicalement ces traditions corporatistes. Quant aux intendants, administrateurs délégués par le gouvernement à la tête des généralités, ils sont très vite évincés : l'opinion unanime les déteste pour leur méconnaissance des problèmes locaux et leur despotisme.

Cadres de vie

Pendant l'été 1789, à l'exemple de Paris, la révolution municipale porte partout au pouvoir les patriotes au détriment des anciennes oligarchies. Sous la protection de gardes bourgeoises, les nouveaux venus exercent librement les prérogatives autrefois subordonnées. Mais ce mouvement spontané et désordonné, débordé par la révolution paysanne, inquiète les députés. Va-t-on laisser la France devenir « un assemblage de petites nations qui se gouverneraient séparément », et s'exposer à l'anarchie ? Bientôt, l'accord se fait sur la nécessité d'élaborer un plan d'assemblées provinciales et municipales. Inspiré des écrits de Sieyès, il est mis au point par le Comité de constitution et présenté par le député Thouret le 29 septembre 1789. On crée une hiérarchie de corps élus dans le cadre d'un réseau régulier de circonscriptions emboîtées. Les mêmes cadres territoriaux servent à la fois à la formation du corps législatif et à l'administration. Un véritable quadrillage géométrique de la France est prévu : 81 carrés égaux formeront les départements, divisés chacun en 9 districts carrés, eux-mêmes subdivisés en 9 cantons.

La finalité du projet est plurielle. Il s'agit d'abord d'établir les bases de la représentation égalitaire, condition du régime démocratique, conçu alors comme indirect. Le nombre de députés est égal dans chaque circonscription. Malgré une notion d'électeur restrictive (domicile fixe depuis un an, paiement d'un cens), tous les citoyens participent à l'élaboration de la loi par la voix de leurs représentants. Ils choisissent aussi leurs administrateurs, tous élus. Grâce à la multiplicité des échelons, un grand nombre de citoyens prend part à la vie politique ; de plus, les démarches administratives (paiement des impôts, recours au tribunal, etc.) sont facilitées par la proximité des chefs-lieux. La réforme répond ainsi aux vœux de l'opinion provinciale éclairée : confier les affaires locales aux intéressés dans leur plus grand nombre, et non aux seuls privilégiés ou à des fonctionnaires indifférents. Mais elle reprend et développe aussi l'action unificatrice et centralisatrice de la monarchie en la rationalisant. Responsables les uns devant les autres et, en dernier ressort, devant le roi, les corps administratifs doivent observer scrupuleusement les directives de l'État. La nouvelle division est indifférente aux anciennes circonscriptions administratives, trop enchevêtrées, et aux provinces, entités politiques et coutumières aux contours souvent mal fixés, qui risquent trop de faire renaître les particularismes contraires à l'unité nationale. Le morcellement départemental aura en revanche raison des différences. Et pour éviter le désordre dû au nombre, il n'est pas prévu d'instance administrative à l'échelon de la communauté d'habitants.

C'est sur ces points que le projet heurte l'opinion. Contre la proposition initiale, l'Assemblée décidera après un débat qu'il sera établi une municipalité dans chaque paroisse, ce qui légalise les créations spontanées. Quant au découpage des départements, dont le nombre variera entre 75 et 85, elle propose qu'il puisse se faire en tenant compte des limites provinciales et des particularités locales, pour ne pas heurter les habitudes.

En province, on réagit vigoureusement au bouleversement de l'organisation du territoire et des cadres traditionnels. Les grandes provinces refusent d'être démembrées ; d'autres s'opposent à leur réunion à une voisine dont tout — climat, productions, mœurs, langage — les sépare. Les villes se mobilisent pour tenter de conserver leurs prérogatives d'Ancien Régime, dont la perte, affirment-elles, les ruinerait ainsi que leur arrière-pays. Les habitants des campagnes, habitués à faire leurs démarches administratives et leur commerce dans les villes voisines, soutiennent leurs revendications. Des milliers de pétitions dessinent la carte des solidarités spatiales entre villes et campagnes. Les notables urbains (hommes de loi, rentiers, marchands), qui briguent des postes de représentants et d'administrateurs, animent la compétition pour obtenir les chefs-lieux. Ainsi, les attentes et les démarches témoignent-elles déjà de la familiarisation avec les nouveaux cadres. Après un difficile arbitrage, la division est décrétée le 26 février 1790 et 83 départements sont créés.

Départements contre municipalités

Les nouvelles institutions commencent à fonctionner. Dans chaque commune, les citoyens actifs élisent au suffrage direct les membres de la municipalité : le conseil général, le maire et le procureur (représentant du roi). Le canton, simple circonscription électorale, n'exerce pas d'autorité administrative, si ce n'est par la présence du juge de paix. L'assemblée primaire des citoyens actifs s'y réunit tous les deux ans pour désigner les électeurs ; ceux-ci choisissent les représentants à l'Assemblée nationale. De même, les administrations de district et de département sont formées par un suffrage à deux degrés. Elles sont composées d'un conseil général qui siège par sessions, et d'un directoire permanent, assistés d'un procureur-syndic. Municipalités, districts et départements ont des pouvoirs étendus : répartition et perception des contributions, travaux publics et voirie, police, instruction, assistance, taxation des prix, formation des gardes nationales, levée et ravitaillement des troupes.

Les administrations départementales, constituées de bourgeois aisés et d'anciens privilégiés, furent géné-

BIBLIOGRAPHIE

OZOUF-MARIGNIER M.-V., « De l'universalisme constituant aux intérêts locaux : le débat sur la formation des départements en France (1789-1790) », *Annales Économies, Sciences, Civilisations,* n° 6, nov.-déc. 1986.

OZOUF-MARIGNIER M.-V., *La Formation des départements. La représentation du territoire français à la fin du XVIIIe siècle,* Éd. de l'École des hautes études en sciences sociales, Paris, 1988.

ralement modérées, tandis que les municipalités et districts tirèrent leurs élus de la petite bourgeoisie et de la paysannerie, et affichèrent des opinions plus fermement révolutionnaires. Ces caractéristiques s'affirmèrent avec le renouvellement du personnel. Lors du conflit entre la Gironde et la Montagne, les départements prirent parti pour la première et organisèrent l'insurrection fédéraliste (mai-juin 1793). Le gouvernement réprima le mouvement en envoyant des représentants en mission, munis des pleins pouvoirs, auprès des administrations, dont certains membres furent destitués, et les attributions réduites. En revanche, les districts et les municipalités qui s'étaient montrés fidèles aux montagnards reçurent des fonctions accrues. En remplacement du procureur, on leur adjoignit un agent national nommé pour surveiller l'exécution des lois... et dénoncer toutes les infractions (14 frimaire an II-4 décembre 1793). Il devait envoyer un compte rendu décadaire aux comités parisiens, était tenu de faire des tournées dans sa circonscription et de surveiller l'activité politique des administrés. Les agents nationaux, qui rappelaient les intendants et annonçaient les préfets, furent un rouage essentiel de la centralisation jacobine. La chute du gouvernement révolutionnaire entraîna celle des institutions qui l'avaient soutenu. La Constitution de l'an III supprima les districts et les agents nationaux, réduisit les pouvoirs des municipalités et les épura. Les départements retrouvèrent leur prérogatives, mais leurs membres furent nommés, comme en l'an II.

En dépit des aléas révolutionnaires, la nouvelle organisation territoriale s'était consolidée, et communes, cantons, districts et départements étaient devenus les cadres familiers de la vie sociale et politique.

Marie-Vic Ozouf-Marignier

TRAVAIL

La révolution du vocabulaire social

Maurice Agulhon nous dit que les Provençaux, à la fin de l'Ancien Régime, sont désignés par leur *état,* donnée permanente, plutôt que par leur activité concrète et changeante : ainsi est-on dit bourgeois, ménager, travailleur... Ce codage n'est pas spécifique de la Provence. J'ai moi-même étudié (en compagnie de D. Roche) le cas du « bourgeois », un groupe non négligeable dans les sociétés urbaines où il représente souvent autour de 5 %. Statut des roturiers qui vivent sans travailler, de leurs biens, ou, comme l'on dit, « noblement ».

L'héritage de l'Ancien Régime

Dans la qualification entrent en jeu des données historiques (on est bourgeois de bonnes villes par privilège, ce qui comporte des avantages fiscaux), socio-économiques (le bourgeois de province vit de ses propriétés rurales, le rentier parisien de ses placements immobiliers et de ses rentes d'État), ou démographiques (on accède à la bourgeoisie en se retirant des affaires, mais ce statut acquis peut aussi être transmissible). On saisit ainsi sur un exemple la complexité de ces codages. A la campagne, si l'on relève sur les rôles fiscaux ou les actes notariaux les désignations données, on peut rester de prime abord étonné de la variété des statuts, et du cloisonnement géographique de ce qui demeure, à ce plan aussi, un « agrégat inconstitué de peuples désunis ». Dans les plaines de grande culture, la hiérarchie des rapports sociaux va du gros fermier au laboureur possesseur de son train de culture, au « haricotier » plus modeste, au manouvrier (souvent petit propriétaire parcellaire en même temps que salarié), puis aux journaliers, brassiers et salariés divers. Un autre modèle, plus hiérarchisé encore, peut se rencontrer avec de multiples variantes dans le Sud-Ouest, où le métayage domine, imposant une hiérarchie complexe des closiers, bordiers ou bordagers, estivandiers, maistres bayles... Le Midi méditerranéen avec son codage binaire, opposant le ménager (exploitant indépendant) au travailleur qui vend sa force de travail, n'ignore pas cependant de multiples

BIBLIOGRAPHIE

AGULHON M., *La Vie sociale en Provence intérieure au lendemain de la Révolution,* Clavreuil, Paris, 1971.

VOVELLE M., *Idéologie et mentalités,* Maspero, Paris, 1982.

nuances. Ce sont là réalités concrètes qui tiennent aux rapports sociaux spécifiques d'une région, et que les notaires transcrivent en connaissance de cause. Mais ces réalités sont cloisonnées et fluides : le Midi ne connaît pas le laboureur du Nord, qui lui-même ignore le ménager. Le « granger » se retrouve de la Bourgogne au Lyonnais ou à la Provence, mais le terme couvre parfois des réalités différentes.

Une révolution dans les mots

La Révolution va remettre en cause profondément ces équilibres pluriséculaires. Elle s'attaque aux mots comme elle s'attaque aux privilèges et aux réalités sociales qui les sous-tendent, c'est-à-dire aux biens de certaines catégories. De l'attaque des titres, au nom de la fin des privilèges et du principe d'égalité, on n'a retenu bien souvent que la destruction des titres de noblesse, en juin 1790, prélude à toute une série de mesures symboliques (brûlement des armoiries) ou répressives (exclusion des fonctions officielles). Cette attaque frontale, que le clergé a partagée à sa manière, un temps du moins, ne doit pas être minimisée. Dans une France où « l'on s'honore du titre de citoyen », où le tutoiement s'impose au moins en l'an II, renforcé par la réforme de la pratique vestimentaire, qui rêve d'une égalisation par le costume, le terme de ci-devant appliqué aux aristocrates témoigne de la conscience d'une césure irréversible.

Mais, au-delà de ce domaine essentiel, d'autres modifications profondes sont intervenues. Qu'on songe aux bouleversements définitifs que la Révolution introduit dans le secteur tertiaire, comme on dirait aujourd'hui, des services publics : avec la fin de la vénalité des offices disparaît l'officier royal, remplacé par les fonctionnaires – élus ou appointés. Le monde de la robe, si fortement structuré en caste dans la grande robe (des parlements aux cours souveraines), explose et ne se reconvertit que très minoritairement dans le service public (beaucoup se replient sur la gestion de leur fortune foncière...). Dans la « petite robe », c'est la panique de la foule profuse, en ville, des procureurs et des avocats : ce dernier terme disparaît même un temps pour faire place à « défenseur officieux ». Seuls les notaires, qui ont toujours su négocier, traversent la période à peu près sans encombre. De l'officier au fonctionnaire, dans les administrations centrales (bureaux des ministères et des comités) comme dans celles des départements, une nomenclature nouvelle s'impose associant le commis et le commissaire, les personnels élus et appointés.

Les avatars du bourgeois

De ces modifications où se reflètent non seulement une nouvelle vue du monde mais un nouveau rapport de forces, nous choisirons deux aspects particulièrement illustratifs : les avatars du « bourgeois », la révolution dans la désignation du paysan.

Le bourgeois tel qu'on l'entendait avant 1789 meurt avec l'Ancien Régime. Le terme est connoté négativement, comme référant au système des privilèges, et la garde bourgeoise deviendra citoyenne avant de se faire nationale. L'appellation, sans disparaître complètement, régresse spectaculairement, non pas à partir de 1789, mais de 1792-1793. On peut noter, avec Maurice Agulhon, d'après l'exemple de la Provence, que la période impériale, sans réhabiliter vraiment le terme qui demeure résiduel dans les listes de notabilités, ne partage pas l'ostracisme de la période républicaine. Derrière cette disparition d'un terme, en attendant son retour au XIXe siècle dans une acception différente – quand le bourgeois rentier d'antan sera devenu le détenteur des moyens de production à l'ère industrielle –, s'inscrivent pour lors les résultats d'un remue-ménage ou d'un chassé-croisé, qui a substitué au bourgeois le propriétaire, notable par excellence du demi-siècle à venir. Lorsqu'on analyse, à la fin de la Révolution, les tableaux des plus imposés ou les listes des notabilités de la période consulaire ou impériale, on voit converger dans le groupe dominant des propriétaires l'ancienne noblesse, majorité du groupe des anciens officiers, mais aussi les « bourgeois » autodéfinis d'Ancien Régime, sans oublier une proportion non négligeable dans certaines régions de nouveaux riches, gros commerçants, manieurs d'argent parfois, enrichis par l'achat de biens nationaux, puis retirés des affaires et promus de ce fait dans la classe des propriétaires. Cette « classe propriétaire » a une limite inférieure floue : s'ouvrant, nous dit Maurice Agulhon, en Provence, aux anciens ménagers cossus que l'on dira ménagers-propriétaires. Nébuleuse où l'apparente fusion des élites ne cache pas de profonds clivages hérités de l'histoire, la classe propriétaire a encore de beaux jours devant elle.

La naissance du cultivateur

Dans la paysannerie, le fait majeur est incontestablement l'homogénéisation des appellations et désignations des différents partenaires. La grande variété régionale, reflet de la multiplicité des modes d'exploitation et des hiérarchies sociales, fait place à l'emploi uniforme de termes nationaux : propriétaires comme on l'a vu, mais aussi cultivateurs, et parfois agriculteurs, puis journaliers. L'emploi de ces termes varie d'un lieu à l'autre, en fonction des réalités de la situation locale, et ne se stabilise que progressivement. Ainsi, en Provence, si le bourgeois se fait propriétaire, et le travailleur cultivateur (ou parfois journalier), l'appellation de *ménager* résiste mieux – par difficulté peut-être de trouver le mot juste –, même si l'on adopte parfois le terme de propriétaire-cultivateur qui se banalisera après 1830. L'exemple de la Provence n'a rien d'isolé : on retrouve dans les autres régions une évolution identique, assortie des mêmes problèmes de « traduction » en langage national des réalités antécédentes. On peut se demander d'ailleurs jusqu'à quel point la modification s'est faite immédiatement : ce que disent les tableaux et listes censitaires et électorales n'est pas forcément suivi dans les minutes des notaires, plus proches du langage parlé... Une évolution commence, qui mettra du temps à se généraliser, tolérant, sous l'Empire et la Restauration, des retours en arrière ponctuels et momentanés.

Dans les villes, le vocabulaire des métiers varie peu, mis à part les professions du secteur tertiaire – justice et administration qui répercutent les structures nouvelles de l'appareil d'État. Quoi qu'il en soit de cette limite, on devine, à partir du critère apparemment formel des modifications du vocabulaire social, le sourd travail qui s'opère en profondeur, la nouvelle donne qu'a représentée la Révolution au niveau des statuts sociaux. Le terme générique de citoyen n'a eu apparemment qu'un bref moment de gloire : mais par des voies plus secrètes et plus modestes, l'unification du corps français sur un modèle homogène suit son chemin.

Michel Vovelle

Des ordres aux classes...

Société d'ordres ? Société de classes ? Selon la nouvelle orthodoxie de certains historiens (dont Roland Mousnier est l'exemple type), l'Ancien Régime s'identifierait à la première, alors que la France révolutionnaire et post-révolutionnaire relèverait du deuxième modèle. Pour peu que ses sympathies politiques penchent du côté droit, on peut être tenté de voir dans cette transition une espèce de dégénérescence. Ah ! les bons vieux jours, où chacun connaissait sa place et y restait, une place rigoureusement définie par la loi écrite et les coutumes, mais également, sinon plus, par toute une série de pratiques sociales soutenues par une idéologie dominante pour laquelle — et c'est le moins qu'on puisse dire — le travail productif n'était pas la valeur primordiale ! Bien au contraire, ceux qui travaillaient étaient placés au bas de l'échelle, quels que soient leurs gains, car cette société d'ordres privilégiait avant tout l'ordre au singulier, et partant la hiérarchie, l'obéissance et l'immobilité qui seules pouvaient le garantir. Dans la grande chaîne de l'existence qui unissait les hommes à Dieu et à son représentant, le roi, mais aussi tous les hommes entre eux, c'était à ceux qui ne travaillaient pas de tenir le haut du pavé : aux nobles de gouverner (avec, bien entendu, le roi) et de défendre militairement le royaume, aux prêtres de prier et, plus généralement, de s'occuper du spirituel. Il incombait aux autres, tous les autres, ceux qu'on classait dans le troisième état un peu par défaut, non pas tant pour ce qu'ils faisaient que pour ce qu'ils ne devaient pas faire, de vivre à la sueur de leur front et de pourvoir aux besoins bassement matériels de tout l'édifice.

L'ordre féodal

La féodalité classique a évolué, à partir du ve siècle, dans une ambiance de déliquescence sociale, marquée par la disparition de l'État fort et universel qu'avait été l'Empire romain, et constamment menacée par des forces matérielles (crise de l'économie esclavagiste, invasions barbares) et, semblait-il, surnaturelles. Rien d'étonnant que dans de telles conditions le pouvoir social se soit concentré entre les mains des prêtres et des gens d'armes qui se chargeaient de protéger, chacun dans son domaine propre, les populations. Encore faut-il manger, et faire manger ceux qui s'occupent de ces tâches-là, d'où la célèbre division, d'abord dans les faits, plus tard dans les esprits, correspondant aux trois états : *oratores, bellatores, laboratores.* Dans une société stable, agricole, connaissant très peu de circuits d'échange, presque autarcique, mais constamment remise en question par le manque de moyens nécessaires à la survie individuelle et sociale, cette division-là rendait assez bien compte de la réalité de ce type de société de classes : les rapports entre propriétaires fonciers et non-propriétaires, le plus souvent des serfs qui cultivaient leurs terres, les premiers s'appropriant le travail des derniers directement ou indirectement, non pas parce qu'ils détenaient les capitaux, mais au nom d'une distribution universelle, fondamentale, d'ordre divin.

Cette société que nous appelons féodale s'est donc donné des institutions et des mentalités, une culture fondée sur la consommation et la thésaurisation plutôt que sur la production, le *stasis* plutôt que la croissance, le rang plutôt que le travail. Elle a duré des siècles, en évoluant et en intégrant toute une série de pratiques qui auront pour effet, à la longue, de miner ses propres bases. On peut en énumérer certaines : l'élaboration de circuits d'échange, la création d'un marché foncier, d'une classe marchande, de nouvelles sources de richesses, le développement d'un nouvel État et de ses serviteurs, tout cela a singulièrement compliqué le tableau et a fini par faire éclater les cadres de cette société féodale. Mais le processus fut fort lent, et les représentations idéologiques et juridiques ont eu le temps de se durcir et de devenir ainsi des instruments de résistance contre les changements en cours. Plus la société tendait à rompre les amarres de la féodalité proprement dite, plus le tiers état devenait un fourre-tout dont les membres se distinguaient par leur *non-appartenance* aux deux premiers ordres, plutôt que par leur action sociale commune ; plus l'idéologie dominante proclamait l'immuabilité des ordres et, en fin de compte, leur inaccessibilité autrement que par la naissance, tout en faisant des entorses à la règle afin de coopter les éléments les plus talentueux ou ambitieux qui, laissés à eux-mêmes, auraient pu se révéler dangereux pour le bon... ordre. La France absolutiste des XVIIe et XVIIIe siècles, plus tout à fait féodale, pas encore capitaliste, loin de là, mais connaissant des poches d'activité capitaliste importantes, était l'arène où se sont confrontés non pas des ordres anciens et des classes nouvelles, mais une (ou peut-être plusieurs) classe(s) dominante(s) constituée(s) en deux ordres, et plusieurs classes dominées, très différenciées entre elles, mais comprises dans un seul ordre, le tiers état.

Les tiers état

Qui dit « classe » dit non seulement le rapport aux moyens de production, mais plus encore les rapports que les hommes et les femmes créent entre eux en utilisant ces moyens. Qui dit « classe » dit donc culture, idéologie, et la possibilité que celles-ci ne soient plus, à tel ou tel moment, en parfait accord avec la pratique sociale. Alors, qu'en était-il de la France de la fin de l'Ancien Régime ?

Derrière les subtiles distinctions de rang (Loyseau en comptait 32 dans son *Traité des Ordres*) voulues et imposées par une idéologie quasi officielle dans tous les cas hégémonique, on peut voir le signe d'une société où on n'était plus sûr de rien. Si on voulait faire un jeu de mots, on pourrait dire que l'on serre les rangs précisément au moment où la monarchie absolutiste suspend les États généraux, suspension qui devait durer de 1614 jusqu'en 1789. Autrement dit, les ordres en tant que fondement juridique de tout un système social et politique s'en vont à vau-l'eau.

Le premier état sera désormais le champ de confrontations entre le haut et le bas clergé, ce dernier vivant de plus en plus mal sa subordination et l'improbabilité toujours grandissante, si on n'était pas né noble, de sortir du rang. La noblesse, le second état, est maintenant divisée entre nobles d'épée ou de race (en principe, féodaux, grands propriétaires fonciers riches et influents), et nobles de robe, juges et administratifs parvenus, parfois plus riches que les premiers, mais sans le cachet qui s'attache à la durée. Et que dire des hobereaux provinciaux qui ne possédaient plus guère que leur honneur ? La noblesse n'a plus rien en commun, hormis ses prérogatives et ses privilèges. Elle ne se bat plus – ou du moins pas seule –, elle ne gouverne plus que par la grâce de la monarchie, et le mode de production féodal d'où elle tirait, à l'origine et pendant longtemps, à la fois ses revenus et son statut, tend à disparaître sous les coups d'une partie de la paysannerie et de la bourgeoisie citadine. Celles-ci sont toutes deux anxieuses de continuer à s'enrichir et d'asseoir leur propre ascension sociale sur la seule valeur encore généralement reconnue, la terre – mais à cette différence que cette dernière devienne l'objet d'investissement et de croissance productive, et non plus symbole de la seule capacité de consommer.

C'est en ce sens qu'il faut comprendre l'enjeu fondamental de la Révolution française. Les nobles étaient loin d'être tous des féodaux ou même des défenseurs acharnés des mode de production et régimes féodaux, non plus que tous les membres du tiers état (bourgeois d'Ancien Régime, essentiellement des rentiers, bourgeois nouveau modèle, paysans, artisans, menu peuple) n'étaient partisans du capitalisme prôné par les créateurs de l'économie politique classique – soutenir le contraire serait tomber dans le ridicule manichéen le plus bête. Mais le conflit entre la noblesse et ce qui était, malgré tout, *son* état, d'un côté, et le tiers état, de l'autre, s'ordonne autour d'un choix de société : productivité contre consommation d'apparat, investissement contre thésaurisation, travail contre oisiveté, la carrière ouverte aux talents contre le droit de naissance, le mouvement contre l'ordre. Bref, un conflit pour l'émergence des valeurs et des comportements qui caractérisent le capitalisme et ses agents bourgeois, même si les révolutionnaires ne pouvaient pas toujours savoir ce qu'ils étaient en train de faire, même s'ils n'en auraient pas forcément approuvé les résultats ultimes.

Une autre société

La société d'ordres va donc mourir, et une société nouvelle de classes va s'ériger à sa place. Mais pour être tout à fait clair, il faudrait déplacer l'adjectif et écrire : une société de nouvelles classes, pour bien marquer que ce n'est pas l'idée de classe, mais les classes elles-mêmes qui seront à l'avenir différentes. Ainsi des ci-devant nobles, ceux qui auront su sauvegarder leur fortune, deviendront-ils de simples propriétaires fonciers capitalistes, pleurant quelquefois les gloires du passé, mais continuant à s'approprier les richesses tirées du travail des pauvres, non propriétaires. Le fait que l'on puisse à présent se passer de particules et de titres de noblesse fera qu'ils seront rejoints dans ces fonctions par d'autres personnes d'origines diverses : des paysans et des marchands, des rentiers et serviteurs de l'État que l'on appelle les bourgeois d'Ancien Régime. Mais peu importent les sources de recrutement, l'essentiel est de constater que la classe dominante ne sera plus définie par sa naissance ou son statut juridique, mais par sa fortune et, surtout, par la manière de la constituer. Et ce dans le domaine agricole d'abord aussi bien qu'un peu plus tard dans l'industrie.

Sans vouloir en aucune façon caricaturer l'infinie complexité du développement capitaliste en France (notamment la consolidation par la Révolution d'une nombreuse classe de petits propriétaires paysans, qui tout au long du XIXe siècle s'intégreront au réseau d'échanges capitalistes ; la persistance d'anciennes mentalités ; le développement plutôt lent de la grande industrie), il faut insister sur le fait que c'est la Révolution qui a créé les cadres politiques, juridiques et institutionnels qui seuls ont permis l'éclosion d'une société bourgeoise. On pourrait presque dire, foin de dérogeance ! que les nobles, qui veulent continuer à participer au pouvoir, juste retour des choses, doivent désormais devenir des bourgeois. Les paysans, eux, seront *tous* libres mais tellement divisés que le concept même de paysannerie n'aura plus beaucoup de sens. Tandis que les pauvres travailleurs disparates des villes, les compagnons et apprentis aussi bien que les domestiques, les petits marchands des rues et les gens sans maître qui faisaient le trop-plein du paysage urbain non encore industrialisé, tous prendront le chemin du prolétariat. Le tiers état, en disparaissant en tant qu'ordre, deviendra effectivement tout, selon le désir exprimé par Sieyès ; tout et son contraire, si bien que toute l'histoire contemporaine après 1789 sera celle de l'affrontement, comme le disait déjà Michelet en 1868, entre les héritiers de la Révolution de 1789.

Jeffry Kaplow

Le grand chambardement

A suivre les descriptions et les images de la période du Directoire, relayées par la mémoire collective et une partie de l'historiographie, la société issue de la Révolution serait celle des contrastes sociaux, où sur le devant de la scène une poignée de nouveaux riches, en proie à la fureur de vivre et indifférents à la misère populaire, étalent sans vergogne une fortune insolente. Ce discours met l'accent sur l'ampleur du branle-bas révolutionnaire, ne retenant que ses formes les plus éphémères et qu'un aspect d'une période dominée par la guerre et les fluctuations économiques.

Gagnants et perdants

Les plus sûrs gagnants de la période furent certes les affairistes et spéculateurs de haut vol, tels Ouvrard ou Hamelin, qui bénéficiaient de l'appui de politiciens peu scrupuleux pour mener à bien leurs entreprises et organiser le « pillage de la République » (Mathiez). Barras illustre cette collusion, scandaleuse pour beaucoup, des affaires et de la politique. La guerre et l'inflation monétaire ont, comme à l'habitude, suscité les nouveaux riches : les spéculations sur les biens nationaux et les fournitures aux armées, rendues en l'an III à l'entreprise privée, étaient autant de nouvelles occasions de s'enrichir.

En revanche, les masses populaires urbaines et paysannes furent assurément perdantes, victimes des crises successives et de la conjoncture économique, qui annulaient les avantages dus à la Révolution – abolition des taxes indirectes par exemple, ou hausse des salaires causée par la raréfaction de la main-d'œuvre. Après l'abandon de l'économie dirigée, l'an IV fut à tous égards l'année terrible pour les classes populaires, privées de pain et souvent de travail. Dans les villes, la mortalité s'aggrava, approchant les plus hauts niveaux du siècle. Malgré une détente incontestable sous le second Directoire, la crise de l'industrie de luxe et du bâtiment entraîna la persistance du chômage. Toujours dominée par la hantise du pain quotidien, l'existence populaire demeurait à la merci des crises cycliques, et, faute de prévoyance organisée, sous le coup de la précarité aggravée – sauf à Paris – par la désorganisation des institutions traditionnelles d'assistance, jusqu'à la création des bureaux de bienfaisance en l'an IV.

Les tensions sociales exacerbées par les clivages politiques, les contrastes les plus criants de la société directoriale ne sont qu'un aspect de cette période de transition, où, sur les ruines de l'ancienne société d'ordres, se construit un nouvel équilibre social, dont l'évolution est loin d'être terminée au 18 Brumaire. La stabilisation voulue depuis Thermidor s'affirmera sous le Consulat et l'Empire, stabilisation sociale fondée sur la propriété, qui refuse tout à la fois le retour à l'Ancien Régime et les anticipations de l'an II, sauvegardant les conquêtes essentielles de la Révolution, abolition des privilèges aristocratiques et égalité civile.

Les cadres de la société nouvelle

En ce qui concerne le sort de l'ancienne noblesse, on retiendra l'acharnement de la lutte contre l'aristocratie et ses privilèges, lutte qui n'épargna pas les personnes, et le maintien jusqu'à la fin de la période de la législation antinobiliaire. Sa richesse foncière fut atteinte dans ses fondements par l'abolition des droits féodaux, dont le produit n'était jamais négligeable. Pour certaines familles nobles de Bretagne, par exemple, la baisse de revenu consécutive à leur suppression pouvait atteindre 35 %. Le patrimoine foncier de la noblesse se trouva considérablement réduit par la vente des biens du clergé, dont le revenu allait pour une part à la noblesse, puis par celle des biens des suspects. La noblesse de robe fut encore plus touchée par suite de la suppression de la vénalité des offices, remboursés en assignats dévalués.

On ne peut pourtant forcer le trait. Dans les régions où il y eut peu de ventes de biens d'émigrés, la noblesse conserva son ancienne puissance foncière. Restitutions par prête-noms, rétrocessions à l'amiable lui permirent par la suite de préserver sa prééminence. C'est ce qui ressort de l'analyse des listes départementales des plus imposés à l'impôt foncier sous le Consulat et l'Empire.

En rendant intangible l'important transfert de propriété réalisé par la vente des biens nationaux, la législation napoléonienne consacra les conclusions sociales essentielles de la Révolution. C'est la bourgeoisie qui, d'un point de vue quantitatif, prit la plus grande part dans les ventes. L'enrichissement des catégories bourgeoises est certain ; il devait s'accélérer sous l'Empire avec la hausse importante de la rente foncière. Rentiers du sol, négociants et industriels figurent souvent parmi les plus forts contribuables. C'est sous le second Directoire surtout que s'étaient formées les fortunes des nouveaux dirigeants de la production et des échanges. L'acquisition de biens immobiliers était pour eux tout à la fois recherche de prestige social et surtout moyen obligé de recours au crédit, dans une France où, Paris excepté, le crédit bancaire existait à peine. L'enquête montre la persistance, sous le Consulat, de la grande propriété foncière et, par là, le caractère inachevé de la révolution agraire.

Les transformations de la société rurale illustrent la « voie française », selon laquelle le mouvement paysan a imposé l'abolition totale, sans indemnité, de la féodalité (loi du 17 juillet 1793). En élargissant les bases foncières de la paysannerie, la vente des biens nationaux a donné à la destruction de l'ancien régime agraire sa pleine dimension sociale. Certes les ventes profitèrent surtout aux laboureurs déjà propriétaires et aux fermiers, mais l'importance du transfert, l'accroissement du nombre des propriétaires paysans, ainsi dans le Nord, soulignent la portée de la Révolution : la paysannerie propriétaire devient un des plus solides fondements de la société nouvelle.

Ainsi s'esquissaient, après le choc révolutionnaire, les cadres de la société nouvelle. Bientôt viendrait le temps de la stabilisation, où se réaliseraient les buts que la bourgeoisie de 1789 avait assignés à la Révolution.

Raymonde Monnier

• Un « vice-roi de la Beauce »

Dans les régions de grande culture comme la Beauce, la possession d'une charrue suffit à tracer un profond sillon à l'intérieur de la société paysanne, entre ceux qui en sont pourvus, les laboureurs, et les autres. Ce n'est pas que cet instrument soit fort onéreux, mais il ne présente un intérêt que si on détient et peut entretenir un attelage de deux chevaux au moins. Une minorité, 15 à 20 % de la population rurale, dispose de ce fameux train de labour, ou de plusieurs, et aussi de tombereaux et de charrettes, de semences et d'engrais, de vaches et parfois de moutons, bref d'un capital d'exploitation. Elle jouit d'une certaine aisance parce qu'elle est capable de mettre en culture suffisamment de terres. Non pas tellement les siennes, la plupart du temps peu étendues, mais celles de l'Eglise et de la noblesse, puis de la bourgeoisie et de l'ensemble des « propriétaires », qui lui sont confiées moyennant le paiement d'un fermage.

Un laboureur dirige ainsi une exploitation de quelques dizaines, voire centaines d'hectares, constituée de une ou plusieurs métairies louées en bloc, et de lopins pris à bail isolément. Tout n'est pas cultivé cependant. Par manque d'engrais, il faut laisser la terre se reposer un an sur trois et le tiers de la surface disponible reste donc en jachère. Pour la même raison, la fumure est réservée à la première sole, celle des blés, où pourtant les rendements dépassent rarement les 15 hectolitres par hectare. C'est que, à part les moutons qui se comptent par centaines sur les grosses exploitations, les animaux sont trop peu nombreux. Mais comment en nourrir plus sans restreindre l'espace dévolu aux céréales ?

Faute de prés, les bêtes restent enfermées la plus grande partie de l'année. Les vaches ne peuvent aller paître sur les chaumes qu'après la moisson, alors que les moutons séjournent plus longuement sur la jachère, gardés par le berger dans sa cabane roulante. Les prairies artificielles sont pourtant apparues, timidement, en marge du sacro-saint assolement triennal. Les habitudes et les préjugés des propriétaires ont longtemps freiné leur développement. Mais déjà le trèfle et le sainfoin amorcent leur percée. L'introduction des premiers mérinos à l'extrême fin du siècle apporte l'élan décisif, entraînant dans son sillage l'amélioration du cheptel et, par contrecoup, le recul de la jachère et l'extension des cultures fourragères.

Pour l'heure, la céréaliculture reste l'objet de tous les soins. A peine la récolte précédente est-elle engrangée et le fumier a-t-il été déversé à pleins tombereaux que les charretiers se lancent dans des labours multiples afin d'aérer le sol et d'enfouir la fumure. Avec de lourdes charrues à versoir traînées par de robustes chevaux, ils entreprennent de retourner la première sole. Les semeurs jettent ensuite le grain à la volée avant que les herses et le rouleau ne le recouvrent et l'enterrent. Au printemps, ce sera le tour de la seconde sole, celle des « mars ».

Pour accomplir toutes ces tâches, sur les petites exploitations, la main-d'œuvre familiale suffit et les enfants sont mis très jeunes à contribution. Mais dans les grandes fermes, toute une domesticité s'active sous l'autorité du maître, entrepreneur de culture plus que paysan. Loué à l'année, nourri et logé dans des conditions détestables, ce personnel dépasse fréquemment la dizaine. Il n'est pourtant pas assez nombreux au moment de la récolte. Pour scier les blés à la faucille, il faut mobiliser les journaliers de village et faire appel à des bandes de moissonneurs venus des régions limitrophes. L'utilisation de la faux, prohibée jusque-là sauf pour l'avoine, réduit ces besoins en main-d'œuvre.

Les gerbes sont ensuite stockées pour être battues tout au long de l'hiver, au fur et à mesure des besoins et des opportunités. Les laboureurs, en effet, courent les mar-

BIBLIOGRAPHIE

LEFEBVRE G., *Études orléanaises,* Imprimerie nationale, Paris, 1963.

FARCY J.-C., *Les Paysans beaucerons de la fin de l'Ancien Régime au lendemain de la Première Guerre mondiale,* thèse soutenue en 1985, non publiée.

VOVELLE M., *Ville et campagne au XVIIIe siècle : Chartres et la Beauce,* Éd. Sociales, Paris, 1980.

chés pour vendre leur récolte, guettent les cours favorables, spéculent. Les plus gros, les receveurs, ne peuvent bientôt plus jouer sur le produit de la dîme et des droits seigneuriaux. En contrepartie, libérés de ces charges, tous profitent des prix élevés, malgré d'éphémères taxations et réquisitions. Ils achètent des biens nationaux, agrandissent leur exploitation, s'emploient à doter ou installer leurs enfants. Ainsi se perpétuent, encore renforcées par la Révolution, les dynasties de ces « vice-rois de la Beauce », désormais appelés cultivateurs.

Gérard Béaur

• Un tisserand de Cholet

En cette journée de l'été 1792, le soleil qui fait rougir les tuiles romanes des Gardes donnerait à ce village un air de Provence, n'était la verdeur du bocage qui assaille les pentes de la colline sur laquelle il est juché. Nous sommes dans les Mauges angevines, à quatre lieues de Cholet. Assis sur les marches de granit de sa maisonnette, Pierre Sochard achève de manger le pain et le fromage qui forment l'essentiel de son repas de midi. Il est tisserand, et pauvre comme tous ses collègues. Bien souvent, dans d'autres régions de France, le « tessier » est aussi un paysan qui tire du métier un peu d'argent frais pour payer l'impôt. Ici les tisserands n'ont pas de terre : juste un potager derrière la maison.

Tous les jours, par beau temps, Sochard sort ainsi une heure ou deux pour échapper à la pénombre humide de la cave où il travaille, au bruit lancinant du métier. Tout en mangeant, il échange les nouvelles avec ses voisins, tisserands comme lui. Ils habitent tous des maisons de schiste à encadrements de briques, accolées par bandes de quatre ou cinq le long de la route. Au ras du sol, un soupirail donne un semblant de lumière à la cave semi-enterrée où l'on pénètre par une porte basse qui oblige à se courber. Le logement est au rez-de-chaussée surélevé : une ou deux pièces éclairées de fenêtres étroites avec pour tout mobilier une table, quelques chaises, un « basset » (buffet bas) et un ou plusieurs mauvais lits.

Tout à l'heure, Pierre Sochard retournera lancer la navette d'un geste automatique sur le métier de bois brinquebalant, hérité de son père. Mais il n'est pas pressé, car le travail est rare. Le tisserand n'a pas souvent la visite du commis du négociant de Cholet à qui il achète le fil de lin et celui de coton qu'il faut mêler pour fabriquer les mouchoirs, et qui lui passe commande de la marchandise. Encore, quand vient le commis, Sochard est-il obligé d'accepter le prix de misère qu'il consent à offrir, car, sans l'intermédiaire du marchand, il ne pourrait se défaire des toiles et des mouchoirs qu'il faut aller vendre aux foires de Nantes ou de Bordeaux, d'où ils seront ensuite expédiés vers les îles d'Amérique, les colonies espagnoles, ou les États-Unis.

Notre tisserand se souvient du début de la crise : c'était en 1789, l'année des États généraux et de la

BIBLIOGRAPHIE

DORNIC F., *L'Industrie textile dans le Maine et ses débouchés internationaux (1650-1815)*, P. Belon, Le Mans, 1955.

LÉON P. (sous la direction de), *Histoire économique et sociale du monde*, t. III, *Inerties et révolutions (1730-1840)*, vol. dirigé par Louis Bergeron, A. Colin, Paris, 1977.

PETITFRÈRE Cl., *Les Vendéens d'Anjou (1793)*, Bibliothèque nationale, Paris, 1981.

grande cherté. Les messieurs de Cholet n'avaient pas pu se défaire des marchandises à la foire de Bordeaux, à l'automne précédent. Ils avaient accusé le traité de 1786 qui avait fortement réduit les droits à l'entrée des marchandises anglaises dans le royaume. Ils disaient que la concurrence était déloyale, car le fil était bon marché en Angleterre grâce aux machines modernes qu'on ignorait dans le pays. Ils avaient demandé l'aide de l'État pour acheter ces machines et les municipalités du Bocage avaient fait chorus. Ainsi, celle de Saint-André-de-la-Marche avait écrit à la Constituante, en réponse à l'enquête lancée en 1790 par le Comité de mendicité : « ... il est impossible de soutenir dans les marchés étrangers la concurrence anglaise sans le secours de machines qu'employe cette nation. Le canton de Saint-André sollicite de la bienfaisance de l'Assemblée nationale des machines à filer le coton connues sous le nom de machines darkraït et mould-jenny » (*sic,* lire « machines d'Arkwright » et « mule-jenny »).

Mais Pierre Sochard se méfiait des chefs de la manufacture. Ne prenaient-ils pas quelque malin plaisir à affamer les tisserands ? Ces messieurs vivaient bien. Ils habitaient de belles maisons à Cholet, leurs épouses étaient des dames, leurs enfants allaient à l'école, tandis que ceux de Pierre Sochard, sa femme même, étaient obligés de faire le tour des métairies pour mendier du pain ou quelques œufs. Le fils aîné de Pierre avait bien été, un temps, employé à l'atelier de charité qui construisait la route de Vézins. Mais l'atelier lui-même était arrêté, faute de fonds. Décidément tout allait mal. Encore les gens des Gardes avaient-ils pu conserver leur curé, l'abbé Martineau. Patriote reconnu, il avait expliqué aux tisserands que les députés de Paris faisaient tout leur possible pour le bien du peuple, et on l'avait cru à demi. Mais dans les paroisses voisines, les curés avaient refusé de prêter le serment, et les Habits bleus de Cholet étaient venus pour les chasser et installer des « intrus ». Alors le peuple s'était ameuté ; les tisserands au chômage s'étaient montrés au premier rang. Non contents de les affamer, voilà que les négociants, qui trônaient au district et à la municipalité de Cholet, envoyaient ces gardes nationaux arrogants et brutaux pour les forcer à accepter de mauvais prêtres. Les tisserands n'avaient plus rien à perdre : une provocation de plus de la part des messieurs et ils seraient bien capables de prendre les armes...

Claude Petitfrère

• Meuniers et « chasse-moûtes »

Le meunier était le plus souvent un homme du monde rural, des bourgs, des petites villes. Son moulin, situé près des autres habitations ou à l'écart, dans un vallon ou sur une colline, était à eau cinq fois sur six, et lui servait alors fréquemment de demeure.

Il était des meuniers de conditions fort différentes. Les uns, seuls dans de très modestes moulins, se bornaient à écraser le grain en un unique passage entre les meules et à rendre un produit brut au client. D'autres fournissaient un travail plus soigné : le grain était préalablement lavé, puis la farine tamisée mécaniquement ; ils pouvaient disposer de deux paires de meules, voire plus ; ils employaient une ou deux personnes, de leur famille ou salariées, et faisaient partie des gens aisés du village ou du bourg. D'autres encore étaient plus largement équipés et certains pratiquaient la mouture dite « économique », écrasant le grain en plusieurs fois pour mieux détacher la farine du son. Le

BIBLIOGRAPHIE

ARPIN M., *Historique de la meunerie et de la boulangerie depuis les temps préhistoriques jusqu'à 1914,* Le Chancelier, Paris, 1948.

PARAIN Ch., *Outils, ethnies et développement historique,* Éd. Sociales, Paris, 1979.

RIVALS C., *Le Moulin à vent et le meunier dans la société française traditionnelle,* Serg, Ivry, 1976.

SOBOUL A. (sous la direction de), *Contributions à l'histoire paysanne de la Révolution française,* Éd. Sociales, Paris, 1977.

plus souvent le meunier traitait du grain appartenant à ses clients, particuliers et boulangers. Fréquemment, lui-même ou son « chasse-moûte » allait le chercher et rapportait la farine. Il avait alors une bête de somme et, pour la nourrir, un pré. Traditionnellement payé en nature, en général au seizième du volume des grains moulus, il était lui-même vendeur de blé et de farine. Les meuniers les plus puissants, desservant les principales villes, tendaient, à la fin du XVIIIe siècle, à transformer leur activité en achetant eux-mêmes le blé pour revendre ensuite la farine.

La sécheresse, le gel, les crues, la faiblesse des vents, le travail d'entretien courant accompli par le meunier comme rebattre les meules ou recoudre les voiles, et les grosses réparations à faire au mécanisme ou à l'amenée d'eau, empêchaient de moudre de façon continue. Un moulin arrêté seulement deux mois dans l'année était considéré comme très avantagé. Aussi le meunier avait-il souvent d'autres ressources : tel exploitait une ferme, tel autre une pêcherie grâce à sa retenue d'eau.

La Révolution apporta plusieurs changements. Des lois de 1790 et 1792 abolirent presque entièrement la banalité du moulin. C'était un monopole assez répandu, généralement en faveur d'un seigneur ayant des droits sur les revenus d'un ou plusieurs moulins. (Dans un périmètre donné, il obligeait les habitants à n'utiliser pour leur consommation que le moulin banal ; il interdisait aux meuniers voisins de venir y « chasser » le client et empêchait la construction de moulins concurrents.) Il ne subsista plus que si son bénéficiaire n'était pas un ancien seigneur, ce qui advint surtout en Provence. Nombre de meuniers furent donc exposés à la concurrence, à leur avantage ou à leur détriment.

La politique des subsistances de la période montagnarde fut contraignante pour le meunier. La loi du Maximum du 11 septembre 1793 décida qu'il ne serait plus payé qu'en argent, donc en assignats, et lui interdit le commerce des grains et des farines. Deux mois plus tard, la Convention, généralisant des décisions d'autorités locales, ordonna de ne pas retirer de la mouture plus de 15 % de son en volume ; ce qui donnait une farine plus abondante, mais fort médiocre. Ces mesures, peu appréciées des meuniers, ne furent que très partiellement appliquées car, même si les districts et les municipalités l'avaient tous voulu, il leur aurait été impossible d'exercer une surveillance constante sur l'ensemble des moulins.

Mais le meunier a en général tiré avantage de la Révolution. Celui qui exploitait son moulin en vertu d'une concession seigneuriale moyennant versement d'une redevance a été libéré de celle-ci par l'abolition des droits féodaux. Beaucoup ont pu acheter comme bien national le moulin dont ils étaient locataires, ou un autre.

Claude Gindin

• Un rentier opportuniste

Célestin Guinard, qui bénéficie de 3 000 livres de rente, mène une vie simple et sans histoires. Le 21 avril 1789 vient modifier ce train-train ordinaire ; avec ses concitoyens, il est en effet convoqué à l'église de son quartier pour préparer les États généraux. Épisode sans lendemain ? A partir du 12 juillet, les citoyens se réuniront régulièrement en assemblées de district, puis de section, mais notre bourgeois, patriote modéré, ami de ses aises, négligera le plus souvent de se rendre à ces assemblées.

Il s'intéresse aux événements de la Révolution sans doute, mais plus en spectateur qu'en acteur. Continuant à rendre et à recevoir des visites, il dîne souvent, et soupe plus rarement, avec ses amis. Presque chaque jour après le dîner, il se promène seul ou en leur compagnie, se rend parfois au café, même le 3 septembre 1792, alors qu'on massacre à Paris. Il fréquente les lieux à la mode, tel le Palais-Royal où il écoute les orateurs improvisés et les crieurs de journaux. A l'occasion, il va visiter les grands chantiers parisiens, par exemple la démolition de la Bastille ou la construction de l'église qui sera le Panthéon, ou bien les tableaux exposés au Louvre ; le soir, il se montre aussi au théâtre ; mais ces préoccupations culturelles ne l'empêchent pas d'assister à d'autres spectacles moins relevés : ne s'intéresse-t-il pas, le 12 juillet 1792, au fonctionnement d'un instrument nouveau, la guillotine ? La Révolution au demeurant ne cesse de fournir à sa curiosité de badaud de nouveaux aliments, des fêtes patriotiques, de celle de la Fédération du 14 juillet 1790 à celle de l'Être suprême du 20 prairial an II (8 juin 1794) ; le retour de la famille royale au lendemain de Varennes le 25 juin 1791 ou la signature de la pétition des cordeliers le 17 juillet suivant, mais, prudent, il s'éloigne dès que paraît la garde nationale.

De temps à autre, il doit abréger sa promenade pour effectuer différentes démarches : toucher ses rentes – tous les six mois en principe –, payer ses impôts et son loyer – 200 livres, tous les trimestres –, régler ses fournisseurs, marchand de vin et boulanger – tous les trois ou quatre mois. Des démarches nouvelles vont bientôt s'ajouter aux anciennes. Ainsi, pour toucher ses rentes, il lui faudra obtenir, après octobre 1792, un certificat de civisme, puis à partir d'avril 1793 un certificat de non-émigration. En octobre il devra se procurer une carte de pain, et, à partir d'avril 1794, une carte de viande.

Une tranquillité perturbée

La Révolution se rappelle en effet à son souvenir de bien des façons, entre autres par le service de la garde nationale ; mais, peu porté sur la chose militaire, il se fait régulièrement remplacer, au prix de quarante sols d'abord, de six livres à la fin de 1793. Sa générosité est, bien trop souvent à son gré, sollicitée pour venir en aide aux indigents et aux volontaires partis aux frontières : en septembre 1792, en mars, en mai 1793 et de nouveau en février 1794. De temps à autre, il se rend à l'assemblée de sa section, notamment après le 10 août 1792, après le 2 juin 1793 et pendant la Terreur, par opportunisme, pour donner des gages de son patriotisme ; ainsi accompagne-t-il sa section à la Convention le 3 juillet 1793 pour l'approbation de la Constitution et le 25 avril 1794 pour féliciter Collot d'Herbois et Robespierre d'avoir échappé à leurs assassins – mais il y retournera le 29 juillet pour féliciter l'Assemblée d'avoir renversé Robespierre deux jours auparavant... Il prend part aux élections dont l'enjeu lui semble important, telle celle du maire à l'automne de 1792 et en février 1793, et celle du comman-

BIBLIOGRAPHIE

AUBERT R., *Journal de Célestin Guittard de Floriban, bourgeois de Paris sous la Révolution (1791-1796)*, France-Empire, Paris, 1974.

BERTAUD J.-P., *La Vie quotidienne en France au temps de la Révolution (1789-1795)*, Hachette, Paris, 1983.

BERTAUT J., *Les Parisiens sous la Révolution*, Amiot-Dumont, Paris, 1952.

GENTY M., *L'Apprentissage de la citoyenneté. Paris (1789-1795)*, Éd. Sociales, Paris, 1986.

ROBIQUET J., *La Vie quotidienne au temps de la Révolution*, Hachette, Paris, 1938.

dant général de la garde nationale en juin 1793.

Mais, de plus en plus, il doit faire face aux difficultés de la vie quotidienne, manque de petite monnaie et hausse des prix dès 1791, difficultés de ravitaillement ensuite – l'été 1793, il ne peut trouver de pain pendant plusieurs jours. Ces difficultés, redoublées après Thermidor, l'emportent dès lors pour lui sur les problèmes politiques ; il a dû restreindre son train de vie, recevant moins, n'allant plus au théâtre. Obligé de vendre ses pièces d'or et d'argent, de l'argenterie et des bijoux, il survit tant bien que mal en attendant la consolidation financière du Consulat, épris d'ordre et de stabilité plus que d'une liberté à laquelle il n'a que peu participé.

Maurice Genty

• Un maître d'école jacobin : Germain Le Normand

Avant la Révolution, Germain Le Normand est jaugeur et vérificateur public des poids et mesures au bureau des Domaines de Rouen. Dès février 1791, il entre à la Société des amis de la Constitution de Rouen, et obtient de la ville, en juillet, la place de principal des écoles urbaines laissée vacante par les frères des Écoles chrétiennes qui ont refusé le serment. Il a la surveillance de neuf classes regroupant plus de mille élèves, et vérifie non seulement l'exactitude des instituteurs, mais les types d'exemples donnés aux élèves et les progrès de ces derniers dans la lecture.

Dès lors, Germain Le Normand mène une double activité, politique et pédagogique. Il est l'un des membres les plus actifs de la Société des jacobins rouennais, dont il sera président en brumaire an II (octobre-novembre 1793), et il participe jusqu'en ventôse (février-mars 1794) à l'élaboration de nombreux projets (changements des noms de rues, abolition des signes de la féodalité, etc.).

Des « bicoques » pour écoles

Le 16 août 1793, il adresse une pétition à la Convention décrivant la triste situation des écoles rouennaises : les locaux des écoles « aristocratiquement nommées écoles des pauvres ou de charité » sont « de chétifs réduits ou des bicoques situées pour la plupart dans des anciens cimetières où l'air est fétide tandis qu'il existe à Rouen un vaste collège où soixante-dix écoliers sont instruits à grands frais et à l'aide de sept à huit professeurs ». Priorité doit donc être donnée à l'enseignement élémentaire puisque, selon Le Normand, il y a huit mille garçons et filles d'âge scolaire à Rouen et au maximum mille cinq cents instruits. Quant aux livres utilisés, ils sont « mauvais..., dangereux..., pervers », et doivent être remplacés sans plus tarder : les premiers livres classiques seront les travaux de la Convention nationale imprimés in-douze. Les seconds seront composés de « tout ce qui a été écrit pour chanter la liberté, l'égalité et l'amour de la patrie ». Le Normand demande en même temps à pouvoir faire utiliser dans les écoles rouennaises le *Bureau typographique,* l'une des méthodes actives d'apprentissage de la lecture inventée au XVIIIe siècle par Louis Dumas dans le cadre du préceptorat privé aristocratique. Elle est fondée sur l'utilisation par l'enfant d'un bureau ressemblant à une casse d'imprimeur.

Il compose régulièrement les paroles des chants qui sont entonnés lors des fêtes civiques et rédige un recueil d'*Hymnes antiques et chants civiques pour la fête en l'honneur de l'Être suprême.*

Le 27 prairial an II (15 juin 1794) est lue à la barre de la Convention une adresse des 113 élèves de Germain Le Normand et des 116 écolières de son épouse ; ils témoignent à la représentation nationale leur reconnaissance « sur sa sollicitude pour l'instruction publique, et sur son décret qui proclame l'existence de l'Être suprême et l'immortalité de l'âme » ; ils réclament en même temps la jouissance du local de la ci-devant église de Saint-Vincent attenante aux écoles, « pour pouvoir s'y réunir sous les yeux de leurs parents les jours de congés et de décadis ». Ravi d'avoir obtenu une mention honorable et une insertion au bulletin, Germain Le Normand renvoie deux jours plus tard une nouvelle adresse au nom de ses élèves qu'il accompagne du manuscrit du premier livre classique qu'il vient de rédiger, *Le Pacte républicain ou le Guide de la jeunesse à l'usage des écoles nationales françaises.*

Il y donne aux pères de famille une série de recommandations sur la manière d'apprendre aux enfants les vertus sociales et de leur inculquer des mœurs républicaines. Il souligne les avantages de l'enseignement simultané et des livres scolaires uniformes dans lesquels tous les élèves peuvent suivre. Critique des méthodes d'épellation en vigueur, il reste fidèle à un apprentissage successif de la lecture et de l'écriture, la lecture étant « la chose la plus difficile à enseigner et à apprendre ». Très attentif aux difficultés de l'orthographe française – « il eût été à désirer que l'on écrivît les mots tels que l'usage veut qu'ils soient prononcés » –, il insiste sur la mémoire oculaire pour retenir l'arrangement des lettres employées dans un mot, sinon l'enfant écrira les fables de La Fontaine en orthographiant par exemple : « Metres Quorbo sus un arbe pairchai. » Il faut lire souvent, surtout « avec ce brûlant désir d'apprendre », et « on ne sait bien lire que quand on comprend ce qu'on lit et que l'on entend parfaitement la signification des mots et la construction des phrases ».

Visiblement inspiré par les grammairiens de l'époque, Germain Le Normand n'est sans doute pas un pédagogue ordinaire. Il soumet encore au Comité d'instruction publique de la Convention un recueil de *Chants d'allégresse, hymnes et couplets patriotiques destinés pour célébrer les décades, les cérémonies publiques et le triomphe des Français,* en juillet 1794.

Désigné par le district de Rouen comme élève à l'École normale de l'an-III, il se propose durant son passage à Paris d'y ouvrir une école primaire dont les exercices se dérouleront en dehors des heures de cours de l'École normale. Mais rentré à Rouen, sa situation se détériore rapidement en l'an IV, du fait du retour, pour salarier les maîtres, à la seule rétribution scolaire payée par les élèves (rétribution payée en assignats dévalués) : non seulement le nombre des maîtres à Rouen a considérablement décru par rapport à l'an II, mais les classes de ceux qui subsistent ont fondu. C'est alors quasiment la misère et Le Normand, tout en gardant son métier d'instituteur, retourne à des travaux proches de son ancienne profession : il publie en l'an VIII une *Traduction des poids, mesures et monnaies* et une *Clef du système métrique et du calcul décimal.* Il meurt à Rouen en 1807.

Dominique Julia

• Le boulanger

A la fin de l'Ancien Régime, à l'exception de quelques maîtres qui dominaient les corporations des grandes villes, la plupart des boulangers travaillaient beaucoup et dur, gagnaient peu et mouraient pauvres, et cela qu'ils fussent apprentis, compagnons ou, à plus forte raison, sans protection corporative, tels les forains qui venaient de leur campagne vendre leurs quelques miches de pain sur les marchés urbains.

Un métier dangereux

Mais, de plus, ils étaient continuellement exposés à la rumeur, aussi bien qu'à la réalité, de la disette, aux tracasseries administratives et à la vindicte populaire, en raison du rôle central qu'ils jouaient dans le drame des subsistances.

La nourriture de la grande majorité des Français de l'Ancien Régime s'ordonnait autour du pain avec lequel ils « trempaient la soupe », et dont on estimait la ration quotidienne nécessaire à trois livres pour un travailleur adulte, à deux livres pour un travailleur non manuel, et une livre et demie pour un enfant.

Contrairement à Marie-Antoinette, les boulangers ne pouvaient se contenter de recommander à leur clientèle de manger de la galette. Si le pain venait à manquer, c'était à eux qu'on attribuait souvent la responsabilité de la disette, surtout dans les grandes villes, où ils étaient, chacun dans son quartier, beaucoup plus visibles que les marchands de grains et les meuniers qui, exerçant leurs fonctions soit à la grande halle, soit à la campagne, étaient un peu plus à l'abri de la colère du peuple. Il faut dire que les boulangers, du moins ceux qui travaillaient à leur compte, prenaient parfois des risques en vendant du pain avarié ou en trichant sur le poids. Ces pratiques, secondaires, presque admises en temps normal, revêtaient un caractère de gravité particulier lors d'une disette. Cependant, les vraies causes, qui n'étaient autres que les structures mêmes de la propriété foncière, le faible niveau technique de l'agriculture et un réseau de transports inadéquat, n'étaient pas dénoncées. Et quels que fussent leurs stratagèmes malhonnêtes, les boulangers, artisans et petites gens comme les autres, étaient tout autant victimes de cet état de choses que leurs clients.

Pour des raisons évidentes de sécurité et qui n'étaient point, la Révolution le montrera, exagérées, le but de la monarchie était de sauvegarder la tranquillité de la capitale coûte que coûte. Il lui fallait donc s'assurer que la population avait de quoi manger, pour qu'elle ne fût pas tentée de prendre la situation en main, en ayant recours à la taxation. A cette fin, une réglementation considérable fut progressivement mise en place, touchant tous les aspects du problème, distinguant les fonctions des uns et des autres : agriculteurs, marchands de grains sur les ports et dans les halles, meuniers, blatiers, regrattiers, commissionnaires, boulangers, leur prescrivant où acheter, où revendre, à qui et dans quelles conditions. Ainsi les 200 à 250 maîtres boulangers de Paris fabriquaient-ils du pain qu'ils vendaient directement dans leurs boutiques à une clientèle souvent aisée, alors que les 300 boulangers des faubourgs et les quelque 800 à 1 000 de la grande banlieue, notamment du village de Gonesse, s'occupaient de satisfaire aux besoins du petit peuple dans les marchés plusieurs fois par semaine.

Boulangers contre meuniers

Si chaque catégorie de boulangers avait sa clientèle particulière, tous entraient en concurrence pour trouver les grains et, de plus en plus souvent, la farine. Les plus aisés aspiraient à une sorte d'intégration verticale du commerce du pain, qui leur aurait permis de faire des économies significatives, et donc des bénéfices. Pour ce faire, ils cherchaient à acheter des grains directement sur les marchés ruraux ou même – malgré l'interdiction formelle – sur pied chez le cultivateur. Ensuite, ils les faisaient moudre (à moins qu'ils n'eussent carrément acheté leur propre moulin) avant de se les faire livrer « en droiture », c'est-à-dire directement en ville, en se passant des services des marchands grands et petits, au grand dépit de ceux-ci.

Quant à la masse des petits artisans boulangers, vendant leur production sur les marchés, les mercredis et samedis, ils constituaient le gros de la clientèle des fariniers des Halles. Trop pauvres pour garder des stocks, ils s'accommodaient bien du système qui ne les autorisait à acheter chaque fois que deux muids de grains ou un muid de farine, car ils ne pouvaient ni produire ni vendre une plus grande quantité de pain. L'argent qu'ils encaissaient pendant la journée leur permettait tout juste de se ravitailler le soir.

Toutes les tentatives des partisans de l'économie de marché, notamment dans les années 1760, pour libérer le commerce du pain butèrent sur l'incapacité du système de production de pourvoir aux besoins, surtout des citadins, à un prix correct, et sur ce qu'Edward Thompson appelle « l'économie morale » des pauvres, ceux-ci acceptant en apparence de rester soumis pour autant que les autorités leur permettent de manger. Même la Révolution, qui, dans son libéralisme, simplifia beaucoup la réglementation, n'y mit pas fin. Outre les *maxima* de l'an II exigés par les sans-culottes, cordialement détestés par tous ceux qui mettaient les droits de la propriété au-dessus du droit à la vie, et rapidement abandonnés après Thermidor, le nouvel État ne se priva pas d'intervenir, du moins en temps de crise, pour assurer le flux des subsistances.

Mais tout le mode de production était en train de se modifier, dans ce domaine comme dans l'économie en général. Les changements intervenus dans les structures de la propriété foncière, la création d'un véritable marché national, la destruction des corporations donnèrent un nouveau cadre au travail des boulangers. Si la grande majorité continua à travailler artisanalement, juridiquement libre de faire commerce comme elle l'entendait, cette liberté apparut bientôt toute relative. Bien que le rôle de l'État se fût amoindri, et que les vieux marchands de grains eussent perdu de leur toute-puissance, les boulangers devaient encore traiter avec les meuniers qui, eux, réorganisaient le marché de la farine, afin de mieux l'accaparer. Pour les boulangers, les affronter aurait été engager un combat perdu d'avance à cause du manque de capitaux ; le seul moyen de survivre et de prospérer était, bien au contraire, d'établir des liens privilégiés de travail avec les meuniers pour, en fait, en recevoir fournitures et crédit. Et il est tout à fait remarquable qu'en adoptant cette stratégie autant de boulangers aient réussi à maintenir leur indépendance tout au long du XIXe siècle.

Jeffry Kaplow

• La misère des cordonniers

L'obséquieux cordonnier des « belles marquises », campé par Louis Sébastien Mercier dans son *Tableau de Paris,* appartient sans doute à l'imaginaire de l'Ancien Régime. « Ce cordonnier porte un habit noir, une perruque bien poudrée ; sa veste est de soie ; il a l'air d'un greffier. » Mercier lui oppose le cordonnier du vulgaire : il a « de la poix aux mains... du gros linge sale ». La distance qui les sépare est plutôt celle qui existe entre le marchand et l'artisan travaillant à façon, comme la plupart des cordonniers de l'époque. Pour le préfet de police Dubois, vingt ans plus tard, nulle classe d'ouvriers n'est plus sujette à la misère physique et morale que celle des cordonniers : leur vie sédentaire, « leur attitude dans leur travail, la vapeur infecte des grosses chandelles avec lesquelles ils s'éclairent, la chaleur de leurs poêles, l'exiguïté des lieux où ils travaillent, les rendent sujets à une foule de maladies », encore aggravées par leur profonde misère, « leur excessive malpropreté et le passage fréquent de privations extrêmes à la débauche la plus crapuleuse ». « Presque toujours, l'extrême misère, les privations habituelles, ajoute-t-il, sont accompagnées de l'ivrognerie », tableau qu'il faudrait sans doute nuancer.

L'artisan le plus mal chaussé...

Dans bien des villes, les cordonniers formaient le groupe professionnel le plus nombreux parmi les artisans. A Angers, ils venaient devant les tailleurs, représentant plus du quart des artisans de l'habillement. A Paris, leur nombre est tout aussi surprenant : 5,2 % des Parisiens inscrits sur les registres de cartes de sûreté en 1793 étaient cordonniers. Ils étaient originaires de toutes les régions de France mais surtout de la vallée de la Loire et du Nord. La section de Bonne-Nouvelle en comptait 269, soit 7 % des travailleurs de l'artisanat et du commerce. Ils étaient 637 au faubourg Saint-Antoine. En l'an XIII, la statistique des artisans patentés montre qu'ils sont les plus nombreux avec les tailleurs : 1 199 cordonniers pour 1 431 tailleurs. Les marchands sont respectivement 244 et 61 dans ces deux professions. La Préfecture de police recense, sous l'Empire, 514 bottiers et 6 960 ouvriers cordonniers munis de livrets. Leur salaire est des plus faibles : « Tel ouvrier cordonnier est payé 25 sous par paire de souliers. Une paire et demie est le maximum de sa journée, et il a gagné environ 30 sous. » La condition des maîtres cordonniers, dépendants des marchands fabricants, n'est guère plus enviable : « On en voit beaucoup acheter au jour le jour la chandelle unique qui éclaire deux ouvriers. » Que l'ouvrage vienne à manquer, et c'est l'indigence. Sur les 15 000 adultes secourus à Paris au début de l'Empire, mis à part les journaliers et gagne-deniers, les plus nombreux à recevoir des secours à domicile sont les cordonniers, loin devant tous les autres ouvriers spécialisés : 651 cordonniers et 205 savetiers. Parmi eux, le citoyen Bornet, vingt-huit ans, compagnon cordonnier, et sa femme, Marie Tapin, âgée de trente-trois ans, marchande de légumes ; ils ont quatre enfants de deux à treize ans et elle en attend un cinquième. Ils ne paient pas d'imposition.

Pour Jean Harnois et son compagnon, l'ouvrage ne manque pas en ce printemps de l'an II ; comme beaucoup de leurs confrères, ils travaillent pour les fournitures militaires. L'apprenti, qui finit cette année son apprentissage de deux ans, est resté à Nanterre, chez ses parents, pour aider aux travaux des champs. Il rapporte ce soir quelques denrées de la campagne ; elles sont les bienvenues en ces temps de ravitaillement difficile. Harnois et son compagnon travaillent depuis l'aube dans leur échoppe de la rue de Cléry. Ce soir, dès qu'ils auront terminé leur ouvrage, ils iront ensemble à la société populaire de Bonne-Nouvelle. Tout à l'heure, le cousin d'Harnois, ancien frère cordonnier de la rue de la Grande-Truanderie, qui est membre du comité révolutionnaire de Bon-Conseil, leur a appris des nouvelles inquiétantes : dans la dernière assemblée générale de la section voisine de Brutus, un membre influent de la section, le médecin Leymerie, s'en est pris aux sans-culottes, « grands parleurs ignorants que l'on met en avant... et qui feraient beaucoup mieux de se tenir paisiblement chez eux... plutôt que de chercher à remplir des places dont ils ne sont nullement capables ». « Le cordonnier, aurait-il ajouté, ne doit pas s'élever au-dessus de la hauteur de ses souliers. » Cela va faire du bruit à la société populaire : « C'est la classe laborieuse du peuple qu'il renvoie et relègue dans ses ateliers, comme si tous nous ne devions pas concourir à un bien qui nous est commun. » Dans une république, les cordonniers « sont des êtres pensants qui doivent faire usage de leur raison ». Il faudra aller mettre la section de Brutus au pas...

Raymonde Monnier

• Un fabricant : Oberkampf

Au printemps 1789, trente ans après son arrivée à Paris, de son Wurtemberg natal, sans un sou en poche, le fabricant de toiles peintes Christophe Philippe Oberkampf (1738-1815) est un homme parvenu au faîte de la société d'Ancien Régime. Naturalisé régnicole dix ans après son installation dans le petit village de Jouy, à une lieue de Versailles, il a obtenu, en mars 1787, grâce aux relations de son associé Maraise, des lettres de noblesse, qu'il a solennellement fait signifier aux habitants du village, sitôt l'état civil reconnu aux « religionnaires » de son espèce. Déjà, par lettres patentes de juin 1783, son entreprise était devenue « manufacture royale ». Que peut-il espérer de plus ? Afin de transmettre à ses enfants un établissement utile et honorable, il a cependant pris, dès juillet 1787, la décision de garder pour lui seul, à la fin de 1789, une affaire qui, en vingt ans, a rapporté plus de dix millions de livres aux deux associés.

La Révolution ne change rien à son emploi du temps : lever à cinq heures, afin de surveiller l'entrée des ouvriers de sa manufacture, déjeuner à trois heures de relevée, souper à neuf heures du soir, soit une journée de travail, au bureau ou dans les ateliers, de quatorze heures. Mais de février 1790 à octobre 1793, il ajoute à son activité de fabricant celle de premier magistrat de sa commune, avec pour « municipaux » (adjoints) deux de ses commis. Les ouvriers de sa manufacture forment plus du tiers du corps électoral. Par son neveu Samuel et son beau-frère Pétineau, il contrôle de plus la garde nationale locale, dont il offre généreusement les uniformes. Il veille particulièrement à la sûreté publique, en faisant presque journellement distribuer des aumônes aux pauvres, et en organisant, à l'automne 1791, des patrouilles de nuit, ce qui lui vaut un éloge public du département.

A sa sœur, qui vit en Suisse, il confie cependant son souhait d'être débarrassé de ses fonctions publiques. « Tous mes ouvriers sont soldats, ils font l'exercice tous les dimanches [...]. Le mot d'ordre est : la liberté ou la mort. Ce sont vraiment

BIBLIOGRAPHIE

CHASSAGNE S., *Oberkampf, un entrepreneur capitaliste au siècle des Lumières*, Aubier, Paris, 1980.

de grandes affaires, mais qui ne rapportent rien. » Sans doute est-ce le prix à payer pour préserver ses propres affaires, car le fabricant ne s'efface jamais derrière le citoyen. Entre janvier 1789 et juillet 1794, il multiplie, avec son neveu Samuel, ses expériences sur la préparation des toiles avant teinture par un bain d'acide sulfurique ou sur l'emploi d'amidon au lieu de gomme dans les colorants. Mais il interrompt ses essais d'impression mécanique au rouleau : « Il aurait été bien imprudent de donner de l'ombrage aux imprimeurs qui étaient alors pour ainsi dire plus maîtres que moi », dira-t-il plus tard. Après les bonnes affaires de 1791-1792, qui le poussent à construire un grand bâtiment (de 111 mètres de long) pour regrouper sa production, il révise sa politique commerciale, en mai 1793 : arrêt des approvisionnements sur les marchés internationaux de Londres et de Lorient, recours aux siamoises de Rouen et du Beaujolais dans le cadre du maximum des prix décrété par la Convention, baisse de 20 à 40 % du prix de ses articles afin de maintenir la vente, et d'écouler ses stocks. Son objectif avoué est de maintenir l'activité de sa fabrique, pour sauvegarder l'emploi de 1 100 ouvriers des deux sexes. Il donne constamment l'exemple du civisme fiscal, pour la contribution patriotique du quart du revenu, en novembre 1789 (versant 50 000 livres, « car je crois devoir plus qu'aucun autre, puisque je dois toute ma fortune à la France »), pour l'emprunt du département pour la guerre de Vendée en décembre 1793 (25 000 livres) et pour le premier emprunt forcé de l'an II (auquel il souscrit pour 160 000 livres en assignats).

Quand la patrie est proclamée en danger, à l'été 1792, il offre 300 livres à chacun des dix volontaires de sa manufacture. Le 10 frimaire an II (30 novembre 1793), dans le temple local de la Raison, se constitue la société populaire de Jouy sous la présidence de Pétineau, son successeur à la mairie. Il y est admis un mois plus tard, et y prête le serment requis « de l'unité et l'indivisibilité de la République ». Par ses collaborateurs directs, il contrôle totalement les réunions de cette société jacobine et les fêtes civiques qu'elle organise. Aussi, lorsque l'agent national le dénonce « comme entaché de modérantisme, de royalisme et suspect d'accaparement », l'accusation se retourne-t-elle contre son auteur, exclu de la société populaire, en prairial an II (mai-juin 1794). Quelques jours plus tard, le fabricant accueillera le représentant Georges Couthon, membre du Comité de salut public, avec autant de prévenances qu'il en a eu naguère pour accueillir Marie-Antoinette, et qu'il en aura plus tard pour Napoléon.

Serge Chassagne

• Un émigré sur la paille

Pour tout un chacun, l'émigration c'est d'abord « l'armée et la cour de Coblentz ». Ce n'est pourtant pas la seule, les roturiers représentent en effet bien plus de la moitié de l'effectif des émigrés. Coblentz est plus connue, car elle correspond à la première émigration et constitue surtout un danger pour la Révolution. A Coblentz, à Turin et à Vérone, les Bouillé, les Calonne, les Polignac, les Duras, le comte d'Artois (le futur Charles X), le comte de Provence (le futur Louis XVIII) se sont empressés de reconstituer des gouvernements fantômes. Auprès du comte d'Artois, les nobles se chamaillent et se distribuent les charges gouvernementales futures : l'évêque de Pamiers sera chancelier, le baron de Breteuil Premier ministre... A l'été 1792, ils sont si sûrs de la victoire qu'ils font venir de Paris des couronnes de roses. Et chacun de mener grand train de vie. Soutenus non sans réserve par l'Autriche et la Prusse, ces émigrés lèvent de petites armées de quelques milliers d'hommes qui vont sillonner l'Europe neuf ans durant.

Contrairement à une idée trop répandue, les émigrés ne sont pas des « sabreurs ». Bien souvent, ils préfèrent parlementer avec les villageois hostiles plutôt que d'engager les combats. Il n'est pas rare d'en voir sympathiser avec des volontaires français. Les premiers moments d'exaltation passés, leur vie c'est « la pluie, la boue, les corvées ». Les officiers, après avoir fait leur cuisine et lavé leur linge, doivent souvent se contenter de dormir à la belle étoile. Les Prussiens, qui les méprisent, n'hésitent pas à leur voler leurs bagages. La misère apparaît vite. L'un d'eux dit être resté deux mois avec la même chemise. D'autres portent leurs souliers au bout de leur baïonnette, de peur de les user.

A côté des émigrés qui brûlent de rétablir l'Ancien Régime, il y a ceux, non moins nombreux, qui prennent le chemin de l'exil. La Législative leur a confisqué leurs biens et la Convention les a bannis. Avec les victoires républicaines de l'automne 1792, les Allemands chassent les femmes d'émigrés établis à Spa, Cologne et Aix-la-Chapelle. Elles s'enfuient à travers les campagnes enneigées ou inondées, couchant sur la paille. En 1794 et 1795, beaucoup embarquent pour l'Angleterre dans des conditions périlleuses. En janvier 1794, la comtesse de Saisseval traverse la mer du Nord en barque avec ses enfants, dont l'un n'a que treize jours. La misère noire est souvent leur lot ; bijoux et linge fin ont été depuis longtemps « cédés pour rien ». Démuni de tout, Chateaubriand dort sans draps, se recouvrant le corps d'une chaise pour se donner l'illusion d'avoir chaud ! Pendant cinq jours, il n'avale pas la moindre nourriture, le soir, il mange « par procuration » devant un magasin de fruits secs et de viandes fumées. A la dernière extrémité, un chevalier se fait valet. Des marquises deviennent ouvrières. Ainsi, Mme de Gontaut peint des boîtes, pour deux sous par heure. Dans certains ateliers, on travaille jusqu'à dix heures par jour. La duchesse d'York, apprenant qu'une émigrée est morte de faim, fonde un comité de secours. Le gouvernement anglais alloue aux ex-officiers une aide de 25 sols par jour. Quant à Carron, abbé réfractaire émigré, il fonde une école de filles, des pharmacies et des bibliothèques.

Sur le continent, le sort des émigrés est encore plus difficile. Une comtesse chante dans les cafés, une autre vend des harengs au coin des rues. La princesse de Talmont, pieds nus, implore du travail, tandis que Mme de Genlis envie une place de concierge qu'elle ne peut obtenir. Cependant, la plupart, leur labeur terminé, se réunissent pour « jouer des petites pièces ou danser la moitié de la nuit ». Dans les pays neufs comme l'Amérique, changer de vie paraît plus aisé. Un « ci-devant garde du corps » fait fortune en exhibant dans les foires un éléphant. De janvier 1794 à mai 1796, Mme de La Tour du Pin exploite au nord d'Albany une ferme de soixante-quinze hectares. Elle qui n'avait connu que bals et réceptions mondaines se lève dès l'aube pour traire les vaches et battre le beurre.

Quelques émigrés ne supportent pas de vivre séparés de leur famille. Ils reviennent clandestinement en France. S'ils sont reconnus, la guillotine ou le peloton d'exécution de la plaine de Grenelle les attendent. Après la chute de Robespierre, le Directoire permet à certains émigrés de revenir. C'est souvent le choc : « Les maisons ont de nouveaux maîtres... Les livres étalés sur

BIBLIOGRAPHIE

BALDENSPERGER F., *Le Mouvement d'idées dans l'émigration française (1789-1815)*, Plon, Paris, 1924.

VIDALENC J., *Les Émigrés français (1789-1829)*, Publication de la faculté des lettres de Caen, 1963.

Nombreux souvenirs et mémoires dont LA TOUR DU PIN, marquise de, *Mémoires*, Mercure de France, Paris, 1979.

les quais, je les ai feuilletés dans la bibliothèque de mon ami » (Chateaubriand). Le 26 avril 1802, on autorise la rentrée de certains ; ces amnistiés restent six ans sous surveillance. Pour les autres, le danger est aussi redoutable qu'au temps de la Terreur.

Hervé Luxardo

• Journal d'une domestique

Souvent d'origine paysanne, la femme qui s'engage dans la domesticité – profession féminisée à 80 % dans des villes comme Paris ou Lyon – a une vie différente selon qu'elle trouve à se placer dans une riche maison comprenant plusieurs serviteurs ou dans une famille aux revenus plus modestes où elle assure seule le travail ménager. Employée en maison, elle est sous les ordres du maître d'hôtel et, suivant la place dans la hiérarchie ancillaire, accomplit des tâches spécialisées (cuisinière, nourrice) ou frotte les parquets et aide les autres domestiques. Souvent, elle partage ses loisirs avec ses camarades de travail : la journée finie, elle les rejoint dans la loge du portier, où l'on discute, où l'on lit le journal, où le laquais amoureux rédige les lettres que la jeune servante envoie à ses parents, avant d'échanger avec elle serments d'amour et de fidélité.

Si elle possède la qualité de femme de chambre, elle assiste sa maîtresse au lever, au coucher, pendant la journée ; intermédiaire culturelle entre les milieux populaires dont elle est issue et les élites avec lesquelles elle est en contact permanent, elle peut s'attacher à ses maîtres et les suivre dans l'émigration s'ils sont nobles. Mais, aussi bien, c'est souvent en étant trompée sur le but du voyage ou menacée de ne pas toucher les deux ou trois ans de gages qu'on lui doit qu'elle prend le chemin de l'étranger. Celle qui ne suit pas ses employeurs émigrés leur reste parfois fidèle, correspondant avec eux, s'occupant de leurs affaires financières et politiques en France. Femme de chambre d'une personne emprisonnée, elle peut partager sa détention, si elle a été arrêtée avec elle, ou si elle a elle-même demandé, par attachement ou intérêt pécuniaire, à continuer à la servir en prison : dès lors, elle sera libérée, quand elle en fera la demande.

Unique domestique d'une famille de la petite ou moyenne bourgeoisie, la « cuisinière » ou « femme de

BIBLIOGRAPHIE

GUTTON J.-P., *Domestiques et serviteurs dans la France de l'Ancien Régime*, Aubier-Montaigne, Paris, 1981.

PETITFRÈRE Cl., *L'Œil du maître. Maîtres et serviteurs, de l'époque classique au romantisme*, Éd. Complexe, Bruxelles, 1986.

confiance » seconde sa maîtresse en s'occupant du ménage et des courses, en surveillant les enfants, mais aide aussi, éventuellement, à la boutique, l'atelier ou sert dans la salle de cabaret. Elle vit au même rythme que ses maîtres, partage leur intimité, leurs loisirs ; dans leurs confidences, elle est instruite de leurs affaires. Patriote, chez des employeurs hostiles à la Révolution, elle risque d'être renvoyée de peur qu'elle ne dénonce leurs activités contre-révolutionnaires. Dans ce cas, elle se fait mettre sur les « petites affiches », et est contrainte de vendre ses effets d'abord, son corps ensuite, si la réponse se fait attendre. Engagée par un ménage sans-culotte, qui préfère lui donner le nom de « compagne de travail » à celui de domestique, elle se rend le soir avec eux à la section ou au Club des jacobins.

La domestique loge le plus souvent sous le toît de ses maîtres, dans la cuisine, une soupente, l'écurie, ou non loin de sa maîtresse si elle est femme de chambre. Sa vie de famille est alors difficile ; si son mari est aussi domestique, ils louent une chambre pour y élever leurs enfants. L'employeur de la domestique célibataire profite parfois de cette promiscuité pour la séduire, utilisant tour à tour force, promesses, cadeaux, chantage pour vaincre ses résistances : 14 % des grossesses déclarées aux commissaires de police parisiens de 1793 à 1795 sont le fait de domestiques enceintes de leurs patrons — proportion pouvant atteindre 50 % dans d'autres villes. Le plus souvent, quand il apprend qu'elle est grosse de ses œuvres, le maître renvoie son employée. Cependant, au moins 13 % des maîtres parisiens incriminés en 1793-1795 reconnaissent l'enfant comme le leur et sont prêts à s'occuper de la mère. Fréquents sont d'ailleurs les cas, dans les milieux artisanaux, de domestiques vivant « maritalement » depuis plusieurs années avec leur employeur.

Relativement bien payée, quoique irrégulièrement (plus de 250 livres par an pour une femme de chambre, 100-200 livres pour une « femme de confiance »), nourrie et logée, la domestique qui possède un emploi stable peut arriver à économiser pour assurer sa vieillesse, et parfois même finir ses jours dans une certaine aisance, encore accrue si son maître l'a couchée sur son testament. Mais souvent la domestique va de place en place, par nécessité économique ou souci d'indépendance, et, lorsqu'elle ne peut plus travailler, courbée sous le poids des ans et de la fatigue, c'est vers la salle commune de l'hôpital qu'elle dirige ses derniers pas.

Dominique Godineau

• Une comédienne

Louise Fusil débute sa carrière de comédienne aux concerts spirituels de Toulouse, au moment même où éclate la Révolution. Elle n'a alors que quinze ans, mais une longue expérience de la scène et des voyages. Son grand-père, sociétaire de la prestigieuse Comédie-Française, lui a dispensé une « brillante éducation » à Metz. Son père, écrivain « à talents », avait dû quitter précipitamment la France pour avoir séduit l'héritière d'une famille de la haute magistrature de Rouen. Louise est donc née à Stuttgart en 1774. Douée d'une « voix remarquable », de beaucoup de gaieté et d'esprit, Louise se spécialisera dans les emplois de cantatrice, de choriste et de soubrette à la scène, sans accéder au vedettariat des demoiselles Vestris ou Sainval.

BIBLIOGRAPHIE

FUSIL L., *Souvenirs d'une actrice,* Éd. Dumont, Paris, 1841-1846.

Aux premières loges

Notre actrice sera durant toute la Révolution un témoin idéal, aux premières loges des scènes théâtrale et politique. A Toulouse, elle fréquente le salon des Du Barry et des milieux qui s'affirmeront contre-révolutionnaires. Sa protectrice, cantatrice célèbre, partagera le sort du principal agent royaliste de cette époque, le comte d'Antraigues. Et, bien que Louise affecte de ne pas se « mêler de politique », elle laisse percer bien des réticences à l'égard de la Révolution dans ses Souvenirs. La chute de la monarchie a failli la rendre « folle » ! A Paris, elle rencontre de vieux aristocrates suspects au « Club de midi à quatorze heures ». Elle est arrêtée à Lille, en 1793, par le représentant Joseph Lebon.

Mais elle côtoie également l'élite du Tout-Paris révolutionnaire grâce à sa meilleure amie, Julie Talma, l'épouse du plus célèbre comédien de cette période, celui qu'elle surnommera « le Napoléon de la scène ». Bien plus âgée que lui, Julie tient un brillant salon où se retrouvent les intellectuels et les hommes politiques à la mode : Marie-Joseph Chénier qui a gagné avec Talma la bataille de *Charles IX;* le peintre David qui a contribué, toujours avec Talma, à l'adoption de costumes antiques par les comédiens ; les girondins Vergniaud, Gorsas, ou le poète Fabre d'Églantine... Ce beau monde n'oublie jamais les « plaisirs de la toilette » et de l'esprit, jouant en pleine Terreur au tribunal révolutionnaire, avec le chien de service dans le rôle du président ! Louise n'a aucune sympathie pour Robespierre dont elle décrit la « méchante humeur ». Elle dépeint avec horreur la sinistre apparition de Marat chez Talma, lors d'une réception en l'honneur du général Dumouriez. Couvert d'un linge ensanglanté, l'Ami du peuple traite l'assemblée de « ramas de concubines et de contre-révolutionnaires ».

Louise doit à son mariage avec le comédien Fusil l'impunité et la familiarité avec les révolutionnaires les plus radicaux. Elle forme pourtant avec lui un couple dissemblable au possible. Fusil est « engagé », dès 1789, et mène de front ses carrières d'acteur et de révolutionnaire. Quand il se bat avec sa section contre la royauté, Louise confectionne une « écharpe à la Coblentz ». Quand il assiste Collot d'Herbois ou Turreau dans les répressions de Lyon et de Vendée, Louise fréquente les salons lillois ou parisiens. Quand il se bat avec l'armée d'Italie, elle joue aux Merveilleuses.

Mais cette situation lui confère en toutes circonstances une philosophie originale, antidote à la violence des événements. Elle plaint son mari lorsqu'il est sifflé par les Muscadins en l'an III, juge Thermidor aussi « cruel » que la Terreur et considère la disette de l'an III comme « factice mais aux effets réels ». Elle porte un jugement sévère sur la « frivolité » de son milieu.

En dansant sur un volcan

Au-delà de l'idéologie, Louise Fusil sacrifie avant tout au métier de comédienne qu'elle sert avec passion mais lucidité. Aussi favorable à la révolution au théâtre que réticente à la révolution politique, elle ne saisit pas leurs liens étroits. Elle approuve la liberté des théâtres qui détruit les monopoles et offre des emplois aux acteurs. Elle participe à toutes les fêtes de la Révolution, défile selon David, chante selon Chénier. La fête de l'Être suprême l'émeut. Elle ne cesse de jouer avec les meilleurs, à Toulouse (1789) comme à Anvers (1791), Lille (1793), Bordeaux (1795). Partenaire de Talma, elle milite pour la révolution des costumes et sympathise avec Chénier quand son *Timoléon* est censuré. Dans ce monde du théâtre, elle a « tout fait, tout vu, tout usé »...

Amie d'aristocrates et de révolutionnaires, à l'aise dans les opéras bouffes et les tragédies patriotiques, Louise Fusil a traversé la Révolution en « dansant sur un volcan ». Elle a su garder la mesure entre les extravagances de son milieu d'origine et les excès de la Terreur. Elle n'a pas oublié que la Révolution lui a permis de servir sa profession avec enthousiasme : « Malgré tout ce bruit, on jouait la comédie »...

Serge Bianchi

• Un soldat

Être soldat, c'était marcher : 76 pas à la minute au pas ordinaire, 100 à l'accéléré, 120 à la charge. A l'aube, on se levait pour des étapes de 25 à 40 kilomètres par jour. « Pour chasser l'ennui d'une longue route », des musiciens jouaient les airs du pays. Cela provoquait parfois la nostalgie et la halte servait à convaincre les malades de ne pas se laisser mourir au bord du chemin. Des soldats en profitaient pour s'enduire les pieds d'onguents achetés au « sorcier » du village. Chemin faisant, les « volontaires » découvraient le pays, s'émerveillant, en Provence, par exemple, de la multitude de bateaux qui apportaient dans les ports « ce blé de Turquie qui fait un pain qui fond dans la bouche », s'inquiétant, quand ils étaient du Nord, de la cuisine à l'huile.

A l'arrivée dans une ville, il y avait toujours des militants sans-culottes pour quitter la troupe et se rendre à la société populaire locale, y discuter, y prendre part aux votes. De retour au camp, ils se rassemblaient pour continuer les débats, instituant dans leurs clubs comme une démocratie directe. Recevant les journaux, tels *Le Père Duchesne* ou *L'Antifédéraliste,* ces soldats transformaient le camp en espace politisé. L'officier, qui devait savoir lire pour instruire ses hommes des décrets de la Convention, venait se joindre à l'assemblée.

Le camp, ce n'était souvent qu'un lieu marqué par les sentinelles. Le « volontaire » Noël prévenait ainsi sa grand-mère : « C'est aujourd'hui mon tour de monter la garde. Le tour revient tous les 8 jours. Ce service n'est pas le seul et en comptant le piquet pour service, il n'y a point de jour qu'on ne soit de service. Il faut avoir la plus scrupuleuse attention, il ne faut pas se faire des chimères ni tirer sur des ombres. »

Le camp, c'était des baraques hâtivement montées avec des bois fichés en terre, des feuilles pour toit, de la paille pour dormir. Les militaires avaient bien des tentes, mais ces abris prenaient l'eau à la première averse, trempant les hommes, rétrécissant les uniformes déjà en guenilles, mouillant les armes que l'on devait fourbir avec du grès pulvérisé et de l'huile. Gare au bon entretien du fusil, sinon, « patraque », il vous « crevait » au visage ! Les tentes étaient « les palais des poux ». « Nous attendons Boulay, écrivait ce soldat, je ne sais trop s'il pourra s'accoutumer avec des hommes grossiers et sales et avec la vermine. Nous n'avons pas encore de poux de corps, quelques-uns de tête. » Saleté, puanteur et bientôt la gale qui se propageait du soldat au général et n'épargna pas Bonaparte lui-même. « Du savon ! du savon ! », réclamaient les militaires, et aux archives de la guerre, la correspondance générale de leurs troupes dit encore leurs réclamations.

L'entraînement faisait oublier ces misères. Le soldat apprenait son métier en marchant. La halte permettait de lui inculquer les dispositions de combat : la ligne, la colonne ou le carré. D'abord retenir la position au garde-à-vous : « Les pieds un peu moins ouverts que l'équerre, les genoux tendus sans les roidir, le corps d'aplomb, les bras pendants, les coudes près du corps, le petit doigt en arrière contre la couture de la culotte. » Le repos du soir, c'était l'heure sacrée de la *gamelle,* l'instant de la fraternité républicaine décrite dans la chanson : « Oui, sans fraternité, / Il n'est point de gaieté, / Mangeons à la gamelle. »

Dans la marmite, on faisait bouillir « une viande coupée par terre », des pois, des pommes de terre, des poireaux et du riz. Sur le couvercle, des oignons étaient frits dans de la graisse ; passés au bouillon, ils donnaient du goût à la soupe mangée avec « le pain noir de l'égalité », trois livres pour deux jours et pour chaque homme. Le jeune requis « graissait » la marmite, payait la goutte aux anciens pour être admis à partager cet ordinaire. Celui-ci était parfois agrémenté d'une poule ou de lard « picorés » chez l'habitant. En attendant la soupe, les militaires écrivaient à leurs parents tout en fumant : « C'est une infection », se plaignaient d'aucuns. « Quel plaisir peut-on avoir à s'emplir la bouche de fumée et à mâcher du tabac ? » Quelques-uns jouaient à la « drogue », à la « chiquenaude » ou à la « murra », où ils misaient leur solde ou le fruit des rapines et des prises de guerre. D'autres s'écartaient pour traiter de questions d'honneur et préparer les duels du lendemain. Le duel n'était pas là que pour vider des querelles, c'était un rite de passage dans la troupe que les « crânes », les briscards, toujours prêts à dégainer, imposaient à la jeune recrue. Les rixes se terminaient souvent « au baril de la cantinière » ou chez « les suiveuses de la demi-brigade », filles à soldats trop nombreuses à accompagner l'armée et contre lesquelles, de Carnot à Bonaparte, on sévit en vain. Les chefs prévenaient : « Ce sont là Vénus à venin ! » que le soldat devait fuir pour la patrie. Au culte de celle-ci, que de pécheurs !

Jean-Paul Bertaud

CULTURES ET LOISIRS

Littérature et poésie

Le changement révolutionnaire a-t-il touché la langue et la littérature ? Comment en serait-il autrement ? Suivons Marie-Joseph Chénier *(Tableau historique de l'état et des progrès de la littérature française depuis 1789)* : « Des considérations générales sur l'époque entière nous arrêteront un moment. Elles se communiquent aux littératures, en secousses profondes qui remuent et décomposent les nations vieillies, en attendant que le génie puissant vienne les recomposer et les rajeunir. [...]. Nous chercherons quel fut sur l'époque l'ascendant du XVIIIe siècle, et comment l'époque, à son tour, peut influer sur l'avenir. »

Les circonstances de la Révolution ont conduit à l'effacement de la littérature des salons et des académies ; mais ce vide fut largement compensé par les productions de l'éloquence d'assemblée et de club. Dans l'article *Rhétorique* de l'*Encyclopédie,* Marmontel démontrait que l'éloquence, pour fleurir, a besoin d'esprits libres à persuader, et de la république ; le fait est qu'on voit, dans le Paris révolutionnaire, renaître l'éloquence politique antique, relayée par l'imprimerie, diffusée par la presse. Le modèle de la démocratie antique, revu par Rousseau, présidait encore à la fête révolutionnaire, qui détermina toute une production d'hymnes de circonstance. Cependant, la résistance royaliste remettait en honneur la forme moyenâgeuse de la complainte : le choix des formes littéraires n'est pas par hasard lié aux clivages politiques. La soif populaire de divertissements et d'informations fit de ces années l'âge d'or du vaudeville, comédie d'actualité entremêlée de chants, et prestement renouvelée : le public écoutait, autant que les orateurs de la Constituante, le Cousin Jacques (alias Beffroy de Reigny, par ailleurs journaliste et grammairien).

De 1789 à 1792, la liberté d'expression fut totale, entre les contraintes de la censure royale et celles de la censure terroriste (nullement relâchée après Thermidor). Mais ces deux censures, n'étant pas de même nature, ne pouvaient avoir les mêmes effets sur la production littéraire. Robespierre remarquait que ce qui était bien sous la monarchie devenait mal sous la république, et réciproquement ; les mots tabous ne sont pas les mêmes, ni les ruses de la pensée ; le pamphlet royaliste crie et mord plus âprement que l'ironie philosophique. Les conditions nouvelles de la communication entraînèrent tout un monde d'habitudes littéraires vers des applications inattendues : l'éloquence devint une arme et la rhétorique antique coula dans les journaux ; on détourna au profit de l'instruction civique des modèles religieux, « catéchismes » et « dix commandements » ; détournement de la procession en fête civique, du carnaval en manifestation déchristianisatrice ; la Convention pensa même à détourner le calendrier de son rôle traditionnel pour en faire l'outil d'une révolution de la vie quotidienne.

Révolutionner la langue

Tout discours nouveau subvertit des habitudes dans le maniement du langage. La situation de communication pèse, dans les discours d'assemblée, opposant soigneusement l'homme seul à la foule. Dans les slogans (« Du pain et du fer », « La liberté ou la mort »), une conjonction de coordination équivaut à tout un discours programmatique. Le raisonnement, pour persuader, fait parfois violence au dictionnaire et à la grammaire (« Socrate était de la minorité, car il but la ciguë »). Dans les discours révolutionnaires, un tournant de la sensibilité est repérable à la fréquence des comparaisons et au registre des images : la nature les inspire, dans sa majesté (thème de la Montagne, identification à la nature du peuple portant des branches et des fleurs), et dans ses grandes catastrophes : nous sommes, disait un conventionnel, « comme des arbres courbés par la tempête ». Le romantisme est déjà là.

Le sentiment de la langue change plus que la langue elle-même. Pensée par Grégoire comme outil de l'unité nationale – avec la musique et le dessin –, on sent le souci de sa dignité jusque dans les plus humbles almanachs. Mais elle est aussi le moyen d'exprimer les désirs et les forces profondes de l'être : où s'arrête la Révolution et jusqu'où descend-elle dans la sensibilité individuelle, peut-on se demander à la lecture de Sade et du roman noir ? Contrairement à Ferdinand Brunot (l'érudit analyste de la langue révolutionnaire au XXe siècle), les contemporains avaient conscience de changements linguistiques importants. Des grammairiens (Domergue) et des lexicographes (Louis Sébastien Mercier) tentèrent de transmettre une langue révolutionnée dans ses ressources et son organisation.

Dans les assemblées, dans les clubs, au Palais-Royal, on a pu mesurer pendant la Révolution le pouvoir des discours... et ses limites. C'est par ses discours, où il se posait en avocat des opprimés de l'Ancien Régime et définissait un nouvel humanisme révolutionnaire, que Robespierre a pris tout son ascendant avant la Terreur. Mais, à mesure que les affrontements deviennent plus violents avec la guerre étrangère et la guerre civile, avec les taxations et les réquisitions, les rapports de forces échappent au domaine des discours, et même aux raisonnements des politiques. Le 9 Thermidor, à la Convention, il était impossible de prononcer un discours ; le pouvoir ne résidait plus dans la parole, mais dans la répression armée, ou dans la rue.

Le règne de l'éloquence

L'éloquence d'assemblée connut des temps forts et de superbes moments : joutes imprévues entre Guadet et Robespierre, improvisations de Danton sur la guerre et la justice révolutionnaires... Mais les discours les plus grandioses furent certainement mûris pour la solennelle mise en scène du procès de Louis XVI ; on y remarque notamment l'éloquence de Vergniaud, et celle du tout jeune Saint-Just.

Un autre champ s'ouvrait à l'éloquence révolutionnaire : les journaux, où l'art de persuader utilise toutes les ressources de la rhétorique ancienne et moderne. Camille Desmoulins *(Discours de la lanterne aux Parisiens, Le Vieux Cordelier)* prend pour modèles Démosthène et Cicéron. *Le Père Duchesne* d'Hébert entraîne son auditoire par l'humour sans-culotte, et fait entrer les jurons dans sa rhétorique ; il pratique aussi l'art d'orienter par le titre l'opinion du lecteur. La presse commence donc à déployer une nouvelle rhétorique... et un nouveau pouvoir.

Deux poètes : le jacobin et le martyr

La poésie lyrique de la Révolution connut une étrange destinée : une sorte d'oubli systématique. Marie-Joseph Chénier, sous l'Empire, oubliait déjà aussi bien son propre frère que ses anciens amis montagnards parmi les orateurs. Puis, Marie-Joseph Chénier lui-même fut oublié avec tous les auteurs d'hymnes révolutionnaires. Ils furent pourtant nombreux et productifs : Constant Pierre recense plus de 500 auteurs et près de 3 000 pièces, auxquels il faudrait ajouter les anonymes et les petites publications locales. Il est plus difficile de donner une idée de la qualité, nécessairement inégale, des œuvres ; l'imitation de la grande poésie épique et politique de Virgile donne une certaine uniformité au style dominant de l'époque ; on en trouve l'empreinte dans les vers des deux frères Chénier, le terroriste et le martyr. Sans trancher la question du génie – qui en eut, qui n'en eut pas ? –, disons qu'il y eut plus de réussites, dans ce flot de vers, que la postérité n'en a gardé mémoire. Ne pouvant citer tous les poètes (adieu Salles, Garlicourt...), nous ne retiendrons ici que les plus marquants aux yeux de leurs contemporains.

Rouget de Lisle, encore connu grâce à *La Marseillaise* (comme Fabre d'Églantine pour *Il pleut bergère*), mourut en 1836 obscur et dans la misère, après avoir formé Béranger. Théodore Desorgues, un des plus grands poètes de la Révolution d'après Charles Nodier, a été redécouvert récemment par Michel Vovelle ; sa trajectoire de gloire et d'infortune est typique. Rendu célèbre par l'*Hymne à l'Être suprême* de prairial an II, il écrivit encore de nombreux hymnes de fêtes, des odes, un grand poème sur *Les Transtévérins, ou les Patriotes du Tibre...*, puis la police napoléonienne l'interna à Charenton avec d'autres anticonformistes comme le marquis de Sade. On lit encore *Les Iambes* d'André Chénier, guillotiné sous la Terreur ; mais son frère Marie-Joseph, célèbre dès 1789 pour sa tragédie *Charles IX,* auteur de l'*Hymne à la raison* en 1793, sorte de poète officiel de la Révolution, encore chargé d'honneurs et d'enseignement sous l'Empire, n'est plus voué qu'à l'oubli ou au mépris.

Michel de Cubières-Palmézeaux, dit Dorat-Cubières, fut un poète engagé (membre de la Commune du 10 Août) et fort à la mode ; citons quelques-uns de ses ouvrages, pour ce qu'ils révèlent des tendances de l'époque : en 1789, *Voyage à la Bastille* et *Les États généraux de Cythère ;* en 1791, *Les États généraux du Parnasse ;* en 1793, des hymnes en l'honneur de Le Peletier et de Marat ; en l'an IV, l'*Ode au vengeur* et un hymne à la gloire du calendrier républicain ; plus diverses comédies à succès. Pierre Augustin Piis, dit le Citoyen Piis, s'illustra dans le vaudeville et la poésie didactique : *Honorons le malheur, Honorons les vieillards, L'Inutilité des prêtres, La Liberté de nos colonies, Hymnes à l'imprimerie, à la nature,* etc. Delisle de Sales fut un des auteurs les plus en vue ; patriote en 1793 (année où il publia *Éponine, ou De la République*), il émigra bientôt, et revint sous l'Empire qui le fit académicien.

Citons encore Lebrun-Pindare, traducteur de Virgile et auteur d'un grand poème didactique : *De la nature ;* Cerutti, Sélis, Ducis : tous furent illustres un moment. Des employés des bureaux de la République rivalisaient, pour la chanter,

BIBLIOGRAPHIE

CHENIER M.J., *Tableau des progrès de la littérature française depuis 1789,* Paris, 1818.

PIERRE C., *Hymnes et chansons de la Révolution,* Imprimerie nationale, Paris, 1904.

VOVELLE M., *Théodore Desorgues ou la désorganisation, Aix-Paris, 1763-1808,* Seuil, Paris, 1985.

Œuvres

MERCIER L.S., *L'An 2440,* Londres, 1776.

MERCIER L.S., *Le Nouveau Paris,* Paris, 1798.

MERCIER L.S., *La Néologie,* Paris, 1801.

SADE, *Œuvres,* rééd. J.-J. Pauvert, 1986.

avec les poètes de métier : ainsi Nicolas-Charles Favart, qui écrivit une pièce sur l'*Apothéose de Beaurepaire* et des hymnes en l'honneur de Bonaparte ; Charles-Louis Lesur, qui donna un poème héroïque en dix chants intitulé *Les Francs.* Tous produisirent des hymnes pour les fêtes, ainsi que Florian ; mais ce qui valut à ce dernier d'être longtemps apprécié, ce fut son recueil de *Fables* publié en 1792 ; l'émule (pâle) de La Fontaine écrivait aussi des nouvelles, les *Pastorales d'Acis et de Galatée.* Florian manifeste la permanence du goût ancien, plus marquée peut-être dans la prose que dans les vers.

Roman et conte philosophique

L'action révolutionnaire n'ôtait rien à l'attrait du roman sentimental ; Marat – comme Bonaparte – en écrivit un, qui fut retrouvé et publié en 1848. Et c'est en cette extrême fin du XVIIIe siècle que la littérature érotique atteignit son maximum de hardiesse ; chez Restif de La Bretonne qui, observant à travers les mœurs toute la réalité contemporaine, frayait la voie à Balzac ; chez Sade, qui rêvait de révolutionner la morale (explicitement dans *La Philosophie dans le boudoir,* œuvre écrite en 1793).

Les événements étaient propices à la permanence du conte philosophique : *L'An 2440* de Louis Sébastien Mercier, rédigé en 1770, devint brusquement d'actualité en 1789 ; Olympe de Gouges publia un « conte oriental » : *Le Prince philosophe ;* et le genre fleurit, de façon plus anonyme, dans les almanachs. L'influence littéraire de Rousseau fut à son apogée. Bernardin de Saint-Pierre continua Jean-Jacques avec ses *Vœux d'un solitaire* (1792). Sa *Chaumière indienne* connut un immense succès ; quant à *Paul et Virginie,* c'est un thème inlassablement repris de tragédies, d'opéras, de romances... Tendresse sentimentale, amour de la nature sont les composantes les plus répandues de la sensibilité révolutionnaire.

Le plus daté – le plus prémonitoire aussi – des romanciers de la Révolution serait Ducray-Duminil, artiste de l'idylle et du roman noir, précurseur des *Mystères de Paris* et des mélodrames du XIXe siècle. En 1789, il donne *Alexis, ou la Maisonnette dans les bois ;* en l'an V, *Victor, ou l'Enfant de la forêt;* en l'an VII, *Coelina, ou l'Enfant du mystère.* L'idylle rustique fleurit dans *Petit Jacques et Georgette, ou les Petits Montagnards auvergnats* (1791) ; les *Soirées de la chaumière, ou les Leçons du vieux père* (an III) ; les *Veillées de ma grand-mère* (an VII). Il fournissait les veillées patriotiques en nouvelles édifiantes. On peut mesurer aux rééditions l'étonnante popularité de cet auteur aujourd'hui oublié : *Petit Jacques et Georgette* fut réédité onze fois, jusqu'en 1866 ; *Victor* détient le record avec trente-sept rééditions, la dernière en 1893.

Mais n'oublions pas la littérature royaliste de l'émigration : exil, nostalgie, amour impossible... Sénac de Meilhan, avec *L'Émigré,* ouvre déjà la voie à la mélancolie romantique.

Le tumulte des événements révolutionnaires n'a aucunement imposé silence à la littérature – au contraire. Il y eut un foisonnement d'écrits qui mérite d'être exploré comme un moment charnière de notre histoire littéraire. On ne peut nier l'influence d'une situation ressentie comme nouvelle, qui suscita non seulement des œuvres de circonstance, mais de nouveaux appétits de lecture et de nouveaux auteurs. Quoique la littérature officielle (éloquence et hymnes) se soit exhibée, comme les législateurs, « en habits de Romain », ses contenus et son impact dépassent largement l'imitation des Anciens. Par ailleurs, le tragique des événements, l'instabilité des destinées individuelles dans la tourmente collective ont contribué à mûrir une sensibilité romantique déjà en germe, et c'est l'héritage de la Révolution qui a donné à notre romantisme ses couleurs bien françaises.

Claire Gaspard

Qui lit quoi ?

Qui lit quoi ? Vaste problème, dont les réponses appellent d'autres questions ; non que les données manquent, mais parce que les statistiques ne rendraient pas compte de l'essentiel : les diversités de comportements, entre ville et campagne, d'une région à l'autre, d'un métier à l'autre. De plus, ces comportements subissent des mutations rapides, car une véritable révolution est alors en train de s'opérer.

Dans ce moment historique exceptionnel, il faut remettre en question des critères traditionnels qui semblent s'imposer. Lire ou ne pas lire, est-ce bien la question ? Il n'y a pas de frontière étanche entre l'écrit et l'oral. Les circonstances de la Révolution ont développé les occasions et les incitations à la lecture collective à haute voix : assemblées populaires, réunions des sections et des clubs, lectures d'ateliers (on se cotisait pour acheter *L'Ami du peuple* ou *Le Père Duchesne*) s'ajoutent aux traditionnelles lectures de veillées, toujours alimentées par les ouvrages faciles de Ducray-Duminil. Les « cris » de la rue, les avis et affiches, les « canards » et « occasionnels », les chansons, les vaudevilles constituent autant de genres limitrophes caractéristiques d'une culture politique et littéraire accessible à des gens peu lettrés, voire illettrés.

Entre la littérature dite populaire et la culture savante, il y a moins rupture que contiguïté, contamination, favorisée par le développement de l'imprimerie et l'action volontariste des « intermédiaires culturels ». Les écoles manquent, mais les colporteurs proposent à cinq sols pièce des méthodes pour apprendre à lire et à calculer en système décimal. Les almanachs révolutionnaires diffusent les Lumières de l'*Encyclopédie,* les nouveautés techniques et scientifiques, la philosophie de Rousseau pour les sans-culottes. L'abbé Grégoire rêve de créer des bibliothèques dans les campagnes, pour combattre par de bonnes lectures des siècles d'obscurantisme ; si le temps a manqué pour réaliser un tel projet, si les dons de livres furent insuffisants, la guerre idéologique a créé une telle émulation de propagande, que la lecture populaire a nécessairement augmenté, et avec elle la soif d'instruction.

Qui imprime ?

Le bouleversement révolutionnaire a provoqué une crise dans la librairie traditionnelle, qui traitait le livre comme une denrée commerciale de luxe ; mais la liberté d'expression et d'entreprise et les besoins croissants de la nation en imprimés ont entraîné la prolifération de tous les autres produits de l'imprimerie. Non seulement certaines dynasties d'imprimeurs sont sorties plus puissantes de la Révolution (Didot), mais de nouveaux venus dans le métier, issus de la sans-culotterie militante et non d'un apprentissage traditionnel, tels Charles Frobert Patrice et Joseph Fiévée, ont accru le nombre de presses des imprimeries qu'ils reprenaient. En province, les anciennes imprimeries, souvent liées au colportage, ont bien résisté, et la décentralisation administrative en a créé de nouvelles.

Partout les presses se multiplient. Il en existe de portatives, qui tiennent dans une armoire, commodes pour l'imprimé clandestin. Chaque feuille a sa presse. Autrefois, les imprimeurs rivalisaient de finesse dans la fonte des caractères, qui se faisait sur place ; de plus en plus, pour faire vite et bon marché, on rachète des caractères usagés et on imprime sur un papier de mauvaise qualité. Dès l'automne 1789, il est sorti de ces entreprises éphémères un flot d'images, caricatures, canards, chansons, pamphlets, gazettes. En Franche-Comté, chaque petite ville avait son almanach. Mais ce qui a permis aux imprimeurs plus conséquents de s'enrichir et de progresser en qualité, ce furent les commandes administratives (assignats, proclamations, affiches...) plus que la littérature et les sciences !

Qui diffuse ?

A Paris, les librairies pullulent rue Saint-Jacques, rue Saint-André-des-Arts, quai des Grands-Augustins, au Palais-Royal, et s'étendent vers le faubourg Saint-Honoré. La Révolution n'a pas interrompu les échanges littéraires avec l'étranger. Le catalogue de Briand, libraire quai des Augustins, propose en 1793 des romans traduits de l'anglais, comme *Emma, l'enfant du malheur,* parmi d'autres récits galants : contes de Boccace et La Fontaine, une *Histoire amoureuse des Gaules* par Bussy-Rabutin, un *Dictionnaire d'amour* par Sylvain Maréchal, *Caroline de Lichtfield* (un mélodrame) avec la musique des romances... Cette littérature, qui s'adresse à une clientèle aisée, se vend également en province, dans les librairies fréquentées par la bourgeoisie des villes et les riches fermiers. Bourgeois et notables lisent aussi beaucoup d'ouvrages philosophiques, scientifiques, techniques, historiques : tout ce qui a trait aux changements et aux progrès.

Certains colporteurs s'approvisionnent en librairie et vont, tirant charrette, de marché en marché. D'autres portent encore dans leur balle des livrets destinés à une clientèle modeste : manuels d'éducation, « contes bleus » (dont l'enquête de l'abbé Grégoire signale la persistance), et surtout des almanachs. Une floraison d'almanachs nouveaux, remplaçant les prophéties du *Mathieu Laensberg* diffusent des idéaux modernes ; *L'Almanach des honnêtes gens* de Sylvain Maréchal et *L'Almanach du père Gérard* de Collot d'Herbois sont maintes fois réimprimés.

Libraires et colporteurs étaient depuis longtemps rompus à la circulation d'ouvrages clandestins ; sous

BIBLIOGRAPHIE

« Littératures populaires », contributions de Lise ANDRIÈS, R. CHARTIER, D. ROCHE, H.J. LUSEBRINK, P. TESTUD, J. GUILHAUMOU..., *Dix-huitième siècle,* n° 18, Paris, 1986.

A paraître : Actes du colloque *Livre et Révolution,* organisé par le CNRS en mai 1987, à la Bibliothèque nationale.

l'Ancien Régime, il s'agissait de spécialités érotiques, ou de pamphlets contre la religion et la monarchie. Après une brève période de libéralisme absolu (1789-1792), la Terreur rétablit la surveillance des imprimés ; avec elle reprit la diffusion clandestine. Brochures religieuses et monarchistes, complaintes sur les malheurs de la famille royale trouvèrent de nouveaux circuits : dans les régions frontalières (Franche-Comté, Normandie, Bretagne), des prêtres les remettaient aux femmes en sous-main ; si bien qu'en pleine Terreur la propagande religieuse et monarchiste, imprimée tant à Paris qu'à l'étranger, circulait souterrainement.

Un almanach de Nancy nous renseigne sur le prix des livrets populaires : un catéchisme républicain ne coûte que 5 sols, un almanach littéraire 36 sols déjà ; pour acheter l'*Almanach républicain,* il en coûte 50 sols au complet, ou 15 sols par livraisons trimestrielles. C'était déjà un achat de luxe. Pour se procurer des lectures patriotiques, les sans-culottes avaient d'autres moyens : achat collectif d'un journal, abonnement à un cabinet de lecture, lectures à haute voix au cabaret, sur les lieux de travail et dans les réunions patriotiques.

A cela il faut ajouter les diffusions gratuites : discours envoyés aux municipalités, dons de livres pour l'instruction publique (l'abbé Grégoire en a fait plusieurs).

Qui lit quoi ?

Avec la confiscation des biens d'émigrés, les bibliothèques aristocratiques et les bibliothèques de couvents sont tombées dans le domaine public ; elles se sont trouvées plus souvent dispersées que classées et réparties selon les besoins. Dans l'adversité, les aristocrates ont gardé ce vice de lire : des romans – comme il s'en écrivait en Allemagne ou en Angleterre –, et surtout des ouvrages de science et de philosophie : le prince de Broglie, en prison, se contentait de l'*Encyclopédie.*

La philosophie (Voltaire, Rousseau, Montesquieu), l'histoire (Antiquité, révolutions d'Angleterre et d'Amérique), la poésie constituent les lectures essentielles des bourgeois des villes, des hommes de loi et du personnel politique de la République. Saint-Just possédait soixante-sept volumes, une de ces petites bibliothèques d'officier transportables dans une malle, culture maniable et judicieusement employée : Démosthène, Milton, Montesquieu, Rousseau, plus un code militaire et un manuel des jeunes républicains. A l'opposé, l'abbé Grégoire possédait un ensemble de 1 609 volumes (catalogués par ses soins en 1805), où dominaient les ouvrages religieux (gallicans et jansénistes notamment), les ouvrages juridiques, politiques, historiques, et enfin tout ce qui touchait à l'apprentissage des langues. Dis-moi ce que tu lis, je te dirai qui tu es !

Si les sans-culottes des villes sont passionnés de nouveautés (journaux, pamphlets, chansons), c'est à la campagne que persistent le plus nettement les habitudes du passé. D'après l'enquête menée par l'abbé Grégoire en 1790-1791, on trouve chez les paysans essentiellement des livres de religion (s'il n'y a qu'un livre, c'est un livre d'heures), des recueils de cantiques, de noëls, des romans de la bibliothèque bleue *(Les Quatre Fils Aymon, Cartouche et Mandrin),* des almanachs et des livres de sorcellerie.

Mais, attention ! Chez les plus pauvres, il faut soigneusement distinguer le fait de posséder un livre, de celui de lire. Or, même les illettrés... lisent : les lois et les décrets aux assemblées décadaires ; les journaux, pamphlets, « canards », dans la rue ou au cabaret ; et partout, les chansons, vaudevilles à la mode, hymnes et complaintes véhiculent les idées de l'actualité.

Comment caractériser les pratiques de lecture et leur évolution pendant la Révolution ? Par l'interpénétration de l'oral et de l'écrit, l'usage fréquent de la lecture collective à haute voix ; toutefois, en même temps que la masse de l'imprimé a considérablement augmenté, la lecture individuelle s'est répandue, même dans les couches populaires. En 1793, le Breton Lequinio s'émerveille qu'en Franche-Comté 85 % des citoyens sachent lire. Il est certain que, même avec de fortes disparités locales et sociales, l'appétit de lire a considérablement crû en dix ans : l'apprentissage de la citoyenneté et de la langue nationale, les efforts de propagande des autorités révolutionnaires succédant à ceux du clergé (s'ils ne se sont pas cumulés dans une véritable guerre idéologique) ont favorisé l'alphabétisation. La lecture est nécessaire à la pratique de la démocratie ; tandis qu'un discours, un slogan lancé impulsent une action, un texte lu en silence se prolonge en réflexion ; avec la lecture donc, pendant la Révolution, l'autonomie du citoyen a progressé considérablement.

Claire Gaspard

Parlez-vous français ?

La révolution politique s'est-elle accompagnée d'une révolution linguistique, c'est-à-dire d'une organisation nouvelle des formes d'expression (nouveaux échanges, nouvelle grammaire) ?

Il faut dépasser les polémiques entretenues à propos du « pouvoir central des jacobins ». Car ces polémiques négligent le point essentiel : l'histoire propre des langues, leur appareil autonome, le fait qu'elles ne sont pas les instruments inertes des politiques auxquelles elles contribuent.

Disons-le nettement : il y a eu révolution linguistique dans la France de 1789 parce que *l'écriture a changé de mains.* C'est cet événement qui a déclenché à long terme une transformation des langues officielles et des langages non écrits.

Depuis toujours une élite très fermée détenait la science de l'écriture avec les pouvoirs (religieux, juridiques, gouvernementaux) qui lui étaient attachés. Les clercs de l'Église catholique avaient recueilli l'héritage des lettres latines. Au IXe siècle, ils avaient utilisé leur science et leur pouvoir pour créer une institution destinée à établir l'équilibre européen en dehors des querelles dynastiques et militaires. À partir de la cérémonie des Serments de Strasbourg (14 février 842), la légitimité territoriale s'exprime sous la forme de la langue par laquelle le roi s'adresse officiellement à ses sujets, les désigne et les enferme ; langue « tudesque » à l'Est, « romane » à l'Ouest, chacune inscrite pour la première fois sous l'autorité des lettres et de la grammaire latines. Les frontières linguistiques séparent les sujets mais n'empêchent pas les rois de communiquer. Dans l'échange des Serments, le roi de l'Est prononce la formule d'alliance en langue romane et le roi de l'Ouest en langue tudesque. Chaque roi consacre la langue de l'autre avec son propre pouvoir de traduction. Un pouvoir que détiennent, en réalité, les clercs responsables de l'institution des langues nationales.

La république des lettres

Neuf cents ans plus tard, cette institution, le *colinguisme,* développant des langues d'État grammaticalement enseignées, n'a pas changé dans son principe. Si les lettrés laïques sont désormais les plus nombreux dans chaque nation, ils sont instruits, catholiques ou protestants, sous le contrôle d'une Église. Ils continuent d'être initiés en latin à toutes les connaissances, commençant par le déchiffrage des lettres et la grammaire. Ils pensent leur communauté intellectuelle en lui donnant un nom : « la république des lettres », dérivé du concept latin de *res publica.* Cette « république » a sa gazette en français publiée en Hollande. Swift, Voltaire, Diderot, Goethe, comme Mirabeau, Robespierre, Thomas Paine (citoyen américain, écrivain inspirateur de la Déclaration d'indépendance, qui sera nommé citoyen français et député à la Convention), Joachim Campe (écrivain né dans le Brunswick, rénovateur de la langue allemande, lui aussi nommé citoyen français), etc., tous ont été, sont et seront des lettrés capables de traduire leur pensée au carrefour des langues écrites.

Sous le règne de la langue légitime (contrôlée par l'Académie, la Cour, l'aristocratie des « honnêtes gens »), les lettrés sont en contact avec les analphabètes, plus ou moins directement selon leur rang social. Ils ont, tel Chateaubriand, été nourris au sein d'une nourrice bretonne, ont parlé français dans une famille noble, ont été instruits en latin au collège, ont voyagé à l'étranger. Tel Rivarol, fils d'un Piémontais installé aubergiste près d'Uzès, instruits au séminaire, ils sont montés à Paris. Gentilshommes pauvres, boursiers du roi, tel Napoléon Bonaparte qui apprend le français à neuf ans au collège d'Autun et passe à quinze ans à l'École supérieure militaire de Paris, ils gardent leur langage local. Dans les populations laborieuses, sur un territoire façonné par les invasions, les métissages et l'existence immémoriale de « pays » ruraux relativement autonomes, les langages abondent et s'enchevêtrent. Les « pauvres » ont aussi dans l'oreille un latin universel, le latin liturgique, le *Pater* et l'*Ave* récités par cœur, sans comparaison avec le latin des études classiques. Les « maîtres d'école » des villes enseignent un « rudiment » où figure le français. Les frères des Écoles chrétiennes, dont la vocation est de donner au petit peuple certains savoirs utilitaires adjoints à l'instruction religieuse, ont, en 1790, 121 écoles et 35 000 élèves en France. Au sein même des langages français, les discriminations sont sévères entre « langue noble » et « bas langage », « jargons » techniques, « argot », « poissard ». Les *plurilinguismes* les plus variés fonctionnent dans une société très disparate et très hiérarchisée.

Les langues se délient

L'élection de députés pour les États généraux à tous les échelons de l'administration royale mobilise toutes les compétences linguistiques.

On rédige des cahiers de doléances. Tandis que les arguments du clergé et de la noblesse sont composés directement en langue officielle à raison d'un cahier par circonscription, les réclamations des paroisses, des corporations, des quartiers, sont rédigées selon des filières diverses, recueillies, guidées, couchées sur le papier par des associations de « patriotes », des curés, des greffiers (ces cahiers seront rouverts après la révolution de l'écriture et fourniront alors des documents pour la reconnaissance et l'étude rationnelle des dialectes, patois, etc.).

Exemple concret de l'exercice des langues pendant la Révolution : le juriste Bouche, député d'Aix, fait partie de ceux qui savent se servir des notions anglaises de *majority* et de *House of Commons* lorsqu'ils forgent le terme de *députés des communes* pour la majorité révolutionnaire avant de tirer du fonds européen le titre d'*Assemblée nationale.* Il sert

BIBLIOGRAPHIE

ANTOINE G. (sous la direction de), *Histoire de la langue française*, t. I-XIII, Armand Colin, Paris, 1947-1969.

BALIBAR R., *L'Institution en français - Essai sur le bilinguisme, des Carolingiens à la République*, PUF, Paris, 1985.

CERTEAU M. de, JULIA D., REVEL J., *Une politique de la langue*, Gallimard, Paris, 1975.

d'interprète à des pêcheurs marseillais qui se présentent devant l'Assemblée. Il traduit en 1792 la *Counstitucièn francézo* en forgeant pour cela un provençal moyen.

Dans ces conditions, en quoi consiste la révolution linguistique ? Elle ne réside ni dans l'expansion du français parlé (un quart des sujets du roi l'emploie en 1789, les trois quarts des citoyens en 1800) ni dans l'augmentation des intermédiaires et des traductions, bien que ces phénomènes aient eu leur rôle dans le déroulement des événements. La révolution est dans la conquête de l'écriture par tous les Français sans discrimination. Ce qui revient à la création de la *langue civile*, bouleversant l'appareil des langues internationales.

La « langue républicaine », « universelle » dans la nation, fondée sur la grammatisation de la langue française, apparaît explicitement comme l'expression de la souveraineté populaire, comme la condition de la « communication » des citoyens entre eux et avec l'État, dans les débats des assemblées, les rapports des commissions, les lois, et dans l'organisation du nouveau système scolaire. Elle se réalise simultanément dans de nouvelles pratiques de l'écrit imprimé, bases du nouveau régime : *la presse d'information et les manuels de langue élémentaire.*

Les journaux s'adressaient à des publics restreints dans l'Europe d'Ancien Régime. En France, dès juillet 1788, un déluge de brochures accompagne la rédaction des cahiers de doléances. La censure s'effondre devant l'exigence massive d'information et la proclamation de la liberté de la presse. De 1789 à 1800 paraissent plus de 1 350 titres, deux fois plus que pendant les cent cinquante années précédentes. Ils sont diffusés difficilement par des filières de lecteurs, mais la nouvelle communication directe en langue écrite commune s'oppose à l'ancienne fonction des traducteurs.

Dans les classes élémentaires des nouveaux établissements « secondaires », les éléments de grammaire française tirés de l'ancienne méthode en latin, combinés avec les nouveaux livrets de lecture courante rédigés en français international, deviennent aussitôt opératoires. La nouvelle spontanéité du langage en simple français correct transforme le pouvoir d'expression.

Une nouvelle ère linguistique commence dans les salles de rédaction et les salles de classe.

Renée Balibar

Le théâtre des temps nouveaux

Avant la Révolution, le théâtre amplifie parfois avec éclat les grands débats du moment. Figaro n'a peut-être pas « tué la noblesse », mais son monologue attaque de front les privilèges sociaux et... le régime en place. Toutefois, ce théâtre reflète la hiérarchie et les blocages de l'Ancien Régime. Il oppose les genres « nobles », pour les loges des élites, aux genres « mineurs », destinés au public populaire des tréteaux forains. Il constitue une véritable « corporation » où tout est réglementé – censure, pièces, spectacles, troupes – sans que les comédiens possèdent un statut social reconnu. C'est l'ensemble de la production théâtrale qui va connaître des bouleversements profonds, dans ce qu'il faut bien appeler en l'an II une « révolution culturelle » !

1789 : les trois coups de la « libération » du théâtre sont donnés par la bataille de *Charles IX*, qui, au dire de Danton et de Desmoulins, aurait « plus avancé la chute de la monarchie » que la prise de la Bastille, à la même époque ! Pendant plus d'un an, le « mouvement » – le tiers état, les patriotes, les fédérés, les acteurs « engagés », la Commune – se bat pour faire jouer la pièce de Marie-Joseph Chénier contre l'Ancien Régime – le roi, le clergé, la censure, la Comédie-Française. Le triomphe de *Charles IX* lance le « théâtre politique » et fait craquer les structures « classiques ». Dès janvier 1791, tout individu peut fonder un théâtre et y donner les représentations de son choix, avec l'accord de l'auteur, de la troupe et de la municipalité. Le monopole de la Comédie-Française et la censure disparaissent. Les comédiens deviennent des « citoyens » à part entière, avec toute liberté de changer de troupe. Tandis que des salles nouvelles ouvrent dans les grandes villes – le nombre double pratiquement en quatre ans à Paris comme à Rouen ! –, un genre nouveau et fécond se propage à côté du répertoire traditionnel dominant : la « pièce patriotique » portant sur l'activité la plus chaude. Les comportements des publics en sont brutalement modifiés. Des acteurs comme Talma lancent une « révolution des costumes », désormais dépouillés, à l'antique. Pourtant les scènes « conservatrices » maintiennent jusqu'à l'an II (1793-1794) leur répertoire, leur clientèle, leur ambiance.

Le théâtre de l'Égalité

Tout bascule à nouveau lorsque le théâtre devient, aux yeux des dirigeants jacobins, l'un des moyens essentiels de la « régénération civique » du peuple à laquelle ils aspirent. Le Comité de salut public le définit comme une véritable « école primaire » pour adultes, qui doit « former le caractère national » en s'adaptant aux changements politiques et sociaux. En juin 1794, l'inauguration du théâtre de l'Égalité (ancienne Comédie-Française) concrétise l'utopie : loges et parterres disparaissent tandis que le décor nouveau intègre les couleurs, les symboles, les martyrs et les devises révolutionnaires (« La liberté ou la mort »). L'ouverture du théâtre à un large public « populaire militant » est obtenue par un effort financier sans précédent. Des salles sont créées pour chaque ville de plus de 4 000 habitants – souvent dans les anciennes églises – et des troupes itinérantes se produisent ailleurs. Des spectacles donnés « de par et pour le peuple » permettent aux travailleurs d'assister gratuitement, entre 17 h 30 et 20 heures, aux pièces « patriotiques » (s'ils ont un certificat de civisme). S'agit-il alors seulement d'un instrument de propagande ?

Ce n'est pas aussi simple ! Certes une censure républicaine interdit en l'an II 33 œuvres sur 150, pour inadaptation aux préoccupations de

BIBLIOGRAPHIE

BIANCHI S., « Un théâtre sans-culotte ? », *Gavroche,* n° 7, 1982-1983.

CARLSON M., *Le Théâtre de la Révolution française,* Gallimard, Paris, 1970.

ROLLAND R., *Le Théâtre du peuple,* Hachette, Paris, 1913.

l'époque (comme les « vieilles chimères » de Racine ou Corneille) ou pour modérantisme politique : une *Pamela,* héroïne noble, n'est pas supportable à l'été 1793. Vingt-cinq autres pièces sont scrupuleusement épurées des formules ou tirades fleurant l'Ancien Régime. Mais on continue à voir à l'affiche, en pleine Terreur, des arlequinades, des opéras bouffes, des bergeries et des comédies larmoyantes, à côté de pièces « engagées » de plus en plus nombreuses (200 sur 500 créations en l'an II).

Ce « théâtre civique » de l'an II traduit des liens étroits entre la Révolution en marche, les auteurs, les acteurs et le public. Les spectacles portent alors sur l'Antiquité héroïque *(Brutus),* les succès de la République (*Le Siège de Thionville* ou *La Reprise de Toulon*), les mœurs nouvelles (*Le Tu et le Toi*). Les sans-culottes présents dans la salle peuvent applaudir leurs propres exploits, comme dans *Le Jugement dernier des rois,* de Sylvain Maréchal : 20 000 exemplaires diffusés dans les armées et les sociétés populaires, plus de 100 000 spectateurs enthousiastes. Comme les auteurs ont souvent des responsabilités politiques (membres des grands comités, comme Collot d'Herbois ou Marie-Joseph Chénier), que les acteurs militent dans les mêmes clubs et sociétés populaires (Dugazon, Fusil), on comprend la nature du dialogue permanent entre la scène et la salle, et la fraternisation finale où tout s'achève... par des chansons républicaines !

La « réaction culturelle »

Dans ces conditions, le théâtre demeure un lieu d'amplification des grands débats politiques et sociaux. Au moment du triomphe des « Bonnets rouges » sur les contre-révolutionnaires, les pièces indulgentes sont « brûlées », comme *Timoléon* où M.-J. Chénier fait dire à un personnage : « N'est-on jamais tyran qu'avec un diadème ? »

Les œuvres trop ouvertement « sans-culottes » (déchristianisatrices ou caricaturant la fête de l'Être suprême) connaissent le même sort, comme « grossières » et « démagogiques », au moment où les jacobins reprennent en main le mouvement sans-culotte !

C'est de même au théâtre que les thermidoriens ouvrent en l'an III le procès de l'an II. La « réaction culturelle » part du théâtre Feydeau avec *L'Intérieur des comités révolutionnaires,* lourde satire des comportements sans-culottes. Les bustes de Marat sont jetés à l'égout, les Bonnets rouges volent sous les gourdins des « Beaux », les acteurs « engagés » font leur autocritique et *Le Réveil du peuple* « détrône » *La Marseillaise.* Quand les élites réinvestissent les loges, le théâtre « pour le peuple » est définitivement enterré au profit des comédies larmoyantes et d'opéras-satires *(Madame Angot).*

La révolution théâtrale de l'an II a échoué sans mériter pour autant les accusations postérieures systématiques de « médiocrité » ou « manque de goût ». Un art « révolutionnaire » à forte participation populaire, aux frontières indécises entre citoyens et acteurs, s'est un moment imposé. Les tentatives contemporaines de théâtre populaire se réfèrent à cette période de fièvre créatrice où le théâtre a retrouvé le rôle civique exceptionnel qu'il occupait dans la Grèce antique !

Serge Bianchi

Les arts

On a présenté la Révolution comme une époque funeste aux arts. A tout le moins stérile, faute de temps dans la lecture la plus indulgente, ou parce qu'on avait autre chose à penser. Mais pour beaucoup, dans une tradition contre-révolutionnaire mise en forme à l'époque de Taine et des Goncourt, et en fait bien antérieure, l'antinomie était radicale entre la Révolution qui détruit, qui dévaste (et l'on évoque le vandalisme révolutionnaire) et la créativité artistique.

Une époque funeste aux arts ?

Véhiculée jusqu'à nos jours, cette idée reçue a la vie dure, malgré sa faiblesse évidente – dans ce domaine comme dans celui de la littérature, et plus généralement de la production intellectuelle, cela suppose que l'on ignore superbement toutes les formes nouvelles de créativité que l'époque a suscitées en réponse aux nécessités du moment –, mais elle se trouve démentie lorsqu'on se risque à l'exploration des chantiers immenses : la gravure, la caricature, les arts dits mineurs (faïences, médailles...), au travers desquels la Révolution s'est adressée, effort pédagogique sans précédent, à un nouveau public. Ne tombons pas d'un excès dans l'autre : oui, il est vrai que la Révolution remet en cause et désorganise les conditions de la production et le marché de l'art. Destruction du patronage royal, de la cour, émigration nobiliaire, fin du marché clérical par la disparition des établissements religieux. Puis, de façon moins évidente, remise en cause d'un équilibre Paris-province dans les foyers de production artistique : dans la gravure, dans l'image ou dans la faïence, certains centres trahissent une crise ou s'effacent, là où d'autres prospèrent, mais en tout cas, Paris devient centre d'impulsion et de diffusion. Enfin, les grandes institutions qui régissaient la vie artistique et avaient parfois tenté dans les dernières années de l'Ancien Régime de se mettre au goût du jour (influence de d'Angiviller) subissent une attaque frontale dès avant 1789 par David, comme par bien d'autres, l'Académie sera supprimée en 1793 au nom de la destruction des privilèges, les salons, ouverts à peu de privilégiés, le sont désormais à tous, jusqu'en 1798 du moins, avec les conséquences positives et négatives que cela entraîne. Le monde des artistes accuse le coup : certains, en fin de carrière, comme Fragonard, Peyron, Greuze, produisent peu, et se retirent sans bruit ; d'autres émigrent, ainsi Mme Vigée-Lebrun, portraitiste de la cour, qui suit son public ; d'autres encore, hostiles à la Révolution, donneront quelques gages parfois (Boilly peindra le *Le Triomphe de Marat*), avant d'exprimer leurs vrais sentiments après Thermidor ; beaucoup, enfin, se replient sur les terrains moins compromettants de la scène de genre ou de l'allégorie néoclassique.

Une gigantesque stimulation

Mais à l'inverse, quelle stimulation que cette époque d'ouverture pour toute une pléiade d'artistes ! Cela commence par les plus grands : David, figure déjà éminente dont *Le Serment des Horaces* a triomphé au Salon de 1784, n'est pas le seul des « grands patrons » de l'époque à s'être jeté à corps perdu dans l'aventure, son rival Regnault, moins directement engagé, donnera cependant en 1793 l'allégorie *La Liberté ou la Mort.* Chez bien d'autres on peut suivre les étapes d'une adaptation

BIBLIOGRAPHIE

BLONDEL S., *L'Art sous la Révolution française,* Laurens, Paris, 1887.

DESPOIS E., *Le Vandalisme révolutionnaire,* Alcan, Paris, 2ᵉ éd., 1885.

JULLIAN M., *L'Art en France sous la Révolution et l'Empire* (cours polycopié), CDU-SEDES, Paris, 1956.

RENOUVIN, *Histoire de l'art pendant la Révolution française,* Renouard, Paris, 1863.

SOBOUL A. et GOBEL, « Les almanachs de la Révolution », *Annales historiques de la Révolution française,* Paris, 1978.

SPRIGATH G., « Sur le vandalisme révolutionnaire », *Annales historiques de la Révolution française,* Paris, 1980.

VOVELLE M., *La Révolution française, Images et récit,* 5 vol., Messidor/Diderot, Livre-club, Paris, 1986.

aux conditions nouvelles. Pour nous en tenir à un exemple, Chardigny, sculpteur d'origine bourguignonne, au retour de Rome, s'était fixé à Aix, membre de l'équipe rassemblée par Nicolas Ledoux pour la construction du nouveau palais de justice du parlement. Celui-ci supprimé, Chardigny reconvertit ses allégories de la loi, pour les adapter au nouveau régime. Il modèle un *Triomphe du Tiers État,* inonde la Provence des copies de son buste de la Liberté, pour figurer dans les fêtes civiques. Plus d'un va au-delà de cette simple adaptation aux circonstances. David montre la voie de l'engagement non mesuré : député montagnard à la Convention, membre du Comité de sûreté générale, il a été dès 1792 le concepteur des grandes scénographies de la fête révolutionnaire, et par son influence il a régenté en bonne partie toute la politique artistique. Mais il n'est point le seul : on peut évoquer un Prud'hon, jacobin plus discret mais convaincu, Hennequin ou Wicar, jusqu'à la période directoriale fidèles à leurs convictions avancées, ou Topino-Lebrun, élève de David, auteur d'une allégorie sur la mort de Caïus Gracchus, allusion à la fin des babouvistes. Celui-ci paiera de sa vie (tardivement, en 1801) son engagement, mais Prieur, le graveur des *Tableaux historiques de la Révolution,* avait expié dès l'an III sur la guillotine le fait d'avoir été juré au Tribunal révolutionnaire.

Des structures nouvelles ont pris naissance : la Commission temporaire des arts, mais aussi la Société républicaine des arts, où les élèves de David se retrouvent, où l'on discute de tout, et même du nouveau costume qui convient aux républicains. Dans ce bouillonnement d'initiatives, de jeunes artistes fraient leur chemin, qui seront les maîtres de demain, Gérard, Guérin, Prud'hon : quitte à jeter un voile pudique sur leur passé. Surtout, n'oublions pas la foule des anonymes, ou semi-anonymes, caricaturistes, graveurs, marchands d'estampes..., tous ceux pour lesquels l'immense marché de production de masse de la Révolution a représenté une opportunité exceptionnelle. Le nouveau régime a souhaité valoriser ce mouvement de créativité : passant commande en 1793 de caricatures pour soutenir l'effort patriotique, lançant en l'an II un grand concours... Tout un nouveau marché s'ouvre, pour l'estampe notamment, afin de répondre aux besoins d'une pédagogie populaire.

De cette mobilisation impressionnante, quels ont été les fruits ? Il n'est question ici que de voir les grandes masses quitte à consacrer à certains thèmes (la peinture, la caricature...) une attention qu'ils méritent. La peinture, nous le verrons par ailleurs, se porte bien, malgré la disparition du marché aristocratique et clérical, la disparition de l'Académie. La grande manière — compositions mythologiques ou allégoriques —, modestement représentée numériquement, garde sa place symbolique dans cet âge d'or du néoclassicisme dont David est le maître. Elle trouve dans l'allégorie révolutionnaire un champ nouveau d'application. Mais ce que révèlent les salons de l'époque, c'est la part soutenue du portrait, et de ce qu'on dénomme « paysages » où les scènes de genre parfois inspirées du moment historique tiennent leur place.

L'estampe

Les grandes nouveautés s'inscrivent dans le domaine de l'estampe, qui se met au service de la Révolution (ou de la contre-révolution). La gravure française, en pleine vitalité à la fin de l'Ancien Régime, produit chez les libraires de la rue Saint-Jacques ou du Palais-Royal les grandes séries du type des *Tableaux historiques de la Révolution* dus à Prieur et à ses successeurs, mais aussi bien des séries de portraits des héros du jour (c'est la grande période des portraits au « physionotrace »), des allégories, des vignettes. Dans cet ensemble, la caricature politique connaît, surtout entre 1789 et 1793, une affirmation remarquable, frayant une voie originale, bien différente de la caricature anglaise de plus ancienne tradition. Ces produits trouvent aussi un débouché dans la gravure d'une presse patriote *(Révolutions de Paris, Révolutions de France et de Brabant)* ou contre-révolutionnaire *(Les Actes des Apôtres)*. Sculpture et architecture ont rencontré dans les scénographies de la fête, qui demandent décors et représentations figurées, un puissant stimulant, mais pour des productions, hélas ! éphémères. Mais on peut retenir, parmi d'autres, les productions d'un Chinard, sculpteur lyonnais qui illustre *La Liberté couronnant le génie de la France* ou *Jupiter foudroyant l'Aristocratie,* aussi bien que *Apollon foulant aux pieds la Superstition...*

La cité idéale

Que reste-t-il de l'architecture révolutionnaire ? Peu de choses est-on tenté de dire – brièveté d'une période de dix ans qui eut d'autres urgences, réalité d'un vandalisme contre-révolutionnaire postérieur qui n'a laissé subsister que de rares traces (le monument jacobin-maçonnique de Joseph Sec à Aix). Mais on a fait beaucoup de projets que les dossiers proposés au concours de l'an II ou en d'autres occasions nous révèlent. Dus à des architectes comme Poyet, Durand, Legrand et Molinos, surtout peut-être Charles de Wailly, ils rêvent de restructurer tout le cœur monumental de Paris, des Champs-Élysées à la Bastille. Sans oublier, bien sûr, ces autres dessins des grands architectes visionnaires, Ledoux, Boullée, Lequeu, où la part du rêve l'emporte : ils avaient déjà imaginé une architecture monumentale proprement révolutionnaire... avant la Révolution, et l'on trouve dans leurs cartons l'esquisse de temples ou de cénotaphes... dès les années 1780, voire 1770. Qu'ils aient bien ou mal vécu la Révolution au hasard de leurs destinées individuelles, elle leur a donné l'occasion de déployer leur imagination en l'appliquant aux monuments civiques d'un monde nouveau, aux proportions gigantesques d'une cité idéale.

On conclut par un retour à la question initiale : vandale ou créatrice, la Révolution française ? Elle a détruit. On a démoli des chapelles, on a profané à Saint-Denis les sépultures royales, et abattu sur les places les statues des rois. Mais en contrepoint naît le concept de patrimoine national, dont l'action de Lenoir, qui organise le musée des Monuments français, est l'expression. La Révolution invente le musée : la bourgeoisie révolutionnaire prend, au nom de la nation, une option décidée sur l'héritage des siècles, et fait sienne la culture du passé.

Michel Vovelle

La peinture, une place éminente

La Révolution trouve l'école de peinture française en plein renouvellement. Représentant d'une certaine tradition de grâce sensuelle du XVIIIe siècle, Fragonard est rentré dans l'ombre depuis les années 1770. Greuze lui-même, dont la sentimentalité rousseauiste s'accommodait, non sans ambiguïté, de cet esprit, est en fin de carrière.

Les tendances de la peinture

La mode est aux nouveautés du néoclassicisme dont Vien a été l'un des initiateurs et dont David, son élève, est, à la veille de 1789, le chef de file incontesté. Son tableau du *Serment des Horaces,* exposé en 1784, apparaît comme le manifeste d'un nouvel art, privilégiant le dessin sur la couleur, puisant les thèmes de son inspiration dans l'Antiquité gréco-romaine, pour exalter les valeurs d'une tension héroïque, aux antipodes de la grâce et de l'érotisme galant d'hier. Saurait-on parler sans forcer le trait d'une prérévolution dans la peinture ?

Il reste, si l'on se réfère aux derniers salons de l'Ancien Régime, qu'il ne faut pas se fier totalement au discours qui se déploie alors, privilégiant le grand art des concours académiques, celui des grandes compositions allégoriques ou inspirées de la fable et l'histoire : elles ne représentent que 9 % des productions, alors que le portrait comme la scène de genre ou le paysage fournissent chacun un quart à peu près du total. C'est Mme Vigée-Lebrun le vrai peintre à la mode, peintre aimable et sensible de la reine, de la cour, des dames de l'aristocratie et de leurs enfants.

Le bouleversement des conditions de la production, comme de celles du marché, que nous évoquons par ailleurs, ne va pas, semble-t-il, remettre en cause profondément l'équilibre interne des différents types de production ; c'est plutôt dans la diversification des supports d'expression graphique – par l'explosion de la gravure, de l'estampe, et des formes de diffusion à l'usage d'un public élargi – que s'inscrit la véritable révolution. Mais les grandes compositions néoclassiques voient pour le moment leur importance régresser à 4 %, alors même que les portraits se multiplient (30 %) et que paysages et scènes de genre, qui s'inspirent parfois de l'actualité, consolident leur importance.

En habits de Romains

Si cette pesée globale aide à corriger quelques idées reçues en introduisant à une perception plus juste, il reste que l'inspiration antique demeure centrale au cœur d'une Révolution qui proposera à ses peintres de concourir sur le thème de Brutus, justicier de ses fils : l'héroïsme à l'ordre du jour s'accommode naturellement de ces « habits de Romains » (Marx). Au reste on aurait tort de sous-estimer la persistance d'une veine anacréontique qui s'attarde sur les beautés de l'Olympe ou des poèmes homériques : en 1789, David s'essaie sur le thème de Pâris et Hélène ; à la fin du Directoire, Gérard évoque avec une sensualité subtile le premier baiser de l'Amour à Psyché, cependant que Prud'hon, sous le couvert d'allégories faussement moralisantes, ou Girodet-Trioson, sans même ce prétexte (la *Danaé* du musée de Leipzig), se complaisent à l'évocation de la beauté féminine.

Reste qu'entre 1789 et la fin de la décennie révolutionnaire, un autre esprit a prévalu : David, référence exemplaire, a quitté momentanément ces chantiers pour ne les retrouver qu'à la fin de la période avec ses esquisses sur Homère récitant *L'Odyssée,* et surtout la grande toile de *L'Enlèvement des Sabines* (1798). A travers le thème antique, c'est le sacrifice, l'héroïsme et la mort qui reviennent avec insistance, qu'il s'agisse de Socrate ou de Caton d'Utique, du serment des Horaces sur lequel on revient sans cesse, ou des adieux d'Hector et des malheurs de Priam. Le détour par Rome permet des allusions à peine voilées : l'impitoyable sévérité de Brutus anticipe sur la justice révolutionnaire, alors que les Sabines engagent à la réconciliation nationale (David). *Le retour de Marcus Sextius* (Guérin) a été lu comme une évocation de celui des émigrés, et quand Topino-Lebrun peint le suicide héroïque de Caïus Gracchus, c'est évidemment à Gracchus Babeuf qu'il pense. En continuité directe s'inscrit l'allégorie révolutionnaire, lorsqu'elle s'exprime à travers la peinture : Regnault, rival de David, a présenté dans sa composition *La Liberté ou la Mort,* dont il ne reste que la version réduite du musée de Hambourg, la silhouette nue de l'*Homo novus* révolutionnaire, fendant les airs, entre une avenante Liberté, et le squelette décharné de la Mort. L'Arlésien Réattu, pour sa part, compose sur le thème du triomphe de la République et de la Civilisation.

Peindre la Révolution

Les peintres de la Révolution française auraient-ils donc eu besoin de ce détour obligé pour évoquer les réalités du moment ? On peut s'interroger sur la façon dont David a traité des martyrs de la liberté : Le Peletier, député régicide assassiné, dont il ne nous reste que le dessin préparatoire ; le petit Bara, héros juvénile tué par les Vendéens, dans l'esquisse du musée d'Avignon ; Marat enfin, seule réalisation achevée aujourd'hui subsistante, chef-d'œuvre de dépouillement dans la forme comme dans l'expression. Mais dans les trois cas, silhouettes nues de héros sur le modèle de ceux de l'Antiquité... Certes, David a tenté aussi d'illustrer les grands moments de la Révolution, dont il était un acteur direct, mais l'histoire du chef-d'œuvre inachevé du *Serment du Jeu de paume,* dont il ne reste que l'esquisse de silhouettes nues, renforce plutôt qu'elle ne tempère cette impression d'échec. Certes, il y a eu des compositions sur les événements marquants de la Révolution : Berthaut a été distingué au Salon de 1793 pour sa toile consacrée à la prise des Tuileries, le 10 Août. Puis la peinture des batailles s'affirme, dirait-on, à mesure que le fait militaire prend plus d'importance dans l'aventure révolutionnaire, et la campagne d'Italie donne à d'habiles paysagistes l'occasion de belles toiles (Bacler d'Albe, H. Vernet). Mais les grandes compositions viendront dans les années suivantes, à l'époque impériale : pour l'instant, c'est plutôt à travers le support plus mobile et plus adapté de la gravure que s'illustre la chronique de la Révolution.

Peut-on dire que la peinture de genre et le paysage (essentiellement urbain) subsistent et prospèrent à côté, ou en marge de la Révolution ? On pourrait le penser à partir des œuvres des védutistes appliqués, qui, au début de la Révolution, poursuivent la description en images des quartiers de Paris, ou des scènes de genre que de petits maîtres habiles, comme Desrais et Debucourt, consacrent à l'évocation de la rue, du beau monde et du demi-monde. Cette forme d'expression, après une éclipse momentanée en 1793-1794, connaîtra à l'époque du Directoire un moment de grâce remarquable (autant et plus, il est vrai, à travers le dessin et la gravure qu'à travers la peinture). Mais plus d'un de ces peintres du quotidien a été pris au spectacle de la Révolution : Hubert Robert trouve dans la démolition de la Bastille prétexte à évoquer les ruines qui lui sont chères ; Demachy, peintre des rues de Paris, illustre la fête du 10 août 1793, comme la célébration de l'Être suprême. Par calcul ou par conformisme politique, Boilly, peintre de genre bien-pensant plus tard, a célébré le triomphe de Marat après son acquittement par le Tribunal révolutionnaire.

On pourrait s'étonner que la Révolution soit demeurée une période faste pour le portrait, dont l'importance relative, on l'a vu, se renforce. Les portraitistes à la mode dans l'aristocratie ont suivi leurs clients dans l'émigration : Mme Vigée-Lebrun poursuit une carrière de Florence à Saint-Pétersbourg. Dans la France en Révolution, Boze, pastelliste plutôt que peintre, force son talent pour présenter Mirabeau, ou le roi, avant de finir par émigrer lui aussi. Dans un groupe fourni de portraitistes de talent, David tient une place éminente. A côté de ses grandes compositions, il n'a cessé de peindre ses contemporains : femmes de la société éclairée au début de la Révolution (Mme Chalgrin, Mme Pastoret), reines du Directoire (Mme Hamelin ou Mme Récamier) ou simplement ses amis, ainsi en est-il du double portrait de M. et Mme Sériziat. David s'inscrit en continuité dans la grande tradition du portrait français, mais la génération montante est également riche en portraitistes : Prud'hon, Gérard ou Isabey sont non seulement peintres dans le domaine de l'allégorie, ou du grand genre, mais aussi dans ce registre dont quelques artistes femmes se font une spécialité (Mme Labille Guyard, Mme Benoît), cependant qu'en province Réattu, dans son pays d'Arles, a délaissé le décor des temples de la Raison pour un genre plus intimiste.

Saurait-on, sur la base de cette reconnaissance globale, parler encore de la stérilité de la période révolutionnaire, dans le domaine de la peinture comme dans les autres champs de la création artistique ? La crise incontestable du marché traditionnel de l'art a sans doute amené à des reconversions, au moins momentanées, la carrière un temps besogneuse d'un Prud'hon en témoigne. Mais la Révolution agit aussi comme une puissante sollicitation. Les ateliers les plus fréquentés – celui de Regnault et, surtout, celui de David – forment une pléiade de jeunes artistes dont l'art s'épanouira de l'Empire à la Restauration.

L'hégémonie davidienne, pas plus que le cadre apparemment contraignant de l'esthétique néoclassique dominante, n'a bridé et encore moins stérilisé la fécondité d'une école de peinture dont la place demeure éminente.

Michel Vovelle

Architecture : la continuité dans le changement

Tout au long du XVIIIe siècle, les architectes ont beaucoup construit pour les « grands » : la noblesse, la bourgeoisie aisée et le clergé. Louis Sébastien Mercier, promeneur perspicace, observait justement que « la fureur pour la bâtisse est bien préférable à celle des tableaux, à celle des filles ; elle imprime à la ville un air de grandeur et de majesté ». Il est vrai que le Paris d'avant 1789 a connu de nombreux embellissements et d'importants travaux. Avec la Révolution, les commandes privées se sont sérieusement raréfiées et celles émanant de l'État étaient aussi aléatoires que la carrière des responsables politiques les ayant contractées.

Si Jean-François Blondel (1705-1774) a marqué son époque au point d'influencer bon nombre de ses élèves, c'est son rapport original au classicisme qu'il convient de retenir. Sa vision de l'Antiquité, et plus particulièrement de Rome, sera présente dans les multiples débats sur l'esthétique qui mobiliseront de nombreux artistes.

Jacques Germain Soufflot (1713-1780) avec son église Sainte-Geneviève devenue depuis le Panthéon, Nicolas Ledoux (1736-1806) avec les salines d'Arc-et-Senans et les barrières de l'enceinte des fermiers généraux, Charles de Wailly (1730-1798) et le théâtre de l'Odéon, Jacques Gondoin (1737-1818) et l'École de chirurgie, J.-B. Ceineray (1722-1811) et Mathurin Crucy (1749-1826) qui construisent à Nantes des places et des quais, Jacques Cellerier (1742-1814) et son théâtre de Dijon, J.-F. Chalgrin (1739-1811) avec ses hôtels et ses dessins (dont l'Arc de Triomphe), Charles-Louis Clérisseau (1722-1800), excellent dessinateur dont les carnets seront achetés par Catherine II... ; la liste des architectes de qualité pourrait être largement complétée tant ce XVIIIe siècle est riche en talents. Ce sont, pour la plupart, des artistes dont les desseins sont d'ores et déjà conçus et qui ne les changeront pas sous la pression des événements politiques. Un art monumental, des constructions audacieuses, des formes téméraires et inédites sont caractéristiques de cette période. Révolution ou pas. La halle au blé de Le Camus de Mézières sera commentée ainsi par Laugier dans ses *Observations :* « Le mérite de cette halle est la forme nouvelle et le mérite n'est pas médiocre. »

Étienne-Louis Boullée (1728-1799), qui a construit l'hôtel de Brunoy, est académicien, il s'enorgueillit principalement de son invention, « l'architecture des ombres » : « Nos édifices publics, écrit-il dans son *Essai sur l'art,* devraient être, en quelque façon, de vrais poèmes. Les images qu'ils offrent à nos sens, devraient exciter dans nos cœurs des sentiments analogues à leur destination. » C'est pour ce faire qu'il conçoit le cénotaphe pour Isaac Newton et la Bibliothèque du roi, par exemple. Quant à Quatremère de Quincy, il s'évertue à convaincre ses condisciples de l'importance de sa théorie de « l'isolement des édifices » alors même que d'autres sont persuadés de leur intégration dans un environnement bâti. Toute cette ébullition intellectuelle, cette confrontation de positions esthétiques et constructives vont perdurer sous la Révolution de façon plus ou moins ouverte selon les idées politiques. De nombreux concours vont inciter les architectes à laisser aller leur imagination afin de satisfaire la demande publique : aménagement de salles assez vastes pour recevoir les élus, organisation des fêtes commémoratives, célébration des nouveaux cultes, hommage aux martyrs, manifestations diverses. Il s'agit là surtout d'une architecture du précaire, de l'éphémère d'une architecture de décoration plus que d'une architecture de l'éternité d'un moment historique privilégié. La Révolution ne laissera pas de trace dans la mémoire des pierres. Pas d'inscription des idéaux révolutionnaires dans une architecture à son échelle. Pas d'architecture assurant le rayonnement de la pensée universaliste. Tous ces décors empruntent sans grande originalité leurs thèmes à l'Antiquité.

La plupart des projets adaptaient les dimensions colossales de Ledoux et Boullée : les coupoles, le péristyle et les portiques qui avaient fait la renommée de leurs prédécesseurs. David avait beau recommander « de produire du nouveau et de sortir des formes ordinaires et connues », les artistes se bornaient bien souvent à *républicaniser* une architecture ne rompant pas avec l'Ancien Régime !

Le pouvoir révolutionnaire réorganisa plusieurs fois les études d'architecture ainsi que l'ensemble des Beaux-Arts. Il s'inquiétait aussi du vandalisme qui suivit la vente des biens nationaux. Il fallut protéger de nombreux bâtiments – souvent religieux – des pillages et des destructions. Dès 1790, les objets des églises et des palais vendus furent rassemblés au dépôt des Petits-Augustins. La Convention, en octobre 1793, pris des mesures afin de protéger les édifices et les œuvres, sans grand succès. En l'an II, une commission rédigea une *Instruction sur la manière d'intervenir et de conserver.* Celle-ci recommanda de conserver les plans, dessins et maquettes afin de servir à l'enseignement. Plusieurs édifices tels Chantilly, la porte Saint-Denis, la tour Saint-Maclou à Mantes, la basilique de Saint-Denis, etc., furent ainsi épargnés.

Le service des Bâtiments fut réorganisé en décembre 1795. Le ministre nomma un Conseil des Bâtiments de trois membres, Rondelet, Chalgrin et Brongniart, assistés d'un secrétaire, Marmet.

Rondelet (1743-1829), « architecte-ingénieur », rédigea « une instruction pour les artistes chargés de la conduite des travaux publics ». « Les motifs, disait-il, qui ont déterminé le ministre à adopter cette organisation, sont d'abord d'empêcher qu'il ne se fasse aucun ouvrage relatif aux bâtiments civils aux frais de la Nation, sans qu'au préalable l'utilité, la nécessité et les avantages qui en peuvent résulter soient bien constatés ; en second lieu, de s'assurer que tous les ouvrages, dont l'exécution est ordonnée, le sont avec toute la perfection, la solidité et l'économie dont ils sont susceptibles ; enfin, pour constater la légitimité de toutes les demandes en paiement et des réclamations, qui peuvent être faites relativement aux ouvrages des bâtiments déjà en activité ou exécutés ou interrompus. »

Louis Hautecœur, dans son *Histoire de l'architecture classique en France* (tome V), établit le bilan suivant : « Si l'on excepte la salle des Assemblées de Gisors, démolie en 1800, et les exèdres des Tuileries, la Révolution ne réalisa presque aucun de tous ces projets. En province, le nombre des constructions ne fut guère plus grand : à Montpellier, une colonne de la Liberté fut érigée en janvier 1791, qui est aujourd'hui détruite ; à Clermont-Ferrand, la halle au blé fut construite en 1792 ; au Mans, la place des Jacobins fut ouverte la même année. Franque, en 1793, établit un plan d'aménagement de Marseille. Les troubles, la guerre, les difficultés financières n'étaient pas favorables aux travaux. Le Breton, dans son rapport à l'Empereur en 1808, put écrire : "L'architecture a plus souffert de la Révolution que les autres arts. L'art ne se montra d'une manière honorable que dans les fêtes publiques". »

Thierry Paquot

Musique et chanson françaises

La musique de la Révolution française souffre du préjugé défavorable attaché aux compositions de circonstance. La conjoncture révolutionnaire pouvait-elle, en dix ans, engendrer une musique originale, révélatrice d'un nouvel environnement socioculturel ? Pour remplir une semblable tâche historique, un art d'abstraction comme la musique a besoin d'un délai. Une génération sépare les musiciens de la Révolution de ceux qui ont réellement bouleversé les vocabulaires sonores. Pourtant, nous restons redevables à Méhul, Gossec, Devienne ou Cherubini d'une accoutumance aux effets de puissance, que banaliseront vers 1830 les compositeurs romantiques. Devant concevoir des œuvres destinées à l'exécution en plein air, à l'occasion de ces grandes fêtes publiques fondatrices de situations de communication nouvelles, les musiciens ont fait appel à d'importants effectifs choraux et instrumentaux. Leur art demeure en grande partie fonctionnel : aussi importe-t-il de s'interroger sur les conditions dans lesquelles il se faisait entendre.

Avant 1789, la musique s'inscrit dans quatre structures d'accueil : l'Église, lieu de réunion spirituelle ;

l'Opéra, promoteur de spectacles de prestige ; le salon aristocratique ou bourgeois, consommateur de musique de chambre, et la salle de concert public, apparue à Paris en 1725. Ces quatre répertoires ne disparaissent pas. On continue jusqu'en 1793 à chanter les hymnes latins et la messe et à utiliser la musique liturgique dans les manifestations officielles. Un *Te Deum* a été exécuté à Notre-Dame le 15 juillet 1789, pour saluer l'entrée des députés à Paris après la prise de la Bastille, et, le 6 août, Gossec donne son second *Requiem* « pour le repos des citoyens morts à la défense de la cause commune ». L'opéra devient un rouage important de l'éducation civique et les titres des ouvrages lyriques montrent l'intrusion des événements dans la production théâtrale : *Siège de Thionville* de Jadin, *Apothéose de Beaurepaire* de Candeille ou *La Réunion du 10 Août ou l'Inauguration de la République française* de Porta. La vie mondaine se ralentit entre 1789 et 1794, mais les salons du Directoire appellent la composition de romances (celles de François Adrien Boieldieu, chantées chez le facteur Sébastien Érard) et de pièces pour harpe et piano. Après la fermeture du Concert Spirituel, lié à un privilège d'exploitation, le concert public bénéficie de la multiplication des lieux de spectacle, autorisée par les lois Le Chapelier : le théâtre Feydeau reçoit des concerts symphoniques et parfois les exercices publics des élèves du Conservatoire.

Chœurs, cuivres et percussions

Si la Révolution a perpétué certains mécanismes de production musicale, elle a aussi inventé, avec la fête, un spectacle de masse associant le chœur, l'orchestre de cuivres et de percussions, la déclamation parlée et la danse. La fête invalide une pratique centralisatrice de la musique. S'adressant au plus grand nombre, elle fait de la foule révolutionnaire une collectivité hybride : spectatrice-auditrice, actrice-cantatrice. Les hymnes les plus célèbres sont repris par tous. Il en résulte une conception stéréophonique de l'écriture musicale, distribuée entre plusieurs groupes. L'*Hymne à la nature* de Gossec, exécuté au lever du jour le 10 août 1793 sur la place de la Bastille, comporte quatre chœurs ; encore en 1800, Lesueur compose son *Chant du 1er vendémiaire* pour quatre chœurs et trois ensembles instrumentaux. La nécessité d'un timbre orchestral brillant explique la prédilection pour les vents, l'ancien serpent, la *tuba curva* empruntée à l'Antiquité romaine et le buccin hébreu. Carillons, coups de canon et salves d'artillerie ajoutent une note bruyante. Le *Te Deum* de Gossec pour la fête de la Fédération de 1790 mobilise 300 instruments à vent, et sa *Marche lugubre,* jouée à toutes les funérailles nationales de la Révolution et de l'Empire, révèle le goût des résonances généreuses. Par contagion, l'opéra adaptera à la scène ces effets d'instrumentation nés dans la salle de concert et perfectionnés sur les places publiques.

Le journal des analphabètes

La Révolution sonne l'heure de gloire de la chanson politique et sociale, toujours en honneur en France au moment des grands soubresauts historiques. Plusieurs milliers de textes de chansons ont été recensés, un même « timbre » pouvant véhiculer des paroles différentes, selon l'ancien procédé du *contrafactum.* La célèbre *Marseillaise* se répand par colportage et donne lieu à d'innombrables parodies. *Le Chant du départ* de Méhul prête aussi sa mélodie à quantité de couplets et le *Ça ira* pénètre le monde du vaudeville ou du mélodrame. Journal des analphabètes, la chanson est le seul répertoire musical qui autorise au jour le jour la saisie des événements. L'homme de la rue ou le soldat chantent sans accompagnement, mais des versions plus élaborées des

BIBLIOGRAPHIE

BIGET M., « La Révolution française et ses musiques : le fonctionnel et le gratuit », *La Pensée*, n° 253, septembre-octobre 1986.

MONGREDIEN J., *La Musique en France, des Lumières au romantisme*, Flammarion, Paris, 1986.

PIERRE C., *Le Magasin de musique à l'usage des fêtes nationales et du Conservatoire*, Fischbacher, Paris, 1895.

PIERRE C., *Musique des fêtes et cérémonies de la Révolution*, Imprimerie nationale, 1899.

TIERSOT J., *Les Fêtes et les chants de la Révolution française*, Hachette, Paris, 1908.

Origine des provinciaux auteurs de chansons sous la Révolution

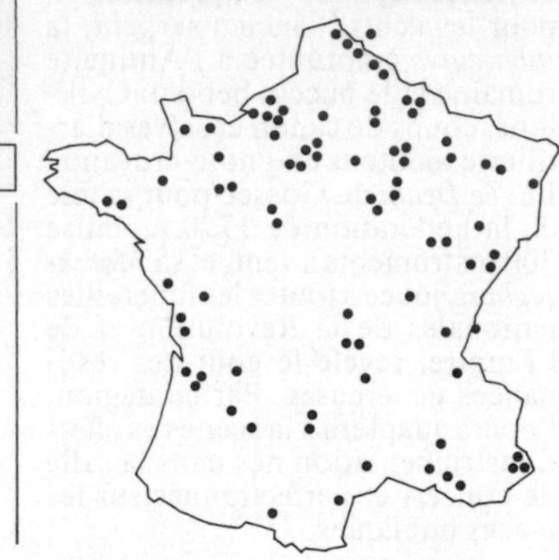

chansons se dotent d'une harmonisation au piano ou à l'orchestre.

Soucieux de pédagogie, les montagnards ont créé un enseignement musical public et gratuit. L'École de musique de la garde nationale deviendra Institut national de musique, puis Conservatoire. Cette institution gère un Magasin d'édition, présentant l'originalité d'une organisation coopérative. Si la fête peut apparaître entreprise éducative et commémorative, l'opéra outil idéologique, et la chanson chambre d'écho de l'histoire (qu'elle soit révolutionnaire ou contre-révolutionnaire), le concert promu par les responsables du Conservatoire témoigne d'une certaine gratuité. Sa banalisation comme l'abondance des publications instrumentales du Magasin de musique ou des grands éditeurs parisiens trahissent une similitude d'intérêts entre les compositeurs français et les représentants de l'école classique viennoise, qui cultivent la sonate de piano, le quatuor à cordes et la symphonie. Les musiciens de la Révolution n'ont pas œuvré sur une île déserte. Ils participent d'une évolution internationale du discours musical, qui fera au XIXe siècle de l'opéra un spectacle total à l'image de la fête civique, aux dimensions monumentales, et qui verra dans le concert instrumental une puissante communion esthétique en même temps qu'un lieu de sociabilité important. Berlioz, l'homme de 1830, a été l'élève de Lesueur : le romantisme trouve bien racine dans la Révolution.

Michelle Biget

Affiche, tract, caricature

Innombrables sont les écrits qui, dès 1787, suivent l'actualité politique. Cette littérature prend parti, avance des arguments contradictoires, dessine des personnages stylisés et finit par se constituer en une rhétorique omniprésente, fond commun qui, par ses images, ses symboles, ses références, est un des legs primordiaux pour l'imaginaire politique. La caricature, l'affiche et le tract ont leur place dans la constitution de cet imaginaire, une place particulière. C'est un certain type de relation au temps, qui leur confère une spécificité : caricatures vendues sur feuille volante au gré des événements, affiches posées et lues au jour le jour, il s'agit ici d'un média de l'éphémère, de l'instant, qui nous offre un commentaire à chaud de l'événement et reste une trace vivante des oppositions, une illustration prise sur le vif des techniques encore incertaines de la propagande. Cependant, chacun de ces supports a ses caractéristiques propres.

La caricature

Les caricatures révolutionnaires, tout comme leurs homologues anglaises, sont d'abord une affaire commerciale. En effet, si la Révolution a porté atteinte au commerce de certaines estampes, elle a favorisé en revanche la production en série d'un genre spécialisé dans le commentaire imagé d'une actualité débordante. Le public, à Paris, était suffisamment large pour soutenir ce commerce devenu très vite rentable pour un nombre important de petits imprimeurs (on compte ainsi un millier de pièces différentes). Concurrence féroce que se livrent ces imprimeurs-graveurs de la rue Saint-Jacques, de la rue Saint-Séverin, autour de ces feuilles volantes où sont gravées les représentations satiriques, exposées aux devantures des boutiques de marchands d'estampes du Quartier latin, du Palais-Royal et des quais de la Seine.

La technique la plus utilisée est celle de la gravure en taille-douce, souvent l'eau-forte, procédé peu onéreux, surtout si le soin apporté à la gravure de la plaque de cuivre est limité. Se distinguent alors deux types de caricatures : un tout-venant rapidement exécuté, où les couleurs sont appliquées assez grossièrement, et, plus soignées, des séries de gravures à la technique plus subtile, aux traits plus fins, voire, rarement, à la manière noire.

Du prêtre à l'émigré, en passant par certaines individualités (La Fayette, Maury, Bailly, Mirabeau cadet), les personnages trouvent leur profil risible dans la figuration grotesque. La caricature est un des supports privilégiés pour observer cet extraordinaire déchaînement grotesque qui caractérise une large part des productions culturelles politiques (pamphlets, dessins, théâtre...) des débuts de la Révolution, déformation des corps, inspirations carnavalesques ou grivoises. Cette vieille tradition de la « culture populaire » est détournée efficacement par le jeu d'un dessin parfois habile de professionnels (telles les magnifiques caricatures ridiculisant l'armée émigrée), au profit de la représentation politique.

La caricature propose ici un processus de marginalisation : elle élabore des portraits, puis les présente comme ridicules, exclus ; elle construit le négatif de la nouvelle société. C'est sans doute pourquoi elle trouve une place d'emblée si importante en 1789-1791, parce que le discours révolutionnaire a besoin de se construire contre une image négative. La caricature est un lieu du défoulement où fourmillent ces portraits négatifs qui permettent à l'*Homo novus* révolutionnaire de se sentir différent et supérieur, définitivement fort et vertueux. C'est là toute l'efficacité d'un outil politique trop longtemps négligé par l'historien : attribuer de façon très concrète, par le jeu du dessin, une valeur dégénérescente au personnage politiquement négatif.

Affiche et tract

L'affiche et le tract ont une autre place dans le système de la communication politique. L'affiche connaît, elle aussi, une utilisation massive ; les placards offrent la possibilité d'une parole régulière, et ses utilisateurs sont très divers : particuliers, groupes (clubs, sociétés populaires) et organismes officiels (municipalités, organes du gouvernement central, représentants en mission...). Tous voient dans l'affiche le moyen le plus immédiat de faire connaître un point de vue ou de

BIBLIOGRAPHIE

Affiches de la Commune de Paris, 1793-1794, préface d'A. Soboul, Paris, 1975.

BAECQUE A. de, « Les soldats de papier. La caricature révolutionnaire contre l'armée émigrée », *Nouvelles de l'estampe, Revue de la Bibliothèque nationale,* janvier-février 1988.

« Les images de la Révolution », *Colloque Sorbonne 1985,* Publications de la Sorbonne, Paris, 1987.

VOVELLE M., *La Révolution française. Images et récit,* 5 vol., Messidor/Diderot, Livre-club, Paris, 1986.

diffuser une information. Très vite donc, les murs de certains quartiers de la capitale se couvrent de ces papiers multicolores aux dimensions choisies (in-quarto le plus souvent) pour contenir le maximum de signes sans pour autant lasser le lecteur.

Le discours est alors porté par la parole de certains « lecteurs publics » vers un auditoire nombreux ; autour de l'affiche se perpétue une sociabilité politique très particulière, celle du rassemblement autour d'un lecteur-commentateur qui, suivant le texte, dénonce les complots ou au contraire rassure la population, informe sur les distributions de subsistances et sur les opérations militaires. C'est un réseau de propagande à multiples vecteurs qui se dessine ici, réseau encore peu structuré mais où la valeur du verbe prend une force certaine, système s'apparentant à l'efficacité du trait satirique dont usèrent les caricaturistes des débuts de la Révolution.

Ainsi, malgré les oppositions (la caricature reste un « jeu politique », l'affiche porte plutôt une parole officielle ; la caricature connaît sa plus grande diffusion entre 1789 et 1791, l'affiche en l'an II), malgré les lacunes (on ne sait presque rien des tracts, si ce n'est que certains manifestants portaient parfois, épinglée sur le chapeau, une feuille imprimée où figurait un mot d'ordre – feuille peut-être déchirée à partir de la première page d'un journal ou d'un pamphlet), malgré donc ces diversités, il y a bien un projet commun à tous ces supports : toucher un large public urbain, et, par là, non seulement rentabiliser une technique (la gravure ou l'impression), mais diffuser dans l'imaginaire politique des figures porteuses d'identification ou de rejet, porteuses d'espoir ou de haine.

Antoine de Baecque

La presse

De 1789 à 1799, la presse a vécu un des épisodes les plus troublés, les plus violents et les plus créatifs de son histoire. Pour la regarder de haut vol dans ce bref mais tumultueux intermède, il faut gommer les détails et tenter de saisir les grandes mutations, l'esprit, le mouvement même qui l'animent.

La conquête de la liberté dresse l'acte de naissance de la presse révolutionnaire. L'Ancien Régime laissait au journal des zones de relative tolérance, et les gazettes étrangères de langue française fournissaient de longue date une information politique remarquable ; à partir de juillet 1788 surtout, les pamphlets se multiplient, préparent l'éclosion d'une presse libre, et en annoncent parfois le langage. Toutefois le périodique reste sous haute surveillance, il est soumis au « privilège », à l'« autorisation », à la censure. Les *États généraux* de Mirabeau, parus les 6 et 7 mai, sont le premier grand défi au pouvoir royal, qui réagit encore par l'interdiction. Mais l'insurrection parisienne de juillet renverse les derniers obstacles. La liberté de la presse est solennellement reconnue dans l'article XI de la Déclaration des droits de l'homme et du citoyen, voté le 24 août.

Malgré toutes les tentatives de contrôle législatif et de répression des « abus », elle ne rencontrera aucune limite réelle jusqu'au 10 août 1792, où seront proscrits les journaux royalistes. L'élimination successive des factions, la Terreur marquent une période de sévère contraction. Mais les journaux connaissent un nouvel essor après le 9 Thermidor. Dans leur lutte contre les extrêmes, les royalistes et les montagnards, la Convention thermidorienne puis le Directoire édictent diverses lois restrictives, et frappent de part et d'autre. Ces mesures n'ont pas d'effet, jusqu'en 1797 et 1798, où des journalistes sont arrêtés et déportés, de nombreux journaux supprimés, le droit de timbre institué. La voie est ainsi ouverte qui mène à la mise au pas, sous le Consulat et l'Empire.

« La liberté de la presse ou la mort », s'écriait Danton. Paradoxalement, cette revendication majeure de l'opinion, des cahiers pour les États généraux, de Mirabeau, de Brissot et de tant de publicistes, a fini par se retourner contre la Révolution elle-même. Les journaux, entre les mains des « amis du roi », ont été une puissance redoutable et redoutée, et après la Terreur leur influence n'a cessé de grandir et d'inquiéter. On en est donc réduit à chercher des moyens légaux d'assurer la « liberté » contre la « licence » : problème brûlant, qui obsède les modérés dès 1789, et auquel, dans la violence de ces dix années, on ne trouvera aucune réponse.

La liberté de la presse a eu des conséquences multiples et profondes. Le paysage journalistique en est bouleversé. Encore faut-il cerner les points exacts où se situent les mutations.

Archaïsmes et mutations

La forme matérielle et la typographie du journal restent en général celles du livre ou de la brochure : l'in-octavo domine, concurrencé par l'in-quarto qui caractérise surtout les journaux d'information, imprimés sur deux colonnes. Quelques tentatives ont eu lieu pour installer, à l'imitation de l'Angleterre, le format in-folio : *La Gazette nationale ou le Moniteur universel,* fondée par le magnat de la presse Panckoucke en novembre 1789, et promise à un bel avenir, est le seul journal qui ait duré sous cette forme, jugée peu commode par les contemporains. Donc, un petit volume, 4, 8 ou 16 pages d'impression souvent aérée, une mise en pages classique, où la valeur optique de la nouvelle est très modeste, malgré quelques essais novateurs ; parfois un bois gravé en haut de la première page (celui du *Père Duchesne* d'Hébert est célèbre), ou des estampes collées en tête de livraison, par exemple dans *Les Révolutions de France et de Brabant* de Desmoulins, ou distribuées séparément et insérées ensuite à leur place, comme dans *Les Révolutions*

BIBLIOGRAPHIE

BERTAUD J.-P., *Les Amis du roi. Journaux et journalistes royalistes en France de 1789 à 1792,* Librairie académique Perrin, Paris, 1984.

CENSER J.R., *Prélude to Power. The Parisian Radical Press, 1789-1791,* Baltimore et Londres, The John Hopkins University Press, 1976.

GODECHOT J., « La presse sous la Révolution et l'Empire », *Histoire générale de la presse française,* t. I, PUF, Paris, 1969.

HATIN E., *Histoire politique et littéraire de la presse en France,* Poulet-Malassis, Paris, 1859-1861.

de Paris de Prudhomme. Le journal révolutionnaire reste dans l'ensemble, à cet égard, profondément archaïque.

Il en est de même des conditions de production. Les presses manuelles ne permettent qu'un faible rendement ; l'organisation de la rédaction est souvent rudimentaire, le journaliste peut être, comme Marat, à la fois directeur, rédacteur et imprimeur, ce qui n'exclut pas les entreprises complexes et structurées. On comprend que tant d'apprentis journalistes se soient lancés dans la carrière, quitte à n'y faire qu'une apparition éclair. L'éphémère représente une part importante de la production, et s'y apparente souvent au pamphlet. Sur la diffusion, on possède peu de documents précis ; mais le journal a été pour certains une affaire lucrative, lorsque le tirage atteignait plusieurs milliers d'exemplaires, ce qui n'était pas rare. Mais combien de journaux n'ont pas dépassé des tirages de quelques centaines ! Il ne faut pas oublier que la souscription est chère, et que le journal ne peut atteindre, directement et continûment, qu'un public aisé.

Les grandes novations sont ailleurs, et d'abord dans l'explosion quantitative. La presse provinciale est encore mal connue ; mais, pour la seule presse parisienne, on enregistre plus de créations de mai à décembre 1789 (184 journaux) que dans toute la décennie 1770-1779 pour toute la presse européenne de langue française (173). On atteint un sommet en 1790 (335) et, malgré de forts contrastes dus aux événements politiques, on verra encore naître 190 journaux en l'an V.

Dans cet essor extraordinaire, il faut évidemment faire la part des petits journaux de très courte durée de vie. Il faut également tenir compte de la périodicité : le phénomène majeur est sans doute la multiplication, on pourrait même dire la véritable invention du quotidien. Au début de 1789, le lecteur ne disposait que du seul *Journal de Paris,* fondé en 1777 ; à la fin de l'année, 23 quotidiens paraissent à Paris, à côté de 8 trihebdomadaires, 8 bihebdomadaires et 7 hebdomadaires nouveaux. Ce mouvement s'amplifie encore dans les années suivantes. Le journal répond, dans les délais les plus courts, à un intense besoin d'information. Le système ancien de la presse politique est brutalement disqualifié par l'apparition d'une presse rapide et journalière.

L'explosion s'accompagne d'une libération des formes mêmes du journal. Tout peut en devenir la matière, tout s'y exprime et s'y proclame. La création des titres reflète cette efflorescence d'une extrême inventivité : à côté de titres anciens (journal, courrier, lettres, annales), ceux qui spéculent sur l'événement lui-même *(Les Révolutions de Paris),* sur l'affiche politique, sur les fonctions nouvelles que se donne le journaliste *(L'Ami du peuple, L'Ami du roi, Le Rôdeur...),* sur la rapidité et la fréquence *(Le Point du jour, La Quotidienne),* mais aussi des titres énigmatiques, bizarres, accrocheurs... En fonction du contenu, on pourrait également distinguer la presse parlementaire, qui occupe une place de premier plan, celle des clubs, des armées, celle, quasi sauvage, de tant d'individus inclassables... Le langage du journal se libère, il capte tous les tons, cherche tous les effets : l'éloquence révolutionnaire, le discours au peuple (*Les Révolutions de Paris, L'Ami du peuple* de Marat), la satire ironique ou bouffonne *(Les Actes des Apôtres),* la violence dénonciatrice, le langage « populaire » *(Le Père Duchesne)...*

Un nouveau venu : le journaliste

La figure du journaliste moderne se dessine. Sa vie est dure, harassante, il compose hâtivement, le soir, la feuille qui sera imprimée la nuit, pour sortir aux premières heures du matin. Il est à l'affût de l'événement, de la nouvelle sensationnelle, colporteur et amplificateur de rumeurs, apôtre, vengeur : car il se donne toutes les fonctions, et d'abord celle de « sentinelle », d'« œil » du peuple, de « tribun » qui dit au peuple l'urgence de la situation, lui rappelle ses droits, et l'incite à l'action.

Le journal devient donc par excellence un organe d'intervention et de prise de parole : on doit le considérer comme un acteur primordial de la Révolution. Il est le vecteur chaud, instantané, de la nouvelle communication politique. Il crée véritablement les conditions modernes du débat démocratique et de la lutte pour le pouvoir.

En même temps, il produit et accélère l'histoire : par l'annonce, l'incitation, il contribue à créer l'événement ; par le récit, il lui donne sa signification. Il gère les « époques » de la Révolution, il en dramatise et en réitère les ruptures, comme le prouvent, dès juillet 1789, *Les Révolutions de Paris*. Les traditions idéologiques d'interprétation de la Révolution, concurrentes et conflictuelles, qui ont traversé le XIXe siècle et n'ont pas encore trouvé leur total apaisement, y naissent et s'y ébauchent dans la violence immédiate des passions. Il en crée la double légende, héroïque et noire. Il a contribué, à « gauche » et à « droite », à la radicaliser, parce qu'il en était un des produits les plus neufs, remarquablement adapté à la chaleur de l'action.

Il en est aussi le martyr, dans les moments les plus tragiques. La liste est longue des journalistes qui ont payé leur engagement de leur vie : Suleau, Du Rozoi, Brissot, Carra, Gorsas, Desmoulins... On ne peut distinguer, dans ces victimes, le militant d'un parti et le journaliste : preuve éclatante que le journal est devenu, avec la Révolution, un des moyens essentiels d'expression et d'action politiques.

Pour l'historien, il est une archive de la Révolution vivante, qui donne le vertige par son ampleur et sa richesse. Il révèle les mentalités, les obsessions, les peurs et les espoirs collectifs, les pratiques et les rites, c'est-à-dire tout un tissu d'existence que la politique a massivement investi, où se crée un modèle inédit, qui forme un homme nouveau pour un État nouveau.

Pierre Retat

Édition et censure

La liberté de la presse n'existait pas sous l'Ancien Régime : colportage, librairie et imprimerie étaient placés sous le double contrôle du Bureau de la librairie et de l'Église. Ce système, déjà difficilement appliqué, fut ébranlé par l'arrêt du Conseil d'État du 5 juillet 1788 : le roi invitait ses sujets à lui envoyer leurs éclaircissements et leurs opinions sur la forme des États généraux convoqués pour 1789. La demande expresse du roi eut le même résultat : chacun put exprimer ses pensées et les écrire sans aucune censure possible.

De la presse libérée...

Malgré l'absence de toute liberté légale, dès les mois d'avril-mai 1789, les premiers journaux non autorisés osèrent paraître : ceux de Mirabeau, Brissot et Barère. Les tentatives de l'administration pour les interdire furent vaines et, dès lors, un flot de publications périodiques submergea ce qui restait de la censure royale et religieuse. Après le 14 juillet 1789, les autorités nouvelles de Paris proclamèrent la légitimité de la liberté indéfinie de la presse, tout en réprimant les écrits calomniateurs et en rendant obligatoire la mention du nom de l'imprimeur, de l'auteur et du rédacteur. Enfin, la Déclaration des droits de

BIBLIOGRAPHIE

AULARD A., « La presse officieuse pendant la Terreur », *Études et leçons sur la Révolution française,* 1re série, Paris, 1885.

CARON P., « Les publications officieuses du ministère de l'Intérieur en 1793 et 1794 », *Revue d'histoire moderne et contemporaine,* Paris, 1910.

l'homme et du citoyen (26 août 1789) confirma solennellement la fin de toute censure préalable : « La libre communication des pensées et des opinions est un des droits les plus précieux de l'homme ; tout citoyen peut donc parler, écrire, imprimer librement ; sauf à répondre de l'abus de cette liberté dans les cas déterminés par la loi » (art. 11). Ce régime de la liberté resta la règle officielle durant toute la période révolutionnaire ; les restrictions furent toujours considérées comme des mesures de circonstance.

... à la censure publique

La censure réapparut cependant, sous des formes nouvelles. Les débats s'orientèrent d'abord autour de la notion d'« abus » de la liberté : celle-ci devenue licence serait dangereuse pour les mœurs et la vie privée. Pour définir cette délicate limite entre liberté et licence, Sieyès proposa le 20 janvier 1790 l'institution d'un jury de journalistes et de juristes chargés d'arbitrer les litiges : l'objectif était d'ôter tout caractère pénal aux délits de presse. Ce système échoua.

Une forme plus nettement politique de la censure se dessina en 1790 : des journaux royalistes furent brûlés par le peuple au Palais-Royal et Marat décrété de prise de corps par la municipalité de Paris le 29 janvier 1790. Surtout, des clubs patriotiques se préoccupèrent de contrôler l'opinion : le Club des cordeliers s'institua en sentinelle chargée de dénoncer les écrits contre-révolutionnaires ; le Cercle social, par l'intermédiaire de son journal, publia le courrier des lecteurs qui dénonçait les écrits contraires à la Révolution : une sorte de censure publique était ainsi constituée. Début 1792, Roland, ministre de l'Intérieur, mit en place un « bureau de l'esprit public » chargé de surveiller la presse et de diffuser les « bons écrits » dans les provinces ; enfin, le réseau provincial des clubs jacobins constitua un puissant moyen de prosélytisme des idéaux révolutionnaires, mais aussi un instrument efficace contre les publications des « aristocrates ».

Au plan législatif, ce ne fut cependant qu'après la fuite du roi et la naissance de la revendication républicaine que des mesures d'interdiction de journaux furent prises : le *Journal du Club des cordeliers, La Bouche de fer* et *Le Républicain* furent interdits et leurs auteurs pourchassés. Après la chute du roi, le 10 août 1792, les journaux royalistes furent à leur tour interdits et leurs auteurs victimes de la première Terreur : Suleau fut massacré et Du Rozoi exécuté. Aucune mesure générale ne fut cependant votée ; le projet de constitution girondine et la Constitution de 1793 réaffirmaient le principe de l'entière liberté de la presse.

Pourtant elle n'échappa pas à la législation révolutionnaire : le 4 décembre 1792, la peine de mort fut décrétée contre quiconque proposerait de rétablir la royauté ; le 16 décembre, c'était la remise en cause de l'unité de la République qui était punie de mort, de même que toute proposition de « loi agraire » (18 mars 1793) et toute incitation au meurtre et à la violation des propriétés (29 mars 1793). Après la chute des girondins, les incitations au « fédéralisme » furent interdites. La loi des Suspects (17 septembre 1793) consacrait son article II à la répression des écrits contre-révolutionnaires. Enfin, le décret du 14 frimaire an II (5 décembre 1793) qui organisait le gouvernement révolutionnaire interdisait toute publication critiquant la concentration des pouvoirs entre les mains du Comité de salut public. Le 9 thermidor an II vit le retour en force de la presse royaliste et modérée, la proposition du rétablissement de la royauté restant cependant interdite (1er fructidor an III-1er mai 1795).

La presse muselée

La Constitution de l'an III réaffirma solennellement le principe de la liberté illimitée de la presse. Le Directoire eut pourtant recours presque systématiquement à des mesures restrictives, le plus souvent contre la presse royaliste : par exemple, après le coup d'État du 18 fructidor an V (4 septembre 1797), trente et un journaux royalistes furent interdits, cinquante et un rédacteurs déportés et la presse mise sous le contrôle de la police pour une année. Le Directoire tenta également de limiter la diffusion des journaux par des moyens indirects : augmentation du port, monopole de la poste, droit de timbre sur les imprimés périodiques.

Ce fut le Consulat qui modifia radicalement la doctrine officielle à l'égard de la censure : après quelques mois de relative liberté, Bonaparte opta pour un retour à la censure préalable. L'arrêté du 27 nivôse an VIII (17 janvier 1800) promulgua une liste de treize journaux autorisés ; tous les autres titres étaient désormais interdits. C'était renoncer à la liberté comme principe général de législation et proclamer le contrôle absolu de l'État sur la presse. La profusion de journaux et d'imprimés de toutes sortes disparut aussitôt, mettant ainsi un terme à l'un des caractères les plus originaux de la vie politique depuis 1789.

Marcel Dorigny

Le symbolisme révolutionnaire

Pendant la décennie révolutionnaire, l'imaginaire collectif se modifie profondément et dès le printemps 1789, un nouveau langage symbolique apparaît, lié à la Révolution. Certes, les symboles sont présents dans toutes les sociétés et se manifestent dans l'idéologie, les mentalités et le vécu quotidien. Tout se passe pourtant comme si, au cours des épisodes révolutionnaires, on assistait à une particulière éclosion de signes, d'images, d'allégories, d'emblèmes et de gestes, dans le but d'affirmer la rupture avec un passé que l'on rejette ; et pour proclamer, au milieu des peurs, des phantasmes, de la violence et de la mort, mais aussi des espérances et des utopies, un nouvel idéal, la construction d'une société rêvée « jusqu'à la perfection du bonheur ».

Un langage vivant

« Le symbolisme révolutionnaire s'est formé comme au hasard, sans idées préconçues et sans plan d'ensemble, il fut l'œuvre commune de la bourgeoisie et du peuple » : cette affirmation d'Albert Mathiez mérite d'être nuancée et conduit à s'interroger sur la nature même du langage symbolique. L'étymologie grecque du mot renvoie, d'une part, au verbe *sumbalein* qui signifie « rapprocher, mettre ensemble, échanger des paroles » et, d'autre part, au substantif *sumbolon* qui désigne un objet, généralement un tesson de poterie, coupé en deux, et qui, une fois reconstitué, permet à deux personnes de se reconnaître. De l'étymologie on peut retenir sur-

BIBLIOGRAPHIE

AGULHON M., *Marianne au combat (l'imagerie et la symbolique républicaines de 1789 à 1880)*, Flammarion, Paris, 1979.

ALLEAU R., *De la nature des symboles*, Flammarion, Paris, 1958.

DURAND G., *Les Structures anthropologiques de l'imaginaire*, Dunod, Paris, 1984.

DURAND G., *L'Imagination symbolique*, PUF, Paris, 1984.

IUNG K.G., *Métamorphoses de l'âme et de ses symboles*, Librairie de l'Université, Genève, 1953.

NORA P. (sous la direction de), *Les Lieux de mémoire*, Gallimard, Paris, 1985-1986.

tout la valeur relationnelle du symbole.

Mais le langage symbolique, polysémique, polymorphe, équivoque, ne se contente pas de signifier, il évoque, focalise, épiphanise : en soi l'objet symbolique, même concret, n'a d'efficacité que comme signe d'autre chose, associant le réel à une réalité absente. Ainsi l'arbre, lorsqu'il devient arbre de la Liberté, renvoie à un concept abstrait, mais cette opération nécessite un consensus social, une démarche de l'esprit : la liberté d'ailleurs s'incarne dans l'arbre mais aussi dans le bonnet ou dans une allégorie féminine, un même signifiant s'exprimant dans plusieurs signifiés ; de plus l'idéal de la liberté est perçu de manière différente par un petit paysan, un artisan ou un bourgeois « éclairé ». Il faut enfin insister sur l'aspect vivant et donc évolutif du langage symbolique : la liberté en 1789 n'est pas la même qu'en 1793. A cette époque, elle constitue un des éléments du dialogue avec la mort, c'est « la liberté ou la mort », pour devenir, après la chute de Robespierre, à la fois un rempart contre la Terreur et un instrument de combat contre un retour à l'Ancien Régime. Grandes sont donc les difficultés de compréhension du symbolisme, langage vivant, véhiculant l'histoire puis le mythe de la Révolution elle-même.

Soyons tous des Romains

Existe-t-il une spécificité du symbolisme pendant la Révolution française ? Pour répondre, il faut rechercher les sources qui alimentent ce nouveau langage. L'influence de l'Antiquité s'explique par l'importance de la culture classique dispensée par les oratoriens et les jésuites, l'engouement pour la Grèce, Sparte en particulier, et pour Rome : « Soyons tous des Romains », s'exclame Saint-Just. Elle entraîne l'adoption de symboles comme le bonnet de la Liberté, réplique du bonnet des affranchis, le faisceau de licteur, image du pouvoir de commandement chez les Romains ; de gestes comme le serment ; d'allégories comme celles de Liberté, puis de République, drapées à l'antique, ou de Peuple incarné dans le personnage d'Hercule ; elle est à l'origine de la mode des prénoms romains au cours de la déchristianisation de l'an II : Brutus, Mucius, Scaevola, Gracchus.

Ce symbolisme s'inspire également des grands idéaux diffusés par la philosophie des Lumières quand il proclame *Liberté, Égalité, Fraternité* ou lorsqu'il sacralise la loi. A la pensée utopique si riche au XVIIIe siècle, il emprunte les symboles maternels de l'eau, de la régénération ; les projets architecturaux pour la construction des cités idéales de Ledoux ou Boullée manifestent la recherche d'un espace symboliquement primordial.

Enfin plusieurs symboles appartiennent à la franc-maçonnerie (on sait que David, Romme, Couthon et de nombreux hommes politiques appartenaient à des loges) : ainsi le triangle, l'équerre, le niveau, la balance, l'œil de la surveillance, l'accolade fraternelle ou les agapes. Pourtant il ne faudrait pas occulter l'importance de l'ancien univers et particulièrement de la symbolique chrétienne : ainsi l'arbre de la Liberté est-il placé aux côtés de l'autel de la Patrie, sur lequel on a disposé le livre de la Constitution. Il s'agit là d'un syncrétisme plus ou moins conscient entre l'ancienne religion et la religion nouvelle qui se veut civile ou civique.

Cocardes de laine ou de rubans...

Tous ces symboles nouveaux, véhiculés dès le début de la Révolution par les fêtes, les cérémonies, les devises, l'iconographie, sont intimement mêlés au décor des villes et des campagnes. Mais comment s'opère l'adoption de ce langage? En évitant une vision trop manichéenne qui opposerait enthousiasme populaire et « manipulation » politique, il convient par quelques exemples d'en préciser l'évolution. Du printemps 1789 à la chute de la royauté, le 10 août 1792, l'adoption des premiers symboles s'inscrit dans l'enthousiasme et l'unanimité décrits par Michelet.

On hisse les trois couleurs du drapeau, le blanc des gardes-françaises ralliés au gouvernement insurrectionnel réuni au bleu et au rouge de la milice de Paris ; désormais le drapeau marquera aux frontières l'identité nationale et ornera les monuments publics. On arbore la cocarde dès le lendemain du 14 Juillet (verte à l'origine, cette couleur rappelant celle du comte d'Artois est abandonnée au profit des trois couleurs), tricotée en laine pour les plus modestes, elle est tissée en rubans pour les plus aisés.

On plante des arbres de la Liberté (le premier arbre aurait été planté par Norbert Pressac, curé de Saint-Gaudens, en Poitou, en mai 1790). Héritiers parfois de la tradition populaire du « mai », ils peuvent manifester une intention de menace et de violence et être érigés en forme de potence plutôt que plantés, devant le château par exemple ; mais, rapidement, c'est un arbre vivant qui remplace ce bois mort, et François de Neufchâteau codifie un véritable rituel de la plantation. L'arbre sur les places ou aux carrefours des villes et des villages devient un lieu de ralliement, il est choyé, surveillé, tutoyé lors des discours, paré de rubans pour les fêtes. Humanisé et sacralisé, il symbolise la liberté mais aussi la fraternité et l'unité.

L'autel de la Patrie, d'inspiration antique et maçonnique, apparaît en juin 1790. On y célèbre baptêmes et mariages civiques, on y prête les serments. Parmi les nouveaux symboles, le bonnet demeure « l'attribut test » (Maurice Agulhon). Brandi à la pointe de la pique, arme du peuple, il couronne l'arbre et fera partie en 1792 de l'uniforme du sans-culotte.

La « table rase »

Mais en contrepoint de ce symbolisme qui cherche à occulter les tensions, on veut aussi détruire les images qui rappellent l'Ancien Régime : dès 1790, l'Assemblée constituante ordonne la destruction des signes de la féodalité, et la représentation du roi en tant que monarque de droit divin ne tarde pas à s'estomper. L'Assemblée prend pour devise *la Loi et le Roi,* puis, dès l'été 1789, *la Nation, la Loi, le Roi.* Au-delà des mots, la valeur juridique s'impose : c'est la sacralisation de la nation et de la loi et la désacralisation de l'image du roi, phénomène qui s'accentuera avec la fuite à Varennes et qui, après la journée du 10 Août, conduira à la destruction des signes de la royauté.

A partir de cette date et jusqu'à la chute de Robespierre, à cause du durcissement dû à la guerre extérieure et des mouvements contre-révolutionnaires à l'intérieur, le symbolisme revêt une forme de preuve juridique et de valeur d'engagement. Les symboles prennent un caractère d'obligation légale : ainsi la plantation des arbres de la Liberté, la construction d'un autel de la Patrie dans chaque commune à partir du printemps 1792. Le port de la cocarde est exigé pour les hommes en juillet 1792, il le sera pour les femmes en septembre 1793. Ne pas porter le bonnet est considéré comme un signe de désobéissance et les manquements sont punis.

Le pouvoir politique utilise la force mobilisatrice des symboles. L'art aussi. Ainsi le député Loysel déclare-t-il à la Convention (1793) à propos d'une gravure : « C'est une leçon gravée en caractères ineffaçables pour inspirer l'amour de la liberté, l'horreur des tyrans et faire passer aux siècles les plus reculés les époques éclatantes qu'honore la régénération des sociétés. » La régénération semble bien le thème dominant en l'an II : le calendrier républicain « doit graver d'un burin neuf les annales de la France régénérée », proclame Romme. Nous sommes à l'époque de la « table rase », où tout ce qui rappelle la religion, l'ère vulgaire, la royauté doit être détruit : cette violence légalisée conduit aux excès du vandalisme dont la légende noire est à nuancer car, en même temps, naît la notion de protection du patrimoine artistique et culturel (Grégoire, Lenoir).

Du bonnet phrygien au casque de Minerve

Après Thermidor et jusqu'en 1799, le symbolisme prend un caractère presque didactique, il raconte l'histoire de la Révolution au cours de fêtes bavardes et au milieu de la prolifération de symboles dont certains se métamorphosent et d'autres disparaissent. Ainsi le bonnet devient-il le casque phrygien coiffant une République proche d'une Minerve, le tutoiement est abandonné, le port de la cocarde négligé à partir de l'an IV, baptêmes et mariages civiques tombent en désuétude. Doit-on conclure que le symbolisme révolutionnaire meurt avec la Révolution ? Sa réapparition lors des journées insurrectionnelles au cours du XIXe siècle et jusqu'à nos jours prouve le contraire.

Elisabeth Liris

La fête révolutionnaire

Expressions d'une culture et d'une pédagogie nouvelles, élaborées à chaud au fil de l'aventure révolutionnaire, les fêtes de la Révolution ont attiré l'attention, et sollicité, de longue date, des descriptions parfois admiratives ou simplement étonnées, plus souvent empreintes d'hostilité, dans une tradition contre-révolutionnaire qui en soulignait l'incongruité, en faisant l'expression du « délire » et du dérèglement d'une époque. Récemment ces fêtes ont été — au lendemain de 1968 — l'objet d'études (Mona Ozouf : *Les Fêtes révolutionnaires;* Michel Vovelle : *Les Métamorphoses de la fête*) attentives à décrire les mutations de sensibilité collective qui s'y révèlent. On s'interroge sur la portée du « transfert de sacralité » (Mona Ozouf) dont elles sont le lieu, sur les rapports qu'elles entretiennent avec le système festif en place, sur les significations dont elles sont chargées.

Aux origines de la fête révolutionnaire

Les fêtes révolutionnaires ont été préparées, pourrait-on dire, par toute une évolution antécédente, que l'on soupçonne à suivre, dans les grandes célébrations et liturgies urbaines d'ancien héritage, les nouveautés qu'apporte le XVIIIe siècle, dans ses dernières décennies : évolution profane, tendance à la laïcisation et à la sécularisation... Mais aussi tout un nouveau discours sur ce que devrait être la fête des temps nouveaux s'élabore chez Louis Sébastien Mercier, chez Diderot, chez Jean-Jacques Rousseau surtout qui condamne le spectacle à l'ancienne pour déclarer : « Non, peuples heureux, ce ne sont pas là vos fêtes. C'est en plein air, c'est sous le ciel qu'il faut vous rassembler et vous livrer au doux sentiment du bonheur... Plantez au milieu d'une place un piquet couronné de fleurs, rassemblez-y le peuple et vous aurez une fête. Faites mieux encore : donnez les spectateurs en spectacle, rendez-les acteurs eux-mêmes, faites que chacun se voie et s'aime dans les autres, afin que tous soient mieux unis. » Modèle que la Révolution, imprégnée de la pensée rousseauiste, s'appliquera à faire passer dans la réalité.

On peut suivre, au fil des années, les « métamorphoses » de la fête sous la Révolution. Une première séquence, où la fête des temps nouveaux se cherche, s'inscrit de 1789 à 1792. Elle n'a point rompu encore avec les traditions, même si les cérémonials anciens (Fête-Dieu...) se mettent au goût du jour : c'est en termes de cérémonie religieuse que l'on célèbre les morts de la Bastille en 1789, ou la mort de Mirabeau encore en 1791, même si la panthéonisation du héros introduit une touche nouvelle. C'est encore une « joyeuse entrée » que réserve Paris au roi Louis XVI le 17 juillet 1789.

Déjà un nouveau langage se cherche, adapté aux circonstances, à travers les fêtes de l'unanimité rêvée en 1790, que sont les fêtes des fédérations que nous décrivons par ailleurs. L'autel de la Patrie en plein air, où l'on prête le serment civique, devient le lieu de convergence de ces rassemblements. De nouveaux symboles s'imposent : ainsi l'arbre de la Liberté, que l'on plante dès 1790, en Périgord, qui se diffuse (en changeant de caractère) sur toute la France jusqu'au printemps 1792. Cette créativité, souvent contrôlée encore par les élites révolutionnaires, s'alimente aux « feux de la subversion » ; on ne doit pas passer sous silence la fête sauvage, farandole spontanée qui accompagne et prolonge, en province comme à Paris, les journées révolutionnaires. Fête et anti-fête : des cassures se devinent, dans le cortège de la honte et de la réprobation du retour de Louis XVI après sa tentative de fuite à Varennes. Et l'autel de la Patrie élevé en juillet 1790 pour la fête de la Fédération est le lieu deux ans plus tard de la sanglante fusillade du Champ-de-Mars. En 1792, la fête se dédouble, et l'unanimité se brise. A quelques semaines d'intervalle, au printemps, les patriotes avancés organisent à Paris, sur une scénographie de David, un des premiers grands cortèges pour fêter la réhabilitation des suisses patriotes du régiment de Châteauvieux, injustement condamnés, quand la bourgeoisie feuillante célèbre de son côté les mânes de Simonneau, maire d'Étampes, « martyr de la loi », massacré sur le marché de sa ville en résistant à un mouvement populaire pour les subsistances.

L'explosion festive de 1793-1794

Un nouveau style de fête s'impose, purgé de toute référence au passé, dont une illustration remarquable est donnée au 10 août 1793 par la grandiose cérémonie parisienne pour la promulgation de la nouvelle Constitution, sur le thème de la Régénération. Sur l'emplacement de la Bastille, une gigantesque statue d'Isis dans le style égyptien fait couler de ses seins les flots purificateurs auxquels viennent s'abreuver les membres de la Convention, avant de parcourir Paris en cortège, de la porte Saint-Denis à la place de la Révolution (la Concorde actuelle) — où un bûcher consume au pied de la statue de la

BIBLIOGRAPHIE

« La Fête révolutionnaire », Actes du colloque tenu à Clermont-Ferrand, en 1974, *Annales historiques de la Révolution française,* 1976.

OZOUF M., *La Fête révolutionnaire, 1789-1799,* Gallimard, Paris, 1976.

VOVELLE M., *Les Métamorphoses de la fête en Provence, 1750-1830,* Flammarion, Paris, 1976.

Liberté les symboles de l'Ancien Régime – puis, au Champ-de-Mars, à l'autel de la Patrie, saluant au passage la statue de l'Hercule populaire figurant « le peuple français terrassant l'hydre du fédéralisme ».

A l'hiver 1793-1794, une flambée irrésistible, associant la célébration des martyrs de la liberté (Marat, Le Peletier, Chalier) à toutes les manifestations spontanées ou organisées qui accompagnent la déchristianisation, fait apparaître un nouveau style de fête, à la fois inconnu à ce jour, et ressuscitant les langages occultés de la culture populaire et du carnaval. Le cortège de l'âne mitré (évoquant la promenade burlesque de Caramantran) chargé des « dépouilles du fanatisme » se rencontre dans toute la France, de la Nièvre au Lyonnais, à Paris... et jusqu'aux frontières du pays. Devant l'église, on brûle en autodafé saints de bois, confessionnaux et symboles religieux, cependant que la farandole se forme devant ce bûcher de la Saint-Jean... d'un nouveau genre ! Puis se forment, pour célébrer le nouveau culte, les cortèges de la déesse Raison, vivantes déités représentées par une jeune fille, ou la femme d'un notable patriote (et non point comme on l'a écrit trop souvent par des filles de mœurs légères). « Aujourd'hui on a promené la mayre de la Patrie vivante », note sans trop s'étonner sur son journal un tisserand avignonnais. Cette flambée festive éphémère – elle cesse à partir du printemps 1794 – n'est point simple résurgence d'un passé folklorique : dans une synthèse momentanée se fondent héritages et créations à chaud de la nouvelle religiosité révolutionnaire et civique.

Un tournant – dirons-nous une reprise en main ? – s'inscrit incontestablement dans cette histoire avec l'établissement du culte de l'Être suprême, dont la fête célébrée le 20 prairial an II (8 juin 1794) est sans doute celle qui, avec la fédération du 14 juillet 1790, a le plus marqué l'imaginaire collectif. Sur le thème robespierriste, « Le peuple français reconnaît l'immortalité de l'âme et l'existence de l'Être suprême », David a conçu le scénario de la célébration parisienne, qui a été imité, quoique avec une réelle liberté bien souvent, dans toute la France. De l'Hôtel de Ville, où Robespierre a pris la parole, au Champ-de-Mars, brûlant au passage la statue de l'athéisme pour faire apparaître celle de la Sagesse, le cortège se déploie jusqu'à l'apothéose finale, au pied de la montagne élevée à cet endroit, où chants et hymnes civiques mettent un point d'orgue à la cérémonie, célébrant le « Père de l'Univers, suprême intelligence... ».

Cette fête, qui est plus que le triomphe d'un jour de l'Incorruptible, à la veille même de sa chute – image réductrice à laquelle on s'est trop souvent tenu –, marque bien à la fois l'apogée des grandes célébrations populaires, et l'annonce d'une reprise en main, telle qu'elle va s'imposer sous le Directoire. En proposant le 18 floréal an II (7 mai 1794) un plan général de fêtes civiques et morales, Robespierre avait ouvert une voie qui ne sera pas vraiment démentie, quand bien même on adjoindra au cycle des anniversaires la célébration du 9 Thermidor.

De Thermidor au Directoire

Modifié, et complété, en particulier en l'an IV, le cycle des fêtes nationales prend les dimensions d'un système construit, associant les anniversaires des grandes dates de la Révolution, et les fêtes morales : nous le décrivons par ailleurs. Ces fêtes de la période directoriale, avec leur petite monnaie des célébrations décadaires, ont souvent été évoquées en termes d'échec, reflétant l'impossible conquête des esprits et des cœurs, et le détachement croissant de l'opinion à l'égard de la Révolution et de son gouvernement.

C'est un cliché qu'il convient semble-t-il de réviser pour une bonne part : la fête directoriale a connu, avant un déclin final, des périodes fastes, et parfois un réel succès, en ville comme au village. A travers ce parcours, dans ses étapes contrastées, s'esquisse néanmoins la possibilité de percevoir l'originalité d'un nouveau modèle de la fête, dans sa typologie (fêtes spontanées, puis, de plus en plus, célébrations organisées, commémoratives ou morales), dans son rapport à l'espace urbain qu'elle investit de ses cortèges. De ces foules organisées, on peut tenter l'analyse, relevant la place réservée à l'enfant comme la promotion de la femme, un temps du moins, et l'emphase mise sur la symbolique des âges, qui exprime le rêve d'une société réglée, aux tensions pacifiées. Puis, en même temps qu'aux détours du cortège s'impose à nous en mouvement la symbolique nouvelle de la Révolution, nous découvrons les gestes mêmes à travers lesquels s'exprime tout un nouveau système de valeurs — à travers le serment, la fraternisation, l'échange, le triomphe ou les feux purificateurs de l'autodafé. Spectacle d'un moment, rêve d'une décennie, que l'Empire, puis la Restauration s'efforceront d'oublier ? Un temps occultée, la mémoire en resurgira à travers toute la symbolique civique du XIXe siècle, et de la République.

Michel Vovelle

La fête directoriale

On a parlé du Directoire comme d'une fête, l'expression est ambiguë, et par certains aspects grinçante. Quand débute le régime, on n'est pas encore sorti de la grande crise de l'an III, prolongée en l'an IV, et des terribles souffrances qu'elle a entraînées dans le petit peuple. Puis la lutte reste vive à travers la France, entre muscadins et jacobins — le brigandage politique double le brigandage crapuleux des grands chemins. Une fête donc, mais pour une petite minorité de nantis, dans une période où, l'inflation galopante des derniers temps de l'assignat, puis du mandat territorial facilitant les enrichissements rapides, de même que les bons coups que permettent aux munitionnaires et faiseurs d'affaires les opportunités de la guerre extérieure, les écarts sociaux se creusent cruellement entre riches et enrichis d'une part, appauvris de l'autre : des rentiers ruinés au petit peuple des villes et des campagnes.

Les fêtes du Directoire

Dans ce contexte, la fête prend plusieurs visages et répond à plusieurs finalités. La fête officielle, ou organisée, tient une place qui n'est pas mineure. On l'a dit ailleurs, la période hérite du système festif dont l'an II avait commencé la mise en place. Elle l'enrichit et en modifie partiellement l'esprit, mais ce sont bien de fêtes civiques et de célébrations morales qu'il s'agit toujours. On fête les grands anniversaires d'une Révolution qui célèbre sa propre histoire : 14 Juillet, 10 Août, 21 Janvier, mais aussi le 9 Thermidor, chute des « tyrans », et le

1er Vendémiaire, naissance de la République. On leur adjoindra en l'an VI, le 30 Ventôse, la fête de la Souveraineté du Peuple, et la commémoration du 18 Fructidor. A ces cinq, puis sept fêtes anniversaires, s'ajoutent les fêtes morales, de la Jeunesse, des Époux, des Vieillards, de la Reconnaissance et de l'Agriculture. Du 10 germinal au 10 fructidor, elles rythment chaque mois le printemps et l'été des citoyens français. Puis il y a les fêtes occasionnelles que suscite l'événement : en l'an IV on a célébré les victoires de l'armée d'Italie, de même des cérémonies funèbres exaltent-elles les héros défunts : ainsi pour le général Joubert tué à la bataille de Novi.

L'historiographie traditionnelle a insisté sur l'échec de ces fêtes directoriales, liturgies officielles et académiques, que l'on présente comme désertées. Les historiens d'aujourd'hui exploitent au contraire la richesse de procès-verbaux qui n'ont jamais été si nombreux et si précis, ce qui reflète peut-être un peu plus que le renforcement du contrôle du pouvoir. On y mesure, dans les sites étudiés, une réelle diffusion, notamment vers les villages modestes. Cette pédagogie civique par la fête, dont La Revellière-Lépeaux reformule alors la théorie, aurait-elle pu être couronnée de succès ? Elle a connu de grands moments, qui correspondent souvent aux réveils du jacobinisme (ainsi en l'an VI la grande fête du 9-10 Thermidor où l'on présenta au Champ-de-Mars les « merveilles »... pillées en Italie), mais elle se replie sur elle-même dans les séquences où la contre-révolution redresse la tête (an V) et à la fin de la période s'essouffle, et agonise, dans la crise ultime de la seconde coalition.

Le Directoire est-il une fête ?

La vraie fête du Directoire serait-elle ailleurs : au Palais-Royal, aux Champs-Élysées, sur les boulevards — ainsi le boulevard des Italiens où l'on désigne le « petit Coblence », rendez-vous à la mode des muscadins et émigrés rentrés ? Il est de fait que l'opulence des nouveaux riches contribue au réveil d'une vie mondaine qui s'inscrit à l'enseigne de la fureur de vivre. C'est le temps des « reines » du Directoire, mondaines et demi-mondaines, que les audaces de la mode offrent en spectacle : Mme Hamelin, épouse d'un riche munitionnaire, descend les Champs-Élysées en faisant admirer ses formes dévoilées, avant d'annoncer qu'elle s'est décidée à remettre une chemise. Dans le Midi — serait-il alors plus pudibond ? —, Laetitia Bonaparte et sa fille Pauline se font rabrouer au théâtre, à Marseille, pour une exhibition *topless* un peu osée. Mais on regarde aussi Mlle Lange, actrice du Français dont la vénalité est connue. Certaines de ces égéries échappent par leur personnalité à cette condition de femme-objet : ainsi pour Mme Tallien et Mme Récamier, ou pour Sophie de Condorcet qui tient salon. Mais de l'un à l'autre monde, la frontière est fragile et les Anglais dénoncent les « orgies » de Mme Tallien ou de Joséphine de Beauharnais avec le « satrape » Barras.

Cette société futile s'investit tout entière dans le plaisir : les images évoquent la promenade, les attelages à l'anglaise, le goût du sport, autre forme d'anglomanie, ou la passion de la danse pour laquelle les Français n'avaient rien à apprendre. Bals, bains publics, tripots se multiplient. Les théâtres n'ont jamais été si fréquentés : l'Opéra renoue avec les bals masqués, les « concerts républicains » glissent insensiblement aux « concerts de société ». La Comédie-Française, où Talma est parfois malmené pour son républicanisme par les muscadins, mais tout autant le théâtre Montansier au Palais-Royal, le théâtre Feydeau ou le Vaudeville, où la jeunesse dorée aime à se retrouver, remplissent des fonctions multiples : on y joue, certes, un répertoire qui n'a plus grand-chose à voir avec la tension héroïque de l'an II, mais c'est aussi le lieu de vifs affrontements entre royalistes et jacobins, avec chants hautement récités de *La Marseillaise* et du *Réveil du Peuple.* Mais ces pugilats, parfois vifs, n'empêchent pas les prostituées d'y poursuivre leurs activités racoleuses. Au même titre que le jeu, la prostitution foisonne dans le Paris du Directoire.

Du haut en bas de l'échelle sociale (dans ce petit monde du moins qui participe de l'encanaillement collectif), règne cette liberté de mœurs qui semble être l'image de marque du Directoire. Certains y ont vu la réaction, somme toute saine, d'une société trop longtemps comprimée dans le carcan de la Terreur, d'autres y ont dénoncé, dans une société qui n'a pas encore trouvé sa stabilité, la retombée de la flamme révolutionnaire. Les deux opinions sont-elles si contradictoires ?

Michel Vovelle

La folie du jeu

A en croire les nombreux chroniqueurs de la fin du XVIIIe siècle, le Français d'alors a une passion immodérée pour le jeu. Certains parlent même de « fureur », comme Jean Dusaulx, futur conventionnel, qui multipliera durant toute sa vie les ouvrages pour dénoncer le « fléau ». Pourquoi un fléau ? En ces moments où la « restauration des mœurs » est sur toutes les lèvres, le jeu apparaît vite comme le symbole le plus visible de la corruption et du vice. Les condamnations de principe se multiplient. Pourtant le problème n'est pas nouveau, et depuis la fin du XIVe siècle et Charles V, on assiste à une vaine réitération de décrets ayant pour but l'interdiction des jeux de hasard et d'argent. Mais une loi ne peut faire disparaître une manie, et, malgré les douze édits qui, entre 1717 et 1781, veulent supprimer les jeux de hasard, certains quartiers de Paris accueillent jeux et joueurs dans les tripots.

Le bouledogue et les 40 cavernes

Le Palais-Royal reste le temple du jeu parisien. Devant les maisons de jeu (on en compte plus d'une vingtaine ici), les « bouledogues » accrochent les passants et les invitent à venir tenter leur chance au passe-dix, au trente-et-un, au creps, à la roulette ou au biribi. Les maisons de jeu, parfois huppées, où l'on perd beaucoup (on raconte ainsi que Barnave a perdu, en un jour, 30 000 livres), voisinent avec les petits tripots où, pour reprendre une expression des Goncourt, « les laquais vont attendre leur maître ». De plus, le petit peuple, loin de laisser le privilège du jeu à quelques-uns, participe pleinement de cette rage ludique : dames, loto, dominos, dés, jeux de l'oie, tout est bon pour passer le temps dans les cabarets largement fournis en jeux de toute sorte.

Les débuts de la Révolution favorisent encore cette explosion, et, malgré les nombreuses protestations vertueuses rencontrées dans les pamphlets ou dans les cahiers de doléances, aucune législation ne s'établit : les maisons spécialisées semblent se multiplier, ou, tout au moins, sont-elles plus visibles, profitant de la liberté nouvelle. Brissot peut bien s'emporter contre ces « 40 cavernes du Palais-Royal qui font frémir, cavernes dans lesquelles se dégorgent tous les scélérats de la capitale... », le verbe peut être indigné, la folie du jeu demeure, et l'on devra attendre 1838 pour que les tripots du Palais-Royal soient véritablement fermés.

Il faut dire que l'exemple vient de haut. En effet, les gains n'étant pas négligeables, une loterie royale a été

BIBLIOGRAPHIE

BERTAUD J.-P., « La loterie royale, c'est facile et... », *L'Histoire*, novembre 1985, p. 90-94.

DUNKLEY J., *Gambling, a Social and Moral Problem in France, 1685-1792*, Oxford, 1985.

« Le jeu au XVIIIe siècle », *Colloque d'Aix-en-Provence*, 1971, Édisud, 1976.

créée le 30 juin 1776. Le jeu de hasard connaît donc sa version officielle, jeu de 90 numéros enfermés dans une roue de fortune, cage rotative dont la main d'un enfant retirait cinq boules. Le joueur pouvait acheter différents types de billets et voyait ses gains éventuels augmenter en proportion de la complexité des combinaisons choisies. Selon le « compte de 1781 », les tirages, qui avaient lieu deux fois par mois, rapportaient 7 millions de livres l'an à l'État.

Comment concilier intérêt financier national et moralité ? La question est posée, que les hommes de la Révolution auront du mal à régler. Certains sont pour une « loterie patriotique », loterie nationale qui, pour la bonne cause, serait, comme le propose un projet de 1789, « interdite aux pauvres », car c'est eux que le jeu « ruine le plus efficacement ». D'autres s'opposent catégoriquement au jeu national, « cet impôt qui fondait son plus grand produit sur le délire ou le désespoir », comme le proclame Mirabeau. Mais la plupart, s'ils reconnaissent les méfaits du jeu, adoptent une position de conciliation : on ne peut supprimer une passion qui remonte aux premiers Français !

Des jeux clandestins

Il faut une pétition de la Commune de Paris, le 15 novembre 1793, pour que la Convention se décide à supprimer les loteries, volonté législative tardive et éphémère qui ne peut s'exprimer qu'au niveau officiel. Aussi le jeu ne disparaît-il pas, loin de là, et les tripots poursuivent leur activité de manière plus ou moins secrète sous la Terreur, puis s'enflamment de nouveau après Thermidor. La réglementation intervient donc peu : on préfère s'indigner et laisser faire, considérant cette passion ludique comme un mal inhérent au caractère frivole du Français. La Révolution essaie bien de faire son entrée dans le jeu, par exemple avec les cartes à effigies patriotiques, mais pour spectaculaires qu'elles aient été, ces expériences tiennent plus de l'anecdotique que de la transformation des mentalités. La folie du jeu ne se contrôle pas, témoignage du peu de prise des événements politiques sur une psychologie collective héritée de la très longue durée.

Antoine de Baecque

"EUX" ET "NOUS"

L'ÉTAT ET SES INSTITUTIONS

Rythmes politiques

En déclarant : « La Révolution est un bloc », Clemenceau formulait un vœu politique dont on mesure l'ambiguïté. A leur manière, pourtant, les contemporains du bouleversement révolutionnaire avaient admis cette opinion. La contre-révolution rejetait l'événement dès 1790 (et Burke en était, évidemment, le plus illustre théoricien), les « spectateurs » favorables, en revanche, considéraient, avec Kant, qu'en dépit de la Terreur, il convenait de l'accepter comme « lié aux intérêts de l'humanité » (*Le Conflit des facultés,* 1798). Les acteurs eux-mêmes avaient, par ailleurs, constamment distingué « révolution » et « après-révolution ».

Ni bloc ni chaos

Bien avant la proclamation consulaire de frimaire an VIII (décembre 1799), le leitmotiv : « La Révolution est finie », scande les années 1791-1795, du discours de Barnave, le 15 juillet 1791, à ceux de Vergniaud en avril-mai 1793, pour aboutir aux décisions de l'été 1795. Puis, de 1795 à 1799, le souci de terminer la Révolution s'estompe – le fait semble acquis – pour laisser place à l'énoncé nouveau du « maintien de l'ordre ». Ces trajets révèlent donc une chronologie assez simple. La Révolution n'est pas un bloc, elle n'est pas non plus ce pierrier chaotique que dévoile parfois l'historiographie, hachant la période en multiples et courtes séquences, les « trois tranches » de la Convention par exemple, ou ce Directoire scindé par le coup d'État de fructidor an V (septembre 1797) et le traité de Campoformio qui signent simplement l'arrogance et la force du pouvoir militaire décelables, en fait, dès 1795.

Révolution puis stabilisation, telles sont donc les lignes de force de la décennie. Révolution, mais laquelle ? Autrement dit, quel projet politique pour la stabilisation ? La tradition veut qu'on oppose symboliquement « 1789 » à « 1793 », puis qu'on fasse de « 1795 » un « retour à 1789 » – bref, une révolution au sens astronomique ancien. C'est négliger le programme post-thermidorien, « ni 91 ni 93 », et prendre à la lettre la couverture idéologique utilisée par Bonaparte en 1799 (« La Révolution est fixée aux principes qui l'ont commencée... »).

« Aucun homme n'a reçu de la nature le droit de commander aux autres » : s'il est un thème des Lumières, c'est bien cet axiome formulé par Diderot, la condamnation de la sujétion. La « pré-révolution » et la campagne électorale ont largement diffusé les revendications de liberté et d'égalité civiles, plus de « lois privées », mais une loi commune, plus de « sujets », des citoyens. Pour autant, cet accord que l'on trouve en 1788-1789 ne peut masquer les divergences latentes sur les conditions pratiques de l'exercice de la citoyenneté et de la participation à la vie publique : elles seront au cœur des débats révolutionnaires.

Les premiers pas sur le chemin d'une société rationnelle furent, bien sûr, la nuit du 4 Août et les décrets des 5-11 août 1789. On en a souligné les évidentes limites, mais l'abolition des franchises, privilèges et servitudes personnelles, l'admission égale des citoyens à tous les emplois mettaient à mort l'ancienne société d'ordres fondés sur le principe de hiérarchie verticale. Talent et mérite individuels remplaçaient le sang ou l'appartenance à un « état », l'horizontalité sociale (qui n'est pas synonyme d'égalité) devenait la norme. La Déclaration des droits, par sa nature même, allait plus loin. Encore fallait-il réaliser les droits reconnus à tout homme en tant qu'être libre et raisonnable.

D'octobre 1789 à l'été 1792, l'écart entre les principes constituants (la Déclaration des droits) et les préceptes établis par la Constitution adoptée en septembre 1791 fut constamment dénoncé par les partisans du suffrage universel, de l'abolition de l'esclavage colonial ou du droit à l'existence. Il est vrai que le « libéralisme » inventé par la Constituante et confirmé par la Législative paraît assez éloigné de l'épure. L'élection vaut, certes, pour tous les fonctionnaires publics (y compris les ecclésiastiques), mais le pouvoir électoral réel appartient à un corps très réduit (50 000 électeurs, 1 % des citoyens actifs). L'exclusion politique est la règle, la citoyenneté complète, l'exception. Par ailleurs, la loi martiale contredit la liberté de réunion et les poursuites exercées contre certains journalistes, en particulier lors de la crise de l'été 1791, mettent en cause la liberté d'expression. Dans le domaine économique, les entorses ne sont pas moindres : en témoigne la législation sur la féodalité jusqu'au décret d'août 1792 inclus qui abolit peut-être en fait, mais non en droits, les redevances « réelles ».

Quelle république ?

Ni démocratique ni vraiment libéral, le régime de 1791 avait lui-même favorisé l'émergence de l'idée républicaine, non seulement par le massacre du Champ-de-Mars, mais aussi par la désacralisation de l'image du roi-père : le « restaurateur de la liberté » était réduit, par les partisans d'un exécutif fort, au rôle de barrage contre toute revendication démocratique.

Née de l'insurrection, la République ne fut proclamée que par litote – l'abolition de la royauté – et par les décrets portant datation des actes de l'an I de la République déclarée « une et indivisible ». La Convention allait, trois années durant, débattre des formes et du contenu de la démocratie : c'est en ce sens que le découpage classique (Convention « girondine », « montagnarde », « thermidorienne ») est plus « opacifiant » qu'explicatif. Non qu'il y ait identité des politiques menées de 1792 à 1795, mais parce que les ruptures éclatantes (2 juin 1793, 9 thermidor an II), calquées sur le discours des acteurs eux-mêmes, ne correspondent pas exactement au rythme du mouvement révolutionnaire. Ainsi, en dépit des tentatives girondines (en

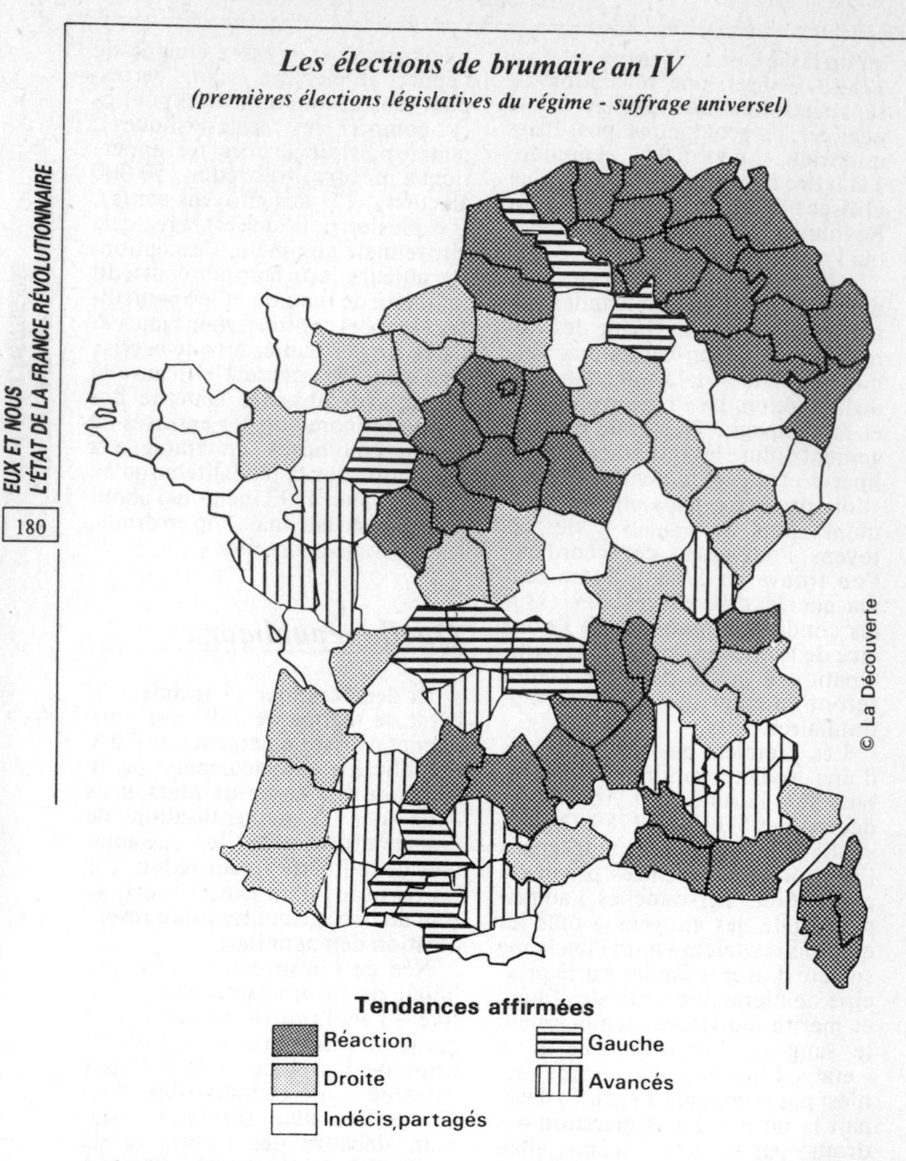

particulier du ministre Roland) pour autonomiser le pouvoir exécutif, la Convention fut « centre unique de l'impulsion du gouvernement » avant la loi sur le Gouvernement révolutionnaire (14 frimaire an II-4 décembre 1793) et ignora, jusqu'à la fin, la séparation des pouvoirs.

Par ailleurs, nombre d'institutions dites « terroristes » furent antérieures à septembre 1793 et perdurèrent au-delà du 9 Thermidor. Tel fut le cas des représentants en mission dont le rôle formel ne varia guère du printemps 1793 à octobre 1795. Tel fut aussi le cas des comités révolutionnaires de surveillance, créés en mars 1793, réglementés en septembre et décembre, limités, certes, en fructidor an II, mais qui ne disparurent pas en l'an III (ce furent les « suspects » qui changèrent). Tel fut, enfin, le cas du Tribunal révolutionnaire, né le 10 mars 1793 et supprimé au printemps 1795, pour laisser place à des commissions militaires chargées de juger les in-

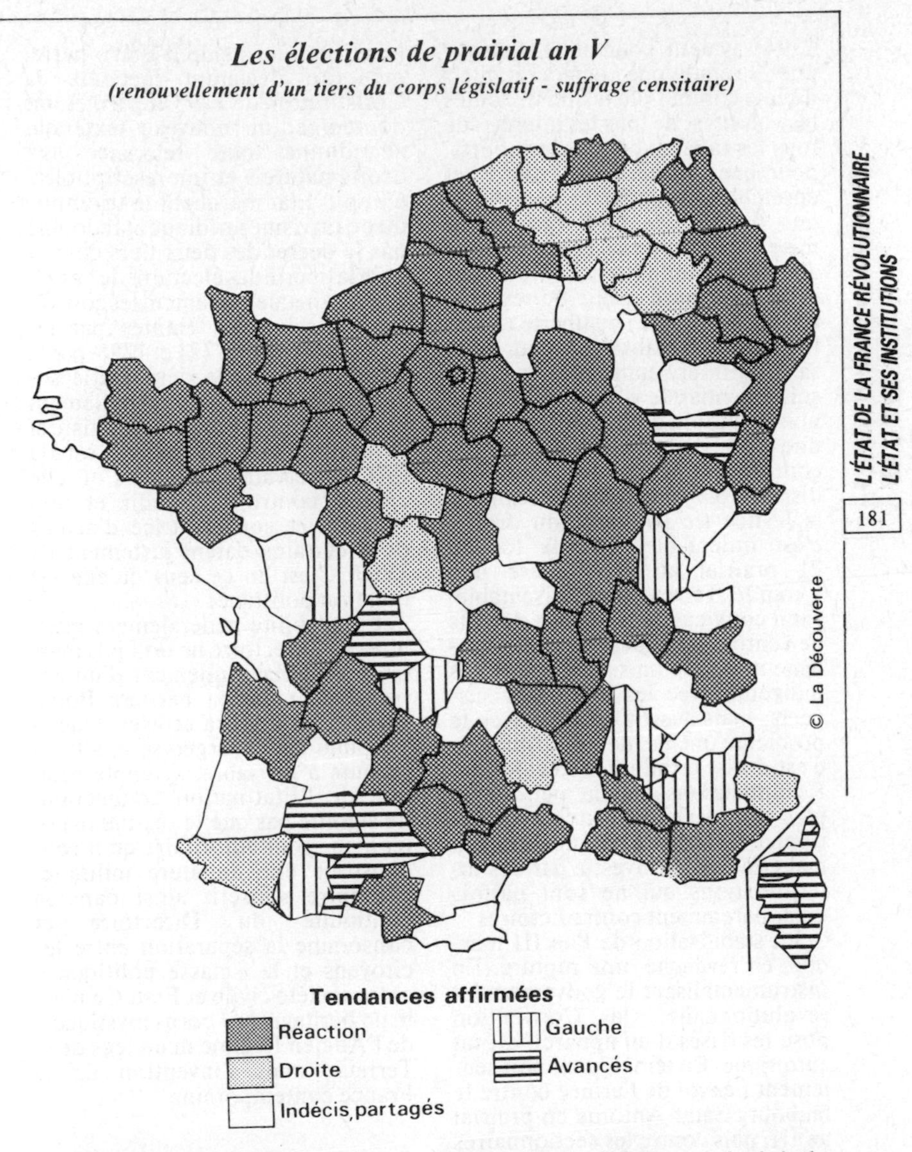

surgés de Toulon ou Paris et elles-mêmes inspirées des tribunaux extraordinaires établis près des armées en octobre 1793 dans les régions de guerre civile.

Alors pourquoi cette image de « dictature » attachée à un gouvernement révolutionnaire qui, par ailleurs, s'effondrerait comme un château de cartes après le 9 Thermidor ? La légende fut, à l'évidence, forgée par les dirigeants post-thermidoriens, mais l'historiographie semble l'avoir admise. Or, la « centralité législative » définie par la loi du 14 frimaire an II (dont la première section est tout entière consacrée à l'envoi et la promulgation des lois) ne suffit pas à constituer un « État révolutionnaire » : les comités élus et contrôlés par la Convention ne sont pas indépendants et l'Assemblée elle-même est soumise au respect des droits naturels déclarés. Enfin, les « institutions civiles » proposées par Saint-Just dès ventôse an II et exposées par Billaud-Varenne le 1er floréal an II (20 avril

1794) avaient pour objet d'établir une « république démocratique » définie comme « la fusion de toutes les volontés, de tous les intérêts, de tous les talents, de tous les efforts, pour que chacun trouve dans cet ensemble de ressources communes une portion de bien égale à sa mise ». Ce nouveau contrat social alliant civisme et sensibilité devait créer un espace public de réciprocité (de fraternité) où liberté et égalité seraient réalisables pour tous sans qu'intervienne un État, qu'il soit « gendarme » ou « veilleur de nuit ». Utopie ou hypocrisie ? Car, dira-t-on, il y a la Terreur. Que la contrainte soit pensée comme indispensable pour établir le règne de la justice (le triomphe du droit), c'est indéniable. Que la loi du 22 prairial an II instaure une « grande Terreur » est discutable, car il convient de la lier aux décrets de ventôse an II destinés, non seulement à indemniser les patriotes indigents avec les biens des suspects, mais aussi à en finir avec le problème même de la suspicion, c'est-à-dire terminer la Révolution. Reconnaissons que la période la plus complexe de l'histoire révolutionnaire demeure paradoxalement mal connue, surinvestie par des interprétations qui ne sont parfois qu'apparemment contradictoires.

La stabilisation de l'an III marque, en revanche, une rupture. En instrumentalisant le gouvernement révolutionnaire, la Convention pose les bases d'un appareil d'État autonome. En témoignent non seulement l'envoi de l'armée contre le faubourg Saint-Antoine en prairial an III, puis contre les sectionnaires royalistes de vendémiaire an IV, mais aussi le « coup d'État » parlementaire déclarant factieuse la Constitution de 1793 et permettant de rédiger un nouveau texte qui abandonne toute référence aux droits naturels et imprescriptibles. Coup d'État marquant le triomphe du positivisme juridique et redoublé par le décret des deux tiers qui annule la liberté des élections de l'an IV et hypothèque gravement les consultations suivantes. Hantée par les deux spectres de 1791 et 1793, par le « royalisme » et la démocratie sociale, la stabilisation n'est nullement retour à l'optimisme universaliste et révolutionnaire de 1789 : elle est à la fois conservatrice, au sens où elle entend contrôler l'avenir et non l'ouvrir, et conservatrice d'acquis dont certains datent justement de 1793. C'est en ce sens qu'elle est création politique.

L'instabilité généralement attribuée au Directoire ne doit pas masquer le perfectionnement d'un appareil d'État dont héritera Bonaparte et qu'il saura utiliser. Que la « république bourgeoise » ait eu recours à un sabre, symbole éclatant de l'État-nation conquérant, ne signifie pas que le régime napoléonien, pour autoritaire qu'il soit, constitue une dictature militaire. L'Empire s'inscrit ainsi dans la continuité du Directoire et consomme la séparation entre les citoyens et la « classe politique », entre société civile et État. Ce n'est ni un héritage du « corps mystique » de l'Ancien Régime ni un legs de la Terreur, mais l'invention de la France contemporaine.

Françoise Brunel

Déclaration des droits et constitutions

Par le Serment du Jeu de paume, l'Assemblée nationale déclare le 20 juin 1789 qu'elle ne se séparera pas « jusqu'à ce que la Constitution du royaume soit établie ». Le serment sera tenu et au-delà puisque en deux ans cette Assemblée élaborera la Déclaration des droits de l'homme et du citoyen, puis la Constitution de 1791, deux documents de portée universelle. Le fait est bien connu pour le premier. Mais il est aussi vrai du second qui exprime pour la première fois les principes fondamentaux du système juridique et politique français.

Idéologie de la liberté et droit de résistance

La Déclaration des droits de l'homme de 1789 n'est pas une véritable nouveauté – elle exprime une philosophie du droit naturel déjà ancienne – ni même la première formulation de ce genre – certains États américains avaient déjà élaboré des déclarations des droits –, mais c'est incontestablement le texte qui a eu le plus grand retentissement. Elle fait partie aujourd'hui encore du droit en vigueur dans plusieurs pays et, surtout, elle fonde une idéologie de la liberté, qui trouvera son aboutissement dans la Déclaration universelle de 1948. À l'inverse de la plupart des textes juridiques, celui-ci ne se présente pas comme l'expression de la volonté de son auteur, mais comme une « déclaration », un énoncé descriptif incontestable. L'Assemblée nationale ne fonde ni n'accorde de droits nouveaux, mais « reconnaît et déclare » les droits naturels de l'homme. La force du document et son efficacité proviennent de ce caractère déclaratif, parce qu'il constitue un fondement pour l'exercice du droit de résistance, proclamé par l'article 2 et repris avec plus de force encore par la Déclaration de 1793 et plus tard pour le contrôle de constitutionnalité.

Quant au fond, les déclarations et les constitutions de la Révolution établissent ce qu'on peut appeler le constitutionnalisme français et qui recouvre trois idées étroitement liées : il faut une constitution ; cette constitution doit avoir pour fonction la garantie de la liberté ; elle ne peut être que représentative.

La première question avait donné lieu à la fin de l'Ancien Régime à un débat sur le thème : la France a-t-elle une constitution ? L'enjeu était d'importance, puisque s'il y avait déjà une constitution, point n'était besoin d'en faire une nouvelle. Les arguments de part et d'autre étaient simples. Pour les uns, une constitution n'est pas autre chose qu'un ensemble de règles relatives à l'exercice du pouvoir. Il n'est nullement nécessaire que ces règles soient écrites, la preuve en est l'Angleterre. Montesquieu n'avait-il pas intitulé son plus fameux chapitre de *L'Esprit des lois* : « De la Constitution d'Angleterre » ? Or, en France, les lois fondamentales du royaume étaient incontestablement des règles de ce type. Pour les autres, au contraire, une constitution n'est pas seulement un ensemble de règles quelconques. C'est une « organisation » du pouvoir, et une organisation telle que les compétences soient réparties entre plusieurs. Si un seul cumule tout le pouvoir, ce qui est la définition même du despotisme, il n'y a pas d'organisation, pas de constitution. Une constitution c'est donc avant tout une séparation des pouvoirs fixée dans un document écrit et de forme solennelle, de sorte qu'il soit impossible de la modifier facilement pour s'approprier tous les pouvoirs. La France de la monarchie absolue n'a donc pas de constitution et il convient d'en établir une ; tel est le sens de l'article 16 de la Déclaration des droits de l'homme et du citoyen : « Toute société dans laquelle... la séparation des pouvoirs n'est pas déterminée n'a point de constitution. » Cela ne signifie pas, comme on l'entend trop souvent, qu'il n'y ait pas dans ce cas une constitution digne de ce nom, mais simplement qu'il n'y a, à la lettre, pas de constitution.

« Séparation » ou « balance » des pouvoirs

Par « séparation des pouvoirs » on ne doit cependant pas comprendre une doctrine, attribuée à tort à Montesquieu, selon laquelle il faudrait donner à un organe le pouvoir législatif, à un autre l'exécutif, à un troisième le judiciaire, dans l'espoir que ces trois organes se fassent équilibre, que le pouvoir arrête le pouvoir et que la liberté soit ainsi préservée. C'est aujourd'hui démontré, une pareille idée est absurde : une telle répartition ne permettrait nullement de réaliser l'équilibre souhaité, puisque les trois fonctions ne sont pas égales. Elles sont au contraire hiérarchisées et le pouvoir de faire la loi est le pouvoir suprême. Si donc, les organes sont spécialisés, celui qui reçoit le pouvoir législatif dominera entièrement les deux autres et ne pourra être arrêté par eux. En réalité, cette doctrine était parfaitement étrangère à la Révolution et d'ailleurs au XVIIIe siècle. Ce qu'on comprenait à cette époque par « séparation des pouvoirs » était un principe très différent et entièrement négatif : il ne prescrit aucun mode de distribution des pouvoirs, mais seulement qu'il y ait une répartition, de sorte qu'un même organe ne puisse cumuler la totalité des fonctions, ni même deux d'entre elles.

Deux procédés de répartition étaient envisageables. On pouvait d'abord – et c'est en apparence la solution la plus simple – spécialiser les organes par fonction en attribuant à l'un la fonction législative, à l'autre l'exécutive. Dans ce cas, la hiérarchie des organes suivra la hiérarchie des fonctions et l'organe législatif dominera. Si le législatif est une émanation du peuple, cette solution est préconisée par les démocrates. Elle inspirera le projet girondin et la Constitution de 1793.

Cependant, le législatif pouvait, en exerçant la fonction la plus haute, s'emparer de la fonction exécutive. Pour empêcher une telle éventualité, et assurer le maintien de la séparation des pouvoirs, le seul moyen est de diviser le pouvoir législatif entre au moins deux organes, dont l'un peut d'ailleurs être en même temps l'organe du pouvoir exécutif. Ce système, appelé « balance des pouvoirs », est le système anglais, mais aussi américain. C'est celui de la Constitution de 1791.

Mais qu'on favorise l'un ou l'autre procédé de répartition des fonctions, l'idée de séparation des pouvoirs fait l'unanimité pendant toute l'époque révolutionnaire et pas seulement en 1789. Plus qu'un principe d'organisation, qu'on peut approuver ou non, c'est une véritable définition de la Constitution. Cela explique qu'on ait pu l'inscrire dans la Déclaration des droits de l'homme après l'avoir voté sans aucun débat et qu'on ait adopté dans la plupart des constitutions postérieures des dispositions analogues.

L'État de droit inventé

L'intérêt de la séparation des pouvoirs, c'est qu'elle procure la liberté, c'est-à-dire, au XVIIIe siècle, la soumission exclusive à la loi, soit parce que dans un système démocratique on a participé à son élaboration, soit parce que, dans le système de la balance des pouvoirs, l'équilibre des organes conduit aux compromis et garantit une législation modérée, soit simplement parce que la loi est stable et l'application prévisible. Si l'organe qui exécute la loi ne peut pas la transgresser ou la refaire selon les caprices du moment, les sujets en lui obéissant n'obéiront pas à un homme mais toujours à la loi.

C'est ainsi que, dans la tradition française, on conçoit le jugement judiciaire comme le produit d'un simple syllogisme et que les actes de l'administration, pour être valides, doivent se conformer à une loi en vigueur. En d'autres termes, le principe de la séparation des pouvoirs a pour raison d'être le principe de légalité.

Mais se soumettre à la loi n'est-ce pas se soumettre en définitive à la volonté des hommes qui font la loi ? D'après la doctrine constitutionnaliste française, non, car le législateur n'exprime pas sa propre volonté, mais la volonté générale, c'est-à-dire celle du souverain, dont il n'est que le représentant. Toutes les constitutions françaises sont représentatives. Le souverain, la nation ou le peuple ne peuvent exercer eux-mêmes le pouvoir ; ils doivent en déléguer l'exercice. C'est ce que signifie la formule de l'article 3 de la Déclaration : « Le principe de toute souveraineté réside essentiellement dans la nation... »

Il en découle deux idées importantes, qui dominent encore le droit constitutionnel français : d'une part, la qualité de représentant ne dépend en rien du mode de nomination et n'est pas liée notamment à l'élection. Est représentant celui qui, participant à la confection des lois, exprime la volonté générale. Il peut s'agir d'une assemblée ou de tout autre type d'organe, et par exemple, selon la Constitution de 1791, d'un roi.

D'autre part, le représentant n'est pas le député, mais l'organe dont il est l'un des membres, le Corps législatif dans la Constitution de 1791, ou le Parlement aujourd'hui, parce que la loi n'est pas voulue par chaque député, mais par le corps dans son ensemble, à travers sa majorité. Dans ces conditions, le député ne représente pas ses électeurs. Ceux-ci n'ont aucun droit sur lui et tout mandat impératif est nul.

La Révolution n'a pas établi la démocratie, même pas la démocratie représentative, mais elle a inventé le système intellectuel qui l'a rendue possible et qui a nom *État de droit.* Pour l'essentiel, c'est celui de la France actuelle.

Michel Troper

La chute de la royauté

La crise qui met à bas la royauté se noue au printemps 1792. Le 20 juin, une manifestation d'inspiration girondine est dirigée contre Louis XVI. Ce dernier a en effet refusé de sanctionner les décrets sur la création d'un camp de fédérés et sur les prêtres réfractaires, et il vient de renvoyer trois ministres girondins. Mais, bien que défié par les faubourgs en armes, le roi ne cède pas. Sur les frontières, les revers militaires alourdissent encore l'atmosphère. Le 11 juillet, la Législative proclame « la patrie en danger ». Que fait le roi ? Dans les clubs et les sections parisiennes ne dit-on pas que « l'Autrichienne » et Louis XVI trahissent la nation ? N'est-ce pas pour sauver le roi que les cours de Vienne et de Berlin s'apprêtent à « déchirer la patrie » ?

Les faubourgs se mobilisent

L'idée de proclamer la déchéance du roi a été lancée le 3 juillet par le girondin Vergniaud. De Marseille, Montpellier, Angers... parviennent de menaçantes adresses contre le roi. La section de Mauconseil à Paris déclare ne plus reconnaître le souverain. Partout les sans-culottes urbains se mobilisent. Le 25 juillet, les assemblées de quartiers proclament la permanence des sections.

Peu à peu les sections parisiennes accueillent des citoyens passifs. A celle de Mauconseil, 1 700 citoyens actifs sont inscrits, mais on dénombre 2 000 présents. De même la section du Théâtre-Français décide par un arrêté du 30 juillet de supprimer les différences entre actifs et passifs. Bientôt les sections forment entre elles un Comité central.

Sous l'impulsion de Robespierre, le mouvement se radicalise. Le 11 juillet, l'Incorruptible harangue des fédérés aux Jacobins, leur demandant de ne point prêter serment au roi. En effet, pendant tout le mois de juillet, de tous les départements les fédérés affluent vers la capitale pour constituer le camp de « 20 000 fédérés nationaux », auquel Louis XVI a mis son veto. Sur son conseil, les fédérés créent un directoire secret qui se réunit dans la maison du « menuisier-entrepreneur » Duplay, là précisément où il loge. Le 25 juillet, il réclame la dissolution de l'Assemblée législative et la formation d'une Convention. Le Club des cordeliers, où s'illustrent Marat et Danton, et nombre de sociétés populaires diffusent les idées démocratiques et relaient les mots d'ordre. Les girondins à présent opposés à toute déchéance et insurrection dénoncent les « factieux » ; Robespierre est accusé de « conspiration » ; Pétion, maire de Paris, essaie en vain de calmer le jeu.

La déclaration de Brunswick vient jeter de l'huile sur le feu révolutionnaire. Ce texte, rédigé par un émigré, promettait de livrer Paris à une « exécution militaire et à une subversion totale », s'il était fait le moindre outrage au roi, et de supplicier les révoltés. Écrit le 25 juillet, le manifeste n'est connu que le 3 août. Ce même jour, le maire de Paris demande à la barre de la Législative, au nom de quarante-sept sections sur quarante-huit, la déchéance du roi. Tout est prêt pour l'épreuve de force.

Le 9 août, la section des Quinze-Vingts menace de faire donner le tocsin et d'être en armes pour minuit si l'Assemblée ne dépose pas Louis XVI. Le soir, la « grande rue » du faubourg Saint-Antoine « tout entière illuminée » est fort agitée ; devant les boutiques, des groupes discutent tandis que des fédérés y arrivent à pied ou en fiacre. Seules treize sections sur quarante-huit adhèrent aux décisions des Quinze-Vingts. En fait, le centre politico-militaire est à l'Hôtel de Ville où Danton, second substitut du procureur de la Commune, prépare l'insurrection. Il fait décider par l'Assemblée des commissaires de section de se rendre aux Tuileries le lendemain matin. Les unes après les autres les sections choisissent l'insurrection. A minuit moins le quart, les cloches des Cordeliers et de Saint-André-des-Arts se mettent en branle. La générale bat. Carra et Chaumette sont chargés de diriger les fédérés marseillais vers les Tuileries. Les commissaires Rossignol, Santerre et Alexandre doivent soulever les faubourgs Saint-Antoine et Saint-Marceau. Vingt-huit sections adhèrent à l'insurrection ; on y remarque Choderlos de Laclos, Tallien, Collot d'Herbois, Hébert... Pourtant, rien n'est joué dans la mesure où le Conseil général de la Commune envoie dans les sections des officiers municipaux pour enrayer la mobilisation.

Du côté du château, on a tout

BIBLIOGRAPHIE

MATHIEZ A., *Le Dix Août,* Gallimard, Paris, 1969.

REINHARD M., *La Chute de la royauté,* Gallimard, Paris, 1969.

SAGNAC Ph., *La Chute de la royauté,* Hachette, Paris, 1909.

VOVELLE M., *La Chute de la monarchie,* Seuil, Paris, 1972.

prévu. Le commandant de la garde nationale, Mandat, royaliste constitutionnel, qui dirige les 2 000 gardes nationaux, a fait venir des renforts de Suisses dans la matinée du 9. Le palais en renferme près de 900 « bien disciplinés et excités contre les fédérés et le peuple de Paris ». La gendarmerie à cheval et à pied est certes forte de 900 hommes. Mais elle est prête à passer du côté des insurgés. Ainsi, sur 4 000 défenseurs, seuls 1 500 sont sûrs. Il faut y ajouter 200 à 300 aristocrates « en habits noirs ». Toutes les cours des Tuileries sont gardées. Dans la cour royale, Mandat a fait disposer six canons. Au Carrousel se tient la gendarmerie à cheval. En raison de l'hétérogénéité de cette armée, des conflits éclatent ; certains officiers refusent de « tirer sur le peuple ».

Le 10 août, vers 1 heure du matin, le tocsin du faubourg Saint-Antoine sonne. Dès l'aube, le procureur général syndic de la Commune légale, Roederer, tente, avec les ministres, de trouver une solution afin de sauver le roi. A l'Hôtel de Ville, la Commune insurrectionnelle s'empare du pouvoir. Pétion va se coucher tandis que le commandant Mandat, discipliné et respectueux des lois, se rend à l'Hôtel de Ville où Rossignol l'abat, semble-t-il, d'un coup de pistolet. L'ordre venait de Danton : « Je fis l'arrêt de mort de Mandat qui avait donné l'ordre de tirer sur le peuple. »

Le roi ou la nation ?

Pendant ce temps, le château est en conférence. Roederer tente de convaincre la famille royale de se réfugier à l'Assemblée, car les Marseillais et la population du faubourg Saint-Marceau sont devant le Carrousel. Marie-Antoinette affirme hautement qu'« il est temps de savoir qui l'emportera, du roi ou de la Constitution ou de la faction », sans se rendre compte que « tout Paris marche » et que « la résistance est impossible » (Roederer). Les canons de Saint-Marcel placés sur la terrasse des Feuillants et le pont Royal effrayent la cour. Pour relever le courage de ses troupes, Louis XVI les passe en revue. Si un bataillon l'accueille aux cris de « C'est lui qui est notre maître ! A bas les jacobins ! », les canonniers répondent « Vive la nation ! ». Après bien des atermoiements, le roi, la reine, le dauphin, Madame Élisabeth et Mme de Tourzel, pressés par Roederer, se réfugient à l'Assemblée nationale qui se trouve à quelques pas, dans la salle du Manège. A cet instant, gardes nationaux et canonniers se rallient à la Révolution. Vers les sept heures et demie du matin, les premiers contacts entre adversaires se passent avec bonhomie. On parlemente. Des Suisses et des insurgés fraternisent. Westermann en s'adressant à eux tente de les séduire en allemand. Cependant, leurs officiers refusent de « se rendre à la nation ». Les Suisses tirent sur les insurgés qui sont dans le vestibule. Il est 8 heures. Aussitôt, de tous les bâtiments, « part une grêle de balles qui enveloppent la cour d'une fumée intense et fauchent des Marseillais et des Brestois », faisant une centaine de morts et de blessés. Bientôt les insurgés reçoivent les renforts du faubourg Saint-Antoine et de Montreuil et reprennent l'initiative. A 10 heures, sur ordre du roi, les Suisses cessent le feu. Les insurgés vont alors les traquer et les massacrer. « On les dépouille ; nus, on les perce [...] et on les mutile. » D'autres sont tirés place Louis-XV. Au château, des défenseurs « sont jetés vivants par les fenêtres et sont percés de piques sur la terrasse ». Une fois la colère passée, les insurgés traquent dans le château les voleurs et pillards qui sont immédiatement « massacrés ou pendus ». La journée a fait environ 1 200 morts dont 800 pour le château et 400 du côté du peuple.

Cette journée révolutionnaire est l'œuvre des faubourgs parisiens augmentés des fédérés provinciaux. Au soir du 10 août, le visage de la France a changé. La Commune insurrectionnelle restera désormais un pouvoir concurrent pour toutes les Assemblées jusqu'en 1794. Le roi est suspendu et incarcéré au

Temple. Les six nouveaux ministres nommés par l'Assemblée législative forment le Conseil exécutif provisoire, avec Danton à la Justice. Une Convention nationale sera élue au suffrage universel masculin. C'est le début d'une révolution antimonarchique et anticatholique et le début de l'expérience d'une démocratie directe des sans-culottes.

Hervé Luxardo

L'appareil d'État

Les offices, charges administratives ou judiciaires vendues par l'État, en propriété transmissible, à des individus ou à des personnes morales, disparurent en même temps que l'Ancien Régime. La liquidation de ces 50 000 offices, abolis pendant la nuit du 4 août 1789, dura jusqu'au Consulat.

Des offices aux fonctionnaires

Ils furent remplacés par des « fonctionnaires ».

Ce terme revêtit cependant un sens différent du sens actuel. Il désigne de nos jours les membres d'une administration centrale, employés du pouvoir exécutif, qu'à l'époque on appelait « commis » ou « employés » des ministères, des comités, des commissions exécutives ou des agences de l'État ; faisant suite aux commis de l'Ancien Régime, en particulier à ceux du Contrôle général, ils sont nommés par les ministres ou les députés dirigeant les comités et commissions, sous leur responsabilité directe ; ce ne sont que des subordonnés, mais nécessaires au fonctionnement des bureaux.

Au contraire, le « fonctionnaire public » est auréolé de la confiance de ses concitoyens, qui lui ont délégué une « fonction publique » ; responsable de la bonne exécution de sa tâche devant la nation, son meilleur équivalent actuel serait l'« élu », administrateur local mais aussi député ou juge ; il remplit une fonction du pouvoir souverain et doit donc être théoriquement désigné par le peuple et lui rendre des comptes. Le point commun entre les commis et les fonctionnaires est que leur charge est indépendante du titulaire, qui n'en est plus personnellement propriétaire.

Le mode de désignation des fonctionnaires publics varia en même temps que le mode de gouvernement et d'administration de la France, avec la Constitution de 1791, le gouvernement révolutionnaire et le Directoire.

La loi du 15 février 1790 créa l'organisation administrative territoriale moderne, découpant le pays en départements, districts et communes, dont les administrateurs, élus, formèrent des collèges. A chaque niveau fut élu un conseil général, qui désigna comme agent d'exécution permanent un directoire ; le roi était représenté, auprès de ces administrations organisées hiérarchiquement, par un procureur-syndic chargé de requérir l'application de la loi et d'en rendre compte au pouvoir exécutif. Ce procureur-syndic fut lui aussi élu par les citoyens actifs de la commune et l'assemblée électorale du département et du district.

Les fonctionnaires devaient répartir et percevoir les contributions, maintenir l'ordre, s'occuper des prisons, des écoles, de la voirie, de l'agriculture, des subsistances, etc. Les tâches des officiers municipaux en particulier étaient très lourdes. En cas de différend entre les administrations locales et le pouvoir exécutif, l'autorité de ce dernier ne pouvait s'exercer efficacement que par la cassation des actes des fonctionnaires ou leur destitution.

La chute de la monarchie et le conflit entre Gironde et Montagne conduisirent à modifier cette organisation ; le rôle des administrations départementales dans l'insurrection fédéraliste obligea la Convention à en destituer plusieurs et la loi organique du 14 frimaire an II (4 décembre 1793) supprima les conseils généraux de département en transférant une partie de leurs pouvoirs aux districts et aux municipalités. En outre, la même loi instaura un rouage essentiel de la centralisation administrative en remplaçant les procureurs-syndics par des agents nationaux, choisis sur place, mais nommés par le pouvoir exécutif et non plus élus, qui rendirent compte chaque décade à leurs supérieurs ; ils apparurent comme les successeurs des intendants de la monarchie. Enfin, le gouvernement révolutionnaire accrut son contrôle sur les fonctionnaires locaux en procédant à des destitutions et à des remplacements par l'intermédiaire des représentants en mission, aidés et conseillés localement par les sociétés populaires et les comités de surveillance, contrôle qui se poursuivra pendant la réaction thermidorienne.

La Constitution de l'an III renforça l'emprise de l'État sur les administrations locales et rendit le pouvoir aux notables en abandonnant le suffrage universel instauré après le 10 Août. Les administrateurs départementaux et communaux, élus par les assemblées électorales, furent réduits à moins d'une dizaine (alors que les conseils municipaux en comptaient jusqu'à 42 auparavant et les conseils généraux de département 36) ; les communes de moins de 5 000 habitants n'eurent plus d'administration ; les districts laissèrent place à des cantons administrés par les représentants des communes ; à tous les niveaux, le Directoire nomma un commissaire pour le représenter. En outre, il usa largement de destitutions et de remplacements illégaux, ce qui aboutit à pervertir l'idéal du fonctionnaire public pour le transformer en employé servile du pouvoir exécutif ; en cela, il prépara la voie à la centralisation consulaire et impériale et assura le glissement sémantique du mot « fonctionnaire » vers son sens actuel.

L'administration et ses visages

Comme on le voit, l'administration offre une physionomie fuyante. L'appareil d'État lui-même, notre moderne « administration », présente des aspects multiples. La Révolution n'a pas inventé la bureaucratie : la monarchie rétribuait déjà une lourde machine bureaucratique ; mais elle l'a rationalisée, en l'organisant en six à huit ministères ou douze commissions exécutives. Le nombre des commis augmenta, avec l'intervention de l'État dans la société : 420 avant 1789, 800 fin 1792, 1 250 en mars 1793, environ 2 000 au printemps 1795, 1 700 en 1797.

On peut dresser un portrait-robot de ces commis ; ils viennent des villes du nord-est de la France et, majoritairement, de Versailles et Paris ; ils sont assez jeunes (20 à 45 ans), ont en moyenne douze ans d'expérience administrative, souvent une ancienne carrière de clerc de notaire ou de procureur, parfois de prêtre ou d'enseignant ; peu engagés politiquement, ils jouissent corrélativement d'une assez grande stabilité de l'emploi, malgré quelques épurations en 1792 et 1795. Mais dans la réalité, tous les cas coexistent, de l'ancien menuisier, militant sectionnaire, qui arrive en 1818 à l'âge de la retraite dans l'emploi envié de chef de bureau du ministère de la Guerre, au directeur de l'école vétérinaire d'Alfort devenu chef de bureau au ministère de l'Intérieur, en passant par le clerc de notaire attiré par la régularité des salaires et les perspectives de carrière.

Dans leurs rapports avec les administrés, ils se heurtent à la méfiance des militants qui exigent et

BIBLIOGRAPHIE

CHURCH C.H., *The Revolution and Red·Tape : The French Ministerial Bureaucracy, 1770-1850,* Clarendon Press, Oxford, 1981.

MOUSNIER R., *État et société en France aux XVIIᵉ et XVIIIᵉ siècles, le gouvernement et les corps,* Cours de la Sorbonne, 1968.

SURATTEAU J., « Fonctionnaires et employés », *Annales d'histoire de la Révolution française,* n° XXIX, t. 2, 1958, p. 71-72.

finissent par obtenir de les surveiller et de les contrôler en l'an II par le biais de la délivrance de certificats de civisme. Ils justifient partiellement cette attitude en conservant des pratiques dites d'Ancien Régime : mépris et insolence à l'égard des citoyens, et complaisance devant les sollicitations et les tentatives de corruption ; le Comité de salut public doit préciser par arrêté le 16 mars 1794 les obligations des commis envers le public et leurs limites ; on sait que le Directoire fut le paradis des compagnies de fournisseurs militaires qui achetaient la complaisance des responsables de l'administration.

Modèle urbain, modèle rural

La grande différence entre les commis et l'administrateur local réside dans la politisation des fonctions publiques : il n'y a pas d'administration des choses sans choix politique, ne serait-ce que dans la gestion des subsistances ou l'emploi de la force publique ; le renouvellement des administrations fut l'enjeu de rivalités politiques au niveau local et national. A l'automne 1792, les nouvelles administrations départementales furent plus favorables aux girondins que les districts et les municipalités, plus montagnards dans l'ensemble. Cette politisation eut des conséquences diverses suivant que l'on se trouvait en milieu urbain ou rural.

En milieu urbain, plus encore dans les grandes villes, ainsi qu'à Paris et dans sa région, la nomination comme fonctionnaire public servit assez longtemps de tremplin à une carrière politique nationale : ainsi Jean-Marie Goujon, l'un des conventionnels jacobins « martyrs de Prairial », fut-il successivement clerc de procureur, électeur, conseiller général de Seine-et-Oise, puis procureur-syndic du département, administrateur de la Commission des subsistances en l'an II, enfin conventionnel et représentant en mission.

En milieu rural, le problème résida dans la difficulté pour le gouvernement, les représentants en mission et les sociétés populaires de trouver des fonctionnaires à la fois sûrs politiquement et compétents ; en 1790, le curé était souvent élu comme maire ou procureur de la commune ; mais quand on voulut épurer les municipalités ou les districts, le choix fut limité par le nombre des candidats sachant lire et écrire. Cette préoccupation ne fut sans doute pas étrangère à la création des municipalités cantonales et à la suppression des petites municipalités par la Constitution de l'an III. L'analphabétisme, parfois, et l'incompétence, souvent, des municipalités furent d'autant plus préjudiciables à l'État que celles-ci avaient une responsabilité fiscale déterminante.

La fiscalité

La Constituante avait en effet confié aux communes le soin de dresser les matrices des rôles des impôts directs, puis de répartir les contributions, ceci sans cadastre, sur la base des déclarations souvent frauduleuses des contribuables. Les municipalités, dont certaines étaient entièrement composées d'illettrés, se révélèrent impuissantes à mener à bien cette tâche dans les délais prescrits : le 26 mai 1792, 14 000 communes sur 40 000 avaient achevé la confection des matrices de la contribution mobilière de 1791 et de nombreuses injustices avaient été commises, d'autant que les receveurs de district, fonctionnaires du gouvernement mal recrutés, mal payés et mal vus par les populations auxquelles ils rappelaient les commis des fermes de l'Ancien Régime, avaient fait preuve de peu de zèle. Les impôts directs de 1791 rapportèrent 469 millions, au lieu des 587 escomptés. Les impôts furent tardivement et mal levés, faute de personnel spécialisé qui aurait pu pallier l'incompétence et la mauvaise volonté des municipalités soumises aux pressions des électeurs-contribuables.

Ainsi, l'effort louable de l'État révolutionnaire pour rompre avec l'Ancien Régime et introduire la démocratisation administrative aboutit-il à l'échec consacré par la centralisation consulaire et impériale. Le pays, largement illettré, n'était sans doute pas prêt à assumer cette nouvelle responsabilité.

Catherine Kawa

La Révolution en actes

« Tandis que les sociétés jacobines étaient issues spontanément de la situation de la France et du caractère des Français, c'est d'une loi de la Convention que sortirent les comités », écrivait en 1900 Alphonse Aulard. La distinction établie entre la spontanéité du mouvement associatif et la légalité étatique des comités, si elle reflète bien une différence juridique essentielle entre les deux formes fondamentales du pouvoir révolutionnaire en l'an II, doit cependant être nuancée : la formation des comités a précédé en plus d'un lieu les décisions de la Convention ; les sociétés s'insèrent légalement, en frimaire an II (novembre-décembre 1793), dans l'appareil d'État révolutionnaire ; enfin, sociétés et comités entretiennent, à la ville et plus encore au village, des rapports étroits, dans leur recrutement, leur activité et leurs objectifs. Ils s'intéressent alors à tous les aspects de la vie locale : la traque des « suspects » et des « contre-révolutionnaires », la réquisition des subsistances, la surveillance du maximum des prix et des salaires, les mesures de déchristianisation, l'organisation des fêtes, le soutien à l'effort de guerre.

Les sociétés politiques

Apparus dans l'été 1789, quand s'élargit le débat autour de l'Assemblée nationale, clubs et sociétés, qui se diffusent massivement à travers le pays dans les années suivantes, sont des lieux où les Français créent et apprennent la participation politique. Objet d'une historiographie abondante, et discordante, ils sont porteurs des espérances démocratiques, pour les uns, responsables de tous les maux, de tous les excès, pour les autres. Pour tous, ils constituent l'un des éléments décisifs du processus révolutionnaire.

Peu après la formation à Versailles du Club breton, une union de députés aux États généraux (30 avril 1789), des sociétés « patriotiques » s'établissent dans diverses villes ; s'y retrouvent ceux qui, avides de s'informer en un moment où la pléthore des événements sature les moyens traditionnels de communication, désirent contribuer à l'édification d'une monarchie constitutionnelle.

Encore limité à une vingtaine de villes à la fin de l'année, le mouvement s'accélère après l'installation d'une Société des amis de la Constitution, dans le couvent des Jacobins de la rue Saint-Honoré, à Paris (octobre 1789) : une société existe dans environ 300 villes ou communes à la fin de 1790, dans 1 100 à la fin de 1791. Le règlement de la société parisienne souligne leur rôle : « L'objet de la Société des amis de la Constitution est : 1° de discuter d'avance les questions qui doivent être décidées dans l'Assemblée nationale ; 2° de travailler à l'établissement et à l'affermissement de la Constitution ; 3° de correspondre avec les autres sociétés du même genre qui pourront se former dans le royaume. »

Cette expansion rencontre de fortes résistances. Autorisées au nom de la liberté d'opinion et de réunion, les sociétés sont attaquées par les forces conservatrices qui réussissent en octobre 1791 à leur ôter le droit de pétition collective. Après une période de difficultés, voire de recul, au début de la Législative, l'expansion reprend à un rythme plus lent : les sociétés sont présentes dans 1 500 communes à la fin de 1792, dans 2 000 à l'été 1793. C'est en l'an II que le phénomène « explose » : dans plus de 5 100 communes, sur les 41 000 que compte la République, plusieurs centaines de milliers de citoyens participent à leurs séances.

Diversité et cohésion

Ce réseau s'est implanté inégalement selon les régions. Trois pôles de forte sociabilité politique se dessinent en l'an II. Dans le Midi méditerranéen, et particulièrement en Provence, les clubs sont omniprésents : 92 % des communes du Vaucluse, 84 % de celles des Bouches-du-Rhône, 75 % de celles de la Drôme, 60 % de celles du Var, 56 % de celles des Basses-Alpes ont une société. Dans le Sud-Ouest, dans le Nord-Ouest et la région parisienne, les sociétés sont nombreuses, mais leur densité plus faible (15 à 30 %). Ailleurs, leur réseau n'intéresse guère que les chefs-lieux de canton. La différence entre ces trois pôles est principalement chronologique : dans le Sud-Ouest, la diffusion des sociétés est précoce, forte dès 1791, alors que c'est l'année 1792 qui caractérise le versant méditerranéen. Dans la France du Nord, l'implantation, plus lente, s'est effectuée, pour l'essentiel, après septembre 1793.

Ce réseau dense et ramifié, Michelet puis Cochin l'ont dénoncé comme une « machine », Aulard comme un « filet » qui emprisonne le pays. C'est sous-estimer la diversité des sociétés. Diversité des regroupements : sociétés bourgeoises ou plus populaires, « fraternelles », plus tard sectionnaires ; sociétés de jeunes, ou de femmes, interdites le 9 brumaire an II (30 octobre 1793) ; sociétés de villages, unies autour de leurs notables, ou sociétés revendicatives de journaliers. Diversité idéologique : clubs « fayettistes », monarchiens ou feuillants en 1790-1791, clubs fédéralistes, montagnards ou maratistes en 1793, an II. Diversité de constitution : formation délibérée, autonome, ou bien imposée par un commissaire, l'armée révolutionnaire, un représentant en mission ; initiative d'un curé en mal de légitimité ou d'un bourgeois épris d'idées nouvelles ; expression d'unanimité villageoise ou citadine, fruit de divisions anciennes ou de luttes récentes. Les sociétés n'ont jamais constitué une réalité monolithique.

Au fil des mois se manifestent toutefois d'indéniables facteurs de cohésion. Rares sont en définitive, hors les nobles et les prêtres, les catégories sociales exclues de la sociabilité politique révolutionnaire : à Paris, en l'an II, les sociétés populaires regroupent près de 10 % de bourgeois, 41 % d'artisans, 16 % de commerçants, 12 % de salariés et 8 % de domestiques. D'autre part, une fois établies, toutes les sociétés tendent à fonctionner selon des règles analogues : nulle société sans statuts, sans bureau, sans modalités d'admission, sans discipline de discussion. C'est l'invention et la diffusion d'une sociabilité démocratique qui cimentent le réseau des sociétés, à travers un ample processus d'acculturation politique. Enfin, la dynamique des luttes politiques marginalise, puis élimine les sociabilités rivales (académies, loges, cercles, chambrées), et affirme l'hégémonie jacobine : les sociétés monarchiennes, feuillantes ou fédéralistes disparaissent, les réseaux d'affiliation s'étendent, tandis que l'épuration devient une pratique périodique.

Les comités révolutionnaires de surveillance

Les premiers « comités de surveillance » ou « comités révolutionnaires » (les deux termes se confondent souvent) naissent dans l'hiver 1792-1793 – à Paris, dans les sections, en province, au sein des administrations ou des sociétés – du sentiment de la nécessité de mesures énergiques de « salut public », pour faire face, au-dehors, à la menace de l'invasion, à l'intérieur, au soulèvement de la Vendée et à la contre-révolution. La loi du 21 mars 1793 institue enfin dans chaque commune un comité de surveillance, formé de douze membres, auquel elle confie le recensement des étrangers. Le 17 septembre 1793, la Convention les investit du pouvoir de « dresser, chacun dans son arrondissement, la liste des gens suspects, de décerner contre eux les mandats et de faire apposer les scellés sur leurs papiers » : sont réputés suspects « ceux qui, soit par leur conduite, soit par leurs relations, soit par leurs propos et leurs écrits, se sont montrés partisans de la tyrannie ou du fédéralisme, et ennemis de la liberté », en premier lieu nobles et parents d'émigrés, plus généralement tous « ceux à qui il a été refusé des certificats de civisme ». Sous l'autorité du Comité de sûreté générale, les comités, dont le président est renouvelé tous les quinze jours, doivent communiquer par écrit les motifs de leurs décisions. La loi du 14 frimaire an II (4 décembre 1793) leur confie enfin, en concurrence avec les autorités municipales, l'application des lois.

Du printemps ou de l'automne 1793 jusqu'à l'été 1794, les comités constituent au niveau du département, du district et parfois de la commune, un rouage essentiel du pouvoir révolutionnaire. Leur composition varie selon les situations locales. Les comités parisiens, issus des sociétés sectionnaires, comptent 45 % d'artisans, 18 % de commerçants, 10 % de membres des professions libérales. A Laval, un comité révolutionnaire formé en frimaire au sein de l'administration départementale en remplace un premier « dont la plupart des membres ont été égorgés par les brigands de la Vendée » ; il multiplie les exécutions. Épuré en germinal par le représentant en mission, il se démocratise, tempère sa « justice sévère et impartiale » : une dernière épuration le livre aux modérés, en brumaire an III (octobre-novembre 1794). Au village, comité et municipalité se recoupent en partie : les comités de Parnes (Oise) ou de La Roquebrussane (Var) sont issus de l'assemblée communale et collaborent étroitement avec les autorités locales.

Ont-ils été les « inquisiteurs novices, acharnés et subalternes » que dénonce Taine ? Nul doute qu'ils n'ont pas été exempts des « haines particulières » et des « passions individuelles » que révèle maint représentant en mission. Mais ils ont efficacement œuvré à l'écrasement du fédéralisme et de toute forme d'opposition à la Convention. En Thermidor, les suspects emprisonnés sont à Paris 8 000 (dont 6 000 Parisiens) pour quelque 500 000 habitants ; le comité du district de Dax a fait pour sa part incarcérer 300 suspects de son ressort (80 000 h.), dont 120 dans la seule ville de Dax (3 400 h.). Albert Mathiez en 1929 avance le chiffre, minimal, de 300 000 suspects pour la France de l'an II.

Principaux acteurs de la Terreur,

BIBLIOGRAPHIE

Annales historiques de la Révolution française, n° spécial « Sociétés populaires », n° 4, 1986.

CARDENAL L. de, *La Province pendant la Révolution. Histoire des clubs jacobins*, Payot, Paris, 1929.

KENNEDY M., *The Jacobins Clubs in the French Revolution. The First Years*, Princeton University Press, 1982.

MAINTENANT G., *Les Jacobins*, PUF, coll. « Que sais-je ? », n° 190, Paris.

comités et sociétés sont dénoncés dès l'été 1794. Les comités sont les premiers touchés : la loi du 7 fructidor an II n'en maintient qu'un par département et celle du 1er ventôse an III (19 février 1795), que dans les villes de plus de 50 000 habitants. La Convention ferme la Société des jacobins le 22 frimaire an III (12 décembre 1794) ; le 6 fructidor (23 août 1795), « toute assemblée connue sous le nom de “club” ou de “société populaire” est dissoute ». Malgré des réapparitions intermittentes sous le Directoire, les sociétés politiques ne retrouveront plus leur vitalité de l'an II.

Jean Boutier
Philippe Boutry

Jacobins, jacobinisme

Le jacobinisme et l'histoire des jacobins se situent au centre d'un vaste débat idéologique – notamment en France – dont les enjeux contemporains sont évidents. Les historiens, eux, s'interrogent principalement sur la chronologie, les structures et l'implantation du jacobinisme, sur sa signification et ses contradictions.

Dans l'histoire des jacobins, il faut distinguer les étapes. Le noyau initial était constitué des députés et des patriotes rassemblés au sein de la Société des amis de la Constitution, qui se transporta de Versailles à Paris avant de s'installer, en novembre 1789, au couvent des Jacobins. Jusqu'à la fin de mai 1793, s'institua peu à peu une structure politique qui se nationalisa et s'homogénéisa dans ses ambitions, ses principes, ses pratiques. Organisée autour de la « société mère » de Paris, grâce au réseau des sociétés affiliées, la présence jacobine finit par imposer peu à peu son *leadership* sur la société politique, à travers les structures de la démocratie représentative. Cette évolution se produisit, non sans crises internes ni menaces, sous le feu permanent d'oppositions passionnées et dans la concurrence avec d'autres formes d'associations politiques (à Paris, les cordeliers sur la gauche, et sur la droite, divers clubs ou groupes de pression). Les crises les plus graves, les jacobins les rencontrèrent au moment de la scission des feuillants, en juillet 1791 puis, quand la Constituante essaya, en septembre, de briser le réseau jacobin et d'interdire la propagande ; enfin, après le 10 août 1792 et la proclamation de la République, quand se constitua le « parti » girondin, ce qui parut porter un coup décisif à l'unité jacobine.

Pourtant, toutes ces crises, accompagnées de la défection de *leaders* célèbres et d'exclusions, ne se sont finalement pas traduites par un affaiblissement structurel : au contraire, le rappel des principes fondateurs de l'« antiféodalisme » et de la démocratie politique, notamment par Robespierre aux moments décisifs, entraîna une augmentation du nombre des sociétés affiliées et des adhérents et augmenta leur influence. L'ouverture des débats aux « citoyens des tribunes », quelquefois l'abaissement de la cotisation et l'utilisation de plus vastes locaux, une propagande active, montrent le progrès de l'implantation et la constitution de cette *hégémonie* jacobine, visibles peu après. Jamais cependant, les jacobins n'ont été majoritaires dans les assemblées nationales ou départementales de 1791 à l'été 1793.

Le pouvoir jacobin

A partir du coup de force des sans-culottes parisiens, soutenus par les députés de la gauche montagnarde (31 mai-2 juin 1793) s'institua en quelques mois la dictature jacobine du gouvernement révolutionnaire de salut public. Dès cet instant et jusqu'au 9 thermidor an II (27 juillet 1794), l'hégémonie jacobine s'exprima sous la double forme d'une domination politique et de l'exercice d'un véritable magistère idéologique et moral étendu sur toute la société civile. Le vaste organigramme des 5 027 communes ayant possédé des sociétés populaires recensées au cœur de l'an II (5 500 très probablement) et la présence des nombreux organismes de pouvoir et d'incitation que celles-ci contrôlent, composent ou dynamisent à tous les niveaux – de la Convention jusqu'au plus lointain district –, donnent au *pouvoir jacobin* sa force, sa cohérence, son autorité. Instrument d'action de l'État révolutionnaire et en même temps unique instance d'opinion, traversée par les exigences différentes, voire contradictoires, émanées de la société – n'y eut-il pas en octobre-décembre 1793, l'ébauche d'un « fédéralisme jacobin » ? –, la structure jacobine est le lieu de recherche de l'unité politique et morale face à la coalition des puissances étrangères et à la menace intérieure de contre-révolution ; à cela se consacrent un demi-million d'adhérents, une centaine de milliers d'activistes. Le décret du 14 frimaire an II (4 décembre 1793) entreprit de régulariser les rapports entre le gouvernement révolutionnaire, les agents nationaux et les sociétés populaires, mais dans un sens qui favorisa l'interpénétration des structures étatiques et des lieux de mobilisation de l'opinion en subordonnant ceux-ci aux nécessités de la centralisation.

Dans la pratique, ce dispositif aboutit à renforcer l'acuité des contradictions inhérentes au jacobinisme : contradiction entre la volonté de préserver l'initiative économique des entrepreneurs ou des grands fermiers et les exigences taxatrices et réglementaristes des salariés et des petits producteurs ; contradiction entre la volonté de favoriser l'accès des grandes masses à la propriété ou à « l'honnête médiocrité » et la nécessité de ne pas briser l'unité du tiers état en rejetant les bourgeoisies ; contradiction entre l'idéal rousseauiste d'une démocratie roturière venue d'en bas et les exigences centralisatrices de l'État révolutionnaire ; contradiction enfin entre la volonté moderniste d'éradication du « despotisme et de la superstition » et les mentalités populaires dominées par les croyances, les habitudes mentales, les pratiques langagières ancestrales et le respect des autorités anciennes. La chute de Robespierre et de ses amis le 9 Thermidor révélera la profondeur insurmontable des contradictions du jacobinisme dès lors que la victoire militaire semblant assurée, l'unité politique parut à tous n'être qu'une contrainte insensée, imposée par des doctrinaires abusifs.

Interprétations et polémiques

Quelle signification historique reconnaître au jacobinisme ? Est-il la première forme de ce « pouvoir totalitaire » dont la source théorique résiderait dans la catégorie

BIBLIOGRAPHIE

COCHIN A., *La Crise de l'histoire révolutionnaire, Taine ou M. Aulard,* Champion, Paris, 1909.

FURET F., *La Gauche et la Révolution au milieu du XIXe siècle,* Hachette, Paris, 1986.

GRAMSCI A., *Gramsci dans le texte,* Éd. Sociales, Paris, 1974.

MAZAURIC C., *Jacobinisme et Révolution,* Éd. Sociales, Paris, 1984.

VOVELLE M., *La Mentalité révolutionnaire : sociétés et mentalités dans la Révolution française,* Éd. Sociales, Paris, 1985.

rousseauiste de « volonté générale » ? Cette opinion de Joseph Talmon (1952) entraîne aujourd'hui la conviction de beaucoup d'historiens occidentaux ; ils renouvellent ainsi la thèse d'Augustin Cochin selon laquelle la perversion *despotique* de la démocratie est dans la logique d'un système dont le fonctionnement favorise les minorités organisées. Celles-ci exercent leur férule au nom d'une légitimité, celle que leur donne le principe de la souveraineté du peuple, pour imposer l'obéissance aux citoyens. L'idée tocquevillienne vient aussi en renfort d'une conception, reprise par François Furet, qui fait de l'antinomie du couple liberté/égalité, le cœur dialectique du processus de déviation d'une révolution initialement libérale, dont on a cru pouvoir justifier le « dérapage » en majorant le poids de « circonstances » plus fantasmatiques que réelles.

La tradition marxiste, repensée par Antonio Gramsci, voit dans le jacobinisme l'essence de la Révolution, comme révolution bourgeoise et démocratique. L'antiféodalisme fondateur, produit de l'union ville/campagne, serait ici transcendé par l'expression d'une volonté nationale-populaire, dominée par l'« illusion héroïque » et mise au service d'un discours universaliste. Les jacobins furent donc les protagonistes, le « parti », qui a pu dépasser le stade d'une stratégie de compromis, au profit d'un modèle éthico-politique d'intervention radicale et de réalisation de l'hégémonie bourgeoise sur la nation.

Sur un autre plan, par rapport à la longue durée de l'État-nation français, les jacobins n'ont-ils pas constitué, avec un sens élevé de l'État, la formation politique la mieux adaptée à une situation de crise et de conflits, pour mener à bien sous une forme à la fois consensuelle (la nation) et dissensuelle (les oppositions de classes et de groupes) la transition entre l'Ancien Régime absolutiste et la modernité de l'État représentatif contemporain ?

Créateur, sous l'effet des circonstances, de structures nationalitaires centralisées, le jacobinisme fut aussi un grand laboratoire institutionnel où prit racine l'appareillage de l'État bourgeois mis en place dans la décennie postérieure.

C'est beaucoup, pour une structure politique de durée si brève, que d'avoir ainsi favorisé l'émergence durable de *modèles* et construit un dispositif de références idéologiques et politiques qui survécurent à la dissolution du Club des jacobins le 22 brumaire an III (12 novembre 1794) par les autorités thermidoriennes.

Claude Mazauric

Les girondins

Le terme « girondin », qui s'est imposé au XIXe siècle, avait été employé dès le début de la Convention, mais parmi d'autres expressions : « brissotins », « rolandins », « buzotins » et même « pétionnistes ». Ces formules avaient une connotation péjorative et étaient rejetées par ceux qu'elles désignaient.

Une députation brillante

Le groupe girondin ne se constitua pas avant l'Assemblée législative (octobre 1791-septembre 1792), mais le « girondinisme » s'élabora bien avant cette période. On peut en retrouver le cheminement à travers le journal de Brissot, *Le Patriote français,* et celui de Gorsas, *Le Courrier des 83 départements,* à partir de 1789. A l'Assemblée constituante, un petit groupe de députés soutenait cette ligne politique : refus de tout compromis avec l'Ancien Régime, alliance avec le peuple, mais aussi méfiance envers ce même peuple considéré comme mineur et dangereux. Parmi ces rares députés, quatre s'imposèrent lentement à l'opinion : Pétion, Buzot, Lanjuinais et Kervélégan.

La future Gironde s'exprima d'abord au sein de deux clubs : la Société des amis des Noirs, fondée en 1788, puis à partir du début 1790, le Cercle social, dirigé par Bonneville et Fauchet. Dans ces clubs s'élabora la doctrine girondine : idéal d'une société de petits producteurs, régie par les lois d'un libéralisme économique pondéré par une fiscalité progressive ; au plan politique était préconisé un système complexe de représentation par mandats impératifs.

Dès les premières séances de l'Assemblée législative, le groupe girondin se structura et intervint dans les débats politiques : un bon tiers des nouveaux députés se reconnaissaient en Brissot ; parmi eux la députation de la Gironde brillait tout particulièrement par le talent de ses orateurs : Vergniaud, Guadet, Gensonné et Ducos. Les girondins prirent l'habitude de se rencontrer dans des salons, lieux par excellence de la sociabilité politique ; ceux de Mme Roland, de Valazé, de Mme Dodun et de Clavière étaient les plus fréquentés.

Au cours de l'été 1792, la Gironde commença cependant à s'inquiéter du poids croissant du « bas-peuple » dans la vie politique. L'alliance avec ce peuple, toujours nécessaire contre le roi, devenait conflictuelle, et la Gironde entendait en garder le contrôle. Ce fut le point de départ de l'opposition entre girondins et sans-culottes, les montagnards prenant progressivement le parti de ceux-ci.

Arrêter la Révolution

Après le 10 Août, la Gironde se réinstalla au pouvoir, mais la Commune de Paris lui était hostile ; sur la défensive, les girondins durent pourtant accepter les mesures révolutionnaires les plus violentes (première Terreur et massacres de Septembre) ainsi qu'une première forme d'économie dirigée (contrôle du commerce des grains de septembre à décembre 1792).

A la Convention, ils formaient un groupe d'environ 140 députés. Issus de la bourgeoisie de province, hommes de loi le plus souvent ou littérateurs plus ou moins célèbres avant 1789, ils étaient de fortune modeste, à de rares exceptions près.

Attachés au libéralisme économique et au droit de propriété, ils furent vite débordés par le mouvement populaire parisien. Ils s'orientèrent alors vers une politique de plus en plus conservatrice de l'ordre social nouveau, ce qui excluait toute nouvelle révolution. Cette volonté stabilisatrice se caractérisa par la

BIBLIOGRAPHIE

Actes du Colloque « Girondins et montagnards », publiés sous la direction d'Albert SOBOUL, Société des études robespierristes, Paris, 1980.

LAMARTINE A. de, *Histoire des girondins,* Plon, Paris, 1985.

tentative d'une partie de la Gironde de sauver Louis XVI, mais aussi par la dénonciation virulente des « anarchistes » symbolisés par Marat et Robespierre.

La chute

L'extension de la guerre en février 1793, puis les défaites en Belgique (mars 1793) ébranlèrent le pouvoir de la Gironde. Elle dut accepter des mesures d'exception : création du Tribunal révolutionnaire (10 mars 1793) et du Comité de salut public (5 avril) ; et, sous la pression populaire, vote du premier Maximum des prix, le 4 mai 1793. La Gironde tenta une contre-offensive en faisant traduire Marat devant le Tribunal révolutionnaire, qui l'acquitta triomphalement (24 avril 1793). La création de la Commission des Douze, le 18 mai, fut conçue comme une machine de guerre contre la Montagne ; la mise en accusation d'Hébert marqua en fait la rupture définitive entre les girondins les plus hostiles au mouvement populaire parisien et la Montagne. Les journées insurrectionnelles des 31 mai et 2 juin 1793 aboutirent à la mise en arrestation de vingt-sept chefs girondins.

Une partie des députés ainsi menacés quitta Paris et souleva les départements de Normandie, de Bretagne et surtout du Midi contre la Convention. Cette révolte « fédéraliste » se superposa à l'invasion étrangère et aux soulèvements de l'Ouest fomentés par les royalistes. Vaincus en juillet-août 1793, les girondins furent mis hors la loi et traduits devant le Tribunal révolutionnaire. Condamnés à mort, trente et un d'entre eux furent exécutés le 31 octobre 1793.

Les girondins survivants, en prison ou en fuite, ne furent réintégrés dans la Convention que plusieurs mois après thermidor an II. Ils s'associèrent alors en partie au personnel thermidorien, mais ne retrouvèrent jamais un rôle politique à la mesure de celui joué en 1792-1793.

La tradition historiographique libérale du XIXe siècle, représentée par Thiers, Sainte-Beuve et surtout Lamartine, voulut voir dans la Gironde l'incarnation du courant intellectuel issu des Lumières, à la fois démocrate et raffiné ; au contraire, les historiens se réclamant de l'héritage jacobin conclurent à l'impuissance de la voie modérée et libérale face à la contre-révolution intérieure et extérieure.

Marcel Dorigny

Les montagnards

Combien et qui furent-ils ? Qui représentèrent-ils ? Et pourquoi ces difficultés, que traduit le vide relatif de l'historiographie, à étudier un « parti politique » qui semble dominant en 1793 et explose en « factions » autodestructrices l'année suivante ? A ces questions nous n'apporterons que des réponses impressionnistes, car des zones d'ombre restreignent encore nos connaissances.

La tradition veut que le mot « Montagne » ait été lancé en octobre 1791 à la Législative par Lequinio, député du Morbihan. On en a souligné les accents messianiques ou maçonniques. Peut-être faut-il en relever la symbolique visuellement représentable, et représentée dans l'iconographie ou les fêtes de l'an II : la Montagne figure à la fois la « hauteur » des principes révolutionnaires et le « rocher » sur lequel doivent se briser tous les dangers. Le trajet discursif de *Montagne* et *montagnards* épouse à peu près le rythme de la Révolution. Ces désignants s'imposent au printemps 1793 et triomphent de l'été 1793 à l'immédiat après-Thermidor ; l'an III les bannit, d'abord au nom d'une « concorde » retrouvée, puis comme subversifs quand s'affirme, dans l'hiver 1794-1795, l'offensive réactionnaire contre la politique et les hommes de l'an II.

Qui sont-ils ?

Combien la Convention compta-t-elle de députés de gauche ? Répondre n'est pas aisé. Les élections de septembre 1792 ignorèrent, évidemment, le scrutin de liste et la notion même de « parti » était condamnable aux yeux de tous les révolutionnaires. Depuis la Constituante, toutefois, les représentants siégeaient selon leurs affinités politiques et, évoquant les « côtés » gauche ou droit des Assemblées, les comptes rendus des débats avaient rendu vivante, dans la conscience collective, l'existence de groupes parlementaires antagonistes. Pourtant, si dès le début de ce siècle, Aulard proposait un dénombrement de la droite girondine, il y renonçait pour les montagnards, soulignant les flux et reflux du parti. Dans les années 1790, après le relatif désintérêt pour une histoire parlementaire jugée trop événementielle, l'aventure était tentée. Au terme d'une analyse des « appels nominaux » de 1793 (procès du roi, puis mise en accusation de Marat en avril et affaire de la Commission des Douze en mai), Alison Patrick fixait une double borne à la Montagne : 215 députés au minimum, 302 au maximum. L'utilisation des mêmes indicateurs, mais complétés par les données fort révélatrices du grand conflit politique de l'an III, permet de dresser un tableau de 267 montagnards en juin 1793. Discutable, sans doute, cette nomenclature met en valeur la puissance relative de la Montagne (35 % environ des conventionnels) face à une Gironde plus faible qu'on ne le croyait généralement (18 à 23 % seulement). Cela peut aussi éclairer des ralliements « centristes », en cette dramatique période du printemps 1793.

Qui les montagnards représentent-ils ? Insuffisante, en soi, l'approche départementale ne peut être négligée. En bref, on doit relever le peu d'élus montagnards dans les fiefs girondins. Émergent, en revanche, des bastions de gauche. Paris, bien sûr, avec des personnalités notoires, Danton, Marat, Robespierre, ou encore Desmoulins, Fabre d'Églantine, Billaud-Varenne, Collot d'Herbois. Puis se distinguent le Nord et l'Est, la Bourgogne, le Nivernais, l'Auvergne, le Périgord, mais aussi l'Ariège, la Charente-Inférieure et la Vendée.

Pourquoi cette carte, à la fois cohérente et baroque ? Dans certaines régions, l'invasion joua un rôle ; ailleurs prédominèrent les réalités locales, conflits sociaux ou religieux, antagonismes nés de la Révolution elle-même, et parfois, simplement, influence de la ville où se tint l'assemblée électorale. Si l'esquisse géographique ne donne pas toutes les clefs, cherchera-t-on, avec Albert Mathiez, une identité de classe aux montagnards ? Les historiens ont souligné combien girondins et montagnards appartenaient majoritairement, avec certes des nuances non négligeables, aux catégories banales de la représentation politique : juristes et intellectuels s'y taillent la meilleure part (deux tiers environ des députés). La Montagne serait-elle alors le « parti des masses populaires », face à une Gironde des élites ? Le cas de Chalon-sur-Saône, tel qu'il a été étudié, pourrait, en

BIBLIOGRAPHIE

PALMER R.R., *Twelve who ruled, the Committee of Public Safety during the Terror,* Princeton University Press, Princeton, 1941.

PATRICK A., *The Men of the First French Republic,* The Johns Hopkins University Press, Baltimore et Londres, 1972.

TÖNNESSON K.D., *La Défaite des sans-culottes. Mouvements populaires et réactions bourgeoises en l'an III,* Clavreuil, Paris, 1959.

demi-teinte, donner à l'entendre : les pro-montagnards y sont plus petits bourgeois que leurs adversaires et plus proches de l'échoppe et de la boutique que de la rente ou du grand négoce.

Pluralisme

L'originalité de la Montagne nous paraît surtout résider dans l'hétérogénéité politique du groupe. En témoignent les factions (exagérés et indulgents) éliminées en germinal an II (mars-avril 1794), puis l'explosion du parti après le 9-Thermidor. En germinal an III (mars 1795), à la veille de la défaite des sans-culottes, deux tendances sont aisément décelables : 105 « montagnards-réacteurs » et 100 « derniers montagnards ». Les premiers sont plus qu'une force d'appoint de la Plaine et inventent la politique considérée comme technique de pouvoir, en transformant le gouvernement révolutionnaire en appareil d'État, ce qu'il n'était pas en l'an II. Nombre de ces montagnards avaient été très « terroristes » en 1793 (ce qui ne signifie pas systématiquement prévaricateurs), favorables à une indépendance du pouvoir exécutif, à la guerre de conquête et peu préoccupés, enfin, par la question sociale qu'ils abandonnaient à une ruse de l'histoire et au positivisme juridique. De ce courant sont révélateurs Barras ou Bentabole, Delacroix ou Dumont, Fréron ou Tallien. Les autres, fidèles aux institutions civiles définies au printemps de l'an II, érigeaient en *principe* de l'action politique la réalisation des droits naturels déclarés en 1793, la mise en pratique de l'égalité et de la fraternité, conditions indispensables à la marche en avant de la liberté. Pour eux, nulle coupure entre l'*homme* et le *citoyen,* entre le domaine du social et celui du politique. Que les plus célèbres soient les « martyrs de prairial », Goujon, Romme et leurs compagnons qui se suicidèrent pour avoir adopté le mot d'ordre populaire « Du pain et la Constitution de 1793 », n'est pas étonnant. Ils ne concevaient pas de démocratie sans « bonheur commun ». C'est cette Montagne-là qu'ont saluée les républicains des années 1830 et les révolutionnaires de 1848.

Françoise Brunel

Tribunaux et prisons

Sous l'Ancien Régime, la justice était administrée par un nombre considérable de juridictions et présentait la plus grande confusion.

Une réorganisation de l'appareil judiciaire fut entreprise par l'Assemblée constituante. Le 24 août 1790, il fut décidé que des juges de paix assistés de deux prud'hommes assesseurs auraient à connaître des affaires civiles dans chaque canton ; on pourrait aussi, le cas échéant, faire appel de leurs décisions devant des tribunaux de district. Autre innovation : des tribunaux de cassation auraient le pouvoir d'examiner et de réformer les jugements civils ou criminels. La même année, l'Assemblée entreprenait de modifier la législation criminelle. Elle institua des tribunaux composés d'un jury d'accusation et d'un jury de jugement formés d'au moins douze citoyens tirés au sort. Tous ces tribunaux furent mis en place et commencèrent à fonctionner en 1792.

La justice des citoyens

Après le 10 Août, qui révéla au public la duplicité de Louis XVI et de ses proches, l'Assemblée décida de traduire les auteurs de crimes politiques devant une Haute Cour. Le 17, un tribunal extraordinaire fut créé. Il jugea sans appel ni cassation et, en moins de quinze jours, prononça sur le sort de 62 individus dont 25 furent condamnés à mort. Mais la lenteur de ce tribunal, comme son inexplicable indulgence pour certains accusés – tel l'ancien ministre Montmorin –, indisposa une opinion effrayée par les menaces extérieures et précipita les dramatiques événements de septembre 1792.

L'inquiétude naquit à nouveau en 1793 lors du soulèvement de la Vendée et de la trahison de Dumouriez. Le 27 mars 1793, la Convention confia le soin aux tribunaux criminels ordinaires de juger « révolutionnairement » ou bien de renvoyer devant le Tribunal criminel révolutionnaire de Paris – institué le 10 mars – toutes les affaires qui leur paraîtraient être de son ressort. De nouveaux délits politiques furent définis. La législation antérieure sur l'émigration fut ainsi rayée d'un coup de plume et la Convention édicta une loi unique d'une extrême rigueur : tout émigré rentré devait être jugé « dans les formes révolutionnaires », c'est-à-dire sans appel ni cassation. Après confrontation avec des témoins d'un civisme certifié, les suspects reconnus coupables seraient condamnés à mort et exécutés dans les vingt-quatre heures (28 mars 1793).

Créés sur le modèle du tribunal exceptionnel du 17 août, les tribunaux révolutionnaires de 1793-1794 eurent à connaître des entreprises contre-révolutionnaires sous toutes leurs formes, notamment des manœuvres attentatoires à la légitimité et à l'unité du gouvernement républicain comme celles menaçant la sûreté de l'État. Municipalités et sections établirent des listes d'émigrés et de suspects, et furent habilitées à rechercher les contrevenants aux lois. L'accusateur public Fouquier-Tinville fut autorisé à faire arrêter, poursuivre et juger tout prévenu sur la simple dénonciation des autorités constituées.

Avec le vote, le 17 septembre 1793, de la loi des suspects, le nombre des arrestations augmenta brutalement et le tribunal fut soudain submergé. Un décret le réorganisa et il compta désormais seize juges, soixante jurés et cinq substituts. Quatre sections fonctionnèrent en même temps, et la procédure fut accélérée.

Cependant, les suspects continuaient d'affluer dans les prisons parisiennes ou provinciales. Il fallut aménager d'anciens hôtels particuliers, des couvents désaffectés ou des casernes pour les recevoir. En deux ans, à Paris, 7 000 personnes traversèrent ces lieux sinistres, mais dans lesquels, moyennant finances, on pouvait obtenir quelques adoucissements. L'historien Donald Greer estime que 500 000 personnes (2 % de la population) furent détenues en France. Mais la plupart furent libérées dans les heures ou les jours suivants – ou assignées à résidence sous la garde d'un gendarme.

L'encombrement des prisons créa des problèmes d'un genre nouveau : au début de 1794, des agitateurs contre-révolutionnaires firent courir dans les prisons la rumeur d'un prochain massacre général des détenus. Parallèlement, ils cherchaient à exciter le peuple contre les prisonniers qu'on présentait comme prêts à la révolte et extrêmement dangereux. Pour éviter une réédition des massacres de Septembre, il fallut agir et vite.

BIBLIOGRAPHIE

BLANC O., *La Dernière Lettre. Prisons et condamnés de la Révolution,* Laffont, Paris, 1984.

MATHARAN J.-L., « Les arrestations de suspects en 1793 et en l'an II », *Annales historiques de la Révolution française,* n° 263, 1986.

WALTER G., *Actes du Tribunal révolutionnaire,* Mercure de France, Paris, 1968.

WILLETTE L., *Le Tribunal révolutionnaire,* Denoël, Paris, 1981.

Ventôse et la Grande Terreur

Par la loi du 8 ventôse an II (26 février 1794), l'Assemblée décida que les suspects reconnus ennemis de la Révolution seraient détenus jusqu'à la paix, puis bannis du territoire de la République et leurs biens confisqués. Pour « trier » les prisonniers, la loi du 23 ventôse (13 mars) institua six commissions populaires chargées d'examiner les dossiers de tous les suspects et de les classer de la façon suivante : ceux qui pourraient être libérés sur-le-champ, ceux qu'on détiendrait jusqu'à la paix, ceux enfin, « traîtres à la patrie », qu'on renverrait devant le Tribunal révolutionnaire, lequel entérinerait cette décision par un verdict de mort. Conséquence logique, les interrogatoires préalables et l'audition des témoins au tribunal de Fouquier furent supprimés comme formalités inutiles (loi du 22 prairial an II-10 juin 1794).

En fait, les choses ne se passèrent pas comme prévu. Depuis l'exécution des hébertistes et des dantonistes, une sourde rivalité opposait les deux grands comités de gouvernement, le Comité de salut public et le Comité de sûreté générale qui fut toujours plus ou moins sous l'influence des forces contre-révolutionnaires ; le premier cherchant à prendre le pas sur le second et à contrôler Fouquier-Tinville qui faisait preuve d'une troublante sévérité à l'égard des suspects.

Sentant ses prérogatives menacées par l'institution des commissions populaires et la création, par le Comité de salut public, de son propre bureau de police, le Comité de sûreté générale chercha dès lors à ralentir la mise en place des commissions (seulement deux sur six fonctionnaient le 9 Thermidor) et à détourner l'esprit des décrets de Ventôse. La loi du 22 prairial, votée prématurément, en donna l'occasion à Fouquier-Tinville qui jugea à la hâte des suspects en instance de comparaître devant les commissions et susceptibles, le cas échéant, de bénéficier de leur clémence. Un exemple parmi tant d'autres : la famille Tardieu de Maleyssie fut précipitamment envoyée à la mort par Fouquier, alors que son dossier était examiné au même moment par une commission populaire qui décida – mais trop tard – que cette famille serait déportée. La duplicité des membres du Comité de sûreté générale et de Fouquier est évidente à la lecture des papiers de l'accusateur public. Les uns et les autres entretenaient en secret dans les prisons des agents – aussi machiavéliques que « l'anglo-royaliste » Dossonville – dont le but était de dénoncer d'imaginaires tentatives de révolte, les conspirations des prisons, et de justifier le renvoi de centaines de personnes devant le Tribunal révolutionnaire de Fouquier.

Après la chute de Robespierre, sur la mémoire duquel ses adversaires politiques se déchargèrent de tous ces crimes, le Tribunal révolutionnaire ralentit considérablement son activité. La loi du 22 prairial fut abolie, mais l'on continua à juger « révolutionnairement », jusqu'à la suppression de ces juridictions d'exception le 12 prairial an III (31 mai 1795).

Compte tenu des soubresauts intérieurs des années 1793 et 1794 et de la situation d'exception provoquée par la guerre, la justice révolutionnaire n'a pas toujours su ou pu respecter le principe de la proportionnalité entre les délits et les peines. Il reste toutefois qu'elle cimenta celui de l'égalité des citoyens, quelle que soit leur origine sociale, devant la loi, aussi contraignante fût-elle.

Olivier Blanc

L'école : un gigantesque effort pédagogique

En héritiers des Lumières, les hommes de la Révolution sont confiants dans les pouvoirs illimités de l'éducation et dans sa capacité à forger un homme nouveau. Mais, en même temps, la dynamique même de l'événement les pousse à radicaliser l'opposition entre passé et avenir : la rupture qu'instaure la Révolution par rapport à l'Ancien Régime assigne à celle-ci une inlassable mission pédagogique pour façonner un peuple tout entier – non la seule génération à venir, mais aussi l'ensemble des adultes corrompus par les anciens préjugés et superstitions.

L'édification de la cité nouvelle ne saurait se faire à partir des institutions d'enseignement contrôlées par le clergé ou les congrégations enseignantes : il s'agit donc à la fois de détruire ces vestiges d'un passé honni – ce sera fait à partir de 1793 – et de construire à la place un système d'éducation publique capable de régénérer et de maintenir tout un peuple dans les principes de liberté qu'il vient de conquérir. De ce fait, le discours révolutionnaire sur l'école est indissociable de celui qui est tenu sur les fêtes ; ces dernières constituent l'autre volet de la pédagogie révolutionnaire. Dans l'incessante succession des projets révolutionnaires, au-delà des conflits politiques qui traversent les assemblées, il faut lire le rêve tenace d'une société tout entière pédagogique dans l'ensemble de ses institutions ; cela peut aller jusqu'à l'affirmation du député montagnard Bouquier, le 24 germinal an II (13 avril 1794) : « Les véritables écoles de vertus, des mœurs et des lois républicaines sont dans les sociétés populaires, dans les assemblées de sections, dans les fêtes décadaires, dans les fêtes nationales et locales, les banquets civiques et les théâtres. C'est là que la jeunesse acquerra, pour ainsi dire sans travail, la connaissance de ses droits et de ses devoirs, qu'elle puisera des sentiments propres à élever son âme à la hauteur des vertus républicaines... Pendant le cours de notre Révolution, la société des jacobins a produit à elle seule plus d'héroïsme, plus de vertus que n'en ont offert pendant des siècles tous les établissements scientifiques. »

Des « temples nationaux »

Mais en même temps, la Révolution cherche à créer un univers éducatif nouveau qu'elle sacralise. Ainsi les écoles ne sont plus des réduits obscurs qui servent d'asile à l'ignorance mais des « temples nationaux ». Le magister d'Ancien Régime a cédé la place à l'instituteur qui est en même temps « magistrat ». Les préceptes des morales sont inclus dans les catéchismes du républicain ou dans le *Recueil des actions héroïques et civiques des républicains français,* envoyé par la Convention aux municipalités, aux armées, aux sociétés populaires et à toutes les écoles pour être lu publiquement les jours de décade et servir de livre de lecture à l'ensemble des petits Français (13 nivôse an II-2 janvier 1794). Condorcet, qui se défie « du penchant presque général à fonder » les « nouvelles vertus politiques sur un enthousiasme inspiré dès l'enfance » peut bien s'ériger contre cette sacralisation. C'est méconnaître la force du rêve pédagogique des révolutionnaires qui les empêche même de comprendre d'éventuelles résistances.

Le cri de la nature

Sur les modalités d'application, les révolutionnaires ne sont pas forcément d'accord, ce qui explique, au-delà de circonstances peu propices (guerre intérieure et extérieure), le caractère tardif de la législation révolutionnaire. Aussi le cas du plan de Le Peletier de Saint-Fargeau, défendu à la Convention par Robespierre le 13 juillet 1793, est-il exemplaire. Le Peletier prévoyait la création d'une maison d'éducation commune (une par section dans les villes, une par canton dans les campagnes) destinée à accueillir tous les enfants de la circonscription entre cinq et douze ans. Élevés « sous la sainte loi de l'égalité », les enfants devraient recevoir dans ces internats une éducation commune, gratuite, publique et obligatoire. Arrachés à leur village ou à leur quartier comme à leur famille, ils devaient moins y acquérir des contenus de savoir positifs qu'y prendre des habitudes qui s'imprimeraient au plus profond des corps et des cœurs : d'où l'attention portée au régime physique — il s'agit de former des corps vigoureux —, à l'accoutumance au travail (destiné à accroître la productivité et les richesses de la nation), à l'apprentissage d'une vie réglée par une discipline austère, qui formera les élèves de la patrie « à la sainte dépendance des lois et des autorités légitimes ». En imaginant cette école, modèle de la société future, Le Peletier proposait des mesures trop radicales pour ne pas susciter au sein de la Convention de fortes résistances. C'est moins sur le coût — très élevé malgré la taxe de solidarité nationale que Le Peletier avait prévu de faire payer par chaque contribuable, taxe égale à la moitié de sa cote fiscale — que sur l'internat et surtout le caractère obligatoire que les critiques ont été les plus vives : le « cri de la nature », celui du sentiment familial dont Philippe Ariès a retracé la montée tout au long de l'époque moderne, ne pouvait tolérer cet arrachement de l'enfant à sa famille au nom des droits de la patrie.

L'histoire des projets pédagogiques de la Révolution est donc l'histoire de ces hésitations, de ces conflits — dont les inflexions et les cassures ne sont pas forcément celles que découpe une histoire strictement politique —, de ces échecs aussi. Les révolutionnaires étaient parfaitement conscients de la lutte prométhéenne qu'ils avaient à mener contre le temps pour aboutir ; un vide dommageable à la République se créait entre des institutions anciennes anéanties comme les collèges (par le départ des enseignants ou la disparition des ressources propres) et des institutions nouvelles qui n'étaient pas encore créées : « La Révolution a aussi ses principes, c'est de tout hâter pour ses besoins. La Révolution est à l'esprit humain ce que le soleil de l'Afrique est à la végétation » (Barère, discours du 13 prairial an II-1er juin 1794).

Les « cours révolutionnaires »

D'où la création de « cours révolutionnaires » accélérés, destinés à produire rapidement des effets multiplicateurs : venus en nombre égal de tous les districts (ou en nombre proportionnel à la population de ceux-ci), les élèves recevaient à Paris une formation intense et courte avant de regagner leur domicile et d'ouvrir eux-mêmes des cours destinés à dispenser le savoir qu'ils venaient de recevoir. La formule est mise au point en ventôse

L'enseignement public en 1789

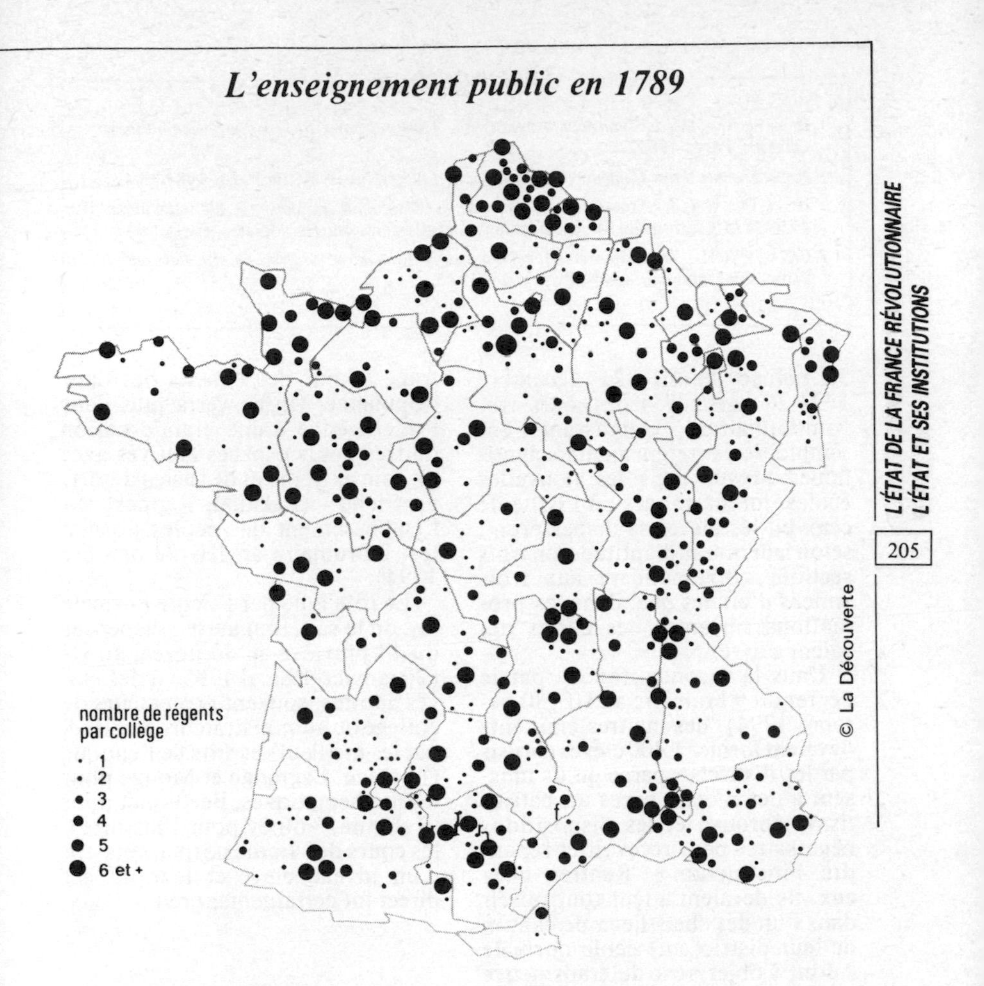

an II (février-mars 1794) avec des cours consacrés au raffinage du salpêtre, et à la fabrication de la poudre et des canons : un millier de citoyens robustes « pris dans les compagnies de canonniers ou parmi les citoyens qui ont fait le service le plus actif dans la garde nationale » reçurent les leçons des plus grands chimistes avant de propager leurs nouvelles connaissances dans leurs districts respectifs. L'expérience fut réitérée avec l'École de Mars (messidor an II-vendémiaire an III-juillet-octobre 1794) : trois mille jeunes gens, choisis à raison de six par district et âgés de 16 à 18 ans, reçurent dans le camp de la plaine des Sablons près de Paris une instruction militaire pendant quatre mois, faite par des instructeurs « choisis parmi les défenseurs de la République blessés glorieusement au combat ». Mais ces expériences ne se limitèrent pas aux nécessités de la défense nationale.

Deux grandes créations

Elles furent appliquées dans deux des grandes créations de la Révolution : l'École centrale des travaux publics (devenue École polytechnique le 15 fructidor an III-1er septembre 1795), l'École normale. Dans la première, du 1er au

BIBLIOGRAPHIE

BACZKO B., *Une éducation pour la démocratie. Textes et projets de l'époque révolutionnaire,* Garnier, Paris, 1982.

JULIA D., *Les Trois Couleurs du tableau noir. La Révolution,* Belin, Paris, 1981.

JULIA D. (sous la direction de), *Atlas de la Révolution française, 2, L'enseignement 1760-1815,* Éditions de l'École des hautes études en sciences sociales, Paris, 1987.

PALMER R.R., *The Improvement of Humanity Education and the French Revolution,* Princeton University Press, Princeton, 1985.

30 nivôse an III (21 décembre 1794-20 mars 1795), des cours « révolutionnaires », embrassant l'ensemble des enseignements scientifiques prévus dans les nouvelles écoles, furent donnés : à l'issue de ceux-ci, les élèves se dispersèrent, selon leur niveau d'aptitude, en trois sections correspondant aux trois années d'études que, dans les promotions suivantes, les élèves devaient suivre.

Dans la seconde, fondée par le décret du 9 brumaire an III (30 octobre 1794), des maîtres éminents devaient former 1 400 élèves choisis par les districts « parce qu'ils unissent à des mœurs pures un patriotisme éprouvé et les dispositions nécessaires pour recevoir et répandre l'instruction ». Rentrés chez eux, ils devaient à leur tour ouvrir dans l'un des chefs-lieux de canton de leur district une école normale « dont l'objet sera de transmettre aux citoyens et aux citoyennes qui voudront se vouer à l'instruction publique la méthode d'instruction qu'ils auront acquise dans l'École normale de Paris ». Au magister ignorant et superstitieux de l'Ancien Régime serait ainsi substitué l'instituteur républicain modèle. La source des Lumières « si pure, si abondante puisqu'elle partira des premiers hommes de la République en tout genre, épanchée de réservoir en réservoir, se répandra d'espace en espace dans toute la France, sans rien perdre de sa pureté dans son cours. Aux Pyrénées et aux Alpes, l'art d'enseigner sera le même qu'à Paris ; et cet art sera celui de la nature et du génie. Les enfants nés dans les chaumières auront des précepteurs plus habiles que ceux que l'on pouvait rassembler, à grands frais, autour des enfants nés dans l'opulence. On ne verra plus dans l'intelligence d'une grande nation de très petits espaces cultivés avec un soin extrême et de vastes déserts en friche » (Lakanal, Rapport sur l'établissement des écoles normales, 2 brumaire an III- 23 octobre 1794).

Le rôle joué par l'École normale fut, on le sait, tout autre : dispensés du 1er pluviôse au 30 floréal an III (20 janvier-19 mai 1795) à des élèves adultes, souvent professeurs de collège ou administrateurs en place, par les meilleurs esprits de l'époque (Laplace, Lagrange et Monge pour les mathématiques, Berthollet pour la chimie, Volney pour l'histoire), les cours de l'École normale étaient d'un niveau élevé et leur impact direct fut certainement réduit.

Les écoles centrales

Mais il serait vain et totalement anachronique de sourire de l'aveuglement des révolutionnaires face aux résistances et à l'opacité du social. Tout d'abord, l'œuvre institutionnelle de la Révolution en matière d'éducation n'est pas nulle (particulièrement au cours de l'automne 1794 où est voté l'ensemble le plus cohérent des lois scolaires) : si le projet d'éduquer un peuple tout entier est abandonné par la loi Daunou du 3 brumaire an IV (25 octobre 1795) – celle-ci laisse au bon vouloir des autorités départementales le soin d'établir des écoles primaires et n'octroie plus à l'instituteur qu'un local et un jardin, son salaire étant désormais payé par les rétributions

Alphabétisation dans la France de 1789
(d'après le pourcentage des conjoints sachant signer leur nom)

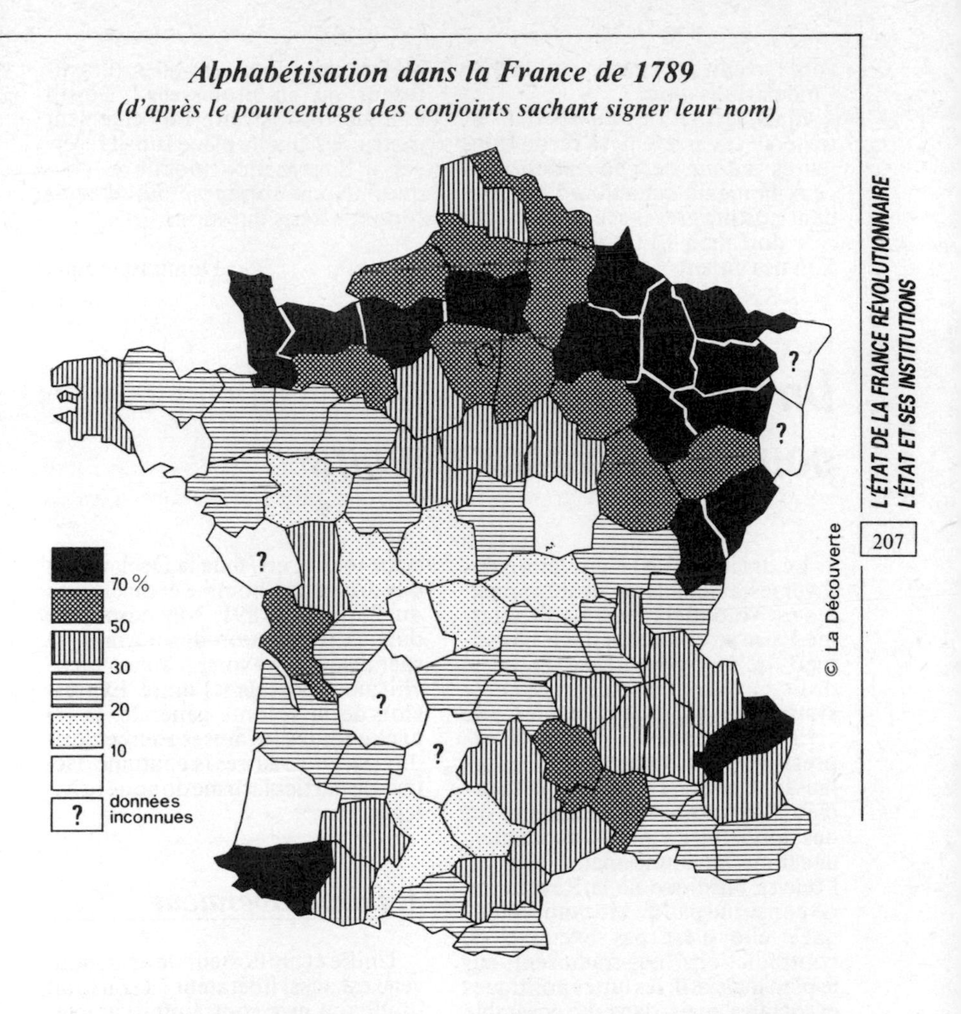

de ses élèves –, la création des écoles centrales, décrétée par la même loi, est activement poursuivie en l'an IV et en l'an V ; un modèle antinomique du collège classique d'Ancien Régime a fonctionné une dizaine d'années. Il fait la part belle et aux sciences exactes (physique-chimie, mathématiques, histoire naturelle) et à la liberté de l'élève qui, au lieu d'être astreint à une classe, peut choisir les cours qu'il suivra : aussi bien les fonctionnements ont-ils été extrêmement variés.

Les trois écoles de santé créées à Paris, Strasbourg et Montpellier amorcent la réorganisation définitive de l'enseignement de la médecine (14 frimaire an III-4 décembre 1794). Et l'on ne peut oublier le rôle tout à fait original d'une institution comme le Conservatoire national des arts et métiers, fondé le 19 vendémiaire an III (10 octobre 1794), et installé à partir de l'an VI dans le prieuré Saint-Martin-des-Champs ; il procède de la conjonction de deux perspectives : établir l'inventaire du matériel scientifique et technique sur l'ensemble du territoire national, encourager les inventions et les perfectionnements techniques. A défaut d'une école professionnelle que les hommes de la Révolution n'ont guère envisagée en raison de la conception du savoir dont ils sont porteurs, le Conservatoire est un musée vivant (il y a des démonstrateurs pour les machines), tourné vers l'avenir, hymne à la gloire de l'industrialisation.

Mais surtout, les débats qui ont traversé les assemblées révolutionnaires autour de l'éducation sont ceux-là même qui aujourd'hui fondent nos propres discussions : quel rôle doit tenir l'État dans l'éducation des enfants ? Quelle délégation les familles concèdent-elles à l'instituteur ou au professeur ? Doit-il éduquer et instruire ou seulement instruire ? Quelle place faut-il réserver à l'instruction morale et civique ? Nous sommes loin d'avoir répondu à ces questions.

Dominique Julia

Un nouveau droit pour de nouveaux devoirs

Le droit issu de la législation des diverses assemblées révolutionnaires est volontiers qualifié d'« intermédiaire », comme s'il ne constituait qu'une parenthèse entre le droit en vigueur jusqu'en 1789 et le système juridique défini par le Code civil des Français en 1804. L'expression est trompeuse et l'image fausse. Comme l'État libéral, la société bourgeoise repose en effet sur des fondements posés pendant la décennie révolutionnaire. Certes, l'œuvre juridique de la Révolution ne constitue pas un bloc monolithique ; elle n'est pas exempte de contradictions, qui traduisent, sur le plan législatif, les luttes politiques et sociales, mais, dans son ensemble et dans ses résultats, elle satisfait aux aspirations de l'individualisme libéral qui triomphera au XIXe siècle. C'est dire que *le* droit nouveau – entendons : le corps des normes édictées pendant la Révolution – ne fait que consacrer et mettre en œuvre *les* droits de l'homme et du citoyen déclarés en 1789.

Ce droit nouveau est d'abord un droit unifié, un droit national. Si la codification du droit civil n'est achevée qu'à la fin du Consulat, le code de 1804 n'a pu voir le jour que grâce à la longue gestation des quatre premiers projets (août 1793, fructidor an II – septembre 1794, prairial an IV – mai 1796, frimaire an VIII – décembre 1799) ; surtout, la conception de la loi (« la même pour tous », art. 6 de la Déclaration des droits de l'homme et du citoyen du 26 août 1789), son monopole dans la production des normes, sa sacralisation, voire son « fétichisme », postulent l'unité. Expression de la volonté générale, la loi exclut toutes les autres sources juridiques, entre autres la coutume, facteur de particularisme donc de privilèges.

Un droit libérateur

Unifié et unificateur, le droit nouveau est aussi libérateur : il soustrait l'individu aux contraintes caractéristiques de la société ancienne : féodales, corporatives, familiales.

La personne est dégagée de tout reste de servitude. Pour la terre, la libération n'a pas été aisée. Il fallut bien des luttes pour que la Convention supprime complètement et définitivement le régime féodal en votant, le 17 juillet 1793, la « loi de colère » (Merlin).

Cette liberté des objets comme des sujets de droit ne pouvait aller sans la liberté des conventions. Érigée en dogme au nom du droit naturel, la force créatrice de la volonté individuelle triomphe : « ... le droit de contracter... n'est que la faculté de choisir les moyens de son bonheur » (Cambacérès, présentation du deuxième projet de code civil le 18 fructidor an II-4 septembre 1794). En conséquence, tout individu dispose librement des choses qu'il possède. Quant à celui qui ne possède rien, il peut toujours louer son énergie pour un temps déterminé par le moyen du louage d'ouvrage ou « bail de main-d'œuvre », autrement dit d'un contrat de travail. Comme toute convention, celui-ci ne concerne que les individus qui en sont les parties : toute organisation des corps et métiers, toute association de défense des intérêts professionnels disparaît ; toute coalition est prohibée (loi d'Allarde, 2-17 mai 1791 ; loi Le Chapelier, 14-17 juin 1791).

Déchargé de la féodalité, libéré de l'organisation corporative, l'individu peut l'être du groupe familial. Institution civile, la famille ne doit pas s'opposer indéfiniment à la liberté de ses membres ; d'où la laïcisation du mariage et la possibilité de sa dissolution par le divorce (loi du 20 septembre 1792). La famille demeure cependant, quoi qu'on en dise, hiérarchisée et soumise à l'autorité d'un chef, même si cette dernière est assouplie et temporaire. La cellule familiale s'entrouvre à des éléments extérieurs : par l'adoption, dont le principe seul est voté (18 janvier 1792), et par l'intégration des enfants naturels, mais celle-ci n'est pas complète.

Uniforme et porteur de liberté, le droit nouveau est-il, dès lors, égalitaire ?

Un droit égalitaire ?

L'égalité des droits s'est heurtée à trois obstacles imparfaitement surmontés : la différence de sexe, celle de religion, celle de couleur. Rejetée des institutions politiques, la femme peut se prévaloir de certaines conquêtes, mais, mariée, elle demeure soumise à l'autorité de son mari, selon l'« ordre naturel » ; les juifs n'obtiennent l'égalité civile qu'avec l'obligation du serment civique « regardé comme une renonciation à tous les privilèges et exceptions introduits précédemment en leur faveur » (loi du 27 septembre 1791) ; à l'égard des Noirs des colonies, la Convention vote l'abolition de l'esclavage (16 pluviôse an II-4 février 1794), mais celle-ci ne reçoit aucune mesure sérieuse d'application.

L'égalité civile fut donc difficile à traduire dans les lois ; à plus forte raison l'égalité des conditions. Pourtant, sous la pression du mouvement révolutionnaire, l'égalité a reçu pour un temps, en 1793 et en l'an II, un contenu plus tangible : au sein de la famille (partage égal des successions) et au sein de la société, avec les mesures d'« économie sociale » de l'été 1793 et les décrets de Ventôse (février-mars 1794). Mais Thermidor eut vite fait de revenir sur cette législation égalitaire.

En définitive, obéissant à la logique de l'individualisme libéral, le droit nouveau présente une grande cohérence : il rompt totalement avec l'ancien droit fondé sur le privilège et l'organisation des corps ou communautés. Cependant celle-ci déterminait, au moins en théorie, des devoirs de solidarité. Qu'en est-il dans la société régénérée ?

Un droit de propriétaires

Au sein de cette dernière, l'obligation ne peut résulter que d'un acte volontaire ; l'individu, libre sujet de droits, ne peut être contraint que s'il le veut bien. C'est pourquoi le devoir primordial réside dans l'obéissance à la loi. Celle-ci n'est-elle pas en effet l'expression de la volonté générale ? En s'y soumettant le citoyen ne fait que recouvrer sa pleine liberté (c'était déjà la dialectique de la souveraine liberté chez Jean-Jacques Rousseau). Mais la loi n'est pas seulement la norme posée par le législateur ; la loi, c'est aussi celle que se donnent les parties en concluant un accord libre. Écoutons encore Cambacérès en l'an II : « La loi et les conventions sont les deux causes des obligations. La loi prescrit des devoirs individuels ; les hommes, en réglant entre eux les

BIBLIOGRAPHIE

GARAUD M., *Histoire générale du droit privé français* (de 1789 à 1804) : *La Révolution et l'égalité civile*, Sirey, Paris, 1953 ; *La Révolution et la propriété foncière*, Sirey, Paris, 1959.

SAGNAC Ph., *La Législation civile de la Révolution française (1789-1804)*, Hachette, Paris, 1898.

transactions sociales, s'imposent eux-mêmes des engagements qu'ils forment, étendent, limitent et modifient par un consentement libre » (présentation du deuxième projet de code civil), principe que les rédacteurs de 1804 formuleront ainsi : « Les conventions légalement formées tiennent de loi à ceux qui les ont faites » (art. 1134, alinéa 1 du Code civil).

Bien sûr, les impératifs de la guerre extérieure et intérieure ont limité la liberté contractuelle par l'effet des réquisitions et des tarifications ; la loi l'a alors emporté sur la convention, mais ces mesures restrictives ont été éphémères et elles ont plus gêné les « bras nus » que les « hommes de bien » ; les réquisitions de main-d'œuvre ont été, par exemple, fort sélectives. Aussi pourrait-on dire, en forçant le trait, que le droit nouveau est un droit de propriétaires et que les nouveaux devoirs sont des devoirs à l'égard des propriétaires.

Les rédacteurs de la Constitution de l'an III – les seuls à avoir assorti la déclaration des droits d'une déclaration des devoirs – l'ont écrit de manière plus discrète : « C'est sur le maintien des propriétés que reposent la culture des terres, toutes les productions, tout moyen de travail, et tout l'ordre social » (art. 8). Le même texte définit « l'homme de bien » comme celui qui est « franchement et religieusement observateur des lois » (art. 5), et l'on voit sous les termes de l'art. 4 se profiler une silhouette familière aux rédacteurs du Code civil, celle du « bon père de famille » : « Nul n'est bon citoyen s'il n'est bon fils, bon père, bon frère, bon ami, bon époux. »

Comment considérer, dès lors, que le droit de la Révolution n'a été qu'une sorte d'intermède ? Certes, la commission désignée par Bonaparte pour mener à bien la codification gommera de l'œuvre révolutionnaire ce qui pouvait conduire à une égalité autre que celle des droits ; elle renforcera l'autorité, en particulier dans le droit de la famille ; mais 1804 ne constituera pas une nouvelle rupture, ce sera plutôt un aboutissement.

Jean Bart

VIE POLITIQUE ET SOCIALE

Cahiers de doléances et États généraux

La révolte nobiliaire de 1788 aboutit à la victoire des privilégiés, appuyés par une partie du peuple et de la bourgeoisie. Loménie de Brienne dut démissionner et fut remplacé par Jacques Necker ; les parlements reprirent leurs fonctions judiciaires, et le gouvernement royal, cédant à une demande presque unanime, promit de convoquer pour mai 1789 les États généraux, qui n'avaient pas été réunis depuis 1614. Mais comment les constituer ? Les privilégiés, à quelques exceptions près, souhaitèrent la reprise du système utilisé précédemment : représentation égale et délibération par ordre. Le tiers état, au contraire, réclama « le doublement » et la délibération par tête, et le Conseil du roi, poussé par Necker, tout en conservant la délibération par ordre, céda sur le premier point.

Par le décret du 24 janvier, le Conseil invita le peuple à dresser des « cahiers de doléances » préparatoires aux séances des états. Les représentants des ordres se réunirent donc dans les paroisses et corporations des divers bailliages ou sénéchaussées et rédigèrent leurs cahiers, qui, selon l'état de leurs auteurs, furent adressés directement aux États généraux ou durent passer par l'intermédiaire des assemblées de bailliages. Ce sont les premiers, d'ailleurs, qui nous sont le mieux connus. Ces cahiers, qu'ils proviennent des ordres privilégiés ou du Tiers, ont beaucoup de points communs, car le clergé et la noblesse, tout en insistant sur le maintien de leurs privilèges, condamnent aussi les actes arbitraires des ministres et les abus contre les « libertés » d'un régime « despotique ». Mais les cahiers du tiers état ne se contentent pas de condamner le despotisme et de revendiquer la restauration des libertés : ils condamnent avec autant de vigueur l'inégalité, les exemptions fiscales des privilégiés et la survivance d'abus tels que le servage, les droits de chasse, les banalités et la juridiction seigneuriale. A la veille de la réunion des États généraux, les ordres privilégiés et le Tiers sont loin de s'accorder sur les solutions qu'ils doivent proposer au roi.

Le serment du Jeu de paume

Les États généraux se réunirent, comme prévu, le 5 mai 1789 à Versailles ; dès la première séance, un conflit opposa le Tiers aux privilégiés et au Conseil du roi. Celui-ci, ayant accordé le doublement, refusa d'aller plus loin pour apaiser le Tiers ; les états furent invités à s'assembler par ordres et à proposer au Conseil les sujets qu'ils devaient discuter en commun. Mais le Tiers refusa de se soumettre à ces conditions et, le 10 juin, après cinq semaines de débats inutiles, encouragé par l'appui qu'il recevait à Paris, décida d'inviter les autres ordres à s'associer à lui dans une commune vérification des pouvoirs. Ensuite, soutenu par une poignée de membres du bas clergé, il élut comme président Jean Sylvain Bailly.

Le 17 juin, par un premier acte révolutionnaire, le Tiers se donna le titre d'Assemblée nationale, seule dotée du pouvoir de lever les impôts et de rédiger une constitution. Trois jours après, la nouvelle Assemblée, trouvant fermées les portes de sa salle de réunion, s'établit à quelque pas de là dans celle du Jeu de paume, et prêta le serment presque unanime de rester réunie jusqu'à la promulgation d'une constitution. Mais déjà l'ordre du clergé avait, à une faible majorité, décidé de se joindre à la nouvelle Assemblée, et 150 députés ecclésiastiques, dont deux archevêques, le firent effectivement quelques jours après. De son côté, Necker persuada le roi de convoquer une « séance royale » pour résoudre les problèmes en suspens. On y proposerait de délibérer en commun sur la constitution des États généraux, tandis que les intérêts particuliers des ordres seraient toujours discutés en chambres séparées.

La séance royale eut lieu le 23 juin. Un coup de force avait été projeté par le comte d'Artois, frère cadet du roi. Soutenu par la reine, il tenta d'obtenir du souverain qu'il dissolve l'Assemblée nationale, fasse délibérer par ordres sur la question de l'avenir des États généraux, et dompte le Tiers, par la force si nécessaire. Necker, dont le renvoi avait été décidé, s'absenta de la séance, dès lors dominée par le garde des Sceaux, qui ne proposa aucune réforme et ne fit rien pour résoudre le conflit. En outre, Louis XVI commanda aux ordres de se séparer et d'ajourner leurs débats jusqu'au lendemain. Mais le coup échoua. Des milliers de Parisiens vinrent occuper la cour du château pour demander que Necker garde son poste ; les soldats, commandés par le prince de Conti, refusèrent de faire feu sur les attroupés, et les députés du Tiers, n'ayant pas consenti à se disperser après la séance royale, restèrent en place. Le roi dut céder. Necker garda son poste ; la nouvelle Assemblée (comptant déjà 830 députés) conserva sa salle de réunion, et, le 27 juin, le roi invita les représentants des ordres privilégiés restés irréductibles à se joindre à l'Assemblée nationale.

Ainsi donc, les séances des États généraux, malgré l'intention du Conseil du roi et des ordres privilégiés, avaient abouti à la première victoire bourgeoise et populaire de la Révolution. Elle précéda de dix-sept jours la chute de la Bastille.

George Rudé

Subsistances et violence

C'est Ernest Labrousse qui, le premier, a fourni un tableau convaincant de la situation économique dont est sortie la Révolution française. Michelet avait déjà conçu sa thèse d'une révolution de la « misère », tandis que Tocqueville avait insisté plutôt sur la « prospérité » qui l'avait précédée. Labrousse a compris qu'il fallait tenir compte des deux. C'est de la crise sociale de 1787 due à une combinaison de disette et de chômage et marquée par une explosion de protestations populaires que sortit, bien que de façon indirecte, la Révolution de 1789. Mais, évidemment, une crise — qu'elle soit économique ou sociale — ne peut à elle seule créer une situation révolutionnaire : il faut que la politique aussi joue un rôle important.

Mettre le feu à Versailles

C'est ce qui se passa à la veille de 1789. À la crise sociale s'ajoutèrent deux facteurs nouveaux : la tendance des mouvements populaires pour le pain à se retourner contre la cour et les privilégiés et l'émergence dans le peuple d'une idéologie révolutionnaire. C'est le cas des mouvements survenus en décembre 1788 et rapportés par les intendants d'une quinzaine de généralités au cours des premiers mois de 1789. Provoqués par la disette ou par la grêle qui, en juillet, avait ravagé les champs en Champagne et en Normandie, ils prirent des formes diverses : pillage des grains transportés en péniche sur la Seine ; taxation populaire du pain, de la farine et du blé ; assauts contre douaniers, marchands et fermiers ; et destructions multiples de propriétés. Mais ces mouvements, de villageois pauvres surtout, se transformèrent dès le printemps en une lutte contre les droits de chasse, comme chez le prince de Conti à Cergy et à Beaumont-sur-Oise, avec des destructions de gibier, celui du comte d'Oisy à Choisy-en- Artois par exemple, ou en un refus de payer les droits seigneuriaux et les impôts royaux ; ces délits furent commis en Dauphiné en février 1789, en Provence en mars et avril, et dans le Cambrésis et en Picardie en mai. Tous ces mouvements épars se développèrent au cours de l'été dans la révolte généralisée et nettement révolutionnaire des paysans lancés contre les châteaux et les archives seigneuriales.

Aussi capitale pour le court terme a été la formation dans le petit peuple des villes, à Paris surtout, d'une prise de conscience révolutionnaire. Le libraire Hardy en a noté les débuts dans son Journal en septembre 1788, lorsque le gouvernement fit venir des troupes dans la capitale, « soi-disant pour y assurer la tranquillité et contenir le petit peuple, dont il avait à craindre l'insurrection ». Hardy rapporte les propos suivants : le 25 novembre (lors de la hausse à 12 sous et demi du pain de quatre livres), une femme du peuple s'écria chez son boulanger « qu'il était indigne de faire mourir de faim le pauvre peuple et qu'on devait aller mettre le feu aux quatre coins du château de Versailles ». Le 13 février, comme le prix du pain montait à 14 sous et demi, « on entendit dire à quelques personnes que les princes avaient accaparé les grains pour mieux réussir à culbuter le sieur Necker qu'ils avaient un si grand intérêt à renverser ».

En février 1789, une étape nouvelle est donc franchie : le peuple, pour défendre son pain, vise non plus les seuls marchands et accapareurs des grains (comme en 1775), mais la haute noblesse et le roi lui-même. Ce stade prérévolutionnaire s'affirmera lors des émeutes contre un manufacturier de papiers peints, Réveillon, et un fabricant de salpêtre, Hanriot, fin avril au faubourg Saint-Antoine. Au cours de celles-ci, la foule prendra le nom de tiers état, mais déniera à ses victimes, les deux manufacturiers du faubourg, le droit de porter un titre aussi honorable. Bien que représentants officiels du tiers état parisien, ils s'étaient en effet conduits comme des ennemis du peuple et donc comme des « aristocrates ». Plus brutalement encore, un simple porteur de suif pour chandeliers, arrêté pour attroupement la nuit du 13 juillet, déclara être venu « porter des secours à la nation contre les ennemis qui voulaient détruire tous les Parisiens, disant que ces ennemis étaient la noblesse ».

Le petit peuple était donc arrivé, à Paris du moins, au stade d'une conscience révolutionnaire, formée dans le cadre de la révolte nobiliaire, de l'action militante du Tiers à Versailles, et de la crise sociale de 1787 à 1789. Sans cette évolution de l'idéologie populaire, une révolution unissant peuple et bourgeoisie, comme celle de l'été 1789 en France, n'aurait pas été possible.

George Rudé

La Bastille, mythe et réalités

Qui donc prétendrait, deux siècles après, que, même détruite, elle ne nous appartient pas ? Pour se souvenir d'elle, le tracé sur le pavé actuel de la place de la Bastille est quasi superflu, quoique émouvant. Car la Bastille est nôtre, fixée dans la mémoire, patiemment réapprise par les livres de classe et le calendrier annuel.

Qu'à propos de cette forteresse, dont la première pierre fut posée en 1370 et qui est devenue prison sur ordre de Richelieu, se véhiculent à la fois le mythe, le rêve et le réel, il n'y a là rien d'extraordinaire. Comment l'histoire ne se chargerait-elle point de symboles, alors que la vie quotidienne en est emplie ?

Une forteresse vide

On dit souvent qu'elle était quasi vide le 14 juillet 1789, lorsque le peuple l'a prise de force. Quasi vide sans doute, mais surchargée : surchargée de la longue histoire entretenue entre la monarchie et sa justice. Forteresse construite pour défendre Paris (sous Charles VI, les rois y logent les grands personnages de passage), composée de huit hautes tours crénelées, les pieds plongeant dans un marais fangeux, la Bastille se dresse au XVIIIe siècle dans un lieu isolé, où se rejoignent le faubourg Saint-Antoine, besogneux, ouvrier, vivant, et le quartier du Marais, riche, joyeux, voire libertin. Ces deux mondes, que tout oppose, connaissent la Bastille : c'est leur inévitable horizon géographique. C'est aussi parfois une des étapes de leur parcours.

Louis XIV donnera à cette prison, à la fois de quoi faire sa réputation, et de quoi montrer de façon solennelle ce que monarchie absolue veut dire. Son règne est sévère, et l'assainissement de la population un de ses principes de gouvernement. Sous son règne sera construite la prison de la Salpêtrière, et se promulgueront les édits royaux contre la mendicité, l'oisiveté, le vagabondage et la prostitution. L'ère du grand enfermement vient de commencer : la Bastille est une de ses facettes parmi d'autres, même si elle ne peut loger tout au plus que quarante à cinquante détenus.

On connaît assez bien les cibles privilégiées des lettres de cachet : à la Bastille, s'enferment facilement, pour une plus ou moins longue durée, tous ceux qui représentent un danger pour la monarchie et qui sèment dans le royaume des germes de fermentation sociale et politique. Jansénistes, nouvellistes, auteurs de pamphlets et de satires, encyclopédistes, libraires, colporteurs, fauteurs de troubles, sacrilèges, faux prophètes, dénonciateurs et auteurs de complots contre le roi ou de mauvais propos, ouvriers déserteurs, personnes attentant aux mœurs, sodomites, curés libertins : quoi qu'on en dise, ils sont pourchassés, et les archives de la Bastille, conservées à la bibliothèque de l'Arsenal, sont là pour montrer qu'il ne s'agit guère d'un mythe.

BIBLIOGRAPHIE

COTTRET M., *La Bastille à prendre. Histoire et mythes de la forteresse royale,* PUF, Paris, 1986.

FARGE A. et FOUCAULT M., *Le Désordre des familles. Les lettres de cachet des Archives de la Bastille,* Gallimard, Paris, 1982.

QUETEL C., *De par le Roy,* Privat, Toulouse, 1981.

Mais il existe aussi bien des embastillés plus anonymes, dont le délit n'emprunte pas aux grandes catégories du désordre d'État. En effet, dès la fin du XVIIe siècle, se crée la charge importante et enviée de lieutenant général de police. Son pouvoir est immense : il peut faire enfermer (sur ordre du roi) sans qu'il soit besoin de passer par la justice ordinaire (celle du Châtelet et du Parlement). Aidé de vingt inspecteurs efficaces, il lutte contre prostitution, vol, vagabondage, filouterie et petite délinquance de toutes sortes. Les gens du menu peuple sont pris dans les rafles sur les marchés, ou dans les cabarets, pour vols de grand chemin, association de malfaiteurs ou filouterie.

L'arbitraire banalisé

Cette pratique de la lettre de cachet devient si coutumière qu'entre 1728 et 1760 un certain nombre de familles populaires y voient un moyen de régler de lourds conflits familiaux. La tranquillité des familles comme moyen d'ordre public est à l'ordre du jour : père prodigue, femme avare, fils débauché, fille vagante peuvent être enfermés sur ordre du roi et sur demande d'un des leurs. Bien des petites gens s'approprient ce procédé : ils écrivent au roi, demandent l'enfermement, sûrs que l'ordre royal lavera l'infamie et le déshonneur dont ils sont atteints. Toucher le roi, être touché par lui, ne pas passer par la justice ordinaire, celle qui déshonore et éclabousse de scandale, c'est accéder au titre de sujet du roi. Ainsi pendant presque quarante ans, de longues lettres dérisoires et tragiques racontent par le menu l'infortune conjugale et parentale, et la mettent à nu pour un roi qui décidera ou non de l'enfermement du fautif. Cette pratique d'appropriation d'un système arbitraire appartenant au souverain comporte en elle son échec : si l'on peut ainsi solliciter si facilement le roi, comment ne pas penser qu'un jour on puisse soi-même en être une des victimes ?

Le mouvement philosophique, les idées des Lumières, la lente mais certaine désaffection du peuple pour son roi, la conscience saturée de l'arbitraire royal vont bientôt engendrer de violentes critiques contre la lettre de cachet et le bon plaisir royal. A partir de 1770, la Bastille, qui donnait le frisson, provoque la critique et devient chaque jour davantage le symbole d'un régime excessif et d'un arbitraire insupportable.

Un dossier d'archives pris pour exemple peut témoigner que ces enfermements sur ordre révèlent les peurs de la monarchie plus que son esprit de justice. En 1759, Auguste Tavernier est bien jeune : fils de portier, il aime fréquenter les cabarets, se coucher tard et parler haut. Ses parents écrivent au roi pour demander sa privation de liberté, et l'obtiennent. Dès lors, tout s'enchaîne : il s'évade une première fois et on l'envoie en exil aux îles Sainte-Marguerite. Épris de liberté, il imagine follement que, pour revenir dans la capitale et pour tenter une nouvelle évasion, il lui faut clamer haut et fort qu'un complot se trame contre le roi. Deux ans après l'attentat de Damiens, la monarchie est aux abois ; la mort du roi fait partie de l'imaginaire social. En empruntant ce thème, Tavernier ne sait pas qu'il éloigne définitivement de lui sa mise en liberté : gouverneurs de prison, lieutenant général de police et ministres d'État prennent peur. L'étau se resserre ; Tavernier en effet sera conduit à la Bastille. Il y restera longtemps ; son esprit vacille, ses écrits se font de plus en plus fréquents et menaçants et sa raison s'altère.

Quand on ouvrira la Bastille le 14 juillet 1789, il sera là, hagard. On a dit qu'il était fou. Cela est vrai, mais on oublie de dire qu'à son arrivée, trente ans plus tôt, il était seulement rebelle.

Forteresse du secret, et lieu sans justice, la Bastille fut le premier rendez-vous de la Révolution.

Arlette Farge

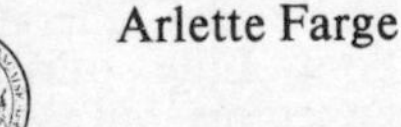

Les fédérations

Des fédérations, durant la première année de la Révolution française, on ne retient trop souvent que le point d'orgue, la grande célébration parisienne au Champ-de-Mars, le 14 juillet 1790. C'est mal juger un mouvement, spontané à l'origine, qui prend naissance en province dès l'été 1789, au lendemain de la Grande Peur, dont il apparaît bien comme l'antidote. Répudiant les paniques d'antan, les nouvelles autorités – municipales puis départementales ou régionales –, lors de solennelles rencontres des citoyens en armes des gardes nationales, prêtent un serment « fédératif » d'union, en même temps que de fidélité au nouveau régime, où s'expriment la conscience d'appartenir à un ensemble commun, le souhait d'abolir les anciennes divisions et un vif sentiment d'unanimisme. Aux origines du mouvement, on évoque la démonstration qui se déroule à Étoile près de Valence, le 29 novembre 1789, et au cours de laquelle douze gardes nationales du Dauphiné et du Vivarais prêtent le serment fédératif. L'exemple n'est pas isolé : cette poussée précoce de l'hiver 1789-1790 fait école dans tout le Dauphiné et le haut Languedoc, mais d'autres épicentres se découvrent à Dijon, en décembre, puis en Bretagne, où la fédération de Pontivy est particulièrement importante, et en Franche-Comté, à l'exemple de Besançon. Au cours du printemps 1790, le mouvement se diffuse à l'ensemble de la France, particulièrement à partir du mois de mai : dans le nord-est, de la Champagne à la Lorraine et à l'Alsace, mais aussi dans le nord de la France, où Lille se signale, l'ouest n'étant pas en retrait, de l'Anjou à la Guyenne. On a distingué, dans cette floraison d'initiatives, les fédérations locales, dont le rayon reste limité, des fédérations régionales, dont Lille offrirait précisément l'exemple, qui associent des provenances d'un ou plusieurs départements, nouvellement créés. Avec ses épicentres (Dauphiné, Champagne, Lorraine, Bretagne et Anjou), ce premier mouvement de fédérations dessine une carte suggestive des sites de la mobilisation provinciale.

L'initiative n'a cependant pas été accueillie à Paris sans inquiétudes ni réticences. On en juge aux réactions des députés de la Constituante, aux adresses que présentent les fédérations de Pontivy ou de Montauban entre janvier et mai 1790 : ne risque-t-on pas d'émouvoir des « sentiments qui perpétueront l'anarchie » ? Mais, finalement, prévaut l'idée non seulement d'accepter le mouvement, mais d'en faire une initiative nationale, officielle : « Sa Majesté y a reconnu non un système d'associations particulières mais une réunion des volontés de tous les Français pour la liberté... ainsi que pour le maintien de l'ordre public. » Au nom de cette lecture, on accueille la suggestion, formulée par les Bretons, d'envoyer des délégations à Paris, et le principe d'une fédération à l'échelle nationale est adopté ensuite par la Commune de Paris ; pour le premier anniversaire de la prise de la Bastille au 14 juillet 1790.

La Fédération parisienne (14 juillet 1790)

Des récits, des chansons *(Allons Français z'au Champ-de-Mars...)* et une très riche iconographie illustrent la mobilisation collective des Parisiens dans les semaines qui précèdent, pour effectuer les travaux de terrassement nécessaires à l'aménagement du Champ-de-Mars où devait se dérouler la cérémonie, en face de l'École militaire. Ces documents célèbrent l'union des ordres, une rencontre bon enfant compensant le caractère improvisé des travaux.

Au jour dit un immense espace quadrangulaire avait été aménagé avec des gradins, accueillant par un arc de triomphe les délégations des gardes nationales des départements venues à Paris prêter le serment fédératif devant l'autel de la Patrie, aménagé au centre. Forêt d'oriflammes, démonstration militaire et civique des citoyens en armes, dans un grand concours de peuple, malgré un temps incertain. Cette démonstration d'unanimisme veut également célébrer la réconciliation du roi et de son peuple puisque le souverain donne l'exemple du serment.

Cette fête d'un style nouveau – c'est bien la fête de plein air où chacun est à la fois acteur et spectateur dont avait rêvé Rousseau – reste une cérémonie religieuse où l'office fut célébré sur l'autel de la Patrie par l'évêque d'Autun, Talleyrand, qui recueillit le serment de La Fayette, commandant de la garde nationale de Paris. On comprend que la fête de la Fédération par son ampleur et par le mouvement collectif qui l'anime soit restée dans le souvenir des chroniqueurs (Louis Sébastien Mercier) la référence insurpassable et le modèle d'une manifestation unanimiste qui ne se retrouvera plus. Elle exprime symboliquement l'unité nationale ressentie comme l'une des conquêtes de 1789.

Ce qui ne doit pas masquer les tensions qui s'y révèlent, lorsqu'on chanta, au Champ-de-Mars, en roulant sa brouette : *« Aristocrate te voilà donc foutu/Le Champ-de-Mars te fout la pelle au cul/Nous baiserons vos femmes/Et vous serez pendus. »* Jour de gloire mais ambigu, pour La Fayette qui apparaît comme le héros de la fête, alors même que Marat le dénonce, en rêvant pour sa part d'une fédération « populaire ». La cérémonie du Champ-de-Mars a réveillé en les officialisant les fédérations locales, et le 14 juillet 1790 a été célébré dans tout le pays sur le modèle parisien.

Mais la carte des provenances des délégations envoyées à Paris fait apparaître une mobilisation qui est loin d'être unanime : forte présence de la région parisienne, du Nord et du Nord-Est, puis, de la Bourgogne au Dauphiné et à la Provence, de la France de l'Est, comme de contingents de la vallée de la Garonne, de Bordeaux à Toulouse. Mais le Centre est peu touché, une partie du Midi (trop lointaine ?) boude et l'Ouest, pourtant aux origines du mouvement six mois auparavant, ne répond plus. Au sud-est du Massif central, où la contre-révolution couve, c'est un mouvement sur le type des fédérations, mais dévoyé, qui rassemble dès le mois d'août 1790, au camp de Jalès en Vivarais, des milliers de gardes nationaux catholiques encadrés d'aristocrates, sur des mots d'ordre hostiles à la Révolution. Fragile équilibre : les fédérations expriment un moment de grâce précaire.

Michel Vovelle

La levée en masse

« Que tous les Français se lèvent en masse et marchent à la fois ! » Cette injonction retentit dans les sections parisiennes à l'été de 1793. Été tragique : les armées de la première coalition franchissaient toutes les frontières et la révolte « fédéraliste » s'ajoutait à celle de la Vendée. La seule manière efficace d'exterminer l'ennemi, pensaient les sans-culottes, était l'insurrection du peuple se portant partout en avant de l'armée. La masse terrible des citoyens aurait pour elle le nombre et le patriotisme. « Huit jours d'enthousiasme pouvaient faire plus que huit ans de combat. » La guerre populaire ruinerait les plans des stratèges ennemis et renverserait leur armée de mercenaires.

Sous cette pression sans-culotte, la Convention décréta le 23 août 1793 : « Dès ce moment jusqu'à celui où les ennemis auront été chassés du territoire de la République, tous les Français sont en réquisition permanente... Les jeunes gens iront au combat ; les hommes mariés forgeront les armes et transporteront les subsistances ; les femmes feront des tentes, des habits et serviront dans les hôpitaux ; les enfants mettront le vieux linge en charpie ; les vieillards se feront porter sur les places publiques pour exciter le courage des guerriers, prêcher la haine des rois et l'unité de la République. » Les jeunes célibataires ou les veufs sans enfants de dix-huit à vingt-cinq ans devaient partir sans exception sous les drapeaux et y demeurer jusqu'à la paix.

La réquisition se fit ici dans la hâte et l'enthousiasme, là elle mit longtemps à s'établir au milieu des réticences et parfois des refus. A Châtellerault, la nouvelle connue le 8 septembre à 17 heures, les membres de l'administration s'assemblèrent, ouvrirent les registres d'état civil et commencèrent à établir la liste des jeunes à appeler. A 19 heures le travail durait encore quand les délégués de la Société des amis de la liberté vinrent offrir leurs services. Au matin, tout était fait, le tocsin sonna plusieurs heures et les requis se retrouvèrent sur la place publique, sous l'arbre de la Liberté. Le 10 septembre, les premières compagnies étaient formées et, bientôt, le bataillon constitué reçut son drapeau sur lequel on lisait : « Le peuple français debout contre les tyrans. »

A Chaumont, en Haute-Marne, les jeunes, assemblés le 28 août, refusèrent de partir. Le prétexte ? Tous les hommes en état de porter les armes ne partaient pas, pourquoi la levée n'intéressait-elle que la classe d'âge des dix-huit à vingt-cinq ans ? Était-ce cela l'égalité ? Ailleurs, les paysans petits propriétaires se plaignaient : le fils du riche fermier pouvait s'en aller, son père trouverait bien à acheter de la main-d'œuvre pour le remplacer. En revanche, que deviendrait la terre du pauvre sans les bras du jeune requis ? Elle finirait par mourir. Et puis ne disait-on pas que les boulangers, les travailleurs du fer, les plumitifs des administrations et même les comédiens ne partiraient pas car l'État avait besoin d'eux ? Pourquoi ces exemptions ? On rassura, il n'y aurait pas de « planqués », mais on ne pouvait appeler tous les citoyens sous les armes, la vie du pays en serait désorganisée. Les pauvres ? Le départ de leurs fils serait retardé et, par la suite, les requis obtiendraient des permissions pour aider aux labours et aux moissons. Si on ne pouvait accorder à tous ces congés, les riches recevraient l'ordre de donner un coup de main aux plus déshérités. Quant aux parents âgés et dans le besoin, le gouvernement s'engagea à les assister, ce qu'il fit plus souvent qu'on ne l'a dit.

Il y eut pourtant des insoumis. Certains dissimulèrent leur refus en se mariant précipitamment. Dans certaines communes, les autorités remarquèrent qu'une véritable chasse aux filles — il en était qui avaient passé l'âge de l'hymen — s'organisait. D'autres jeunes se faisaient arracher les dents : un soldat édenté ne pouvant déchirer la cartouche était renvoyé chez lui. Certains absorbaient des drogues qui provoquaient des incontinences d'urine. Quant aux véritables insoumis, ils formaient des bandes qui finissaient par se livrer au brigandage. Contre eux, le gouvernement organisa des colonnes mobiles chargées de les débusquer dans les bois. Les parents étaient prévenus : leurs fils insoumis seraient considérés comme émigrés « et comme tels, soumis eux et leur famille, à toutes les dispositions des lois concernant ces traîtres ».

Au milieu de ces difficultés, la Convention montagnarde parvint néanmoins à lever de 300 000 à 400 000 hommes. Leurs bataillons vinrent grossir les unités existantes auxquelles ils furent incorporés. L'armée fut ainsi portée à plus de 800 000 hommes. Jamais une telle force n'avait été rassemblée en Europe. Le Comité de salut public prétendit même qu'il disposait d'un million de combattants ! Le chiffre frappa les esprits ; en France où l'on sentit la détermination du gouvernement, « Vaincre ou mourir » ; à l'étranger, où les souverains coalisés commencèrent à s'effrayer d'une telle masse de combattants, d'autant qu'une France forte de 29 millions d'habitants pouvait encore fournir des soldats. La levée en masse devint un mythe dans les siècles suivants, mythe invoqué quand la patrie fut à nouveau en danger. Le décret inspire encore la loi française du service national.

Jean-Paul Bertaud

La Terreur

Les mots « terroriser » ou « terreur » avaient déjà tout leur sens avant la période du même nom : un député de la noblesse ne s'écriait-il pas en 1790 à l'Assemblée : « La dictature royale est le seul remède ; il faut en imposer aux brigands par une grande terreur ! » La perspective d'un brusque retournement de la situation politique, celle d'échafauds dressés dans tous les quartiers de Paris, les menaces réitérées des émigrés et des étrangers – manifestes de Bouillé (1791) et de Brunswick (1792) – avaient très tôt contribué à nourrir l'inquiétude populaire. La guerre, le soulèvement de la Vendée, la République minée de l'intérieur par l'activisme contre-révolutionnaire (scandale de la Compagnie des Indes) maintenaient un fort climat émotionnel. C'est pour empêcher que la patrie ne soit trahie et vendue que fut votée la loi des suspects (17 septembre 1793). Cette importante mesure de salut public, qui ouvrit la période dite de Terreur, visait à la fois les agents intérieurs de l'émigration et des puissances étrangères et tous ceux qui mettaient en cause la forme du gouvernement républicain, un et indivisible.

La loi donnait des suspects une définition très large. Elle permettait d'atteindre tous ceux qui par leur conduite, leurs propos ou leurs écrits se montreraient « les partisans de la tyrannie et du fédéralisme et ennemis de la liberté ». Suspects ceux qui ne pourraient justifier de moyens d'existence légaux ou qui, parents d'émigrés, n'auraient pas manifesté leur attachement à la Révolution. A Paris, les comités de section tenaient à jour des registres où était analysé le « degré » de civisme des habitants de chaque quartier. Accapareurs de denrées, prêtres réfractaires, possesseurs d'emblèmes fleurdelisés, receleurs d'émigrés rentrés, signataires de faux certificats de résidence, tous les « mauvais citoyens » étaient repérés et désignés au comité de surveillance du département ou directement au Comité de sûreté générale. Des mandats d'arrêt étaient lancés et les suspects dirigés dans des « maisons de suspicion » ou dans des prisons ordinaires.

40 000 morts ?

La Terreur sévit inégalement en France et, compte tenu du cas particulier de la Vendée, le nombre des morts fut « géographiquement » élevé (81 %) dans les régions situées à l'ouest d'une ligne Angers-Bordeaux, dans celles où naquirent des mouvements contre-révolutionnaires importants (vallée du Rhône et Midi), ainsi que dans les départements voisins des fronts militaires. Les tribunaux criminels révolutionnaires prononcèrent environ 17 000 condamnations à mort. Si on y ajoute les individus exécutés sommairement et ceux morts en détention, l'estimation maximale n'excède pas 40 000, ce qui est déjà considérable.

Dans six départements, aucune condamnation à mort ne fut prononcée. Dans trente et un, ce nombre fut inférieur à 10, et il se situa entre 10 et 100 dans trente-deux autres. Enfin il fut supérieur à 100 dans dix-huit départements dont la Vendée, le Maine-et-Loire et le Rhône. Le Tribunal révolutionnaire prononça 2 639 sentences de mort à Paris, et 3 548 furent requises en Loire-Atlantique, soit 21 % de l'ensemble des condamnations capitales. Ces chiffres, qui gagneraient à être affinés, sont éloquents.

Mais pour ajouter au caractère dramatique de la Terreur, certaines estimations ont été gonflées par des historiens peu scrupuleux : il arrive ainsi que soient pris en compte, dans les listes d'individus condamnés « révolutionnairement », des droits communs (assassins, faux-monnayeurs, repris de justice) jugés par des tribunaux criminels ordinaires. Si l'on veut s'en tenir à la justice révolutionnaire proprement dite, on doit aussi écarter les individus ayant comparu devant les tribunaux militaires, tels les déserteurs. De façon générale, l'amalgame des victimes de la guerre opposant la France à l'Europe coalisée avec celles des tribunaux révolutionnaires tend à fausser le bilan de la Terreur.

Coupables d'« intelligence avec l'ennemi »

Les motifs de condamnation devant les tribunaux révolutionnaires tiennent pour plus des deux tiers à des délits de complicité avec les puissances étrangères et avec les émigrés. Fouquier-Tinville, l'accusateur public, fonde la plupart de ses accusations sur des correspondances avec les émigrés, des quittances prouvant l'envoi de secours à ceux-ci, des lettres de change endossées à l'étranger, la possession de faux assignats. Les individus prévenus d'émigration sont condamnés lorsqu'ils sont dans l'incapacité de justifier d'une résidence ininterrompue en France depuis mars 1792 – date des premières lois sur l'émigration. Le reste des condamnations prononcées frappe des élus locaux (anciens députés, administrateurs ou maires), des militaires, des fonctionnaires ou de simples citoyens qui se sont rendus coupables de rébellion, de trahison, de fraude – au sein de l'administration –, ou qui ont signé des écrits « tendant au rétablissement d'un pouvoir attentatoire à la souveraineté du peuple ». La sévérité – voire l'injustice – de certains jugements tient à l'appréciation qui est faite par le jury du degré de complicité de tel accusé avec un accusé principal.

La répression, par classes sociales, toucha une majorité de petits commerçants, paysans et domestiques. Même si l'aristocratie fut proportionnellement plus atteinte, la répression ne visa pas une classe sociale en particulier. Jacques Godechot, qui s'appuie sur les travaux de Donald Greer et de Georges Lefebvre, admet qu'elle a « uniquement cherché à réprimer violemment des révoltes et des trahisons qui mettaient en danger, avec l'unité nationale, la vie même du pays ».

Le souvenir de la Terreur, pour sanglante qu'elle fut, ne saurait faire oublier les hécatombes que furent l'Inquisition, les dragonnades, l'effroyable répression de la Commune de 1871 qui, à Paris seulement, fit plus de 20 000 victimes, sans qu'il soit même besoin de rappeler les grandes éliminations collectives de l'époque contemporaine.

Olivier Blanc

La guillotine : une mort propre

« Traîtres, regardez et tremblez, elle ne perdra son activité que quand vous aurez tous perdu la vie », telle est la légende d'une gravure du *Glaive vengeur,* périodique de la Terreur dans lequel on relatait les exécutions par la guillotine des condamnés du Tribunal révolutionnaire. La machine de mort en usage à l'époque avait, en France et à l'étranger, un indéniable effet répulsif et les révolutionnaires les plus exaltés ne se firent pas faute d'agiter cet épouvantail. La guillotine eut, par la suite, valeur de symbole, symbole auquel les contempteurs de la Révolution ne cessèrent d'avoir recours.

Une mort égale pour tous

Hérité de l'ancienne féodalité, l'un des privilèges de la noblesse française était, le cas échéant, celui d'avoir la tête tranchée. Les roturiers étaient bons pour la corde ou les supplices effrayants (bûcher, écartèlement, roue). Du désir d'introduire l'égalité dans les supplices, allié à celui d'abréger les souffrances du condamné, naquit la guillotine.

Sur la proposition d'un membre de l'Assemblée, le docteur Guillotin, une discussion s'ouvrit à l'automne 1789 sur la façon « d'exécuter tous les condamnés d'une manière uniforme et par l'effet d'une simple machine ». « Avec ma machine, dit Guillotin, je vous fais sauter la tête en un clin d'œil, et sans que vous éprouviez la moindre douleur. »

Il y eut un immense éclat de rire, hilarité tragique quand on songe que la guillotine, qui n'avait pas encore de nom, devait tuer nombre de ceux qu'alors elle faisait rire. Cependant, le docteur et sa machine furent mis en couplets par les journalistes, d'où le nom de « guillotine ».

En 1791, la Constituante examina un projet de Code pénal, préparé et présenté par Michel Le Peletier de Saint-Fargeau, au nom des Comités de constitution et de législation criminelle. Ce projet prévoyait notamment la suppression de la peine des galères et des flétrissures corporelles, et le remplacement de la peine de mort par un emprisonnement temporaire variant de douze à vingt-quatre ans, avec adoucissement graduel des conditions de détention, et choix d'un travail par le condamné. L'aile droite de l'Assemblée – dont l'abbé Maury était l'un des porte-parole – s'opposa fougueusement à ces dernières mesures et le 1er juin, il fut décidé que la peine de mort ne serait pas abrogée. Il y eut cependant un progrès : les exécutions ne seraient plus secrètes et, sur la proposition de Robespierre, l'opprobre frappant traditionnellement les familles des condamnés disparaîtrait.

Le 21 septembre 1791, le nouveau Code pénal était adopté et les premier et troisième articles portaient : « La peine de mort consistera seulement dans la privation de la vie ; aucune torture ne sera infligée au condamné... Toute personne condamnée aura la tête tranchée. »

Répartition des exécutions capitales (1793-1794) (par département)

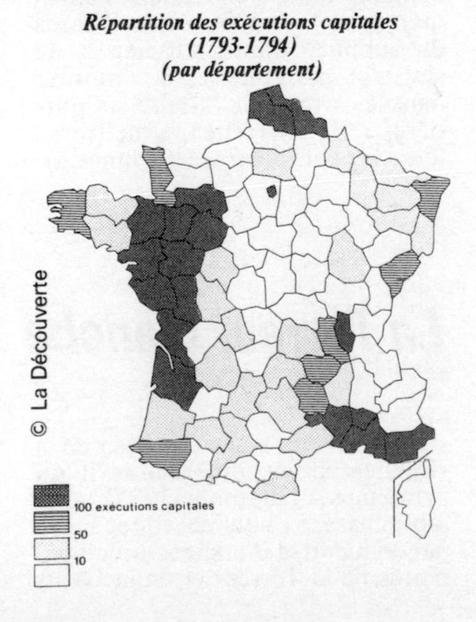

BIBLIOGRAPHIE

ARASSE D., *La Guillotine et l'imaginaire de la Terreur,* Flammarion, Paris, 1987.

VOVELLE M., « La guillotine symbole », *Le Monde,* 17 avril 1987.

Le ministre Duport-Dutertre écrivit le 3 mars 1792 à l'Assemblée pour lui faire part de l'horreur que lui inspirait la décollation par le sabre. Le bourreau Sanson publia de son côté des remarques sur les inconvénients de ce genre de supplice. Une commission fut nommée, qui, après consultation de Louis, le secrétaire du Collège des chirurgiens, proposa le mécanisme dont on se servit désormais en France.

Le « rasoir national »

Inaugurée en 1792 à Paris sur la place du Carrousel, la guillotine fut ensuite installée sur la place de la Révolution – actuelle place de la Concorde –, puis, de juin à août 1794, à l'est du faubourg Saint-Antoine, sur l'actuelle place de la Nation. En province, la machine fut élevée dans les villes où siégeait un tribunal criminel révolutionnaire. Tout un langage nouveau fut inventé : la guillotine reçut le nom de « rasoir national » et, vraisemblablement pour exorciser l'effroi qu'inspirait ce spectacle, les phases du supplice donnèrent lieu à de sinistres plaisanteries : « monter dans le carrosse aux trente-six portières » (la charrette), « mettre sa tête à la petite lucarne » (la lunette), « éternuer dans le sac », « battre monnaie sur la place de la Révolution » (allusion à la confiscation des biens des condamnés), etc.

En 1793, le public qui assistait à l'exécution d'un ancien lieutenant criminel au Châtelet était le même que celui qui, sous la royauté, se pressait au supplice d'une vieille servante ou d'un jeune délinquant. Mais d'après les rapports de police, la majorité des Parisiens évitait le passage des charrettes. Quand, le 31 octobre 1793, on mit à mort les girondins, un policier remarqua « qu'au sixième qui fut exécuté, un très grand nombre de personnes se sont retirées la figure morne et dans la plus grande consternation ».

Marquant les esprits, y compris ceux des émigrés et des étrangers qui n'avaient jamais vu de guillotine, l'instrument fut rapidement transfiguré dans l'imaginaire collectif, prenant, comme l'a souligné Michel Vovelle, les dimensions d'un symbole fantastique : « Instrument de la Terreur apprécié en termes positifs pour les uns, le masque de la Méduse frappant les ennemis de la Révolution ; instrument du martyre pour les autres, à travers la passion et la mort de Louis XVI et des siens. »

Olivier Blanc

La Terreur blanche

La « Terreur blanche » désigne la violence antijacobine qui sévit du printemps à l'automne 1795. Véritable chasse à l'homme, elle se solde par le meurtre d'anciens fonctionnaires de la Terreur et de jacobins marquants. Bien que des jacobins soient rudoyés dans maints endroits en France, les violences n'atteignent que dans une seule région l'intensité meurtrière qui les font nommer « Terreur blanche ». Deux capitales du meurtre définissent cette géographie : au nord, Lyon est l'épicentre d'une vague de tueries englobant Saint-Étienne et Montbrison, Bourg-en-Bresse et Lons-le-Saulnier ; au sud, Marseille est la plaque tournante d'une aire d'assassinats comprenant les Bouches-du-Rhône, le Var, le Gard, le Vaucluse et les parties méridionales de l'Ardèche et de la Drôme.

Les premiers meurtres à Lyon, en février-mars 1795, ouvrent la voie à une longue séquence d'assassinats qui rendent les rues de cette ville périlleuses à tout jacobin, lyonnais ou autre. L'exemple est vite suivi à Marseille et dans les départements du Midi. De grands massacres dans les prisons jalonnent ces mois : le 15 floréal (4 mai), 99 morts à Lyon ; le 21 floréal (10 mai), 60 à Aix-en-Provence ; le 6 prairial (25 mai), 24 à Tarascon ; le 14 prairial (2 juin), 11 à Saint-Étienne ; le 17 prairial (5 juin), 100 à Marseille et, le 2 messidor (20 juin), de nouveau 23 morts à Marseille. Ils s'accompagnent d'attaques contre les convois de prisonniers, par exemple à Pont-Saint-Esprit ou à Bourg-en-Bresse. Ce ne sont là que les faits les plus spectaculaires émergeant d'un fond sanglant de morts individuelles, de voies de fait, d'arrestations multipliées. Une documentation déficiente ne permet pas de chiffrer les morts. Pour les Bouches-du-Rhône, on a cité près de 850 victimes pendant l'an III et l'an IV : mais l'acception à cette époque d'« assassinat », qui n'implique pas nécessairement un décès, laisse flotter l'incertitude.

Ces violences font partie intégrante de la réaction thermidorienne. Elles s'autorisent du contenu antijacobin de la réaction. Par ailleurs, la loi du 21 nivôse an III (10 janvier 1795), qui permet le retour d'émigrés pour cause de fédéralisme, et celle du 21 germinal (10 avril), qui désarme et assigne à résidence les « terroristes », mettent en présence et dans un rapport de forces renversé les protagonistes de l'an II. Enfin, la chronologie des grandes violences répond à celle des insurrections populaires, ou « jacobines », de l'an III : les journées parisiennes de germinal et de prairial, ainsi que l'insurrection de Toulon du 1er au 5 prairial (20-24 mai).

Cette violence s'inscrit dans la logique de la réaction. Œuvre surtout de vengeance et de rétribution, elle déborde le cadre de sanction légale où la Convention thermidorienne a toujours voulu circonscrire la réaction. L'élément de représailles personnelles est très présent : à maintes reprises, on décèle un lien intime entre l'agresseur et sa victime, responsable d'un tort fait à l'agresseur en sa personne, sa famille, ou ses biens.

Une saignée regrettable mais nécessaire !

Pourtant, phénomène complexe, la Terreur blanche est bien distincte de la réaction thermidorienne propre avec laquelle son rapport est ambigu. On ne saurait douter qu'une peur exagérée d'une résurgence jacobine amène les autorités locales à être plus ou moins complices des violences. La mollesse d'un Cadroy ou d'un Boisset devant les massacres à Marseille et à Lyon démontre que beaucoup de représentants en mission perçoivent les jacobins comme la menace principale et s'accommodent des moyens du bord pour les contenir, y voyant peut-être une saignée regrettable mais nécessaire. Le rôle des administrateurs mis en place en l'an III est encore plus ambigu. Souvent anciens fédéralistes et victimes eux-mêmes de la Terreur, leur rhétorique pousse à la violence. Ils ont parfois des liens de parenté avec des hommes impliqués dans les meurtres ; certains y participent même d'assez près ; aucune poursuite enfin n'est engagée contre les fauteurs de violence.

Au fond, la Terreur blanche est un phénomène composite. Dans les bourgs et les villages urbanisés de l'ancienne Provence et du Comtat, il s'agit d'un mouvement où s'entremêlent une sanction communale contre des personnalités locales en rupture des convenances tacites de

BIBLIOGRAPHIE

COBB R., *La Protestation populaire en France, 1789-1820,* Calmann-Lévy, Paris, 1975.

FUOC R., *La Réaction thermidorienne à Lyon,* I.A.C., Lyon, 1957.

LEFEBVRE G., *Les Thermidoriens,* Armand Colin, Paris, 1937.

LUCAS C., *The Structure of the Terror, the Example of Javogues and the Loire,* Oxford University Press, Londres, 1973.

LUCAS C., « Violence thermidorienne et société traditionnelle : l'exemple du Forez », *Cahiers d'histoire,* t. 24, n° 4, 1979.

LUCAS C., « Themes in Southern Violence after 9 Thermidor », dans *Beyond the Terror : Essays in French Regional and Social History, 1794-1815* (presented to Richard Cobb), Gwynne Lewis et Colin Lucas, éd., Cambridge University Press, Londres, 1983.

MATHIEZ A., *La Réaction thermidorienne,* Armand Colin, Paris, 1929.

la vie collective par leur comportement de l'an II, et d'un règlement de comptes entre factions qui se disputent le pouvoir local depuis longtemps déjà.

Une guerre civile larvée

A un autre niveau, pourtant, elle présente une double offensive : celle des classes possédantes contre la Terreur et celle du royalisme contre la république. On démêle difficilement les rapports entre ces deux éléments. Il est clair que la violence est loin d'être spontanée dans bien des cas. Les réacteurs se dotent d'une organisation quasi militaire et publique : c'est ce que les jacobins nomment les Compagnies de Jésus. Les enquêtes postérieures montrent à l'évidence la participation d'hommes des élites sociales, bonne bourgeoisie et noblesse locale. Des intelligences relient les divers sites de la réaction sanglante. Les hommes violents lancent parfois, mais pas toujours, des « slogans » explicitement royalistes. Enfin, il existe dans le Midi un réseau royaliste dont nous ne savons pas assez.

Sous cet angle, la Terreur blanche de 1795 est certes l'arme tranchante d'une reconquête du pouvoir local par une élite sociale conservatrice qui l'utilise aux fins de détruire pour toujours une menace à sa domination politique et sociale. Dans la mesure où l'expérience de l'an II a pu rendre ce conservatisme ouvert à une solution monarchique, ceux qui, administrateurs et juges, tolèrent ou encouragent les violences sont peut-être crypto-royalistes. Les assassins le sont peut-être plus franchement. Mais le lien avec une conjuration royaliste reste à démontrer. Les Compagnies de Jésus sont-elles autre chose que la garde nationale épurée ? Il s'agirait plutôt de conjurés royalistes profitant de l'antijacobinisme pour pêcher en eau trouble. Après tout, bien que la répression de la Terreur blanche entreprise par Stanislas Fréron et Jacques Reverchon en l'an IV ne soit guère efficace, les conspirations royalistes n'ont que des succès éphémères dans le Midi sous le Directoire.

La Terreur blanche de 1795 s'explique surtout par son insertion dans une longue histoire de violences réciproques entre factions, communautés et intérêts sociaux, politiques et religieux qui font du Midi un territoire de guerre civile larvée, parfois dès les premiers moments de la Révolution. C'est pourquoi elle est spécifique au Sud-Est. Épisode parmi d'autres des haines à la fois anciennes et nouvelles, elle renaît en l'an V et en 1815.

Colin Lucas

LES CRAINTES ET LES ESPOIRS

La « peur »

Parmi les principaux moteurs de l'action populaire dans la Révolution, Georges Lefebvre a distingué l'espérance et la peur.

La « grande espérance » née de la convocation des États généraux ne survécut pas à la déception profonde causée par la mauvaise volonté des ordres privilégiés à Versailles. Au contraire, la peur, née de cette déception, marqua tout le cours de la Révolution. Propagée le plus souvent par la rumeur, portée oralement de village en village ou de marché en marché, elle a, au cours des siècles, pris des formes diverses : peur des mendiants et de la faim, peur du « complot aristocratique » en 1789, ou d'une épidémie comme celle du choléra en 1832 et 1848. Elle persistera même, comme cause d'actions populaires en France et en de nombreux autres pays, jusqu'à l'époque actuelle.

La Révolution a connu ces grandes paniques. Certains aspects du mouvement paysan de l'été 1789 et de la Grande Peur ont été admirablement décrits par Georges Lefebvre. Selon lui, dès avant l'avènement de la Grande Peur proprement dite, le mouvement de révolte des paysans avait connu un élan considérable ; la peur fut provoquée par la mauvaise récolte et surtout par les nouvelles arrivées de Paris : celles du complot aristocratique fomenté contre le parti patriote à Versailles, de la prise de la Bastille et du renvoi des troupes en province. Ces troupes et la multitude des sans-travail qui erraient sur les routes et dans les champs ont rapidement créé l'illusion d'une armée de « brigands » qui, pour se venger de la victoire populaire dans la capitale, aurait été lancée à l'assaut des campagnes, pour détruire les propriétés paysannes.

« La peur, selon le mot de Lefebvre, engendra la peur » et, dans une grande partie de la France, stimula l'action révolutionnaire aussi bien dans les villes que dans les villages ; partout, les citoyens se mirent sous les armes pour repousser l'attaque prétendue des brigands. Les paysans, constatant bientôt la vanité de leurs craintes, tournèrent leurs armes contre les châteaux seigneuriaux et leurs archives, qu'ils brûlèrent avec des cris de joie, sans verser, toujours selon Lefebvre, le sang de plus de six personnes.

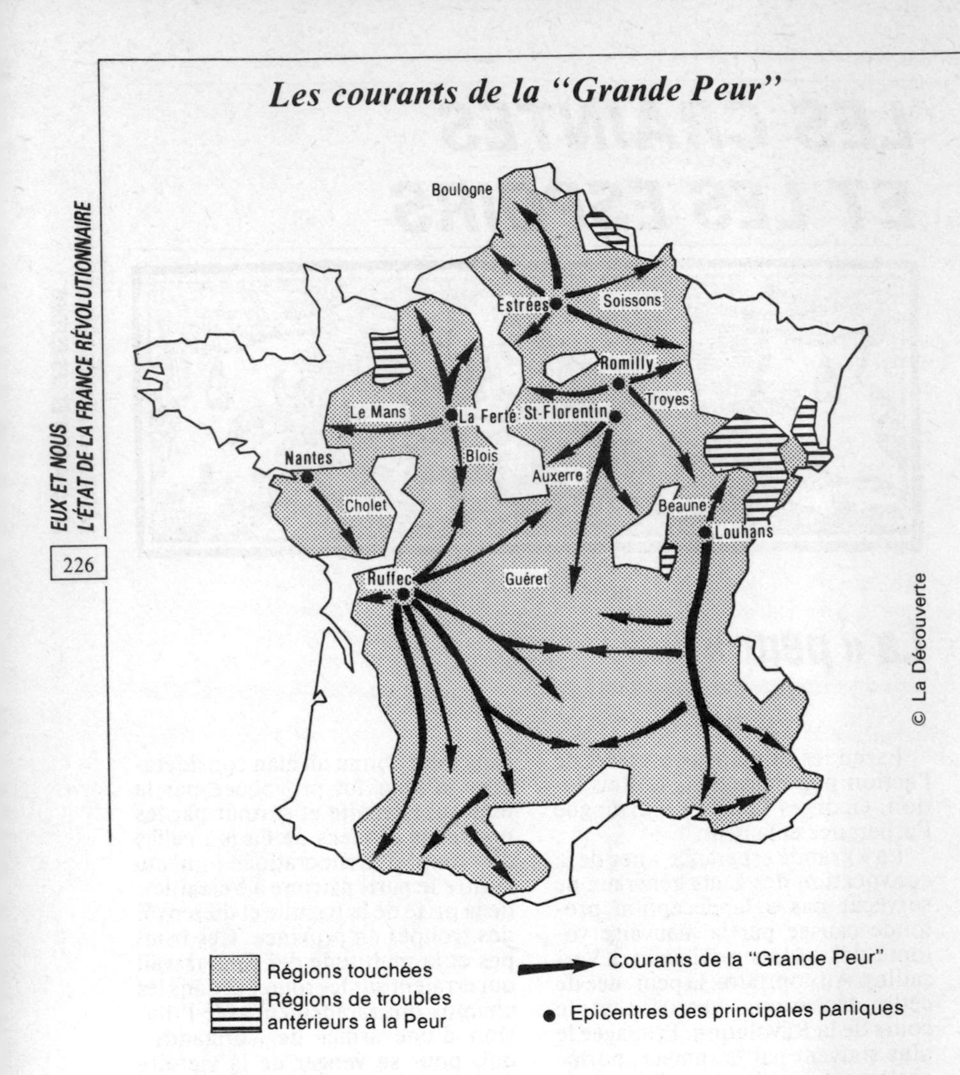

La Grande Peur

La Grande Peur, qui faisait partie de cette peur plus générale, a eu ses caractères propres. Ses limites furent précises quant à sa durée et son étendue. Il ne s'agissait plus d'une peur diffuse sur une grande partie du pays, mais de mobilisations strictement régionales concentrées dans des aires définies. Elle se propagea par la contagion et la rumeur. Débutant le 20 juillet 1789, elle s'arrêta le 6 août ; et, pendant ces dix-sept jours, elle ne gagna qu'une demi-douzaine de régions, sans toucher quelques-uns des centres principaux de la révolte paysanne antérieure. La Bretagne, l'Alsace, le Mâconnais, les Landes et le Pays basque, le Bocage normand et, au nord, deux des régions les plus agitées par le mouvement paysan, le Hainaut et le Cambrésis, y échappèrent presque entièrement.

Il n'y eut pas, non plus, comme à Paris, fin juin et début juillet, un point de départ unique pour ces rumeurs et paniques ; la Grande Peur a résulté de six paniques originelles. Ainsi, par exemple, près de Nantes, elle commença le 20 juillet, à la suite de la rumeur selon laquelle un détachement de dragons marchait sur la ville ; à Clermont, en

Beauvaisis, elle fut provoquée par une rixe entre braconniers et gardes-chasse à la veille de la moisson ; Lefebvre répertorie comme suit leur dates et leurs points de départ : à Nantes, le 20 juillet ; dans le Maine, le 20 ou le 21 ; en Franche-Comté, le 22 ; en Champagne, le 24 ; dans le Clermontois, le 26 ; au sud d'Angoulême, le 28, puis, après une pause de quelques jours, à Barjols en Provence, le 4 août, et à Lourdes, au pied des Pyrénées, le 6.

Ce mélange de rumeurs et de panique, si irrationnel en apparence, a eu des résultats très précis et d'une importance capitale. La peur a forcé les villes à lever des milices plus efficaces ; elle a créé des liens entre des villes et des villages qui jusqu'alors étaient isolés, ouvrant ainsi la voie à la fédération de l'avenir ; elle a intensifié la haine de la noblesse, ce qui, à son tour, a stimulé les progrès de la Révolution en province. Mais surtout, c'est la Grande Peur et le mouvement paysan dont elle est sortie qui ont forcé l'Assemblée nationale, toujours installée à Versailles, à s'occuper de la question paysanne, à promulguer les décrets des 4 et 5 Août, et à mettre ainsi en train la série de réformes qui, en été 1793, aboutiront à la fin de la féodalité en France. Bien d'autres paniques collectives ont caractérisé la Révolution, comme la reprise de la peur des brigands et des étrangers en 1790 et 1791, les massacres de Septembre de 1792, la peur des « suspects » et le « complot des prisons » en 1794 et 1795 ; de surcroît, l'imagination d'un Edmund Burke, ou d'un Gustave Lebon, et de leurs émules, pour qui la Révolution n'a représenté qu'une vaste conspiration du début à la fin, en a inventé bien d'autres ; mais c'est la peur de l'été 1789 qui a entraîné les résultats les plus significatifs pour l'avenir.

George Rudé

Les taxations spontanées de 1792

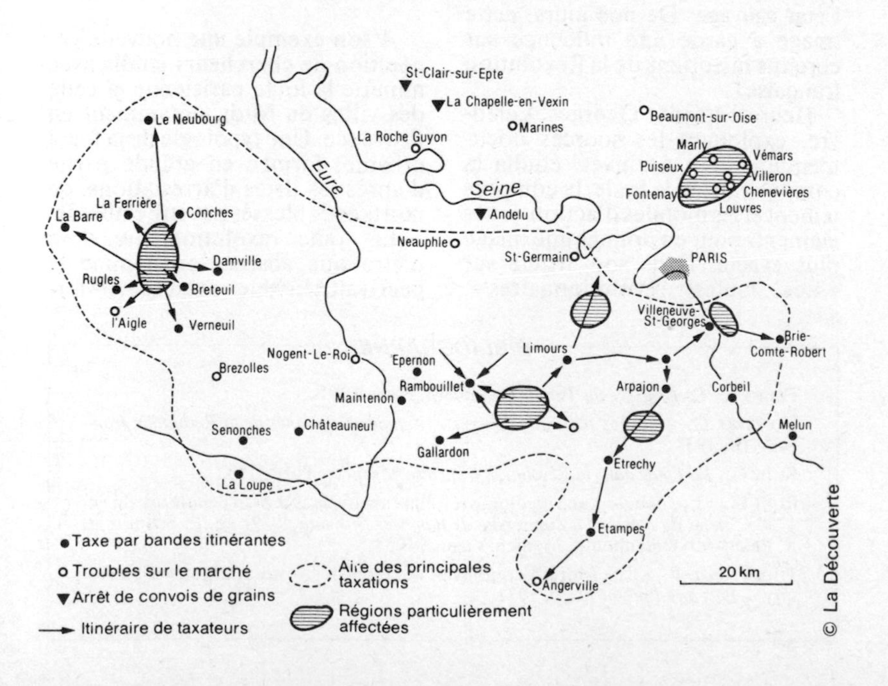

La foule

La foule révolutionnaire est un être collectif, formé des participants aux journées révolutionnaires de 1787 à 1795. Elle a été présentée durement par les critiques acharnés de la Révolution. Même les plus bienveillants pour les « principes de 89 » ont ignoré l'importance du rôle des sans-culottes, dans les journées de 1789, la chute de la monarchie ou la « révolution démocratique » qui suivit. Les critiques les plus sévères ont été Edmund Burke, Hippolyte Taine, et, plus tard, Gustave Le Bon. Pour Burke, les manifestants d'octobre 1789 étaient « une bande de voyous et d'assassins qui puaient le sang » ; pour Taine, à l'invective plus virulente encore, les « vainqueurs de la Bastille » sont composés de « la lie de la société », de « la dernière plèbe », de « vagabonds » et de « déguenillés ». Gustave Le Bon, « père » de la « psychologie des foules », ajoute encore que la foule, parce que phénomène collectif, attire des éléments criminels et dégénérés, qui, en groupe, retournent à l'état sauvage. De nos jours, cette image a gardé une influence sur certains historiens de la Révolution française !

Heureusement, Georges Lefebvre, exploitant les sources documentaires aux Archives, étudia la composition de la foule, le comportement et les mobiles d'action de ses éléments pour en donner une image plus exacte. Dans son article sur « Les foules révolutionnaires », paru en 1932, il emprunta à Le Bon l'idée selon laquelle la foule n'était pas seulement un agrégat d'individus, mais une entité douée d'une volonté et de moyens d'action collectifs. Mais il n'en conclut pas pour autant que les individus ainsi rassemblés fussent réduits à l'état « animal », ni que cette collectivité fût plus portée au crime et à la violence que les personnes qui la composaient. Il prouva au contraire que dans les foules des années 1788 et 1789, les gens étaient loin d'être des marionnettes dociles manipulées par des meneurs habiles. Gagnés aux idées révolutionnaires, ils en appréciaient la valeur, et s'assemblaient pour être plus forts et les faire aboutir. Lefebvre, cependant, localisa ses recherches sur la campagne plutôt que sur la ville, notamment dans son magistral ouvrage sur la Grande Peur de 1789.

Une foule animale ?

A son exemple une nouvelle génération de chercheurs étudia avec minutie la foule parisienne et celle des villes du Midi, notamment en Provence. Une typologie de la foule urbaine, formée en grande partie d'après les listes d'arrestations, de morts et de blessés put être élaborée.

La foule révolutionnaire, loin d'être une abstraction comme la décrivait Michelet, avait subi de for-

BIBLIOGRAPHIE

FAURE E., *La Disgrâce du Turgot,* Gallimard, Paris, 1961.

LEFEBVRE G., « Foules révolutionnaires », *Annales historiques de la Révolution française,* IX, 1934.

RUDÉ G., *La Foule dans la Révolution française,* Maspero, Paris, 1982.

RUDÉ G., « Les débuts d'une idéologie révolutionnaire dans le petit peuple urbain en 1789 », *Actes du colloque à l'université de Bamberg (4-7 juin 1979),* éd. E. Schmitt et R. Reichardt, Oldenbourg, Munich-Vienne, 1983.

THOMPSON E.P., « The Moral Economy of the English Crowd in Eighteenth Century », *Past and Present,* n° 50, 1971.

tes variations liées aux circonstances ou à l'époque : lors des journées plus ou moins « spontanées » de 1787 et 1788, les assistants arrêtés par la police étaient pour la plupart des jeunes, âgés en moyenne de 23 ans, tandis que « les vainqueurs de la Bastille », d'après la liste rédigée par l'un d'entre eux, Stanislas Maillard, avaient 34 ans en moyenne ; les émeutiers arrêtés chez le fabricant de papiers peints, Réveillon, en avril 1789, étaient à 78 % des ouvriers luttant pour leurs salaires. Les femmes aussi ont joué un rôle important dans certaines journées, notamment dans celles où prévalait la question des vivres : ainsi, en octobre 1789, dans les émeutes survenues en février 1793 dans les épiceries parisiennes ou encore en germinal-prairial an III.

D'ailleurs, de cette prétendue « animalité de la foule parisienne », les sources consultées n'ont apporté aucune preuve : les commissaires du Châtelet et des sections qui examinaient les prisonniers en auraient bien trouvé la trace si elle avait existé ! Des soixante-huit émeutiers arrêtés à la maison Réveillon en avril 1789, trois seulement avaient déjà encouru des peines de prison dont un qui avait été marqué du « V » de voleur. Des trente-sept inculpés pour le pillage du couvent Saint-Lazare en juillet 1789, un seul avait subi une peine de prison, d'ailleurs de bien courte durée. Aucun des vingt et un suspects arrêtés après le meurtre de Châtel, un officier municipal de Saint-Denis, n'avait fait l'objet d'une accusation préalable ; et sur les cent cinquante personnes arrêtées dans les sections parisiennes pour délit politique lors de l'affaire du Champ-de-Mars en 1791, quatre seulement avaient été emprisonnées auparavant, pour peu de temps. Les statistiques bien qu'incomplètes le prouvent : ceux qui ont composé les foules révolutionnaires parisiennes des années 1787 à 1795 n'étaient pas plus portés au crime ou au désordre que la moyenne de la population petite-bourgeoise et ouvrière dont, pour la plupart, ils étaient issus.

Mais Paris, évidemment, n'est pas la France ; et les études menées à Marseille, à Toulon et dans le Gard montrent des différences assez importantes avec la situation parisienne. Par exemple, comme le précise Michel Vovelle, l'artisanat et les boutiquiers ont, de toute évidence, été plus présents dans ces émeutes que dans celles de la capitale. D'après les statistiques « méridionales », ces émeutiers étaient en général plus jeunes bien que pour la plupart déjà pères de famille. En outre, ceux de Nîmes étaient divisés entre gardes nationaux protestants et plébéiens catholiques. Le conflit religieux aussi bien que la contre-révolution, qui, à Paris, avant l'an IV, n'ont guère touché les émeutes populaires, jouèrent là un grand rôle.

Il reste des lacunes malgré les recherches déjà faites. Il nous manque une étude plus approfondie des ouvriers et des artisans qui ont participé aux mouvements contre-révolutionnaires comme ceux de l'été 1793, à Lyon, Toulon, Bordeaux, Marseille et Caen ; à Paris même, exception faite des journées de vendémiaire an IV, la question a été peu étudiée. De même convient-il d'approfondir la question des mouvements paysans après 1791, surtout dans l'Ouest. Dans la voie ouverte par Georges Lefebvre, il faut poursuivre l'analyse de la géographie et de la sociologie des mouvements populaires tant dans les villes que dans la campagne. Il est nécessaire de rechercher, beaucoup plus précisément qu'on ne l'a fait jusqu'ici, en province surtout, la composition des foules, le comportement, les mobiles d'action, l'idéologie, enfin, des jeunes, des hommes et des femmes qui sont sortis de chez eux pour participer activement aux journées révolutionnaires dans chaque région.

George Rudé

Les violences urbaines

Les violences urbaines ne peuvent se comprendre que dans le contexte d'un Ancien Régime doublement marqué par les violences des gouvernants et l'impuissance politique du menu peuple.

Violence « réactive »

Violences au pluriel : celles de l'État et de ses institutions, celles des hommes de rang élevé déterminés à en imposer à leurs inférieurs. Dans la première catégorie entre non pas tout ce qui est arbitraire – la France n'est pas encore un État de droit dans le plein sens du terme –, mais tout ce qui est arbitraire au-delà de la norme généralement admise, et qui pourra donc susciter la révolte. Ainsi, si l'on accepte que les autorités punissent les criminels, on sera beaucoup plus réticent devant les tortures pratiquées lors de leur exécution. S'il est normal, encore que regrettable, que l'on soit obligé de tirer à la milice, on admettra difficilement les ruses de certains sergents recruteurs. On supportera que les oisifs et les mendiants soient emprisonnés ou interdits de séjour, mais non que les enfants du peuple soient expédiés dans les colonies, comme ce fut le cas à Paris en 1750.

De la même façon, et peut-être plus encore, parce que dépourvues de toute justification étatique, les violences commises par des individus, membres des classes dirigeantes, pouvaient inspirer de vives réactions. Point n'est besoin de postuler une conscience politique chez le peuple, pour comprendre ses émotions devant un équipage noble qui écrase un piéton, ou un valet de grande maison, qui, sur les ordres de son maître, gifle un campagnon trop lent à céder la place ou refuse de régler l'artisan fournisseur venu exiger son dû. Il est inutile de multiplier les exemples pour admettre que la violence populaire, avant et pendant la Révolution, est essentiellement réactive.

Mais elle n'est ni gratuite ni aveugle. Il ne faut surtout pas la confondre avec la violence, mieux, la cruauté quotidienne d'une société où les bonnes manières régnaient, mais ne gouvernaient pas, où les classes supérieures se faisaient des courbettes mais s'entre-tuaient dans les duels, pendant que les membres des classes populaires, peut-être moins hypocrites, s'offensaient facilement, se bagarraient dans les cabarets à longueur de dimanches et de saints lundis, et se traînaient mutuellement devant les commissaires de police pour obtenir réparation.

« Exiger son dû »

Le lien de continuité entre les violences urbaines et populaires de la fin de l'Ancien Régime et celles de l'époque révolutionnaire, voire l'explication des unes par les autres, ne se trouvera ni dans les histoires de femmes battues ni dans les gifles prodiguées aux enfants turbulents par des parents excédés par les difficultés matérielles. Non, les ancêtres directs, les préparatifs en quelque sorte de ces violences révolutionnaires sont à chercher dans les ateliers et la rue, autrement dit dans l'espace public, sinon politique, de l'avant-1789.

L'atelier d'abord. Qu'un maître baisse le prix de la journée ou intervienne pour réglementer les habitudes de travail de ses ouvriers, ceux-ci répondront en adoptant des rythmes lents, en travaillant de façon négligée, peut-être même en débrayant et en interdisant aux autres ouvriers de travailler à leur place. Si les grèves proprement dites étaient relativement rares – le mot implique une capacité d'organisation dans la durée que peu possédaient déjà –, des actions spontanées, en général brèves, pouvaient mener à des confrontations graves, quelquefois sanglantes, accompagnées d'atteintes à la propriété du maître. Ces dernières ne relevaient ni du sabotage industriel tel qu'il sera pratiqué quelques générations plus tard, ni du luddisme à l'anglaise, la machine n'étant pas encore devenue l'ennemie de l'artisan ; elles étaient, en toute simplicité, des moyens de lutte pratiques et efficaces.

Après l'atelier, la rue et, surtout, la halle et les marchés, lieux classiques de la révolte populaire liés au pain. Les historiens qui, depuis plus d'un demi-siècle, étudient ce qu'est l'émeute du pain ont compris beaucoup de ses mécanismes et conclu à son essentielle rationalité. Il n'y a plus de vile multitude, de « populace » à la Taine. Il ne reste que des hommes et des femmes qui se défendent contre la disette, et mettent en cause la responsabilité des gouvernants. Attachées à la monarchie, acceptant le (bon) ordre social qui leur était imposé, les foules voulaient croire que « si le roi savait ça », il ne tolérerait pas que le peuple mourût de faim. Et pourtant il devenait évident que c'est le contraire qui était vrai. Les crises de subsistances répétées et graves démontraient l'incapacité de l'État à assurer le minimum vital à un prix abordable, incapacité qui poussera les masses populaires à se ranger aux côtés de la bourgeoisie révolutionnaire contre lui. Brecht a dit qu'il fallait se procurer du pain avant de parler moralité, mais lorsque le pain devient lui-même une question morale, le mélange peut être explosif.

L'atelier et la rue, conditions de travail et conditions de vie. Dans toutes ces révoltes violentes, le menu peuple ne faisait qu'exiger son dû, sans pour autant rêver à la création d'un monde meilleur. Plutôt que meilleur, il fallait que le monde fût juste. Comme le dit très bien l'historienne Arlette Farge, « l'émeute revêt un aspect ordinaire, surtout lorsqu'elle vise à rétablir un ordre bafoué par les autorités », c'est-à-dire, le plus souvent. C'est dans la mesure où on peut parler de restauration et non de progrès comme *leitmotiv* que le terme de « primitifs de la révolte » peut s'appliquer aux acteurs et celui de « pré-politiques » à leurs actions. Si les Français faisaient moins consciemment référence à un âge d'or que les Anglais, ils n'en envisageaient pas moins un retour vers un paradis (ponctuel) perdu. Leurs actions avaient pour objectif que les choses et les hommes – les patrons, les policiers, les ministres, le roi – rentrent dans l'ordre. Les cibles de la révolte n'étaient jamais choisies au hasard, bien qu'elles aient pu changer en cours de route. La spontanéité n'exclut pas la pensée.

La révolte sous l'Ancien Régime est normale, légitime précisément en ce qu'elle ne vise pas à mettre le monde sens dessus dessous. La vision de la foule qu'A. Farge attribue aux fonctionnaires de l'État et aux policiers, celle de son « assentiment fondateur », est vraie, même si son deuxième terme, l'idée de « son ingratitude prompte et cruelle », est pure appréciation idéologique. La colère des masses laborieuses est toujours provoquée, et n'est jamais avant 1789 l'expression d'un choix de société.

Violence « instrumentale »

Or, tout cela change très rapidement en cette fin de siècle. Si les violences populaires de l'Ancien Régime peuvent s'expliquer en partie par l'absence d'un espace politique, celles de l'époque révolutionnaire découlent, paradoxalement, de sa création, dont une grande partie de la population – les citoyens passifs – est, il est vrai, exclue. C'est par l'existence de cet espace, qui, à travers l'action de la bourgeoisie révolutionnaire, rend légitime la mise en cause de l'ordre établi, que les masses urbaines seront politisées et développeront petit à petit leur propre projet révolutionnaire. Il n'y aura pas de rupture subite avec les habitudes, mais une évolution rapide vers l'idéal d'une société nouvelle, égalitaire

BIBLIOGRAPHIE

COBB R., *La Protestation populaire en France (1789-1820)*, Calmann-Lévy, Paris, 1975.

FARGE A., *Vivre dans la rue à Paris au XVIIIe siècle*, coll. « Archives », Gallimard, 1979.

KAPLOW J., *Les Noms des rois*, Maspero, Paris, 1974.

MENETRA J.-L., *Journal de ma vie. Jacques-Louis Menetra, compagnon vitrier au XVIIIe siècle*, présenté par Daniel ROCHE, Montalba, Paris, 1982.

dans son principe, libre dans son fonctionnement, fraternelle dans sa pratique. En 1788, les masses croient encore à la bonne volonté de leurs supérieurs, et par exemple à celle des parlementaires en conflit ouvert avec la monarchie ; à partir de 1789, le but de leur action sera de mettre fin à toute notion de supériorité sociale, même si elles n'en sont pas toujours conscientes. C'est d'abord inconsciemment et en évoquant les thèmes classiques du pain et des responsabilités que les futurs sans-culottes entameront leur marche vers le paradis jacobin de petits producteurs. On peut les suivre à la trace, du 14 Juillet où ils s'en prennent aux militaires, aux 5 et 6 Octobre où le manque de pain fait qu'ils commencent à manifester des doutes sur le roi lui-même, jusqu'au moment où, après avoir été canalisée un temps par les fêtes de la Fédération et autres initiatives gouvernementales, leur action contribuera puissamment à la création de la république les 20 juin et 10 août 1792, et à l'installation du gouvernement révolutionnaire au début du mois de juin 1793. Chaque épisode marque une étape dans la prise de conscience par les sans-culottes de leur propre projet révolutionnaire, où la violence n'est plus seulement réactive, mais devient instrumentale, au service d'une vision nouvelle.

Il est vrai que leur capacité à réaliser ce projet fut limitée à la fois par leurs conflits internes et par le rapport des forces sociales et politiques ; on pourrait même dire que ce dernier explique leur défaite, alors que les premiers expliquent leur disparition. Désemparés par la politique montagnarde, ils ne répondront pas à l'appel lorsqu'il sera nécessaire de défendre Robespierre le 9 Thermidor, et se retrouveront isolés et impuissants aux journées de germinal et de prairial an III. Ils n'auront plus alors aucun poids politique, mais ne disparaîtront comme groupe social qu'avec la naissance de la grande industrie et la prolétarisation de l'artisanat. Pour cela, il faudra au moins un siècle, le temps de léguer aux futurs ouvriers une tradition non pas de violences, mais de luttes et un idéal de société démocratique qui deviendra, en d'autres mains, et avec des variantes, socialiste. S'il est sans aucun doute abusif de ne voir chez les sans-culottes que des précurseurs de mouvements plus modernes, il n'en faut pas moins souligner la réelle filiation qui les attache à l'histoire de notre temps. Les violences urbaines qui ont atteint une sorte d'apogée au moment de la Révolution française ont cédé devant le besoin d'organisation politique, rendue nécessaire par la création de nouvelles structures de société. Comme les barricades qui n'existent plus, elles gardent leur valeur symbolique.

Jeffry Kaplow

Le pain, la terre et la liberté

On ne comprendrait rien à la Révolution si l'on croyait que le régime féodal fut aboli la nuit du 4 Août. L'Assemblée avait voté le *principe* qui répondait aux vœux des Jacques, mais en décidant le rachat des droits, elle laissait aux rapports de forces entre seigneurie et communauté villageoise le « soin » de régler la question, et provoqua quatre ans de luttes et deux révolutions (10 août 1792 et 31 mai-2 juin 1793).

De ce compromis de la nuit du 4 Août naquit la contre-révolution et l'émigration avec Artois, frère du roi, et quelques grands du royaume, Condé, Conti, Polignac, Broglie, etc. Les seigneurs nobles et non nobles firent tous leurs efforts pour empêcher même le rachat des droits : les décrets d'application, publiés le 15 mars 1790, par leurs dispositions, rendaient le rachat impraticable. Ce faisant, cette politique eut pour résultat de souder les censitaires riches et pauvres, et ne leur laissa pas d'autre issue que de résister.

Liberté économique et loi martiale (1789-été 1793)

La féodalité dans l'Ouest européen avait, depuis l'abolition du servage, au XIIIe siècle en France, reconnu des libertés, droits et franchises aux communautés villageoises, et l'existence juridique de celles-ci. Ayant acquis une très grande indépendance, la communauté villageoise réclamait son autonomie politique complète, et réinventa, à l'époque de la Révolution, la démocratie communale fonctionnant sur la base de l'assemblée des habitants où, fait peu connu à tort, femmes et enfants participaient fréquemment aux délibérations et aux votes.

Les paysans sans terre ou n'en ayant pas assez pour vivre, soit près de 70 % de la population rurale, réclamaient l'accès à la terre pour subsister, non seulement par la libération complète des censives, mais aussi par la limitation de la taille des exploitations, contrant ici le processus, encore débutant à l'époque, de concentration de l'exploitation aux mains des grands fermiers, ce qui empêchait les petits preneurs d'accéder aux marchés de terre. En attendant la réalisation de cette vaste réforme agraire, il fallait manger.

L'Assemblée vota la liberté du commerce des grains le 26 août 1789 et la loi martiale le 21 octobre suivant, allant ainsi contre l'action populaire de régulation des prix des grains. Cette politique de guerre du blé accéléra la formation du marché de gros privé des grains de la manière suivante : dans les villes où le prix du pain ne pouvait dépasser un seuil précis sans provoquer de révolte, puisque les salaires ne suivaient pas cette hausse, les municipalités furent autorisées à taxer le pain à 3 sous la livre, en subventionnant la boulangerie. Ce système permettait au marché de gros privé de vendre à prix libre et d'assurer un prix du pain garanti sans révolte. Mais cela coûtait cher aux municipalités, puisque le prix de la matière première dépassait celui du produit fini. Ce système de subvention n'était pas viable à long terme.

L'inflation de l'assignat vint s'ajouter à la hausse des prix des grains à la fin de 1791, et démultiplia les émeutes de subsistance qui accompagnaient régulièrement les jacqueries, mais concernaient aussi les villes.

Les Assemblées de 1789 à 1792 répondirent aux questions du pain, de la terre et de la liberté par la répression : le 21 octobre 1789, l'Assemblée avait voté la loi martiale et, par ailleurs, en violation de la Déclaration des droits de

BIBLIOGRAPHIE

ADO A., « Le mouvement paysan et le problème de l'égalité », dans *Contributions à l'histoire paysanne de la Révolution française,* sous la direction d'A. SOBOUL, Éd. Sociales, Paris, 1977.

INALF, *Dictionnaire des usages socio-politiques, 1770-1815,* F. GAUTHIER, « Loi agraire », t. 2, Klincksieck, Paris, 1987.

LEFEBVRE G., *La Grande Peur de 1789,* SEDES, Paris, 1932.

LEFEBVRE G., *Questions agraires au temps de la Terreur,* 1932, Comité d'histoire économique de la Révolution française ; rééd. 1954.

MATHIEZ A., *La Vie chère et le mouvement social sous la Terreur,* 1927 ; rééd. Payot, Paris, 1973.

MOREL A., *Histoire de la boulangerie en France,* Syndicat patronal de la boulangerie de Paris, Paris, 1924.

STRAYER J.R., *Les Origines médiévales de l'État moderne,* 1970 ; trad. Payot, Paris, 1979.

l'homme et du citoyen, un suffrage censitaire. Le journal *Les Révolutions de Paris* répondait le 31 octobre : « On rira peut-être de ma prédiction. La voici toutefois, avant dix ans, cet article (sur le suffrage censitaire) nous ramènera sous le joug du despotisme, ou il causera une révolution qui aura pour objet les lois agraires. »

La loi martiale, complétée le 23 février 1790, visait la seconde jacquerie (hiver 1789-1790) et le refus de payer les impôts. La loi Le Chapelier (avril-juin 1791) appliqua la loi martiale aux assemblées, pétitions et grèves d'artisans, compagnons et ouvriers agricoles, ces derniers étant les plus nombreux. Le 8 décembre 1792, après une période d'amnistie qui suivit la révolution du 10 Août, la Convention girondine reconduisit liberté économique et loi martiale (« art. 7 : Seront punis de mort ceux qui se seront opposés directement à la circulation des grains »).

Pour faire face à la répression, les paysans provoquèrent quatre grandes jacqueries armées (hiver 1789-1790, hiver 1790-1791, été 1791, printemps 1792). Les troubles de subsistance furent incessants de 1789 à l'automne 1793, et prirent de plus en plus d'ampleur, rassemblant jusqu'à 4 000 personnes de 1789 à fin 1791, mais jusqu'à 40 000 en 1792, chose inouïe, révélant l'ampleur de la crise. La loi martiale fut appliquée jusqu'à son abolition le 23 juin 1793. Ce fut la terreur libérale économique.

Droit à l'existence et loi agraire

Dans la période de la loi martiale, le mouvement populaire et démocratique développa une critique du système de liberté illimitée, mettant en lumière la contradiction entre liberté politique-égalité des droits, et le droit illimité de propriété des biens matériels. La critique de la loi martiale découvrait le caractère despotique du pouvoir économique.

Le débat se centra dans la société, comme à la Convention, sur la conception des droits de l'homme. Le mouvement démocratique élabora le concept de *droit à l'existence,* droit naturel à la vie et à sa conservation par l'exercice des droits du citoyen, et une « économie politique populaire », empêchant, par la loi, l'exercice de la liberté illimitée du droit de propriété des biens matériels. Apparut, ici, une théorie libérale égalitaire, en contradiction avec le libéralisme économique qui subordonne la liberté politique à celle du commerce. Ce libéralisme égalitaire élabora un vaste programme de réforme agraire, visant à restructurer la production et les échanges, sur la base de la redistribution des terres et de la limitation de la taille des exploitations pour laisser place aux petits preneurs. La restructuration des marchés publics et la création de greniers de réserve municipaux devaient permettre de détruire le marché de gros privé des subsistances qui autorisait ententes et monopoles entre gros producteurs et marchands de grains, devenus ainsi maîtres de la fourniture des marchés, des prix et des salaires.

Ce sont les défenseurs du droit à l'existence que les défenseurs du droit de propriété illimitée « taxèrent » d'anarchistes et de partisans de la loi agraire. La Convention girondine vota la très curieuse loi du 18 mars 1793 qui punissait de mort « quiconque proposerait une loi agraire ou toute autre subversive des propriétés territoriales, commerciales et industrielles ». Parler de loi agraire devenait un délit d'opinion puni de mort.

Pour résumer le débat entre liberté politique et liberté économique qui eut lieu à la Convention, écoutons Roland, ministre de l'Intérieur, le 18 novembre 1792 : « La seule chose que l'Assemblée puisse se permettre sur les subsistances, c'est de prononcer qu'elle ne doit rien faire, qu'elle supprime toute entrave, qu'elle déclare la liberté la plus entière sur la circulation des denrées, qu'elle ne détermine point d'action, mais qu'elle en déploie une grande contre quiconque attenterait à cette liberté. » Roland préconise liberté économique et loi martiale. Robespierre lui répond : « Quel est le premier objet de la société ? C'est celui de maintenir les droits imprescriptibles de l'homme. Quel est le premier de ces droits ? Celui d'exister... Les aliments nécessaires à l'homme sont aussi sacrés que la vie elle-même. Tout ce qui est indispensable pour la conserver est une propriété commune à la société entière » (2 décembre 1792).

En dépit de la loi du 18 mars 1793, la Convention commença, l'été suivant, d'appliquer le programme de réalisation du droit à l'existence. La législation agraire répondit enfin à la guerre des titres, et opéra d'importants transferts de propriété. La loi martiale fut abolie le 23 juin, et la Déclaration des droits de 1793 rétablit, contre la loi Le Chapelier, droit de pétition et de réunion. La liberté du commerce fut supprimée en octobre avec la législation du maximum qui organisait des greniers de réserve et la fourniture des marchés. Le prix des denrées de première nécessité fut contrôlé et fixé en gros et en détail, et les salaires relevés. Enfin l'on commença d'assainir les finances.

Cette expérience de courte durée n'est malheureusement guère connue dans son application. La seule chose que l'on puisse avancer de façon sûre est que, pendant sa durée, la population ne manqua pas de pain. Le 9 Thermidor (27 juillet 1794) y mit fin, et supprima la démocratie avec la Constitution de 1795. Mais aucun gouvernement ultérieur, aussi contre-révolutionnaire fût-il, n'osa remettre en cause la législation agraire (loi du 17 juillet 1793) ni la reconnaissance de la communauté villageoise qui impliquait la suppression de l'institution seigneuriale. Quant au pain, et malgré les cris des libéraux économiques, aucun gouvernement ne se risqua à l'abandonner aux spéculations humanicides – car on mourait de faim à chaque hausse des prix des grains. Le pain resta donc taxé légalement, jusque très avant... dans le XXe siècle.

Florence Gauthier

La peur des humbles

Le peuple, à la fin du XVIIIe siècle, est pour la première fois de son histoire en passe d'échapper aux famines massives et récurrentes qui, jusqu'au grand hiver de 1709, le condamnaient aux ravages physi-

BIBLIOGRAPHIE

CAMPORESI P., *Le Pain sauvage, l'imaginaire de la faim de la Renaissance au XVIIIe siècle,* Le Chemin vert, Paris, 1981.

Guerre du blé au XVIIIe siècle (La), recueil édité par Florence GAUTHIER et G.-R. IKNI, Paris, Éd. de la Passion, 1988.

KAPLAN S.-L., *Le Complot de famine : histoire d'une rumeur au XVIIIe siècle,* Armand Colin, Paris, 1982.

KAPLAN S.-L., *Le Pain, le peuple et le roi. La bataille du libéralisme sous Louis XV,* Librairie académique Perrin, Paris, 1986.

LJUBLINSKI V.S., *La Guerre des farines,* PUG, Grenoble, 1979.

ques et intellectuels des carences alimentaires, et à une peur panique de la mort. Néanmoins, la peur des petits demeurait latente.

La peur du « pain en fuite »

Pour une grande partie d'entre eux, la dure réalité des temps sévit encore qui, de la pauvreté relative, les mène au dénuement absolu. C'est que l'économie ancienne est encore très dépendante du cycle naturel, de l'alternance des bonnes et des mauvaises récoltes. Les calamités et les caprices de la nature alimentent une série de superstitions liées à la nécessité de contrôler les forces qui pervertissent et celles qui apaisent la « Mère commune ». L'essentiel des cérémonies propitiatoires a d'ailleurs été intégré par l'Église, dans le calendrier festif. Mais la peur est aussi liée au rythme agricole saisonnier, qui se termine au printemps par une soudure aléatoire. Commence le temps du « pain en fuite » (Pietro Camporesi) et son cortège de peurs par anticipation. La moisson sera- t-elle bonne ? Ne sera-t-elle pas détruite, comme autrefois par la soldatesque, et aujourd'hui peut-être par les errants et les mendiants qui battent la campagne, sans compter les voisins vindicatifs qui règlent encore leurs comptes par l'incendie, forme classique de la justice rurale directe.

La peur du peuple serait donc, en première approche, expression d'un irrationnel persistant, lié à l'ignorance du lendemain, à l'absence de moyens intellectuels et techniques pour maîtriser la nature, enfin au passéisme économique des pauvres qui s'effraient de l'essor du marché. Cette conception totémique des représentations mentales populaires semble quelque peu mutilante. Elle fait bon marché de la capacité d'adaptation du petit peuple, de sa créativité qui se manifeste notamment par l'organisation d'une véritable économie invisible, fondée sur la connaissance familière de la nature, les mille et une façons de mettre les plus riches à contribution et enfin l'art d'accommoder les restes.

Aussi bien, ne peut-on pas réduire l'émeute qui secoue la halle aux blés à un réflexe pavlovien, qui se déclencherait dès que la courbe des prix se redresse (mai 1775, juillet 1789) et laisserait libre cours aux vieilles rancœurs contre les maîtres de la veille et du lendemain. Cette vision, somme toute assez répandue, nous renvoie en fait aux représentations des gouvernants à la veille de 1789 (et même au-delà !). Le peuple est un enfant ou une femme qu'il faut guider et/ou subjuguer selon les cas, mais qu'il faut aussi protéger contre lui-même. De là, lors des émeutes de 1775, l'utilisation par le gouvernement du mythe d'un complot. Turgot, pour qui la liberté absolue du commerce garantit la fourniture des marchés, ne peut expliquer le vide de ceux-ci que comme un effet des violences commises par le peuple, manipulé par les brigands, sous l'effet de l'illusion du manque. La rationalité doit demeurer du côté du commerce. Ce mythe sera repris par les bourgeoisies révolutionnaires qui l'appliqueront à d'autres circonstances. Il permettait, en arguant du rôle des brigands, de maintenir la fiction d'un peuple vierge et bon, tout en développant une répression sélective par les pendaisons (mai 1775) ou l'application de la loi martiale (octobre 1789).

Volonté punitive et « droit au pain »

Le peuple reprit à son compte la fiction du complot et en inversa le sens à son profit. Tout d'abord, sous la forme du complot des grands ; en chargeant les sangsues des pauvres, l'on maintenait l'image du Père du peuple. Cependant, avec l'instauration de la nouvelle économie politique, le thème du complot de famine prit un tour nettement politique : en portant atteinte à la sacralité du pain, Louis XVI avait ouvert la voie à la désacralisation du roi. En 1789 le mythe du complot devait légitimer l'action antiféodale sous ses différentes formes. La peur imaginaire ou réelle sous-tendit alors la réaction punitive. Sans doute y décèle-t-on des traits qui nous renvoient au vieux fonds évangélique (thème du mauvais riche), ou aux pratiques économiques des communautés villageoises (droit d'usage égalitaire). Il n'en demeure pas moins que la mentalité populaire se sépare du paternalisme monarchique sur un point essentiel ; pour elle, le contrôle économique ne se réduit pas à une sorte de charité publique qui, tout en secourant les plus pauvres, les retranche en fait du corps social, il doit exprimer le droit de tous à vivre de leur travail. Et parmi les obstacles qui empêchent la réalisation de ce droit, le peuple commence (dès 1775) à en identifier quelques-uns. Sont notamment mis en cause ceux qui cumulent et accumulent, et organisent le vide des marchés locaux. Ici, pas de confusion ; ce que les humbles craignent, ce n'est pas l'essor du marché « libre », mais sa liquidation, organisée par le « monopole », entendons le commerce privé de gros qui s'opère en dehors du marché. En fait, le peuple réclame le bon fonctionnement des marchés publics, voire l'installation de nouveaux marchés. Dans les cahiers de 1789, il dénonce déjà l'accaparement des terres par les fermiers qui, tenant la chaîne par les deux bouts, sont responsables de la hausse des prix et de la stagnation des salaires. La peur du « pain en fuite » va se transmuer en 1789. Tout d'abord en volonté punitive contre tous ceux qui, en affamant le peuple, veulent préparer la contre-révolution, mais aussi en revendication politique, celle du « droit au pain » comme premier des droits de l'homme, comme garantie du droit à l'existence. Cette spectaculaire mutation devait compromettre pour longtemps la liberté absolue du commerce des grains.

Guy-Robert Ikni

La mort du père : mort du roi et mort de Dieu

Question provocatrice : la Révolution représente-t-elle une première atteinte — fût-elle momentanée — à l'une des hiérarchies les plus enracinées dans les représentations collectives de la famille de l'État, de la religion ?

L'âge classique avait vu se renforcer ce poids écrasant. A ses débuts — disons à la fin du XVIe siècle —, on

BIBLIOGRAPHIE

STAROBINSKI J., *1789. Les Emblèmes de la raison,* Flammarion, Paris, 1973.
TACKETT T., *La Révolution, l'Église, la France, Paris,* Éd. du Cerf, Paris, 1986.
VOVELLE M., *La Mort et l'Occident de 1300 à nos jours,* Gallimard, Paris, 1983.

voit s'alourdir la puissance paternelle dans le droit privé, du mariage à la transmission du patrimoine. En Provence, de grands nigauds de plus de trente ans sollicitent encore dans leur contrat de mariage l'émancipation paternelle. Greuze, encore, à la fin du XVIIIe siècle évoque la « malédiction paternelle » qui prélude au retour en catastrophe du fils prodigue – trop tard ! – au lit de mort du patriarche. La monarchie absolutiste a sacralisé l'image du roi père, qui ne tient lui-même son pouvoir que de cet autre père, qui est aux cieux.

Les avatars du roi père

A lire les cahiers de doléances de 1789, on a le sentiment que le modèle est plus solide que jamais. C'est au roi paternel que s'adressent directement les sujets attendant de sa bienveillance la réforme des abus, et plus concrètement le soulagement de leurs misères. Une révérence que bien peu songent à remettre en cause : on aspire à ranger Louis XVI dans la lignée des « pères du peuple » qui renvoie à Louis XII et à Henri IV dans la mythologie monarchique.

Les premiers événements de l'été 1789, loin de distendre ce lien, semblent le renforcer : à travers l'image et la numismatique, le roi par la grâce de Dieu, devenu roi des Français par le pouvoir de la loi, ne perd pas d'entrée son prestige d'intercesseur en dernier recours quelle que soit l'ambiguïté des motivations des journées d'octobre 1789. En s'appropriant la personne du roi, ramené à Paris : protecteur ou otage ? Humanisé, Louis XVI reste en 1790 le bon père qui explique au dauphin la Déclaration des droits de l'homme. Mais le cercle se resserre autour de lui à mesure que s'enfle la dénonciation contre ses proches, la cour, les princes, la reine, depuis longtemps perdue dans l'opinion. Les aristocrates dénoncent sa faiblesse, les patriotes sa duplicité, surtout à partir du schisme religieux.

La crise de Varennes en avril 1791 précipite le mouvement. Ce n'est pas forcer le trait que de voir dans le cérémonial tragique du retour de Varennes la première mort du roi, cortège de la honte entouré du silence glacial des Parisiens : « Qui applaudira le roi sera battu, qui l'insultera sera pendu. » Une imagerie sans plus de respect dénonce « la grande colère de Capet l'aîné », avant de s'attaquer à « saint Veto, patron des émigrants et des réfractaires ». Une estampe le montre ahuri : « Il a des rats plein sa cervelle, plein sa gamelle et plein ses bas. » L'homme trompé, jouet d'une intrigante, le glouton porté sur la boisson : autant de faiblesses humaines qui n'avaient pas été ignorées des feuilles volantes et chansons clandestines avant 1789, mais qui sont désormais étalées en public.

L'ultime étape des métamorphoses royales, de juin à août 1792, est celle de la bestialisation qui le voit, sur nombre d'estampes, transformé en cochon, entouré de bouteilles : « Ventre saint-gris ! s'écrie Henri IV, où est mon fils ? Quoi ! C'est un cochon. » La dérision carnavalesque qui caractérise cette étape s'efface au moment du procès devant le tragique de la situation, seuls les caricaturistes anglais y recourent. Mais à reprendre la série des discours par lesquels les conventionnels, à l'Assemblée, ont motivé individuellement leur verdict, on perçoit la conscience qu'ils ont eue de la portée de leur geste, allant au-delà de la personne même de l'accusé pour exercer un geste de « providence nationale ».

L'aspect quasi religieux de meurtre rituel apparaît sur certaines gravures, dues à Villeneuve : « Louis le Traître lis ta sentence », « Qu'un sang impur abreuve nos sillons. » A travers la destruction des statues royales à Paris, dès le 11 août 1792, et plus encore dans la profanation des tombeaux royaux à Saint-Denis en octobre 1793, s'exprime un geste collectif qui dut être pour beaucoup traumatisant.

L'épisode de Saint-Denis ouvre sans discontinuité sur les premières manifestations des mascarades déchristianisatrices de l'an II. Y verrons-nous une autre et ultime étape de l'escalade ? Le discours déchristianisateur s'en prend, non pas chez tous, mais par la voix de certains porte-parole les plus hardis, à la personne même du Dieu père, en tant que Dieu punisseur et terroriste, maître du ciel et surtout des enfers, caution de toutes les oppressions et de tous les abus des grands et des prêtres. Écoutons Jacqueline, la Mère Duchesne ; « Je ne crois pas plus à leur enfer et à leur paradis qu'à Jean de Vert. S'il existe un Dieu, ce qui n'est pas trop clair, il ne nous a pas créés pour nous tourmenter, mais pour être heureux. » En plus d'un lieu, sur les chemins des groupes déchristianisateurs, nous avons rencontré tel militant sans-culotte qui, spectaculairement, boit dans le calice en défiant le ciel : « S'il existe un Dieu, qu'il me foudroie. » Pointe ultime de la révolte libertaire de l'an II. Car le retour du père est proche.

Père de l'univers

Vertige de la solitude, Robespierre, mais il n'est point seul, a besoin de cette présence qui cautionne l'immortalité de l'âme, mais surtout qui assure le triomphe de la justice dans l'au-delà : « Les bons et les méchants disparaissent de la terre... », seul l'Être suprême peut permettre sur terre le règne de la

Le culte des martyrs de la liberté d'après la toponymie révolutionnaire

vertu. Et l'on chantera sur les vers de Desorgues, à la fête du 20 prairial an II :

Père de l'univers, suprême intelligence
Bienfaiteur ignoré des aveugles mortels...

En attendant Marianne

Ainsi se clôt, provisoirement, un cycle, qui, dès le début de la Révolution, quand s'était effritée la statue royale, avait vu surgir des recours compensatoires, héros de substitution d'un jour : Mirabeau, Necker, La Fayette surtout, en attendant que la Révolution jacobine ne trouve dans ses « martyrs de la liberté » : Marat, Le Peletier, Chalier, sinon le substitut de l'image divine, du moins des intercesseurs qu'on invoque.

Dans la création coutumière des mythologies révolutionnaires, l'homme s'efface derrière les déités féminines, malgré l'image de l'Hercule populaire que l'on statufia pour la fête du 10 août 1793, que David évoque comme l'expression du peuple français, qu'une gravure dote de la stature d'un ogre, « le peuple mangeur de rois ». Mais il est bien isolé alors, dans un panthéon où se côtoient la liberté, l'égalité, la nature, l'union, d'autres encore, dont la raison seule reçut un culte éphémère. On peut s'interroger sur cette omniprésence féminine dans l'imaginaire de la Révolution : mais le dernier mot, on le sait, revient aux hommes, avec Bonaparte, au père, avec le Code civil. La Révolution ne lègue en héritage que l'image qui va devenir celle de Marianne. Elle aura un bel avenir.

Michel Vovelle

Les religions persécutées

En principe – et par principe – la Révolution devait être ennemie de toute persécution. Ce que l'on crut d'abord dans l'enthousiasme de 1789, sous couvert de l'article 10 de la Déclaration des droits : « Nul ne doit être inquiété pour ses opinions, même religieuses, pourvu que leur manifestation ne trouble pas l'ordre public établi par la loi. » Quelques députés s'étonnèrent de ce « même religieuses » qui implicitement créait un statut spécial des confessions et modulait ainsi une tolérance... révocable selon les circonstances ?

Peu importe ! Les protestants retrouvent leur plein exercice de citoyens français. Et les juifs ? Rabaut-Saint-Étienne, au nom des protestants de Nîmes, attaque le problème de front : « Je demande la liberté pour ces peuples toujours proscrits, errants, vagabonds sur le globe ; ces peuples voués à l'humiliation, les juifs. » Grégoire, l'ami des juifs, sent que la Constituante n'est pas mûre pour voter cette résolution : il ne pense pas, dit-il le 23 août, qu'on puisse refuser aux non-catholiques (les juifs, en l'occurrence) l'égalité civile, le culte en commun, la participation à tous les avantages civils... mais qu'on n'en fasse pas mention dans la Constitution !... On réservera donc la question des juifs et des comédiens *(sic)* pour plus tard... Après plusieurs échecs, à la veille de se séparer, les constituants votent, le 27 septembre 1791, le décret d'émancipation : les juifs étaient déclarés pleinement citoyens français, moyennant l'abandon de leurs privilèges et coutumes. L'un des prosélytes de l'assimilation, Isaac Beer, s'écrie : « Le jour de gloire est arrivé ! » Mais combien de juifs pieux réalisent que cette glorieuse conquête de leur égalité civile s'opère aux dépens de leur identité culturelle et religieuse ?

Ils s'en souviendront sous la Terreur : en Alsace et en Lorraine, plusieurs synagogues seront incendiées ; des juifs seront déclarés « suspects » comme accapareurs. Les protestants, spécialement dans l'Ardèche, seront aussi persécutés et l'on connaît quelques cas d'abjurations forcées de pasteurs. Le second Directoire ne sera pas tendre non plus à l'égard des juifs exécrés par l'antisémite alsacien Reubell...

Néanmoins c'est le catholicisme, religion majoritaire et reconnue comme telle par l'État jusqu'au 18 septembre 1794, date à laquelle la République « ne salarie plus aucun culte », qui va devoir supporter le poids d'une persécution de plus en plus violente. Pour une meilleure clarté, on peut distinguer une persécution légale d'une conscience de persécution à l'intérieur du clergé et des fidèles pouvant conduire au martyre, encore que, dans les faits, ces deux aspects ne soient guère dissociables. A quoi il faut ajouter que si la persécution vise jusqu'en 1792 les prêtres insermentés, elle englobe l'ensemble du peuple chrétien sous la Terreur et surtout sous le second Directoire. Se succéderont décrets de déportation, arrestations, exécutions et massacres, puis la « guillotine sèche ».

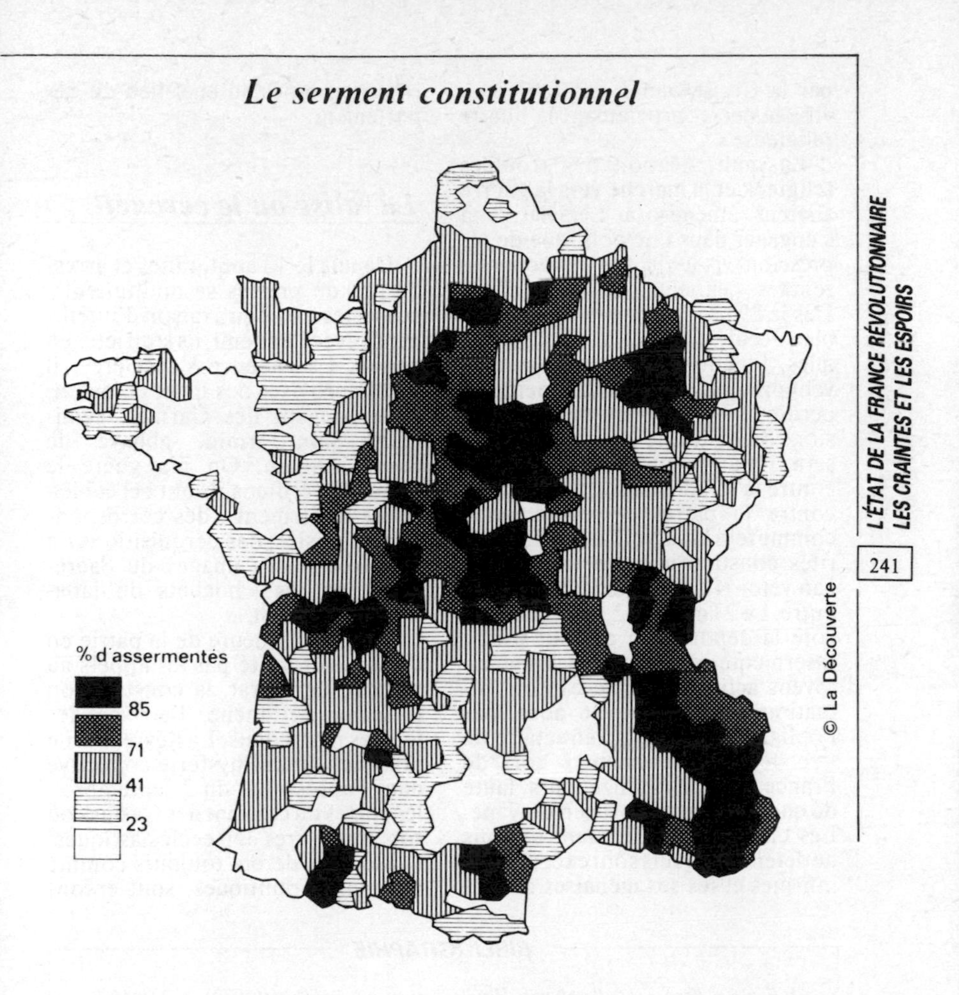

Les premiers décrets de déportation

La Constitution civile du clergé (juillet 1790) et l'obligation du serment pour les prêtres des paroisses conservées créaient ce que les fidèles à Rome appelaient un « schisme » et que les patriotes s'évertuaient à ramener à un « germe de discorde » entre assermentés et insermentés. Ceux-ci seraient-ils purement et simplement interdits de culte ? La question divisait les départements, les uns étant pour une politique tolérante, les autres contre. Le département de Paris, inspiré par Sieyès, avait pris un arrêté, le 11 avril 1791, qui visait la liberté religieuse : avec l'autorisation de l'évêque constitutionnel, les insermentés pouvaient célébrer dans un édifice particulier portant un signe distinctif. Rien ne permet, en effet, soutenait Sieyès, d'exclure les insermentés de la liberté religieuse, reconnue par l'article 10 de la Déclaration des droits : « Si, parmi les religions, dit-il, vous en distinguez une à laquelle vous vouliez retirer toute liberté, ayez soin de porter à cet égard une loi prohibitive très claire, très expresse ; car vous vous trompez, si vous croyez qu'il existe en France une seule administration qui voulût se charger du rôle de persécuteur... » Sieyès fut suivi par la Constituante qui, le 7 mai, vota le décret proclamant la liberté religieuse.

La multiplication des troubles religieux et la marche vers la guerre allaient amener la Législative à s'engager dans une politique de répression vis-à-vis des réfractaires, réputés « ennemis de l'intérieur ». Dès le 29 novembre 1791, l'Assemblée décide que tous les ecclésiastiques, fonctionnaires ou non, doivent prêter le serment sous peine de perdre leur traitement ou leur pension. Bien plus, le prêtre qui refuse sera réputé « suspect de révolte contre la loi, de mauvaise intention contre la patrie et recommandé comme tel à la surveillance des autorités constituées ». Le roi oppose son veto : 42 départements passent outre. Le 27 mai 1792, la Législative vote la déportation de tout prêtre insermenté, dénoncé par vingt citoyens actifs du même canton. Situation aggravée, le 26 août, par l'obligation qu'a tout réfractaire de « se déporter lui-même » hors de France, dans les quinze jours, faute de quoi il serait déporté en Guyane. Les clandestins risquaient dix ans de détention. Seuls sont exceptés les infirmes et les sexagénaires qui seront regroupés au chef-lieu du département.

La valise ou le cercueil

Depuis le 13 août, rafles et arrestations de prêtres se multiplient : suspectés à tort ou à raison d'intelligence avec l'ennemi, ils sont jetés en prison. La cadence s'accélère : il faut improviser des lieux de détention, couvent des Carmes, séminaire Saint-Firmin, abbaye de Saint-Germain. On n'a guère le temps de vérifier s'ils ont bel et bien refusé le serment : des correspondances saisies, des perquisitions où l'on trouve des images du Sacré-Cœur et des « hochets du fanatisme » suffisent...

Paris vit à l'heure de la patrie en danger, surexcité par les appels au meurtre de Marat, la construction du camp retranché, l'arrivée des fédérés marseillais. La fièvre tourne brusquement à l'hystérie collective dans l'après-midi du 2 septembre : les portes du couvent des Carmes où sont incarcérés 350 ecclésiastiques, qui se considèrent toujours comme des otages politiques, sont enfon-

BIBLIOGRAPHIE

L'Église de France et la Révolution. Histoire régionale, t. 1, *l'Ouest* (1983) ; t. 2, *le Midi,* (1984), Beauchesne, Paris.

Histoire des protestants de France, Privat, Toulouse, 1977.

Les Juifs et la Révolution française, Privat, Toulouse, 1976.

LATREILLE A., *L'Église catholique et la Révolution française,* Paris, 1946-1950, Hachette, rééd. 1971.

LEBRUN F. (sous la direction de), *Histoire des catholiques en France,* Privat, Toulouse, 1980.

LEFLON J., *La Crise révolutionnaire (1789-1848), Histoire de l'Église* de FLICHE et MARTIN, t. XX, Bloud et Gay, Paris, 1951.

MEYER J.-C., *La Vie religieuse en Haute-Garonne sous la Révolution (1789-1801),* Toulouse, 1982.

PICHELOUP R., *Les Ecclésiastiques français, émigrés ou déportés dans l'État pontifical (1792-1800),* Toulouse, 1972.

PLONGERON B., « Martyrs de septembre 1792 à Paris », *Histoire des saints et de la sainteté chrétienne,* t. 9, Livre de Paris, Hachette, 1987.

PLONGERON B., *Paris, histoire religieuse des origines à la Révolution,* coll. « Histoire des diocèses de France », n° 20, Beauchesne, 1987.

PLONGERON B., *Conscience religieuse en révolution. Regards sur l'historiographie religieuse de la Révolution française,* Plon, Paris, 1969.

cées. Égorgeurs et « septembriseurs » se précipitent en meute sur leurs victimes... La boucherie continue jusqu'au crépuscule et gagne l'Abbaye, puis, les jours suivants, toutes les prisons où l'on tue sans discontinuer jusqu'au 5 septembre. Un bilan officiel portant sur 2 637 détenus (hommes, femmes, adolescents...) avoue 1 100 victimes dont 300 ecclésiastiques (191 aux Carmes, 76 à Saint-Firmin, 22 à l'Abbaye)... estimation fortement minorée.

Jamais les responsabilités de ces massacres ne seront clairement établies, en dépit des polémiques et d'un hypothétique « complot des prisons ». On observe cependant un synchronisme avec d'autres massacres (Meaux par exemple) qui glacera d'horreur les historiens, même républicains, du XIXe siècle.

Le nombre des « martyrs de la foi » s'accroît toujours des exécutions terroristes des carmélites de Compiègne, des ursulines de Valenciennes, des 2 200 fusillés au champ des martyrs d'Avrillé, près d'Angers. On estime qu'à Paris, la guillotine a « consommé », en l'an II, 6,5 % de prêtres.

A ceux qui ont évité le cercueil – c'est-à-dire la fosse commune –, il ne reste que l'émigration. Environ 25 000 émigrés ecclésiastiques trouveront refuge en Angleterre, en Hollande, en Suisse, en Espagne et dans l'État pontifical. A leur misère souvent réelle s'ajoute la pénible impression d'être persécutés, principalement dans les pays catholiques. Charles IV d'Espagne interdit de culte public ces réfractaires, considérant, comme Rome, que c'est toute la nation française qui est « devenue très suspecte » de jacobinisme ! Ce n'est pas un hasard si Mgr de Coucy, évêque de La Rochelle, émigré en Espagne, refusera le Concordat, comme d'autres évêques émigrés, outré de n'avoir pas été consulté par Rome sur la politique française, et créera la Petite Église, en 1801.

Ce temps de persécution violente a néanmoins favorisé le culte clandestin, soit par les voies canoniques d'une administration diocésaine, soit par des initiatives populaires comme les célébrations de messes sans prêtre, dites « messes blanches », « messes aveugles » que les évêques auront du mal à supprimer sous l'Empire.

La « guillotine sèche »

Apparemment libéral, le premier Directoire prépare un nouveau dispositif contre les prêtres, qui sera mis en œuvre après le coup d'État du 18 fructidor an V (4 septembre 1797) : nouvelles proscriptions des prêtres rentrés en 1795-1796 et déportations à la Guyane (134 prêtres pour le diocèse de Paris dont 27 constitutionnels) pour infractions à la législation sur les cultes.

On réactive ainsi le décret du 26 août 1792 qui avait connu une première application. Les « réfractaires », dont la notion s'élargira après Thermidor, étaient conduits par « chaîne » jusqu'à Rochefort. Trois bâtiments avaient été affrétés entre mars et juillet 1794 : les *Deux Associés,* le *Washington* (ancien navire négrier) et la corvette *L'Indien.* Ces navires ne quittèrent jamais les pontons de Rochefort : ces croupissoirs où les prisonniers mouraient d'asphyxie, de scorbut, eurent jusqu'à 68 % de mortalité, parmi les 850 déportés. On enterra sur l'île Madame plus de 275 corps, découverts en 1866 et 1871.

On comprend que dès 1793, sur des feuilles volantes distribuées aux quatre coins de l'Europe, l'abbé Barruel, un des maîtres à penser de la contre-révolution, ait pu écrire une *Histoire de la persécution du clergé pendant la Révolution.*

Bernard Plongeron

La déchristianisation

« Déchristianisation », qui peut signifier tout autant l'action de... que le résultat de cette action, appartient au dictionnaire des fausses idées claires plutôt qu'à celui des idées reçues. Il s'agit, en effet, d'un concept entièrement construit à la fin du XIXe siècle et que des historiens, comme Aulard ou Albert Mathiez, n'emploient encore que rarement : ils préfèrent parler des « déchristianisations » et « d'attaques contre le catholicisme ». La vraie difficulté provient de ce que le mot n'est attesté par aucun document de l'époque révolutionnaire, au contraire de « défanatisation » ou de « démoralisation », que La Revellière-Lépeaux, un des papes de la religiosité révolutionnaire, commente ainsi dans ses *Mémoires* (1823) : « La démoralisation qu'on a reprochée à la France a été due, non à l'*absence* de la religion romaine, mais à l'absence d'un culte raisonnable. »

Essai de définition : nature et durée

Si « défanatisation » éveille de multiples résonances à dominante politique et sociale, « démoralisation » recentre sur l'aspect spécifiquement religieux : l'extirpation des « mœurs » dans le contexte d'une société régie, depuis le concile de Trente, par la foi et les mœurs. Bien que La Revellière-Lépeaux parle « d'absence », en termes abusifs, on peut traduire sans danger par « agression » d'un état existant de chrétienté. De sorte qu'on hasardera cette première définition : la déchristianisation de style révolutionnaire consisterait en une atteinte grave (visant à l'élimination) à la foi, aux dogmes et aux sacrements de la religion chrétienne, et non plus exclusivement catholique, par des agents (personnes et institutions) d'agression (aux formes violentes et/ou douces).

Formule, on le voit, grevée de paramètres, destinée à orienter un débat qui doit supporter le poids des idéologies les plus extrêmes et les plus opposées, au point qu'un sage conclurait que la déchristianisation dépend avant tout de l'idée qu'on s'en fait.

Difficilement préhensible dans sa nature, la déchristianisation l'est encore plus dans sa durée. Commence-t-elle avec la Révolution ou n'est-elle pas présente dès l'Ancien Régime ? Selon la réponse, c'est l'impact même de la déchristianisation révolutionnaire qui est en cause. Ou bien on verra dans la période révolutionnaire des accélérations, des cristallisations d'un phénomène déjà en cours, ou bien on insistera sur les caractères originaux et la formidable mutation culturelle opérée par la religiosité révolutionnaire. En 1964, G. Le Bras alertait historiens et sociologues sur les effets pervers d'une « christianisation incomplète » de la France-très-chrétienne. En 1971, Jean Delumeau enfonçait le clou : « Dans quelle mesure les masses étaient-elles christianisées au moment où la Révolution a éclaté ? » Deux conséquences à cette discussion introduite sur la durée : la première tient aux effets, la seconde à la méthodologie modifiée.

S'il s'avère que la déchristianisation révolutionnaire doit être reconsidérée sur la longue durée, ses caractères en sont affectés : les recherches de pointe sur le XIXe siècle indiquent qu'au lieu de continuer à mesurer les effets immédiatement postrévolutionnaires sur l'incroyance contemporaine, il conviendrait d'élargir les séquences historiques de la Restauration à l'Ancien Régime, ou, si l'on préfère, de privilégier les comportements religieux de la génération des années 1770-1820, celle qui « fait » la

Révolution et en transmet l'héritage.

D'autre part, faute d'une méthodologie élaborée, la déchristianisation est prise comme une sorte de postulat. Beaucoup d'études de qualité n'échappent pas alors à l'amalgame de phénomènes qui n'ont ni la même inspiration antichrétienne ni la même portée destructrice : sécularisation, anticléricalisme, iconoclasme, jusqu'aux abdications sacerdotales considérées par Michel Vovelle comme « le geste ultime de la déchristianisation ». Si l'on admet qu'en tout état de cause la déchristianisation procède d'une volonté d'attenter aux aspects traditionnels de la religion chrétienne, elle obéit à deux formes qui ne sont pas forcément antithétiques : une forme négative et forcée ; une forme positive et spontanée.

Une forme négative et forcée

C'est la mieux connue, la plus spectaculaire : persécutions du clergé, interdictions de culte, fermeture d'églises et destructions des symboles religieux, parodies sacrilèges et profanations en tout genre. Immédiatement viennent en mémoire les « folies » de l'an II sur fond de guillotine... Pourtant, le clergé patriote a conscience que la déchristianisation est ouverte avec la loi du 20 septembre 1792. Cette espèce de loi organique de la sécularisation dispose que la « loi serait athée », puisqu'elle autorise à la fois le divorce et le mariage des prêtres. Soit une grave atteinte aux sacrements de mariage et de l'ordre. La rupture de ces chrétiens, qui se veulent toujours et malgré tout citoyens, avec le nouvel idéal révolutionnaire date de cet instant.

Ce sentiment est conforté par l'adoption du calendrier révolutionnaire (5 octobre-24 novembre 1793). Forme mixte par excellence du processus de déchristianisation : d'un côté, foncièrement positive par l'affirmation devant le monde entier d'ouvrir une nouvelle ère de l'humanité correspondant à l'établissement de la république en France, de l'autre, éradication de l'espace-temps chrétien, formé sur le calendrier grégorien. Nul doute que ceci ne l'emporte sur cela, à lire l'un des considérants du rapporteur, Fabre d'Églantine : « Une longue et vieille habitude du calendrier grégorien a rempli la mémoire du peuple d'un nombre considérable d'images qu'il a longtemps révérées et qui sont encore aujourd'hui la source de ses erreurs religieuses ; il est de nécessité de substituer à ces visions de l'ignorance les réalités de la raison... »

L'automne 1793 et le printemps 1794, qui correspondent à la lutte à mort des hébertistes (les « déchristianisateurs »), des enragés et du Comité de salut public (brumaire-ventôse an II-octobre 1793-mars 1794), dévoilent les enjeux politiques de la déchristianisation : contre les extrémistes qui inaugurent le culte de la Raison (20 brumaire an II-10 novembre 1793), à Paris et en province, Robespierre réagit : « L'athéisme est aristocratique ; l'idée d'un grand Être, qui veille sur l'innocence et punit le crime triomphant, est toute populaire. » La vague des abdications sacerdotales, les baptêmes révolutionnaires des noms de communes et de rues indisposent ou terrifient. Au point qu'à la veille de Noël 1793 (4 nivôse- 14 décembre), le Comité de salut public, par circulaire, recommande aux représentants en mission de ménager « le fanatisme sincère » et de surveiller, à cet égard, leurs délégués. Prologue à la contre-offensive de l'Être suprême, célébré à la Pentecôte 1794, après le grand rapport du 18 floréal (7 mai) de Robespierre. Ses ennemis du Comité de sûreté générale accréditent la thèse de la « dictature » de Robespierre, grand prêtre de l'Être suprême...

En dépit des luttes parisiennes entre factions rivales, il semble établi par Albert Soboul que le mouvement déchristianisateur, fait d'initiatives locales (sociétés populaires, représentants en mission et raids

BIBLIOGRAPHIE

Collectif, « La déchristianisation de l'an II », n° spécial des *Annales historiques de la Révolution française,* juillet-septembre 1978.

PLONGERON B., *Conscience religieuse en révolution. Regards sur l'historiographie religieuse de la Révolution française,* Picard, Paris, 1969.

PLONGERON B. (sous la direction de), *Pratiques religieuses, mentalités et spiritualités dans l'Europe révolutionnaire, 1770-1820* (actes du Colloque de Chantilly, 27-29 novembre 1986), Brepols, 1988.

REINHARD M., « Les prêtres abdicataires pendant la Révolution française », *Actes du congrès national des sociétés savantes,* 1964.

VOVELLE M., *Religion et Révolution. La déchristianisation de l'an II,* Hachette, Paris, 1976.

des « armées révolutionnaires »), rejaillit sur Paris et non l'inverse. De même continue-t-on de discuter sur l'adhésion des républicains à la déchristianisation qui a ses « centres d'élection » (Richard Cobb) : par exemple la Nièvre, le Centre. Un fait est certain : malgré la fermeture des églises et le terrorisme cultuel, la vie religieuse des Français ne cessa jamais...

Une forme positive et spontanée

Elle serait à rechercher dans l'instauration d'une nouvelle religiosité proprement révolutionnaire : culte des martyrs de la liberté (Marat, Le Peletier de Saint-Fargeau, Chalier), une trinité au nom de laquelle se pratiquent des baptêmes républicains ; culte des « saintes patriotes », Perrine Dugué, « la sainte aux ailes tricolores » dans la Mayenne, de Marie Martin dite « Sainte Pataude » aux confins de la Loire-Inférieure et de l'Ille-et-Vilaine... vivace jusque dans les années cinquante. Robespierre rêvait aussi d'une liturgie nationale articulée sur 36 fêtes annuelles, qui « seraient le plus sûr moyen de régénération » civique.

Programme revu, corrigé et appliqué sous le Directoire qui refond les fêtes commémoratives par la loi du 3 brumaire an IV (25 octobre 1795). « Dans les discours qui accompagnent la mise en place de ce nouveau bloc de fêtes, la volonté systématique est évidente » (Mona Ozouf). En réalité, le second Directoire, après le coup d'État du 18 fructidor an V (4 septembre 1797), marque la recrudescence d'une déchristianisation qui, pour être moins sanglante, n'en est que plus virulente par son esprit effectivement systématique : culte décadaire et offices théophilanthropiques, succédanés moralisants d'un christianisme vidé de sa substance, attaquent directement l'espace chrétien en obligeant à un *simultaneum* dans les églises où le culte est autorisé et surveillé. Cette nouvelle religiosité révolutionnaire a eu plus de succès qu'on ne le croit, à telle enseigne que le clergé constitutionnel s'en inquiète sérieusement : Grégoire demande des enquêtes en province sur les implantations du culte théophilanthropique. On oublie souvent que les représentants thermidoriens dans les Alpes et en Provence, comme Salicetti et Albitte, furent des déchristianisateurs beaucoup plus implacables que leurs collègues de l'an II... La persistance du culte maratiste jusqu'au Consulat semblerait indiquer aussi que la déchristianisation, quelle que soit sa nature, a une durée plus longue, selon des phases originales à l'intérieur de la séquence révolutionnaire. Serait-elle révélatrice de causes plus profondes, d'effets à long terme ?

Bernard Plongeron

LA FRANCE EN GUERRE

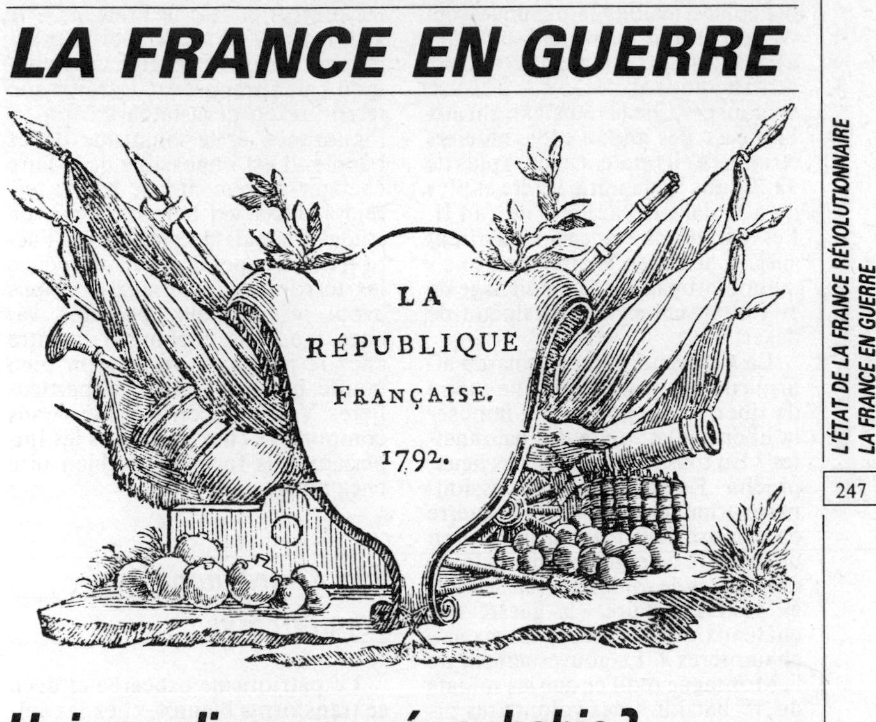

Universalisme ou xénophobie ?

« Sans ennemis et citoyen de tous les lieux », tel s'affirmait l'homme des Lumières. Pour le patriote de 1789 aussi, la cité nouvelle qu'il construit attirera « une foule d'étrangers, avec leurs talents, leurs arts, leur fortune et leurs vertus... L'élite des patriotes de tous les royaumes se transplanteront dans nos climats, entrelaceront leurs rameaux bienfaiteurs avec les plantes indigènes et croîtront ensemble pour la gloire et le bonheur de la patrie commune » (Camille Desmoulins). La France révolutionnaire était la patrie commune : « jacobins » anglais, irlandais ou allemands le répétèrent, certains tel Thomas Paine venant s'y établir et devenant citoyen français. Pour Anacharsis Cloots, né à Clèves et installé en France en 1789, « Paris sera la métropole du monde et, point de ralliement du cosmopolitisme, veillera sur le maintien de l'universalité ». La France « déclarait la paix au monde », espérant que son exemple seul entraînerait les étrangers à se libérer de leurs despotes. Les patriotes étrangers prêchèrent une guerre de libération, les girondins s'y rallièrent et contre les avertissements de Robespierre ou de Marat, déclarèrent la guerre, non aux peuples, mais au souverain de Bohême et de Hongrie. La guerre de libération se transforma, après Jemmapes, en guerre d'expansion et de conquêtes.

« Personne n'aime les missionnaires armés »

Dans le même temps, l'armée devenait, par l'exclusion des régiments étrangers et la levée des volontaires, une armée nationale. Elle laissa pourtant une place à des unités étrangères : légions belges ou liégeoises, légions germaniques, qui vinrent s'unir aux demi-brigades françaises. Les régiments étrangers de l'ancienne armée royale dissous, on conserva, en les amalgamant aux Français, des soldats et des officiers étrangers : ils étaient encore plus de 13 % dans l'infanterie légère et plus de 5 % dans la cavalerie de l'an II. Les bataillons français s'ouvrirent aussi « aux mercenaires des rois » qu'une propagande, témoignage de la *guerre subversive,* convainquit de déserter.

La Convention montagnarde affirma ne pas vouloir faire une guerre de libération : pouvait-on imposer la liberté à la pointe des baïonnettes ? En tous temps et en tous lieux, prêcha Robespierre, le missionnaire armé serait rejeté. Si la guerre de défense devait se transformer en une guerre de conquête par la force des choses, le soldat citoyen devrait, en tout cas, faire « la guerre aux châteaux » mais garder « la paix aux chaumières ». Le gouvernement de la Montagne redit ce que les soldats du 1er bataillon des volontaires piquiers écrivaient, en juillet 1793 : « Le soldat patriote préfère sa famille à lui-même, sa patrie à sa famille, et *le genre humain* à sa patrie. »

Ces déclarations de principe furent mises à mal au lendemain de Fleurus, avec la reprise de la conquête. Les soldats s'enorgueillissaient d'apporter, avec la ruine de « l'antique féodalité », la liberté et l'égalité. En échange, ils attendaient à tout le moins le soutien matériel des populations délivrées. Or celles-ci, dirent-ils, leur refusaient le « partage du pain noir de l'égalité », s'opposaient aux réquisitions et aux contributions, rejoignaient le camp « des seigneurs et des prêtres ». Les soldats du 2e bataillon du Tarn, campant en Espagne en 1794, marquaient leur désillusion : « Le peuple d'Espagne n'est pas comme les autres peuples de l'Europe. La chaumière ne doit pas être plus respectée que le palais d'un seignor puisque la classe populaire est autant ennemie du Français que la classe à capuchons et à manteau de velours. » Puisque le peuple se laissait captiver par la haine distillée par les prêtres contre le Français, « le seul moyen, écrivait cet officier supérieur dans l'Espagne conquise, qu'il y ait à prendre est de traiter son territoire en dévastateurs car... vu l'ignorance et le fanatisme de ce peuple, il est impossible de le faire changer autrement que par la terreur ». Déjà, en octobre 1793, un soldat français décrivait ainsi l'action des troupes d'occupation dans les territoires impériaux : « Nous avons pris chevaux, poulains, vaches, moutons, cochons, l'on entre chez le paysan et après avoir bien bouffé, bien bu, l'on b... les particulières. Voilà la façon dont nous nous comportons chez messieurs les Impériaux ; ils font encore bien pire chez nous. »

Les « sardanapales » républicains

Le patriotisme exacerbé et déçu se transforma bientôt, chez les soldats, en ce que le XIXe siècle appellera le *chauvinisme.* Dans le même temps, le gouvernement révolutionnaire, inquiet d'un *complot de l'étranger* qu'il croyait découvrir derrière l'action des factions, multiplia les mesures contre les étrangers. Se servant d'une loi de mars 1793, il expulsa ceux qui ne pouvaient justifier d'une profession ou d'une propriété acquise avant la Révolution. Les autres furent soumis à un contrôle étroit des comités de surveillance. Il en vint aussi à modifier les lois de la guerre : puisque les Anglais ne faisaient pas de prisonniers, les soldats français étaient invités à être contre eux sans pitié. En fait cette guerre totale ne fut jamais systématiquement appliquée par les troupes françaises.

Sous la Convention thermidorienne et le Directoire, le comportement des troupes à l'égard des occupés varia selon les régions et les circonstances : le général inquiet d'une révolte paysanne allégeait les contributions, punissait les « soldats maraudeurs », recommandait à tous de se comporter en soldats citoyens « vertueux », respectueux des coutumes et des propriétés ; ailleurs, il laissait faire quand il ne s'enrichissait pas lui-même [illegible]ur l'habitant. Un notable d'une [illegible]te ville sur le Rhin, Bacherach, [illegible]i-quait en 1795 : « Les mêmes op[illegible]-seurs que les commissaires so[illegible]s généraux, chefs et même d'a[illegible]s officiers, ils disent : "La Républ[illegible] ne nous paye pas, il faut par co[illegible]quent que nous vivions aux dép[illegible] des pays conquis", outre cela [illegible] messieurs haïssent et mépris[illegible] chaque Allemand et nous regard[illegible] comme des esclaves qu'on peut fo[illegible]ler aux pieds. Quand un géné[illegible] arrive, la ville entière est occup[illegible] pour contenter les demandes desp[illegible]tiques d'un tel sardanapale républi[illegible]cain. »

Du « chauvinisme », les soldats citoyens, rejetant le message d'universalisme de la Révolution, glissè-rent-ils vers la xénophobie ? L'affirmer serait trop abrupt au regard de certains comportements. A Salzbourg, en 1797, un général se présentait à des notables comme « représentant du peuple souverain » qui faisait la guerre aux rois et exigeait pour cela des contributions. En même temps il demandait au conseil municipal, qui était venu « l'échine courbée et le chapeau bas », de se relever et de se couvrir ainsi qu'il convenait à des égaux s'entretenant ensemble. N'y avait-il là que feinte « fraternité républicaine » ?

Jean-Paul Bertaud

Les soldats de l'an [illegible]

Le 20 juin 1791, le roi s'enfuyait. Cette fuite, pour beaucoup de Français, ne pouvait signifier qu'une chose : la guerre. Aussi, à l'annonce du départ royal, les municipalités, notamment celles du Nord et du Nord-Est, mobilisèrent-elles les gardes nationales, demandant des *volontaires* pour partir là où la patrie l'exigeait. L'Assemblée constituante légalisa cette levée et les départements réunirent de l'été à l'automne de 1791 des bataillons rassemblant au total 100 000 hommes. Les plus forts contingents et les plus rapidement levés le furent, avec les départements frontières, dans la Seine, la Seine-et-Marne et dans le Rhône-et-Loire. Certaines régions, comme l'Aquitaine et le Massif central, furent en partie exemptées. Les départements du Finistère ou des Côtes-du-Nord, où les effets de la politique religieuse se faisaient sentir, donnèrent moins que prévu.

[illegible]Dévoués corps et âmes »

[illegible]es volontaires nationaux étaient je[illegible]es, plus des trois quarts ayant m[illegible]s de 25 ans. C'étaient des paysa[illegible]et, beaucoup plus que ne le la[illegible]it espérer la moyenne nationa[illegible] des artisans souvent citadins. Da[illegible] le 1[er] et le 2[e] bataillon d'I[illegible]t-Vilaine, par exemple, des bou[illegible]rs et des boulangers se ren-con[illegible]ent à côté de cultivateurs, de tiss[illegible]ds ou d'étudiants. La troupe proc[illegible] à l'élection de ses chefs et nom[illegible]ux furent les membres de la petit[illegible]t moyenne bourgeoisie à commander une compagnie ou un bataillon. Les nobles n'étaient pas absents : le souci d'avoir des techniciens de la chose militaire, le compromis tenté depuis deux ans avec la noblesse libérale expliquent ce phénomène. L'élection fut d'ailleurs plus guidée par les autorités municipales que libre. Le mode de recrutement des chefs n'était pas le seul caractère distinguant les volontaires de l'armée régulière : l'habit n'était pas le même, il était aux trois couleurs pour les volontaires et, le bleu y dominant, on prit l'habitude de leur donner le surnom de « Bleus » qu'ils reprirent pour s'opposer aux Culs blancs de l'armée royale. La paye était plus élevée, la discipline plus douce pour convenir à des soldats qui restaient, sous le costume militaire, des citoyens. Citoyens, ils n'acceptèrent de servir que pour une campagne.

Avec la guerre et l'invasion austro-prussienne, « la patrie [fut] en danger », et une nouvelle levée de volontaires décrétée de mai à décembre et parfois jusqu'en janvier 1793. A ces volontaires se joignirent des fédérés venus pour défendre Paris et qui, parfois, restèrent dans l'armée. Les patriotes étrangers organisèrent des légions, belge, liégeoise ou germanique qui rejoignirent les camps. La levée de 1792 se fit ici, comme à Paris, dans l'enthousiasme, là dans la résignation et parfois le refus. Le pauvre, s'il était patriote, rechignait à partir : qui subviendrait aux besoins de sa famille ? Il fallut parfois faire des collectes pour susciter les engagements. Plus jeunes encore que les volontaires de 1791 (les trois quarts avaient moins de 25 ans et 15 % moins de 18 ans), ces volontaires avaient aussi une constitution physique moins robuste, leur défaut de taille tenant à leur âge mais aussi à leurs conditions de vie. Ils étaient issus le plus souvent des rangs des artisans les plus pauvres ou des manouvriers de la terre. Si, dans certains départements, des nobles acceptèrent encore de les encadrer (en Dordogne et dans les Basses-Alpes), leurs officiers furent des petits bourgeois, des maîtres artisans et plus souvent qu'auparavant des cultivateurs. Ces chefs avaient beaucoup moins d'expérience militaire que ceux de 1791, souvent anciens soldats. Discutant les ordres, établissant parfois une sorte de démocratie directe dans leurs bataillons, ces volontaires prirent part, ici et là, dans le sud de la France notamment, à la Terreur populaire de Septembre, aux massacres de suspects comme aux mouvements taxateurs qui se développaient alors. Troupe indisciplinée dont se plaignaient les généraux, ils constituaient une *masse agissante,* que leurs adversaires assimilèrent à une sorte d'insurrection populaire levée contre eux. « Ils n'étaient pas tirés au cordeau, écrit ce Prussien, aussi astiqués, aussi dressés, aussi habiles à manier le fusil et à marcher au pas que les Prussiens, mais ils étaient dévoués corps et âme à la cause qu'ils servaient. »

La « levée en masse »

Ces citoyens soldats participaient de la même mentalité que ceux de 1791, citoyens ils étaient d'abord : militaires certes, mais pour donner un « coup de main » à l'armée régulière, pour combattre durant une seule campagne. A l'hiver de 1793, alors que la Révolution se faisait conquérante et qu'elle était menacée d'une coalition des souverains de l'Europe, les bataillons de volontaires virent leurs effectifs diminuer du fait de la désertion. La Convention s'en alarma. Elle rappela aux volontaires que, citoyens, ils devaient leur service armé à la nation jusqu'à la paix. S'adressant aux autres citoyens, elle réaffirma le principe d'un devoir militaire pour tous mais s'en tint, en février 1793, à une levée de volontaires de 300 000 hommes. Pour ce faire, la Convention imposa à chaque département une contribution en hommes au prorata de l'effectif de sa population et du contingent déjà fourni depuis 1791. C'était vouloir « égaliser » la contribution, cela surchargea certains départements qui se plaignirent : on allait les vider d'une population active dont on avait d'autant plus besoin que les travaux de la terre, avec le printemps, approchaient. Et puis qui partirait ? Des volontaires, il était difficile d'en trouver. Comment désignerait-on les hommes qui de-

La France en guerre (1793-1794)

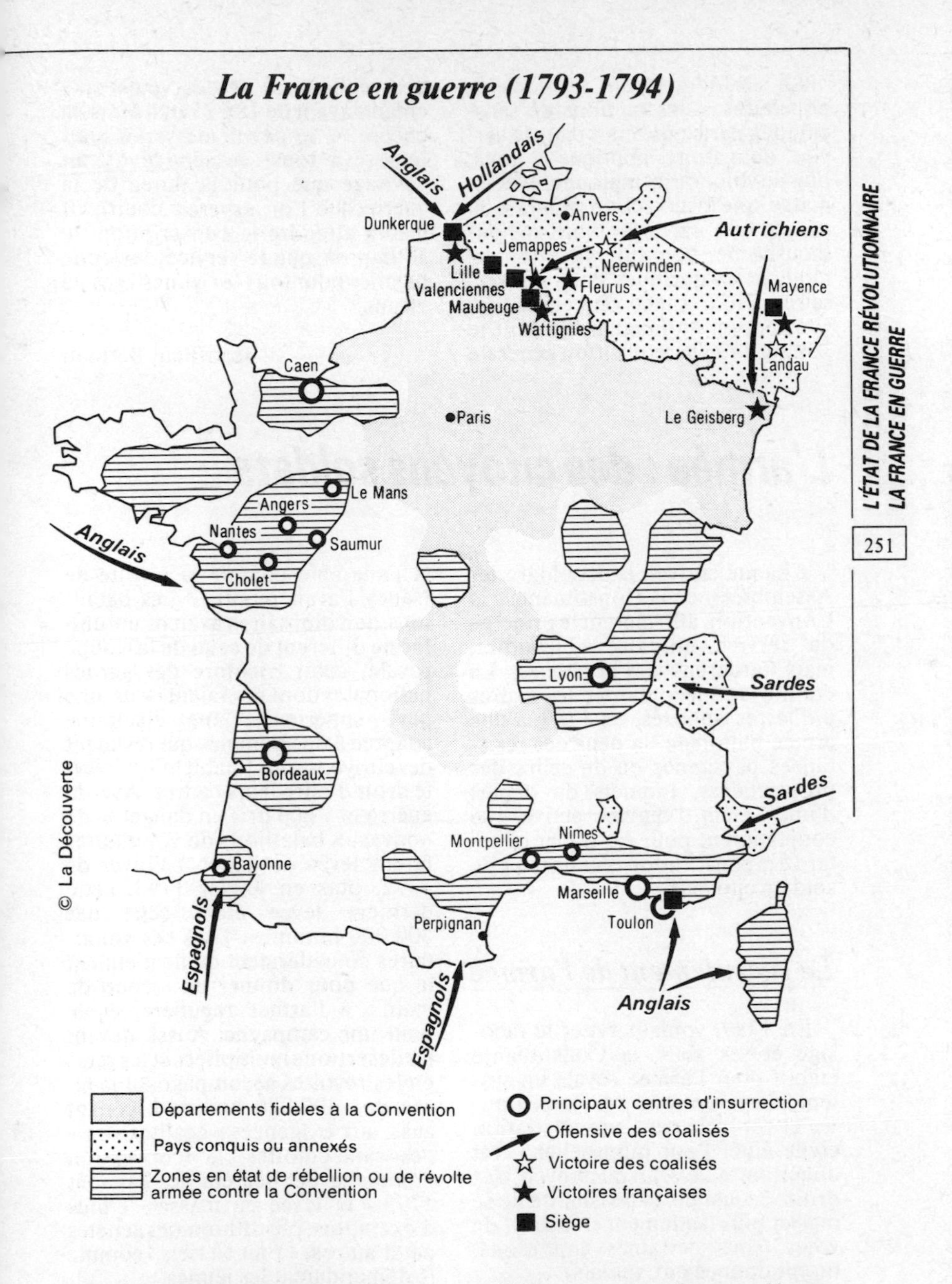

vraient partir ? Par l'élection ? Par le tirage au sort qui rappelait la milice honnie de l'Ancien Régime ? Enfin, dans de nombreuses localités, les riches, désignés pour partir, achetèrent des remplaçants. Le sang des riches était-il d'une autre qualité que celui des pauvres, questionnèrent certains, tandis que des hommes politiques, comme Carnot, dénonçaient ce marchandage d'hommes qui produisait des révoltes comme en Vendée ou amenait dans les camps des hommes inaptes à supporter la vie militaire. La levée se fit difficilement, dura jusqu'à l'été et ne produisit qu'un effectif de 150 000 hommes.

La solution, dirent les sociétés populaires et les sections de sans-culottes parisiens, était dans le service obligatoire appliqué à tous, plus de volontariat mais une levée en masse, une insurrection générale du peuple qui, par le nombre et l'enthousiasme, bousculerait et exterminerait en quelques jours l'adversaire. Non sans réticences, la Convention montagnarde admit le 23 août 1793 la réquisition générale des célibataires et des veufs sans enfants ayant de 18 à 25 ans. Mais, là encore, si le devoir de servir était imposé à tous, ce service n'était envisagé que pour la durée de la guerre que l'on espérait courte. Il faudra attendre la conscription de 1798 pour que le service devienne régulier pour tous les jeunes âgés de 20 ans.

Jean-Paul Bertaud

L'armée : des citoyens soldats

Chaque citoyen était soldat : les Assemblées, de la Constituante à la Convention, affirmèrent le principe du service militaire obligatoire, mais tardèrent à l'appliquer. La crainte de mécontenter les cadres militaires opposés, en 1789, à une armée nationale, la peur des résistances paysannes ou de celles des propriétaires, inquiets du départ d'une main-d'œuvre active, se conjuguèrent pour expliquer ce retard à la constitution d'une armée de soldats citoyens.

Le recrutement de l'armée

En 1789, voulant éviter le racolage et ses abus, la Constituante établit pour l'armée royale un système de volontariat à la durée limitée et contrôlé par l'administration civile élue. Pour rapprocher l'état du militaire de celui du citoyen, des droits en justice, la possibilité de se marier plus facilement et le droit de voter, sous certaines conditions, furent donnés aux soldats.

En juin 1791, après la fuite du roi et dans l'éventualité d'une guerre, une levée de 100 000 volontaires nationaux fut décrétée. Elle aboutit à la création d'une armée parallèle à celle de l'armée royale dont on se méfiait : ne restait-elle pas « gangrenée » d'aristocratisme ou bien ne sombrait-elle pas dans le désordre et l'anarchie comme la révolte de Nancy l'avait montré ? Les bataillons de volontaires avaient un uniforme différent de celui de la troupe royale, celui tricolore des gardes nationales dont ils étaient issus, une paye supérieure, une discipline adaptée à des hommes qui restaient des citoyens sous l'habit militaire, et le droit d'élire leurs cadres. Avec la guerre et « la patrie en danger », de nouveaux bataillons de volontaires furent levés de juillet à l'hiver de 1792, puis en février 1793, cette dernière levée étant celle des 300 000 hommes. Tous ces volontaires considéraient qu'ils n'étaient là que pour donner un « coup de main » à l'armée régulière, et ce pour une campagne. Aussi, devant les désertions multipliées et les refus ou les révoltes accompagnant la levée des 300 000 hommes, cédant aussi aux exigences « égalitaristes » des sans-culottes, la Convention montagnarde décréta le 23 août 1793 « la levée en masse » : plus d'exemptés, plus d'hommes achetés par d'autres, « tout ou rien » comme le demandaient les jeunes.

Après l'an II et la chute de la Montagne, la réquisition s'arrêta peu à peu et les troupes virent fondre leurs effectifs alors même qu'une seconde coalition menaçait. Le Directoire, sur rapport de Jourdan, institua en 1798 la conscription. Tous les jeunes, à partir de 20 ans et jusqu'à 25, étaient inscrits ensemble (conscrits) sur les registres militaires et astreints au service. Tout le contingent d'une classe d'âge n'étant pas nécessaire, on en vint à faire tirer au sort les jeunes recrues pour désigner ceux qui partiraient. Le remplacement par achat fut bientôt autorisé. Les pauvres questionnèrent : le sang des riches était-il d'une autre qualité que celui des indigents ? Insoumis et déserteurs se multiplièrent. Contre eux, des garnisaires établis dans les familles et des colonnes mobiles ratissant le pays furent utilisés. En vain. Le nombre des réfractaires ne cessa de croître jusqu'à l'Empire qui fit entrer, peu à peu, dans les mœurs le service militaire.

Les missions et les moyens

Cette armée qui passa de 150 000 hommes en 1789 à près de 400 000 en 1792 et à plus de 800 000 en 1793 reçut des missions différentes selon les époques. Sous la Convention girondine, la guerre fut une guerre d'expansion et de libération des peuples. Sous la Convention montagnarde, les « missionnaires de la Révolution » furent d'abord conviés à la défense de la patrie. Sous le Directoire, la « libération des peuples » fut prétexte à une guerre de conquêtes qui devait permettre à la Grande Nation d'en vivre, en grande partie.

Pour remplir ces missions, les moyens fournis furent souvent mesurés. Hésitant entre la libre entreprise, la régie ou l'étatisation, la Convention girondine parvint mal à armer, équiper et nourrir les soldats. Longtemps, les pays occupés par l'armée française s'étonneront de cette cohue d'hommes, les uns habillés en bourgeois, les autres en vêtements de travail, comme s'ils avaient été surpris par la guerre et sortis d'un coup de leurs ateliers, de leurs boutiques ou de leurs fermes. Celui-ci avait un casque, celui-là un tricorne ou un bonnet de paysan. Ce fusilier en veste « militaire » côtoyait un autre en gilet, en carmagnole. Certains étaient couverts d'un manteau, d'une cape de cocher ou d'une redingote. Il y en avait pieds nus, d'autres en chaussures militaires aux bouts carrés ou en sabots.

En l'an II, la Convention montagnarde accepta, un temps, de diriger l'économie, établissant dans les villes principales des manufactures d'armes ou de salpêtre où les travaux étaient faits souvent sous les yeux de tous. Les armées révolutionnaires, formées de sans-culottes, battirent la campagne pour débusquer, dans les granges, le blé qui s'y cachait. Ainsi, vaille que vaille, les armées furent approvisionnées sans qu'il y eût jamais un service normal d'intendance. Des commissaires ordonnateurs des guerres, trop peu nombreux, mal instruits de leurs fonctions, servaient à contrôler cet approvisionnement des troupes et leur administration. Sous la Convention thermidorienne et sous le Directoire, l'armée retomba de plus belle sous la coupe des fournisseurs aux armées qui s'enrichirent à ses dépens. L'armée finit par vivre de maraude, de rapines et de contributions forcées levées par les généraux sur les pays occupés, provoquant des rejets et une résistance à la Révolution.

La direction de la Guerre

La disposition de la force armée est le signe de la souveraineté. Avec la Révolution, la souveraineté passa à la nation. L'armée semblait devoir être contrôlée par les représentants de la nation, les députés. Mais l'armée, pour agir, demandait un chef, la conduisant et l'utilisant avec unité et au service du bien public. Le roi reconnu comme chef de l'exécutif, chargé des relations avec l'extérieur, de l'exécution des lois et du maintien de l'ordre, reçut donc le commandement de l'armée. Le ministre de la Guerre, nommé par lui et qui n'était responsable que devant lui, disposa de bureaux déjà réorganisés par l'Ancien Régime et

BIBLIOGRAPHIE

BERTAUD J.-P., *La Vie quotidienne des soldats au temps de la Révolution,* Hachette, Paris, 1985.

BERTAUD J.-P., *La Révolution armée, les soldats citoyens de 1789 à 1798,* Laffont, Paris, 1985.

BERTAUD J.-P., *Valmy, la démocratie en armes,* Julliard, Paris, 1970.

d'un dépôt des archives, des cartes et plans qui devait être de la plus grande utilité pour Carnot et pour les généraux de l'an II, du Consulat et de l'Empire. La Constituante, et, après elle, la Législative s'efforcèrent par le vote du budget militaire et par l'entremise de leurs comités de contrôler le pouvoir royal. Elles y parvinrent complètement par deux fois : au moment de la fuite du roi, en juin 1791, et à l'époque qui suivit le 10 Août : des commissaires furent alors envoyés pour s'assurer de la fidélité des troupes et de leurs chefs.

La peur du « généralat », de la dictature militaire et de la démocratie directe dans l'armée conduisit la Convention girondine à imaginer, sur le rapport de Sieyès, une réorganisation du ministère de la Guerre, lui donnant une assez large autonomie. En janvier, Saint-Just s'opposa à ce projet dont ne fut retenue que l'idée d'un « ministère ambulant » formé de représentants de la Convention. En février 1793, l'amalgame unifia l'armée, et la formation de demi-brigades, mêlant l'expérience des soldats de la ci-devant armée royale et « l'ardeur patriotique » des volontaires, fut projetée, mais suspendue jusqu'à l'hiver de 1793.

La Convention montagnarde soumit l'armée à une stricte discipline : les généraux désobéissants furent traduits en justice et parfois exécutés, les soldats durent, de leur côté, dissoudre les clubs qui s'étaient créés au sein de l'armée. Celle-ci devint une école de jacobinisme, les soldats régénérés, débarrassés des « vices d'Ancien Régime » étaient invités à être des citoyens vertueux sans lesquels il n'est point de république. Citoyens vertueux, les militaires seraient comme des modèles. Par les chansons, le théâtre, la presse, les discours des représentants lors des cérémonies et des fêtes, par des catalogues d'actions héroïques enfin, la Convention enseigna le sens du combat : construction et défense de la démocratie dont la gestion normale se ferait à la paix, égalité et unité derrière la Convention. Les représentants furent les vecteurs de cette politique, payant de leur personne, tel Saint-Just, et développant dans l'armée un système d'assistance sociale encore jamais vu.

Le Directoire tenta de maintenir l'armée sous son autorité. Des commissaires aux armées, agents civils du pouvoir, surveillèrent les généraux, la discipline dans la troupe et l'administration des pays occupés. Mais comment les généraux, qui fournissaient l'or au gouvernement, outre la force des baïonnettes pour lutter contre les ennemis politiques, n'auraient-ils pas pris le dessus ?

Peu à peu ces généraux se rendirent maîtres, avec les finances, de leurs armées, de leur administration, de leur justice et du tableau d'avancement de leurs cadres. Profitant du déracinement de troupes de plus en plus éloignées du pays, de l'amertume des soldats à l'égard d'une patrie qu'ils jugeaient peu reconnaissante à leur égard, les généraux transférèrent, par une propagande habile, sur leur propre personne le culte de la patrie. Ils se débarrassèrent du contrôle des commissaires du Directoire et commencèrent à rivaliser pour investir l'État. Si Bonaparte prit de vitesse les généraux et réussit à s'allier aux « révisionnistes », il savait, au lendemain du 18 Brumaire, qu'il devrait un jour ou l'autre affronter un Bernadotte ou un Moreau.

Jean-Paul Bertaud

La société militaire

Dans leur démarche de création d'un homme nouveau et d'un citoyen vertueux, sans qui il n'est point de démocratie, les révolutionnaires ne cessèrent de dénoncer l'armée comme « porteuse des chaînes du despotisme » et « gangrenée des vices » de l'Ancien Régime. Aussi ont-ils voulu amoindrir la spécificité de la société militaire, allant même jusqu'à la nier. L'armée ne devait pas être un monde à part mais la projection de la société régénérée. L'Assemblée constituante s'employa à faire de l'état du militaire un état aussi « honorable » qu'un autre : celui qui s'y engageait devait le faire selon un contrat libre dont les autorités municipales ou départementales élues se portaient garantes. Les règles de vie du militaire seraient rapprochées autant que faire se pouvait de celles de la société civile et l'on chercha à « humaniser » la discipline et à revoir, entre autres, le code du mariage des militaires. La possibilité d'avancement, d'accès aux charges, devait être fondée sur les principes de la Déclaration : le talent et le mérite. L'armée royale en bloc, et dans chacune de ses parties, les régiments, manifestant un « esprit de corps », on voulut le faire disparaître avec l'adoption d'un drapeau unique et le remplacement des noms traditionnels des régiments par de simples numéros.

Une armée de citoyens « modèles »...

De la Constituante à la Convention surgit une armée parallèle, celle des volontaires, puis celle de la réquisition ; il ne s'agit plus alors de faire du soldat un citoyen mais de faire en sorte que, même sous l'habit militaire, le citoyen le demeurât. Devenu soldat pour un temps il devait conserver le droit de prendre part à l'élaboration de la loi, à l'élection des représentants, à l'acceptation ou au refus des changements institutionnels. Citoyen comme un autre, le militaire devait, à l'intérieur de l'armée, participer à l'élection de ses « magistrats » – ses chefs –, à celle des conseils d'administration qui, sortes de municipalités internes aux bataillons, régissaient sa vie quotidienne, à celle enfin des jurys de conseils militaires habilités à le juger.

Les girondins d'abord, les montagnards ensuite, comprirent que cette conception d'une armée projection de la société civile, délibérante comme elle, était une menace pour l'État. Ils construisirent, et les jacobins de l'an II tout particulièrement, une nouvelle image de l'armée. Celle-ci demeurait formée de citoyens, et de citoyens « modèles » : là se trouvait la vertu par excellence du citoyen, le désintéressement, l'oubli de soi porté jusqu'au sacrifice suprême à la communauté des hommes libres et égaux. Dans la période de construction et de défense plus que de gestion de la démocratie, les citoyens soldats acceptaient une diminution, pour un temps, de leur droit de citoyen, et unis derrière la représentation nationale, assuraient, par leur courage et leur discipline « librement consentie », le succès de la démocratie. Il y eut des voix discordantes, et tout particulièrement celle de Carnot qui entreprit par son journal, *La Soirée des camps,* de montrer que les citoyens soldats étaient d'abord des soldats avant d'être des citoyens.

... mais une mentalité particulière

Malgré les efforts faits en l'an II pour nier l'existence d'une société militaire, celle-ci continua à vivre avec ses règles particulières et une mentalité où se mélangèrent, dans des proportions diverses, l'esprit civique et celui du professionnel de la guerre.

Malgré la volonté manifestée ici et là par les hommes politiques, l'armée conserva un statut juridique différent de celui de la société civile et, sauf en de rares périodes, le militaire fut un homme et un citoyen à part, dont les règles de vie étaient ordonnancées par des lois particulières. Si on lui reconnut par exemple – et cela reste toujours en vigueur – le droit de faire appel d'un ordre d'un supérieur à un autre supérieur et, en définitive, aux représentants du gouvernement, on exigea de lui une obéissance qui, pour être raisonnée, n'en restait pas moins mue par le respect de l'autorité hiérarchique. Entrant en conflit avec un civil, il était en principe soumis aux lois normales, en fait – des juristes militaires comme le colonel Berriat le reconnaîtront – il échappait à cette loi commune et les chefs prenaient un soin jaloux à éviter à leurs hommes les tribunaux civils.

La société militaire était loin, à la fin de la République, d'être la projection de la société civile tout entière. Et d'abord par son origine régionale, les départements frontières ayant toujours plus contribué que les autres à sa constitution. Les citadins furent, jusqu'en l'an II et au renouvellement introduit par la conscription de 1798, surreprésentés par rapport aux ruraux qui dominaient en nombre le corps civil. Si la réquisition (la levée en masse), puis, un temps, la conscription avaient voulu faire servir autant le riche que le pauvre, force est de constater que du volontariat de 1791 aux lois de la conscription permettant le remplacement, ce fut dans le vivier des « classes laborieuses » que puisa l'armée.

La carrière militaire permit un temps l'ascension sociale : un Lannes par exemple, ouvrier teinturier, engagé au 2e bataillon du Gers en 1792, deviendra général à 27 ans. Mais on a parfois trop retenu l'exemple de ces « généraux de 20 ans ». Peu à peu la promotion aux grades supérieurs se ferma – pas toujours complètement – à ceux qui ne savaient ni lire ni écrire, et qui n'avaient pour seul talent que celui d'être de bons entraîneurs d'hommes. En même temps les rapports hiérarchiques se modifièrent dans l'armée de ces soldats citoyens. De l'officier « maître quasi absolu » de ses hommes, on passa à l'officier premier parmi des égaux, et à l'officier de l'an II, « magistrat » devant traiter les soldats sur un pied d'égalité, enfin à l'officier « notable », figure imposée par le Directoire mais aussi par les généraux. Cet officier « notable » qui annonçait l'officier de l'Empire ne devait plus se commettre avec ses hommes et les traitait en subordonnés.

La mentalité de cette société militaire, telle qu'on peut la saisir à la fin de la Révolution, était faite d'un curieux mélange de civisme et de professionnalisme. Civisme : le militaire se regardait comme la meilleure partie d'un « peuple souverain » attaché aux principes d'égalité et d'unité de la République, et haïssait la plupart du temps l'aristocratie et ses séides, les prêtres. Il y eut bien des tentatives des royalistes pour pénétrer cette armée, mais ils ne réussirent la plupart du temps qu'à convaincre quelques chefs. Professionnalisme : l'esprit de corps réapparut, il fut le fait et des hommes et de chefs désireux de se créer une clientèle. On était certes « de l'armée de la République » mais, d'abord, « de l'armée d'Italie » ou « de celle du Rhin », et cela occasionna conflits et rixes.

Jean-Paul Bertaud

La Marseillaise

Le 20 avril 1792, la France révolutionnaire entrait en guerre contre les monarques coalisés. Quatre jours plus tard, la nouvelle parvenait à Strasbourg. Au cours d'une réunion de militaires, qu'il avait coutume d'organiser, le maire de la ville, le baron de Dietrich, fit observer que les volontaires accourus pour défendre « la patrie en danger » n'avaient pas d'hymne digne de leur cause. Ils ne pouvaient en effet chanter que les violents couplets antiaristocratiques du *Ça ira,* et ce sur un vieil air de carillon ! La remarque toucha particulièrement un jeune capitaine du génie, Claude-Joseph Rouget de Lisle, qui non seulement était poète à ses heures, mais possédait aussi des rudiments de musique. Dans la nuit du 25 au 26 avril, il composa les paroles et la musique du *Chant de guerre pour l'armée du Rhin.* Les fédérés marseillais, venus se porter au secours de l'Assemblée sous la direction de Charles Barbaroux, devaient donner à sa diffusion un élan décisif. D'où le titre d'*Hymne des Marseillais,* puis de *La Marseillaise.*

Défendre la patrie en danger et défendre la Révolution se confondaient pour l'auteur du chant, comme pour ses premiers interprètes, les volontaires de 1792, qui se portaient aux frontières à ses « mâles accents ». *La Marseillaise* chant de défense patriotique et *La Marseillaise* chant de défense révolutionnaire ? Deux sœurs siamoises que Thermidor devait séparer. Devenues sœurs ennemies, elles finiront par se réconcilier, mais seulement en 1936, quand, sur la France du Front populaire, soufflera de nouveau l'esprit de la Grande Révolution. Cette signification double et indivisible a fait de cet hymne le plus extraordinaire réactif idéologique de toute histoire de France.

Ce chant, auquel Gossec conféra, dès sa première orchestration, dans *L'Offrande à la liberté* représentée à l'Opéra en 1792, un profil mélodique presque définitif, eut une puissance incomparable. Il galvanisait les armées en campagne. Goethe à Valmy, dans l'armée du duc de Weimar, en fut le témoin, qui le qualifia de « nouveau *Te Deum* révolutionnaire » avant que Chateaubriand n'en fît l'éloge dans son premier ouvrage paru à Londres en 1797, *L'Essai sur les Révolutions.* Un autre émigré, le père du comte d'Haussonville, rapporta que *La Marseillaise* finissait par être chantée telle quelle par les émigrés, après avoir fait l'objet de parodies d'esprit opposé et de couplets nouveaux. L'une de ces innombrables Marseillaises contre-révolutionnaires provoqua dans l'Aisne des troubles tels que la Convention dut envoyer deux représentants afin d'y mettre bon ordre ! Au lendemain de Thermidor, *La Marseillaise* se vit opposer la première « contre-Marseillaise » : les couplets sanguinaires et antiterroristes du *Réveil du peuple.* Le heurt des deux chants allait provoquer des incidents violents et parfois sanglants. Toujours tolérée en revanche aux armées, par la Convention thermidorienne et le Directoire, *La Marseillaise* sera même consacrée chant national par le décret du 26 messidor an III (14 juillet 1795), qui ne sera toutefois définitivement appliqué qu'à partir du 14 février 1879. Mais, dès octobre 1792, *La Feuille villageoise* la baptisait « chant national ».

Ainsi, dès sa naissance, *La Marseillaise* incarnait à la fois la France et la Révolution. Elle ne cessera d'être, jusqu'à nos jours, présente dans tous les soulèvements, qu'ils soient nationaux, libéraux ou socialistes.

Quant à son influence sur les exploits militaires, Olivier pouvait écrire en 1798 dans son opuscule *L'Esprit d'Orphée ou De l'influence respective de la musique, de la morale et de la législation :* « De combien de victoires les Français ont été redevables envers la musique à l'époque

BIBLIOGRAPHIE

DOMMANGET M., *De « La Marseillaise » de Rouget de Lisle à « L'Internationale » d'Eugène Pottier. Les leçons de l'histoire,* Librairie du Parti socialiste, 1938.

FIAUX L., *« La Marseillaise », son histoire dans l'histoire des Français depuis 1792,* Fasquelle, 1918.

ROBERT F., « La musique de la Révolution française », *Annales historiques de la Révolution française,* 1975.

VOVELLE M., « La Marseillaise », *La République,* « Les Lieux de mémoire », Gallimard, Paris, 1985.

de leur Grande Révolution ? Qui d'entre eux a ignoré les prodigieux effets de l'hymne marseillais ? Cet hymne a-t-il pu se comparer aux chants de Tyrtée ? » Dans son *Histoire critique et militaire des guerres de la Révolution* parue en 1820, le général Jomini, rendant un même hommage à *La Marseillaise,* écrira : « Les générations à venir s'étonneront de voir des chansons figurer au nombre des causes des succès militaires, mais il n'en demeure pas moins avéré que ces couplets, pleins d'énergie et de patriotisme, accompagnés par la musique la plus martiale, animèrent une jeunesse ardente, contribuèrent à faciliter les levées, enflammèrent le courage des soldats et leur firent soutenir les privations avec autant de gaieté qu'ils affrontaient les dangers. »

Frédéric Robert

La contre-révolution

La contre-révolution commença avec la Révolution. Dès la réunion des États généraux, la majorité de la chambre de la noblesse et une minorité de celle du clergé refusèrent de s'unir au tiers état pour former, comme le demandait celui-ci, une chambre unique où on voterait « par tête », ce qui assurerait la majorité aux représentants du Tiers et permettrait d'opérer les réformes tant attendues. L'union des trois ordres n'eut lieu qu'après un long refus de délibérer du Tiers, après le serment du Jeu de paume (20 juin 1789) et l'invitation du roi aux députés des trois ordres à se réunir en Assemblée nationale (27 juin). Mais au sein de cette Assemblée, les adversaires de la Révolution n'avaient pas désarmé.

Ils siégeaient à la droite du président et formaient le « parti droit », celui de la contre-révolution. Ce parti, toutefois, était divisé. Les « monarchistes » refusaient toute réforme, tout changement. Ils désiraient purement et simplement le maintien de la monarchie absolue, telle qu'elle existait le 5 mai 1789, avec les trois ordres et les privilèges des deux premiers. Les « monarchiens », au contraire, admettaient des réformes et souhaitaient une « monarchie à l'anglaise » avec un pouvoir exécutif fort et deux chambres, une chambre haute où siégeraient des représentants du haut clergé et de la noblesse, une chambre basse pour les députés du tiers état. Leur chef était Jean-Joseph Mounier. Lorsqu'ils constatèrent, en août et septembre 1789, qu'ils ne formaient qu'une minorité, un certain nombre d'entre eux quittèrent l'Assemblée. Plusieurs émigrèrent. Enfin, toujours à la droite de l'Assemblée, d'autres députés songeaient à restaurer une monarchie féodale, en grande partie mythique, dont ils pensaient qu'elle avait existé dans les derniers siècles du Moyen Age. Parmi eux, le comte d'Antraigues, député du Vivarais.

Complots et réseaux de renseignements

Les contre-révolutionnaires, minoritaires, choisirent d'agir par des complots. Le premier fut la conspiration de Favras. Ancien employé du comte de Provence, le marquis de Favras avait formé le dessein d'assassiner le maire de Paris, Jean-Sylvain Bailly, le commandant de la garde nationale, La Fayette, et d'enlever la famille royale. Mais ses amis parlèrent trop et, il fut arrêté le 24 décembre 1789. Lors de son procès il ne révéla aucun nom. On disait pourtant le comte de Provence impliqué dans l'affaire. Favras fut condamné à mort et pendu le 19 février 1790.

Le comte d'Antraigues, qui était sans doute aussi compromis dans le complot, émigra aussitôt. Il avait compris qu'une action contre-révolutionnaire ne doit pas être organisée par un individu isolé, mais longuement préparée grâce à des renseignements fournis par de nombreux agents. Il monta un « réseau », l'Agence de Paris. Elle était composée de Jean-Christophe Sandrier Des Pomelles, capitaine en retraite et journaliste, Pierre-Jacques Le Maître, pamphlétaire, Thomas-Laurent Duverne de Presle, ancien officier de marine. Ils adressaient à d'Antraigues des lettres anodines, mais truffées de renseignements politiques écrits à l'encre sympathique. D'Antraigues en faisait la synthèse, ajoutait des réflexions de son cru et expédiait des « bulletins » à Las Casas, ambassadeur d'Espagne à Venise, aux principales cours d'Europe : Autriche, Russie, Angleterre, Portugal, et bien entendu au comte de Provence (qui deviendra Louis XVIII en 1795), émigré en Italie, puis en Allemagne.

Avec l'entrée en guerre de la France contre la coalition européenne, les renseignements prirent de la valeur. L'Agence de Paris s'agrandit et devint la « Manufacture ». Mais comme il était difficile aux agents d'obtenir des renseignements précis, ils inventèrent.

Répartition des émigrés par département (1789-1794)

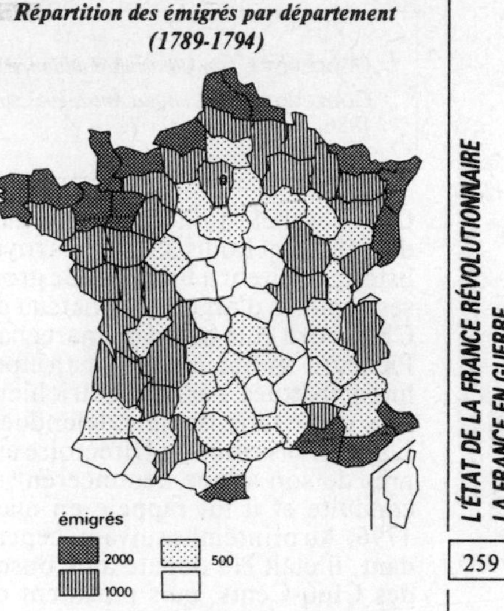

Les bulletins de 1793-1794, conservés principalement en Angleterre, contiennent des faits étranges et pour tout dire incroyables. Par exemple que Joseph Sieyès, et non Robespierre, aurait été le principal inspirateur de la Terreur. On y trouve aussi un faux discours de Saint-Just et des propos inexacts de Marie-Jean Hérault de Séchelles, qui menèrent celui-ci à la guillotine.

La Manufacture put fonctionner sans grandes difficultés jusqu'à l'insurrection royaliste du 13 vendémiaire an IV (5 octobre 1795). Mais, compromis avec les insurgés, Le Maître, et un autre agent, l'abbé Brottier, furent arrêtés. Le Maître fut condamné à mort et guillotiné, Brottier déporté en Guyane où il mourut. La Manufacture était détruite.

Parallèlement à la Manufacture fonctionnait un autre réseau, plus étroitement lié à l'Angleterre. Dirigé de Suisse par l'agent anglais Wickham, il comptait parmi ses membres le libraire de Neuchâtel Fauche-Borel et le comte Jean-Gabriel de Montgaillard. Le but de ce réseau était de gagner à la restauration monarchique un général commandant une importante armée républicaine. À l'automne de 1795, il mit en contact Jean-Charles Pichegru, commandant de l'armée de Rhin-et-Moselle, le prince de

BIBLIOGRAPHIE

GODECHOT J., *La Contre-Révolution,* PUF, Paris, 1984 (nouvelle éd.).

GODECHOT J., *Le Comte d'Antraigues, un espion dans l'Europe des émigrés,* Fayard, Paris, 1986.

Condé, chef d'une petite armée d'émigrés, et Louis XVIII. Les royalistes promirent à Pichegru de grosses sommes d'argent, le château de Chambord et le bâton de maréchal. Pichegru hésita, mais ses troupes furent battues par les Autrichiens sans s'être sérieusement défendues. Les commissaires du Directoire auprès de son armée dénoncèrent sa conduite et il fut rappelé en mars 1796. Au printemps suivant, cependant, il était élu député au Conseil des Cinq-Cents, puis président de cette Assemblée. Ses tractations avec les royalistes continuèrent, et le Directoire n'en aurait sans doute rien su, si Bonaparte n'avait fait arrêter le comte d'Antraigues à Trieste, le 21 mai 1797, et saisir ses papiers. Dans ceux-ci se trouvait le procès-verbal d'une « conversation » que d'Antraigues avait eue avec Montgaillard le 4 décembre 1796 et qui révélait la trahison de Pichegru. Le Directoire, lors du coup d'Etat du 18 Fructidor (4 septembre 1797), fit arrêter Pichegru et le déporta en Guyane. Quant à d'Antraigues, relâché par Bonaparte, il était « brûlé » auprès de Louis XVIII et des émigrés. Il essaya de reconstituer des réseaux, avec un certain Vannelet en 1798-1799, puis avec d'occultes « Amis » et « Amies » de Paris, en 1803-1805, mais ils n'eurent ni l'importance ni l'influence des précédents. D'Antraigues et sa femme devaient être mystérieusement assassinés, près de Londres, le 22 juillet 1812.

Le plan de 1799

Malgré l'arrestation de Pichegru, les contre-révolutionnaires ne renoncèrent pas à leur dessein. Mais pour répondre au manque de coordination entre les royalistes de l'intérieur, les émigrés et les troupes de la coalition, ils se donnèrent une structure plus centralisée, avec au sommet l'Agence de Souabe qui siégeait en Allemagne, auprès de Louis XVIII. On y rencontrait notamment Précy, le général qui avait dirigé les mouvements contre-révolutionnaires de Lyon en 1793, les députés Dandré et Imbert-Colomès, le général Willot, arrêté au lendemain du coup d'État de Fructidor, déporté en Guyane, mais qui avait pu s'échapper et gagner l'Allemagne. A l'échelon inférieur était installé à Paris un Conseil royal secret de 18 membres, parmi lesquels Pierre-Paul Royer-Collard, le marquis de Montesquiou, et un certain nombre de personnages de moindre importance. Dans les départements, des « instituts philanthropiques » devaient, sous couleur d'action charitable, grouper les royalistes et préparer l'insurrection générale. Certains instituts avaient créé des formations plus actives telles que les Fils légitimes, les Centeniers et dizeniers, les Compagnons de Jésus. Très active aussi, l'Aa *(Associatio amicorum),* encore mal connue, d'abord association de spiritualité groupant des séminaristes, encourageait depuis 1790 les prêtres à refuser le serment, cachait les prêtres réfractaires et assurait leur passage à l'étranger.

Quand se forma, au début de 1799, la deuxième coalition et que la guerre continentale reprit contre la France, le ministre britannique des Affaires étrangères, Lord Grenville, écrivit à ses homologues autrichien, russe, napolitain ainsi qu'à Louis XVIII et à l'Agence de Souabe, pour coordonner contre la France l'action qui devait aboutir à la restauration des Bourbons : lorsque les troupes de la coalition atteindraient les frontières de la France, le Rhin et les Alpes, des insurrections organisées par les sociétés secrètes royalistes éclateraient, notamment dans les régions de Toulouse, Bordeaux, Nantes, Rennes et Saint-Brieuc.

Ce plan grandiose, mais complexe, rencontra de nombreux obstacles. Si, en Allemagne, les troupes françaises reculèrent jusqu'au Rhin, elles résistèrent en Suisse, autour de Zurich, grâce à Masséna, et en Italie dans la place forte de Gênes. Le calendrier prévu ne pouvait donc être respecté. Malgré cela, l'insurrection éclata dans le Midi toulousain le 6 août 1799. Elle aboutit à un échec. Toulouse fut attaquée par des bandes de déserteurs et de réfractaires à la conscription, commandées par un jeune noble, le comte de Paulo et par un général, Rougé, qui avait servi la République, mais était passé aux royalistes. Or Toulouse, citadelle jacobine, résista. Bientôt les républicains reprirent l'offensive et les bandes royalistes furent complètement détruites à Montréjeau, au pied des Pyrénées, le 20 août.

L'insurrection qui devait à Bordeaux coïncider avec celle de Toulouse se borna à quelques manifestations désordonnées : attaques de patriotes dans les rues, pillage de la maison d'un officier républicain, assaut pendant la nuit des bureaux de la municipalité. Des patrouilles arrêtèrent des royalistes, il y eut un tué. Mais le calme fut rapidement rétabli.

Dans les Charentes, le Poitou, la Bretagne, la Normandie, les anciens chefs de la Chouannerie, Georges Cadoudal, Louis de Bourmont, Frotté, avaient donné l'ordre d'insurrection générale pour la mi-août. Mais c'est seulement au milieu de septembre qu'elle éclata, intervenant trop tard, puisque l'insurrection du Sud-Ouest avait échoué, et que sur les frontières le péril diminuait. Brune, en effet, obtenait des succès en Hollande et Masséna en Suisse. Seules certaines villes, comme Saint-Brieuc, Nantes, Le Mans, purent être occupées par les insurgés, et ce, pendant quatre jours tout au plus. Enfin, le 9 octobre, Bonaparte débarquait à Fréjus. Les espoirs des patriotes se tournaient vers lui. Au lieu d'une restauration de la vieille monarchie, la France allait connaître la dictature militaire sous la forme du Consulat d'abord, puis de l'Empire.

Jacques Godechot

Vendée et Chouannerie

Malgré son ampleur et sa tragique cruauté, la Vendée, de mars 1793 au printemps 1796, n'est qu'un épisode de la guerre civile endémique qui affecte une quinzaine de départements de l'ouest de la France, de 1791 à 1801. Quant à la Chouannerie, elle s'identifie avec la phase seconde de ces insurrections, de 1794 à la pacification imposée par Bonaparte, et concerne surtout les régions situées au nord de la Loire. Aucun de ces épisodes ne doit donc être traité en soi, avec sa causalité particulière. Et comme, au même moment et pour des raisons identiques, en d'autres régions de France, d'autres paysans ont résisté à la Révolution sans que leur protestation atteigne l'ampleur et l'acharnement de celle de l'Ouest, le problème qui se pose à l'historien n'est pas tant celui d'une différence de nature que d'une différence de degré. La Vendée devient le paroxysme du refus opposé par une partie de la paysannerie du royaume à certaines des exigences de la Révolution et de ses relais locaux, et non plus ce bastion d'archaïsme et de fanatisme décrié par les uns ou ce sanctuaire de piété et de fidélité célébré par les autres.

Dès février 1791, les paysans des environs de Vannes prennent les armes pour défendre leur évêque à qui les patriotes de Lorient veulent imposer le serment. Au printemps suivant, un juge de paix des environs de Quimper, Alain Nédelec, pousse plusieurs paroisses à se rebeller contre le département du Finistère qu'il récuse, n'acceptant d'autorité que du roi. Durant l'été de 1792, les paysans s'insurgent contre les levées de « volontaires » dans les départements du Finistère (Carhaix, Serignac), des Côtes-du-Nord (Lannion, Pontrieux), en Vendée (Bressuire) et en Mayenne.

A Saint-Ouen-des-Toits, district de Laval, en août 1792, un faux saunier, Jean Cottereau, dit Jean Chouan, prend la tête des insurgés et fait entrer le surnom familial dans l'histoire. A la tête de ses « gars », il malmène le commissaire de Laval et les « patauds » qui l'escortent. Ensuite il se cache, avec une poignée d'hommes dans le bois de Misedon, exécutant quelques patriotes des environs et les soldats isolés.

« L'armée catholique et royale »

Mais la grande insurrection, au sud comme au nord de la Loire, commence véritablement en mars 1793.

Dès le 9 mars, en effet, des troubles ont éclaté en Mayenne contre la levée de 300 000 hommes décidée par la Convention pour compenser les départs massifs des volontaires qui rentrent chez eux après avoir accompli leur devoir à Valmy et Jemmapes. Troubles également dans la Sarthe, l'Ille-et-Vilaine, la Loire-Inférieure, le Morbihan, les Côtes-du-Nord et le Finistère, sans oublier la Vendée et le Maine-et-Loire. Du 11 mars à la fin du mois, les deux tiers des paroisses de l'Ouest se dressent contre les exigences de la nation. Dès le 25 mars, au nord de la Loire, les renforts républicains affluent et dispersent les insurgés. Le général Beysser, avec 500 hommes et deux canons, « nettoie » les bords de la Vilaine et débloque Redon, tandis que 900 hommes sortis de Vannes reprennent Rochefort-en-Terre et que la totalité de la rive droite de la Loire est amenée à récipiscence.

Mais il n'en est pas de même au sud du fleuve. Le soulèvement y a commencé le 10 mars, à Saint-Florent-le-Vieil, mais la poignée de mécontents est rapidement dispersée par la garde nationale locale. Le 11 mars c'est Machecoul qui est envahi par plusieurs centaines de paysans qui massacrent les jours suivants les patriotes de ce gros bourg et des environs. Le 14, ce sont 10 000 paysans qui submergent les 400 gardes nationaux de la garnison de Cholet et l'insurrection s'amplifie, mettant en déroute les forces bleues qu'on a rameutées. Ainsi, le 23 mars, la colonne du général Marcé se débande-t-elle au Pont-Charrault, près de Chantonnay, laissant cinq cents tués et quatre cents prisonniers aux mains des paysans, ainsi que deux canons. Les bandes paysannes se regroupent et constituent une « armée catholique et royale », encadrée par des nobles souvent réticents et que les paysans sont allés chercher, comme Charette et Sapinaud, dans leur château. C'est Cathelineau, le pieux voiturier du Pin-en-Mauge, qui est nommé généralissime, mais il ne fait rien sans les nobles qui l'entourent. Les paysans obéissent surtout à leur capitaine de paroisse et ne restent mobilisés que quelques jours, ce qui empêche toute stratégie offensive hors du périmètre insurgé.

Fin mai, les brigands tiennent tout le pays entre la côte atlantique et le Thouet, entre la Loire et la Sèvre Niortaise. En juin, ils s'emparent, sans coup férir, de Saumur, puis d'Angers où ils trouvent des milliers de fusils et une cinquantaine de canons. Les Vendéens marchent alors sur Nantes qui doit leur permettre de donner la main aux Anglais. L'assaut est donné le 29 juin, de part et d'autre du fleuve, mais les Nantais résistent et la blessure que reçoit Cathelineau décourage les assaillants qui se retirent. Échec également devant les Sables-d'Olonne, au début de juillet, mais les Vendéens dispersent toutes les colonnes de Bleus qui les attaquent dans les semaines suivantes.

La « virée de Galerne »

Du 13 au 15 octobre, une bataille livrée devant Cholet permet aux Mayençais de prendre leur revanche et de rester maîtres du terrain. Les Blancs refluent vers la Loire pour échapper à une répression que la Convention veut exemplaire, et pour tenter du même coup de soulever à nouveau la Bretagne et de s'emparer d'un port pour faciliter le débarquement des Anglais et des émigrés. C'est la fameuse « virée de Galerne » qu'entreprend une cohue de quelque 30 000 non-combattants et d'environ 40 000 paysans-sol-

La guerre de Vendée : 1793

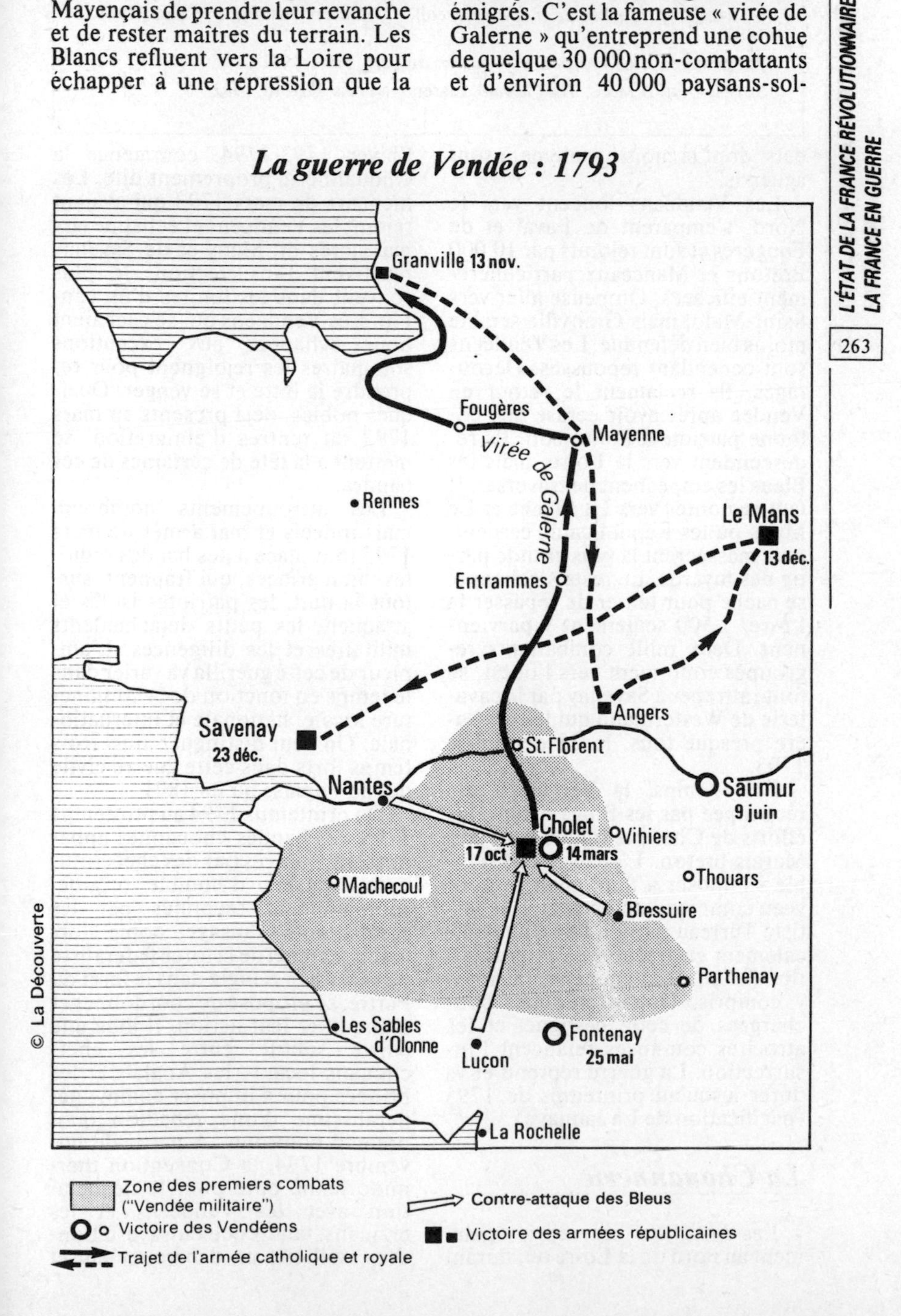

BIBLIOGRAPHIE

Bois P., *Paysans de l'Ouest*, coll. « Sciences », Flammarion, Paris, 1972.

Hutt M., *Chouannerie and Counter-Revolution*, Cambridge University Press, 1983 (2 vol.)

Martin J.-C., *La Vendée et la France*, coll. « L'Univers historique », Seuil, Paris, 1987.

Petitfrère C., *La Vendée et les Vendéens*, Julliard, Paris, 1981.

Sutherland D.M.G., *The Chouans*, Clarendon Press, Oxford, 1982.

dats, dont la moitié seulement sont aguerris.

Les Vendéens foncent vers le Nord, s'emparent de Laval et de Fougères et sont rejoints par 10 000 Bretons et Manceaux particulièrement efficaces. On pense aller vers Saint-Malo, mais Granville semble moins bien défendue. Les Vendéens sont cependant repoussés. Découragés, ils réclament le retour en Vendée après avoir écrasé une colonne patriote à Pontorson. Ils redescendent vers la Loire, mais les Bleus les empêchent de traverser. Il faut remonter vers La Flèche et Le Mans où les Républicains cernent, puis massacrent la plus grande partie des fuyards. Le reste s'échappe, se cache pour tenter de repasser la Loire, 1 500 seulement y parviennent. Deux mille combattants regroupés continuent vers l'ouest, se font rattraper à Savenay par la cavalerie de Westermann qui les massacre presque tous, le 23 décembre 1793.

Entre-temps, la Vendée a été réoccupée par les Bleus malgré les efforts de Charette traqué dans son Marais breton. L'apaisement semble s'imposer à tous, mais le nouveau commandant en chef, l'hébertiste Turreau, prétend en finir radicalement et préconise l'extermination de tous les Vendéens, patriotes y compris. Douze colonnes sont chargées de cette besogne, et les atrocités commises relancent l'insurrection. La guerre reprend et va durer jusqu'au printemps de 1795 (pacification de La Jaunaye).

La Chouannerie

Les hostilités ont repris également au nord de la Loire où, durant l'hiver 1793-1794, commence la Chouannerie proprement dite. Les meneurs de mars 1793 qui avaient rejoint les Vendéens et échappé aux massacres du Mans et de Savenay réactivent l'insurrection, le plus souvent dans les limites d'un canton. Les Vendéens qui se cachaient pour échapper aux exécutions sommaires les rejoignent pour reprendre la lutte et se venger. Quelques nobles, déjà présents en mars 1793 ou rentrés d'émigration, se mettent à la tête de certaines de ces bandes.

Les attroupements nombreux mais indécis et mal armés de mars 1793 font place à des bandes réduites, bien armées, qui frappent, surtout la nuit, les patriotes isolés et attaquent les petits détachements militaires et les diligences. L'ampleur de cette guérilla va varier dans le temps en fonction de la conjoncture locale, nationale et internationale. On peut distinguer ainsi trois temps forts dans cette guerre civile qui ne s'apaise qu'en 1801.

Du printemps 1794 au printemps 1795, les bandes chouannes apparaissent, menées par des chefs roturiers, souvent d'humble origine, spontanément reconnus par les combattants. Puisaye, noble normand, ex-chef de la force fédéraliste de l'Ouest et réfugié dans la forêt du Pertre, se propose de coordonner et d'amplifier leur action. Il joue une partie subtile entre les chefs chouans locaux, les Anglais et les princes pour s'imposer comme généralissime d'une rébellion qu'il prétend contrôler. A partir de novembre 1794, la Convention thermidorienne opte pour la négociation avec les Vendéens et les chouans, tandis que Puisaye, à Londres, sollicite un débarquement et que la plupart des chefs locaux veulent continuer la guerre.

Cette pacification boiteuse est remise en cause par le débarquement des anglo-émigrés à Quiberon (17 juin 1795). La guérilla reprend après l'écrasement de l'expédition, mais chacun se replie sur son territoire, ce qui permet à Hoche, tout en tolérant le culte officiel, de réduire successivement la Vendée (Stofflet est fusillé en février 1796, Charette en avril) et les différentes zones chouannées ; en avril 1796, Scépeaux dépose les armes, suivi de Puisaye, et de Cadoudal et Guillemot, les chefs redoutables du Morbihan. L'impuissance chouanne fait prévaloir la stratégie des monarchistes modérés qui misent sur la conquête légale du pouvoir.

La victoire électorale des royalistes entraîne le coup d'État de Fructidor (4 septembre 1797) qui annule les élections dans 49 départements dont ceux de l'Ouest ; on déporte à nouveau les prêtres réfractaires et l'on pourchasse les émigrés rentrés. La Chouannerie reprend, gagne la Normandie et s'étend jusqu'en Eure-et-Loir. En 1799, la conscription, la loi des otages et les défaites militaires de la République incitent les principaux chefs de l'insurrection à tenter un effort spectaculaire. On élabore, dans une série de conférences, une stratégie globale pour coordonner l'action des différentes bandes, regroupées en une division d'apparence très militaire. L'encadrement nobiliaire est désormais prépondérant. En octobre 1799, les villes de Nantes, Le Mans, Saint-Brieuc, Redon, La Roche-Bernard et d'autres agglomérations moins importantes subissent les raids des insurgés qui, le plus souvent, se bornent à ouvrir les prisons et à tuer les patriotes qui s'opposent à leur coup de main.

Le coup d'État de Bonaparte est suivi d'une politique de pacification musclée et de tolérance. Par le Concordat (juillet 1801), Rome entérine l'ordre nouveau et du coup, les paysans, fatigués par dix années de violence, se détachent des partisans irréductibles de la monarchie qui en sont réduits à l'assassinat individuel, tel Cadoudal qui cherche à supprimer le Premier Consul. Arrêté par la police de Fouché, il est jugé et guillotiné en 1804.

En 1815, l'Ouest s'agite encore au moment des Cent-Jours, surtout le Morbihan, mais plus par nostalgie et fidélité que par un élan unanime des populations. En 1832, l'équipée de la duchesse de Berry n'aura que peu d'écho au nord de la Loire.

Roger Dupuy

Barras

GARNIER J.P., *Barras, le roi du Directoire,* Librairie académique Perrin, Paris, 1970.

Brissot

DARNTON R., « J.P. Brissot de Warville, espion de police », *Bohême littéraire et Révolution,* Gallimard/Seuil, Paris, 1986.

HUART S. d', *Brissot. La Gironde au pouvoir,* Laffont, Paris, 1986.

Carnot

REINHARD M., *Le Grand Carnot,* 2 vol., Hachette, Paris, 1952.

Charette

CHARETTE G., *Le Chevalier Charette, roi de la Vendée,* SFELT, Paris, 1951.

Condorcet

BAKER K.M., *Condorcet,* Chicago University Press, 1975, Herman, 1987.

KINTZLER C., *Condorcet, l'instruction publique et la naissance du citoyen,* Le Sycomore, Paris, 1984.

Danton

LEFEBVRE G., « Sur Danton », *Annales historiques de la République française,* 1932, republié dans *Études sur la Révolution française,* PUF, Paris, 1re éd. 1954, 2e éd. 1963.

Desmoulins C. et L.

BERTAUD J.-P., *Camille et Lucile Desmoulins, un couple dans les tourments,* Presses de la Renaissance, Paris, 1986.

Olympe de Gouges

BLANC O., *Olympe de Gouges,* Syros, Paris, 1981.

Hébert

SOBOUL A., « J.-R. Hébert et le Père Duchesne en l'an II », introduction à la rééd. du *Père Duchesne,* EDIS, Paris, 1969.

La Fayette

GOTTSCHALK L. et MADDOX M., *La Fayette in the French Revolution,* University of Chicago Press, 1969.

Louis XVI

LEVER E., *Louis XVI,* Fayard, Paris, 1985.

Marat

BONNET J.-C. (sous la direction de), *La Mort de Marat,* ouvrage collectif, Flammarion, Paris, 1986.

VOVELLE M., *Marat,* textes choisis, Éd. Sociales, Paris, 1981.

Mirabeau

« Les Mirabeau et leur temps », *Actes du colloque d'Aix-en-Provence,* Société des études robespierristes, Paris, 1968.

CHAUSSINAND-NOGARET G., *Mirabeau,* coll. « Points », Seuil, Paris, 1982.

Necker

GRANGE H., *Les Idées de Necker,* Klincksieck, Paris, 1974.

EGRET J., *Necker, ministre de Louis XVI,* H. Champion, Paris, 1975.

Philippe-Égalité

HYSLOP B.F., *L'Apanage de Philippe-Égalité,* Société des études robespierristes, Paris, 1965.

Robespierre

DOMECQ J.-P., *Robespierre, derniers temps,* Seuil, Paris, 1984.

GALLO M., *Maximilien Robespierre. Histoire d'une solitude,* Librairie académique Perrin, Paris, 1968.

GUILLEMIN H., *Robespierre,* Seuil, Paris, 1987.

HAMEL E., *Histoire de Robespierre,* Éd. A. Lacroix, Verboeckhoven et Cie, 3 vol., 1865-1867, Paris.

MASSIN J., *Robespierre,* Club français du Livre, Paris, 1956.

Roland

CHAUSSINAND-NOGARET, *Roland,* 1985.

MAY G., *Mme Roland and the Age of Revolution,* Columbia University Press, 1970.

Saint-Just

CENTORE-BINEAU D., *Saint-Just,* Payot, 1936, reprint Payot, Paris, 1980.

GROSS J.-P., *Saint-Just ; sa politique et ses missions,* Bibliothèque nationale, Paris, 1976.

VINOT B., *Saint-Just,* Fayard, Paris, 1985.

Sieyès

BACZKO B., « Le contrat social des Français, Sieyès et Rousseau », *The French Revolution and the Creation of Modern Political Culture,* vol. 1, Baker, Pergamon Press, Oxford, 1987.

BASTID P., *Sieyès et sa pensée,* Hachette, Paris, nouvelle éd., 1970.

Talleyrand

ORIEUX J., *Talleyrand,* Flammarion, Paris, 1970.

GALERIE DE PORTRAITS

par Claude Manceron

GRAND JUGE ET MINISTRE DE LA JUSTICE.

• Paul de Barras (1755-1829)

Bel homme, non dénué de prestige et de séduction, Barras est né à Fox-Amphoux, en Provence. Sur la trace de son père et dans la lignée des aînés de la famille, il est officier de marine et va servir jusqu'aux Indes.

A partir de la réunion des États généraux, sensible aux idées nouvelles et désireux de se faire une situation, il passe plusieurs mois à Paris. Mais il est encore trop tôt pour lui ; il retourne en Provence en 1790, et s'y marie en janvier 1791 ; sa femme, qui « redore son blason » comme il est d'usage alors, ne voudra jamais quitter le pays, ce qui ne le chagrine guère. Jeune noble décavé et fieffé coureur de jupons, il se lance à la poursuite de ce qui est son absolu, l'argent.

Élu à la Convention par le département du Var, et toujours soucieux de faire valoir ses capacités militaires, il se fait envoyer, dès le début de 1793, comme représentant à l'armée d'Italie dont les forces désorganisées font face de leur mieux à la montée des royalistes et des Anglais, de Marseille à Toulon. Il distingue le jeune lieutenant d'artillerie Bonaparte, alors inconnu ; grâce à lui ce dernier disposera des moyens nécessaires pour s'illustrer dans le siège de Toulon. Mais Barras se rend coupable pendant cette mission d'un certain nombre d'abus dans la répression brutale du fédéralisme provençal.

Rappelé à Paris par Robespierre, comme d'autres terroristes, il est l'un des artisans de l'étrange alliance entre ceux-ci et les modérés, qui aboutit à la révolte de la Convention contre Robespierre et ses amis le 9 thermidor an II (27 juillet 1794). Quand une poignée de Parisiens, démobilisés depuis longtemps, se soulèvent en faveur de Robespierre, la Convention est à deux doigts de sa perte. Mais Barras, là encore, organise l'action militaire qui permet la prise de l'Hôtel de Ville où se sont réfugiés les robespierristes, et les arrête. Dès ce moment, il devient un des personnages importants de l'après-Thermidor.

Avec souplesse et diplomatie, devenu en l'an IV l'un des directeurs les plus influents, il structure le gouvernement, combat fermement toute tentative de restauration royaliste, se débarrasse d'un concurrent dangereux en mariant Bonaparte à l'une de ses anciennes maîtresses, Joséphine de Beauharnais, puis en l'envoyant à l'armée d'Italie et en Égypte ; il écarte Carnot et tous ceux qui pourraient le gêner, et règne sans partage, comme un petit roi du profit, jusqu'au moment où Bonaparte, rappelé d'Égypte par l'opinion populaire, se montre finalement plus habile que lui et prend le pouvoir le 18 Brumaire.

Il relègue Barras, couvert d'honneurs et d'argent, dans sa terre de Grosbois, où il traînera son exil doré.

• Jacques Pierre Brissot (1754-1793)

C'est l'un des hommes les plus complexes de la Révolution. Né à Chartres, il est le fils d'un « maître traiteur et cuisinier ». Vers 20 ans, il « monte » à Paris pour étudier le droit, et comme bon nombre de ses contemporains allonge son patronyme du nom du hameau où il a été baptisé, Ouarville, qu'il anglicise dans ses premières publications en « Warville ».

Généreux, solidaire de toutes les causes difficiles, des Valaques opprimés par les Autrichiens aux Hollandais et aux Noirs, il se veut avant tout publiciste, non sans un côté touche-à-tout et dispersé, qui l'empêche longtemps d'être pris au sérieux. Il tâte de la Bastille entre deux voyages en Angleterre, pour s'en être pris sans assez d'égards à l'empereur Joseph II, frère de Marie-Antoinette. Orateur médiocre, il connaît pourtant une réputation de plus en plus favorable parmi les libéraux les plus évolués, notamment après avoir fondé, avec la participation de Mirabeau et de quelques autres, la Société des amis des Noirs, pour la suppression de l'esclavage aux colonies. A partir d'avril 1789, son journal, *Le Patriote français,* acquiert droit de cité à Paris dans la marée des brochures provoquée par la convocation des États généraux.

Élu à l'Assemblée législative, puis à la Convention, son prestige est déjà tel, acquis à la force de sa plume, qu'il devient, sans l'avoir cherché, le leader du groupe des « brissotins », que l'on appellera bientôt « girondins ».

Sous la Législative, Brissot est un des partisans les plus acharnés de la guerre offensive contre l'Autriche et la Prusse, parce qu'il croit que cette guerre soudera les nouvelles armées et stimulera l'idéologie révolutionnaire. Dans le conflit qui l'oppose sur ce point à Robespierre, c'est lui qui remporte l'avantage.

Dès le printemps 1792, les premières grandes défaites, puis sous la Convention, les débats cuisants autour du procès du roi, l'exacerbation des querelles entre les girondins et les montagnards après les massacres de Septembre déclenchent l'explosion parisienne des 31 mai et 2 juin 1793 contre le parti de Brissot. Ces journées ont amené la Convention à le mettre en accusation ainsi que les chefs du parti girondin. Il prend la fuite vers la Suisse, mais est intercepté à Moulins et, ramené à Paris, il est guillotiné le 31 octobre 1793.

• Lazare Carnot (1753-1823)

Fils d'un notaire de Nolay, en Bourgogne, il semble promis à la vie terne, à laquelle le destinaient une extraction modeste et une certaine timidité. Il passe plusieurs années à l'armée, dans le corps nouvellement créé du génie, et se plaît à cette carrière où il peut déployer des dons équilibrés d'architecte et d'officier. A la Révolution, il est capitaine dans les places fortes du nord de la France, qu'il contribue à doter des techniques de fortification les plus évoluées.

C'est en garnison à Arras qu'il fait la connaissance des frères Robespierre. Il devient un chaud partisan de la Révolution, d'autant qu'après la réunion des États généraux, tous les espoirs sont permis aux officiers roturiers.

Élu à l'Assemblée législative, puis à la Convention, il siège du côté gauche. Il s'impose par sa compétence dans l'organisation militaire et est élu au Comité de salut public ; il sera chargé par ses collègues de diriger et de coordonner les mouvements des armées révolutionnaires, entre la Vendée à l'Ouest et les invasions à l'Est. Il est l'un des instigateurs de la levée en masse et, aidé de Prieur de la Côte-d'Or et de Robert Lindet, servi par de grandes facultés de travail, il parvient à mettre de l'ordre dans une anarchie endémique. Les thermidoriens décerneront plus tard le nom d'« organisateur de la victoire » à celui qui, à la bataille de Wattignies, en octobre 1793, contre les Autrichiens, avait chargé en tête des troupes aux côtés du général Jourdan.

Avec la majorité du Comité, Carnot se sépare de Robespierre et de Saint-Just, peu avant Thermidor, révolté par les excès de la Terreur. Il fait partie du Directoire en 1795, et tranche sur la plupart des thermidoriens par une intégrité rigoureuse. Son évolution à droite s'accentue, il poursuit Babeuf. Mais Barras, qui a pris le Directoire en main, le fait proscrire après le coup d'État du 18 fructidor, en Suisse, puis en Allemagne. Carnot n'est pas hostile à Bonaparte, dont il a aidé les débuts quand il était ministre de la Guerre ; il réoccupe d'ailleurs le poste après le 18 Brumaire, jusqu'en 1801.

Intraitable, il ne se prononce pas moins contre le Consulat à vie et, bien sûr, l'Empire. Il reste dans un semi-exil intérieur, jusqu'en 1813, date à laquelle l'effondrement de l'armée impériale après les désastres de Russie et d'Allemagne le conduit à mettre son épée au service de l'empereur. Celui-ci le nomme enfin général de division et lui confie la défense d'Anvers, dont il soutient le siège jusqu'à l'extrême limite du possible.

Pendant les ultimes péripéties des Cent-Jours, Napoléon l'appelle au gouvernement, comme ministre de l'Intérieur. Après la débâcle de Waterloo, il reprend le chemin de l'exil et meurt à Magdebourg le 2 août 1823, sans s'être jamais rallié aux Bourbons.

• François Charette de La Contrie (1763-1796)

Parmi les chefs des insurgés vendéens, la forte personnalité de Charette a toujours tranché sur le conformisme d'un La Rochejaquelin, d'un Bonchamp, d'un d'Elbée. Cette originalité de tempérament et sa petite noblesse l'empêcheront de s'imposer au premier plan, alors qu'il possède de réelles qualités militaires. Il est beau, séduisant, et ne le sait que trop ; son œil vif, son nez aquilin, sa bouche bien dessinée le font distinguer de tous ceux qui le fréquentent. Mais un sale caractère et un individualisme forcené n'arrangent pas ses rapports avec les chefs de l'« armée catholique et royale ».

Né près d'Ancenis, d'une famille pauvre, il a fait ses études chez les oratoriens d'Angers. Il participe à la guerre d'Indépendance américaine et, devenu lieutenant de vaisseau, guerroie vaillamment sur les mers, sans que cela l'enrichisse pour autant. Il n'a hérité de ses parents qu'un domaine réduit et doit se résigner à épouser en 1790 une riche cousine, de quatorze ans son aînée. Il profitera de sa nouvelle situation, menant une vie de bals et de fêtes, où il acquiert vite une réputation de libertin. Il part pour Coblence, mais, déçu par les émigrés, revient en France. A Paris, le 10 Août, il défend les Tuileries.

En 1793, il s'ennuie cependant ferme en Vendée, quand les paysans de Machecoul viennent le supplier de prendre leur tête, dans le soulèvement général qui embrase l'Ouest en quelques jours. Montrant aussitôt un courage à toute épreuve, il provoque le dévouement fanatique d'une sorte de petite armée de fidèles, auxquels il peut tout demander. Il rejoint avec eux les chefs de l'« armée catholique et royale », alors qu'ils assiègent Nantes ; la chute de la ville aurait ouvert aux Anglais un débouché jusqu'à Paris, mais sa résistance désespérée, conduite par Canclaux et le maire, Baco, provoque au contraire le premier reflux de la révolte. L'incapacité de Charette à s'entendre avec les autres chefs a joué un rôle dans cet échec historique.

Après la débâcle rapide de l'« armée catholique et royale », son indépendance lui permet de conserver la même troupe de fidèles et de harceler les Bleus jusqu'au bout. Il signe cependant le traité de La Jaunaye, en février 1795, mais reprend les armes en juin. Finalement, Hoche le traque dans les marais, après l'effondrement des dernières forces royales organisées à Quiberon. Arrêté, jugé sommairement en 1796, il est fusillé à Nantes. Il n'a jamais été cruel ni vantard. Son image s'affirmera progressivement au fil des décennies, pour incarner ce que la Vendée a eu de meilleur.

• Nicolas de Condorcet (1743-1794)

Issu d'une famille noble du Dauphiné, qui lui a épargné tout souci matériel, élève des jésuites, Condorcet sera d'abord un savant, un géomètre. Théoricien de la politique, il tentera par ses nombreux écrits de faire partager sa conviction que le monde ne peut aller qu'en s'améliorant. Sa grande bonté, son affabilité le font aimer par ceux qui apprennent à le connaître, malgré sa timidité et une certaine pédanterie. Collaborateur de Turgot, il le suit dans sa disgrâce, se replie loin de la cour, est élu à vingt-six ans à l'Académie des sciences, dont il devient le secrétaire perpétuel.

Vingt ans durant, il accumule ouvrage sur ouvrage, notamment contre la traite des Noirs. Ami de d'Alembert et de Diderot, il collabore à l'*Encyclopédie*. Sur sa quarantaine, il épouse par amour Sophie de Grouchy, vingt-deux ans, la nièce de son ami le président Dupaty. Il aide celui-ci de son mieux dans la dernière grande bataille judiciaire du régime, celle dite des « Trois Roués », où Dupaty parvient de justesse, en 1788, appuyé par toute l'opinion éclairée, à éviter le terrible supplice à trois pauvres hères condamnés injustement sept ans plus tôt.

Il accueille la réunion des États généraux avec bonheur. Élu député à l'Assemblée législative, puis à la Convention, il affirme rapidement des convictions républicaines, sans sectarisme mais avec constance. Il présente en avril 1792 un Projet sur l'organisation générale de l'instruction publique, plan d'une instruction publique et laïque, qui restera un modèle.

Mais il refuse obstinément de s'associer à la montée de la violence et critique ouvertement la Constitution montagnarde de 1793, ce qui lui vaut d'être accusé de fédéralisme. Toujours philosophe, il se réfugie chez une amie, près de Saint-Sulpice, à Paris, où il reste caché pendant huit mois, le temps d'écrire d'un trait, sans le recours de la moindre note, son meilleur livre, l'*Esquisse d'un tableau historique des progrès de l'esprit humain.*

Mais il craint de trop compromettre sa logeuse et, lui qui n'a jamais circulé sans voiture ni domestique, part seul, à pied, à la recherche d'un autre asile. Il est arrêté dans une auberge de Bourg-la-Reine, où il commandait... une omelette de douze œufs. Conduit dans les locaux de la police, il y absorbe le poison qu'il portait sur lui, pour échapper à la guillotine.

• Georges Jacques Danton (1759-1794)

La « laideur » de Danton fait partie de la légende véhiculée par des centaines de livres sur la Révolution. Or, Danton n'était pas laid. Plutôt petit, râblé, d'une grande force physique qu'il savait transformer parfois en argument de séduction, il gardait seulement sur le visage les séquelles d'un coup de pied de cheval ou de taureau qui lui avait marqué le bas de la mâchoire dans son enfance. Mais il plaisait quand il le voulait. Et il le voulait souvent.

Né en Champagne, à Arcis-sur-Aube, aîné d'une famille nombreuse, et fils d'un procureur, il fait ses études au collège de Troyes, étape intermédiaire entre Arcis et Paris, où il veut, le plus tôt possible, devenir avocat. Bon orateur, il se sent doué pour cela, mais il manque de ressources.

Jamais trop regardant quant aux détails, il s'en tire par le moyen classique d'un mariage d'amour mais aussi d'argent. C'est son beau-père, François Charpentier, tenancier du café de l'École, au débouché du Pont-Neuf, qui lui avance les fonds nécessaires à l'achat non seulement de ses grades mais aussi de la charge prometteuse d'avocat au Conseil du roi. Il manque cependant de la surface nécessaire pour « décoller » et les causes lui font défaut.

Dès le début de la Révolution, il réclame la liberté de la presse et de réunion et, président du district des Cordeliers, s'assure une audience importante auprès des petites gens, dont il devient le porte-parole.

Substitut du procureur de la Commune, sous la Législative, il joue un rôle actif dans l'assaut contre les Tuileries, le 10 Août, et sera désigné par l'Assemblée comme ministre de la Justice. Son rôle ambigu pendant les massacres de Septembre, qu'il ne tente pas d'arrêter, lui sera toujours vivement reproché. Il se consacre à galvaniser l'énergie des Français, au moment où les Prussiens menacent Paris de près, en août 1792. « De l'audace, de l'audace, encore de l'audace, et la patrie sera sauvée ! » A partir de février 1793, quand il lui faut répondre de sa gestion ministérielle, il entre en conflit aussi bien avec les girondins, qui lui reprochent sa complaisance à l'égard de certaines violences, qu'avec les montagnards qui le regardent comme un « pourri ». En novembre, il s'élève contre la déchristianisation, les excès de la Terreur, demande qu'on « pose la barrière » et regroupe la faction des indulgents, modérantistes dont certains ont fait fortune de façon peu orthodoxe. Danton, lui, n'a pourtant acquis que quelques terres autour de sa ville natale.

Il refuse de s'expatrier : « On n'emporte pas la patrie à la semelle de ses souliers. » Il est arrêté le 10 germinal an II (30 mars 1794) et traduit devant le Tribunal révolutionnaire qu'il a contribué à créer. Mais Danton l'ayant injuriée, la Convention décrète que tout prévenu qui insultera la justice nationale sera mis hors des débats sur-le-champ. Ce décret n'a d'autre but que de faire taire un orateur dont l'éloquence ébranle le public. Le 16 germinal, Danton est exécuté.

Montant à la guillotine, il dira au bourreau : « Tu montreras ma tête au peuple ; elle est bonne à voir. »

• Camille Desmoulins (1760-1794) et Lucile Desmoulins, née Duplessis (1770-1794)

Indissociables devant l'histoire par leur engagement révolutionnaire et leur mort tragique, le couple de Camille et de Lucile Desmoulins mérite d'être évoqué d'un même mouvement.

Camille Desmoulins naît à Guise, en Picardie, le 2 mars 1760, dans une famille de petits robins ; il affirme de bonne heure des dons d'expression et d'animation et, après avoir été boursier à Louis-le-Grand, suit une formation d'avocat. Celle-ci sera toujours contrariée par une légère tendance au bégaiement. Dès ses vingt ans, il a choisi de vivre à Paris, où se préparent de grands changements. Il va devenir l'un des meilleurs polémistes de la Révolution.

Peu avant l'explosion de 1789, il se fiance à la douce et belle Lucile Duplessis, qu'il épouse le 29 décembre 1790. Ils s'installent place de l'Odéon, dans une maison qui existe encore. Faute d'avoir pu se faire élire aux États généraux par son pays d'origine, il trouve un rôle à sa mesure le 12 juillet 1789, quand, debout sur une table des jardins du Palais-Royal, il harangue la foule pour lui apprendre le renvoi de Necker par Louis XVI et appelle aux armes. Il est un des principaux « agitateurs » des journées qui aboutissent à la prise de la Bastille et à la fausse capitulation du roi. Il devient dans la foulée l'auteur d'une série de pamphlets de plus en plus brûlants, qui s'imposent autant que ceux de Marat. Il fait paraître à la fin de novembre 1789 un journal hebdomadaire, *Les Révolutions de France et de Brabant.*

Après l'arrestation de Varennes en juin 1791, il sera l'un des premiers à demander la proclamation de la république et animera dans ce sens, avec son ami Danton, leur quartier des Cordeliers. Député à la Convention, il siège sur les bancs de la Montagne, mais ne joue qu'un rôle effacé.

Mais il est trop généreux pour épouser les excès de la Terreur et lance en décembre 1793 un nouveau journal, *Le Vieux Cordelier,* dans lequel il préconise la création d'un comité de clémence. Avec Danton, il se sépare de Robespierre qu'il avait pourtant beaucoup aimé et devient l'un des chefs des indulgents. Il est arrêté, en même temps que Danton, dans la nuit du 30 mars 1794 ; ils sont condamnés, et guillotinés, le 5 avril.

Prise dans la même spirale de violence, Lucile, qui n'a pas voulu fuir Paris et a tenté de le défendre, est arrêtée à son tour et condamnée dans la même semaine, sous le prétexte d'une vague conspiration des prisons. Exécutée le 14 avril 1794, elle fait preuve dans ses derniers moments d'une grande dignité.

• Olympe de Gouges (1748-1793)

Olympe de Gouges fut une femme au destin contrasté, d'abord actrice puis victime de la Révolution. Quand, « montant » de Montauban où s'est déroulée sa jeunesse incertaine, elle arrive dans le

Paris des premières années de Louis XVI, la plupart des témoins attestent qu'elle est d'une grande beauté. Élancée elle a le visage ovale, des traits fins et réguliers et une belle chevelure brune « poudrée à frimas ». Cela ne lui fait pas trouver grâce auprès de ses contemporains, qui, à l'exception de son ami Louis Sébastien Mercier, parleront d'elle avec tout le mépris des hommes de ce temps : « Née avec une jolie figure, son unique patrimoine, elle n'était depuis longtemps connue à Paris que par les faveurs dont elle comblait ses concitoyens », écrit ainsi le rédacteur de la *Correspondance littéraire.*

Courtisane ? Demi-mondaine ? Activiste politique ? Difficile à dire... Elle n'a été ni méchante ni sotte, et, quand elle a trouvé que la cause des femmes devenait celle de sa vie, elle l'a épousée sans hésitations. Malgré une culture assez négligée et une orthographe épouvantable, elle n'hésite pas à participer aux grands courants d'idées, elle s'essaie à des pièces de théâtre, illisibles aujourd'hui, dont l'une sur l'esclavage *(Zamore et Mirza)* sera près d'être jouée par les Comédiens-Français, qui renonceront à cause de différends avec l'auteur.

Qu'à cela ne tienne : elle rédige des brochures patriotiques et en signe plusieurs dizaines, dont une *Lettre au peuple (...) par une citoyenne.* Dans son œuvre la plus originale, *La Déclaration des droits de la femme et de la citoyenne,* elle affirme son féminisme : « O femmes ! Femmes, quand cesserez-vous d'être aveugles ? Quels sont les avantages que vous avez recueillis dans la Révolution ? [...] Déployez toute l'énergie de votre caractère et vous verrez bientôt [...] nos serviles adorateurs rampant à nos pieds, mais fiers de partager avec vous les trésors de l'Être suprême. »

Plus tard, se plaçant en contrepoint du courant dominant, elle blâme la condamnation de Louis XVI, se range du côté des girondins et aggrave son cas en publiant, en faveur de la Gironde, *Les Trois Urnes ou le Salut de la patrie* en juillet 1793. Elle est guillotinée le 3 novembre.

• Jacques René Hébert (1757-1794)

Personnage complexe, Hébert est un peu le Janus de la Révolution. Les rares portraits que l'on a de lui nous le montrent aussi bien soigné dans sa mise et sa coiffure qu'un Robespierre. On s'accorde généralement à le trouver poli, réservé, voire timide. Mais c'est bien le même homme qui, dès 1790, en rédigeant et en publiant de bout en bout, quotidiennement, *Le Père Duchesne,* utilise d'emblée le langage populaire du temps, surtout de Paris, dans toute sa crudité. Chacune de ses livraisons, sous le dessin bientôt célèbre d'un homme à la pipe, commence par une sorte de refrain : « Je suis le véritable Père Duchesne, foutre ! »

Né en Normandie, à Alençon, d'un père orfèvre, ce n'est pas dans cette ville policée qu'il a pu apprendre le parler du Père Duchesne. A la suite de difficultés de jeunesse avec ses parents et les autorités d'Alençon, pour des larcins qu'on l'accuse d'avoir commis, il parcourt la France, à la recherche d'une situation, et végète, d'abord contrôleur de théâtre, puis apothicaire. Il faut le choc de 1789 pour le fixer à Paris, et lui permettre de se hisser en quelques mois au premier plan du grand courant des gazettes nouvelles. C'est *Le Père Duchesne,* c'est la célébrité immédiate, et sa promotion après le 10 Août à la Commune de Paris, où il devient substitut du procureur Chaumette et qu'il transforme en un petit fief pour lui et ses partisans, faute de siéger dans une assemblée, à laquelle il ne tente pas de se faire élire.

A mesure que la Révolution se déploie, les électeurs qui forment les Communes successives que l'on appellera les « exagérés », s'installent à l'Hôtel de Ville, et constituent une sorte de contre-pouvoir, non seulement à l'égard des assemblées législatives, mais aussi des autorités élues de la mairie de Paris. Certaines journées parisiennes sont si chaudes qu'elles obéissent parfois plus aux chefs de la Commune, Hébert et Chaumette au premier plan, qu'à tout autre.

Au moment du procès de Marie-Antoinette, c'est Hébert qui lance la scandaleuse accusation d'inceste contre la reine, ce qui le discrédite non seulement aux yeux des modérés, mais aussi des membres du Comité de salut public, inquiets par ailleurs des revendications des hébertistes dans le domaine économique et social. A la mi-ventôse, Hébert et les cordeliers préparent une journée d'insurrection et dénoncent les endormeurs, c'est-à-dire les robespierristes. Robespierre et le Comité de salut public mettent le holà, le font arrêter, juger sommairement et guillotiner, avec toute une charrette d'autres dirigeants cordeliers, le 24 mars 1794.

• Gilbert Motier de La Fayette (1757-1834)

En 1789, La Fayette est loin d'être un inconnu. C'est à l'orée d'un long parcours à travers plus de cinquante ans d'histoire qu'il a joué son rôle le plus célèbre : celui de premier participant français d'importance à la Révolution d'Amérique.

Issu d'une famille de haute noblesse, dont le prestige grandira encore lorsqu'il épousera une Noailles, il est un enfant posthume : son père meurt deux mois avant sa naissance, tué par un boulet anglais à l'une des dernières batailles de la guerre de Sept Ans. Il aura une enfance grise et ennuyeuse dans son Auvergne natale, élevé par deux tantes et une grand-mère. Il s'en évade dès que possible, en se portant volontaire l'un des tout premiers chez les *Insurgents* d'Amérique. Il trouve auprès de Washington, commandant en chef des armées américaines, le père de compensation qu'il cherchait, mais doit accepter un simple poste d'officier général dans l'armée américaine. En 1780, grâce en partie aux efforts qu'il déploie, la France envoie au secours de Washington un puissant corps expéditionnaire, qui est placé sous les ordres de Rochambeau. La Fayette, un an plus tard, sera un des acteurs de la victoire de Yorktown, qui annonce la retraite anglaise et la liberté de la nouvelle république, où il restera le Français le plus populaire.

En France, suspect de libéralisme aux yeux de la cour, il est relégué en marge des pouvoirs jusqu'aux États généraux, mais aux premiers temps de l'Assemblée constituante, il joue un grand rôle en proposant, le 26 août 1789, les premiers articles de la Déclaration des droits de l'homme. Commandant général de la garde nationale, il devient l'homme clef de la bourgeoisie montante, mais, toujours fidèle à sa conception de la monarchie constitutionnelle, il refuse d'accepter la chute du trône le 10 août, passe à l'étranger où il est intercepté par les Autrichiens et reste cinq ans en forteresse. Libéré à la demande du général Bonaparte après la campagne d'Italie, il ne se rallie pas pour autant à sa cause et passe tout l'Empire dans un exil intérieur. Il joue un rôle bref mais important à la fin des Cent-Jours, pour assurer la transition avec le retour des Bourbons, sans pour cela approuver les retours au passé. C'est seulement la Révolution de 1830 qui lui permet de retrouver un rôle à sa mesure, quand il fait acclamer Louis-Philippe au balcon de l'Hôtel de Ville. Voici enfin le régime qu'il a souhaité toute sa vie. Il meurt chargé d'honneurs et de souvenirs à Paris, le 20 mai 1834.

• Louis XVI, roi de France (1754-1793) et Marie-Antoinette d'Autriche, reine de France (1755-1793)

Louis XVI n'était pas fait pour être roi, ni psychiquement, ni dans l'ordre dynastique prévu. Baptisé duc de Berry, il est le troisième fils du Dauphin Louis-Ferdinand, fils de Louis XV, que le long règne de celui-ci empêchera de régner. Ses deux frères aînés, le duc de Bourgogne et le duc d'Aquitaine meurent jeunes, sans doute de petite vérole, et c'est lui qui devient dauphin, à la mort de son père.

De santé fragile, longtemps on ne donna pas cher de ses chances de vie. Louis XV ne l'aimera jamais, ne serait-ce que parce qu'il est dévot comme l'était son père. Son éducation sera sensiblement négligée, surtout en matière historique et politique ; il n'apprécie que les sciences exactes et la géographie. En revanche, il s'adonne chaque jour avec passion à la chasse et à la bonne chère. Les femmes ne l'intéresseront jamais. En 1769, pour consolider le « renversement » des alliances voulu par Choiseul, on le marie à l'une des dernières filles de l'impératrice Marie-Thérèse, la gracieuse mais frivole Marie-Antoinette. Il n'y aura jamais d'amour entre eux, et il ne la laissera que beaucoup plus tard prendre une influence politique.

Quand Louis XV meurt, Louis XVI, à vingt ans, est dépourvu de la plupart des qualités qui font un roi. Il n'est cependant pas sot, mais inculte et incapable de s'affirmer. Obligé de s'en remettre à des ministres successifs, il ne leur délègue des pouvoirs que pour les leur retirer dès qu'il les soupçonne de trop s'en servir. Le fond de sa nature est une grande sournoiserie. Ainsi vont se succéder, dans une monarchie en pleines réformes, les expériences de Turgot, Necker, Calonne, Brienne, et de nouveau Necker, à la dernière heure, quand il faudra convoquer les États généraux pour combler l'énorme déficit des caisses de l'État.

Louis XVI n'est pourtant pas impopulaire, car il se montre brave homme avec le peuple qu'il aime bien et qui croira longtemps lui devoir les bienfaits de la Révolution. Mais la Constitution civile du clergé le fait entrer en conflit avec l'Assemblée constituante, et il se rallie au parti extrémiste de ses deux frères plus jeunes, Provence et Artois (futurs Louis XVIII et Charles X), et de la reine. Il s'enfuit vers Montmédy pour demander le secours des troupes étrangères, mais est arrêté à Varennes par quelques patriotes résolus, le 20 juin 1791. C'est le début de la rupture entre le roi et le pays, qui aboutira au soulèvement parisien du 10 août 1792, où la monarchie est renversée. Enfermé à la prison du Temple, il est jugé et condamné à la suite d'un procès de trois jours par la Convention, et guillotiné le 21 janvier 1793. Il saura mourir avec courage et dignité.

Marie-Antoinette le suivra dans la mort le 16 octobre 1793, avec le même courage, et après un procès bâclé. Ils laissent deux enfants : le petit Louis XVII, qui meurt de cachexie quelques années plus tard au Temple, et sa sœur, Madame Royale, qui épousera son cousin, le duc d'Angoulême.

• Jean-Paul Marat (1743-1793)

Marat, avant d'être un des *leaders* les plus influents de la Révolution, mènera une vie tout à fait originale, par rapport à la plupart des célébrités révolutionnaires. Né pauvre, à Boudry en Suisse, d'un prêtre défroqué d'origine sarde et d'une Genevoise, fille de perruquier, il doit très vite voler de ses propres ailes et chercher sa voie dans des voyages désordonnés à travers l'Europe de l'Ancien Régime, qu'il a déjà en horreur. Déçu par le Paris de la fin du règne de Louis XV, il opte pour l'Angleterre, où il espère pouvoir donner libre cours à un talent de plume, déjà prometteur. Il y exerce la médecine, montre du goût pour les sciences, la physique, l'« électricité », et se met de bon cœur au service des pauvres ; parallèlement, il écrit et publie *Les Chaînes de l'esclavage,* un ouvrage où l'on trouve déjà l'essentiel de sa démarche politique.

Le gouvernement anglais s'inquiète d'un auteur si subversif, et il reprend son errance à travers l'Europe. Son œuvre colossale couvre à peu près tout le territoire des problèmes que la Révolution mettra au jour. Il possède pourtant un sens assez développé des relations humaines pour se faire agréer à Versailles, à partir de 1776, comme médecin des gardes du comte d'Artois ; c'est le temps du « beau Marat », amant de quelques belles dames, et qui peut espérer faire une carrière académique ou diplomatique. Mais il ne réussit pas à se faire nommer en Espagne, perd sa charge et, tout en continuant à distribuer des soins empiriques, se consacre de plus en plus à des écrits révolutionnaires.

Il traîne de nouveau la misère, et sa santé s'altère rapidement. Les événements de 1789 lui redonnent courage. Il fonde en septembre un journal d'un type nouveau : *L'Ami du peuple,* où il ira d'emblée si loin dans la dénonciation qu'il se retrouve bien souvent isolé, non seulement face à la cour, mais aussi aux révolutionnaires modérés, même si une évolution ébauchée à partir de 1793 l'amène à s'opposer aux enragés, quitte à se rallier pour le salut de la Révolution à l'idée d'une dictature provisoire « à la romaine ».

Quatre ans de vie semi-clandestine, entre deux saisies et trois procès, coupée de beaux succès, comme son élection à la Convention dans la députation de Paris, et son acquittement par le Tribunal révolutionnaire où les modérés girondins l'avaient fait traduire. Il participe activement à la lutte contre la Gironde et à la proscription des girondins ; une jeune femme de Caen, Charlotte Corday, qui se réclame de leur tendance, l'assassine d'un coup de poignard chez lui, à Paris, le 14 juillet 1793.

• Gabriel Honoré de Mirabeau (1749-1791)

Un enfant à trop grosse tête, et aux traits marqués de bonne heure par la petite vérole, naît au Bignon, près de Nemours, dans l'une des propriétés de son père. Ce dernier le prend immédiatement en grippe, parce qu'il avait rêvé d'un fils aîné apte à illustrer dignement la lignée des Mirabeau, issue de Provence, où il possède encore un beau château qu'il ne fréquente guère.

Ce père est un personnage : économiste de valeur, bon écrivain, surnommé « l'ami des hommes », d'après son ouvrage le plus connu, il se réclame des physiocrates. Il se replie dans une mauvaise humeur constante, à mesure que grandit son fils, auquel il refusera toujours l'aide matérielle et le soutien moral. Gabriel engagé dans la carrière militaire doit se débrouiller comme il peut pour mener la vie de garnison, mais éprouve, très jeune, un grand besoin de vivre par lui-même. Il croit réussir une prouesse en compromettant, à Aix-en-Provence, une demoiselle de Marignane, héritière d'une grande famille ; il espère d'une union flatteuse l'argent dont le besoin l'obsédera toute sa vie, mais il a fait un mauvais calcul : on lui concède, certes, le mariage, mais sous surveillance des deux familles, et il est l'objet, à la demande de son père, d'une première lettre de cachet, qui le déporte à Manosque. Il s'y ennuie tant qu'il fait une fugue chez sa sœur, Louise de Cabris, à Grasse, où ses frasques le font à nouveau remarquer et provoquent l'intervention de la justice royale.

Arrêté, il est enfermé à Marseille, au château d'If, mais y séduit tant et si bien les servantes qu'il est transféré au fort de Joux, près de Pontarlier. Là, il rencontre le grand amour de sa vie, Sophie de Monnier, mariée par arrangement avec un magistrat sénescent, et ils commettent la grande folie de partir ensemble, via la Suisse, jusqu'en Hollande, où il vivra de sa plume pendant deux ans. Mais son terrible père reste aux aguets, et ils sont enlevés à Amsterdam par la police du roi. Sophie est enfermée dans un couvent, et Mirabeau au donjon de Vincennes, où il passera trois ans, à mûrir des textes politiques qui vont faire date, notamment *Des lettres de cachet et des prisons d'État.*

Quand il sort de Vincennes, il s'est apparemment assagi, mais ne vit que pour la revanche et devient l'un des penseurs les plus aigus de la fin de l'Ancien Régime. Beaucoup d'orages le conduiront encore, parfois au service de tel ou tel ministre, comme « agent secret » en Prusse et en Angleterre. On continue à se méfier de lui à Versailles, et ce sont seulement les États généraux qui lui permettent d'accéder au rôle de tribun qu'il est seul à pouvoir remplir, par la puissance de son souffle et la qualité de sa parole, après une élection triomphale à Aix. Il s'impose comme figure de proue à l'Assemblée constituante, où il s'emploie, en accord, certes, avec sa pensée profonde, à l'impossible réconciliation entre le roi et le peuple. Avec beaucoup de méfiance, la cour finit par accepter ses suggestions pour un plan de fuite à Metz, en mai 1791, mais il est trop tard. Usé par les épreuves et les débauches, il meurt à Paris le 2 avril 1791.

• Jacques Necker (1732-1804)

Necker est le symbole de l'homme nouveau et de la poussée des élites à la fin du XVIIIe siècle. Sa formation rigoureusement calviniste lui permet d'avoir un rapport sans complexes avec l'argent, dont il a été formé tout jeune à tirer le meilleur parti possible, à son profit, mais aussi à celui des autres. Il est un pur produit de la grande banque protestante, interdite d'opérations en France depuis la révocation de l'édit de Nantes, mais dont le développement tentaculaire dégage d'énormes ressources en Europe. D'origine prussienne, et d'allure en effet quelque peu germanique, il est né à Genève, qui demeure sa « patrie » principale.

Né dans une aisance relative et doté d'une bonne formation générale, il a d'abord cheminé dans les arcanes de la banque Thélusson, avant de pouvoir s'installer comme banquier indépendant. C'est seulement vers trente ans que sa réputation d'habileté financière et l'importance de sa fortune lui vaudront d'être signalé à Louis XVI, qui cherche en vain des capitaux pour colmater l'énorme brèche ouverte dans ses finances par la guerre d'Amérique. Necker sera donc le premier protestant – depuis Sully – appelé aux finances de la France, mais à condition de ne pas prétendre être principal ministre et siéger au Conseil. On ne lui demande qu'une chose : ne pas imiter Turgot, qui veut s'attaquer, quoique encore bien timidement, aux privilèges des grands. Necker n'est pas un théoricien, et ne cherche pas d'abord à s'écarter de la place qu'on lui assigne. Par ailleurs, ce « parvenu » est fier de servir le plus grand roi du monde. Mais le moment vient, en 1781, où il lui faut bien entrer en conflit avec une partie de la cour ; il est renvoyé.

Patiemment, il prépare sa revanche, en rédigeant une série d'ouvrages indigestes et en accumulant le plus d'argent possible. C'est alors qu'une série d'échecs et la convocation prochaine des États généraux contraignent Louis XVI, qui ne l'aime pourtant guère, à le rappeler aux affaires. Necker ramène la confiance pour la seconde fois, quitte à faire don personnellement au Trésor de plusieurs millions. Grâce à lui, les premiers mois de la Révolution se déroulent sans banqueroute. Il devient même si populaire que, quand le roi tente encore une fois de le congédier, l'annonce de ce renvoi contribue au grand soulèvement de Paris du 14 juillet 1789. Il s'en allait docilement vers Genève ; on le rattrape de justesse en route, et il reprend son poste.

Mais son retour triomphal marque la fin de sa montée vers un véritable pouvoir. La politique appartient maintenant à l'Assemblée constituante ; la solution provisoire au problème financier sera finalement apportée au pays par Talleyrand, quand celui-ci fera voter la confiscation des biens du clergé. Honnête mais dépassé, Necker voit sa popularité s'effondrer rapidement. Pris entre la cour et les patriotes, il se retire définitivement en septembre 1790. Il meurt, presque oublié, dans sa propriété de Coppet, le 10 avril 1804.

• Philippe d'Orléans (1747-1793)

Descendant en ligne directe des princes d'Orléans, et notamment du Régent, qui avait assuré le pouvoir entre la mort de Louis XIV et la majorité de Louis XV, Philippe, duc d'Orléans, est le chef de la « branche cadette » des Bourbons, celle qui se montre souvent prête à remplacer, voire à renverser, la « branche aînée », quand celle-ci s'éloigne trop du peuple. Les Orléans sont hantés par l'exemple des événements d'Angleterre, qui, cent ans plus tôt, ont substitué la dynastie de Hanovre aux Stuarts. Mais cette ambition ne s'affirme jamais au grand jour, et Philippe d'Orléans joue son rôle de prince du sang, cousin du roi. Il se trouve, sous Louis XVI, à la tête d'une fortune colossale, et possède le Palais-Royal, dont il fait aménager les jardins qu'il ouvre au public.

Débauché, sceptique, il ne suit que de mauvais gré, et par moments seulement, les petits groupes de familiers, dont Laclos et Sillery, qui le poussent à une action politique résolue. Mirabeau dira de lui : « C'est un eunuque pour le crime. » Mais on espère tellement ici ou là voir un prince du sang prendre la tête de l'opposition, qu'il est conduit, dans les années 1787-1789, à quelques actes publics de protestation, qui lui vaudront une relégation dans sa propriété de Villers-Cotterêts, et achèveront de le rendre populaire. Il se fait élire, seul prince du sang, par la noblesse, aux États généraux. Il joue un rôle certainement moins important qu'on ne le prétend habituellement dans les événements de juillet et d'octobre 1789, même si on lui impute des distributions d'argent. Cependant, Louis XVI profite du regain de sa propre popularité pour l'exiler en Angleterre, d'où il ne revient que peu avant la chute du trône. Jouant le jeu de la démagogie, il est élu à la Convention, en prenant le nom de Philippe Égalité, et se fait mépriser, même de ses partisans, en votant la mort du roi. Mais les temps ne lui sont plus favorables, il est compris dans une des répressions de la Terreur, et se laisse arrêter en avril 1793. Le Tribunal révolutionnaire l'envoie à l'échafaud en novembre. Il meurt courageusement, non sans enjoindre toutefois au bourreau : « Dépêchez-vous ! »

Cet homme a donc gâché toutes ses chances politiques potentielles. Mais son fils, Louis-Philippe, alors duc de Chartres, après avoir combattu dans l'armée de Dumouriez, et avoir émigré jusqu'à la Restauration, deviendra roi des Français à la faveur de la révolution parisienne de 1830. Ses descendants sont encore aujourd'hui les prétendants au trône.

• Maximilien Robespierre (1758-1794)

Si Robespierre incarne au moins une partie de la Révolution aux yeux de l'histoire, ce n'est pas tant à cause des aspects positifs ou négatifs de son activité, que parce qu'il fut l'un des seuls à en vivre toutes les péripéties, des États généraux au 9 Thermidor.

Rien ne le prédisposait à un grand rôle. Né dans une bonne famille de robe à Arras, la disparition de ses parents (mort de sa mère, suivie d'une fugue étrange et définitive de son père en Allemagne) fait de lui le chef précoce d'une petite famille de quatre enfants et contribue à colorer son tempérament de chagrin, et parfois d'aigreur. Titulaire d'une bourse au collège Louis-le-Grand à Paris, il y suit des études de onze à vingt-trois ans pour devenir avocat. Revenu à Arras, il y exerce ce métier avec conscience et, déjà, une tendance marquée à servir la cause des pauvres et des victimes de la société.

Il est élu en avril 1789 député du tiers état de l'Artois aux États généraux, où la faible portée de sa voix et son peu d'influence l'empêchent d'abord de s'imposer, en face des ténors, Mirabeau ou Malouet. Mais sa constance dans la défense des droits du peuple et son assiduité à la tribune font de lui progressivement un homme de premier plan : son intégrité absolue le fera surnommer

« l'Incorruptible ». Il tente en vain de faire voter l'abolition de la peine de mort, mais parvient à faire décider la non-réélection des constituants dans la nouvelle Assemblée législative. De plus en plus populaire à Paris, il est de ceux qui demandent la déchéance définitive du roi après l'arrestation de Varennes, mais la réaction provoquée par la fusillade du Champ-de-Mars, le 17 juillet 1791, l'oblige à se réfugier chez le menuisier Duplay, où il sera hébergé jusqu'à sa mort.

Sous la Législative, orateur écouté aux Jacobins, il s'oppose à Brissot, sur le problème de la déclaration de guerre dont les futurs girondins sont partisans, mais dont il prévoit les conséquences funestes. Élu à la Convention, il est l'homme le plus écouté du Club des jacobins et des sans-culottes parisiens, il participe à la lutte contre les girondins éliminés le 2 juin 1793, et devient l'un des membres les plus influents du Comité de salut public, cheville ouvrière du gouvernement révolutionnaire. A ce titre il contribuera à frapper successivement les hébertistes dont il désapprouve les excès, et les indulgents menés par Danton. Après la chute des factions, au printemps 1794, le vote des lois d'exception qui durcissent la répression le fait tenir, pour bonne part injustement, pour le responsable de la Terreur. Malade, épuisé, il se persuade d'être le seul à défendre la vraie Révolution.

C'est ainsi qu'il combat la déchristianisation, et qu'il est à l'initiative du culte de l'Être suprême. La fête de l'Être suprême, en juin 1794 (20 prairial an II), marque son triomphe et le début de sa perte. Une coalition se noue contre lui à la Convention, entre les représentants en mission terroristes rappelés de province et les modérés. Robespierre affronte ses adversaires en deux discours maladroits, le 8 thermidor an II. On le décrète d'arrestation, ainsi qu'un petit groupe de fidèles, de Couthon à Saint-Just. Une réaction de la Commune de Paris, confuse et inorganisée, les délivre momentanément, mais la Convention, qui met hors la loi Robespierre et ses amis, triomphe. La mâchoire brisée par le coup de pistolet d'un gendarme, il sera conduit à l'échafaud le 10 Thermidor.

• Jean-Marie Roland (1734-1793) et Jeanne-Marie Roland, née Phlipon (1754-1793)

Rien ne semblait devoir conduire un important notable de la région lyonnaise et la fille, beaucoup plus jeune, d'un graveur de la place Dauphine à Paris, à un destin commun. Mais il se trouve que la fille unique de ce graveur, Jeanne-Marie Phlipon, est difficile dans le choix de ses soupirants. De son côté, l'inspecteur général des manufactures, Jean-Marie Roland, auteur d'un énorme dictionnaire des manufactures en France, montre une forte tendance à devenir un vieux garçon. Ils se rencontrent chez elle à Paris et, s'ils sympathisent dès ce moment, ce n'est pas le coup de foudre. Il repart pour de grands voyages jusqu'en Italie, ils s'écrivent, hésitent et vivent de longues « fiançailles », avant de se marier enfin en février 1780. Leur attachement est solide, mais sans passion. Jeanne-Marie devient pour son mari une collaboratrice constante ; il l'introduit dans la société de province, où elle atteint une condition sociale supérieure. Ils s'entendent pour les idées essentielles : le rousseauisme, la dénonciation des privilèges, et l'appétit d'un changement de société.

La Révolution les trouve dans leur petite propriété du Clos de la Platière, en Beaujolais, et leur participation aux événements se cantonne d'abord à Lyon, que Roland quitte seulement en 1790, pour aller défendre en haut lieu des travaux de la municipalité. Les voici de nouveau tous deux à Paris, où ils se lient avec une partie des animateurs de la Révolution, et où Jeanne-Marie tient un salon « républicain », qui va devenir l'un des plus importants du moment. Quand on cherche un ministre de l'Intérieur d'une droiture évidente et d'une grande puissance de travail, c'est Roland que l'on présente à Louis XVI, mais c'est elle qui rédige le plus clair de sa correspondance. Pendant quelques mois, elle joue un rôle de premier plan.

Renvoyé en même temps que les ministres girondins, Roland revient au pouvoir après le 10 Août, mais est cruellement marqué par les massacres de Septembre qu'il n'a pu empêcher. Il démissionne avant même le procès du roi, et demeure à Paris pour pouvoir rendre ses comptes à la Convention. Entre-temps, les montagnards lui reprochent vivement d'avoir inventorié seul le contenu de la fameuse armoire de fer découverte aux Tuileries, et l'accusent d'avoir dissimulé des documents compromettants pour ses amis girondins. En mai 1793, à la chute de ceux-ci, il part se réfugier en Normandie, mais sa femme s'obstine à rester à Paris en toute bonne conscience, liée par un amour passionné avec l'un des chefs girondins, Buzot. Arrêtée, elle montre une grande dignité devant le Tribunal révolutionnaire et jusqu'à l'échafaud, le 8 novembre. Trois jours plus tard, apprenant cette mort, Roland se suicide à coups de canne-épée dans la campagne normande.

• Louis Antoine de Saint-Just (1767-1794)

A vingt-trois ans, un jeune Picard engagé dans l'action politique locale pour secouer les coutumes ancestrales et les privilèges des notables du Soissonnais, mais qui est sans appui et sans référence, écrit à Robespierre, député d'Arras à la Constituante, le 19 août 1790 : « Vous qui soutenez la patrie chancelante contre le torrent du despotisme et de l'intrigue, vous que je ne connais, comme Dieu, que par des merveilles, je m'adresse à vous, Monsieur, pour vous prier de vous réunir à moi pour sauver mon triste pays. » Cette lettre paraît si originale à Robespierre, qui en recevait pourtant beaucoup, qu'il la gardera dans ses papiers. Ainsi commence l'une des plus grandes amitiés de la Révolution.

Il faudra attendre plusieurs mois avant qu'elle ne se concrétise. Le jeune âge de Saint-Just le cloue sur place dans la petite maison héritée de son père à Blérancourt ; il ne peut légalement se présenter aux suffrages pour l'Assemblée législative, malgré l'ascendant certain que ce jeune homme de feu glacé possède sur ses concitoyens. D'autre part, Robespierre, pas plus que les autres constituants, ne figure dans la Législative. Ils se retrouvent tous deux dans la Convention.

Énigmatique, froid, entièrement voué à la politique comme à une religion, très vite lié quotidiennement, ou presque, à Robespierre et aux montagnards les plus affirmés, il s'impose en quelques semaines par une éloquence incomparable, due à ce laconisme sans lequel, écrit-il, on ne gouverne pas, et qui tranche sur la verbosité ambiante. Son discours à propos du procès du roi pose le débat en termes draconiens et contribue, plus que d'autres, à la condamnation de Louis XVI. Il entre au Comité de salut public, où sa puissance de travail et sa rigueur lui feront rapidement confier des responsabilités de premier plan, et des missions aux armées. Il commence un va-et-vient incessant entre Paris et les champs de bataille, sur lesquels il passera cent quarante-six jours.

De retour à Paris, il se trouve au cœur des débats de l'an II, et se montre, toujours avec Robespierre, Couthon, Lebas, impitoyable aussi bien contre les hébertistes que contre les indulgents. Il a encore le temps de repartir à Strasbourg et en Belgique, où il couche dans son manteau comme les soldats ; il est l'artisan de la victoire de Fleurus. Mais quand il revient à Paris aux premiers jours de Thermidor, il constate un décalage qui lui paraît insupportable entre la pureté de la guerre aux armées et la dégradation de la situation parisienne. Il s'effraie de la rupture consommée entre Robespierre, enfermé dans sa solitude, et la majorité des membres du Comité de salut public. Au 9 Thermidor, il reste loyalement solidaire du dieu de ses vingt ans, est arrêté avec ses amis, et se rend sans illusion, avec eux, à l'Hôtel de Ville, où ils retombent aux mains de leurs adversaires. Proclamé hors la loi, il se laisse guillotiner sans prononcer un mot.

• Emmanuel Joseph Sieyès (1748-1836)

Né à Fréjus, dans une famille nombreuse et besogneuse, Sieyès a pour premier combat de parvenir à obtenir au moins un quelconque état religieux qui lui assurera l'indépendance, malgré son absence totale de religiosité. La protection de son évêque lui permet de passer par le collège de Saint-Sulpice, où il se montre si doué qu'il en sort prêtre en 1772. Son caractère est déjà dessiné : beaucoup de hauteur et de quant-à-soi, une indifférence chronique à l'égard des femmes, un grand appétit d'érudition, politique et philosophique, qu'il rêve d'utiliser pour remodeler la société.

Adjoint de l'évêque de Tréguier, Mgr de Lubersac, il joue vaguement le rôle de vicaire général, avant de le suivre à Chartres, pour y devenir, vraiment cette fois, titulaire de ce poste. Il s'acquitte scrupuleusement des fonctions administratives inhérentes à sa fonction, et se fait connaître comme un théoricien de valeur dans les assemblées locales de l'Orléanais. Il se distingue dès le début de la Révolution : dans le flot des brochures suscitées par la proche réunion des États généraux, il atteint à la célébrité, à propos de la querelle entre le vote « par ordre » ou « par tête », grâce à sa formule percutante qui résume bien le problème : « Qu'est-ce que le tiers état ? Tout. Qu'a-t-il été jusqu'à présent dans l'ordre politique ? Rien. Que demande-t-il ? A devenir quelque chose. »

Dès ce moment, Sieyès fait figure de prophète et d'augure du tiers état, bien qu'il soit élu par le clergé de Paris aux États généraux. Médiocre orateur, mais sachant distiller ses interventions et ne s'inféoder à aucune coterie, il possède une réelle influence dans les débats de l'Assemblée constituante et c'est lui qui, le 17 juin 1789, l'amènera à se proclamer « Assemblée nationale ». Certains prévoient pour lui un poste important au gouvernement, mais il se tient en retrait, tout en participant, comme consultant, aux divers travaux des assemblées. Cela lui vaut, à la Convention, de rester à l'écart des secousses de la Terreur, et de jouer un rôle croissant dans les dernières années du Directoire. Vers la fin du siècle, la plus haute ambition l'envahit : il rêve d'appliquer à la France le système compliqué de gouvernement qu'il médite depuis longtemps. Pour cela, il lui faut, comme on dit alors, « s'appuyer sur un sabre », et il se rallie à Bonaparte, vainqueur en Italie. Quand celui-ci revient d'Égypte, Sieyès l'aide plus que tout autre à prendre le pouvoir le 18 Brumaire. Il espère bien le partager avec le Premier Consul dont la charge a été créée, d'après son projet, par la Constitution de l'an VIII, mais celui-ci le relègue rapidement dans une retraite dorée, avec quelques ménagements.

Fidèle à ses idéaux, Sieyès ne se rallie ni à l'Empire ni aux Bourbons ; il est trop fatigué en 1830 pour jouer un rôle autre que décoratif dans les premières années de Louis-Philippe. Il meurt à Paris en juin 1836.

• Charles Maurice de Talleyrand-Périgord (1754-1838)

Héritier d'une des dynasties nobiliaires les plus célèbres de France, Talleyrand était promis à une carrière militaire, mais une infirmité de la petite enfance le rend boiteux, et il doit s'orienter vers l'état ecclésiastique. Il fait son séminaire à Saint-Sulpice, et, à peine ordonné prêtre, à vingt ans, perçoit les bénéfices de l'abbaye de Saint-Denis. A Paris, il mène une vie de jouissances et de prestige où la religion prend peu de place.

En 1780, agent général de l'assemblée du clergé de France, il commence à jouer le rôle politique dont il rêve. En 1789, il est évêque d'Autun, pendant quelques mois. Député aux États généraux, il s'impose par son intelligence, sa séduction, son absence de scrupules. Cela lui permet de déposer, en octobre 1789, la proposition de nationalisation des biens du clergé, seul moyen de renflouer les finances de la France, et qui se traduira par la vente des biens nationaux.

14 juillet 1790 : il célèbre au Champ-de-Mars la grand-messe de la fête de la Fédération. Ce sera aussi sa dernière messe. Quelques mois après, il est le premier évêque à soutenir la Constitution civile du clergé, et procède au sacre des premiers évêques assermentés ; condamné par le pape, et non croyant depuis longtemps, il revient à l'état laïque. Quand la situation se durcit à partir du printemps 1792, il se fait confier par le gouvernement une mission diplomatique à l'étranger, mais en réalité émigre à Londres, puis en Amérique, d'où il revient en 1796, pour devenir ministre des Affaires étrangères du Directoire. Trop avisé pour participer au déclin de celui-ci, il se lie à Bonaparte, à son retour d'Égypte, et re-

çoit, en 1799, le ministère des Affaires étrangères, où il obtient deux beaux succès : la paix d'Amiens avec l'Angleterre, et le Concordat, qui permet au pape de régulariser sa situation.

Il entretient des rapports conflictuels, mais souvent serviles, avec l'empereur, fasciné par son intelligence, mais qui méprise son absence de moralité. Talleyrand en profite pour accumuler les honneurs et les richesses, jusqu'en 1808, quand désespérant de modérer Napoléon dans sa politique militaire, il se tourne vers le tsar et se vend à lui sans complexe. En 1814, sa position au Sénat lui permet de faire proclamer la déchéance de Napoléon, de faire rappeler les Bourbons sur le trône et de revenir aux Affaires étrangères pour servir Louis XVIII. Au congrès de Vienne, il déploie ses meilleurs talents pour jeter les bases d'une entente entre la France, l'Angleterre et l'Autriche, contre la Prusse et la Russie. Après la seconde Restauration, chassé du gouvernement par les ultra-royalistes, il s'efface jusqu'en 1830, où Louis-Philippe le nomme ambassadeur à Londres.

Il meurt en 1838, richissime, couvert d'honneurs... et réconcilié avec l'Église.

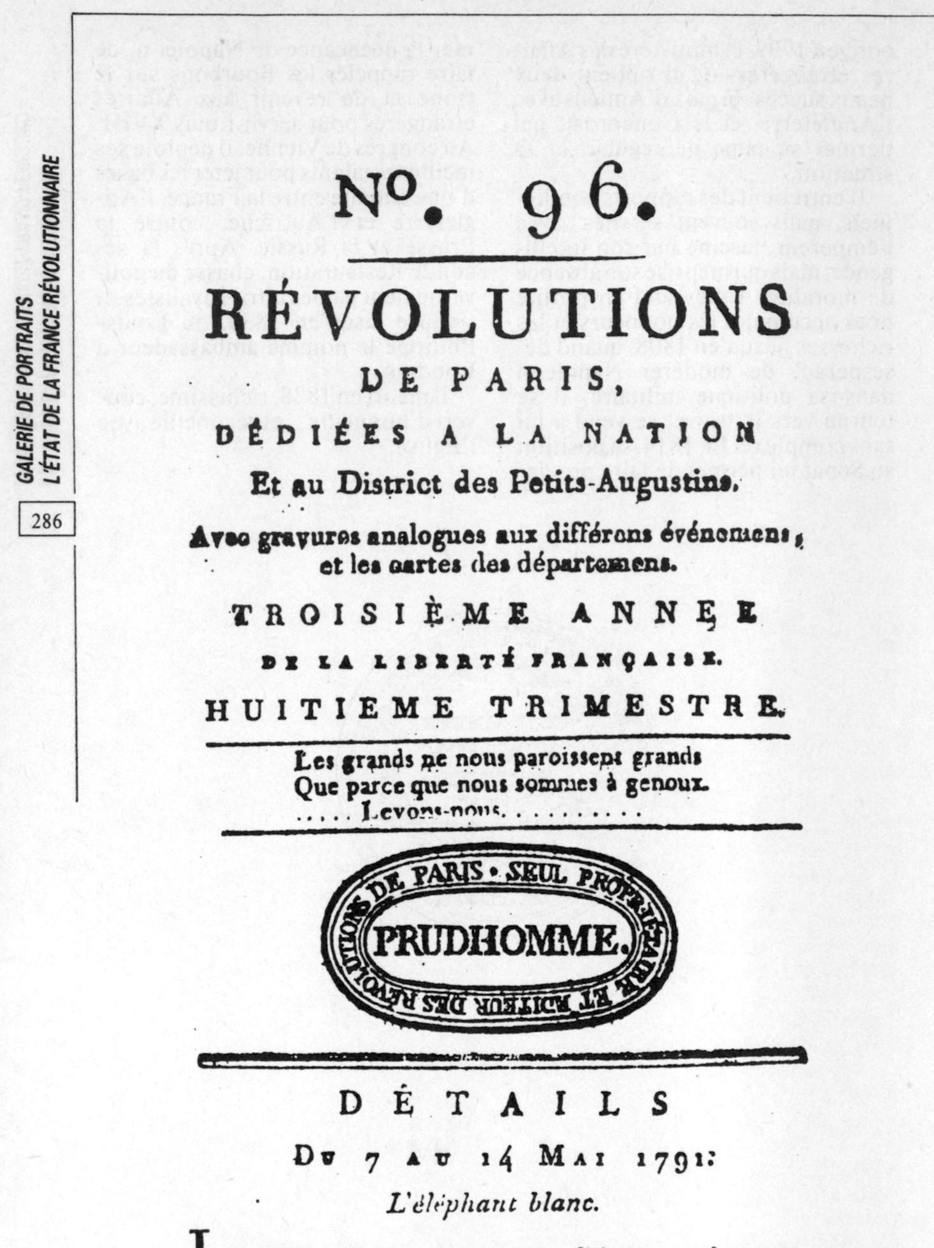

N°. 96.

RÉVOLUTIONS
DE PARIS,
DÉDIÉES A LA NATION
Et au District des Petits-Augustins.

Avec gravures analogues aux différens événemens, et les cartes des départemens.

TROISIÈME ANNÉE
DE LA LIBERTÉ FRANÇAISE.
HUITIEME TRIMESTRE.

Les grands ne nous paroissent grands
Que parce que nous sommes à genoux.
..... Levons-nous. ....

DÉTAILS
Du 7 au 14 Mai 1791.

L'éléphant blanc.

LE Siamois est un peuple d'Asie, esclave et idolâtre ; on n'est guère l'un sans l'autre. Il a eu successivement pour maître, dans ces derniers

N°. 96. A

L'ÉCONOMIE

Un « take-off » brisé ?

La Révolution a-t-elle été une catastrophe économique ? La question n'est pas neuve ; trois ans à peine après le 18 Brumaire, on la posait déjà. Entre les années 1720 et 1780, le royaume a connu une croissance vraie, qui n'était pas une récupération, mais un bond en avant. Pour ne prendre qu'un indicateur, le commerce extérieur quintuple, ou peu s'en faut, pendant cette période. Les progrès de l'agriculture se lisent dans l'essor démographique. Quant à l'industrie, dans son secteur le plus novateur, le coton, elle semble animée d'un dynamisme peut-être tardif – il date des années 1760 – mais plus vif encore que celui du rival anglais. Il n'est pas jusqu'à la première coulée de fonte au coke, réalisée au Creusot en octobre 1785, qui ne soit promesse de modernité. Qu'est-elle devenue, quinze ans plus tard, dans la tourmente ?

Les promesses de modernité

L'agriculture – pour le peu dont on est sûr – n'a pas connu d'amélioration sensible. La guerre l'a privée d'hommes et de bêtes, or c'est encore, et pour longtemps, l'investissement de travail qui peut faire la différence. La croissance des rendements, qui est une affaire de long terme, a sans doute atteint un palier. En revanche, les cultures ont gagné du terrain. Cette extension n'est pas récente ; elle a commencé vingt ans sans doute avant la Révolution. Mais celle-ci l'amplifie, la systématise : élites et paysans s'accordent pour y voir la solution. Défrichés, asséchés, les espaces vagues, malsains ou réputés tels, sont convertis en cultures avec les encouragements des autorités. Par-delà les variations des récoltes, il y a gain net de production céréalière. Mais cette conquête est marginale, par rapport aux grandes questions – rythmes de culture, types de fumure – qui déterminent les progrès à venir. Bien plus, elle risque d'être illusoire, si l'on fait la balance des investissements et des rendements, dangereuse même, en restreignant les terrains de parcours. Il faudrait enfin s'interroger sur les conséquences écologiques de cette rage de mise en culture. Elle se fit parfois au détriment de terrains boisés de montagne, provoquant rapidement des glissements et des inondations. Le choix progressiste du développement de l'élevage, grâce à des prairies artificielles, et de l'amélioration consécutive des rendements céréaliers avait été fait avant la Révolution, entre autres en Normandie. Cette agriculture intensive et commerciale marque le pas. En revanche, la crise a visiblement hâté l'adoption de la pomme de terre par les consommateurs populaires.

L'industrie textile traditionnelle (lin, laine) sort meurtrie de la crise. Des régions entières (le Maine, la Bretagne) sont touchées ; les quantités produites s'effondrent : le recul de la laine, entre 1790 et 1795, va, selon les régions, du tiers à la moitié. Mais le secteur pilote, celui du coton, fait mieux que résister. En un sens, son dynamisme est paradoxal : l'économie de guerre, qui perturbe gravement l'approvisionnement en matière première, aurait pu l'étouffer. Or, dans ses pôles principaux, Paris, Rouen, l'Alsace, la région lilloise, cette industrie semble, en 1792 comme en 1796, poursuivre son expansion. Les filatures s'équipent de mule-jennies ; à Wesserling comme à Jouy, l'indiennage tient bon, malgré les tempêtes monétaires. Les capitaux et le savoir-faire continuent d'être attirés par cette activité pionnière. La prohibition des toiles anglaises provoque une poussée de fabrication autochtone. Au demeurant, les barrières ne sont pas infranchissables ; Oberkampf utilise son réseau de correspondants européens pour obtenir, via Hambourg, ce dont il a besoin. Des techniciens anglais sont restés en France, de gré ou de force, et aident à la mise en place des nouvelles machines. Les autorités enfin, en cédant à bas prix des couvents aux entrepreneurs cotonniers, leur font faire consciemment une économie de capital fixe. Du bon usage des biens nationaux urbains...

On ne pourra trouver dans la sidérurgie les prémices d'un semblable décollage. Le Creusot, d'abord, usine emblématique de la révolution technique, est un échec. Peu importe, au fond, les raisons de cette mésaventure. Elle confirme la prudence des maîtres de forges, peu soucieux d'innover, du moins de façon aussi radicale. Cependant, il y aurait erreur de perspective à croire que rien ne bouge dans ce domaine. Les techniques de l'acier s'améliorent, par exemple. La hausse brutale du coût du bois oblige à des recherches d'économie dans toute la chaîne du combustible, de la carbonisation à la consommation des fourneaux et des forges. A l'égard de l'innovation en sidérurgie, les autorités révolutionnaires ont une attitude ambivalente. D'un côté, elles souhaitent passionnément aider au changement et y contribuent en s'associant, par exemple, des savants comme Clouet ou Vandermonde. De l'autre, elles exercent une telle pression en faveur d'une production massive et d'une multiplication des ateliers qu'elles handicapent, par ce harcèlement, toute velléité d'innovation. En outre, les vraies transformations ne sont pas mûres ; l'expérience du Creusot semble bien prématurée. Ni le marché ni, depuis la guerre, la concurrence anglaise, ne stimulent les entrepreneurs. Il faut convenir aussi que des changements en grand impliquaient de lourds investissements et une connaissance fine des procédés à mettre en œuvre, toutes choses qui faisaient défaut. Sans forcer le trait, on dira volontiers que, dans ce passage à la modernité, le fer et le coton, en France, s'opposent terme à terme.

Réalité du « décollage » ?

La Révolution a interrompu une croissance ; les meilleures performances, sous le Directoire, n'excèdent guère les niveaux atteints dix ans plus tôt. A-t-elle cassé un développement ? Ce que l'on a dit de l'agriculture laisse penser que le « décollage » n'était pas en cours. La France allait-elle rattraper son « retard » sur l'Angleterre, comme l'accélération de sa croissance au

XVIIIe siècle pourrait le faire croire ? Il est vain de se livrer à un exercice d'histoire-fiction. Deux remarques, cependant. Les niveaux décisifs, en matière de production industrielle, sont ceux que l'on rapporte à chaque habitant et non à la population globale. A ce compte-là, la France était encore loin de l'Angleterre. D'autre part, le décollage s'exprime certes dans des chiffres, que ce soit des cotonnades ou des machines à vapeur, mais, fondamentalement, il est le résultat d'une structure sociale (capacité d'achat du marché intérieur, poids des villes, etc.), d'un système culturel (qui suscite et stimule les inventeurs). Sur ce point non plus, la France de 1789 n'était pas assez avancée.

L'économie se coule souvent mal dans la chronologie politique. Il ne faut pas attendre de césure évidente qui ajusterait production et échanges à la décennie révolutionnaire. Un cycle d'Ancien Régime s'achève en 1791, un cycle « directorial » se poursuit jusqu'en 1801. La conjoncture des deux premières années de la Révolution est dominée par les effets cumulés de « l'intercycle de contraction » (1778-1787) et de la crise politique qui a suivi. La foire de Beaucaire, en 1790, est maussade, comme celle de Châlons, où se retrouvent les marchands de fer : la crise précédente a mis à mal les trésoreries paysannes. Mais déjà un nouveau cycle s'établit. La hausse des prix reprend, facteur de vie chère et, à nouveau, de troubles. Elle n'est cependant pas aussi violente qu'en 1789 ; elle prend son origine dans l'inflation de l'assignat plus que dans de médiocres récoltes. L'abondance monétaire incite les entrepreneurs à anticiper ; c'est l'heure des investissements. La reprise est cassée par la conjonction de malheurs politiques et militaires. La dépréciation de l'assignat (il a perdu un tiers de sa valeur, à l'automne 1792) tue le crédit. Les capitaux se cachent ou se placent en biens nationaux. La guerre imposera bientôt une économie dirigée, fondée sur la taxation, la réquisition et la fermeture des frontières. Tous les ports, du Havre à Marseille, qui sont à la fois des témoins et des acteurs de croissance, ressentent en même temps la fin du beau XVIIIe siècle. Désormais, le politique commande tout, la monnaie, les produits, les prix. Cette hégémonie, qui brouille pour nous l'observation de l'économie, est en partie illusoire. En effet, malgré l'énergie déployée, l'administration des hommes et des biens est encore lacunaire. La fraude, la contrebande ou plus simplement l'autarcie enrayent la mécanique dans le détail de son application ; l'économie et la société françaises sont encore trop segmentées. L'essentiel, pourtant, est obtenu : ravitailler les villes, équiper et nourrir les troupes.

Une nouvelle carte économique

Sortie de l'économie dirigée, sinon tout à fait de l'économie de guerre, la France connaît une période de forts contrastes économiques. Ainsi, de l'automne 1797 à l'été 1799, par exemple, les soubresauts politiques ne parviennent pas à gâcher l'embellie économique. Sans doute faut-il y voir une récupération modeste après les désastres précédents. Dans les mines comme dans la sidérurgie, les niveaux de production de 1791-1792 sont rejoints. Des projets industriels voient le jour ; la première exposition nationale de produits manufacturés, en 1798, symbolise l'époque, avec François de Neufchâteau, son initiateur. La reprise n'a duré que deux étés. La récolte exécrable de 1799 déclenche la crise finale du Directoire. En cela, cette dernière phase obéit à la logique d'une économie à dominante agraire. Au-delà de ce schéma convenu, la politique reprend ses droits. La crise du régime décourage les capitalistes, tandis que les défaites militaires, avec le spectre d'un retour au dirigisme, achèvent de les inquiéter. Mais ni les victoires ni la prise du pouvoir par Bonaparte ne suffiront à rétablir les équilibres économiques ; il y faudra encore deux ans.

BIBLIOGRAPHIE

BERGERON L., *Banquiers, négociants et manufacturiers parisiens du Directoire à l'Empire*, Mouton, Paris-La Haye, 1978.

LABROUSSE E., *Esquisse du mouvement des prix et des revenus en France au XVIIIe siècle*, 1933.

LABROUSSE E., « Éléments d'un bilan économique. La croissance dans la guerre », *Le Bilan du monde en 1815. Rapports. I : Grands thèmes*, p. 473-497, XIIe Congrès international des sciences historiques, Vienne, 1965.

PERROT J.-C., « Voies nouvelles pour l'histoire économique de la Révolution », *Colloque Albert Mathiez-Georges Lefebvre (Paris, 1974)*, 1978.

RICHARD C., *Le Comité de salut public et les fabrications de guerre sous la Terreur*, Rieder, Paris, 1922.

A l'issue de la Révolution, une nouvelle géographie économique se dessine, qui tranche sur celle qui prévalait dix ans plus tôt. On a dit la prospérité des façades maritimes avant l'entrée en guerre. Elles ressentiront durement les conséquences du conflit ; perte des colonies, principalement de Saint-Domingue, diminution radicale de la part des ports dans les échanges. Tout un arrière-pays industrialisé, qui travaillait par et pour ces marchés, se trouve en péril de « ruralisation ». En revanche, la plus grande partie de la France tire le centre de gravité industriel et commercial vers un axe rhénan. Les marchés urbains, les entrepreneurs dynamiques, la culture du travail industriel sont désormais là. Ce sera dans ce contexte favorable que les départements belges annexés entameront sous l'Empire leur révolution industrielle. Enfin, Paris. Certes, la « grand-ville » n'était pas dépourvue d'industrie en 1789. Tout un peuple d'ouvriers et d'artisans y travaillaient le bois, le fer, le cuir et, déjà, le coton. A Chaillot, on fabriquait des machines à vapeur. Rien de comparable avec l'impulsion que la Révolution va donner au Paris industriel du XIXe siècle. Le coton, la mécanique, la chimie, trois branches majeures, s'y installent résolument. Centre d'échanges aussi, Paris a su l'être, à la faveur de l'économie dirigée. La capitale gardera la place éminente que la Révolution lui a donnée.

Denis Woronoff

Libéralisme et dirigisme

Comment situer les politiques économiques proposées ou pratiquées durant la Révolution par rapport à ces deux notions – le libéralisme et le dirigisme – apparues après elle, l'une au début du XIXe siècle, l'autre un siècle plus tard ? Et pourtant, dans une large mesure, nous devons la problématique qui sous-tend leur emploi à la Révolution ; car elle vit l'éclosion de la liberté économique dans les discours, et partiellement dans les institutions.

Les discours du « laissez-faire » étaient très loin de créer l'unanimité dans les années qui précédèrent la Révolution. La formule : « Laissez faire, laissez passer », généralement attribuée à l'intendant du Commerce Gournay, mort en 1759, n'a pris d'importance qu'à travers l'audience qui fut celle des physiocrates jusqu'à la fin du XVIIIe siècle. Ces premiers « économistes » songeaient d'abord à la liberté de circulation des grains et à leur libre exportation ; la pleine concurrence entre les travailleurs, comme entre les négociants et les manufacturiers de l'intérieur du royaume, était généralement conçue comme le moyen non de les enrichir, mais, au contraire, de réduire au plus bas les salaires des uns et les profits des autres, le but étant de satisfaire au plus bas prix les besoins de l'agriculture, considérée comme la vraie source de toutes richesses.

Liberté du commerce ou changement d'échelle ?

Turgot, acquis à leurs vues, en avait dirigé entre 1774 et 1776 une brève expérimentation (libre circulation des grains et suppression des jurandes ou communautés de métier). Après sa disgrâce, le « laissez-faire » resta un thème d'école dont s'inspira parfois un gouvernement aux abois : en 1786, en particulier, lorsqu'il conclut avec l'Angleterre un traité de commerce qui mettait fin à la plupart des prohibitions. Malgré le maintien de tarifs protecteurs élevés, ce pas timide dans la voie du libre échange souleva un tollé chez les négociants et encore davantage sur les places manufacturières du royaume. A la veille de la Révolution et dans ses premiers mois, les entrepreneurs les plus dynamiques réclamaient une protection solide du marché formé par la France et ses colonies, dont le principe de l'exclusif faisait une chasse gardée. En matière industrielle, beaucoup semblaient acquis au dispositif que Necker avait essayé de mettre en place à partir de 1779 : combinaison éclairée d'une réglementation « colbertienne », harmonisée dans l'ensemble du royaume, et d'un libre recours au réservoir de main-d'œuvre à bon marché des campagnes.

La Révolution réalisa avec beaucoup de continuité l'unification du marché national. La libre circulation des grains fut rétablie en principe dès la fin de l'été de 1789 et le nouveau cadre de l'activité économique se dessina vraiment avec la suppression des douanes intérieures (les « traites ») et le « reculement » des barrières douanières qui, à dater du 5 novembre 1790, coïncidèrent avec la frontière politique. L'Assemblée constituante conduisait ainsi à son achèvement un processus que la monarchie avait entamé dans les décennies précédentes, en réduisant par exemple le nombre des péages, et qui allait se poursuivre avec la suppression des octrois (1er mai 1791) et, œuvre de plus longue haleine, l'unification du système des mesures.

Toutefois la libre circulation des grains s'arrêtait aux frontières et le tarif douanier établi en mars 1791, loin de marquer l'adoption de ce que le négociant havrais Begouën appelait « le système sinistre de la liberté », consacrait la dimension nouvelle du marché : le royaume était solidement protégé par des droits et des prohibitions modulés en fonction des exigences de la production intérieure, le secteur textile se retrouvant par exemple beaucoup mieux préservé de la concurrence qu'à la veille de la Révolution. La nouvelle organisation trouvait son prolongement dans une redéfinition de l'exclusif colonial : suppression des compagnies de commerce à monopoles, et accès aux colonies presque égal pour tous les ports du royaume. Mais cela se fit contre la volonté des planteurs. Celles-ci constituaient plus que jamais le domaine réservé du commerce français.

Pragmatisme et esprit de système

Pour le reste, dans ce cadre renouvelé, l'acuité des luttes sociales, la guerre, la révolte de Saint-Domingue déterminèrent des politiques contradictoires qui rendent d'autant plus surprenante la progression continue, dans les discours, des thèmes de la liberté économique. Même à l'intérieur du pays, les gouvernants eurent bien du mal à maintenir le principe de la liberté du commerce des grains jusqu'à la fin de l'été 1792. La flambée

BIBLIOGRAPHIE

Textes

SCHMIDT C., *Le Commerce ; instruction, recueil de textes et notes,* Leroux, Paris, 1912.

SCHMIDT C., *L'Industrie ; instruction, recueil de textes et notes,* Leroux, Paris, 1910.

Ouvrages de référence

BERGERON L., « L'économie française sous le feu de la révolution politique et sociale », in P. LÉON, *Histoire économique et sociale du monde,* t. 3, Armand Colin, Paris, 1978.

HIRSCH J.-P., *Les Deux Rêves du commerce. Entreprise et institution dans la région lilloise (1780-1860),* à paraître.

SOBOUL A., « Le choc révolutionnaire, 1789-1797 », in F. BRAUDEL et E. LABROUSSE, *Histoire économique et sociale de la France,* t. 3, PUF, Paris, 1976.

périodique des prix détermina des émeutes ; la taxation du pain et des denrées de première nécessité fut revendiquée avec une vigueur croissante et entra, après le déclenchement de la guerre, dans le programme de Robespierre et des montagnards.

D'une lutte contre l'accaparement, le gouvernement révolutionnaire en vint à une véritable économie de guerre marquée par les réquisitions de grains, de matières premières, de fournitures militaires diverses, par le contrôle de la sidérurgie, une nationalisation des poudreries...

Sous la pression des sans-culottes enfin, fut mise en place la taxation : « Maximum » des grains et des farines, d'abord fixé en mai 1793 département par département, puis en septembre pour l'ensemble du pays ; Maximum général des prix et des salaires à partir du 29 septembre. Réponse provisoire sans doute à une conjoncture exceptionnelle. Mais, à cette puissante intervention étatique pour imposer le double maximum et l'assignat, correspondirent aussi des décisions moins conjoncturelles : ainsi les principes d'une législation sociale apparaissaient-ils dans la Constitution votée en juin 1793 ; selon l'article 21 de la Déclaration qui la précédait, « la société doit la subsistance aux citoyens malheureux, soit en leur procurant du travail, soit en assurant les moyens d'exister à ceux qui sont hors d'état de travailler ».

Rappel ou anticipation, de telles formules allaient cependant s'effacer derrière l'invasion des discours du laissez-faire. Leur usage ordinaire n'est-il pas apparu aux gouvernants comme la meilleure parade aux revendications sociales, plus susceptible de les désarmer que le maximum des salaires ?

La libre entreprise

Sa naissance fut pourtant difficile ; ce n'était pas seulement une machine de guerre contre les pratiques communautaires des campagnes ou la solidarité des métiers urbains ; son usage systématique heurtait aussi les milieux les plus dynamiques du commerce et de la manufacture, habitués à jouer sur plusieurs tableaux. Aussi bien fallut-il plusieurs années pour que cette logique l'emportât au moins dans la majorité des textes et des discours. Envisagée dès la nuit du 4 août 1789, la suppression des jurandes, des communautés de métiers, fut reportée jusqu'au 2 mars 1791 : c'est la loi d'Allarde qui disposa que désormais il serait « libre à toute personne de faire tel négoce ou d'exercer telle profession, art ou métier qu'elle trouvera bon ». Dès le 14 juin suivant, le bénéfice qu'une telle affirmation offrait aux employeurs apparut clairement lorsque la loi Le Chapelier en déduisit l'interdiction des coalitions. En revanche, beaucoup de négociants et de manufacturiers ne semblaient pas avoir prévu que les corporations entraîneraient dans leur disparition tout l'édifice des règlements de fabrication. Aussi résistèrent-ils longtemps à la loi du 27 septembre 1791 qui explicitait cette conséquence. Non sans succès.

Car c'est un imbroglio que la Révolution légua, en fait de politique économique, à la France contemporaine. Le temps des grands périls passés, peu après Thermidor, la « déréglementation » avait triomphé en principe : le maximum disparut le 24 décembre 1794. La loi du marché, la liberté économique semblaient tout emporter et allaient trouver leurs apologistes. Mais entrepreneurs, politiques, législateurs, quoique fort attachés à ces discours en ce qu'ils fondaient la « liberté du travail », se heurtaient aussi à trois exigences : l'exigence financière, d'où la Révolution était sortie, ne cessait de peser, inspirant par exemple en l'an VII le rétablissement des octrois pour de longues années ; l'exigence de paix sociale conduisait à composer au moins avec l'attachement des pays aux communaux et aux usages collectifs, et à interdire la vente des grains hors des marchés (loi du 29 septembre 1795) ; restait aussi, avec l'emballement nouveau des milieux d'affaires pour l'individualisme et la libre entreprise, leur attachement foncier aux protections, aux règlements et à leurs propres coalitions.

Jean-Pierre Hirsch

Monnaie et assignat

La France en 1789 disposait d'une monnaie apparemment de bonne qualité, de pièces d'or de forte valeur, les louis, de pièces d'argent plus courantes et de petite monnaie de billon en faible quantité. La circulation des effets de commerce à trois mois, endossables et escomptables, gonflait la masse monétaire. Néanmoins, il n'y avait pas de grande banque centrale pratiquant largement l'escompte et émettant du papier, la Caisse d'escompte à Paris ne travaillant qu'avec quelques gros négociants. Or le stock de numéraire était nettement insuffisant. Seconde faiblesse beaucoup plus grave : depuis la guerre d'Amérique, les finances royales étaient en déficit ; en 1788, il était d'environ 120 millions pour des recettes annuelles de 600 millions. Or depuis dix ans, les impôts avaient augmenté de plus de 30 %, alors que l'économie était en crise, et la dette avait plus que doublé, son service représentant plus de 50 % des dépenses.

La Caisse de l'extraordinaire

Comme des libelles divers et de nombreux cahiers de doléances l'avaient réclamé, l'évêque Talleyrand proposa à la Constituante, qui la vota le 2 novembre 1789, la nationalisation des biens du clergé afin que leur vente par l'État lui permette de rembourser la dette et de combler le déficit. Une « Caisse de l'extraordinaire » encaissera le produit des ventes et émettra des billets, les assignats, sorte d'obligations de forte valeur, 1 000 livres, portant un intérêt de 5 % et gagées sur les biens nationaux. Ils serviront à rembourser la Caisse d'escompte de ses avances à l'État et à garantir le nouveau prêt qu'elle consentira. Ils seront admis en paiement des biens nationaux et seront détruits à mesure de leur rentrée. Par ailleurs, la Caisse d'escompte, dont le capital sera doublé en faisant souscrire de nouvelles actions dans le public,

La dépréciation de l'assignat

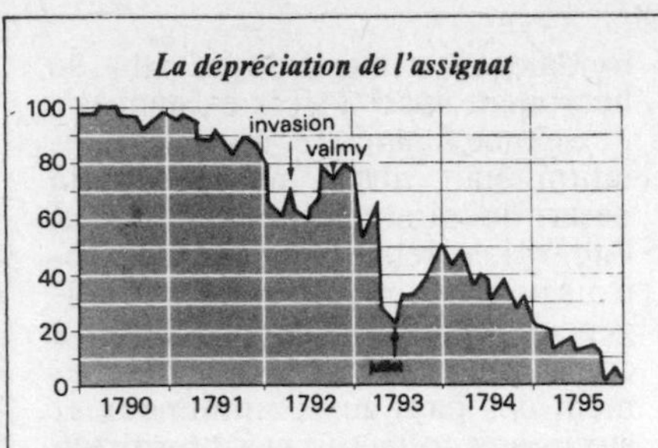

émettra des billets avec lesquels elle prêtera à l'État, billets qui seront reçus dans les caisses publiques. Le 21 décembre 1789, une émission de 400 millions d'assignats est décidée, dont 250 seront versés à la Caisse d'escompte qui fera une nouvelle avance de 80 millions, le reste servant à couvrir des engagements urgents. L'injection de ce papier contribue à ranimer la conjoncture, mais il se place mal car il entre en concurrence avec les billets nouveaux et les actions de la Caisse d'escompte. Surtout, le nouveau système fiscal étant lent à se mettre en place, l'impôt ne rentre pas et le déficit en 1790 et 1791 se creuse. Là est l'origine de l'échec, d'autant plus qu'avec la guerre en 1792, les besoins de l'État s'accroissent fortement, alors même que le commerce extérieur, source de numéraire, est en crise. En outre, la vente des biens nationaux se fait plus lentement que prévu et les annulations d'assignats tardent.

Dès le 29 septembre 1790, l'Assemblée doit décider une nouvelle émission de 800 millions en coupures de plus petite valeur, jusqu'à 50 livres, ne portant plus intérêt et ayant cours forcé. Cette fois, il s'agit d'une véritable monnaie, et à partir d'avril elle sert non seulement au service de la dette, mais aux dépenses courantes. En face de la valeur des biens d'Église, 2 à 3 milliards, les 1 200 millions n'ont rien d'exagéré, mais les émissions vont s'accélérer dans les années suivantes : 900 millions contre 355 détruits en 1791, 600 millions avec des coupures allant jusqu'à 10 sous en 1792, jusqu'à la réunion de la Convention, 2,4 milliards sous les girondins qui suppriment la Caisse de l'extraordinaire devenue inutile, encore 700 millions en juin 1793. En août 1793 il circule au moins 3,7 milliards.

L'extraordinaire dévaluation

Une création aussi rapide ne pouvait que déprécier l'assignat. Le billet de 100 livres, à l'été 1792, n'est plus reçu que pour 80 en argent ; 60, au début de 1792 ; 50, au début 1793 et 30 à l'été de la même année. En même temps, le numéraire se cache et les vendeurs n'hésitent pas à exiger d'être payés en pièces, ce qui accélère la chute du papier et pèse sur les salariés rémunérés en assignats. Pour freiner la baisse du billet, on impose de passer tous les marchés de l'État en papier-monnaie, et on interdit la vente du numéraire et la pratique du double prix en assignats et en pièces (3-11 avril 1793). Cependant, les girondins, comme les feuillants auparavant, se refusent à réquisitionner les espèces, ce qui permet le trafic du métal. Marat et les robespierristes ont pourtant à plusieurs reprises demandé l'arrêt de l'émission du papier.

La dictature montagnarde suit partiellement leur conseil. Le secret est mis sur la fabrication des assignats confiée au Comité de salut

BIBLIOGRAPHIE

BRAESCH F., *Finances et monnaie révolutionnaire,* Maison du livre français, Paris, 1937.

CIANI P., *Les Monnaies françaises de la Révolution à la fin du Premier Empire, 1789-1815,* Éd. Louis Ciani, Paris, 1931.

HARRIS S.E., *The Assignats,* Harvard University Press, Cambridge, 1930.

public, mais les émissions sont ralenties et des mesures draconiennes sont prises pour soutenir le cours. En même temps qu'est mise en place l'économie dirigée avec le Maximum, on retire 559 millions de billets anciens et on décide la peine de mort contre les auteurs de discours discréditant l'assignat (5 septembre 1793). Pour gonfler le stock de numéraire, l'argenterie et les cloches des églises sont réquisitionnées et des impositions en espèces levées sur les territoires étrangers occupés. La situation peut encore être redressée, d'autant plus qu'aux biens d'Église s'ajoutent comme biens nationaux, valant plus de 3 milliards, les biens des émigrés saisis systématiquement à partir du printemps 1793. L'assignat de 100 livres remonte alors de 30 à 50 en décembre, mais les pénuries dues à l'effort de guerre et de nouvelles émissions le ramènent à 35 en juillet 1795.

Avec les thermidoriens qui abandonnent les contrôles économiques pendant l'hiver 1794-1795 et, plus lentement, la fiscalité exceptionnelle sur les riches, le recours à la planche à billets devient intensif : la circulation de 5,5 milliards en mars 1794 s'élève à 11 en décembre, 16 en juillet 1795, 19 en novembre, l'assignat de 100 livres tombant à 3 en juillet 1795, et à 0,5 en novembre. Après avoir admis la spéculation sur le métal précieux en libérant son commerce et en rouvrant la Bourse (25 avril 1795), la Convention doit l'interdire dès la fin mai, mais elle admet la dévaluation du papier en autorisant l'établissement d'un cours officiel de l'assignat par rapport au numéraire (21 juin 1795). Elle pense à protéger les créanciers en interdisant les remboursements anticipés des dettes (13 juillet). L'effondrement du cours du billet conduit cependant l'Assemblée, puis le Directoire à tenter une politique d'assainissement : paiement obligatoire d'une partie des impôts en nature (20-25 juillet 1795), fermeture de la Bourse (novembre), emprunt forcé en nature (décembre) ; tout cela reste vain car les émissions continuent de plus belle.

Mandat territorial et « franc germinal »

Le 19 février 1796, lorsque l'assignat est abandonné, 34 milliards sont en circulation ; mais le 18 mars, le Directoire lance l'émission, pour 2 400 millions, d'un nouveau papier-monnaie à cours forcé, le mandat territorial, utilisable pour l'acquisition des biens nationaux ; les assignats peuvent être échangés contre ce billet à raison de 30 pour 1, ce qui est trop favorable aux premiers et dévalorise l'or. De plus, les biens nationaux sont vendus à des prix trop bas. Le nouveau papier voit donc aussitôt fondre sa valeur : le 20 avril, il a perdu 90 % de celle-ci ; le 17 juillet, le double cours des marchandises en mandats et en numéraire est reconnu ; le 31, il perd le cours forcé ; en décembre, il est retiré de la circulation et, le 4 février 1797, il est démonétisé. Il s'ensuit un effondrement des prix qui gêne les affaires pendant l'année 1796, car le numéraire est en quantité très insuffisante, une partie du stock national ayant été exportée avec l'émigration et la spéculation en 1791-1793.

Mais le commerce extérieur qui reprend en 1797 et, surtout, le pillage des territoires occupés assurent des rentrées de numéraire. L'amélioration de la situation fiscale fournit également des pièces à l'État. Avec les défaites et le désordre, 1799 est à nouveau difficile sur le plan monétaire. Depuis le 7 avril 1795, le franc et ses divisions décimales, comme unité monétaire, a été substitué à la livre tournois et au sou. Le Directoire frappe des pièces d'argent et de bronze portant la valeur en unités. L'or demeure très rare, et c'est la loi du 28 mars 1803 qui établit la définition du franc, le fameux « franc germinal », par rapport à l'or et à l'argent. L'activité bancaire reprend dès 1795, et la circulation des effets s'amplifie rapidement mais demeure un élément d'instabilité. La Révolution ne trouve la santé monétaire qu'avec le Consulat.

Guy Lemarchand

L'agriculture et le problème des subsistances

La France à la veille de 1789 est un pays d'agriculture relativement riche, qui couvre l'essentiel de sa consommation. Cependant, il importe de la laine et des cuirs du fait de l'insuffisance de ses troupeaux en qualité plus qu'en quantité. La technique agricole demeure archaïque, la jachère largement répandue, et l'élevage sans soin ni sélection. Le souci essentiel des populations reste le grain qui, sous forme de pain, fournit la base de l'alimentation. Certaines régions fortement peuplées sont déficitaires quoique productrices, telle la Picardie, d'autres ont surtout une production médiocre, comme le Midi méditerranéen. Nombre de ruraux, vignerons, journaliers ou artisans de l'industrie dispersée sont régulièrement acheteurs de céréales, car ils ne cultivent que quelques lopins ou n'ont aucune terre. La lenteur des moyens de communication rend souvent délicat l'approvisionnement des grandes villes, malgré la création des routes nouvelles au XVIIIe siècle.

Aussi le gouvernement, pendant la Révolution, essaya-t-il de stimuler l'agriculture. Ce fut d'abord le Comité de salut public qui incita les autorités locales à veiller à ce que toutes les terres soient ensemencées. Puis le Directoire ordonna une grande enquête statistique sur les méthodes et la production agricole (germinal an III). Particulièrement favorable à l'élevage, il fit importer quelques têtes de moutons mérinos pour améliorer la race. Mais les moyens financiers pour une grande politique d'incitation lui manquèrent. Il ne put que favoriser la reconstitution des sociétés d'agriculture. Les administrations de département soutinrent par la propagande la lutte contre les épizooties mais, elles non plus, n'eurent pas assez de fonds.

Cependant, l'essentiel des transformations, d'ailleurs réduites, que subit l'agriculture fut dû aux circonstances et non aux autorités. Les défrichements et la culture du blé progressèrent, encouragés par les hauts prix et la pression démographique. La viticulture fut favorisée par la vente de parcelles des biens nationaux aux petits paysans soucieux de boire leur vin. Les crises de subsistances développèrent la pomme de terre. La viande étant chère, la prairie artificielle continua de s'étendre lentement. Les moutons augmentèrent du fait du manque de laine étrangère, mais les chevaux diminuèrent à cause des réquisitions militaires.

Les troubles de subsistances

En fait, malgré ces progrès, le problème des subsistances, d'abord des grains, est resté l'un des grands soucis des gouvernements de la Révolution, aggravé par l'entretien d'une armée aux effectifs jamais atteints auparavant, par une inflation monétaire rapide et par la dégradation du réseau routier faute d'argent. La récolte de 1788 fut mauvaise, ce qui conduisit Necker, principal ministre, à interdire à l'automne l'exportation, à suspendre la liberté de circulation intérieure des grains et à organiser avec le négoce privé des importations de denrées en partie payées par l'État. Les producteurs durent à nouveau vendre uniquement au marché. Mais ces mesures n'empêchèrent ni la pénurie ni la spéculation. La cherté fut d'autant plus dure que l'hiver 1789 fut très froid, et que depuis 1787 sévissait une crise de chômage dans les industries, due à la concurrence des manufacturés britanniques dont l'importation s'était gonflée depuis le traité de commerce de 1786 avec l'Angleterre. Il s'ensuivit, en ville mais aussi à la campagne, des troubles particulièrement nombreux : émeutes de marché avec taxation ou pillage, visite en troupe dans les granges à la recherche du blé, arrestation de charettes ou péniches transportant des denrées. Avec la prépondérance de la bourgeoisie à la Constituante, le libéralisme triompha et la réglementation sur la circulation et la vente des grains fut abolie dès le 22 août 1789. Pourtant, le prix élevé et l'agitation durèrent jusqu'à l'été 1790, car la moisson de 1789 fut encore médiocre.

A partir de 1791, malgré de bonnes récoltes en 1791 et 1792, c'est la multiplication des assignats qui aggrave la hausse des prix, puis la guerre, en avril 1792, ajoute de nouvelles perturbations. On craint de plus en plus les manœuvres de la contre-révolution, et l'accapareur est assimilé à l'aristocrate. Les troubles de subsistances reprennent dès l'été 1791, la fuite à Varennes ayant partout répandu la méfiance. Cependant le gouvernement feuillant se refuse à la moindre intervention sur le marché, et, malgré les arrestations, arrive d'autant moins à rétablir l'ordre que la garde nationale pactise souvent avec l'émeute. Le péril national de l'été 1792 oblige pourtant la Législative à céder partiellement au mouvement populaire qui réclame la taxation des grains : le 16 septembre, elle autorise les départements à imposer à chaque commune la quantité de grain qu'elle doit fournir au marché public le plus proche (système de l'arrondissement). Mais les girondins font abroger cette loi le 8 décembre et à leur tour défendent le libéralisme intégral en faisant adopter dans le même texte la peine de mort contre ceux qui s'opposeront à la libre circulation des denrées. Cependant, à Paris et dans certaines villes, comme on l'avait déjà fait en 1789, la commune taxe le pain et paie une prime aux boulangers pour compenser le haut prix du blé ; cela pèse lourdement sur les finances municipales et celles de l'État, déjà médiocres.

Le Maximum général

Mais les incidents s'amplifient et les montagnards se rallient lentement aux revendications populaires. Le 4 mai 1793, ils font voter par la Convention le « premier Maximum » : les stocks doivent être recensés et le prix du blé sera fixé par chaque administration de département dans son ressort ; les districts reçoivent le droit de réquisition pour approvisionner les marchés de leur circonscription. Les girondins éliminés et les troubles continuant, l'Assemblée va plus loin : le 26 juillet, elle oblige à déclarer les stocks, en permet la saisie et punit de mort l'accaparement, c'est-à-dire la dissimulation des marchandises. Pour éviter les transports spéculatifs de grains d'un département à l'autre, le 11 septembre, un prix national du blé est imposé. Mais ces mesures improvisées sont mal appliquées par les administrations locales non épurées et fidèles au libéralisme, et la moisson de 1793 est à peine moyenne. La loi du 29 septembre, reprenant celle du 11, crée un « Maximum général » sur les prix de tous les produits (le prix de 1790 augmenté d'un tiers) et sur les salaires (150 % du salaire de 1790). Le rationnement apparaît localement, organisé par les municipalités. On surveille le battage des grains, qui est souvent dirigé par voie administrative. La situation est stabilisée un moment, mais la mauvaise récolte de 1794, la reprise de l'inflation et l'affaiblissement de l'appareil de contrôle, comités de surveillance et sociétés populaires, rendent le système impuissant après la chute des robespierristes.

La disette de 1795

Dominée à nouveau par les libéraux, la Convention abolit le Maximum le 24 décembre 1794, ce qui déclenche une formidable cherté, en partie spéculative, en 1795. La disette apparue au printemps 1795 et les prix élevés se prolongent jusqu'à l'été 1796, la récolte de 1795 étant

BIBLIOGRAPHIE

COBB R.C., *Terreur et subsistances,* Clavreuil, Paris, 1965.

DEJOINT A., *La Politique économique du Directoire,* Rivière, Paris, 1951.

FESTY O., « L'agriculture pendant la Révolution française », *Revue d'histoire économique et sociale,* Paris, 1950.

FESTY O., « La place de l'agriculture dans le gouvernement de la France sous le Directoire et le Consulat », *Revue d'histoire économique et sociale,* Paris, 1953.

LEMARCHAND G., *La Fin du féodalisme dans le pays de Caux, 1640-1795,* thèse d'État, Paris, 1986.

MATHIEZ A., *La Vie chère et le mouvement social sous la Terreur,* Payot, Paris, 1973 (2e éd.).

encore médiocre. Les thermidoriens et le Directoire sont obligés de maintenir près de deux ans les réquisitions, l'arrondissement et la réglementation du transport des grains, la liberté totale de circulation des denrées n'étant rétablie que le 9 juin 1797. Le gouvernement fait même procéder en 1795-1796 à des distributions de grains à bas prix obtenus par les contributions en nature, ce qui limite la crise de mortalité à Paris. Mais, confié à la fin de 1795 aux départements privés de moyens de contrainte et ne taxant pas la denrée, le système de contrôle et de répartition n'a guère d'effet. Provoquant encore une flambée de troubles, il laisse le peuple dans une grande misère. Ce sont les excellentes moissons de 1796 et 1797 ainsi que la déflation monétaire au printemps 1797 qui détendent la situation, d'autant plus que les salaires résistent à la baisse. La récolte de 1798 est inégale suivant les régions, celle de 1799 mauvaise, et les prix s'élèvent à nouveau. Le coup d'État de Brumaire se produit au milieu de cette inquiétude et prétend en partie y répondre.

Le problème des subsistances a fortement contribué à mobiliser les foules et à radicaliser la Révolution jusqu'à 1793. Il a entretenu la peur sociale dans la bourgeoisie et provoqué des ralliements au royalisme. La famine en 1795 a brisé le mouvement populaire, et, ensuite, le libéralisme économique et les bas prix ont facilité une certaine dépolitisation des masses.

Guy Lemarchand

La suppression du prélèvement seigneurial

En 1789, la quasi-totalité des terres utiles est soumise au régime seigneurial et celles qui y échappent et ne supportent aucune charge de cet ordre, les alleux, sont rares. Chaque seigneurie est composée d'une réserve que le seigneur possède en toute propriété et d'un ensemble de tenures généralement plus étendu dont les bénéficiaires, souvent perpétuels ou établis pour une longue durée, lui doivent diverses redevances et devoirs.

Une dépendance haïe

La composition et le poids de ces obligations varient beaucoup d'une seigneurie à l'autre. Chaque parcelle de tenure est soumise soit au cens en argent ou en nature, soit au champart, moins fréquent, consistant en une part de récolte variant du tiers au trentième, soit à une corvée de quelques journées de travail par an. La dîme ecclésiastique est aussi levée sur les récoltes et souvent sur le croît des troupeaux, ainsi que, parfois, la dîme des grains perçue par le seigneur. S'y ajoutent les droits casuels : léger prélèvement sur les successions dans quelques provinces, partout lods et ventes sur les mutations et banalité du moulin et du pressoir, c'est-à-dire obligation de recourir aux instruments du seigneur contre redevance. Certaines seigneuries perçoivent aussi des droits de marché et des péages. Souvent, enfin, la forêt et les terres pauvres en pâtis appartiennent au seigneur et ne sont accessibles que contre redevance.

Le poids de ces charges pour les droits annuels est inférieur à 2 % du revenu de la terre en Ile-de-France, mais atteint 10 % dans le Toulousain, la dîme enlevant encore 4 à 13 %. Pour le seigneur l'ensemble de ces droits constitue souvent plus de 20 % de son revenu, et pour les institutions ecclésiastiques la dîme plus de 30 %. L'existence de la justice seigneuriale, qui juge les contestations sur ces droits, en garantit la pérennité.

La nuit du 4 Août

La paysannerie leur est nettement hostile. Les cahiers de doléances ruraux en parlent encore avec modération, ne s'en prenant qu'aux « abus » auxquels ils donnent lieu, ou bien n'en disent rien. Mais quelques mois plus tard, en juillet-août 1789 lors de la Grande Peur, série de troubles qui éclatent dans les deux tiers des campagnes à la suite de l'agitation dans les villes à la mi-juillet, l'exigence de la suppression des droits seigneuriaux s'exprime fréquemment ; des châteaux sont attaqués. Prise de court, la majorité libérale de la Constituante fait adopter lors de la nuit du 4 août le principe de l'abolition de la féodalité, mais les décrets des 5-11 août ne suppriment que les servitudes pesant sur les personnes, les banalités, les péages et les dîmes non inféodées à des seigneurs laïques, le reste étant rachetable et devant être levé

Prix du blé et production textile

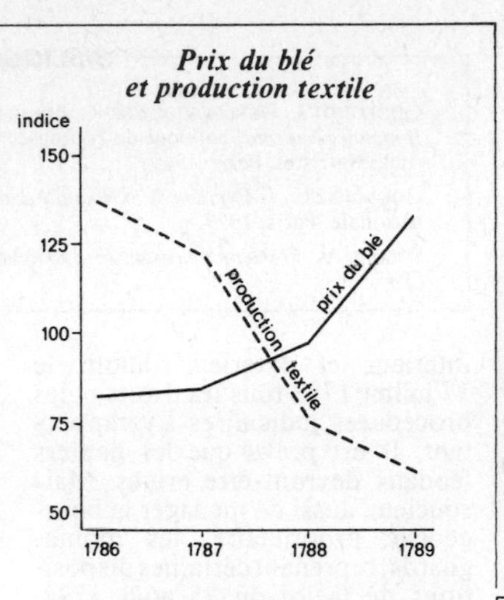

tant qu'il n'aura pas été racheté. La loi du 15 mars 1790 abolit la justice seigneuriale et fixe pour le rachat des conditions assez lourdes (taux de vingt fois la valeur du droit annuel et paiement des arrérages depuis trente ans).

Dans les campagnes, c'est la déception, et la guerre aux châteaux, dans certaines régions comme le Limousin, reprend dès décembre 1789, tandis que dans celles qui demeurent calmes, comme la Normandie, se développe la résistance passive en face des redevances et des rachats. Les troubles s'aggravent pendant le premier semestre 1792 tandis que les pétitions affluent à l'Assemblée législative, demandant l'abolition complète. Sentant la nécessité d'entraîner la paysannerie dans l'effort de défense nationale, mais voulant toujours ménager le droit de propriété, l'Assemblée étale les délais de rachat, allège les arrérages (20 août 1792), et le 25 août annule de fait beaucoup de droits seigneuriaux en obligeant le seigneur à produire le titre primitif. Pourtant dans certaines régions comme la Franche-Comté, la perception continue.

Vers une abolition complète ?

C'est la Convention montagnarde qui, pressée par le danger

BIBLIOGRAPHIE

GODECHOT J., DEVLEESHOUWER R., BRUGMANS I.J., *L'Abolition du régime féodal dans le monde occidental,* colloque de Toulouse, 12-16 novembre 1968, Société des études robespierristes, Paris, 1969.

GOUJARD Ph., *L'Abolition de la féodalité dans le pays de Bray, 1789-1793,* Bibliothèque nationale, Paris, 1979.

SOBOUL A., *Problèmes paysans de la Révolution, 1789-1848,* Maspero, Paris, 1976.

intérieur et extérieur, abolit le 17 juillet 1793 tous les droits et les procédures judiciaires s'y rapportant. Il est prévu que les papiers féodaux devront être brûlés. Mais soucieux aussi de ménager la bourgeoisie propriétaire, les montagnards, reprenant certaines dispositions de la loi du 25 août 1792, admettent que les locataires pourront avoir à verser ces droits à leur bailleur. Quant à la dîme, la loi du 10 décembre 1790 continue à la régir, et les fermiers et métayers peuvent avoir à la payer jusqu'à expiration de leur bail.

Le Directoire eut une attitude plus ambiguë encore, s'appuyant sur la loi du 25 août 1792 pour soutenir les propriétaires contre les locataires. De sorte que les bailleurs purent faire survivre la dîme dans les contrats de métayage, dans l'Ouest et le Sud-Ouest, sous la forme d'une indemnité de remplacement de l'impôt foncier à charge du propriétaire ; cela dura jusque vers 1840. Les droits seigneuriaux dans les mêmes régions, toujours aux dépens du locataire, disparurent plus tôt, sous l'Empire, submergés par la hausse très forte de la rente foncière.

La suppression de l'un et l'autre prélèvement dès 1792-1793 a tout de même été le cas majoritaire, et la crainte d'un retour de ces charges souleva l'inquiétude et l'effervescence lors de la première et de la seconde Restauration, et même encore en 1830 et en 1848. Ils étaient donc bien détestés des ruraux et vus comme des signes de dépendance dégradante.

Guy Lemarchand

La propriété foncière

Le royaume de France était, en 1789, le pays le plus peuplé – et de loin ! – d'Europe, avec environ 28 millions d'habitants dont 85 % vivaient à la campagne. L'occupation du sol était quasi achevée et se traduisait par une très forte densité de l'habitat. En ce qui concerne les terres cultivées, et mis à part les alleux (terres libres ayant échappé à la domination seigneuriale mais ne représentant plus que 1 % des terres), la propriété relevait exclusivement de la seigneurie, constituée du domaine proche et du domaine utile. La seigneurie pouvait être noble, non noble, laïque ou ecclésiastique. Le domaine utile était celui des tenures ou censives sur lesquelles tenanciers et seigneurs se partageaient des droits : au seigneur le droit de propriété éminente qui imposait la soumission à l'institution juridico-politique de la seigneurie non seulement aux tenanciers mais à la communauté villageoise dans son ensemble ; au tenancier le droit d'hériter, de vendre, d'échanger sa tenure et de la cultiver librement, contre le paiement de rentes en argent (cens) ou en nature.

Crise de l'agriculture et crise agraire

Depuis la reconnaissance juridique de la communauté villageoise aux XIe-XIIIe siècles, les tenanciers jouissaient d'une indépendance relative, mais réelle (droits des habitants, assemblée des habitants gérant légalement la communauté, très forte indépendance sur le plan de l'organisation de la production), car les seigneurs, en France, abandonnèrent, comme l'a montré Marc Bloch, leur fonction d'entrepreneur de culture, pour se consacrer à celles de seigneur justicier et rentier sur le plan local, et politico-militaire au service du roi.

La production agricole reposait sur l'équilibre culture-élevage, car les engrais indispensables aux cultures étaient d'origine animale, d'où l'importance des pâturages. Ces terrains étaient biens communaux et leur usage soigneusement géré par la communauté et les droits des habitants. Ces biens étaient constitués aussi de forêts, bois, pièces d'eau, rivières, et produisaient bois de chauffage et de construction et autres usages indispensables aux paysans. Certaines communautés géraient des terres communes cultivées et louées aux paysans pauvres.

L'occupation du sol, sous la pression démographique et le manque de terre, réduisit la surface des biens communaux. Les usurpations seigneuriales également. La question de la propriété des communaux fut, depuis la nuit des temps, un objet de conflit entre communauté et seigneurie, et devint, au XVIIIe siècle, un sujet brûlant que relatent d'innombrables procès. Malgré les essais de conciliation de la monarchie, la justice seigneuriale ou royale ne donna qu'exceptionnellement raison à la communauté.

La raréfaction des pâturages produisit une crise de l'élevage très grave et, en conséquence, une baisse des rendements agricoles, les terres étant insuffisamment préparées.

Campagne en révolution

A la théorie féodale de la concession primitive des fonds par les seigneurs aux habitants, qui légitimait le droit de propriété éminente du seigneur, la communauté répondait depuis des siècles par la théorie de la seigneurie usurpante, et s'appuyait, à l'occasion des contestations, sur les coutumes dans lesquelles étaient consignés les droits des deux parties.

Lors de la nuit du 4 août 1789, l'Assemblée, répondant à l'une des plus grandes jacqueries de l'histoire, vota un principe de nature constituante : la destruction entière du régime féodal. Ce faisant, l'Assemblée fondait le nouveau droit, à ce moment-là, sur la théorie villageoise de la seigneurie usurpante. L'institution juridique de la seigneurie, les ordres, les privilèges, les droits personnels, et les vestiges du servage furent abolis, mais les droits réels maintenus. L'Assemblée créa le Comité des droits féo-

BIBLIOGRAPHIE

CHABERT A., *Essai sur le mouvement des revenus et l'activité économique en France, 1789-1820,* Éd. M.T. Génin, Paris, 1949.

GAUTHIER F., *La Voie paysanne dans la Révolution française. L'exemple picard,* Maspero, Paris, 1977.

KROPOTKINE P., *La Grande Révolution, 1789-1793,* Stock, Paris, 1909, rééd. 1976.

LEFEBVRE G., « La vente des biens nationaux », *Études sur la Révolution française,* PUF, Paris, 2e éd., 1963.

LUXARDO H., *Les Paysans,* Aubier, Paris, 1982.

VOVELLE M., *De la cave au grenier : un itinéraire en Provence au XVIIIe siècle,* S. Fleury, Québec, 1980.

daux. Le rachat de ces droits, publié le 15 mars 1790, fut rendu impraticable, car les tenanciers d'une seigneurie devaient racheter ensemble les droits personnels et les droits réels. Cette législation, en régression par rapport à la nuit du 4 Août, opéra un véritable rétablissement de la féodalité (P. Sagnac).

C'est à la suite de quatre jacqueries, dont la dernière, au printemps 1792, joua un rôle essentiel dans la révolution du 10 Août, que la Législative, juste avant de se dissoudre, tint la promesse de la nuit du 4 Août, ou presque, car les décrets des 20-27 août, s'ils supprimaient tous les droits seigneuriaux gratuitement, ne précisaient pas les modalités d'application ! Ce n'est qu'à la suite de la révolution des 31 mai-2 juin 1793 que la Convention détruisit effectivement le régime féodal.

La loi du 17 juillet 1793 précisait : « Toutes redevances ci-devant seigneuriales, droits féodaux, fixes et casuels... sont supprimés sans indemnité. » Le domaine utile, soit 40 à 50 % des terres cultivées, passait en propriété complète au tenancier. Mais la loi allait plus loin : « Toute redevance ou rente entachée originairement de la plus légère marque de féodalité est supprimée sans indemnité. » Des terres, louées en fermage par un bail qui incluait un cens ou un droit de nature féodal, revenaient en propriété au fermier (P. Sagnac et A. Ado) : ici, le domaine proche était touché. Par ailleurs, cette loi légitimait la guerre des titres de juillet 1789, en décidant la destruction des titres de seigneurie encore existants.

La paysannerie se mobilisa pour défendre les biens communaux et récupéra, par voie de fait, des communaux considérés comme usurpés. Les paysans pauvres rétablirent, dès 1789, le partage égal des usages (droit égal des habitants aux produits communaux : bois, foin, fruits, droit de pâture, glandée, glanage, etc.) et ce fut une des reconquêtes les plus démocratiques de la Révolution, s'opposant aux pratiques inégales des paysans riches : deux conceptions du pouvoir municipal s'affrontaient, celle des possédants qui, lorsqu'ils tenaient la représentation municipale, restreignaient l'accès des fruits des communaux à la minorité au pouvoir ; celle, démocratique, fondée sur le droit des habitants qui concevait la propriété communale comme un bien commun dont les fruits sont également à tous.

Il fallut la révolution du 10 août 1792 pour que la législation réponde : le décret du 28 août reconnaissait la propriété communale aux communes : « Rétablissement des communes et des citoyens dans les propriétés et droits dont ils ont été dépouillés par l'effet de la puissance féodale. » Son titre reconnaissait la théorie de la seigneurie usurpante comme fondement du nouveau droit communal. Il expropriait la seigneurie des communaux usurpés depuis quarante ans, et annulait certaines appropriations effectuées depuis 1669. La loi du 10 juin 1793 institua la procédure d'arbitrage, simple et rapide, pour appliquer l'expropriation, et permit aussi aux communautés de partager ces biens en lopins cultivables, si elles le voulaient.

L'expropriation de l'Église avait eu de nombreux précédents à l'époque des Guerres de religion, et fut largement réclamée par les cahiers de doléances qui considéraient que l'Église, par son caractère, ne devait s'occuper que du spirituel. Le 2 décembre 1789, l'Assemblée nationalisait les biens de l'Église, s'engageait à rémunérer le clergé séculier, et décidait la vente des biens devenus nationaux, qui représentaient environ un cinquième des seigneuries.

Cette vente connut trois législations. Celle du 14 mai 1790 précisait la vente aux enchères ; l'achat pouvait se régler en douze annuités, et avec des assignats dont la dévaluation permit de réaliser de juteuses affaires. En 1792, la Législative vota le séquestre des biens des émigrés qui s'ajoutèrent à la masse de ces biens nationaux.

La législation du 3 juin 1793 favorisa la vente en petits lots, payables en dix annuités. La loi du 13 septembre 1793 réserva aux paysans ayant moins d'un arpent des lopins gratuits de ces biens. A proximité des villes, en Bretagne et dans l'Ouest, la part acquise par les paysans en biens nationaux fut très faible (15 à 20 %), mais dépassa 50 % en Lorraine, Alsace, Bourgogne, haute Normandie, Languedoc, dans l'Aisne, pour atteindre 80 % dans le département du Nord d'après une des rares études exhaustives faite par G. Lefebvre. Ce dernier a montré comment des communautés villageoises achetèrent les biens sis sur leur territoire, reconstituèrent des terrains communaux nécessaires à la production, et redistribuèrent aux petits acquéreurs des lopins à bas prix.

De façon générale, la vente en petits lots multiplia la très petite et petite propriété, et augmenta d'un tiers le nombre des propriétaires.

La législation de 1796 supprima la vente en petits lots et réduisit le crédit à trois ans ; les paysans pauvres en furent écartés.

Quel bilan ?

Quelles furent en fin de compte les solutions apportées à la crise de l'agriculture et à la crise agraire ? Les gigantesques transferts de propriété foncière avaient détruit le régime féodal, mais pas entièrement, puisque le domaine du métayage restait intact. La paysannerie, dans son ensemble, récupéra largement ses moyens de travail. La communauté villageoise succéda juridiquement et politiquement à la seigneurie.

La récupération des communaux permit une nette amélioration de l'élevage. Le nombre des animaux augmenta de 33 % entre 1789 et 1820. L'équilibre engrais-cultures se rétablit et autorisa une transformation essentielle dans les régions céréalières : la mise en culture de la jachère et l'introduction de cultures fourragères dans l'assolement triennal. Ce processus, achevé vers 1850, constitue la solution trouvée à la crise de l'agriculture par l'ensemble de la paysannerie.

En 1803, Malthus notait la prospérité de l'agriculture en France et l'amélioration du niveau de vie moyen des paysans. La baisse de la rente foncière et le développement de la petite culture accrurent la production agricole. La mortalité infantile en fut réduite, et la population rurale augmenta (sans compter l'exode urbain, car les pauvres des villes se réfugièrent dans les campagnes). L'occupation du sol connut son maximum entre 1789 et 1840. Cela signifie que l'exode rural fut freiné par la Révolution. Si la crise agraire n'a pas été résolue dans le sens qu'espéraient les intéressés (devenir un paysan indépendant, vivant de son travail et exerçant la démocratie communale), les lopins des paysans pauvres leur permirent de survivre – certes, mal – et leur évitèrent un exode bien pire encore (voir l'Angleterre et l'Irlande). L'exode rural fut particulièrement lent, en France : la première vague se produisit entre 1840 et 1880, la « seconde » dans les tranchées de la guerre de 1914-1918, la troisième depuis 1945.

Par ailleurs, la formation de la grande exploitation agricole fut, elle aussi, freinée. On en a fait grand reproche à la Révolution, une des plus importantes révolutions paysannes de l'histoire. Mais la grande exploitation est-elle plus productrice que la moyenne ? Les physiocrates eux-mêmes en doutaient déjà en 1770. Cette vision unilatérale ne réduit-elle pas l'idée du « développement » à celui du capitalisme, et la liberté à celle du commerce ? Tiendrait-elle le droit à l'existence et la liberté du peuple pour une vétille ?

Florence Gauthier

Industrie et manufactures : faire face

L'industrie, c'est un peu la guerre continuée par d'autres moyens. Telle est la conviction et la pratique de ce que l'on a appelé, faute de mieux, le colbertisme. Il s'agit pour la monarchie d'aider au développement d'une puissante industrie nationale, par interventions et incitations multiples, de la protéger aussi contre la concurrence étrangère. L'État dirige – c'est le cas des manufactures d'armes – ou il distribue exemptions, subventions et privilèges pour encourager l'initiative privée. Enfin, il contrôle. Ainsi, la production des étoffes est minutieusement réglementée, quant à l'origine de la matière première, le nombre de fils, le travail du tisserand. Des inspecteurs des manufactures veillent au respect des normes.

Il ne faut pas exagérer la rigidité du système. D'abord, toute l'industrie dispersée échappe à la prise.

Industries et manufactures à la fin du XVIIIe siècle

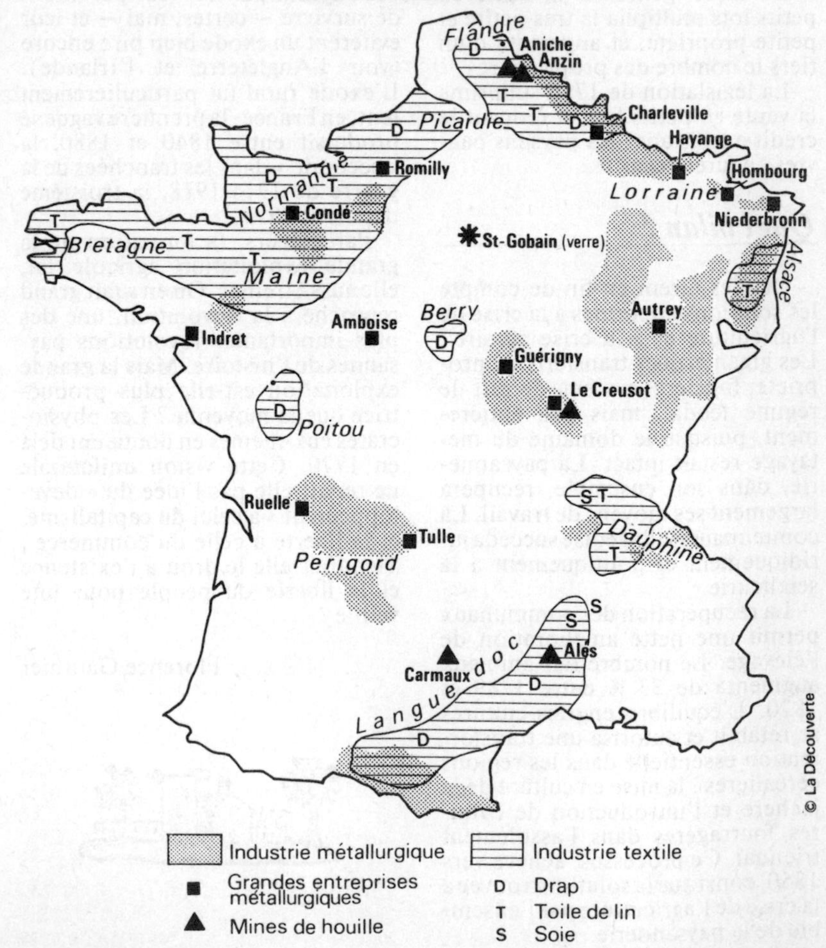

Ensuite, l'État d'Ancien Régime est d'abord un collecteur d'impôts. De sorte que, s'il paraît s'intéresser de très près, par exemple, aux résultats des hauts fourneaux, c'est moins par souci industrialiste que pour s'assurer, usine par usine, du bon rendement de la « marque des fers ». Surtout, l'engagement public va aux entreprises susceptibles d'entraîner une véritable percée technologique. Le bureau du Commerce soutient activement la création, en 1791, par John Holker à Saint-Sever, d'une grande manufacture de velours de coton et lui fait obtenir le titre de manufacture royale. Autre entreprise-pilote, la fonderie du Creusot. De Sartine à Calonne, l'État s'engage dans cette aventure risquée. La Révolution naissante hérite donc d'une tradition forte, soutenue par une administration dont une partie du personnel reste en place, par une classe d'entrepreneurs qui réclame certes la fin des entraves mais non celle des subventions.

Le libéralisme en actes...

Pourtant ce courant dominant, qui définirait un des éléments d'une « voie française d'industrialisation », est contrecarré par l'aspiration à un désengagement de l'État, qui libérerait les énergies. La suppression, en 1759, de l'interdiction de fabriquer des « indiennes » est déjà un signe en ce sens ; Oberkampf en profitera. Quand Turgot lutte contre les corporations, en 1774, il ébranle une réglementation de travail, presque un système de pensée. La Révolution est d'abord le refus du privilège ; la nuit du 4 Août symbolise ce rejet. Moins d'État, plus de liberté, et l'industrie sera sauvée. L'incongruité de certaines situations éclate alors. « Je suis loin de croire, dira Roland, ministre de l'Intérieur, qu'un gouvernement doive s'engager à se faire à jamais tapissier... pour conserver les Gobelins. » La liberté politique, pense-t-on désormais, vit de transparence, de concurrence. C'est donner bien du pouvoir à un ministre, ou à un clan, que de laisser des usines en régie, fussent-elles destinées à couler des canons.

Dans le courant de l'année 1791, une véritable rafale législative vient confirmer ces déclarations d'intention. Désormais toute personne a la « liberté d'exercer telle profession, art ou métier qu'elle trouvera bon » (2 mars 1791). Les coalitions, sources d'inertie et de conflit, sont interdites (loi Le Chapelier, 14 juin 1791). On renonce enfin aux manufactures privilégiées et au corps des inspecteurs des manufactures. L'État, cependant, ne se dessaisit pas de ses droits régaliens, à commencer par la propriété éminente du sous-sol. La loi sur les mines du 27 mars 1791 proclame que celles-ci sont « à la disposition de la nation ». C'est pourquoi la puissance publique concède le droit d'exploiter en profondeur, laissant libre l'exploitation de surface. La propriété privée s'arrête là où commence l'intérêt général, soit l'exploitation ordonnée de ressources non reproductibles. De même, les débats de l'Assemblée sur la loi douanière (votée le 12 février 1791) montrent, chez les porte-parole des fabricants, le souci d'obtenir un tarif protecteur. Il ne le fut pas autant qu'ils l'auraient souhaité, car des intérêts opposés, y compris dans les villes manufacturières, combattaient la fermeture des frontières. Le traité anglo-français de 1786, si souvent accusé d'être à l'origine de la crise industrielle, ne fut pas remis en cause, preuve que sur ce point aussi les esprits avaient évolué.

... mais l'urgence commande

Ce libéralisme proclamé et, en partie, appliqué, comment résiste-t-il à l'entrée en guerre et à l'approfondissement de la Révolution ? A l'été 1793, l'urgence commande : une situation de détresse entraîne la prise en charge par l'État de tout ce qui peut concourir à la défense nationale. En un sens, c'est moins la guerre que la défaite qui a rendu caduc le libéralisme. Il ne faut pas s'y méprendre : on ne fit pas de nécessité vertu. Au moins à la Convention et dans les comités, chacun était persuadé que l'intervention directe de l'État constituait une politique provisoire, un expédient inévitable, en attendant que la paix autorise le désengagement. Il fallait bien, d'ici là, armer le million d'hommes prévu, disposer des moyens d'augmenter de moitié le nombre des vaisseaux de ligne, assurer le ravitaillement et les convois.

L'autre modification majeure, qui risquait de perturber une politique libérale, fut la mainmise de la nation sur un vaste patrimoine industriel. Parmi les biens du clergé, dont la vente était prévue par le décret du 14 mai 1790, figuraient en effet une bonne soixantaine d'usines sidérurgiques concentrées surtout dans les généralités de Châlons, Besançon et Dijon. Leur vente, qui se fit largement au bénéfice des fermiers déjà en place, fut terminée, pour l'essentiel, en 1791. A la suite de l'émigration, un autre transfert dans la propriété de hauts fourneaux et de forges – deux cent cinquante, sans doute – souleva, vu leur nombre et la période, des questions beaucoup plus délicates. Était-il souhaitable ou même possible de vendre rapidement une telle masse d'usines qui constituaient le premier maillon de l'industrie de guerre ? Sinon, comment gérer au mieux ce nouveau domaine national placé sous séquestre ? D'autant plus que ces usines d'émigrés n'étaient qu'un cas particulier ; d'autres participations industrielles revenaient à la nation, qui se trouvait, par exemple, actionnaire majoritaire de la compagnie d'Anzin. Il faut toutefois convenir que ces éléments de fortune importaient moins, à tous points de vue, que les usines à fer.

Une affaire d'État

Dans le cas de la sidérurgie, étatisation et économie de guerre ont partie liée. L'intervention des pouvoirs publics y est ouverte, constante. C'est, au sens propre, une affaire d'État. Jusqu'à l'été 1796, très peu d'usines séquestrées furent vendues. Deux séries de facteurs se conjuguaient pour maintenir les forges des émigrés dans le domaine national. D'abord, du côté des acquéreurs, la situation juridique parfois compliquée du bien, le prix et les incertitudes de gestion faisaient hésiter les postulants éventuels. Du côté des autorités, l'inquiétude des administrations clientes de ces usines était qu'en des mains privées ces établissements renoncent à des marchés contraignants ou insuffisamment rémunérateurs. En 1799 encore, le ministre de la Guerre renâcle devant le projet de vente des usines de Wendel : « Elle priverait inévitablement l'artillerie des ressources qu'elle a droit d'attendre... » Il fallut donc gérer ou faire gérer ces entreprises. S'il y avait déjà un fermier, la solution la plus commode était de le maintenir. Mais, dans le cas où le propriétaire émigré exploitait son usine par l'intermédiaire d'un directeur, fallait-il garder le système de la régie ? C'était s'obliger à financer le « roulement » de l'usine et se contraindre à une surveillance tatillonne, finalement impossible. La régie ne fut retenue qu'en désespoir de cause et comme solution extrême.

Avec plus d'hésitation encore sur la conduite à tenir, la formule de « l'entreprise » – c'est-à-dire du fermage – l'emporta finalement pour la gestion des manufactures d'armes et des fonderies de canons, qu'elles fussent de création monarchique ou républicaine. La cause est entendue dès l'an II ; le Comité de salut public déclare alors que les régies « sont onéreuses aux finances de la République, lentes dans leurs travaux, magnifiques pour tout ce qui concerne leur administration et pauvres en produits ». Reste que le pragmatisme régnant laisse les forges de Guérigny ou la manufacture de Klingenthal aux mains d'un directeur parce que ces deux usines fonctionnent à la satisfaction des autorités. Quoi qu'il en soit, l'industrie d'armement est sous le contrôle total du gouvernement. En effet, des inspecteurs de la Guerre ou de la Marine surveillent le cycle complet des fabrications. Ils sont attentifs aussi bien au recrutement des ouvriers qu'au respect des normes de qualité. Ce sont eux les vrais patrons, malgré l'esprit des « entreprises », car les chefs de ces usines ne sont que des fournisseurs de capitaux.

Pour la sidérurgie primaire, la surveillance est moins serrée. Toutefois, la Commission des armes, puis les ministères ont prise sur les usines qui travaillent en amont des manufactures et des fonderies. Que le produit soit rebuté comme non conforme, et le maître de forges y perd sa mise. Les usines « nationales » ont évidemment une place éminente dans le dispositif. Le plus gros des réquisitions en fonte et en fer leur est adressé. Mais les autres ne sont pas à l'abri des interventions, car elles constituent un potentiel précieux. Tous les échelons du pouvoir révolutionnaire, de Carnot ou de Prieur au maire de la localité ou à la société populaire, s'attachent, non sans difficultés ni contradictions, à s'informer de leurs besoins, à soutenir leur activité.

Le plus pressant était de maintenir sur place les jeunes ouvriers qui auraient dû partir aux armées. Ce fut fait, dès l'été 1793, en faveur des manufactures et des fonderies ; les usines requises bénéficièrent ensuite de cette mesure et enfin (avril 1795), toute la sidérurgie. L'effort public fut appréciable, même s'il vint parfois trop tard : la pyramide des âges des ouvriers de plusieurs forges révèle un creux fâcheux, dans ces métiers de force, à hauteur des 18-25 ans.

Autre requête, approvisionner les usines à la mesure de leurs besoins. Pour le bois, la politique du gouvernement d'un côté pénalisait les usines qu'il vendait sans affouages et de l'autre tentait de rétablir une fourniture de combustible aux entreprises les plus utiles, afin qu'elles échappent au hasard des enchères. En février 1794, Barère fit voter une coupe « extraordinaire » de bois dans toutes les forêts, pour le service des industries de guerre. Le ravitaillement, comme l'expédition des marchandises, reposait sur des capacités de transport que la crise économique et les besoins des armées raréfiaient. A nouveau, la pratique de la réquisition, des voituriers et de leurs bêtes, fut appliquée pour éviter l'asphyxie des usines. Mais la priorité accordée aux transports militaires réduisit de beaucoup l'efficacité de ces efforts ; l'économie traditionnelle n'était pas apte à supporter les tensions inusitées que suscitaient la Révolution et la guerre.

Après Thermidor, la suppression du Maximum entraîne l'abandon progressif des réquisitions. Les agents du pouvoir s'étonnent, en l'an III, que les maîtres de forges conservent une attitude frileuse : « C'est à eux et non à nous qu'il appartient de procurer le nécessaire à leur fabrication... », écrit un des délégués de la Commission des armes. Deuxième changement, la vente des usines s'accélère sous le Directoire ; il est vrai que les conditions de paiement les rendent désormais tentantes. Pour autant, économie de guerre et intervention étatique dominent toujours l'activité des usines. C'est dire que les commandes militaires passent avant la demande civile. Le prélèvement de la guerre sur la sidérurgie n'est pas, en soi, excessif : en l'an II, il correspondait sans doute à 15 % de la production. Mais cela suffisait, dans une conjoncture dépressive, à créer localement de sérieuses pénuries. Selon tous les témoignages, l'équipement agricole s'en est ressenti. On bricole, on ravaude, en attendant de pouvoir remplacer. Faire face aux urgences et, pour le reste, attendre des jours meilleurs, ce pourrait être la devise de l'industriel en Révolution et en guerre. Un ingénieur des mines le disait bien : pour changer, il faut « du temps, des dépenses et du calme ».

Denis Woronoff

L'innovation technique

Le siècle des Lumières est fertile en découvertes et inventions. Pourtant, dans certains domaines fondamentaux, on en reste encore à des procédés archaïques. Ainsi, en France, la houille nécessaire au démarrage de l'industrie moderne n'a toujours pas remplacé le bois. Le premier à utiliser du coke pour obtenir du fer est un Anglais, Abraham Darby. Faute d'innovation, on creuse encore les trous de mine « à la main avec le burin et la masseute en roche dure et à la tarière en roche tendre ». L'éclairage reste rudimentaire ; seule nouveauté, les mineurs du Nord adaptent « une tige épointée à la lampe [à huile ou à suif] pour la fixer au chapeau ou à la boiserie ». Cependant, aux mines d'Anzin, on se sert dès 1732 de la « pompe à feu » de l'Anglais Newcomen.

Les premiers sous-marins

On connaît la machine à vapeur, mais on maîtrise mal le rôle imparti à la surface de chauffe. La première machine à vapeur opérationnelle fut construite par un mécanicien anglais, James Watt. Un cabinet de physique lui avait fourni un modèle réduit de la machine à vapeur de Newcomen, mais celle-ci gaspillait l'énergie. Dès 1769, il imagine le condenseur pour une meilleure utilisation de la chaleur. Celui-ci est alors séparé du cylindre. En construisant en 1785 un « tiroir » pour distribuer automatiquement la vapeur des deux côtés du piston, un « parallélogramme déformable » reliant la tige du piston au balancier ainsi qu'un régulateur à boules et un « volant », il permet une utilisation industrielle de la machine à vapeur. Ainsi peut-on aussi bien actionner un moulin qu'une presse. Enfin, il invente la puissance *Horse Power* (cheval-vapeur) comme unité de mesure, après avoir calculé le travail accompli par un cheval en une minute, soit 4 560 kilogrammètres.

En France, l'ingénieur militaire Joseph Cugnot, encouragé par le ministre de la Guerre, le duc de Choiseul, réussit en 1770 à faire rouler la première voiture à vapeur. En 1776, l'Américain David Bushnell construit *la Tortue,* sous-marin de poche à deux hélices que l'on actionne à la main... En 1783, à Lyon, Claude Jouffroy d'Abbans remonte, pendant quinze minutes, la Saône avec un navire de 46 mètres de long, « le Pyroscaphe ». A l'été 1787, deux constructeurs nord-américains, John Fitch et James Ramsey, présentent au vice-président des États-Unis, John Adams, un navire équipé de rames fixées à une barre de bois horizontale. Impressionné, le gouvernement leur octroie le droit exclusif de l'adapter dans cinq États. A l'opposé, le mécanicien américain Fulton qui met au point en 1798 le premier sous-marin à hélice, le *Nautulus,* laisse, en 1800, le premier consul Bonaparte sceptique !

En Angleterre, beaucoup plus en avance que la France, le *puddlage* permet de transformer la fonte en fer et en acier. De là date la naissance de la fabrication des rails et des ponts métalliques. En 1787, Wilkinson édifie le premier pont en métal sur la rivière Severn. La même année, il met sur cale le premier navire à coque en fer et, en 1798, il obtient les premiers tuyaux en fonte moulée. On lui doit aussi une machine à forer et à aléser les métaux (1774) et le tour à fileter (1778). Toujours en Angleterre, Jeremy Bentham invente la scie circulaire (1793), et Joseph Bramah la presse circulaire (1795).

En 1733, John Kay met au point la navette volante mue par le pied de l'ouvrier. Ainsi, un seul tisseur réalise ce qui nécessitait autrefois le travail de quatre hommes. Après le tissage, le filage se mécanise. En 1764, James Hargreaves construit une machine à filer programmant huit fils à la fois. Sa fille lui donne son nom, « Jenny ». Six ans plus tard, le coiffeur Richard Arkwright, qui n'a pas son pareil pour reprendre les idées de ses collaborateurs, fait breveter un métier à filer en continu. Le fil obtenu est alors assez solide pour faire la chaîne des tissus de coton. Auparavant, on se servait de lin. En 1779, il reprend l'invention de Samuel Crompton qui fournit des fils à très grande vitesse sans casser. La machine est surnommée « Mule-Jenny ». En France, Jacques de Vaucanson imagine des automates parmi lesquels un joueur de flûte traversière et un canard... En 1745, il construit le prototype d'un métier à tisser automatique, mais il meurt avant de l'avoir mis au point. C'est à Edmund Cartwright que nous en devons l'invention (1785). A la même époque, le Lyonnais Joseph-Marie Jacquard invente un métier à tisser qui permet de faire varier à volonté la situation des fils de chaîne grâce à un dispositif de sélection par cartons perforés.

Les hommes volent !

Dans le domaine des arts militaires, un général français, Jean Florent de Vallière, normalise, en 1732, le calibre des canons. Leur longueur doit égaler 25 fois celle du calibre. En 1776, Jean-Baptiste Gribeauval, inspecteur général de l'artillerie, continue l'œuvre entreprise. Ainsi sont définies les dimensions des pièces afin d'en impulser la fabrication industrielle. En 1771, l'armée expérimente la voiture à vapeur de Cugnot, alors surnommée « fardier » (de fardeau) pour transporter les pièces d'artillerie. En Angleterre, le général Shrapnel met au point un « obus à balles » qui deviendra célèbre sous son nom en 1914-1918.

Vers 1800, l'horloger Bertrand Guillaume Carcel améliore ingénieusement la durée de l'éclairage : il adapte à la base de la lampe un mouvement d'horlogerie qui agit sur une pompe servant à élever l'huile jusqu'à la mèche. En 1784, un Suisse, Aymé Argand, réussit à empêcher les lampes de dégager une âcre et épaisse fumée en fournissant un supplément d'oxygène à la flamme.

Dans une économie qui s'industrialise, les appareils de mesure sont essentiels au développement technique. En 1778, le physicien anglais Jesse Ramsden et le Français Jean Fortin innovent chacun de leur côté. Ils remplacent les fils de soie des balances scientifiques par des fils métalliques insensibles au degré d'humidité de l'air et atteignent ainsi une précision de l'ordre de 5 mg. Jusqu'en 1797, la France fabrique le papier à la cuve – procédé qui date de l'époque médiévale ! Cette année-là, un correcteur de chez Didot, Nicolas Robert, met au point la machine à papier continu, qui fournit des pièces de douze à quinze mètres de long. L'État peut donc imprimer rapidement actes et titres officiels et les particuliers décorer leur habitation.

La conquête de l'espace débute avec les frères Montgolfier, fabricants de papier à Annonay. Le 4 juin 1783, en faisant chauffer l'air sous l'ouverture de leur ballon en toile d'emballage doublée de papier, Étienne et Joseph l'arrachent jusqu'à une altitude de 500 mètres. Un millier de curieux ont assisté à l'extraordinaire envol. Le 27 août, à Paris, le physicien Jacques Charles utilise de l'hydrogène et une enveloppe imperméabilisée. Devant des centaines de milliers de spectateurs massés au Champ-de-Mars, son ballon s'élève à 1 000 mètres. Le 21 novembre, Pilâtre de Rozier et le marquis d'Arlandes s'envolent des jardins de la Muette. Après vingt-cinq minutes de vol, la montgolfière atterrit près de la barrière d'Italie, à 10 kilomètres du point de départ. Un mois après, Pilâtre imagine d'emporter du lest sous forme de sacs de sable pour monter plus haut et utilise un baromètre en guise d'altimètre. En 1793 puis 1795, sur les judicieux conseils de Nicolas Conté – l'inventeur des crayons de papier – l'état-major républicain français se sert de ballons pour observer les mouvements des armées ennemies. André Garnerin est le premier parachutiste. Le 22 octobre

1797, il saute d'une montgolfière à une hauteur de 1 000 mètres au-dessus du parc Monceau. Une invention dont les armées s'emparent.

Les innovations techniques, souvent dispersées et non concertées, tiennent plutôt de la curiosité et des travaux individuels que d'un plan d'ensemble. Seuls les industriels anglais et français ont appliqué sur-le-champ ces découvertes. Les avancées du XVIIIe siècle annoncent l'ère de la fabrique et de la toute-puissance des machines-outils. Elles témoignent d'un formidable engouement des contemporains pour les sciences et les techniques.

Hervé Luxardo

Les scientifiques enrôlés

Les autorités révolutionnaires mirent grandement à contribution les scientifiques, en particulier les chimistes, pour soutenir l'effort économique nécessité par la guerre. Ceux qui furent le plus souvent « réquisitionnés » au service de la nation furent Monge et Berthollet, dont on peut dire qu'ils dirigèrent le mouvement d'essor scientifique de cette période, et Chaptal, appelé de Montpellier à Paris. D'autres furent plus occasionnels. Leurs opinions politiques importent assez peu ; elles s'estompent devant l'enjeu et le danger encouru par un refus de collaboration.

Le « cas » Lavoisier

Les travaux scientifiques du fondateur de la chimie moderne ne représentaient qu'une faible partie de ses activités. Fermier général, régisseur des poudres, secrétaire puis trésorier de l'Académie des sciences, secrétaire de nombreux comités (agriculture, assemblée provinciale de l'Orléanais devant préparer les États généraux), il avait montré ses remarquables qualités d'organisateur et de gestionnaire.

Au début de la Révolution, il est régisseur des poudres et à ce titre loge à l'Arsenal où, en juillet 1789, il est sérieusement inquiété lors des émeutes provoquées par un transfert de poudre. Travaillant beaucoup au sein de l'Académie, principalement à la réforme des poids et mesures, il fait tout ce qui est en son pouvoir pour la sauver, mais échoue, et, le 8 août 1793, cette dernière est dissoute ainsi que toutes les sociétés savantes.

Lavoisier fait alors partie du nouveau Comité chargé des poids et mesures. Il y travaille jusqu'à son arrestation en novembre 1793. Après cinq mois de détention pendant lesquels il prépare une nouvelle rédaction de ses travaux scientifiques, il est exécuté avec vingt-sept autres fermiers généraux, le 8 mai 1794.

Les autres savants de renom, qui avaient tous collaboré avec Lavoisier, auront un sort moins dramati-

BIBLIOGRAPHIE

LANGINS J., *La République avait besoin de savants : les débuts de l'École polytechnique...*, Belin, Paris, 1987.

MATHIEZ A., « La mobilisation des savants de l'an III », *Revue de Paris*, 1er décembre 1917.

POUCHET G., *Les Sciences pendant la Terreur*, J. Guillaume éd., Paris, 1896.

SADOUN-GOUPIL M., *Le Chimiste Claude-Louis Berthollet, sa vie, son œuvre, 1748-1822*, J. Vrin, Paris, 1977.

que. Leur activité se manifestera au sein de nombreuses commissions créées par les autorités révolutionnaires, telles que la Commission des poids et mesures. De même, en août 1793, la Convention institua une Commission temporaire des arts. Les commissaires furent chargés d'inventorier les objets nationaux utiles à l'instruction publique et dispersés dans divers dépôts. Berthollet, Vauquelin, Pelletier, Leblanc, Charles, Fortin, Fourcroy et Guyton y participèrent.

La science mobilisée...

Le problème des armements se posant de manière dramatique au début de 1793, le Comité de salut public réunit dans la Commission des armements les savants compétents pour exploiter au mieux les ressources en matières premières, accélérer la production, former les ouvriers. Monge, Vandermonde et Berthollet, auteurs d'un travail sur les aciers paru en 1786, reçurent en 1793 l'ordre d'en rédiger un nouveau sur la fabrication de l'acier, puis, en 1794, de faire un cours sur celle des poudres et des canons avec Guyton, Fourcroy, Carny, Hassenfratz et Perrier. Berthollet, qui en 1787 avait découvert les propriétés explosives du chlorate, dut reprendre ses essais de fabrication de poudre au chlorate ; mais difficile à maîtriser, source de nombreux accidents, on dut l'abandonner au profit de la poudre classique à base de salpêtre. En 1793, le Comité de salut public décréta que tous les citoyens devaient lessiver leur cave, les eaux de lessivage étant concentrées et purifiées pour en extraire le nitrate. Berthollet, Monge et Chaptal furent chargés de diriger l'ensemble des opérations. Ils durent également accepter la responsabilité des deux plus grandes entreprises de traitement de la poudre : la raffinerie de salpêtre créée à Saint-Germain-des-Prés en décembre 1793 et la poudrerie de Grenelle créée en janvier 1794. La première brûla en juillet, la seconde explosa en août 1794. Les trois savants déjà inquiétés par la réaction thermidorienne faillirent être accusés de sabotage.

... de Normale à l'X

Ainsi à l'École normale de Paris, créée le 30 novembre 1794 et qui fonctionna jusqu'en mai 1795, l'enseignement scientifique avait une place de choix. Laplace, Monge, Lagrange et Legendre étaient chargés des mathématiques, Haüy de la physique, Berthollet de la chimie, Daubenton de l'histoire naturelle. Le règlement prévoyait seize leçons pour chaque professeur, chaque séance étant recueillie par des sténographes, imprimée, distribuée à la séance suivante où les auditeurs pouvaient poser des questions.

Le Comité d'instruction publique adopta aussi le projet d'une école devant donner une formation commune à tous les ingénieurs civils et militaires et créa le 11 mars 1794 la Commission des travaux publics pour l'organiser. Formée de Monge, Lamblardie, Berthollet, Fourcroy, Chaptal, Guyton, Prieur de la Côte-d'Or et Hassenfratz, elle travailla d'avril à juillet 1794. La Convention créa l'école le 24 septembre. Elle s'ouvrit sous le nom d'École centrale de travaux publics, puis prit celui d'École polytechnique. Ses organisateurs avaient voulu inaugurer un mode d'enseignement adapté au progrès des sciences et aux besoins de la nation.

La chimie y était l'objet de soins particuliers motivés par des raisons économiques (nécessité de créer des industries) et politiques (la chimie venait de prendre un essor spectaculaire grâce aux savants français). Son enseignement était confié à trois professeurs : Fourcroy, Guyton et Berthollet (ce dernier souvent remplacé par Chaptal), assistés de trois adjoints : Vauquelin, Chaussier, Pelletier. Celui des mathématiques relevait de Monge, Lagrange, Hachette, Prony ; celui de la physique, peu développé, d'Hassenfratz.

Les scientifiques, sous la Révolution, furent donc mobilisés par les autorités et durent s'engager au service de la nation, même s'ils étaient réticents. Ceux qui manifestèrent des opinions politiques favorables aux idées révolutionnaires purent faire carrière et occupèrent des postes officiels, même non scientifiques. C'est le cas de Monge, un moment ministre de la Marine, et surtout de Guyton et Fourcroy, députés de la Convention, conseillers auprès du Comité de salut public. Berthollet, du fait de ses idées, resta en dehors du mouvement. Haüy, prêtre non assermenté, passa à travers les épurations diverses de la Terreur. Seul Lavoisier, parce qu'il avait été fermier général, fut victime de la Révolution.

Michelle Goupil

Le négoce et la banque

Après l'échec de Law, la fin de l'Ancien Régime connaît un dernier essai de banque publique, destinée prioritairement à l'escompte des effets de commerce, et donc à une meilleure régulation de la trésorerie de toutes les entreprises, avec la création de la Caisse d'escompte, en mars 1776, sous l'impulsion du banquier helvético-anglais Isaac Panchaud. Mais, dès l'origine, cette société en commandite par actions, au capital de 15 millions, est dominée par les maisons de banque et de négoce, notamment suisses, toutes engagées dans de fructueux trafics avec l'Extrême-Orient après la suppression de la Compagnie des Indes. Cette tendance oligarchique se renforce après la prise en main de la Caisse par un groupe de banquiers « affidés » à Necker, qui en font « une caisse d'emprunts plutôt qu'une caisse d'escompte » (H. Lüthy). La rancœur de Panchaud, évincé, alimentera, en 1790, les violentes diatribes de Mirabeau contre la Caisse, administrée par des « étrangers », dont certains comme les Vandenyver mourront sur l'échafaud en 1794.

Mais les négociants-banquiers suisses attirés par les multiples spéculations des années 1785-1786 (la Compagnie des eaux ; les Assurances royales) : les Rougemont et les Perregaux (de Neuchâtel), les Hottinger (de Zurich), voire les Delessert (Vaudois de Lyon), traversent sans encombre la Terreur. Si Hottinger émigre quelque temps aux États-Unis, il le fait à la fin de 1794. Frédéric Perregaux assure même sans discontinuité le placement à l'étranger des fonds nécessaires au Comité de salut public. Sur la liste des banquiers privés parisiens figurant à l'Almanach de l'an V, les nouveaux venus forment une très petite minorité : la Révolution n'a donc pas interrompu la continuité onomastique des maisons, source importante de leur « crédit » sur la place.

Avec la progressive libération de l'économie (suppression du Maximum des prix et des salaires, suppression des agences étatiques), le mouvement des affaires reprend son cours, et se repose alors en pleine dépréciation de la monnaie-assignat le lancinant problème des moyens de paiement, et d'un escompte à bon marché. Trois banques publiques se créent à Paris en commandite par actions, entre juin 1796 et juin 1799. La *Caisse des comptes courants,* d'emblée dominée par le grand négoce et la haute banque parisiens, pratique en outre les avances sur dépôt de valeurs — trente-sept de ses actionnaires participent à la fondation de la Banque de France en février 1800 et huit figurent bientôt parmi ses quinze premiers régents. La *Caisse d'escompte du commerce,* fondée par douze marchands parisiens, « pour les classes moyennes du négoce, de la marchandise et de la fabrique », admet à l'escompte des effets à deux signatures (alors que l'autre Caisse en exige trois, dont celle du banquier endosseur) et surtout émet des actions hypothécaires, réservées à ses actionnaires, qui « mobilisent au bénéfice de la production et des échanges » les biens immeubles, et notamment les biens nationaux, dans lesquels les marchands parisiens ont largement investi leurs liquidités. La *Banque territoriale,* enfin, multiplie elle aussi la monnaie fiduciaire, gagée sur des biens immobiliers qui lui sont cédés à réméré par des « propriétaires » désireux d'obtenir un crédit d'un montant égal au maximum à la moitié de la valeur estimée de l'immeuble.

L'action concomitante de ces trois organismes de crédit a donc réhabitué le milieu des affaires de la fin du XVIIIe siècle à l'usage du papier-monnaie, émis en contrepartie des actions formant le capital social. Elle a aussi incontestablement favorisé la reprise des affaires avant Brumaire : en trois ans, la Caisse des comptes courants escompte ainsi pour 363 millions d'effets, à un taux nettement plus bas que celui pratiqué par les banquiers de la place. Elle a enfin conforté le rôle de Paris comme unique place bancaire française, avant la mise en place de la Banque de France, qui finit par absorber ces institutions antécédentes.

La Révolution a en effet accentué le rôle central (et international) de Paris comme place d'affaires, aussi bien d'échanges et de commission de produits que de négociation des traites. Louis Bergeron a analysé dans sa thèse les origines géographiques (et sociales) de quelque 200 hommes d'affaires parisiens du début du XIXe siècle. Rappelons avec lui que l'installation définitive à Paris n'a jamais rompu les attaches d'un négociant avec son pays d'origine : qu'il s'agisse des Bastide ou des Davillier de Montpellier, des Périer de Grenoble, des Fulchiron ou des Schérer de Lyon, des Seillière de Nancy, des Worms de Metz, des Lecoulteux de Rouen ou des Grandin d'Elbeuf, d'un Paulée de Douai ou d'un Vanderberghe de Lille, *a fortiori* des « Suisses » de Paris, les Mallet, Saladin, Fazy, Filliettaz, dont les alliances matrimoniales croisées accroissent constamment le champ d'opérations, voire des Belges, comme les Tiberghien ou Michel Simons, aux multiples activités (les fournitures militaires, le trafic de grains ou de piastres, la liquidation des dettes habsbourgeoises). Tous ces noms symbolisent la « nouvelle donne » de la France post-révolutionnaire, fondée à la fois sur les activités bancaires traditionnelles, la commandite de nouvelles entreprises industrielles, charbonnières, textiles ou métallurgiques, le négoce en commission de produits nationaux ou étrangers, la soumission, seul ou en société, des marchés de l'État, désormais principal partenaire de tous les affairistes.

Serge Chassagne

Marché noir et troc

Comment naît une économie parallèle ? Quand la Convention décréta, le 4 septembre 1793, le « maximum » des grains et des farines (modifié le 11 septembre), puis le Maximum général des denrées de première nécessité, le 29 septembre, elle créait une dynamique de contraintes et de refus qui rendait l'illégalité inévitable. Cette taxation, vieille recette des pouvoirs confrontés à une crise frumentaire, avait été arrachée à une Assemblée hésitante par la pression du peuple de Paris. Il fallait assurer le ravitaillement des villes, au moment même où les besoins des armées allaient croissant. Obligés par les réquisitions à délivrer tout le grain qui n'était pas retenu par leur consommation domestique, les producteurs, pensait-on, devraient normalement fournir les marchés. A la place de la taxation sauvage qu'imposaient, en Beauce par exemple, des bandes d'ouvriers, un système plus équitable était nécessaire. De même, fallait-il mettre de l'ordre dans les politiques des municipalités, concurrentes dans la recherche des subsistances et partagées entre des tactiques de répression et de conciliation à l'égard des paysans-vendeurs.

Disons-le d'emblée, le Maximum général — qui fixait aussi le montant des salaires — eut le mérite d'écarter des villes le risque de famine pendant l'année de son application effective. S'agissant des matières premières et des marchandises également incluses dans le tarif, leur commerce en fut ainsi maintenu, évitant l'asphyxie de l'industrie et du négoce. Mais ce succès eut ses limites : le petit peuple des bourgs et des campagnes, surtout à proximité des grandes villes, ne profita pas de ce ravitaillement autoritaire. D'autre part, le système se montra incapable de survivre à la Terreur ; il avait pratiquement cessé de fonctionner depuis plusieurs mois lorsque la Convention thermidorienne y mit fin, le 4 nivôse an III (24 décembre 1794).

Le cercle vertueux

Les difficultés qui minaient le maximum et encourageaient des pratiques illicites venaient de ses contradictions internes, voire de son irréalité. Le principal obstacle tenait à la détermination du niveau des prix. A chaque étape législative, sa solution. On confia d'abord aux administrations des départements le soin d'établir ce maximum sur la base de la moyenne des prix des marchés. La Convention renonça ensuite à ces prix départementaux pour retenir un maximum des grains ayant valeur nationale. Quand il s'est agit, enfin, d'étendre aux autres denrées le système du maximum, on retint la base de 1790, augmentée d'un tiers, calculée soit à l'échelle nationale, soit à l'échelle de la commune, soit, plus généralement, à celle du district. Quel que fût le cadre choisi, on devine l'embarras des autorités, les protestations des intéressés : en dépit de l'effort de la Commission des subsistances, la marge d'erreur fut grande pour apprécier la hiérarchie des marchés et des qualités. Chaque mécompte entraîna une dérive au détriment des produits et des districts « mal maximés ».

Les prix étaient imposés, la monnaie-papier aussi. Or le discrédit de l'assignat (qui ne valait plus que 25 % du pair à Paris en septembre 1793) faisait perdre toute vraisemblance aux échanges réglementés, même si, grâce à cette politique coercitive, le « signe républicain » remonta une partie de la pente, atteignant 50 % au bout de quatre mois. Prix et monnaie étaient moins bien respectés à la campagne qu'en ville, dans les régions frontières que dans celles de l'intérieur. L'extension du maximum à tous les produits de première nécessité et aux salaires évitait en principe un écart intolérable entre recettes et dépenses, par exemple, pour un cultivateur, entre le coût de ses instruments aratoires et le revenu de sa récolte. Mais ce cercle vertueux supposait, entre autres, que la production fût suffisante pour satisfaire aux besoins, maintenant que les importations devenaient presque impossibles. Au vu de la récolte de 1793, il n'en était rien. La taxation, trop basse au demeurant, ne pouvait résister à ces tensions inflationnistes.

Le manque à distribuer fut aggravé, à coup sûr, par des manœuvres d'accaparement spéculatif dues à de gros cultivateurs ou à des marchands, cibles principales des sans-culottes. Mais si les quantités offertes sur les marchés se sont effondrées à l'hiver 1793-1794, la faute en revient à la masse des paysans récoltants. La spirale de la taxation se déroulait dans le mauvais sens. Ne pouvant disposer aisément, à prix maximés, des journaliers, des faucilles, du vin ou des étoffes, pourquoi auraient-ils porté au marché officiel leurs propres produits ? Ils avaient tant à gagner, en vendant hors des circuits légaux.

La fraude est fille de la taxation

Ainsi certains producteurs et négociants volent-ils leurs clients, par toutes sortes de tromperies sur la marchandise. Inutile, pour cela, de déserter le marché. Les vendeurs se conforment aux prix, mais altèrent la qualité des produits – « Le pain n'est plus beau », dit-on à Gaillac – et rusent avec les mesures. Deux procédés bien classiques pour augmenter les prix sans le dire, mais ces comportements malhonnêtes irritent d'autant plus qu'ils cessent d'être isolés. Autre cas de fraude : un accord peut intervenir clandestinement pour établir une transaction à un prix très supérieur au barème officiel. La vente en public n'est plus alors qu'une parade. Les pratiques qui lèsent les acheteurs sont limitées par la vigilance des ménagères, promptes à dénoncer le vendeur indélicat. Quant au système de la convention particulière (qu'elle soit orale ou consignée par écrit), il relève d'une culture marchande. Il convient parfaitement au commerce de gros qui amortit ainsi dans la discrétion les inconvénients du maximum.

En revanche, la vente de détail aux consommateurs emprunte d'autres masques : ici commence le marché noir. En ces temps de dénonciation, celui-ci implique un certain degré de clandestinité. Le plus souvent, la vente illégale a lieu en ferme, loin du contrôle des sans-culottes et des agents publics. Parfois, c'est le vendeur qui se déplace. Il lui faut alors trouver un lieu sûr. Pourquoi pas la ville elle-même, si l'on y dispose de complices et que l'on s'y rend la nuit ? À Clermont-Ferrand, en tout cas, on pratique ces ventes nocturnes. Mais le plus sûr est de s'en tenir aux faubourgs. Là, les aubergistes servent d'intermédiaires, comme dans le Nord. Sinon, les gens des villes vont au-devant des paysans et des marchands. Les rencontres ne sont pas forcément prévues ni paisibles ; c'est le tour des vendeurs d'être dépouillés. Un tel commerce crée des vocations. Il n'est pas rare que non seulement des aubergistes ou des charretiers, tous gens de négoce en définitive, mais encore des bouchers, des serruriers, des tonneliers, etc., trafiquent à proximité d'une agglomération.

Du troc à la spéculation

Le marché noir reste dans le domaine monétaire ; il en est même l'expression exacerbée. Au contraire, les formes diverses de troc, qui prennent une ampleur inusitée de 1793 à 1796, manifestent le souci d'échapper à la monnaie, d'installer, pour ainsi dire, un circuit de dérivation. Le schéma en est simple – produit contre produit – bien que la réalisation puisse en être délicate : il faut en effet trouver un partenaire décidé à l'échange et s'entendre sur le niveau d'équivalence. Autant dire que les détenteurs de denrées de consommation courante sont les mieux placés. Le blé a toujours preneur, comme les produits de la ferme. Si bien qu'ici le troc, d'occasionnel, devient permanent. Tel est le commerce sans monnaie qui s'instaure en l'an II entre vignerons du Val de Loire et cultivateurs de la Beauce. Autre cas, signalé dans toutes les régions sidérurgiques, l'échange du fer contre des grains. Mais ici le cercle s'élargit. D'une part, le maître de forges n'a pas acquis du blé pour sa consommation personnelle, mais bien pour rétribuer à son tour ses ouvriers. C'est alors travail contre denrées. D'autre part, le cultivateur n'a pas nécessairement besoin de tout le fer reçu ; il ne peut l'utiliser que s'il est fourni — cas très rare — sous la forme de faux, bêches, socs de charrue. Le cycle continue donc de ce côté. Il n'est pas exclu qu'il se poursuive aussi de l'autre, car on voit des forgerons et des fondeurs céder, contre denrées, du grain en excédent. On passe insensiblement de l'échange à la spéculation. Car, que font les vignerons du Val de Loire qui achètent du blé aux environs d'Étampes, sinon en revendre l'essentiel au plus offrant ? Ce fructueux commerce ne se limite pas au blé et au vin, mais s'étend, entre autres, au savon et au sucre. Il faut accepter de circuler souvent et loin. Un style très nomade de négoce parallèle, un réseau précaire mais très fourni de relations d'affaires se substituent, pour une part, au système concentré et stable des foires et des marchés.

Une fraction des transactions glisse ainsi hors de l'économie monétaire. L'État, lui-même, ne montre-t-il pas l'exemple ? Comme créancier, il encourage le paiement des contributions en nature (c'est-à-dire en grains), comme débiteur, il se libère en donnant des biens nationaux ou des coupes de bois. Les citadins, qui se portent acquéreurs d'une pièce de terre ayant appartenu à un émigré et voisine de leur résidence, ne cherchent-ils pas, avant tout, un peu de sécurité alimentaire ? Ils restent dépendants, bien sûr, des producteurs agricoles, mais sont entrés timidement dans la sphère de l'autoconsommation. Plus généralement, la combinaison du maximum et de la crise monétaire réactive des comportements traditionnels dans une économie pré-industrielle, où l'argent est toujours rare. Ces formes variées de repli, qui persisteront au-delà de la suppression du maximum, montrent la capacité relative du monde rural à résister aux désordres de l'économie monétaire, aux injonctions des villes.

Denis Woronoff

Le « drainage » des ressources des pays occupés

A l'origine, l'expansion française avait eu à peu près uniquement des buts politiques et idéologiques. Il s'agissait de donner à la France ses « frontières naturelles », le Rhin, les Alpes, les Pyrénées, de répandre dans les pays occupés les grands principes de la Révolution et d'y établir des régimes démocratiques. « Guerre aux châteaux, paix aux chaumières ! » tel était le mot d'ordre. Mais cela signifiait aussi que les châteaux devaient payer les frais de la guerre, qui très vite atteignirent des sommes astronomiques. Effectivement, dès 1792, contributions de guerre et réquisitions s'abattirent sur les pays occupés de Belgique et de Rhénanie. Les revers du printemps de 1793 entraînèrent l'évacuation de ces régions, mais dans l'été de 1794 elles furent réoccupées. Les généraux furent invités à lever des contributions de guerre, à réquisitionner tout ce qui serait nécessaire à la subsistance des troupes et à envoyer le surplus en France (décret du 15 septembre 1793). Les habitants les plus riches devaient être « pris en otage » pour garantir ce paiement. En 1795, le Comité de salut public revint à l'adage de l'Ancien Régime : « La guerre doit nourrir la guerre. » Il n'y eut alors plus de limites aux contributions de guerre ni aux réquisitions.

« Les Français enlèvent tout, jusqu'aux portes et aux fenêtres »

En novembre 1792, le général Dumouriez, qui rêvait de créer une République belge, voulut épargner à ce pays contributions et réquisitions. Il conclut donc, pour un prix d'ailleurs fort élevé, des marchés avec le fournisseur bruxellois Simons. Mais pour le payer, il leva sur le clergé belge un emprunt de 40 millions de florins. En fait, le marché ne connut qu'un début d'exécution, l'emprunt ne fut pas payé et les troupes françaises se livrèrent au pillage. Les députés de Luxembourg s'en plaignirent à la Convention : « Les Français enlèvent tout, jusqu'aux portes et aux fenêtres, ils ne cessent de rançonner les habitants, ils fracassent ce qu'ils ne peuvent emporter. » Comme l'argent de l'emprunt ne rentrait pas, on recourut aux réquisitions. Néanmoins l'armée de Dumouriez fut mal ravitaillée pendant l'hiver de 1792-1793, et vit fondre ses effectifs. C'est là une des causes de la défaite de Neerwinden, le 18 mars 1793, qui força les Français à évacuer la Belgique.

Quand ils revinrent, après la victoire de Fleurus, le 26 juin 1794, ils ne prirent plus aucun ménagement. Carnot, lui-même, écrivait le 11 juillet qu'il fallait « prendre tout ce qu'on pourrait..., dépouiller [la Belgique] parce que c'était un pays dévoué à l'empereur, un pays de conquête, qui avait bien des restitutions à faire à la France ». Le Comité de salut public précisa qu'on devait saisir toutes les matières utiles à l'industrie et au commerce, telles que les cuirs, charbons, fers, bois, bestiaux, chevaux, céréales, fourrages. Carnot rappela le 3 août la nécessité « d'accabler les riches, de faire des otages », mais de « respecter, au contraire, le peuple, ses chaumières et même ses préjugés ».

En numéraire, plus de 109 millions de francs furent demandés à la Belgique, soit plus de deux fois le montant annuel des anciens impôts. En fait, 50 millions environ furent payés, essentiellement par le clergé et les nobles. Ceux-ci durent souvent vendre des terres, et même leurs châteaux, pour pouvoir s'acquitter.

Pour les biens matériels, une « agence de commerce » fut créée dès le 13 mai 1794 et fonctionna à partir de juillet. Elle était chargée des « extractions ». On n'a pas fait encore le bilan exact de ce qu'elle demanda, encore moins de ce qu'elle obtint. Par exemple Louvain fut taxée, le 16 juillet, à 30 000 bottes de foin, 5 000 bêtes à cornes, des fers, des toiles, des draps, des cotons, des cuirs, des peaux, des fils, des cordes, des savons, de l'alun, de la potasse, des laines, du charbon, du cuivre, du plomb, des harnais, des éperons, des selles, des étriers, du bois de charpente, des pierres précieuses. Louvain devait livrer tous ses objets d'or et d'argent. Les réquisitions opérées par l'agence de commerce parurent tellement exagérées aux représentants en mission que le Comité de salut public, à leur demande, réduisit le nombre et les pouvoirs de ses membres. Les Belges, pour échapper à ces contributions et réquisitions, réclamèrent leur annexion à la France, au moins auraient-ils alors le même régime que les autres départements français. L'annexion fut décidée par la Convention le 1er octobre 1795.

« Étudier la manière la plus efficace d'exploiter le pays »

L'exploitation économique de la Belgique avait abouti à un double échec : elle avait violemment mécontenté les Belges contre la France et n'avait guère amélioré l'existence des armées françaises. Le Comité de salut public décida de ne pas appliquer les mêmes méthodes dans les Provinces-Unies occupées à partir de janvier 1795. Dominique Ramel-Nogaret, futur ministre des Finances, et Cochon de Lapparent, autre spécialiste des finances, furent envoyés en Hollande en février 1795 pour étudier la manière la plus efficace d'exploiter le pays sans dresser contre les Français les citoyens de la toute nouvelle République batave. Ils conseillèrent d'éviter les réquisitions et les contributions partielles, et de payer les denrées en assignats au cours du change et non à leur valeur nominale.

Finalement le traité de paix et d'alliance signé entre la France et la République batave le 16 mai 1795 imposa à la nouvelle république-sœur l'entretien d'une armée d'occupation de 25 000 hommes et le paiement à la France d'une indemnité de guerre de 100 millions de florins, somme considérable. Il semble que sur les 100 millions, la France en ait réellement encaissé 75, soit 150 millions de francs, dont 20 à 25 en numéraire.

En Allemagne, étant donné la division politique du pays et les mouvements d'offensive et de retraite des armées françaises, il est difficile d'établir un bilan. Certes, beaucoup de réquisitions furent livrées et de nombreuses contributions imposées, mais combien parmi ces dernières furent réellement versées ? Comme en Belgique, une agence « d'évacuation » procéda en 1794 à d'énormes réquisitions. Lorsque, deux ans plus tard, les armées de Sambre-et-Meuse et de Rhin-et-Moselle opérèrent sur la rive droite du Rhin, elles réquisitionnèrent beaucoup. Des contributions de guerre furent imposées sur les villes, notamment 10 millions de livres sur Francfort dont quatre, semble-t-il, furent effectivement payés. Au total, l'Allemagne a versé environ 20 millions de livres, donc beaucoup moins que les Pays-Bas.

L'Italie semblait une proie tentante. Bonaparte n'avait-il pas dit à ses soldats, lors de sa prise de commandement, le 27 mars 1796 : « De riches provinces, de grandes villes seront en votre pouvoir, vous y trouverez honneur, gloire et richesses. » Effectivement, réquisitions et contributions s'abattirent sur les villes italiennes dès que l'armée française eut débouché dans la plaine du Pô. Les traités d'armistice ou de paix conclus avec les princes italiens comportèrent tous une clause financière : le roi de Sardaigne devait payer 2 millions de livres, le duc de Parme autant, le duc de Modène 7 millions et demi. Par l'armistice de Bologne, le pape s'engagea à payer 15 millions et demi en numéraire, et 5 millions en fournitures. Il versa dans les semaines qui suivirent 5 millions, mais comme le solde ne venait pas, l'armistice fut rompu. A la fin de juillet 1796, 53 463 000 livres avaient été imposés en Italie, sur lesquelles un peu plus de la moitié, 32 millions, était payé ; quinze millions furent expédiés en France : c'était la plus grande quantité de numéraire qu'un général eût jamais envoyée à Paris. Elle allait permettre le retrait des assignats et le retour à la monnaie métallique. D'ailleurs, en Italie, Bonaparte avait décidé de payer la solde de son armée en numéraire, ce qui la lui attacha davantage.

Les « prélèvements » d'objets d'art et de science ou le bon goût français

Certains cantons suisses passaient pour posséder des trésors, dont la voix populaire exagérait d'ailleurs l'importance. L'appât de ces trésors joua tout autant que le désir de créer une nouvelle république-sœur dans la décision prise par le Directoire d'intervenir en Suisse en janvier 1798. Les commissaires à l'armée d'Helvétie, Lecarlier puis Rapinat, furent chargés de l'exploitation financière. Les cantons de Berne, Fribourg, Zurich, Soleure furent taxés à 16 millions de francs. Une partie de cette somme devait servir à payer les frais de l'expédition d'Égypte qu'on préparait dans les ports de la Méditerranée. Il semble que 6 millions furent effectivement versés, auxquels il faut ajouter une dizaine de millions produits par les trésors de Berne, Zurich, Soleure, Fribourg et Lucerne, entièrement confisqués.

A ces réquisitions et contributions, s'ajoutèrent les prélèvements d'objets d'art et de science. Dès le 13 mai 1794, la Convention avait créé des agences d'évacuation. A ces agences succédèrent à la fin de 1794 des « commissions des sciences et des arts » chargées de prélever en pays conquis du matériel scientifique et des objets d'art et de les envoyer à Paris, afin de faire de cette ville, non seulement la capitale de la Révolution, mais la « métropole des Arts ». La Belgique fut la première victime. Le peintre Tinet y fit enlever des tableaux de Rubens, de Van Dyck et d'autres peintres moins célèbres. La commission qui opéra en Allemagne, en 1796, s'empara d'œuvres de Dürer, de Holbein et de la partition originale de *La Flûte enchantée* de Mozart. En fait, seule la retraite rapide des armées du Rhin empêcha des prélèvements plus importants.

Il n'en fut pas de même en Italie, où les « cessions » furent inscrites dans les conventions d'armistice et les traités de paix signés avec les princes du pays. En général, ces documents indiquaient un certain nombre de tableaux ou de sculptures et la commission choisissait. Ainsi le duc de Parme dut-il céder, le 9 mai 1796, vingt tableaux, le duc de Modène, le 17 mai, vingt tableaux également, le pape, le 23 juin, « cent tableaux, bustes, vases ou statues », et la République de Venise, le 16 mai 1797, « vingt tableaux et six cents manuscrits ». La commission qui opéra en Italie comprenait les peintres Bertelemy, Tinet, Gros, Wicar et Gerli, les sculpteurs Moitte et Marin, le musicien Kreutzer. Ils choisirent des tableaux du Corrège, des Carrache, du Dominiquin, de Raphaël, de Véronèse. Parmi les sculptures, l'Apollon du Belvédère, le Laocoon, le Tireur d'épines, et les fameux Chevaux de Saint-Marc, de Venise.

Le Directoire fit défiler à Paris, sur les Boulevards, tous ces trophées, en une sorte de triomphe, lors de l'anniversaire de la chute de Robespierre, le 9 thermidor an VI (27 juillet 1798). On expliqua au peuple que la réunion de ces œuvres d'art avait pour but essentiel « d'éclairer les hommes, de les rendre meilleurs, plus heureux et d'assurer à la nation, par sa supériorité dans les sciences et les arts, la haute prépondérance qu'elle s'est acquise par la force des armes ».

Il se trouva néanmoins, non seulement dans les pays occupés, mais aussi en France, des hommes politiques et des artistes pour protester contre ce pillage des objets d'art. A Paris, Roederer et Quatremère de Quincy s'élevèrent, dans le journal *Le Rédacteur,* contre ces enlèvements. Les artistes David, Robert, Girodet, Pajou, Fontaine, Soufflot signèrent une pétition contre les déplacements de tableaux et de sculptures. Sans résultat. Ou plutôt ils ne firent que déchaîner contre eux la plupart des journaux surexcités par les victoires de Bonaparte. Mais ils sauvèrent l'honneur...

Les nouvelles « Grandes Compagnies » ?

Les transferts d'argent, de fournitures, d'œuvres d'art ne pouvaient être réalisés par les généraux ou les commissaires aux armées. Ils devaient avoir recours à des spécialistes. La fourniture aux armées, et les évacuations vers la France, après avoir été en régie à l'époque de la Convention, furent assurées, à partir de 1795, par des entrepreneurs, souvent occasionnels. Spéculateurs plutôt qu'hommes d'affaires, il étaient liés aux banquiers, qui avançaient l'argent indispensable, et aux fonctionnaires, commissaires ordonnateurs et commissaires des guerres, qui accordaient les marchés et contrôlaient fournitures et transferts.

Les fournisseurs ou munitionnaires ont été, sous le Directoire, des personnages aussi caractéristiques de la France que les Incroyables et les Merveilleuses. Il y en eut de malhonnêtes qui nous sont connus par les scandales qu'ils provoquèrent. D'autres furent intègres, et on n'en parla guère. Certains même

BIBLIOGRAPHIE

BOYER F., *Le Monde des arts en Italie et la France de la Révolution et de l'Empire,* Societa editrice internazionale, Turin, 1970.

GODECHOT J., *La Vie quotidienne en France sous le Directoire,* Hachette, Paris, 1977.

firent faillite, car l'État n'était pas pressé de rembourser leurs avances.

Parmi les premiers, la compagnie Flachat, Laporte et Castelin, fournisseurs à l'armée d'Italie. Laporte avait été député à la Législative, à la Convention et au Corps législatif. Il avait beaucoup de relations dans le monde politique. La compagnie qu'il fonda avec Flachat et Castelin, le 18 mars 1796, recevait les « prises » faites en Italie et les transférait en France, moyennant une commission de 2 à 5 %. Elle fut aussi chargée par Bonaparte de vendre les marchandises anglaises saisies à Livourne. En contrepartie, elle devait approvisionner l'armée d'Italie. Mais elle fit des bénéfices scandaleux, revendant par exemple 2 millions de francs des bijoux – saisis dans les monts-de-piété – qu'elle avait évalués 400 000 francs. Par ailleurs, les fournitures à l'armée étaient irrégulières et souvent de mauvaise qualité. Bonaparte décida de faire arrêter Flachat et ses associés, mais ils purent s'échapper et quittèrent l'Italie, emportant avec eux, selon le général, « cinq à six millions ». Traduits en conseil de guerre, ils furent défendus par les plus célèbres avocats de l'époque, Tronchet, Portalis, Muraire, qui plaidèrent l'incompétence du conseil. Le Corps législatif consulté déclara le contraire mais, entre-temps, les accusés s'étaient évadés. Laporte forma en 1798 une nouvelle compagnie qui eut moins de déboires. Sous l'Empire, il se retira à Belfort et mourut honoré de ses concitoyens, en 1824.

Une autre compagnie, la compagnie Bodin, fut chargée de la fourniture aux armées d'Italie et d'Helvétie en 1798, en échange de biens nationaux à prendre en France et en Italie. Elle fut aussi accusée de malversations, mais ne fut pas poursuivie.

Les fournisseurs aux armées d'Allemagne et de Hollande n'avaient pas meilleure réputation. Lanchère, chargé de fournir des chevaux, fut poursuivi en justice pour avoir gardé par-devers lui 800 000 francs provenant de la contribution de Francfort. Avec cette somme, il acheta le château de Maisons-Laffitte et ne fut pas inquiété. Il en alla de même de Larmotze, chargé de la fourniture de la viande aux mêmes armées. On l'accusa d'avoir partagé avec les paysans allemands insurgés le trésor de l'armée de Sambre-et-Meuse dont ils s'étaient emparés.

D'autres fournisseurs furent moins chanceux. Ainsi Hanet-Cléry, frère du « fidèle Cléry », le dernier valet de chambre de Louis XVI. Devenu fournisseur de bestiaux aux armées d'Allemagne et d'Helvétie, en 1798 et 1799, il ne fut pas remboursé de ses avances ; parti pour Saint-Domingue en 1802, il manqua d'y mourir de la fièvre jaune, et il finit sa carrière comme inspecteur des forêts en Corse.

Et bien sûr... les banquiers

Les fournisseurs ne pouvaient, pour leurs opérations, se passer des banquiers. Les grandes banques étaient peu nombreuses. La principale était la Caisse des comptes courants. Son directeur général, Monneron, disparut le 17 novembre 1798 en laissant une dette de 2 500 000 francs. La faillite fut toutefois évitée, et Dominique Garat, ancien député à la Constituante et ancien ministre, remplaça Monneron.

La Caisse d'escompte du commerce fut aussi associée aux opérations des munitionnaires, une dizaine d'entre eux figuraient au nombre de ses actionnaires.

Le banquier Balbi, de Gênes, s'occupa de la vente des objets saisis dans les monts-de-piété et du transfert des fonds d'Italie en France.

Certains s'improvisèrent banquiers, pensant que les circonstances leur permettraient de s'enrichir facilement. Ce fut le cas d'Emmanuel de Haller, fils du célèbre naturaliste suisse Albrecht de Haller. Commissaire des guerres à l'armée d'Italie en 1796, il se chargea de la vente des bijoux confisqués par l'armée, puis de diverses opérations de banque en tant qu'administrateur en chef des finances de l'armée d'Italie. Lors de l'occupation de Rome en 1798, il fut accusé de diverses malversations. Toutefois, il ne fut pas poursuivi : il paraissait intouchable.

Ce monde des fournisseurs, munitionnaires, gens d'affaires, banquiers, avait proliféré sous le Directoire grâce aux victoires françaises. Il discrédita le régime directorial et facilita l'accès au pouvoir de Bonaparte, qu'il avait d'ailleurs financé.

Jacques Godechot

LA FRANCE DES RÉGIONS

Naissance d'une nation

La nation française se révèle à elle-même à travers les fédérations, la garde nationale, l'affirmation des sentiments nationaux, et s'institue dans des structures territoriales qui, en principe, selon la Constitution de 1791, concourent à former un édifice harmonieux couronné par la représentation nationale. Comment ces structures favorisent-elles ou entravent-elles, à l'épreuve des grands affrontements, ce processus de formation de la nation ?

Le territoire ou l'ethnie ?

La nation qui sort des transformations que connaît la France entre 1789 et 1799 n'est pas fondamentalement d'ordre territorial. Burke se trompe lorsque, stigmatisant les révolutionnaires dans ses *Réflexions sur la Révolution française* (novembre 1790), il écrit que « c'est cette résolution de partager leur pays en républiques séparées [les départements] qui les a entraînés dans le plus grand nombre de difficultés qu'ils ont éprouvées ». Fort justement, en revanche, l'historien rennais Roger Dupuy caractérise l'assise territoriale de la nation comme « un unanimisme patriotique qui concrétise l'intégration nationale de chaque parcelle du territoire et surtout des populations qu'elle supporte, tout en incarnant la force coercitive, désormais irrésistible, du tiers état ».

La nation française n'est pas davantage d'ordre ethnique ou historique. Si Sieyès propose dans son célèbre *Qu'est-ce que le tiers état ?* que les Gaulois (les roturiers) renvoient dans leurs forêts originelles de Germanie les aristocrates vus comme descendants des envahisseurs francs du Ve siècle, c'est là surtout une métaphore qui condamne au néant les débats sur les préjugés lancés dans le royaume depuis la fin du XVIe siècle (et qui connaîtront des séquelles, non dépourvues d'intérêt, jusque vers 1870). Quant au thème des frontières naturelles, qui identifie la France révolutionnaire à la Gaule de César, il joue un rôle important entre l'automne 1792 et 1796, comme arsenal idéologique pour justifier les conquêtes des armées révolutionnaires : on ne s'empare pas de la Savoie, on réintègre les Allobroges dans leur espace originel.

Que ni le territoire valorisé en lui-même ni l'ethnie ou l'histoire ne soient les fondements de la nation française est particulièrement évident dans les luttes qui opposent les révolutionnaires et leurs adversaires. Lorsque la dictature révolutionnaire affronte en 1793-1794 la révolte girondine et la contre-révolution intérieure qui tente de se lier à la première coalition, ni l'une ni l'autre de ces forces ne jouent la moindre carte régionaliste ou provincialiste. Albert Soboul donne l'exemple de Joseph Sevestre, représentant en mission dans les départements bretons, qui, après avoir soupçonné les girondins d'Ille-et-Vilaine de se vouloir les héritiers des parlementaires bretons d'Ancien Régime, finit par reconnaître le 26 août 1793 qu'il n'en est rien. Quant au soulèvement vendéen, il n'exprime aucune conscience régionale, rien de tel non plus en Normandie, à Lyon ou dans le Midi contre-révolutionnaire.

La conquête des municipalités

En revanche, les départements jouent un rôle déterminant dans la révolte dite fédéraliste. Alors que les communes et les districts y sont généralement hostiles, les directoires départementaux sont le point de regroupement de ceux qui s'oppo-

Les gouvernements en 1789

Les parlements en 1789

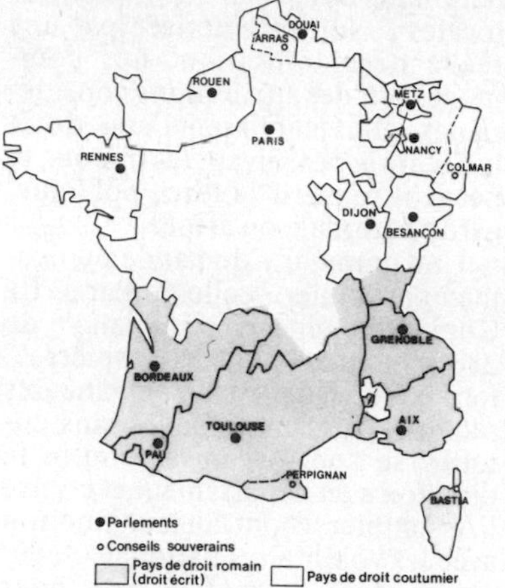

sent à la dictature de la Montagne sur l'Assemblée et sur le pays, identifiée à une dictature de Paris. Dans le même esprit, les girondins proposent qu'une Convention « libérée » soit réunie dans une ville comme Bourges, géographiquement « plus centrale » que Paris. Après la chute de Robespierre, les administrations départementales seront reprises en main par ceux, girondins en tête, qui en avaient été écartés par les épurations de l'automne 1793. C'est l'amorce du renforcement considérable que connaîtra le département au XIXe siècle, pièce essentielle du pouvoir, mais aussi dispositif clé dans l'édifice représentatif par lequel fonctionne la nation.

Le département est en effet une circonscription administrative dont l'assemblée n'a aucun caractère délibérant. Mais c'est aussi l'unité territoriale qui sert de base à la formation de l'Assemblée nationale. L'ultime filtrage des votes émis par les citoyens actifs dans les assemblées primaires s'opère à ce niveau.

Mais à côté du département, et à certains moments contre lui, l'avènement de la nation à partir de 1789 s'est exprimé dans un cadre plus proche de la conception de la majorité des citoyens : la commune. Déjà en 1787, Calonne avait prévu des municipalités communales élues au suffrage censitaire. Les futurs citoyens avaient donc déjà pu expérimenter un embryon de vie démocratique, et la révolution municipale qui déferle pendant l'été de 1789 et crée les communes (selon le découpage des paroisses) montre que la vie nationale connaîtra désormais son expression la plus forte à ce niveau. Depuis, tout commence par la conquête des municipalités.

La décentralisation

La rédaction de la Constitution de 1791 est très claire. L'article 1 du titre I (« De la division du royaume, et de l'état des citoyens ») stipule : « Le royaume est un et indivisible ; son territoire est distribué en 83 départements, chaque département en districts, chaque district en cantons. » Pour trouver mention des communes, il faut se reporter à l'article 8 : « Les citoyens français considérés sous le rapport des relations locales, qui naissent de leur réunion dans les villes et dans certains arrondissements du territoire des campagnes, forment les *communes.* » La touche « sociologique » qui marque la rédaction de cet article est intéressante, puisque le cadre territorial y est dissocié de celui qui concourt à la formation de la représentation nationale. Mais surtout, les constituants ont voulu, en réaction contre la centralisation extrême de l'Ancien Régime, que la vie nationale, au niveau des « relations locales », soit caractérisée par une réelle décentralisation. Les communes ont des attributions considérables : elles établissent l'assiette de la fiscalité, perçoivent les impôts, et peuvent requérir la force publique, garde nationale ou armée.

Une commune demande un examen particulier : celle de Paris. La Commune insurrectionnelle de 288 membres (dont Robespierre), formée le 10 août 1792, émane des sections parisiennes où les sans-culottes se sont organisés contre le directoire du département et contre l'Assemblée, et ont fait leur jonction avec les volontaires nationaux fédérés envoyés de tout le pays pour combattre l'Autriche, Louis XVI et la politique des girondins. Immédiatement, cette Commune se place au cœur de l'organisation de l'élan national. Le 3 septembre, son comité de surveillance rédige à l'instigation de Marat une circulaire aux patriotes de province pour appeler à la défense de Paris et se débarrasser des contre-révolutionnaires.

Dès le 25 septembre, dans la Convention nouvellement élue, un violent affrontement oppose la Gironde à une Montagne accusée de vouloir établir en accord avec la Commune la dictature de Paris sur la France. Dès lors, cette Commune sera constamment au cœur de la mobilisation nationale et de ses enjeux politiques et sociaux, jusqu'à la fin de 1793 où les comités reprendront la situation en main au profit de l'Assemblée. Lorsque, au 9 Thermidor, la Commune échouera dans sa tentative de mobiliser un mouvement sans-culotte désorienté, on verra bien à quel point tout ce que la nation portait de charge révolutionnaire se trouvait concentré au niveau des « relations locales ». Dans la Constitution de l'an III, les communes perdront l'essentiel de leur rôle d'organisatrices de la vie locale, et l'on s'acheminera vers une tutelle étroite dont les communes ne sortiront que lentement et partiellement au cours du XIXe siècle.

Les « peuples désunis » dont Mirabeau avait parlé à la veille de la Révolution ne se sont donc pas agrégés dans la nation française en devenant des « peuples unis ». Bien que, sous l'influence du même Mirabeau et de ses amis, le découpage départemental ait pour l'essentiel respecté les limites des anciennes provinces, l'unité qui surgit dès 1789-1790 constitue un peuple unique et unifié.

Le nouvel ensemble combine l'unification et la centralisation du pouvoir dans un pays un et indivisible, et une expression réelle et vivante, au départ, des relations immédiates entre les citoyens. L'idéal proposé là par les constituants était assez élevé ; il venait en partie de Rousseau. Mais les nécessités de la lutte révolutionnaire, puis l'établissement du gouvernement des propriétaires déséquilibreront le système au profit d'une centralisation d'État.

Jean-Yves Guiomar

La restructuration de l'espace national

La France, en 1789, n'est pas tout à fait l'hexagone actuel. Si la frontière des Pyrénées n'a presque pas bougé depuis le traité de 1659, sur la frontière nord, entre la France et la Belgique (alors Pays-Bas autrichiens), la France possédait les forteresses de Philippeville et de Ma-

Les départements en 1790

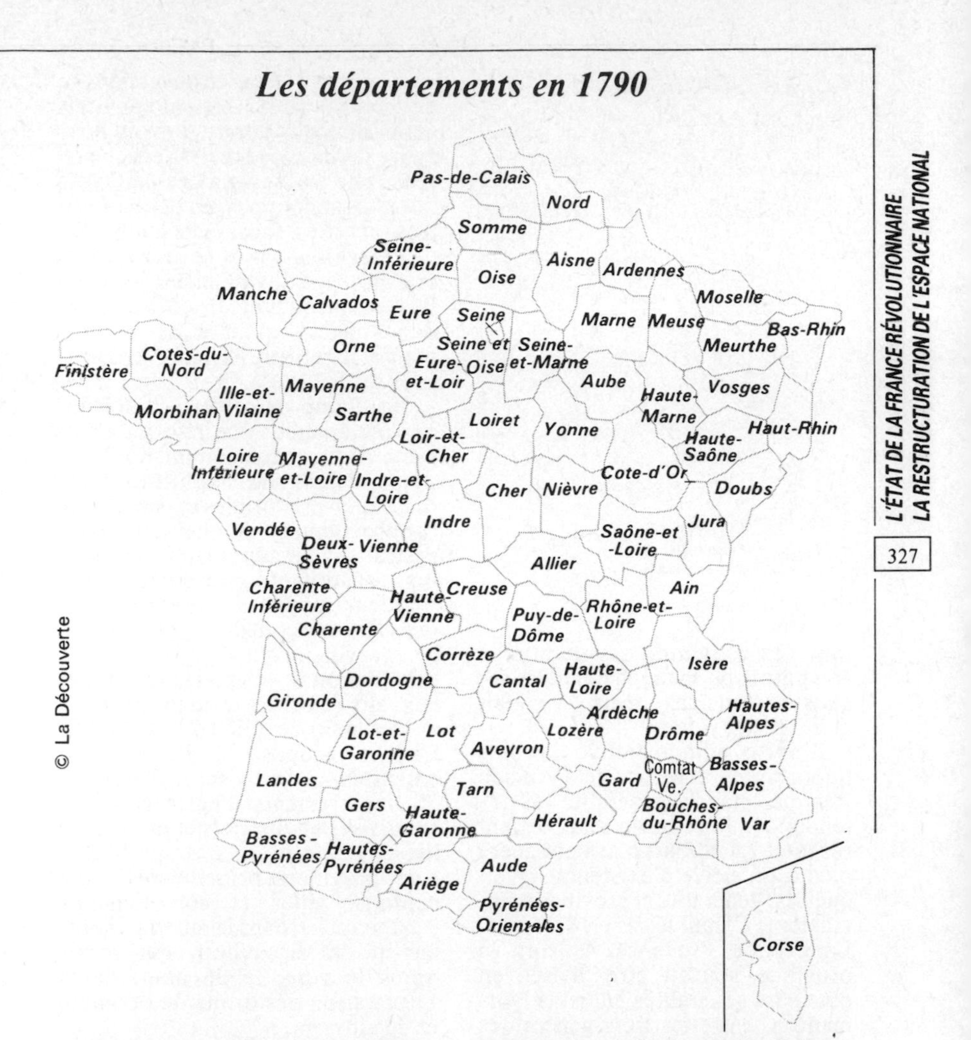

rienbourg ; sur la frontière nord-est, celle de Landau. En revanche, à la frontière suisse, la principauté de Montbéliard appartenait au duc de Wurtemberg, et, si la France touchait, à Versoix, la rive nord du lac Léman, la Savoie et le comté de Nice lui échappaient et faisaient partie du royaume de Piémont-Sardaigne. A l'intérieur, Avignon et le comtat Venaissin étaient depuis 1348 territoires pontificaux.

Un dédale

Le territoire français lui-même était divisé en de multiples circonscriptions irrationnelles et incohérentes : il y avait des généralités ou intendances, des bailliages et des sénéchaussées, des pays d'états et des pays d'élection, des provinces ecclésiastiques et des diocèses, des gouvernements militaires et des commandements en chef, des divisions judiciaires, parmi lesquelles les plus importantes étaient les ressorts des parlements. Pour les douanes, on distinguait les « cinq grosses fermes », les « provinces réputées étrangères » et les « provinces de l'étranger effectif ». Nulle part les limites des circonscriptions ne coïncidaient entre elles.

La « province » était, de toutes ces divisions, la plus vivante ; mais, administrativement, elle était sans valeur. Chaque province avait ses

Les généralités en 1789

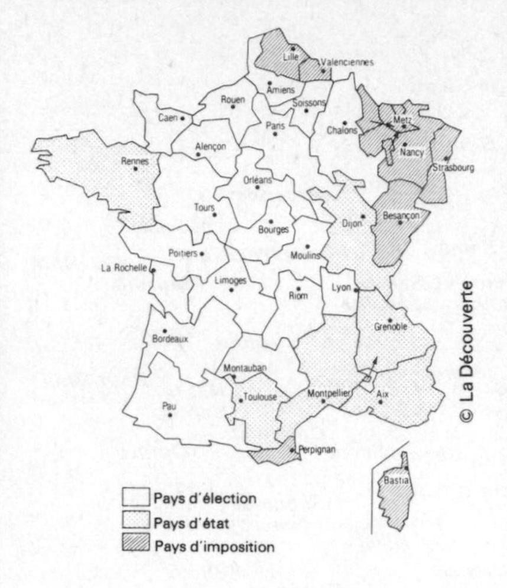

lois, ses coutumes, ses traditions, son patois ou sa langue, parfois ses états provinciaux, mais ce n'était qu'un cadre vide.

L'unité administrative la plus importante, à la fin de l'Ancien Régime, était la généralité, ou intendance, de création relativement récente. La plupart n'avaient guère plus d'un siècle d'existence. Quelquefois, généralité et province coïncidaient. C'était le cas en Bretagne, Languedoc, Provence. Ailleurs, la province pouvait être divisée en plusieurs généralités : ainsi la Normandie, entre les trois généralités de Rouen, Caen et Alençon. Une généralité pouvait au contraire grouper plusieurs provinces ou fractions de provinces : celle d'Auch comprenait la Gascogne, une fraction de la Guyenne et quelques petits « pays » pyrénéens. Au total, il y avait trente-quatre généralités dans la France de 1789. A la tête de chacune d'elles était placé un intendant, grand personnage qui avait incarné au cours du XVIIIe siècle l'absolutisme monarchique et la centralisation dans sa circonscription.

La généralité s'était ainsi superposée à de multiples autres circonscriptions administratives, ses limites étaient d'une complexité inextricable et les enclaves y abondaient. L'administration royale elle-même n'arrivait plus à se retrouver dans ce dédale. Lors des élections aux États généraux, qui devaient avoir pour cadre les bailliages et les sénéchaussées, elle s'adressa à des bailliages qui n'existaient pas, en oublia d'autres, et fut parfois même contrainte de créer en catastrophe de nouvelles circonscriptions pour des localités laissées jusqu'alors de côté dans les découpages : tel fut le cas pour « le pays et jugerie de Rivière-Verdun », près de Toulouse.

Beaucoup de cahiers de doléances réclamaient une réforme complète de ce chaos administratif ; ils demandaient une simplification des divisions territoriales et, surtout, le rapprochement du chef-lieu administratif et des administrés. De plus, les constituants pensèrent que le meilleur moyen de détruire l'Ancien Régime était de supprimer l'esprit provincial qui s'opposait à l'esprit national, c'est-à-dire, selon eux, aux réformes et au progrès.

Dès la fin de juillet 1789, Adrien Duport proposa à l'Assemblée constituante de diviser la France en 70 départements d'égale étendue, subdivisés en districts et municipalités. L'abolition des privilèges « des provinces, principautés, pays, cantons, villes et communautés d'habitants », dans la nuit du 4 août, facilita la discussion, qui reprit après le vote, le 26 août, de la Déclaration des droits de l'homme et du citoyen.

De nouveaux projets furent déposés sur le bureau de l'Assemblée : le comte de Lally-Tollendal conseillait de créer des districts égaux, peuplés chacun de 150 000 habitants, tandis que Sieyès prévoyait 50 « provinces », divisées chacune en 40 « arrondissements » de 20 paroisses. Il remplaça ensuite les 50 provinces par 89 « départements », plus Paris.

Des départements égaux de 18 lieues de côté...

Thouret, chargé du rapport sur les différents projets, présenta sa synthèse le 29 septembre. Il prit pour base de son travail le territoire, la population, la richesse (évaluée d'après le montant des contributions). Il estimait que la France devait être divisée en 80 départements, plus la ville de Paris. Chaque département formerait, autant que possible, un carré de 18 lieues de côté. Il serait divisé en neuf districts de 6 lieues de côté, et chaque district comporterait neuf cantons de 4 lieues. Les cantons devaient être combinés de telle manière qu'ils comprennent 680 citoyens actifs, c'est-à-dire les hommes de vingt-quatre ans et plus, payant une contribution directe égale au moins à trois journées de travail, domestiques exclus. Ces citoyens formeraient l'« assemblée primaire » du canton. Enfin les départements devaient être à peu près aussi riches les uns que les autres.

Les événements des 5 et 6 octobre 1789, le transfert de l'Assemblée constituante à Paris, retardèrent la discussion du rapport de Thouret, qui ne reprit que le 3 novembre. On reprocha à Thouret de créer des départements trop petits. Il répondit qu'à la tête de départements plus grands, des corps administratifs puissants pourraient s'opposer aux décisions du gouvernement central. On lui fit aussi grief de détruire les anciennes provinces, ce à quoi il répliqua : « Elles seront divisées, mais continueront à avoir une existence morale. » D'ailleurs, ajouta-t-il, « l'esprit national » ne tarderait pas à prévaloir sur « l'esprit provincial ».

Mirabeau présenta un contre-projet : la France serait divisée en 120 départements, mais ils ne seraient pas subdivisés. Surtout, il attaquait les limites géométriques et demandait qu'on conservât les provinces comme cadres des futurs départements.

De nombreux orateurs intervinrent dans le débat. Bertrand Barère aurait voulu que la division fût fondée non sur le territoire, mais sur la population. Plusieurs députés attaquèrent la division géométrique. Thouret admit qu'on abandonnât son projet de limites rectilignes,

Les gabelles

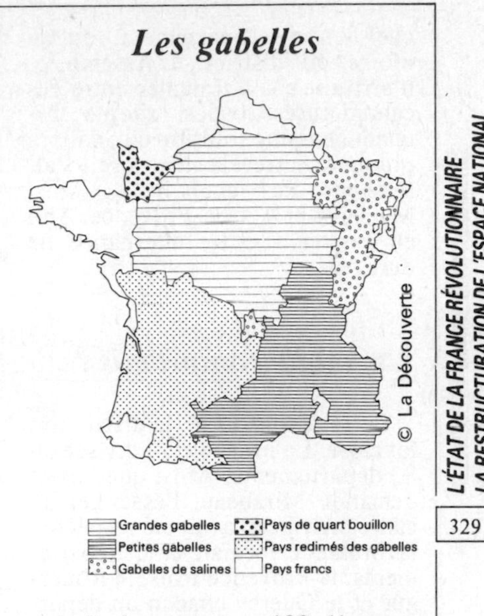

mais il s'opposa aux 120 départements de Mirabeau. L'Assemblée décida finalement que la France aurait entre 75 et 85 départements, chacun divisé en 6 à 9 districts.

Les députés se mirent à l'œuvre aussitôt. Abandonnant tout système géométrique, ils décidèrent de suivre autant que possible les limites des anciennes provinces. Trois situations furent prévues : les grandes provinces divisées en plusieurs départements, les moyennes provinces formant chacune un département et les petites provinces qui devraient s'unir, soit entre elles, soit à des fragments d'autres provinces. Dans tous les cas, les députés des provinces seraient consultés et devraient s'entendre pour fixer les nouvelles limites. Un comité de quatre députés, Dupont de Nemours, Bureaux de Pusy, Aubry-Dubochet et Gossuin, trancherait les contestations et déciderait à la majorité. Lui était adjoint un expert, Dominique Cassini, auteur, avec son père, de la fameuse carte de France au 1/86 400, première carte détaillée de la totalité du pays.

Les travaux de division furent marqués par de violentes discussions. Telle province ne voulait pas être jointe à telle autre. Surtout, il y eut de vives compétitions entre les villes qui prétendaient au rang de chef-lieu de département, ou au moins de district. L'Assemblée, n'arrivant pas à trancher entre ces candidatures rivales, adopta fréquemment une solution qui, dans la pratique, se révéla mauvaise : l'alternance des chefs-lieux. Ainsi Marseille et Aix-en-Provence, Albi et Castres... Cette alternance ne dura pas.

Un habile compromis ?

Le 15 février 1790, la discussion fut close. La France était divisée en 83 départements. Ainsi que l'avait demandé Mirabeau, l'essentiel du cadre provincial avait été respecté : la Bretagne formait cinq départements, la Provence trois, le Rouergue et le Quercy chacun un département. Mais certains départements furent hétéroclites : ainsi les Hautes-Pyrénées qui groupèrent plusieurs pays et n'existèrent que grâce à l'éloquence de Barère ; la Haute-Garonne, formée de fragments du Languedoc et de la Gascogne joints au Comminges, la Haute-Loire composée du Velay et d'une partie de l'Auvergne, etc. Malgré son grand désir d'unité, la Constituante ne put supprimer toutes les enclaves. Les Hautes-Pyrénées, par exemple, conservèrent deux petites enclaves dans le département voisin des Basses-Pyrénées.

L'Assemblée eut la velléité de donner aux départements un simple numéro d'ordre, ou les noms des chefs-lieux, mais elle leur choisit finalement des noms géographiques, indiquant soit les montagnes, soit les fleuves qui les traversaient, soit les mers ou les côtes voisines.

Le déroulement de la Révolution et les guerres complétèrent l'œuvre de la Constituante. Dès 1790, les habitants d'Avignon et du comtat Venaissin, territoires pontificaux, avaient demandé à faire partie du royaume de France. Leurs vœux furent exaucés par l'Assemblée constituante le 13 septembre 1791. Leur territoire forma le département du Vaucluse, qui conserva une enclave, Valréas, dans le département de la Drôme. Les troupes françaises étant entrées, en octobre 1792, en Savoie et dans le comté de Nice, leurs habitants demandèrent l'annexion à la France, ce que la Convention accepta. La Savoie forma le département du Mont-Blanc, et le comté de Nice, celui des Alpes-Maritimes. En mars 1793, la région de Porrentruy, qui dépendait de l'évêché de Bâle, suivit l'exemple des Avignonnais. Elle devint le département du Mont-Terrible, qui comprit aussi Montbéliard, ex-possession du duc de Wurtemberg. Pour réduire plus facilement Lyon, révoltée contre la Convention, pendant l'été 1793, l'Assemblée décréta en novembre que le département du Rhône-et-Loire dont la ville était le chef-lieu serait divisé en deux, le Rhône et la Loire. Enfin le département du Tarn-et-Garonne ne fut créé qu'en 1808 par Napoléon, pour satisfaire Montauban, qui, ancienne capitale de la généralité de Haute-Guyenne, et siège d'une cour souveraine, n'était plus, depuis 1790, que chef-lieu de district, puis d'arrondissement, du département du Lot.

C'est ainsi que l'espace national fut restructuré. La division départementale ne devait plus être modifiée avant 1871, avec l'annexion de l'Alsace et du nord de la Lorraine

BIBLIOGRAPHIE

GODECHOT J., *Les Institutions de la France sous la Révolution et l'Empire,* PUF, Paris, 1985 (nouvelle éd.).

GODECHOT J., « La France en quête de ses frontières », chap. III, in *Grand Livre de la France,* France Loisirs, Paris, 1986.

par l'Empire allemand. Alors fut créé le département de Meurthe-et-Moselle, avec ce qui restait à la France de la Lorraine, et le Territoire de Belfort, lambeau du Haut-Rhin. La division départementale de la France par l'Assemblée constituante est encore en place deux cents ans après sa création.

Jacques Godechot

Un grand remue-ménage démographique ?

L'un des traits dominants de l'ancienne France, c'était sa sédentarité. Sans doute n'était-elle pas aussi absolue qu'on l'a cru : un Français sur deux en moyenne – davantage dans les petites communautés, moins dans les grandes – devait aller chercher femme hors de sa paroisse ; on rencontrait sur les routes royales un monde bigarré de marchands et de mendiants, de comédiens et de pèlerins, de voituriers et d'aventuriers, de chasse-marée et de traîne-savates, sans parler des meneurs de nourrices, ni des Gavots ou dévorants accomplissant leur tour de France. Chaque année, maçons limousins et ramoneurs savoyards « montaient » à Paris, puis redescendaient au pays natal pour ensemencer leurs champs et leurs femmes. Et quelques Français s'aventuraient plus loin : pêcheurs de baleine, colporteurs auvergnats en Espagne, cuisiniers, maîtres à danser ou à penser dans les cours de l'Allemagne ou de l'Europe du Nord.

Les migrations

Avec la Révolution, deux mouvements deviennent massifs : celui de l'émigration, qui entraîne au-delà des frontières 150 000 à 200 000 personnes, qui n'étaient pas toutes des aristocrates ni des prêtres réfractaires (parmi elles, 40 % de femmes et d'enfants) ; et celui des troupes que les conquêtes mènent jusqu'au Guadalquivir, au Niémen et à la Moskowa. Prodigieuse migration, qui contribuera à faire découvrir aux paysans français la géographie de l'Europe, et aux paysans européens les faces contradictoires de la France nouvelle.

Malheureusement, les échanges internationaux sont bien difficiles à quantifier : il n'y a pas de comptages aux frontières, et les frontières elles-mêmes cessent d'être fixes.

On est un peu moins mal renseigné sur les migrations intérieures. L'horizon matrimonial s'élargit. A Rouen, par exemple, la proportion des maris nés hors de la ville passe de 45 % (1770-1779) à 53 % (1780-1792). A Bordeaux, parmi les 3 127 couples unis de 1787 à 1791, on compte 1 863 immigrants et 1 628 émigrantes ; pour la période 1793-1797, le nombre des unions passe à 5 106 (+ 63 %) ; or les quatre cinquièmes de cette augmentation résultent du gonflement du nombre des époux nés à l'extérieur : 3 809 hommes (+ 104,5 %) et 2 891 femmes (+ 78 %).

Partout où l'on dispose de listes nominatives ou de « cartes de sûreté » précisant l'année d'arrivée, on constate une augmentation des mouvements migratoires au début de la Révolution : à Bayeux, le nombre annuel des entrées, qui s'était établi en moyenne à 81 de 1780 à 1788, passe à 131 en 1789-1792 ; à Paris, le nombre annuel des immigrants (hommes seulement), qui avait été de 3 400 en moyenne pendant cette même période de réfé-

Répartition de la population du royaume à la fin de l'Ancien Régime

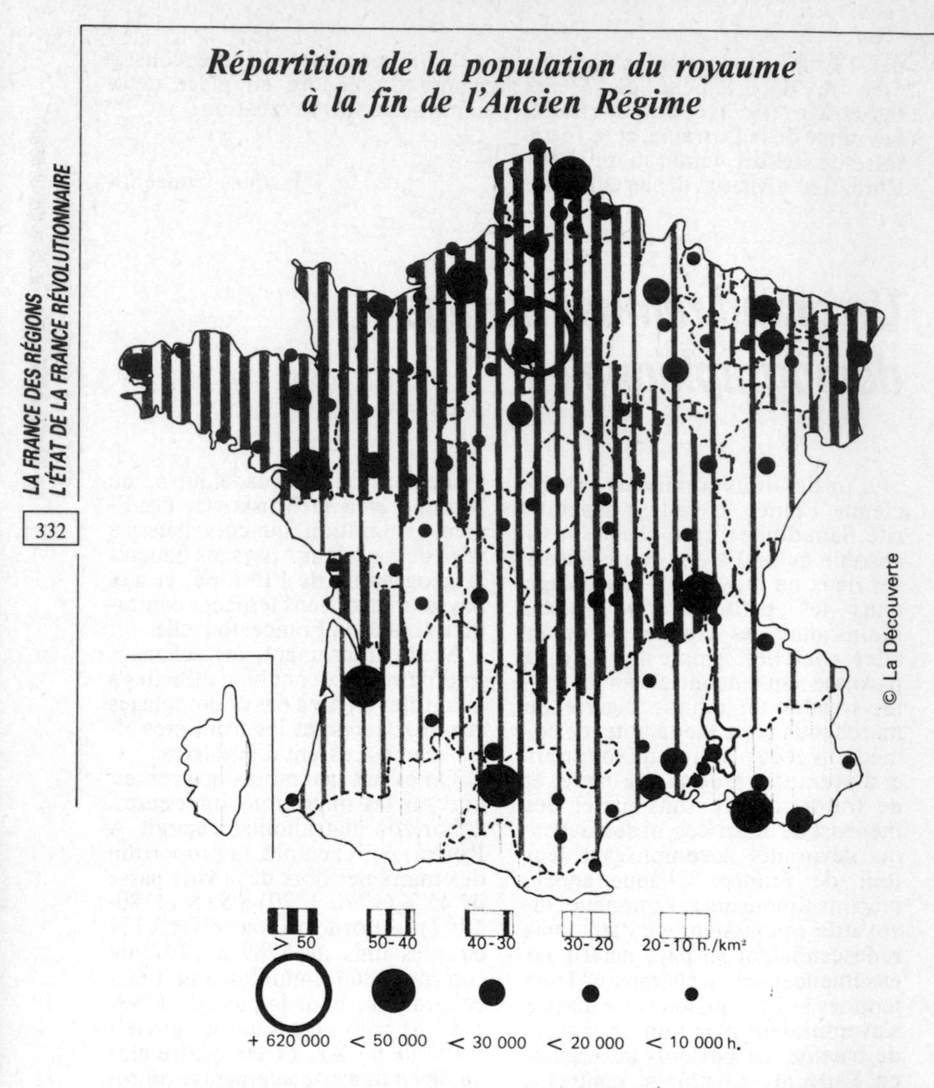

rence, atteint 3 796 dès l'année 1789, 3 880 en 1790, 5 148 en 1791, 6 205 en 1792 et 15 367 en 1793. En revanche, les mouvements de sortie s'accélèrent, surtout à partir de 1794 et 1795, à cause de l'insécurité politique et des difficultés de ravitaillement.

Plus aisé à dresser que la carte des migrations apparaît le bilan final de ces mouvements. En effet, si l'administration de la France révolutionnaire a quelque peu négligé la comptabilité des naissances et des décès, elle s'est efforcée à plusieurs reprises de dénombrer la population. Malheureusement, ces tentatives ont été désordonnées : en 1790, par exemple, trois comités de la Constituante – le Comité de division, le Comité de mendicité et le Comité des contributions publiques – ont ordonné presque simultanément un recensement général. Les municipalités ont fourni des chiffres, avec plus ou moins de retard, mais les récapitulations n'ont été faites que pour un certain nombre de départements ; si bien que les résultats publiés – en particulier par Pinteville de Cernon dès 1792 dans son *Nouveau dictionnaire géographique de la France* – sont un salmigondis de comptages plus ou moins

Les routes de poste à la fin du XVIIIe siècle

© La Découverte

exacts, et d'évaluations plus ou moins arbitraires. En 1976, C. Langlois a essayé d'en faire le tri et de rectifier les erreurs ; il aboutit à la conclusion qu'en 1790 la population française, dans le cadre des frontières de l'époque, était de 28,1 millions ; et donc de 28,7 environ dans les limites actuelles. Puis, comparant la population des départements en 1790-1791 et en 1806 (recensement plus fiable que celui de 1801), il propose, pour les variations observées entre-temps, une carte très parlante que nous reproduisons ici, avec quelques légères modifications pour tenir compte des changements de limites des départements (la Savoie et la Haute-Savoie étant exclues, car non dénombrées en 1790-1791), et surtout des progrès intervenus depuis 1976 dans la connaissance du peuplement des départements français grâce aux dictionnaires de la collection « Paroisses et Communes de France ».

Malgré l'augmentation générale de la population française entre les deux dates (1 million environ), vingt-cinq départements sont en recul ; en valeur absolue, les grands perdants sont la Gironde (− 56 385), la Dordogne (− 54 250) et le Maine-et-Loire (− 51 366) ; en valeur relative, la Vendée (− 12,8 %). Au contraire, cinquante-huit départements ont vu leur population augmenter très sensiblement, en particulier le Bas-Rhin (+ 81 736), la Manche (+ 61 249) et les Vosges (+ 55 731). D'une manière générale, les régions bénéficiaires sont l'Est (+ 330 000 habitants), le Nord au sens large (+ 210 000), la Norman-

***Temps de parcours des voitures publiques entre Paris et la Province** (en journées de voyage)*

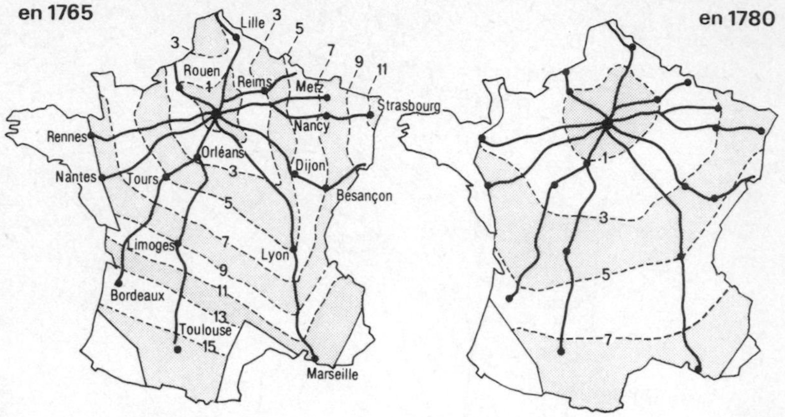

en 1765

en 1780

die (+ 160 000), la région lyonnaise au sens large (+ 180 000) et les Pyrénées (+ 54 000) ; les régions perdantes sont l'Aquitaine (– 220 000), le Centre-Ouest (– 190 000) et la Bretagne (– 50 000).

Ces changements impliquent un déplacement du centre de gravité de la population française de l'Ouest vers le Nord-Est : au début de la Révolution, 364 Français sur mille vivaient dans les trente départements situés au sud-ouest d'une ligne Saint-Malo-Marseille ; en 1806, la proportion n'était plus que de 340 pour mille.

Le déclin relatif des villes

Dans une certaine mesure, ce glissement du peuplement prolonge une tendance antérieure (vers 1700, l'Ouest et le Sud-Ouest concentraient 40 % de la population française), mais la Révolution l'a accéléré. Il résulte en partie du mouvement naturel, et, dans une mesure apparemment assez faible, du mouvement migratoire.

Au contraire, c'est celui-ci qui semble avoir joué le rôle majeur dans la seconde série de changements qu'on observe pour la période 1790-1806 : le déclin relatif des villes.

Sous l'Ancien Régime, les grandes cités présentaient un bilan naturel presque équilibré. A Paris, par exemple, le nombre des naissances l'emportait sur celui des décès (pour la décennie 1780-1789 : 202 400 naissances pour 196 400 décès), mais ce bilan était artificiel : en effet, dans la grande majorité des cas, les nouveau-nés étaient envoyés en nourrice à la campagne, où leurs décès (5 000 par an ?) étaient comptabilisés, échappant ainsi à la statistique parisienne.

Pendant la Terreur, le placement des enfants en nourrice devient plus difficile, si bien qu'en 1794 et 1795 le nombre des décès l'emporte sur celui des naissances ; mais le déficit réel, pour la période 1790-1799, n'a pu excéder 40 000 ; et il ne peut suffire à expliquer qu'on ne trouve plus à Paris, en 1801, que 547 756 habitants, alors qu'il y en avait au moins 620 000 au début de la Révolution. La capitale fournissait, à la fin de l'Ancien Régime, 21,1 pour mille des mariages célébrés en France, et cette proportion était même passée à 28,7 pour mille en 1790-1794 ; or on tombe à 17,7 pour mille dans la première décennie du XIXe siècle.

Même recul pour la plupart des

BIBLIOGRAPHIE

DUPÂQUIER J. (sous la direction de), *Histoire de la population française,* PUF, Paris, 1988.

DUPÂQUIER J., *La Population française aux XVIIe et XVIIIe siècles,* PUF, Paris, 1979.

LANGLOIS C., « 1790 : la Révolution de vingt-huit millions de Français ? », *Annales de démographie historique,* 1976.

Population, numéro spécial, « Démographie historique », INED, Paris, novembre 1975.

REINHARD M. (sous la direction de), *Contributions à l'histoire démographique de la Révolution française,* 1re série 1962, 2e série 1965, 3e série 1970, BN, Paris.

Voies nouvelles pour l'histoire de la population française, colloque Mathiez-Lefebvre, BN, Paris, 1978.

autres grandes villes : en dix ans, la population de Lyon serait tombée de 135 000 à 110 000, celle de Bordeaux de 104 000 à 96 000, celle de Lille de 65 000 à 55 000, celle de Toulouse de 59 000 à 50 000. Pour un ensemble de neuf grandes villes (les précédentes, plus Marseille, Rouen, Nantes, Strasbourg et Nice), le nombre des mariages et, surtout, leur part dans le total national se réduisent également : 6 290 en moyenne par an (2,61 %) avant la Révolution, 7 600 (2,83 %) en 1790-1794 ; 4 620 (2,02 %) pendant la décennie 1801-1809.

Les villes moyennes (10 000 à 50 000 habitants) et les petites villes enregistrent un recul continu, mais moindre : pour les premières, au cours des périodes ci-dessus définies, on passe de 5,87 % à 5,85 %, puis 4,97 % du total national des mariages ; pour les secondes de 4,94 % à 4,80 %, puis 4,11 %.

Le taux d'urbanisation de la France, selon la définition de la SGF (ville = 2 000 habitants agglomérés au chef-lieu), qui était probablement de 20,5 % en 1790, descend à 19 % au recensement de 1806.

En examinant les chiffres de près, on s'aperçoit que cette désurbanisation relative s'est effectuée sous le Directoire. Reprenons la statistique des mariages de ce que l'INED (Institut national d'études démographiques) appelle la France urbaine (les chefs-lieux d'arrondissement) ; ils représentaient, dans le total national :

- 15,9 % en 1770-1779 ;
- 15,6 % en 1780-1789 ;
- 17,8 % en 1790-1792 ;
- 16,6 % en 1795-1796 ;
- 14,6 % en 1797 ;
- 13,8 % en 1801-1804.

Les deux grands changements que la Révolution a provoqués dans la distribution géographique du peuplement de la France – le déplacement du centre de gravité démographique de l'Ouest vers le Nord-Est, le déclin relatif des villes – ont chacun des causes spécifiques et semblent presque indépendants l'un de l'autre. Le premier s'explique surtout par le bilan du mouvement naturel des campagnes et par les guerres civiles, le second résulte en partie de la surmortalité urbaine, en partie des mouvements migratoires. L'ampleur de ces changements reste cependant trop limitée pour qu'on puisse parler de « grand remue-ménage démographique ».

Jacques Dupâquier

ÉTUDE RÉGIONALE

• Le Nord : Flandre, Hainaut, Artois, Picardie

Le glorieux temps des Lumières laisse place à des inquiétudes et des contestations alors même que s'amorcent des réformes dans ces provinces situées entre les foyers d'érudition des Pays-Bas et de Paris. Elles ont en effet bénéficié d'institutions culturelles, de structures de sociabilité et d'une aisance qui ne profitaient guère aux ruraux et aux ouvriers mais aux contestataires de l'ordre établi : parlementaires, négociants, bourgeois à talents. Ceux-ci critiquent des circonscriptions administratives mal définies : parlement de Flandre, conseil supérieur d'Artois, parlement de Paris pour la Picardie, et la ruine des corps intermédiaires. Flandre wallonne, Artois, Cambrésis gardent des états provinciaux au recrutement contesté ; Flandre maritime, Hainaut, Picardie, Boulonnais les ont perdus. Après l'expérience de l'assemblée provinciale réunie à Amiens en août 1787, les cahiers du Tiers réclament des états provinciaux.

« Un pays de pauvres gens »

Le régime seigneurial critiqué s'est beaucoup affaibli, les banalités tombent dans l'oubli, la dîme est sans cesse contestée ; mais les seigneurs veulent maintenir leurs droits réels. C'est la « réaction seigneuriale » qui se manifeste au moment où survient une crise économique. Après les intempéries de 1788, les prix augmentent, la disette menace ; le chômage, conséquence, dit-on, du traité franco-anglais de 1786, qui ouvre le marché aux textiles britanniques, sévit. La région devient « un pays de pauvres gens en dépit de sa puissance collective », écrit Georges Lefebvre.

En 1788, libelles et périodiques se multiplient grâce à l'octroi de la liberté de la presse ; un climat prérévolutionnaire s'instaure. A l'académie d'Arras, Lazare Carnot, Robespierre, Dubois de Fosseux répandent les idées d'égalité, de liberté, de propriété qui sont examinées lors des réunions préparatoires aux États généraux. Une radicalisation de l'opinion se produit : à Saint-Pol, comme à Lille, les roturiers affrontent les notables malgré des appels à la concorde lancés par le maire. Amiens connaît une sédition d'ouvriers de la manufacture en avril 1789 ; incendies, pillages, assassinats se multiplient en Hainaut, en Cambrésis, en Thiérache ; les émeutes se renouvellent lors des transports de grains.

Les cahiers consignent les doléances et les espérances. Tous témoignent d'un profond attachement à la foi catholique et au monarque, et rêvent d'une Église épurée selon l'esprit du concile de Trente et d'une monarchie limitée à l'anglaise. On souhaite le consentement de l'impôt par des états périodiques, le vote par tête au sein des assemblées, la suppression des intendants, le retour aux libertés provinciales mais, aussi, contradictoirement, l'unification de la législation, de la monnaie, des mesures. Les paysans réclament la suppression des droits féodaux et des privilèges ; on proteste contre la dîme, on ne réclame pas l'aliénation des biens du clergé. Noblesse et clergé ont pris conscience de la nécessité des réformes.

Les députés aux États généraux, notamment Charles de Lameth, Robespierre, Philippe Merlin de Douai, sont élus dans des assemblées parfois houleuses. On attend beaucoup de cette consultation exceptionnelle.

Les ruptures

Les foules sont impatientes, la cherté du blé persiste et le roi rappelle le respect des droits établis. À Amiens, le 14 juillet 1789, l'hôtel de ville, l'hôtel de l'intendance, des maisons de négociants en grains sont attaqués ; la panique naît aux confins de l'Artois et de la Picardie ; les abbayes du Hainaut sont menacées, en Artois de graves désordres éclatent, on répète à Péronne que des brigands ravagent les blés, Bapaume se met en état de défense, le tocsin sonne à Arras. Cette Grande Peur gagne Béthune, Aire-sur-la-Lys, Calais. Dans les villages, on guette l'ennemi, on s'échauffe, on réclame au seigneur la renonciation de ses droits, on brûle ses titres : une hiérarchie pluriséculaire et un mécanisme compliqué de prélèvements s'écroulent en quelques heures !

Après l'été, le calme renaît. Les nouvelles autorités se mettent en place : milices bourgeoises, municipalités élues de notables, bourgeois et négociants, des associations sont formées : Société des amis de la Constitution à Valenciennes, Club des amis de l'ordre et de la paix à Cambrai ; la presse périodique prend son essor : *Feuilles de Flandres* à Lille, *Affiches nationales* à Douai... Il s'agit de former l'esprit public.

L'opinion se manifeste dans les débats sur la création des départements. La généralité d'Amiens perd le Boulonnais, l'Ardrésis, le Calaisis, le Montreuillois et devient département de la Somme ; le sort des intendances de Lille et de Dunkerque déchaîne les passions dans l'hiver 1790 : Valenciennes souhaite un département Hainaut-Cambrésis, Saint-Omer un département maritime, Douai un département continental, Arras veut sauvegarder l'unité de l'Artois. Le département du Nord est considéré comme une circonscription aberrante ; la guerre des chefs-lieux oppose Saint-Omer et Arras, Lille et Douai ; celle des chefs-lieux de districts, Hesdin et Montreuil, Hazebrouck et Cassel, Maubeuge et Avesnes, Bergues et Dunkerque, Bouchain et Cambrai...

Dans les cadres nouveaux, les autorités cherchent à insuffler des valeurs civiques par des allocutions patriotiques, des fêtes dont la plus remarquable réunit à Lille, le 6 juin 1790, les délégations des gardes nationales du Nord, du Pas-de-Calais, de la Somme, préfigurant la fête de la Fédération célébrée à Paris un mois plus tard.

La question religieuse trouble cette recherche de consensus. Depuis le 2 novembre 1789, la vente des propriétés du clergé comme biens nationaux s'opère sans manifestations hostiles, sauf à Maroilles ; c'est le vote de la Constitution civile du clergé, le 12 juillet 1790, qui provoque des déchirements dramatiques.

Le 27 novembre, l'Assemblée impose l'acceptation de la Constitu-

BIBLIOGRAPHIE

FOSSIER R., *Histoire de la Picardie,* Privat, Toulouse, 1974.

LEFEBVRE G., *Les Paysans du Nord pendant la Révolution française,* Lille, O. Marquant, 1924 ; rééd. Armand Colin, Paris, 1972.

LEGRAND R., *Vie et société en Picardie maritime, 1780-1820,* Guenegaud, Paris, 1986.

TRENARD L., et collab., *Histoire des Pays-Bas français,* Privat, Toulouse, 1984.

TRENARD L., et collab., *Histoire d'une métropole : Lille, Roubaix, Tourcoing,* Privat, Toulouse, 1977.

TRENARD L., DUTHOY J.-J., OURSEL H., *Histoire de Lille,* t. III, *L'Ère des révolutions, 1715-1848,* Privat, Toulouse, 1987.

tion civile du clergé sous la foi du serment. L'évêque d'Amiens refuse, comme ses prêtres, avant d'émigrer, mais dans les cantons ruraux 195 prêtres sont réfractaires face à 297 jureurs. Dans le Pas-de-Calais, 80 % sont insermentés, 85 % dans le Nord. L'Église constitutionnelle est mal accueillie par la population, trois évêques sont élus : Desbois de Rochefort à Amiens, Pierre-Joseph Porion à Arras, Claude Primat à Cambrai ; plusieurs prêtres assermentés se rétractent. Cette offensive contre l'Église à terme ruine le réseau scolaire et dilapide le patrimoine.

Le « terrible » an II

Le 1er octobre 1791, se réunit l'Assemblée législative, première expérience de monarchie constitutionnelle. Dès lors, les pôles de décision sont les sociétés populaires qui exigent des autorités locales des mesures draconiennes contre les prêtres insermentés, les suspects, les « aristocrates », les émigrés... Les élus de la noblesse aux États généraux qui rejoignent l'armée de Condé, et la petite noblesse qui se réfugie en Belgique et en Rhénanie deviennent « ennemis de la patrie » quand Louis XVI déclare la guerre au roi de Bohême et de Hongrie (20 avril 1792).

Dès la première offensive du général Dillon sur la frontière, ses troupes, désorganisées par l'émigration, crient à la trahison et massacrent leur chef; Autrichiens et Prussiens pénètrent en Hainaut. Le 10 septembre, le duc de Saxe-Teschen assiège Lille qu'il tente de terroriser par des bombardements intensifs ; le 29, il somme les autorités de capituler, mais le maire André refuse avec un fier civisme. On prétend que l'épouse de Saxe-Teschen, « l'architigresse » Marie-Christine, sœur de la reine de France, est venue mettre le feu à un canon pointé sur Lille ; on vante les exploits du canonnier Ovigneur et la sérénité du barbier Maes sous la mitraille... Le 6 octobre, les Autrichiens se retirent. Ce siège symbolise la résistance du peuple qui combat pour la liberté. La Convention décrète que « Lille a bien mérité de la patrie », mais 2 000 maisons ont été touchées et l'église Saint-Étienne détruite.

Après l'exécution de Louis XVI, la coalition contre la France aggrave la situation. En mars 1793, le duc de Saxe-Cobourg menace Valenciennes et Charles Dumouriez, qui redoute le Tribunal révolutionnaire, livre les commissaires envoyés pour l'arrêter aux Autrichiens ; ceux-ci, après un siège terrible, entrent à Valenciennes où ils installent une « jointe » contre-révolutionnaire ; Tourcoing et Lannoy sont pillés par les Prussiens, Lille à nouveau menacé, Dunkerque assiégé par les Anglais en août. Mais plusieurs victoires, dont celle de Tourcoing (25 floréal an II-14 mai 1794), renversent la situation ; Le Quesnoy et Valenciennes sont libérés après celle de Fleurus, le 8 messidor (26 juin 1794).

Les dangers encourus ont accentué la dynamique révolutionnaire : la Convention envoie des commissaires comme Louis Legendre, André Dumont qui déportent les prêtres insermentés, épurent les municipalités et les sociétés populaires, pourchassent les suspects ; Joseph Lebon multiplie les exécutions : 391 guillotinés à Arras, 151 à Cambrai. Après les feuillants, les girondins sont éliminés de la vie politique. Jacobins, sans-culottes, hébertistes dominent sociétés populaires, comités de surveillance et journaux : *Sentinelle du Nord* à Arras, *L'Ami Jacques* à Valenciennes.

Ils entreprennent une déchristianisation systématique, célèbrent le culte de la Raison, organisent des fêtes révolutionnaires, mais ces spectacles ne peuvent faire oublier le chômage et la disette endémiques, les réquisitions, le départ des soldats... La population est passive, voire méfiante. Robespierre, vainqueur des factions, s'inquiète de l'étonnante force d'inertie des provinces.

A la recherche d'un équilibre

De Thermidor à Brumaire, la république cherche un équilibre entre les acquis obtenus par les constituants, les résistances aux jacobins, les résurgences d'un passé séculaire. La Convention thermidorienne hérite d'un lourd passif et aux calamités habituelles s'ajoute le brigandage. Durant le premier Directoire (1795-1797), les pillages de fermes, les attaques de voitures, les assassinats, les sévices des « chauffeurs » accompagnent la réaction antijacobine. Il est difficile de se réjouir de la chute de Robespierre, de proscrire les terroristes montagnards sans favoriser les ennemis de la république. Le port de la cocarde tombe en désuétude, le calendrier républicain n'est pas respecté, le culte clandestin se maintient, des prêtres constitutionnels se rétractent et une majorité royaliste est élue en 1797. Réunions secrètes, bruits de complots, retour des émigrés, agitation muscadine incitent les républicains à riposter par le coup d'État du 18 fructidor an V (4 septembre 1797).

Les fructidoriens organisent une nouvelle Terreur. Ils font disparaître les calvaires le long des routes, les statues des églises, ordonnent de replanter les arbres de la liberté, programment des fêtes sur des thèmes philosophiques ou à l'occasion des anniversaires des temps nouveaux et, de plus en plus, pour célébrer des victoires militaires et encenser les chefs : Hoche puis Bonaparte. Peine perdue : la presse contre-révolutionnaire se répand, des libelles circulent, les conscrits se dérobent.

La vente des biens nationaux, activée sous le Directoire, entraîne des destructions irréparables : dans le Pas-de-Calais, 702 édifices, dont les cathédrales d'Arras et de Boulogne, six collégiales, 17 abbatiales, 65 couvents et 504 églises paroissiales ont été vendus. À Valenciennes, vingt clochers sont détruits ; Notre-Dame-la-Grande, remarquable spécimen gothique des Pays-Bas, a disparu. A Cambrai, églises et collégiales sont démolies, l'acquéreur de la cathédrale ne conserve que la tour qui finira par s'écrouler ; seule, l'abbaye de Saint-Aubert est sauvée car elle est devenue un musée.

Néanmoins, en dépit de son instabilité politique, le Directoire met en place des notables qui amorcent des réformes. Ils essaient de reconstituer un réseau scolaire : les écoles centrales s'ouvrent à Lille ; à Amiens, les pensionnats assurent les filiations scolaires ; des bibliothèques, des musées, des sociétés savantes illustrent les continuités culturelles.

La lassitude des discordes civiles, l'aspiration à l'ordre, la crise de l'autorité, la nostalgie de l'empreinte religieuse expliquent le ralliement des trois départements à Bonaparte qui semble pouvoir opérer le sauvetage de la Révolution, mais d'une Révolution assise sur des bases « raisonnables ».

Louis Trenard

• La Normandie

Peuplée d'environ deux millions d'habitants, la Normandie doit en 1789 sa richesse à la diversité de ses activités. La céréaliculture des plaines et des plateaux, l'élevage des pays de bocage permettent d'approvisionner le dense réseau urbain régional et Paris. Le commerce colonial a fait la fortune de Rouen et du Havre. Mais l'originalité de la région réside dans sa précoce industrialisation. Rouen, Elbeuf ou Darnétal ont déjà adopté les mécaniques anglaises : de là une spectaculaire expansion de la production et le début d'un système manufacturier. A proximité des forêts s'est développée une industrie métallurgique qui occupe la troisième place du royaume. Cette croissance économique ne s'est cependant pas accompagnée d'une progression démographique, pas même dans les villes : le meilleur exemple est Rouen.

Une bourgeoisie conquérante

Effet de cette diversité, une grande complexité des structures sociales jouera un rôle déterminant dans le processus révolutionnaire. Dans les campagnes persiste la vieille organisation féodale, plus légère qu'en Bretagne, certes, mais réelle. La grande propriété noble, ecclésiastique et bourgeoise domine. Les maîtres ont profité de la hausse des fermages. La société paysanne est plus ou moins inégalitaire selon les régions : dans le pays de Caux, une masse de paysans parcellaires s'oppose à une couche peu nombreuse de grands fermiers, alors que les différences sont moins marquées dans les pays bocagers.

Très diversifiée aussi, la société urbaine : à Rouen et au Havre, les négociants dominent, tandis que dans les autres villes la bourgeoisie rentière et d'offices continue de tenir le haut du pavé. Économiquement avancée, la province l'est aussi culturellement : le taux d'alphabétisation moyen est un des plus élevés de France ; académies, loges maçonniques et autres sociétés de pensée sont nombreuses et dynamiques.

Les conflits sont traditionnels et neufs tout à la fois : lutte des journaliers contre les gros fermiers, heurts entre ouvriers et manufacturiers. Cela modère l'hostilité de l'élite du tiers état envers la noblesse. La peur sociale s'accentue avec la crise qui sévit à partir de 1786 : aux effets désastreux du traité de libre-échange avec l'Angleterre, qui provoque le marasme industriel, s'ajoutent ceux d'une série de mauvaises récoltes. L'agitation gronde : les marchés sont attaqués, les forêts mises au pillage et la mendicité prend toutes les allures du banditisme organisé.

Telle situation aurait pu favoriser une alliance entre la noblesse et la bourgeoisie, mais les élections aux États généraux et la rédaction des cahiers de doléances rendent difficile cette éventualité. Dans sa majorité, la noblesse refuse d'abandonner sa suprématie sociale. Les ruraux puisent dans les cahiers modèles, comme celui de Thouret, les principes et les modalités d'une réforme politique, mais y ajoutent leurs propres revendications : malgré leur ton modéré, les cahiers paysans remettent en cause l'ensemble du système féodal. La crainte du mouvement populaire conduit la bourgeoisie à envisager un compromis avec la noblesse, mais à la condition qu'il se fasse à son profit ; aussi ses cahiers refusent-ils de céder sur l'essentiel : l'instauration de l'égalité civile par la suppression du privilège, ce qui lui assurerait dans la société la première place qu'elle estime mériter.

Elle applique cette ligne dès 1789 et ne cessera de la maintenir ensuite. Au printemps la lutte de classes s'amplifie et culmine dans l'été. Le petit peuple, victime de la flambée des prix, exige la taxation des denrées. A Rouen, les ouvriers brisent les machines. Dans les campagnes de basse Normandie, la Grande Peur de l'été est marquée par des attaques de châteaux comme celui de Monceaux. A Caen, Évreux ou Alençon, la réaction de la bourgeoisie est identique : constitution de comités révolutionnaires qui évincent plus ou moins brutalement les anciennes municipalités, formation de milices qui vont bientôt devenir les gardes nationales et qui répriment le mouvement populaire, comme à Rouen en août : deux meneurs, que l'an II réhabilitera, y sont exécutés. Nés d'une réaction de défense sociale, ces organismes sont tout autant des instruments de la prise du pouvoir par la bourgeoisie que le moyen d'établir un ordre conservateur.

La réorganisation administrative de 1790 assure les garanties juridiques de ce pouvoir bourgeois. La Normandie est divisée en cinq départements : Seine-Inférieure, Eure, Orne, Calvados et Manche ; le choix des chefs-lieux de département et, plus encore, de district suscite quelques aigreurs. L'essentiel est ailleurs : la bourgeoisie a désormais l'hégémonie politique même si elle partage la prédominance avec certains nobles libéraux.

Les grandes réformes de la Constituante rencontrent un succès inégal. La vente des biens du clergé modifie la répartition de la propriété foncière : bourgeois et nobles sont les principaux bénéficiaires de l'opération, mais la paysannerie qui, dans l'Eure, acquiert un peu moins du quart des terres mises en vente y trouve aussi son compte. A l'inverse, l'obligation de racheter les droits féodaux se heurte au refus d'une paysannerie unanime. La passivité de l'administration, qui ne fait guère d'effort pour le briser, accentue l'opposition de la noblesse à la Révolution.

Une conjoncture économique de plus en plus sombre durcit les affrontements entre riches et pauvres : dès 1791, la hausse des prix entraîne la reprise des troubles, particulièrement aigus dans les villes frappées par un marasme industriel et commercial persistant. Au printemps 1792, les ouvriers métallurgistes de Rugles se soulèvent.

Le temps des crises

Le problème religieux complique le rapport des forces. A l'exception de l'Eure et du Bray, le clergé refuse le serment à près de 60 %. Rapidement la crise ecclésiastique se mue en crise religieuse : dans chaque village, les fidèles se divisent entre partisans du prêtre réfractaire et partisans du prêtre constitutionnel. Poussées par les éléments radicaux regroupés dans les clubs urbains apparus en 1790, les administrations doivent adopter une politique de fermeté ; elle a pour conséquence le développement d'un culte semiclandestin.

La crise religieuse offre aux groupes royalistes la clientèle qui leur manquait ; leur développement est cependant entravé par l'émigration de nombreux nobles et prêtres réfractaires, ce qui prive de cadres le mouvement contre-révolutionnaire. L'entrée en guerre resserre un temps les rangs ; en témoigne le relatif succès de l'appel aux volontaires lancé à l'automne 1791 : la Normandie fournit 47 bataillons ; mais l'élan patriotique s'essouffle vite. Les événements parisiens n'arrangent rien. La bourgeoisie modérée au pouvoir est choquée par la journée du 20 Juin ; elle se résigne à la chute du roi par crainte du mouvement populaire, mais aussi du péril royaliste. A Rouen, en janvier 1793, une tentative d'insurrection royaliste est étouffée sans faiblesse.

C'est la chute des girondins qui provoque la crise la plus grave. Chassé de Paris, François Buzot essaie de soulever la Normandie ; il y parvient en partie. Le 7 juin, George-Félix de Wimpffen, commandant de l'armée des côtes, se rallie au mouvement d'opposition à la Convention. Caen devient le centre de l'insurrection fédéraliste, expression de l'hostilité d'une partie de la bourgeoisie à la politique radicale de salut public qui se met en

BIBLIOGRAPHIE

Collectif, *La Révolution en haute Normandie,* Éd. du P'tit Normand, Rouen, 1988.

GOUJARD Ph., *La Rumeur de Thionville,* Cahiers des *Études normandes,* n° 1, Rouen, 1983.

PEYRARD C., « La géopolitique à l'épreuve de l'Ouest », *Annales historiques de la Révolution française,* n° 266, Paris, sept.-oct. 1986.

PINGUE D., « L'implantation des sociétés populaires en haute Normandie », *Annales historiques de la Révolution française,* n° 266, Paris, sept.-oct. 1986.

VIDALENC J., « Naissance de la Normandie contemporaine », *Histoire de la Normandie,* Privat, Toulouse, 1970.

place à Paris. Mais ce mouvement est ambigu : républicain modéré en apparence, il est rapidement infiltré par les royalistes, et Puisaye, futur chef chouan, évince rapidement Wimpffen. Si les administrations de basse Normandie entrent en sécession, celles de haute Normandie adoptent une attitude plus complexe : les districts urbains restent fidèles à la Convention, les districts ruraux hésitent. Le refus des autorités rouennaises, arraché par les bourgeois jacobins et les masses populaires, de franchir le pas, prive l'insurrection de l'appui décisif. Le 10 juillet, il suffit d'une décharge d'artillerie pour disperser l'armée fédéraliste. En assassinant Marat, la Caennaise Charlotte Corday cherchera aussi à sauver l'honneur perdu de Wimpffen, caché près de Bayeux, dans un haras.

Menée par Thomas Lindet, la répression est mesurée, ce qui contribue à calmer les esprits : on le voit quand l'armée vendéenne venue de la Loire échoue dans la prise de Granville, le 15 novembre. Cette politique sans excès se poursuit en l'an II, conduite par des représentants en mission de valeur, comme Siblot. Leur souci primordial ? Mener l'effort de guerre, indispensable dans cette région frontière menacée par les vaisseaux anglais. On développe les industries d'armement, on porte une attention particulière aux réquisitions de denrées et d'hommes. L'application du Maximum permet de nourrir, même médiocrement, la population. Cette action est soutenue par les administrations épurées, et surtout les sociétés populaires. Alors que leur implantation est faible en basse Normandie, elles sont presque aussi nombreuses en haute Normandie que dans le Sud-Est : 178, en Seine-Inférieure ; 108, dans l'Eure. Créés à l'initiative des autorités, mais, plus souvent, des militants locaux, ces clubs se rencontrent surtout dans les zones de première industrialisation. Une politique de déchristianisation superficielle assure un certain calme. L'an II n'est donc point en Normandie la période de sang que certains ont dite. Il est même, dans la région rouennaise, un moment d'expansion industrielle.

Famine, banditisme et chouannerie

Comme ailleurs, l'an III est catastrophique. La bourgeoisie récupère l'intégralité de son pouvoir. Pour les petits, l'abandon du dirigisme économique, une mauvaise récolte ponctionnée par les livraisons aux armées et les rigueurs de l'hiver ont d'atroces conséquences. Dans les hôpitaux affluent les enfants abandonnés. En mars 1795, des insurrections éclatent dans la banlieue rouennaise : la foule n'y réclame pas, comme à Paris, le retour de la Terreur, mais celui de la monarchie. Pourtant les motivations sont identiques : manger.

La pénurie est la toile de fond des troubles de la période directoriale. Le régime a peu d'assise : chaque élection – annuelle – voit fondre le nombre des votants et ceux qui se déplaçent élisent des opposants. Faussement décentralisé, le gouvernement ne doit d'être – mal –

obéi qu'à l'action de ses commissaires exécutifs, préfets avant la lettre, qui remédient de leur mieux à l'inertie des administrations locales. Une législation fluctuante rend incertain l'exercice du culte, toléré un jour, réprimé le lendemain. Il faut encore distinguer haute et basse Normandie : dans la première, les constitutionnels assurent la continuité du catholicisme, les réfractaires ayant fui ou ayant été déportés ; au sud de la Risle, ces derniers sont beaucoup plus actifs. La conscription militaire achève de détourner l'opinion d'un régime incapable d'assurer l'approvisionnement et la sécurité.

Car, malgré la mise en place de la gendarmerie, la sûreté des personnes et des biens ne cesse d'être menacée. En haute Normandie sévissent des bandes de brigands : la plus célèbre reste celle de Duramé, exécuté le 22 décembre 1797. Bien plus grave, la situation dans le Bocage : ici ce n'est point de banditisme apolitique qu'il s'agit, mais de chouannerie. Son succès est permis par une plus grande homogénéité sociale, que renforce l'attachement à la religion ; en haute Normandie, la structure sociale est trop antagoniste pour que les riches, dont beaucoup d'ailleurs ne veulent pas abandonner les profits tirés de la Révolution, puissent trouver un soutien populaire. Dès les premiers mois de 1795, des bandes se rassemblent dans les forêts, attaquant les administrateurs républicains et les acheteurs de biens nationaux. Le comte de Frotté en fait une véritable armée capable d'attaquer Flers et La Ferté-Macé. La trêve du printemps 1796 est de courte durée. En 1798, les unités royalistes sont implantées jusque dans l'Eure. Deux mille hommes attaquent Vire. Ils échouent, mais la tentative montre l'ampleur du danger.

On comprend le bon accueil fait par les notables au coup d'État de Brumaire. Il rétablit la paix civile et religieuse et consolide les apports d'une Révolution sur lesquels une majorité de la population n'entend pas revenir : fin des distinctions de naissance, possibilité d'une promotion par le talent, égalité fiscale et garantie de la propriété.

Philippe Goujard

• La Bretagne

Le paradoxe de la Bretagne, c'est qu'elle a commencé par être le berceau du « patriotisme » le plus radical pour devenir, ensuite, un des pôles du refus armé de la Révolution et que l'intensité armée de cette résistance a fini par faire oublier l'élan initial en faveur des réformes.

Le berceau de la Révolution

Plus que le Dauphiné, elle peut prétendre avoir vu naître la Révolution parce que les tensions entre nobles et bourgeois y étaient plus explosives qu'ailleurs. La Bretagne est un pays d'états, comme le Languedoc ou la Provence, où la toute-puissance du monarque est limitée par une assemblée des trois ordres. Et cette assemblée résiste avec vigueur à la politique d'homogénéisation menée par Versailles au point qu'une véritable question bretonne a agacé la monarchie tout au long du XVIIIe siècle. En 1787 et 1788 les états de Bretagne et, surtout, le parlement de Rennes se dressent contre les édits du chancelier Lamoignon qui veut enlever aux parlements le droit de remontrance devenu une arme entre les mains de l'aristocratie pour repousser toute atteinte à ses privilèges. La quasi-totalité du tiers état breton est solidaire de ce combat contre le « despotisme ministériel » parce que la ville de Rennes vit de son parlement et que la noblesse prétend avant tout défendre les privilèges de la province. De fait, un paysan breton paie trois fois moins d'impôts directs qu'un paysan normand et n'est pas assujetti à la gabelle. Mais cette solidarité locale disparaît dès octobre 1788, quand le parlement de Rennes se prononce contre le doublement de la représentation du Tiers aux États généraux et contre le vote par tête. Cette polémique se prolonge par un conflit sur la composition des états de la province et l'injustice flagrante du mode de répartition des impôts exigés par le roi, mais levés par ces mêmes états fonctionnant comme un « lobby » nobiliaire.

Le conflit éclate le 30 décembre 1788, dès l'ouverture de la session des états, quand la noblesse refuse de prendre en compte les revendications du Tiers. Le 8 janvier 1789, elle prête solennellement le serment de ne souffrir aucune atteinte à la « constitution bretonne » et refuse d'obéir au roi qui a ordonné la suspension provisoire des séances. Elle cherche ensuite à utiliser les inquiétudes des plus pauvres nées de la mauvaise récolte en grains, et pousse le petit peuple de Rennes à manifester contre le prix du pain fixé par la municipalité, afin de discréditer auprès des humbles les partisans de la réforme des états (journée des « bricoles », 26 janvier 1789). L'exaspération des deux camps aboutit à un affrontement armé entre aristocrates et jeunes bourgeois, pour la plupart étudiants en droit (27 janvier). Des coups de feu sont échangés, on se bat à l'arme blanche sur la place devant le parlement et dans les rues adjacentes. Après deux heures de violence, deux jeunes nobles, en qui Chateaubriand, qui était là, salue, dans les *Mémoires d'outre-tombe,* les deux premiers morts de la Révolution, restent sur le pavé.

Cet affrontement brutal et sanglant pèsera lourd sur le déroulement ultérieur du processus révolutionnaire.

Dans l'immédiat, les jeunes bourgeois de Rennes appellent à leur secours ceux des autres villes de la province. Ils accourent aussitôt : deux cents viennent de Nantes, une centaine de Saint-Malo, d'autres de Vannes, Lorient ou Saint-Brieuc. Dans les premiers jours de février se tient ainsi, dans une église de Rennes, une véritable « diète » des jeunes gens de la province qui se jurent aide réciproque contre toute agression de la noblesse et préfigurent l'élan prochain des « fédérations ».

La noblesse qui se prétend victime d'un guet-apens crie vengeance, cherche à mobiliser les campagnes contre les villes et refuse de députer à Versailles. Ce sont déjà les prodromes de la contre-révolution.

Les cahiers de doléances prouvent que les pressions de la noblesse n'ont pu entamer la solidarité du Tiers et les campagnes dénoncent avec véhémence les abus du système seigneurial. Le Tiers breton envoie à Versailles des députés violemment hostiles à la noblesse. Ces députés créent un « Club breton » qui rassemblera bientôt les patriotes les plus prononcés de l'Assemblée constituante et deviendra, en novembre 1789, le Club des jacobins.

La Révolution et la contre-révolution sont nées conjointement à Rennes, en janvier 1789. A Vizille, six mois plus tôt, c'est le compromis physiocratique des élites qui avait prévalu.

La Bretagne bleue

En juillet 1789, la « Révolution municipale » donne le pouvoir aux patriotes dans la plupart des villes de la province qui organisent des milices ou gardes nationales pour résister à un possible coup de force des aristocrates. Le bruit court qu'on va livrer Brest aux Anglais, on attend des brigands aux abords de Vitré et de Chateaubriant : ce sont les seules manifestations de la Grande Peur en Bretagne. Les patrouilles des « jeunes gens » et des milices nationales ont suffi à rassurer campagnards et citadins. Les deux « fédérations » organisées à Pontivy, la première (15 janvier 1790) concernant surtout les jeunes gens désormais embrigadés dans les gardes nationales, la seconde regroupant surtout des représentants des paroisses rurales, incarnent l'activisme triomphant d'un patriotisme essentiellement citadin, mais encore bien perçu au fond des campagnes.

Dans certains cantons on fait même preuve d'un véritable radicalisme agraire en envahissant les châteaux pour obtenir des seigneurs qu'ils renoncent à tous leurs droits féodaux. On brûle terriers et aveux et parfois les bâtiments avec. Deux grandes vagues d'attroupements vont saccager les châteaux : la première, en janvier et février 1790, à l'intérieur du triangle Rennes-Redon-Ploërmel ; la seconde, un an plus tard, dans une zone délimitée par Dinan, Bécherel et Broons. On remet également en cause les appropriations de landes communes effectuées depuis une quarantaine d'années dans les diocèses de Rennes et de Nantes.

En basse Bretagne, la question du domaine congéable est primordiale. Il s'agissait d'un type de location-vente intéressant surtout des propriétaires nobles qui, pour attirer des fermiers, leur vendaient les murs, le mobilier, l'outillage et le bétail d'une exploitation, et leur louaient les terres qui la constituaient moyennant une redevance relativement modique. Le propriétaire foncier pouvait récupérer sa ferme en donnant congé au tenancier après lui avoir remboursé le prix des « superficies et édifices ». Plusieurs « usements » compliquaient localement les clauses des contrats. Au XVIIIe siècle, les congés se font plus rares et les fermiers, se considérant comme les propriétaires effectifs de leurs tenures, réclament l'abolition des redevances comme entachées de féodalité. Dans le Trégor, la Cornouaille, ils reçurent le soutien des municipalités urbaines, et cette revendication consolida l'alliance des campagnes et des villes patriotes du moins dans la partie occidentale de la Bretagne.

Se dessine ainsi une Bretagne bleue : celle de la plupart des villes, d'une poignée de riches paysans des bourgs et de certains cantons ruraux (Trégor, pays de Châteaulin et de Quimper, district de La Guerche, etc.) dans la mouvance du clergé constitutionnel.

C'est cette Bretagne bleue, surtout celle des villes, qui se coupe en deux à partir de septembre 1792 et engendre un courant « départementaliste », hostile à la Commune de Paris et aux ultras de la Montagne. En juin 1793, après l'arrestation des députés bretons proches des girondins (Lanjuinais, Gomaire, Kervélégan, Lehardy), une majorité d'administrateurs des directoires de département ou de district (municipalités urbaines) participe à la constitution d'une force départementale pour délivrer la Convention du joug des sans-culottes parisiens. L'affaire échoue lamentablement et aboutit à l'épuration des plus compromis. Carrier envoie les « fédéralistes nantais » au Tribunal révolutionnaire, à Paris ; Jean Bon Saint-André et Prieur de la Marne s'occupent de ceux du Finistère et font juger sur place et exécuter les 26 administrateurs du Finistère.

L'insurrection

Parallèlement, le malaise d'une partie des campagnes s'est intensifié. La mise en place des communes et des municipalités a été bien accueillie par les notables paysans fiers des nouveaux pouvoirs qui leur ont été attribués. Des protestations se font entendre lorsque des paroisses sont absorbées par leur voisine ou du fait que certaines trèves (succursales) perdent leur quasi-autonomie. Fin 1790, on commence à protester contre les exigences du district, les impôts qui doublent, l'assignat qui n'inspire pas confiance et contre la nationalisation des biens de l'Église qui inquiète la masse des pauvres privés des charités du clergé. Enfin et surtout, curés et vicaires, à 70 % d'origine paysanne, et qui avaient d'abord favo-

BIBLIOGRAPHIE

COCHIN A., *Les Sociétés de pensée et la Révolution en Bretagne (1788-1789)*, 2 vol., Honoré Champion, Paris, 1925.

DELUMEAU J. (sous la direction de), *Histoire de la Bretagne*, Privat, Toulouse, 1969.

DUPUY R., *La Garde nationale et les débuts de la Révolution en Ille-et-Vilaine (1789-mars 1793)*, C. Klincksieck, Paris, 1972.

DUPUY R., *Aux origines de la Chouannerie. Paysans et Révolution en Bretagne (1788-1794)*, Flammarion, à paraître en mars 1988.

SKOLVREIZH, *Histoire de la Bretagne et des pays celtiques de 1789 à 1914*, édit. Skolvreizh, Morlaix, 1980.

risé les entreprises des patriotes, s'interrogent sur les intentions politiques de la Constituante et subodorent un complot ourdi par les philosophes et les protestants. En juillet 1790, la Constitution civile du clergé est interprétée comme la confirmation de ce complot. Le bas clergé, également inquiet du recul de son influence face à certains maires nouvellement élus, se détourne de la nation et fait désormais prévaloir une lecture négative du bilan révolutionnaire.

Le conflit se dramatise avec l'obligation du serment : le clergé paroissial le refuse massivement, achevant ainsi de fixer les contours du nouveau paysage politique. On prête serment dans les villes (mais pas à l'unanimité !), dans une grosse moitié des districts du Finistère, dans un tiers des paroisses des Côtes-du-Nord, dans 20 % de celles de l'Ille-et-Vilaine, 10 % de celles du Morbihan et quelques paroisses seulement de la Loire-Inférieure. L'immense majorité des prêtres l'a refusé, surtout après que le pape a confirmé sa condamnation. Le problème du domaine congéable ou des appropriations de communaux n'empêche pas les paysans de soutenir leurs prêtres dans le conflit qui les oppose désormais à la nation.

La noblesse est en plein désarroi : elle n'a pu empêcher l'effondrement brutal des institutions provinciales qu'elle avait juré de préserver. Une bonne moitié de ses membres ont émigré, ceux qui restent se concertent et Armand Tuffin de La Rouërie s'efforce, avec l'assentiment des frères du roi, de les regrouper dans une Association bretonne qui ambitionne de soulever la province tout entière. Mais les autorités sont averties, La Rouërie, pourchassé et malade, mourra dans un château des Côtes-du-Nord, en apprenant l'exécution de son roi.

Dès février 1791, une vingtaine de paroisses des environs de Vannes prennent les armes pour protéger leur évêque contre les patriotes qui veulent l'obliger à prêter serment. Les paysans sont facilement dispersés, mais partout les conflits se multiplient autour des prêtres « jureurs » envoyés par les autorités pour remplacer les réfractaires. Les femmes s'efforcent d'empêcher les mauvaises messes et insultent ceux qui les suivent. Au printemps de 1792, les campagnes exaspérées par les raids des gardes nationales contre les réfractaires et leurs fidèles commencent à riposter. Des émeutes éclatent dans le sud et le centre du Finistère et dans le Trégor, surtout contre les levées d'hommes pour les batteries côtières et de volontaires pour les frontières. L'insurrection devient générale en mars 1793, quand la Convention fait procéder à la levée des 300 000 hommes. Le soulèvement affecte 50 % des communes de l'Ille-et-Vilaine, 70 % de celles du Morbihan, 40 % de celles des Côtes-du-Nord, 25 % de celles du Finistère, mais la quasi-totalité de la Loire-Inférieure. Ce n'est pas encore la Chouannerie, mais une jacquerie « politisée » contre les exigences du pouvoir central et de ses relais locaux.

Roger Dupuy

• Les pays de Loire

Le curé de Nuillé-le-Gravelais (Mayenne) note en marge de son registre d'état civil de l'année 1789 la peur qui se lève dans la mouvance des forges de Port-Brillet, à la frontière de gabelle, aux confins de la Bretagne et du Maine. Là où éclatera en 1792 la première Chouannerie.

Le vendredi 24 juillet en fin d'après-midi, l'alarme est donnée à Nuillé par le domestique du curé de La Brulatte, accouru à cheval annoncer que 1 500 brigands, coupables de pillages et de massacres à Andouillé et Saint-Ouen-des-Toits, se dirigent vers La Brulatte et Nuillé. Les habitants de La Brulatte supplient ceux de Nuillé de prendre les armes et de voler à leur secours. Les forgerons de Port-Brillet sont eux partis pour Saint-Ouen-des-Toits. Le capitaine des gabelles de La Gravelle prend la tête de ses employés et d'une centaine de gens de campagne armés d'outils tranchants pour se rendre à la forge. Des courriers des curés de Saint-Isle, du Genest, de Loiron et d'Ahuillé annoncent la présence à Montigné d'une autre troupe de 800 « voleurs ». On sonne partout le tocsin.

La Grande Peur

« Ce fut alors qu'une peur panique s'empara de tous les esprits, que l'on sortit de ses maisons pour aller à l'aventure sans savoir où, la tristesse dans le cœur. Ce qu'il y avait de plus étrange en tout ce bouleversement, c'est que c'était dans toute la France le même trouble, la même peur et la même inquiétude, à peu près le même jour et à la même heure. »

Dans la région de Lassay, au nord du département, le mouvement se transforme en révolte antiféodale. Les châteaux de Vaugeois, la Motte de Madré, la Bermondière, le Bois-Thibault et Hauteville sont envahis. Une troupe de 1 200 à 1 500 personnes livre au feu les titres de féodalité. A Craon, la colère de la foule s'abat sur le marquis d'Armaillé, très impopulaire, qui est contraint de s'humilier et de brûler ses « parchemins féodaux ». Dans le département de l'Orne, dans le Bocage normand, à la lisière de la Mayenne, la panique venue du Maine et les insurrections unissent les paysans et les ouvriers des forges – nombreuses dans la région – en une alliance contre les seigneurs. Les 23 et 24 juillet, les « jours fous », autour de La Sauvagère et de La Coulonche, les châtelains menacés doivent faire publiquement abandon de leurs droits féodaux par acte devant notaire ou à l'issue de la messe. On pille aussi des châteaux, dont celui de Couterne, propriété du comte de Frotté, futur chef de la Chouannerie normande.

Les massacres et les carnages ont existé seulement dans l'imaginaire collectif. Avec une horrible exception à Ballon (Sarthe), où le 23 juillet, le Jeudi fou, Cureau, seigneur de Roullée, et son gendre le comte de Montesson, frère d'un député de la noblesse, sont massacrés dans la cour du château, leurs têtes coupées, promenées au bout de fourches, au milieu des hurlements.

La haine sociale se concentre sur Charles-Pierre Cureau, lieutenant (adjoint) du maire du Mans, anobli de fraîche date pour l'achat d'une charge de secrétaire du roi, opulent propriétaire terrien, ayant fait fortune dans le grand commerce national ou international des étamines du Mans, qui a marié sa fille au comte de Montesson, de noblesse ancienne. Il a fui son hôtel du Mans pour sa terre de Roullée, après que la prise de la Bastille, connue au Mans le 18 juillet, y a entraîné une fermentation populaire ; il s'est réfugié au château de Nouans, à 5 kilomètres de Ballon, où son gendre et sa fille le rejoignent avec leurs deux enfants. Des milliers de personnes, plus ou moins armées, accourues des paroisses voisines, envahissent les rues de Ballon.

BIBLIOGRAPHIE

BOIS P., « La période révolutionnaire », *Histoire des pays de la Loire,* Privat, Toulouse, 1972.

DORNIC F., *La France de la Révolution (1789-1799),* collection « Histoire de la France », dirigée par R. Philippe, 20 vol., CAL, Paris, 1970.

DORNIC F., *Le Fer contre la forêt,* Éd. « Ouest-France », Rennes, 1984.

DORNIC F. (sous la direction de), *Histoire du Mans et du pays manceau,* Privat, Toulouse, 1975.

VOVELLE M., « Les taxations populaires de février-mars et novembre-décembre 1792 dans la Beauce et sur ses confins », *Actes du congrès national des sociétés savantes,* Bordeaux, 1957.

La nouvelle du massacre soulève une émotion considérable. Les seigneurs, insultés et menacés, craignent pour leurs personnes et leurs biens. L'émotion dure longtemps. Le 15 novembre 1789, au Mans, un compagnon teinturier tente de soulever les faubourgs ouvriers pour délivrer les prisonniers faits après le massacre. L'émeute est durement réprimée par le régiment des dragons stationné dans la ville. Jugés le 2 décembre, deux des quatre principaux accusés de Ballon sont condamnés à mort et exécutés le lendemain, place des Halles.

Les fantasmes nourris par la Grande Peur diffèrent selon les régions. Ainsi en Vendée, les brigands sont-ils des Anglais, mais en Loir-et-Cher, où la panique vient du Maine, le curé de Mazangé avertit par billet ses confrères, le 23 juillet à 9 h du soir, d'une « invasion de 600 jeunes libertins bas-bretons qui sont dans le pays » ! Dans la région, l'alarme se développe à Savigny et à Saint-Calais (Sarthe), puis à Vendôme, pour se propager vers Tours et Blois. Elle entraîne la création d'un comité de sûreté, à Vendôme, et, celle d'un comité permanent à Blois, noyaux de la future garde nationale, dont le rôle immédiat est d'assurer le ravitaillement et le maintien de l'ordre.

Naissance de la Chouannerie

Apparue à l'ouest du département de la Mayenne, sur la lisière de la Bretagne, dans un pays très boisé couvert de landes, avec une agriculture pauvre aux longues jachères, la Chouannerie eut son premier éclat le 15 août 1792 à Saint-Ouen-des-Toits. On voulait empêcher une levée d'hommes pour l'armée. Là surgit Jean Cottereau, dit Jean Chouan, du surnom donné à sa famille depuis trois générations.

Né le 30 octobre 1757 en forêt de Concise, près de Laval, où ses parents, Pierre Cottereau et Jeanne Moyne, étaient bûcherons et sabotiers, baptisé le lendemain en l'église de Saint-Berthevin, Jean Cottereau était le deuxième d'une famille de six enfants. Le père mourut jeune, sa veuve s'établit en 1772 avec ses enfants sur la closerie des Poiriers à Saint-Ouen-des-Toits. « Blond, membru, à grosses jambes, les cheveux liés en gros catogan », tel était le signalement de Jean Chouan.

Les frères Cottereau, outre le travail à la ferme, une exploitation familiale de quelques hectares, faisaient aussi des travaux de couverture, et parcouraient donc le pays. Ils étaient surtout faux sauniers, comme beaucoup dans la contrée, la contrebande sur le sel étant fort rentable entre la Bretagne, pays de franc salé, et les provinces du Maine et de l'Anjou, lourdement soumises à la gabelle. Ils eurent plusieurs fois à affronter les gabelous. Accusé du meurtre d'un garde survenu en 1780, Jean Chouan est arrêté seulement le 18 mai 1785 ; il passe un an dans les prisons de Rennes avant d'être acquitté au bénéfice du doute.

Les frères Cottereau sont recrutés en 1791 par le prince de Talmont, comte de Laval – l'un des affidés de la conspiration royaliste du marquis de la Rouërie – qu'ils suivaient dans ses parties de chasse en forêt de Misedon et de la Gravelle ; ils opèrent des enrôlements sur un large territoire entre Ernée, Laval, Vitré, Fougères, jusqu'à Saint-Malo et Granville, où les conspirateurs avaient des relations régulières avec les émigrés réfugiés dans les îles de Jersey et de Guernesey, dans l'espérance d'un débarquement anglais d'hommes et de fusils sur les côtes de Bretagne. Leur tâche est facilitée par leurs anciennes activités de contrebandiers. La conspiration, connue de Fouché, devait éclater en mai 1792.

Le département de la Mayenne s'était vu imposer un contingent de 1 100 hommes à former par tirages au sort. Celui qui a lieu le 15 août 1792 à Saint-Ouen-des-Toits donne lieu à de violents incidents. Un millier de révoltés, paysans pour la plupart, se rassemblent, armés de branches de saule, portant la cocarde noire et criant qu'ils ne se battraient que pour le roi et le pape, que les acquéreurs des biens des prêtres devaient défendre la nation. Parmi les inculpés figurent les frères Cottereau. Leur troupe livre un premier combat le 26 septembre 1792 aux patriotes d'Andouillé et de La Baconnière venus piller le château de Villiers. Pendant l'hiver 1792-1793, elle se réfugie en forêt de Misedon. Entre les chouans et les forgerons de Port-Brillet, qui ont transformé leurs forges en redoutes, les monticules de scories servant de forts, la guérilla est quasi permanente en 1793. Jean Chouan rejoint le prince de Talmont et l'armée vendéenne à Laval le 24 octobre.

Il sera tué dans un combat contre les républicains de Port-Brillet, le 28 juillet 1794.

Le mouvement des taxateurs

Ce mouvement préfigure la politique du « maximum » votée en mai 1793 par la Convention. Parti du Plessis-Dorin (Loir-et-Cher) et de sa verrerie, il touche quatre départements, Loir-et-Cher, Eure-et-Loir, Sarthe et Indre-et-Loire.

Les récoltes ne sont plus alors le seul facteur de tension sur les prix. L'assignat, dont la valeur s'est maintenue en 1790 et 1791, commence à plonger. Apparaissent les effets pervers de l'inflation, qui aura tant pesé sur le cours de la Révolution, hausses incessantes, fuite devant la monnaie, refus de l'assignat, raréfaction des denrées sur les marchés, course au ravitaillement.

Le mouvement commence le 19 novembre. Le tocsin sonne à toute volée. Les ouvriers verriers du Plessis-Dorin, leur troupe grossie de nouveaux venus à chaque étape, vont taxer les céréales et les denrées sur les marchés à 20 sous le boisseau de blé, 16 sous le seigle, 12 sous l'orge, 8 sous l'avoine, 10 sous la livre de beurre, 5 sous la dizaine d'œufs. La première vague s'étale du 19 au 29 novembre, elle est stoppée à Beaugency. La deuxième avance au sud de la Loire, du 1er au 7 décembre, jusqu'à Bléré (Indre-et-Loire).

Effrayées par la « populace », sans moyens de police, les autorités dénoncent le mouvement mais laissent faire. Et à Blois les trois envoyés par la Convention, dont Couthon, doivent faire de même.

Le Mans, tombeau de la Vendée

Comme l'écrit Paul Bois, les journées des 11 et 12 décembre 1793 marquent un des épisodes les plus atroces de la Révolution dans l'Ouest et même dant toute la France. Une effroyable tuerie.

Après son échec le 3 décembre devant Angers et ses remparts, l'armée vendéenne commandée par La Rochejaquelein, cohue traînant derrière elle femmes et enfants, reflue vers le nord-ouest, talonnée par les troupes républicaines de Westermann et Marceau. Elle s'empare de La Flèche puis, le 10 au matin, se met en route pour Le Mans. Ses effectifs ? Peut-être 40 000 à 50 000 personnes parmi lesquelles moins de 20 000 combattants, tirant 35 canons. La défense du Mans, organisée jusqu'au pont de Pontlieue pour empêcher le passage de l'Huisne, comprend 4 000 hommes dont les deux tiers, formés de gardes nationaux, fuiront au premier combat, et une quinzaine de canons de petit calibre.

Les Vendéens s'emparent de la ville dans la soirée du 10 décembre. Ils en sont chassés par les troupes républicaines les 12 et 13 décembre après d'horribles combats au fusil et à la baïonnette, livrés place des Halles et de l'Éperon, faisant des milliers de victimes, auxquelles s'ajouteront ensuite des milliers d'autres le long de la route du Mans à Laval par laquelle ont fui les Vendéens. Au Mans, de pleins tombereaux de cadavres sont déversés dans deux longues fosses creusées place des Jacobins.

François Dornic

• La Vendée

Qu'est-ce que la Vendée en 1789 ? Une minuscule rivière de l'ouest de la France, affluent de la Sèvre Niortaise. En 1790, les constituants donnent ce nom à l'un des trois départements issus du partage du Poitou. En mars 1793, la Convention, apprenant que les troupes du général Marcé ont été écrasées par une bande de révoltés de ce département, baptise « Vendéens » l'ensemble des « brigands » soulevés contre la République dans ce secteur, bien que beaucoup d'entre eux habitent le Maine-et-Loire, la Loire-Inférieure ou les Deux-Sèvres. La participation commune à la guerre civile puis, aux XIXe et XXe siècles, son souvenir, voire son culte, forgeront le sentiment régionaliste. Une nouvelle province est née, la Vendée, au moment où meurent les autres.

Au sens large du terme, la Vendée correspond donc à l'ensemble du pays insurgé en 1793 *pour Dieu et pour le Roi.* La marquise de La Rochejaquelein, successivement épouse de deux chefs vendéens, Lescure et Louis de La Rochejaquelein, en définit les limites, avec une précision relative : « [...] la moitié était de la province du Poitou, un quart de celle d'Anjou, et un quart du comté nantais. Il est bordé au nord par la Loire, Paimbœuf d'un côté et de l'autre Brissac ; à l'occident par la mer et la ville des Sables ; au midi, par Luçon, Fontenay, Niort ; à l'orient, par Parthenay, Thouars, Vihiers » (*Mémoires de Madame la marquise de La Rochejaquelein,* 1889).

Le pays de l'herbe, de l'arbre, de la haie

Le pays vendéen a une grande unité géographique. Il appartient presque entièrement au Massif armoricain, constitué à cet endroit par un bas plateau de schistes parcouru de molles ondulations et que domine une ligne, orientée du nord-ouest au sud-est, de collines granitiques comme celle du mont des Alouettes, haut lieu de la guerre civile. Pour l'essentiel, le relief est donné par l'incision sinueuse des vallées : ainsi celle de l'Èvre au nord, de la Sèvre Nantaise au centre et à l'est celle du Layon qui a longtemps fixé, en 1793, le « front » entre Blancs et Bleus.

L'humidité océane couvre la Vendée d'un manteau de verdure qui contribue beaucoup à son unité. D'un bout à l'autre, la province est le pays de l'herbe, de l'arbre, de la haie, dont l'association forme le bocage. Érigé en nom propre, le mot désigne plus précisément la partie poitevine de la Vendée, les Mauges, correspondant à la partie angevine, tandis qu'à l'ouest s'étend le Marais breton. Le Bocage s'oppose à la Plaine qui l'environne à l'est et au sud. Composée des pays de champs ouverts relevant du Bassin parisien et du bassin d'Aquitaine, mais aussi du Marais poitevin, elle est restée fidèle à la République.

Vu des hauteurs de quelque colline, le Bocage semble une immense forêt, bien qu'à vrai dire il y existe peu de grands massifs boisés. L'illusion est donnée par les landes permanentes, par les jachères des terres les plus pauvres qui, restant incultes plusieurs années, se couvrent de fougères, de grands genêts et d'ajoncs à taille d'homme, plus encore par le foisonnement des haies vives, non point simples lignes de buissons, mais véritables rideaux d'arbres entrelacés d'épines et juchés sur une levée de terre d'au moins un mètre de haut, précédée d'un fossé. L'observateur perçoit ici et là une tache rouge qui troue la verdure. Ce sont les toits de tuiles romanes qui couvrent les fermes de schiste, longues et basses, dispersées dans la campagne. Certaines sont assemblées en hameaux ou « villages ». Ceux des villages qui abritent une église, parfois guère plus importants que les autres, sont le chef-lieu de la paroisse, centre de la vie communautaire avec ses foires, ses « assemblées » pour la fête du saint patron, ses nombreux offices religieux à l'issue desquels on se réunit entre parents et amis sur le parvis ou au cabaret voisin.

Un réseau lâche de gros bourgs et de villes minuscules parsème le pays : Saint-Florent-le-Vieil, Beaupréau, Chemillé en Maine-et-Loire, Machecoul et Clisson dans la Loire-Inférieure, Montaigu, Challans, La Roche-sur-Yon en Vendée, Châtillon-sur-Sèvre ou Bressuire dans les Deux-Sèvres. La plus grande de ces villes, Cholet, n'a que 8 444 âmes en 1790. Les chefs-lieux des nouveaux départements sont tous hors du Bocage : Nantes et Angers au nord, les seules villes importantes de la région, Niort et Fontenay-le-Comte, au sud.

Métayers et « closiers »

Dans le périmètre insurgé en 1793, vivent environ 550 à 600 000 habitants. Pour l'essentiel, ce sont des paysans : ils constituent près des deux tiers de la population des Mauges. Les plus considérables sont les « métayers ». Dans ces régions, le terme de métairie désigne une exploitation importante et non pas un type de location. Certains « métayers » sont des propriétaires exploitants, d'autres partagent les fruits avec le propriétaire, mais la plupart sont des fermiers louant leurs terres à prix fixe. Pour l'essentiel, en effet, la terre n'appartient pas à ceux qui la cultivent. Les plus gros propriétaires sont les nobles. Ils possèdent en moyenne près de 40 % du sol aux confins de la Loire-Inférieure et de la Vendée, 62 % même dans la paroisse de Secondigny (Deux-Sèvres). La métairie, qui comprend entre 15 et 60 hectares environ, possède un cheptel important et tout ce qui est nécessaire au labour, notamment un ou plusieurs attelages de bœufs.

En année normale, les métayers vivent bien, ayant suffisamment de grains pour nourrir leur famille ainsi que les domestiques et journaliers qu'ils emploient. L'argent liquide nécessaire au paiement des impôts et aux achats des produits fabriqués par l'artisanat leur vient surtout de la vente de ces bœufs qui alimentent le marché parisien et constituent l'essentiel de la richesse du Bocage, surnommé d'ailleurs « le Pays aux bœufs ».

Les « bordagers » et les « closiers » qui n'ont à leur disposition que des exploitations souvent mi-

BIBLIOGRAPHIE

MARTIN J.-Cl., *La Vendée et la France,* Le Seuil, Paris, 1987.

PETITFRÈRE Cl., *La Vendée et les Vendéens,* Gallimard, Paris, 1981.

PETITFRÈRE Cl., *Blancs et Bleus d'Anjou, 1789-1793,* Commission d'histoire de la Révolution française, Paris, 1986.

nuscules de quelques hectares, voire de quelques dizaines d'ares, sont en revanche toujours à la limite de la misère sous le poids de laquelle ils succombent lorsque survient une « cherté ». La plupart d'entre eux sont obligés de se placer comme journaliers, le temps des gros travaux.

Chaque bourg abrite le noyau habituel des artisans et boutiquiers nécessaires à la vie locale : menuisiers et charpentiers, maçons, sabotiers, tailleurs d'habit, forgerons et maréchaux-ferrants, voituriers, sans oublier les métiers de l'alimentation. Ils représentent quelque 20 % de la population des Mauges. Dans cette dernière région vivent aussi de nombreux tisserands (environ 15 % des habitants) qui fabriquent à domicile toiles et mouchoirs commercialisés ensuite par les négociants qui dirigent la manufacture de Cholet.

Marcel Faucheux (*L'Insurrection vendéenne de 1793. Aspects économiques et sociaux,* 1964) insiste sur ce qu'il appelle « le paupérisme vendéen ». Il faut nuancer cette affirmation. Effectivement, les terres sont généralement maigres et les rendements céréaliers faibles. La région produit peu de froment ; toutefois elle donne assez de seigle, méteil, blé noir, mil, pour nourrir sa population en année moyenne. Elle a d'autre part une indéniable richesse : l'élevage des bovins, déjà cité, et aussi celui des moutons. Certes, une partie de la Vendée, le Choletais, souffre au début de la Révolution de la chute du commerce des toiles et des mouchoirs, conséquence du traité de libre échange conclu en 1786 avec l'Angleterre. Mais, l'un dans l'autre, l'état économique et social du pays vendéen ne paraît pas plus désastreux que celui de bien des régions environnantes. Par rapport à son homologue du Saumurois, le paysan des Mauges verse sans doute plus d'impôts à l'État, mais il paie la dîme à un taux généralement moindre (un treizième au lieu d'un douzième ou un onzième) et les droits seigneuriaux semblent moins élevés pour lui.

« Chapelets » et « colonnes infernales »

A la fin de la Révolution, après six ans de guerre civile, la Vendée est un pays désolé. Aujourd'hui encore, le voyageur qui la traverse, venant de l'est ou du sud, est frappé par la rareté des vestiges antérieurs au XIXe siècle. A la profusion des églises romanes et des gentilhommières Renaissance du Val-de-Loire et du Haut-Poitou, succèdent châteaux et églises néo-gothiques. On dirait que la Vendée n'a commencé à vivre qu'au siècle dernier. En fait, elle a commencé à revivre.

En 1799, le pays n'était que ruines : beaucoup de fermes avaient été détruites et les villes elles-mêmes, plusieurs fois prises et reprises par les troupes adverses, avaient énormément souffert. D'après une étude, la proportion des maisons détruites varie de 18 à 35 %, selon les départements (Reynald Sécher, *Le Génocide franco-français : la Vendée-Vengé,* 1986). Mais parfois les pertes ont été beaucoup plus lourdes. A Chanzeaux, en Anjou, il ne reste après la guerre que vingt et une maisons debout sur la centaine que comptait le bourg. Et à la ruine des immeubles il faut ajouter les pertes de récoltes, de bestiaux, de stocks de marchandises. Les réquisitions opérées par les deux armées, les pillages, le feu sont responsables de ces ravages. Le décret voté à la Convention le 1er août 1793, sur le rapport de Barère, faisait de l'incendie systématique une méthode de guerre. Elle fut surtout appliquée entre janvier et mai 1794, quand les « colonnes infernales » de Turreau ratissèrent la Vendée.

Aux ruines amoncelées se sont ajoutées les pertes humaines. La guerre civile fut une succession de massacres commis de part et d'autre. Au début de l'insurrection, les prêtres assermentés, la bourgeoisie républicaine des bourgs furent souvent victimes des débordements de haine des révoltés. Les massacres les plus tristement célèbres sont ceux que les Vendéens ont accomplis à Machecoul, sous l'égide de Souchu, en mars-avril 1793. Mais les tueries se sont perpétuées tout au long de la « Grande Guerre ». En octobre encore, la prise de Noirmoutier par l'armée de Charette fut suivie de nombreuses exécutions. Les prisonniers bleus furent souvent traités cruellement, surtout dans les premiers temps : on les attachait deux à deux et on les faisait marcher en tête des bandes vendéennes, selon la tactique des « chapelets ». L'influence humanitaire de certains chefs (on pense à la clémence de Bonchamp évitant le massacre des républicains entassés dans l'église de Saint-Florent-le-Vieil, le 18 octobre 1793), la volonté de rassurer et de séduire les adversaires, firent diminuer au long des mois les massacres de prisonniers, sans jamais les faire cesser totalement.

De leur côté, les Bleus commirent un grand nombre d'exécutions sommaires, d'assassinats de femmes et d'enfants, et aussi de viols. Les victoires de la fin de 1793, au Mans et à Savenay, furent suivies d'une « boucherie horrible » de l'aveu même du général Westermann. Après la « Grande Guerre », les exécutions massives des prisonniers (noyades de Nantes présidées par Carrier ou fusillades d'Angers) firent des milliers de victimes. Les populations « civiles » furent soumises à une répression organisée sur une grande échelle. Après la défaite des Vendéens à Cholet (15-17 octobre 1793), l'intérieur du pays, déserté par la plupart de ses combattants qui avaient fui outre-Loire, fut quadrillé par les Bleus. Le « livret journalier » d'un gendarme corrézien, le citoyen Graviche, constitue de véritables « éphémérides du massacre » : « Le 5 (décembre), reparti [...] du côté de la Chapelle où on a passé hommes et femmes au fil de l'épée ou fusillier *(sic)* [...]. Le 13, massacre de femmes et enfants entre Beaupréau et Jalet *(Jallais)*, à Saint-Laurent-de-la-Plaine. Le 14 [...]. Mon hôte du May fusillier *(sic)*. » Au début de 1794, ce genre de répression fut appliqué beaucoup plus systématiquement par les « colonnes infernales ». Le nombre des victimes augmenta encore, parmi les Blancs et les Bleus, avec la guérilla qui suivit la « Grande Guerre » jusqu'aux pacifications de 1800.

L'évaluation des pertes humaines en Vendée a donné lieu récemment à une violente polémique entre historiens « de droite » et « de gauche ». En définitive, les deux camps se sont trouvés à peu près d'accord sur le nombre des victimes : de 117 à 150 000. Le premier chiffre est de Reynald Sécher, le second, plus scientifiquement établi, de François Lebrun (« La guerre de Vendée : massacre ou génocide ? », *L'Histoire*, n° 78, mai 1985).

A la fin de la Révolution, la Vendée, bien que profondément affaiblie, n'était pas détruite. Elle devait se relever assez vite de ses ruines.

Claude Petitfrère

• Le Centre-Ouest

L'année 1789 commence mal dans les provinces du Poitou, de l'Aunis, de la Saintonge et de l'Angoumois. L'hiver est terrible – la glace bloque la Charente –, l'approvisionnement en grains se dérègle, la disette s'installe. Au début du printemps, des incidents éclatent : à Rochefort, le 26 avril, la foule tente de brûler dans son four un boulanger traité d'accapareur.

Les cahiers de doléances sont rédigés dans cette ambiance morose. L'attachement au roi n'empêche pas la revendication unanime d'une monarchie contrôlée par des états généraux et provinciaux. Les cahiers du Tiers réclament en priorité l'allégement des impôts et la fin de l'inégalité fiscale (sept cahiers d'Aunis et de Saintonge sur dix évoquent ces questions). Certains demandent aussi l'abolition des dernières mesures de discrimination religieuse, alors que le clergé de Saintonge désapprouve l'édit de Tolérance accordé, en 1787, aux protestants. Plusieurs cahiers villageois critiquent vivement le régime seigneurial ou ses manifestations abusives : le franc-fief, les banalités, les corvées et les justices seigneuriales, lentes et partiales. Les citadins insistent davantage sur le vote par tête, le libre accès aux charges publiques et les mesures favorables au commerce. S'ils acceptent le principe de la répartition égalitaire des impôts, les ordres privilégiés souhaitent le maintien des distinctions honorifiques et la sauvegarde des redevances seigneuriales, assimilées à une propriété. Le clergé rappelle en outre, avec insistance, l'inviolabilité des biens d'Église.

2 000 brigands attaquent la ville voisine

Dans la seconde quinzaine de juillet, la Grande Peur secoue une partie des campagnes. Le mouvement part de Ruffec, où quelques mendiants effraient la population. Dès le 28 juillet, la peur remonte vers le nord, jusqu'à Lusignan par Civray et jusqu'aux Ormes par Montmorillon. Vers le sud, elle atteint Confolens, Chabanais et Angoulême. D'Angoulême, l'alarme gagne Jarnac ; de Jarnac, on court assez promptement à Cognac ; et de Cognac, la peur parvient à Saintes : on y annonce, le 29, l'attaque de la ville voisine par 2 000 brigands ! Plus au sud, encore, l'alerte traverse Barbezieux et arrive à Baignes, où la foule brûle la maison du directeur des aides et oblige le seigneur à renoncer à ses droits, puis dans les environs de Montendre, où des paysans investissent le château de Sousmoulins.

« Un jardin à partager »

La création des départements trouble ensuite les esprits : « On se dispute le territoire comme si c'était un jardin à partager », note un député du Poitou. L'opposition des Niortais empêche la division de cette province en deux grands départements : les Deux-Sèvres (chef-lieu : Niort) sont donc créées aux côtés de la Vienne (Poitiers) et de la Vendée (La Roche-sur-Yon). Grâce à quelques emprunts au Limousin et à la Saintonge, l'Angoumois donne naissance à la Charente (Angoulême) ; l'Aunis, qui prétendait à l'autonomie, a moins de chance : les constituants le réunissent à la Saintonge pour former la Charente-Inférieure (Saintes). L'implantation des nouvelles administrations suscite d'autres mécontentements. Poitiers, l'ancienne capitale provinciale, perd l'essentiel de ses prérogatives ; La Rochelle et Saint-Jean-d'Angély ne se consolent pas de la promotion de

Saintes, ni Cognac de celle d'Angoulême !

Le 14 juillet 1790, les nouvelles autorités locales célèbrent la fête de la Fédération ; mais la politique de compromis proposée par la bourgeoisie constituante achoppe rapidement sur les revendications paysannes, l'agitation réfractaire et l'opposition aristocratique.

Une guerre de chicane et d'usure

Les décrets d'application des déclarations du 4 août 1789 conservaient, en les déclarant rachetables, les droits seigneuriaux pesant sur les biens. Mais, dans plusieurs régions, les tenanciers refusent le rachat et se révoltent contre les redevances maintenues. A l'automne 1790, les habitants d'une trentaine de paroisses des environs de Saint-Jean-d'Angély envahissent la ville et dispersent l'administration du district qui ordonnait le paiement. Au cours de l'émeute, le maire de Varaize – par ailleurs fermier seigneurial – est assassiné. Un an plus tard, une nouvelle sédition secoue les cantons d'Aubeterre, Blanzac, Montmoreau et Chalais. D'autres villages, qui restent à l'écart de cette agitation spectaculaire, entreprennent une guerre de chicane et d'usure contre le prélèvement seigneurial. De 1791 à 1792, les tribunaux de Pons, Marennes et Saintes convoquent plus d'un millier de tenanciers récalcitrants ; mais les trois quarts de ceux qui comparaissent exigent – avant même que la Législative ne l'impose, en août 1792 – la présentation d'un titre justificatif.

La Constitution civile du clergé empêche elle aussi la stabilisation de la Révolution. Dans chaque département, 50 à 60 % des ecclésiastiques acceptent de prêter serment. Les réfractaires, majoritaires dans les villes et dans certaines régions comme celle de Bressuire et Châtillon, s'exilent ou deviennent des agents de la contre-révolution. Des nobles choisissent eux aussi le parti de la résistance : à Münster, les gentilshommes émigrés se regroupent dans la compagnie d'Aunis, Saintonge et Angoumois.

Le mur de l'Atlantique

Le conflit avec l'Europe monarchique concerne directement les quatre départements. Région côtière abritant le port de Rochefort, la Charente-Inférieure est la plus exposée : à partir de 1793, les bâtiments français affrontent régulièrement les vaisseaux espagnols et anglais autour des îles d'Aix, Oléron et Ré. Si les enrôlements de 1791 et 1792 s'effectuent dans l'enthousiasme, les grandes levées de 1793 sont plutôt mal accueillies. Des incidents éclatent au nord des Deux-Sèvres et de la Vienne et dans le district de Confolens. A Poitiers, le 20 mars 1793, le tirage au sort provoque même une véritable sédition. Pour satisfaire les besoins des armées – notamment celles de l'Ouest –, les autorités stimulent la fonderie de Ruelle, sollicitent des dons patriotiques – importants parmi la bourgeoisie protestante rochelaise – et imposent de lourdes réquisitions.

A la menace étrangère s'ajoute, en 1793 et 1794, le retentissement de la guerre de Vendée qui s'étend d'ailleurs jusqu'au nord des Deux-Sèvres. Chaque progrès de l'insurrection alarme les départements voisins qui envoient régulièrement des troupes au secours des villes restées républicaines. Au printemps 1793, après la défaite des gardes nationaux charentais à Chantonay, et l'occupation de Thouars et Parthenay, la panique s'empare de La Rochelle, Poitiers et Loudun, directement menacés. Au gré des opérations, les soldats des deux camps pillent et dévastent les régions de Thouars, Bressuire et Parthenay, avant que les « colonnes infernales » n'y sèment la désolation. Le canton de Bressuire offre « un spectacle affligeant », écrit le directoire du département en 1797 : 693 maisons brûlées sur 775, les deux tiers du

BIBLIOGRAPHIE

DUCLUZEAU F., « La Révolution et l'Empire », dans *La Charente de la préhistoire à nos jours*, Bordessoules, Saint-Jean-d'Angély, 1986.

LUC J.-N., *Paysans et droits féodaux en Charente-Inférieure pendant la Révolution française*, Comité des travaux historiques et scientifiques, Paris, 1984.

LUC J.-N., « La Révolution et l'Empire », *La Charente-Maritime, l'Aunis et la Saintonge des origines à nos jours*, Bordessoules, Saint-Jean-d'Angély, 1981.

cheptel anéantis, la totalité des moulins – une cinquantaine – détruite.

« Non seulement cela ira, mais cela va... »

Les mesures de salut public sont strictement appliquées dans les départements voisins de la Vendée. En Charente-Inférieure, les représentants en mission Lequinio et Laignelot installent un tribunal révolutionnaire à Rochefort, sous le contrôle d'une population de marins et d'ouvriers déracinés et enfiévrés par la crainte d'une attaque étrangère ou vendéenne. Un tiers des prévenus sont acquittés, cinquante-deux – soit un peu plus du quart – condamnés à mort, et les autres, à la détention ou à une amende.

Curieusement, le bourgeois rochelais Lambertz, républicain modéré sans sympathie particulière pour les Montagnards, ne semble pas troublé par l'action de ce tribunal : « Les aristocrates s'étaient flattés qu'on ne trouverait pas de monde pour faire les vendanges et encore moins pour cultiver les terres avant l'hiver et que les Français, pressés par la faim, seraient obligés de demander la paix aux despotes, écrit-il le 31 janvier 1794 ; mais le génie de la liberté a su vaincre tous les obstacles... Non seulement cela ira, mais cela va, et vive la République. Non seulement elle tiendra tête à tous ses ennemis, mais elle finira par les écraser, ses moyens de force en hommes et en finances lui suffisent, et les traîtres ne sont plus à craindre. » Dans la Vienne, le représentant Ingrand se montre lui aussi rigoureux : les fonctionnaires sont épurés et les suspects arrêtés (700 détenus s'entassent dans les neuf prisons poitevines !), trente et un condamnés sont guillotinés sur la place du pilori, sans compter les transferts vers Paris. La répression locale semble plus modérée en Charente, où le comité révolutionnaire de La Rochefoucauld est cependant très acharné. On y dénombre soixante-huit condamnés, dont quarante-neuf par le Tribunal de Paris.

Ces condamnés sont des prévenus politiques (parents d'émigrés, prêtres réfractaires, officiers accusés de préparer la défection de Rochefort, administrateurs suspects de sympathies girondines), des prévaricateurs, des faux-monnayeurs et des voleurs de vivres militaires. Certaines exécutions troublent les esprits comme celles de l'amiral de Grimoard et, surtout, de Gustave Déchezeaux, député de la Charente-Inférieure, démissionnaire après l'exécution des girondins en juin 1793, et très populaire en raison de sa participation courageuse à la guerre de Vendée. Après un procès expéditif, au cours duquel il proteste de son innocence et de ses convictions républicaines, il est exécuté le 14 janvier 1794, conformément au souhait de Billaud-Varenne, membre du Comité de salut public et originaire de La Rochelle.

Deux négriers au large d'Aix

La Terreur s'accompagne de mesures répressives contre les prêtres réfractaires (une quarantaine, exerçant dans la Vienne et la Charente, sont envoyés aux pontons de Rochefort) et contre le clergé constitutionnel, plutôt monarchiste et modéré. Sur les 697 ecclésiastiques de la Charente-Inférieure, quatre-vingt-quatre sont emprisonnés, vingt-trois (soit 3 %) sont exécutés ou meurent en détention. Ce département devient le lieu de départ puis d'emprisonnement de tous les prêtres français condamnés à la déportation : les deux tiers des 827 prisonniers, entassés sur deux grands négriers ancrés au large de l'île d'Aix, ne survivront pas à leur atroce détention. Simultanément, les sociétés populaires et les représentants en mission organisent la déchristianisation. Effrayés ou gagnés aux idées du temps, des curés livrent leurs lettres de prêtrise (quatre-vingt-quinze en Charente-Inférieure) et, même, se marient (cinquante-trois). Des cérémonies grandioses (fête de la Raison à la cathédrale d'Angoulême ou de l'Être suprême dans le parc de Blossac à Poitiers) tentent de prendre le relais des fêtes chrétiennes supprimées.

« Une sorte d'affaissement... »

Avec les victoires de l'été 1794, la politique de salut public porte ses fruits. Comme la Terreur ne semble plus nécessaire, la chute de Robespierre entraîne celle du gouvernement révolutionnaire. Dans les quatre départements, la réaction thermidorienne est plutôt modérée : certains amis des montagnards sont destitués, et des partisans des girondins, réintégrés. Le retour de plusieurs émigrés et la renaissance du culte catholique ravivent l'opposition royaliste. Après l'exclusion – le 5 septembre 1797 – des nouveaux députés monarchistes, les membres des directoires des deux Charentes et du conseil municipal de Saintes – qui avaient condamné le coup de force – sont remplacés par des républicains plus affirmés. La réaction antiroyaliste s'accompagne de nouvelles persécutions religieuses : les ecclésiastiques qui refusent de prêter un serment de haine à la royauté sont déportés en Guyane, puis emprisonnés dans les citadelles d'Oléron et de Ré.

La situation se dégrade pendant les dernières années du Directoire : les actes de brigandage, l'agitation royaliste et les razzias anglaises – que la flotte française, endommagée par un ouragan, ne peut empêcher – ne redonnent pas confiance aux populations. Peut-être le jugement du commissaire central sur les habitants des Deux-Sèvres, en 1798, reflète-t-il aussi l'état d'esprit des autres départements : « Si le gouvernement républicain n'a pas dans les campagnes d'amis très chauds, il n'a pas non plus d'ennemis prononcés. On y est en général, comme dans trop de communes principales, dans une sorte d'affaissement qui fait désirer le repos ! »

L'économie régionale a plutôt souffert de la période révolutionnaire. En 1791, la révolte des Noirs de Saint-Domingue tarit une source importante de revenus pour la bourgeoisie rochelaise. Un an plus tard, les hostilités avec la Prusse puis avec l'Angleterre restreignent considérablement l'exportation des produits locaux (sel, vins, eaux-de-vie, toiles et papier). La guerre de course qui se développe à partir de 1796 ne peut compenser ce marasme, et les faillites se multiplient dans les villes commerçantes. Si les commandes de la marine donnent une vive impulsion à l'industrie métallurgique de la Charente, l'industrie papetière, qui connaissait un regain d'activité à la fin de l'Ancien Régime, périclite, victime des réquisitions et de la réduction des débouchés. Les chamoiseries de Niort, qui fournissaient avant la Révolution des culottes et des gants à plus de trente régiments de cavalerie et de dragons, sont, elles aussi, sensiblement déchues.

Écartés des grands trafics traditionnels, les négociants se replient, aux côtés des hommes de loi et des rentiers, sur l'investissement foncier. Dans les districts de La Rochelle et de Saintes, les acquéreurs de la moitié des biens ecclésiastiques (en tout dix-huit et seize personnes !) appartiennent presque tous à ces milieux. Dans la Vienne, les bourgeois achètent les deux tiers des terres mises en vente, tandis que les simples paysans, incapables de suivre les enchères et supplantés par les riches fermiers, ne ramassent que les miettes (4 % des biens vendus). Dans les districts de Saintes et Marennes, dix-sept acquéreurs (soit 3 % au total) ont acheté des portions supérieures à 40 hectares et 256 personnes (soit 44 %) des lots inférieurs à un hectare !

Jean-Noël Luc

• Le Limousin

En constituant, au début de l'année 1790, les départements de Corrèze, Creuse et Haute-Vienne, les députés de l'Assemblée nationale ne tranchèrent pas arbitrairement à travers un tracé complexe de limites historiques et administratives. En gros, au bas Limousin correspondait la Corrèze ; au haut Limousin et à la basse Marche, la Haute-Vienne ; à la haute Marche, à la Combraille et au Franc-Alleu, la Creuse. A quelques exceptions près, les limites de ces départements reprenaient celles de l'ancien diocèse de Limoges dont avait été détaché, en 1317, celui de Tulle. Ainsi, l'étendue de ces trois départements équivalait, en très grande partie, à l'antique Cité des Lémovices qui regroupait la quasi-totalité des terres limousines.

Une force tranquille ?

Sur le plan national, les départements limousins se distinguèrent peu durant la décennie révolutionnaire. La contre-révolution y eut peu d'impact. Les mouvements de résistance aux différentes mesures révolutionnaires furent rares et de faible envergure. Aucun de ces départements ne fournit aux assemblées révolutionnaires un homme politique de premier plan. Cependant, plusieurs généraux, le plus souvent engagés dans les bataillons de volontaires, s'illustrèrent à la tête des armées de la République : Bandy de Nalèche, Delmas et surtout Jourdan. Ce dernier, fils d'un chirurgien de Limoges, avait combattu en Amérique avant de s'établir à Limoges comme mercier-détaillant. Élu commandant d'un bataillon de volontaires, puis nommé général de division en 1793, il remporta les batailles de Wattignies et de Fleurus. Sous le Directoire, membre du Conseil des Cinq-Cents, il fit adopter la loi de conscription qui porte son nom.

D'une manière générale, la plus grande partie de la population resta indifférente aux nombreux changements de régime. Dans les premiers mois de 1793, toutefois, au moment où girondins et montagnards s'opposaient à la Convention, les administrateurs élus des directoires de département penchèrent nettement pour les premiers, et leur tentation fut forte, après la journée du 2 juin 1793, de rejoindre le camp fédéraliste et de lui apporter leur soutien. Il fallut toute l'autorité et l'influence des sociétés populaires de Limoges et de Tulle, qui s'étaient vite ralliées aux montagnards, pour imposer aux administrateurs départementaux obéissance et fidélité à la Convention.

Il n'en reste pas moins que, comme partout, la Révolution y fut une réalité, provoquant bouleversements et innovations, espoirs et déceptions, générateurs d'attitudes de refus ou d'acceptation. En janvier 1790, le bas Limousin connut une flambée de révoltes paysannes et antiseigneuriales. Les troubles, partis des confins du Quercy, gagnèrent une trentaine de communes situées entre Brive, Uzerche et Tulle. Les paysans exigeaient la suppression pure et simple des droits seigneuriaux. Des bancs furent sortis des églises et brûlés, des étangs vidés et « pêchés », des châteaux envahis, des « mâts » plantés sur la place publique pour témoigner de la victoire du peuple. A Allassac et Favars se produisirent les troubles les plus graves. Dans cette dernière commune, ils provoquèrent plusieurs morts et deux émeutiers furent exécutés à Tulle. Ces flambées de violence se prolongèrent de façon sporadique jusqu'en 1793 et s'étendirent au reste du Limousin et à la Marche.

Les contraintes nées de la guerre, des difficultés d'approvisionnement, et les mesures imposées par le gouvernement révolutionnaire en 1793-1794 se heurtèrent en quelques endroits à des mouvements de résistance larvés et épisodiques : émeutes ou refus de participer au tirage lors de la levée des 300 000 hommes en mars 1793, refus encore de satisfaire aux réquisitions de vivres pour l'approvisionnement des villes ou des armées.

Le seul soulèvement d'envergure se produisit en Corrèze, à Meymac, et fut occasionné par la déchristianisation imposée par des militants sans-culottes agissant essentiellement au sein des sociétés populaires. Presque partout les églises furent fermées ; les trois quarts environ des curés et des vicaires de Haute-Vienne et de Creuse abdiquèrent, moins sans doute en Corrèze. A Meymac, lorsque, le 10 décembre 1793, les patriotes locaux voulurent célébrer une fête de la Raison et organiser une mascarade, les paysans du canton se soulevèrent au cri de « Vive Louis XVII, vive la religion, vivent nos prêtres ! ». Leur rassemblement fut dispersé deux jours plus tard, et cinq meneurs guillotinés. Pour les trois départements, le nombre des exécutions s'éleva à vingt-deux. En Corrèze, où il y en eut douze, le représentant Lanot exerça une répression féroce, emmenant derrière lui, à travers le département, le tribunal criminel et la « guillotine ambulante ».

Les clubs et sociétés populaires furent nombreux ; 204 sociétés ont été recensées dans les trois départements, pour 800 communes environ. Leur essaimage fut progressif : en 1790 et 1791 des clubs des Amis de la Constitution furent créés dans presque toutes les villes ; au printemps 1793, et surtout à l'automne et à l'hiver suivants, leur réseau s'étendit à de nombreuses communes rurales. Dans les villes, ces sociétés étaient composées essentiellement de citoyens issus du petit commerce et de l'artisanat et de membres des professions libérales, médecins, hommes de loi. Dans les campagnes, elles regroupaient 15 à 30 % de la population adulte masculine, cultivateurs pour la plupart, auxquels se joignirent parfois des citoyennes.

Deux Limousins

Toutefois, l'ensemble des départements ne réagit pas uniformément aux changements et aux innovations révolutionnaires. Ainsi, le pourcentage des prêtres jureurs s'élève à 68 % en Creuse, 56 % en Haute-Vienne et environ 40 %, peut-être moins, en Corrèze. Mais, à l'intérieur d'un même département, les nuances peuvent être très importantes ; en Haute-Vienne, on passe de 76 % dans le district du Dorat, au nord, à 35 % dans celui de Saint-Léonard, au sud-est. En ce qui concerne les sociétés populaires, à la partie orientale du Limousin où à peine une commune sur dix en était dotée, s'oppose la partie occidentale, allant du nord de la Creuse au sud de Brive, où, dans une commune sur deux, parfois plus, un club s'était implanté.

Sans toujours se recouper exactement, ces différents indices et d'autres, telles l'ampleur et la chronologie du mouvement de déchristianisation, laissent entrevoir deux Limousins : à l'ouest, et spécialement en basse Marche et basse

BIBLIOGRAPHIE

BOUTIER J., *Campagnes en émois. Révoltes et résistances dans les campagnes corréziennes pendant la Révolution, 1789-1799*, Éd. Les Monédières, Treignac, 1987.

BOUTIER J., D'HOLLANDER P., *Les Sociétés populaires en Limousin, 1789-an III*, dans *Histoire des Limousins et des Marchois*, sous la direction de B. BARRIÈRE et J.-C. PEYRONNET, Dessagne, Limoges, sous presse.

FRAY-FOURNIER A., *Le Département de la Haute-Vienne... pendant la Révolution*, 2 vol., Éd. H. Charles-Lavauzelle, Limoges, 1908-1909.

GUIBERT L., « Le parti girondin dans le département de la Haute-Vienne », *Revue historique*, t. VIII, 1878.

PEROUAS L., D'HOLLANDER P., *La Révolution : une rupture dans le christianisme limousin ?*, à paraître.

Corrèze, un Limousin qui s'est ouvert à la Révolution, l'a accueillie favorablement et a milité pour son succès ; à l'est, un Limousin beaucoup plus réservé, voire hostile aux transformations révolutionnaires. Plusieurs facteurs peuvent expliquer cette opposition : l'émigration saisonnière des maçons vers Paris ou les grandes villes, mais elle ne concerne que certaines régions marchoises au nord. Dans un Limousin globalement peu urbanisé et très faiblement alphabétisé, le réseau des villes, siège des élites et des meneurs, apparaît plus dense à l'ouest, et le pourcentage des hommes sachant signer leur acte de mariage y est plus élevé. Ces nuances et ces oppositions sont enfin liées à l'isolement des régions orientales, pays de la montagne limousine et de hautes terres, où le faible développement des voies de communication rendait difficile la circulation des hommes et des idées.

Paul d'Hollander

• L'Aquitaine

La Révolution en Aquitaine respira la prudence et la modération. La majeure partie de la population accueillit la Révolution de bon gré, sinon avec enthousiasme. Les cahiers de doléances de la région ne contiennent pas de manifestes politiques extrêmes ni de dénonciation absolue des institutions de l'Ancien Régime ; ils se bornent à citer les réformes souhaitées en soulignant combien il est urgent de venir en aide aux communautés locales. Ici comme ailleurs, les cahiers du troisième ordre attaquent vivement les privilèges ; mais tandis que les négociants bordelais dénoncent le monopole de la Compagnie des Indes, ce sont les privilèges corporatifs de Bordeaux dont on se plaint dans le Quercy et le Périgord, ce qui distingue les citadins de leurs frères campagnards.

La rédaction des cahiers et la convocation des États généraux éveillèrent de nouvelles espérances. Dans toute la région, les élections de 1789 mirent fin à la prédominance de la noblesse. Émergèrent, au contraire, avocats, hommes de loi, juristes et industriels. C'est seulement à Bordeaux que le barreau dut partager ce nouveau pouvoir avec la Bourse — et même là, les grands négociants et courtiers se tinrent généralement à l'écart.

Quant aux paysans, s'ils obtinrent des droits civiques, leurs vraies doléances restèrent sans réponse. Leur déception fut d'autant plus grande que l'hiver de 1789-1790 fut rude, et les campagnes menacées de misère. Tout comme en Normandie et dans le Bassin parisien, l'Aquitaine éprouva une « peur » qui se dissémina de village en village, du Périgord à l'Agenais et au Quercy. Après la nuit du 4 Août, les bruits les plus alarmistes coururent dans les campagnes, de sorte que les paysans du Quercy refusèrent de payer leurs droits féodaux. La peur poussa les riches à se mobiliser contre les pauvres et les bourgs contre les campagnes. Les citadins se regroupèrent pour défendre leurs propriétés contre un ennemi imaginaire qu'on voyait en tout étranger ou tout moissonneur saisonnier. C'est là l'origine de la milice bourgeoise – la première tentative de formation d'une garde nationale.

L'esprit de clocher

Si cette première année de la Révolution créa de nouvelles tensions entre les groupes sociaux, elle augmenta aussi les rivalités entre communautés. Car la révolution administrative de 1790 ne pouvait que semer la discorde parmi les villes et les régions soucieuses de gagner prestige ou richesse grâce à la redistribution des responsabilités gouvernementales. Les perdants furent les grandes villes comme Bordeaux, privées de leur parlement et de leur cour des aides, de leur académie et de leur intendance – de toute cette panoplie d'administrations qui avaient contribué à leur essor économique et artistique. Dès 1790 Bordeaux n'était plus qu'un chef-lieu de département, tout comme Auch, Tarbes ou Mont-de-Marsan.

Mais pour beaucoup de villes moyennes, les espérances furent grandes. Libourne entra en lice avec Bordeaux pour être nommée chef-lieu de la Gironde ; Pau, Oloron et Sauveterre réclamèrent chacune l'administration départementale des Basses-Pyrénées ; La Rochelle, Saintes et Saint-Jean-d'Angély se disputèrent l'honneur d'être le centre administratif de la Charente-Inférieure ; Bazas voulut même faire créer un département supplémentaire entre la Gironde et les Landes. A chaque niveau administratif, les revendications se multiplièrent. Les ambitions des uns ne pouvaient que se heurter à celles de leurs voisins. Si les villes concurrentes tentèrent de se justifier par leur importance commerciale ou leur situation centrale, elles ne répugnèrent pas non plus à dénoncer leurs rivales, les dépeignant comme des bourgades sales et indignes, ou sans importance aucune. Les affronts subis en 1790 ne seront pas oubliés de sitôt ; dans les communautés locales ces frictions éveillèrent un puissant esprit de clocher et un fort désir de vengeance.

La politique religieuse risquait fort d'aliéner à la Révolution les catholiques les plus fidèles. Mais si l'Aquitaine eut sa part de non-jureurs, y compris l'archevêque de Bordeaux, Champion de Cicé, ni le serment civique ni la rédaction des inventaires n'occasionnèrent de sérieux revers pour les révolutionnaires, et on doit en conclure que la région était en grande mesure déchristianisée bien avant 1789.

Sur le plan économique, les inquiétudes furent plus fortes. L'on craignait que la Révolution ne détruisît l'équilibre fragile dont dépendaient les approvisionnements et les marchés. Les assignats et les réquisitions furent largement contestés, surtout dans les campagnes. Et avec la guerre – la guerre navale et coloniale qui mettait en cause le commerce maritime de la côte atlantique –, c'était la prospérité de Bordeaux et de toute la région qui était en jeu. Le haut négoce se vit menacé de ruine, tandis que les ouvriers du port devaient accepter chômage et misère. Mais pour beaucoup, ce fut aussi l'époque d'une grande ouverture politique, un temps d'espoir où on lisait les pamphlets en provenance de Paris, assistait aux séances des sociétés populaires, participait aux fêtes révolutionnaires et aux grandes fédérations. A Bordeaux surtout, le quotidien commença à se politiser. On se félicitait de la levée des premiers volontaires, de la grande fédération

BIBLIOGRAPHIE

FORREST A., *Society and Politics in Revolutionary Bordeaux*, Oxford University Press, Londres, 1975.

avec Toulouse et de l'expédition militaire de 1790 contre les royalistes de Montauban.

Après l'affaire de Montauban, les Bordelais jouirent d'une certaine renommée patriotique, mais la capitale girondine n'était pas un vrai foyer d'opinions radicales. Sa première municipalité était de tendance conservatrice, et sa politique municipale marquée par une intensité de conflits entre individus et entre factions qui n'avait rien de comparable dans les autres villes du Sud-Ouest, et plus tard plusieurs clubs se disputèrent les faveurs des citoyens. Les rapports entre les Amis de la liberté (société soutenant les députés girondins envoyés à Paris) et le Club national (fortement pro-montagnard) n'avaient rien d'amical.

Une égoïste croisade de riches

En juin 1793, en réponse à la nouvelle de l'arrestation des chefs de la Gironde dans la Convention, Bordeaux se déclara en révolte – révolte que les jacobins dénoncèrent comme fédéraliste. Les autorités constituées à Bordeaux – la municipalité, le département, le district et les sections – se réunirent, comme dans les autres centres de fédéralisme, en commission populaire et rejetèrent l'autorité de la Convention sur la Gironde. Dans les semaines qui suivirent, la commission fulmina contre la Convention, dénonça les sans-culottes parisiens, envoya des agents dans les départements environnants pour prêcher sa cause et réduire son isolement. Elle recruta une force armée départementale pour se défendre et, le cas échéant, imposer la révolution bordelaise aux Parisiens. Mais ses commissaires n'obtinrent aucun soutien solide en dehors de la Gironde. Les autres départements, conscients des dangers qu'ils couraient, restèrent fidèles à Paris. D'ailleurs, l'armée bordelaise se résumait à quatre cents hommes, bien incapables de défier la Montagne ! La popularité des girondins restait très limitée, et circonscrite au seul département de la Gironde où ils étaient majoritaires. Leur cause ne rencontra aucun soutien populaire dans le Sud-Ouest, et la révolte bordelaise fut considérée par beaucoup de campagnards comme une croisade égoïste lancée par les riches de la ville, un acte d'autodéfense des nouvelles élites urbaines.

Comme le fédéralisme, qui toucha presque exclusivement Bordeaux, la Terreur fut un phénomène localisé, dépendant étroitement des passages des représentants en mission et de l'esprit qui régnait dans les clubs et les sections. Car la Terreur, comme le fédéralisme, refléta les passions et les haines de la communauté locale. Les villes sans conflits internes ne connurent que rarement une hécatombe en 1793 ou en l'an II. Là où les bourgeois aisés restaient dominants, il y avait peu de risques de dénonciations ou de règlements de comptes. L'expérience de la Terreur – comme toute l'expérience révolutionnaire – garda une teinte de modération. La seule exception importante fut celle de Bordeaux, où Alexandre Ysabeau et Jean-Lambert Tallien durent établir une commission militaire pour épurer la ville contaminée par le fédéralisme. Ailleurs, la violence ne fut qu'intermittente pour forcer les paysans à vendre leurs grains au marché, imposer les réquisitions militaires, ou, plus rarement, pour faire respecter des mesures de déchristianisation. Le nombre de victimes fut donc restreint, sauf à Bordeaux où trois cents individus furent envoyés à l'échafaud. Mais la Terreur resta limitée dans les Landes et dans les Basses-Pyrénées où personne ne fut condamné avant pluviôse an II (janvier-février 1794).

La Terreur blanche : un phénomène marginal

La chute de Robespierre fut accueillie avec un vif soulagement. Quelques signes de royalisme, à Bordeaux surtout, apparurent pendant la période thermidorienne, quand les Muscadins de la jeunesse bordelaise, vantant leurs opinions réactionnaires, terrorisèrent les anciens sans-culottes. En l'an V, le royaliste Institut philanthropique était fortement implanté parmi les partisans de la droite bordelaise. Et en fructidor an VI (août 1798), la crainte d'une flambée royaliste devint si forte qu'une nouvelle commission militaire fut établie à Bordeaux pour la surveiller. Mais on ne doit pas se laisser tromper par de tels indices. Ni Bordeaux ni le Sud-Ouest rural ne furent vraiment la proie d'une réaction populaire, et la Terreur blanche resta un phénomène marginal.

La bourgeoisie bordelaise maintint son contrôle sur les institutions politiques comme sur l'économie régionale. La vente des biens nationaux lui avait permis une spéculation fructueuse sur les terrains seigneuriaux et ecclésiastiques. Une fois les jacobins partis, les anciens officiers municipaux de 1793, les ex-fédéralistes qui avaient survécu à l'épuration, regagnèrent leur influence. A Bordeaux, on profita d'un léger essor commercial, et dans les pays agricoles, d'une augmentation des prix des grains. Certes, des inquiétudes subsistaient sur l'inflation et le taux des impôts, ou la guerre avec ses levées d'hommes et ses réquisitions. Et le taux d'insoumission aux nouvelles conscriptions de l'an VII fut très élevé. Mais les institutions politiques et les gens qui exerçaient le pouvoir avaient reconquis la confiance publique. Beaucoup d'Aquitains, à Bordeaux aussi bien que dans la campagne, ne jugèrent la Terreur et le règne des jacobins que comme une discontinuité fâcheuse imposée de l'extérieur et comme l'instrusion de la politique parisienne dans l'espace régional.

Alan Forrest

• Le Midi toulousain

Le Midi toulousain, c'est-à-dire la région dans laquelle l'influence de Toulouse était prépondérante, ne formait pas une unité administrative sous l'Ancien Régime. Elle était, en effet, partagée entre le Languedoc, la Guyenne, la Gascogne, le comté de Foix, de petits pays pyrénéens tels que la Bigorre, les Quatre-Vallées et les Sept-Vallées. Plus précisément, le Midi toulousain correspondait à l'actuelle région Midi-Pyrénées, moins l'arrondissement de Millau orienté vers Montpellier, et l'ouest du Gers tourné vers Mont-de-Marsan et Bordeaux, mais avec, en plus, l'arrondissement de Castelnaudary très dépendant de Toulouse.

Mouvements contestataires

Les habitants du Midi toulousain désiraient-ils une révolution et l'abolition de l'Ancien Régime ? Rien ne permet de le penser. Mais les mouvements contestataires s'étaient développés dans la seconde moitié du XVIIIe siècle. En 1770, le curé de Fanjeaux, près de

Castelnaudary, écrit que ses paysans sont des « républicains » parce qu'ils détruisent des chaussées construites par l'ordre de Malte et enlèvent, sans autorisation, du bois dans les forêts. Républicains aussi les habitants d'Auriac-sur-Vendinelle, aux environs de Revel : ils ne sont pas respectueux des autorités, surtout pas de celle de l'Église, le curé s'en plaint.

Mais ce sont les dîmes qui suscitent le plus de plaintes, et même de révoltes, notamment en Gascogne. En raison de leur taux très élevé de un sur huit (au lieu de un sur dix, et même, le plus souvent, de un sur douze ou sur quatorze), les paysans s'opposent à leur perception. Les décimateurs engagent contre eux des procès, devant le parlement de Toulouse, mais ne les gagnent pas toujours.

Dans certaines seigneuries, les paysans sont mécontents de ce qu'on a appelé la « réaction féodale ». Le cas le plus caractéristique est celui de Buzet-sur-Tarn, au nord de Toulouse. Depuis 1241, le roi était seigneur de ce village et n'y exerçait ses droits seigneuriaux et féodaux qu'avec beaucoup d'aménité. Mais, en 1768, Louis XV à court d'argent vendit la seigneurie au comte de Clarac, officier de cavalerie. Celui-ci vint résider dans son château et déclara d'emblée qu'il entendait exercer tous ses droits, y compris ceux qui étaient tombés en désuétude. Vive colère des habitants, dont beaucoup émigrèrent à Toulouse. En 1791, dans la nuit du 8 au 9 janvier, les habitants de Buzet attaquèrent le château, y mirent le feu et tuèrent un des hôtes de Clarac. Ce dernier put se sauver, il émigra et mourut en Espagne en 1799.

Les cahiers de doléances des paysans, en 1789, reflètent cette contestation. Sans doute, aucun ne demande l'abolition complète du régime « féodal », mais la grande majorité réclame la suppression de tel ou tel droit, seigneurial ou féodal, de sorte que la seule solution satisfaisante ne pouvait être que l'abolition totale du régime.

Parmi les députés élus aux États généraux par le Midi toulousain, les plus notables furent les porte-parole des contestataires : Barère, député de Tarbes, Vadier, député de Pamiers. Un seul défendra l'aristocratie, Cazalès, député de la noblesse, né à Grenade-sur-Garonne, près de Toulouse.

La légion des parlementaires

En 1789, Toulouse était la plus grande ville du Midi, entre Marseille et Bordeaux, avec 53 000 habitants. Mais elle ne possédait ni industrie ni commerce vraiment importants. La masse de sa population était composée de petits artisans et de petits commerçants, travaillant pour les besoins locaux, ainsi que d'agriculteurs, car une bonne partie du territoire de la ville était formée de prés et de champs. En fait, Toulouse vivait de son parlement, le second de France, après celui de Paris, par la date de sa création (Paris 1247, Toulouse 1437) et par l'étendue de son ressort (du Puy-en-Velay aux limites de la Bigorre et du Béarn, entre Tarbes et Pau). Il faisait vivre Toulouse par le nombre des plaideurs qu'il y attirait. En 1789, la centaine de conseillers au parlement était composée de nobles qui possédaient près de la moitié de la richesse de Toulouse. La fortune de quelques familles de parlementaires dépassait même le million de livres. Le cahier de doléances de la ville demanda avec énergie son maintien. Malgré cela, la Constituante décida de supprimer tous les parlements de France, les mit en « vacances » dès le 3 novembre 1789 et ordonna leur disparition le 7 septembre 1790. Le 25 septembre, le parlement éleva une protestation solennelle contre ce décret voté par les « députés des bailliages ». En employant cette expression, les parlementaires montraient qu'ils ne reconnaissaient pas l'Assemblée nationale. Ils prenaient donc parti contre la Révolution.

Les parlementaires et tous ceux

qui gravitaient autour d'eux (huissiers, procureurs, certains avocats) faisaient partie de la même « légion » de la garde nationale, la légion Saint-Barthélemy. Celle-ci se heurta aux légions patriotes, notamment à celle de Saint-Nicolas qui se recrutait dans les quartiers populaires de la rive gauche de la Garonne. Le 17 mars 1791, un légionnaire de Saint-Nicolas fut tué et deux autres blessés. Les patriotes crièrent vengeance. Pour les apaiser et éviter une bataille rangée, la municipalité prononça la dissolution de la légion Saint-Barthélemy. Ses membres devaient devenir d'actifs contre-révolutionnaires.

Catholiques contre protestants

Des affrontements se produisirent entre catholiques et protestants, moins graves que dans la région de Nîmes, mais tout de même sérieux. Les protestants étaient assez nombreux dans la Montagne noire et dans les villes de Castres et de Montauban. Cette dernière comptait environ 28 000 habitants en 1789, dont 5 000 protestants. Comme ils avaient été exclus des emplois publics lors de la révocation de l'édit de Nantes, c'est parmi eux qu'on trouvait la plupart des patrons de l'industrie textile, de la teinturerie, de la tannerie, de la minoterie. La Constituante leur avait rendu l'égalité avec les autres citoyens dès le 24 décembre 1789, et ils avaient été élus à la tête de la garde nationale. Les catholiques, et notamment les ouvriers, en furent mécontents. Le bruit courut qu'on allait rendre aux huguenots les biens qui avaient été confisqués en 1685. La tension s'accrut entre la municipalité « aristocrate », catholique, appuyée par l'armée, et la garde nationale commandée par des protestants. Le 10 mai 1790, il y eut une véritable bataille qui se solda par cinq tués (dont quatre protestants), seize blessés et cinquante-cinq patriotes emprisonnés. La garde nationale de Montauban, qui s'était fédérée avec ses voisines, les appela à l'aide. Celle de Bordeaux marcha sur Montauban, celle de Toulouse se prépara. Mais avant leur arrivée, les patriotes prisonniers furent libérés (29 mai). La paix revint à Montauban, les gardes nationales des villes voisines rebroussèrent chemin.

L'échec du mouvement fédéraliste

Quant au mouvement fédéraliste, il fut mis en échec. La nouvelle de l'arrestation des députés girondins à la Convention, le 2 juin 1793, troubla certes les habitants, et les administrations départementales et de district plus que les municipalités et les sociétés populaires, nombreuses et jacobines. Mais alors que les villes de Bordeaux, Nîmes, Montpellier entrent dès le 12 juin en rébellion ouverte contre la Convention et réclament la réunion d'une nouvelle Convention qui siégerait en province, à Bourges par exemple, l'attitude de Montauban et de Toulouse est différente.

A Montauban, ce même 12 juin, la société populaire envoie à la Convention une adresse qui semble une adhésion aux événements du 2. Le 16 juin, sur la proposition d'un juge de paix, les fonctionnaires, les gendarmes et une partie des citoyens prêtent serment à « l'unité et l'indivisibilité de la République [...], à l'obéissance absolue aux décrets et aux lois de la Convention nationale considérée comme centre unique et commun de la République ». Le ralliement de Montauban à la Convention jacobine était cette fois dépourvu de toute ambiguïté. Celui de Toulouse fut plus hésitant et plus tardif, mais le 25 juin, sous la pression de la société populaire et des représentants en mission Baudot et Chaudron-Rousseau, le conseil général du département repoussa les propositions fédéralistes de Bordeaux, Nîmes et Montpellier et recommanda de « demeurer inébranlablement attaché à la Conven-

BIBLIOGRAPHIE

GODECHOT J., *La Révolution française dans le Midi toulousain,* Privat, Toulouse, 1986.

LYONS M., *Révolution et Terreur à Toulouse,* Privat, Toulouse, 1980 (traduit de *Revolution in Toulouse,* 1971).

tion ». Ainsi empêchent-ils l'union de tout le Midi contre Paris et sauvent-ils probablement la République.

La guerre contre l'Espagne et la Terreur

Sans doute, ces prises de position s'expliquent-elles par la guerre contre l'Espagne. Toulouse et, à un moindre degré, Montauban étaient à l'arrière immédiat des zones de combat. Un grand camp militaire avait été établi au Mirail, près de Toulouse, et les nombreux couvents transformés en fonderies de canons, en arsenaux, en casernes, en hôpitaux.

La proximité de la frontière espagnole et le refus du fédéralisme eurent pour conséquence la relative modération de la Terreur. Certes, il y eut des comités de surveillance révolutionnaires, et des « armées révolutionnaires » chargées d'arrêter les suspects et de faire appliquer les lois, notamment sur le Maximum des prix et contre les prêtres réfractaires. Un millier de suspects furent arrêtés et « reclus » à Toulouse, environ 600 à Montauban. Beaucoup moins qu'à Bordeaux (5 000). Un tribunal révolutionnaire fonctionna à Toulouse du 14 janvier au 8 mai 1794, il jugea 87 personnes, dont 45 furent condamnées à mort et exécutées. 53 anciens membres du parlement furent envoyés à Paris, jugés par le Tribunal révolutionnaire et guillotinés. Il y eut donc 98 victimes de la Terreur pour la Haute-Garonne. Mais ils furent 175 dans l'Aveyron où une insurrection royaliste dirigée par le notaire Charrier, ancien constituant, avait éclaté dans le nord-est du département. Au total, pour le Midi toulousain, on compta 337 morts, victimes de la Terreur. C'est beaucoup, mais peu en comparaison de la Provence, de Lyon ou de la Vendée.

Le nombre et l'importance des sociétés secrètes donnent aussi à la région son caractère spécifique. Toulouse est la seule ville de France où quatre des douze loges maçonniques continuèrent à se réunir, à peu près sans interruption, de 1789 à 1800. Mais ce sont surtout les sociétés secrètes contre-révolutionnaires qui furent nombreuses et actives. L'Institut philanthropique, solidement implanté dans tout le sud-ouest de la France, en relation avec les émigrés, préparait une insurrection contre la Révolution. Ses membres les plus actifs étaient groupés dans plusieurs filiales, les Amis de l'ordre, les Fils légitimes, les Centeniers et dizeniers.

Toulouse sauve la République

Celle-ci éclata en août 1799. Elle fut facilitée par la loi Jourdan-Delbrel qui, le 5 septembre 1798, organisait en France la conscription obligatoire de tous les hommes de 18 à 21 ans. Beaucoup de réfractaires, formèrent des « maquis », noyaux de l'insurrection royaliste. Un jeune noble, le comte de Paulo, d'une ancienne famille de parlementaires toulousains, et un général, Rougé, ancien volontaire de 1792, mécontent du régime, en prirent le commandement. Ils essayèrent de s'emparer de Toulouse le 6 août 1799, avec la complicité des royalistes de l'intérieur. Mais ceux-ci furent trahis. La municipalité jacobine organisa la défense, fit appel aux troupes de la région. Les bandes de Paulo et de Rougé furent refoulées vers le sud. Une bataille décisive eut lieu à Montréjeau, le 20 août. Les royalistes furent complètement battus, les débris de leur troupe passèrent en Espagne par le val d'Aran, et 6 000 d'entre eux furent faits prisonniers. L'insurrection avait causé, dans les deux partis, environ 3 000 morts, dix fois plus que la Terreur. Quant aux prisonniers, 32 seulement furent jugés et 11 condamnés à mort. Bonaparte, arrivé au pouvoir le 18 Brumaire, inaugurait une politique de conciliation, il fit relâcher tous les agriculteurs, c'est-à-dire la plupart des prisonniers. Mais, grâce à la résistance de Toulouse, l'insurrection générale combinée par les coalisés et les émigrés n'avait pu réussir. En 1799, comme en 1793, Toulouse avait sauvé la République, dont toutes les institutions étaient désormais solidement implantées dans le Midi toulousain.

Jacques Godechot

• Le Languedoc

Adossé à la montagne, faisant face à la mer, le bas Languedoc est, à la fin du XVIIIe siècle, une région urbanisée et diversifiée. Dans le haut pays vit une population essentiellement agricole (90 % de ruraux en Gévaudan, 92 % en Vivarais). Le bas pays, couloir fertile, est jalonné de gros bourgs. Deux villes s'y affirment comme métropoles. L'une, Montpellier, 30 000 habitants, résidence de l'intendant, siège (conjointement avec Toulouse) des états du Languedoc, est dotée d'une cour des aides. L'autre, Nîmes, où s'est développée une importante fabrique de soieries, a doublé en un demi-siècle pour atteindre 40 000 habitants en 1789. Mais depuis les années 1780, cette activité manufacturière est frappée par la perte de ses débouchés extérieurs : le chômage sévit durement. Les campagnes surpeuplées ne parviennent pas, malgré la « fureur des défrichements », à nourrir les villes. Tout en demeurant la principale production, les céréales sont insuffisantes. Certaines zones ont commencé à se spécialiser, mais le gel de 1789 fait périr les oliviers et les vignes. Ainsi la crise du textile s'abat-elle sur une région soumise à une disette endémique.

La révolution municipale

Dès 1788, l'annonce des États généraux suscite dans les villes et les bourgs une vive effervescence. La rédaction des cahiers et les élections des députés du tiers état assurent la prépondérance des négociants et des hommes de loi. Dans la sénéchaussée de Nîmes où près du tiers des habitants sont protestants, deux réformés, dont le pasteur Jean-Paul Rabaut Saint-Étienne, sont élus à une forte majorité. Or, dans l'ensemble, le clergé s'est montré opposé à l'édit de Tolérance de 1787. Au sein des assemblées de cet ordre, les curés se dressent contre le haut clergé : plusieurs d'entre eux sortent vainqueurs des élections. Les députés de la noblesse auront des attitudes divergentes au cours de la Révolution. Ces opérations se déroulent dans le calme malgré l'extrême rigueur de l'hiver de 1789. Les administrations locales s'efforcent d'assurer la subsistance des habitants, mais des émeutes éclatent à Bagnols, Ganges, Sète et surtout Agde. Avant même la réunion des États généraux, la bourgeoisie montpelliéraine se dégage sans heurt de la tutelle seigneuriale et gouvernementale en choisissant des membres de la municipalité. A Nîmes, c'est la nouvelle du renvoi de Necker qui incite les patriotes à créer un « conseil permanent » (qui se substitue au conseil de ville) et une « légion nîmoise » dans lesquels figurent des protestants patriotes. Ailleurs, la révolution municipale affecte diverses formes tandis que la Grande Peur contourne le bas pays par la montagne.

La Bagarre de Nîmes

En 1790, se déroulent les élections des administrateurs locaux ; dans l'ensemble, on constate une grande stabilité du personnel municipal. A Montpellier, l'avocat Durand est élu ; à Nîmes, les catholiques, mobilisés par des personnalités hostiles à la Révolution, envoient à l'hôtel de ville une majorité de possédants attachés à l'Ancien Régime, avec pour maire le baron de Marguerittes. Déçus, les protestants créent, le 11 avril, le club des Amis de la Constitution. Montpellier avait déjà fondé le sien, et l'Hérault en compte bientôt plus de quarante. Dominés par la bourgeoisie, ces clubs peuplés de patriotes font pression sur les municipalités.

A Nîmes, le 13 juin, un affrontement que tout laissait présager tourne au massacre entre les protestants et le petit peuple catholique « perméable à une contre-révolution militante précoce » : c'est la Bagarre de Nîmes. Au même moment sont élus les administrateurs des départements et des districts : dans le Gard, la bourgeoisie protestante s'empare de tous les rouages administratifs. A Montpellier et Béziers, ce sont des juristes et des négociants qui sont élus (dont Cambacérès et Bonnier d'Alco) ; à Lodève et à Saint-Pons, ce sont des ruraux aisés. L'anniversaire de la prise de la Bastille est célébré avec un mélange de solennité et de liesse dans la région.

Pourtant les adversaires de la Révolution ont commencé à émigrer. De Turin, certains tentent de créer des foyers d'agitation. A trois reprises (août 1790, février 1791, juillet 1792), la plaine de Jalès, aux confins de l'Ardèche et du Gard, est le siège d'importants rassemblements contre-révolutionnaires. Le manque d'organisation des dirigeants et la riposte énergique des autorités patriotes les feront tous échouer.

Les décrets sur la Constitution civile du clergé multiplient les conflits. Dans la région, l'importance des achats de biens d'Église est relativement réduite et l'obligation du serment diversement reçue : en Lozère, 95 % des prêtres le refusent ; dans le Gard, 65 % ; dans l'Hérault, 58 % ; dans l'Aude, 10 à 15 %. L'installation du clergé constitutionnel donne lieu à des réactions allant de la froideur à l'émeute, les campagnes du nord du Gard et de la Lozère s'avèrent les plus hostiles.

Connue le 26 juin 1791, la nouvelle de la fuite du roi provoque une rupture parmi les patriotes. Dans l'Hérault commence une jacquerie et, le 27 juin, à Montpellier, le club des Amis de la Constitution se prononce pour la République. Pourtant en bas Languedoc, l'opinion exprimée par les clubs est plus modérée. Certains, comme celui de Nîmes, se rallient aux feuillants. En réaction, les artisans du textile de cette ville créent, le 13 novembre, une société populaire des Amis de la Constitution qui prendra des positions de plus en plus radicales. A l'automne de 1791, ces événements n'entament les succès de la bourgeoisie ni dans les élections locales ni dans celles des députés à l'Assemblée législative.

La « guerre des Tours »

Pourtant le climat politique et social s'alourdit, la menace du complot aristocratique se précise, principalement en Lozère. Aux agissements de la noblesse locale et des prêtres réfractaires répondent des expéditions punitives menées par des patriotes : c'est la « guerre des Tours ». En février 1792, Mende est occupée et la municipalité mise en accusation. Dans le Gard, l'« incendie des châteaux » s'allume en avril. Des bandes de villageois s'attaquent aux propriétés des ci-devant seigneurs, exigent l'abolition des droits féodaux, la taxation et la réquisition des grains. Des incidents analogues éclatent autour de Montpellier. Les autorités réagissent vigoureusement : la désunion des patriotes est consommée.

Pourtant les vetos du roi aux décrets de l'Assemblée stimulent à nouveau l'ardeur révolutionnaire des clubs, de plus en plus menaçants envers le monarque. A la nouvelle du 10 Août, aucun mouvement ne se dessine en faveur de la famille royale. La campagne pour les élections à la Convention est orchestrée par des congrès de sociétés populaires dans l'Hérault et le Gard. Les séances des assemblées électorales sont mouvementées mais le suffrage universel n'apporte pas de réel changement.

Une armée... de 700 hommes

En avril 1793, en Lozère, une insurrection royaliste organisée par Charrier, ex-député aux États généraux, est rapidement mise en échec et sévèrement réprimée. Dans les clubs du bas Languedoc, des conflits opposent les modérés et ceux que leurs aspirations rapprochent des sans-culottes parisiens. La nouvelle de l'arrestation des députés girondins, le 2 juin 1793, déclenche la révolte dans les places fortes de la bourgeoisie : Montpellier et Nîmes. Les administrateurs y convoquent des députés des assemblées primaires, décident de ne plus obéir aux décrets de la Convention et tentent de lever une armée départementale pour marcher sur Paris. L'échec est total dans l'Hérault; dans le Gard, on arrive à peine à rassembler 6 ou 700 hommes qui se rendent, sans combattre, à Pont-Saint-Esprit, devant l'armée de Carteaux (14 juillet). A Montpellier comme à Nîmes, le fédéralisme reste le fait d'une élite bourgeoise qui entend défendre la propriété et garder le pouvoir local. Sa défaite s'explique par la faiblesse de son appui populaire. Les administrateurs se rétractent et se défendent d'avoir voulu rompre l'unité nationale, mais ils ont perdu toute crédibilité.

Les sociétés populaires vont occuper le terrain laissé vacant. A Nîmes, le club bourgeois est définitivement fermé et la société populaire, dissoute le 11 juin, rouvre. Celle de Montpellier recrute des éléments plus modestes. Elle seconde les représentants en mission chargés d'épurer les autorités constituées. Ces opérations s'effectuent tardivement (septembre) et incomplètement : dans l'ensemble ce sont des montagnards modérés qui sont nommés. Dans l'Hérault un bataillon révolutionnaire est créé. Dans le Gard, le comité de surveillance est présidé par le maire de Nîmes, Courbis. Partout s'engagent des poursuites contre les suspects, principalement les fédéralistes. De Montpellier, le représentant Boisset, assailli de plaintes, fait arrêter Courbis et dissoudre les comités départementaux de surveillance et le bataillon des sans-culottes de l'Hérault. Il est alors dénoncé par les sociétés populaires de la région. Le Comité de salut public le désavoue et le rappelle à Paris.

Les périls montagnards

Il est remplacé par d'authentiques montagnards : Borie dans le Gard et la Lozère, en janvier 1794 ; Chateauneuf-Randon dans l'Hérault, en mars. Leur tâche est d'établir le gouvernement révolutionnaire dans ces zones « à risque ». Leur présence se traduit par une nouvelle épuration des autorités et des sociétés populaires : les sans-culottes accèdent au pouvoir. La déchristianisation amorcée dès le

BIBLIOGRAPHIE

DUPORT A.-M., *Terreur et Révolution, Nîmes en l'an II, 1793-1794,* Éd. Touzot, Paris, 1987.

LAURENT R. et GAVIGNAUD G., *La Révolution française dans le Languedoc méditerranéen, 1789-1799,* Toulouse, 1987.

VOVELLE M., « La place de Nîmes dans les Révolutions méridionales », numéro spécial des *Annales historiques de la Révolution française* sur « Nîmes au temps des Révolutions (1789-1848) », n° 258, octobre-décembre 1984.

mois de novembre s'en trouve relancée. Mais cette politique renforce l'opposition contre-révolutionnaire. En outre, la guerre fait rage dans les Pyrénées-Orientales et l'on redoute un débarquement sur les côtes du bas Languedoc. La réquisition des hommes de 18 à 25 ans est décrétée avant même l'instauration de la levée en masse qui ne suscite ici ni enthousiasme ni refus caractérisé. En revanche, les réquisitions par l'armée et l'application du Maximum aggravent la question des subsistances. La tension s'exacerbe entre villes et campagnes, les marchés sont vides. Pourtant le calme est maintenu, et les condamnations pour motifs économiques sont rares.

La répression politique s'accentue à la fin du printemps de l'an II. Les prisons, surtout celles du Gard, regorgent de suspects. D'ouest en est, la Terreur se renforce et s'exerce surtout contre les fédéralistes et les prêtres réfractaires : 46 victimes à Montpellier, 112 à Mende, 135 à Nîmes.

La dérive à droite

A la nouvelle de la chute de Robespierre, toutes les autorités se rallient à la Convention. A Nîmes, les terroristes les plus compromis sont incarcérés et l'on commence à libérer des suspects. Un seul sursaut révolutionnaire se manifeste dans l'Hérault. En août, le représentant Perrin réorganise les autorités avec tact et vide les prisons. Les sociétés populaires s'épurent, mais perdent toute influence. Au printemps de 1795, avec l'arrivée du représentant Girot-Pouzols, la politique de réaction se durcit, tandis que la Terreur blanche qui déferle dans la vallée du Rhône atteint Nîmes. Inflation et disette s'aggravent dangereusement avec la suppression du Maximum : le nombre des indigents s'accroît et les années 1795 et 1796 sont jalonnées d'émeutes urbaines. A partir de 1795, la réouverture des églises est tolérée, la renaissance religieuse s'amorce.

La Constitution de l'an III devait permettre à la bourgeoisie de ressaisir pleinement le pouvoir, un peu partout l'abstentionnisme des masses favorise les succès des notables. A Nîmes, tous les administrateurs municipaux sont protestants. A l'issue des élections de l'an IV, la Lozère et l'Ardèche constituent, avec leurs voisins, l'Aveyron et la Haute-Loire, un bloc royaliste. L'Hérault est « axé à droite », le Gard « indécis », l'Aude « à gauche ». Ainsi, avec des nuances, le bas Languedoc dérive à droite, en dépit d'un actif courant jacobin. Celui-ci se manifeste lors de l'arrestation de Babeuf (mai 1796) et au moment de la tentative de fraternisation avec les soldats du camp de Grenelle (septembre 1796). Mais l'année suivante, la poussée royaliste s'exprime non seulement à chaque élection, mais dans la vie quotidienne par des manifestations de plus en plus audacieuses. Celles-ci entraînent souvent des rixes et l'ordre doit être maintenu par la troupe, car les gardes nationales ne sont pas fiables. Parallèlement le brigandage sévit dans les campagnes.

Les succès royalistes sont favorisés par le retour des émigrés et surtout des prêtres réfractaires qui jouissent d'un immense prestige. De même les déserteurs, sortis de la clandestinité, éveillent la sympathie des populations. Cependant il ne semble pas y avoir de réel danger de rébellion et le coup d'État du 18 fructidor an V (1797) qui « sauve la République » ne suscite pas de troubles en bas Languedoc. Par la suite, en faisant invalider les élections, le gouvernement s'assure le contrôle des administrateurs locaux, mais n'empêche pas les troubles. Ceux-ci se multiplient à cause de la politique anticatholique et répressive du Directoire qui pousse les royalistes à une agitation incessante. Avec la reprise de la guerre, la conscription, rétablie en septembre 1798, réveille de vieux réflexes de résistance. Mais, lors de l'insurrection royaliste dans le Midi toulousain, le bas Languedoc ne se soulève pas.

Le retour à la stabilité monétaire et une succession de bonnes récoltes ont atténué les menaces de disette. A partir de 1797, des échanges avec l'étranger ont à nouveau lieu. L'industrie textile du bas Languedoc amorce une timide reprise, comme en témoigne le succès de la foire de Beaucaire en 1800. Parallèlement, la démographie retrouve un certain équilibre. Cependant un climat d'inquiétude persiste tandis que l'esprit public semble s'assoupir : l'acceptation du 18 Brumaire s'en trouve facilitée.

Anne-Marie Duport

• La Provence

En 1787, Louis XVI accorda à la Provence le rétablissement de ses états, suspendus depuis cent cinquante ans. L'assemblée locale n'était pas démocratique : le clergé y était représenté par les prélats et des dignitaires, la noblesse par les seuls possesseurs de fiefs, le tiers état par les premiers consuls de 36 villes et les députés des 20 vigueries, tous des notables. La majorité appartenait aux ordres privilégiés, et les deux sessions des états de Provence, en janvier 1788 et janvier 1789, furent l'occasion d'affrontements très vifs entre les privilégiés défenseurs des anciennes formes et les minoritaires ou exclus des états qui en voulaient le changement.

Les choses prirent un tour plus âpre à propos des élections aux États généraux. Les privilégiés les voulaient dans le cadre des états traditionnels, qui leur assurait la prépondérance dans la députation provençale. Le Tiers, les nobles non fieffés et le bas clergé les souhaitaient au sein d'une assemblée des trois ordres plus représentative. Le roi trancha par le règlement du 2 mars 1789 pour la Provence : il soumettait la région au régime général du royaume : l'élection par sénéchaussées. Mirabeau devint ainsi député de la sénéchaussée d'Aix.

Les tensions politiques furent aggravées par une vive agitation populaire. Fin mars et début avril 1789, une vague d'émeutes déferla sur la province : émeutes de subsistances, mouvements anti-seigneuriaux, voire franchement politiques.

En juillet et août, la Grande Peur parvint jusqu'en Provence, mais les paniques n'eurent pas de profondes répercussions et épargnèrent la côte. Elles ne dépassèrent pas Aix et Saint-Maximin vers le sud, et n'atteignirent la mer qu'à Cannes et Antibes.

A partir de juillet 1789, la création de gardes nationales et la rénovation des anciennes municipalités ne se firent pas toujours sans troubles. A Toulon, le vieux conseil s'adjoignit 48 personnes élues par les chefs de familles, mais à Aix la municipalité oligarchique s'accrocha jusqu'en février 1790. A Marseille, l'impopulaire garde bourgeoise, créée en mai pour remplacer la milice citoyenne issue de l'émeute populaire de mars, tira sur la foule sur l'esplanade de la Tourette le 19 août (40 morts).

Le nouveau régime

En 1790, les élections censitaires mirent en place les nouvelles institutions administratives. La Provence était divisée en trois départements : les Bouches-du-Rhône, le Var, les Basses-Alpes, auxquels s'adjoignirent les Alpes-Maritimes en février 1793 et le Vaucluse en juin de la même année. Les débuts du nouveau régime donnèrent lieu à des cérémonies civiques, particulièrement les fédérations, placées sous le signe de la nation, de la loi et du roi, et d'un unanimisme proclamé. Le 17 mai 1790, les représentants des municipalités provençales, réunis à Brignoles, s'unirent dans un pacte fédératif.

Dès 1790, se forma le réseau des sociétés populaires, qui devait atteindre en l'an II sa plus grande densité. Le nombre des clubs en Provence révèle une intense politisation. Il s'en crée dans 80 % des communes des Bouches-du-Rhône, dans les deux tiers de celles du Var. Les Basses-Alpes sont plus inégalement desservies. La société patriotique marseillaise des Amis de la Constitution est fondée en avril 1790. Filiale des jacobins, connue sous le nom de « club de la rue Thubaneau », elle exerce une véritable hégémonie sur la Provence, multipliant les filiales, diffusant un journal, dépêchant partout des missionnaires pacifiques, mais aussi, à l'occasion, des expéditions armées (à Avignon, Arles, Aix, Apt, Sisteron, Les Mées).

Vis-à-vis de la Constitution civile du clergé, les prêtres provençaux prêtèrent serment dans de fortes proportions : 96 % dans le Var, 84 % dans les Basses-Alpes, près de 50 % dans les Bouches-du-Rhône. Mais les clergés urbains furent plus volontiers réfractaires : 60 % de jureurs à Arles, 55 % à Aix, et 38 % à Marseille.

Les années 1790 et 1791 ne furent pas calmes : troubles de subsistances (printemps 1790 à Aix), agitation ouvrière (1790 à Toulon, 1791 à Marseille), conflits provoqués par la présence, dans les garnisons des grandes villes, d'officiers anti-patriotes, enfin mouvements ouvertement contre-révolutionnaires. Trois événements sont significatifs : la prise à Marseille, par une foule largement populaire, des forts de la ville, le 30 avril 1790, suivie le 2 mai par le massacre du commandant du fort Saint-Jean, le major de Beausset, dont le corps fut mutilé et la mort fêtée par une farandole ; l'occupation de la ville d'Arles par les royalistes, dits « chiffonistes », de l'été 1791 à mars 1792, date à laquelle une expédition marseillaise rétablit les patriotes (les « monnaidiers ») ; la pendaison à Aix, en décembre 1790, de l'avocat Pascalis et de deux nobles, soupçonnés de complicités avec les émigrés.

La radicalisation

Au printemps de 1792, se produit une radicalisation de la Révolution. Les campagnes sont embrasées par deux vagues de soulèvements, essentiellement anti-seigneuriaux (des châteaux flambent), en mars-avril, puis en août-septembre. Dans les villes, les sections, envahies par les citoyens passifs, deviennent, avec les clubs, l'un des organes essentiels du mouvement populaire. A Marseille, elles représentent bien la sans-culotterie, avec 45 % de détaillants et d'artisans parmi leurs membres.

Dès juin 1792, en avance sur la capitale, des adresses demandent la déchéance du roi. Contre les réfractaires, se développe un anticléricalisme populaire et la municipalité de Marseille prescrit leur déportation le 23 juillet 1792. La Provence participe vigoureusement au mouvement de la patrie en danger : le célèbre bataillon des fédérés marseillais part pour Paris en chantant le chant de guerre de l'armée du Rhin de Rouget de Lisle.

Pendant l'été de 1792, une première Terreur se traduit par plusieurs pendaisons à Marseille, Toulon, Brignoles, Draguignan, Antibes. Les victimes sont des négociants, des prêtres, quelquefois des petites gens, surtout des membres des administrations. Le 22 août 1792, une expédition marseillaise ramène d'Aix l'administration du département et le tribunal criminel, désormais surveillés par le club et les sections de la cité phocéenne.

Après les élections à la Convention, les administrations, épurées, sont sous le contrôle des clubs. Celui de Marseille se montre toujours actif, profitant de l'effacement provisoire des sections où la fréquentation se relâche.

Le fédéralisme

Le mouvement fédéraliste se déclenche dès avril 1793 à Marseille et à Aix, un peu plus tard ailleurs. Il prend racine dans les difficultés économiques, le particularisme provençal et notamment marseillais (à tel point qu'on a pu parler d'un fédéralisme jacobin aux débuts de 1793), la politique des clubs, autoritaire et souvent mal supportée, et un profond changement du mouvement sectionnaire. Les sections connaissent à partir d'avril 1793 un nouvel afflux, mais leur composition est désormais différente : à Marseille, les artisans perdent de leur importance, cependant que progressent les bourgeois, les commerçants, les commis des négociants et autres salariés de leur clientèle. Le mouvement sectionnaire garde certes une base de masse, mais dispose d'un encadrement bourgeois.

Le fédéralisme gagne les Bouches-du-Rhône, la plaine de la Durance, le district d'Apt, le bas Comtat, et les districts du Var occidental, notamment celui de Toulon. Il épargne le Var oriental, et les Basses-Alpes dans l'ensemble. Les sections sont sa base d'organisation. Dans les villes importantes, elles épurent ou dissolvent les administrations, et se donnent des structures particulières, dont le centre est leur comité général. Des tribunaux dits populaires emprisonnent et font exécuter des jacobins. Les clubs sont fermés.

Le fédéralisme, à l'origine, était républicain. Les motions sectionnaires insistaient toutefois sur le respect de la liberté et des propriétés, et s'opposaient aux « anarchistes » et aux « maratistes ». Peu à peu, à Marseille et à Toulon, le mouvement fut pris en main par les royalistes, qui entrèrent dans ses instances en août 1793. Des contacts furent pris avec les Anglais. A Toulon, ils aboutirent à la proclamation de Louis XVII et à l'occupation de la ville.

Contre l'armée fédéraliste, la Convention envoya le général Carteaux. Il entra dans Avignon le 25 juillet 1793, à Aix le 21 août, et à Marseille le 25 août. Toulon fut reprise après un siège de plus de deux mois (rôle de l'officier d'artillerie Bonaparte).

De Marathon à Ville-sans-Nom

En l'an II, les instruments de la Terreur furent : les représentants en mission (dont les plus connus, mais pas toujours les plus efficaces, sont Fréron à Marseille, Barras et Robespierre le jeune dans le Var), les administrations réorganisées en frimaire (novembre - décembre 1793), les tribunaux (tribunaux érigés en juridictions extraordinaires comme à Marseille, ou commissions spéciales comme à Marseille encore, à Orange ou à Toulon), les sociétés populaires.

L'émigration, formée largement de prêtres et de nobles jusqu'en 1792, devint bourgeoise et même populaire après l'échec du fédéralisme. Les principaux foyers de départ furent Marseille, Toulon, le Comtat, les régions frontalières. Les chiffres sont mal connus, sauf localement : 2 000 personnes pour le district de Marseille.

Les condamnations firent plu-

BIBLIOGRAPHIE

BORDES M., chapitre sur la Révolution dans *Histoire de Nice et du pays niçois,* Privat, Toulouse, 1976.

DUBLED H., *Histoire du comtat Venaissin,* CREDEL, Carpentras, 1981.

EMMANUELLI F.-X., *Histoire de la Provence,* Hachette, Paris, 1980.

GRISSOLANGE B. et VOVELLE M., chapitre sur la Révolution dans *Histoire d'Aix-en-Provence,* Édisud, Aix, 1977, rééd. 1984.

GUIBAL G., *Le Mouvement fédéraliste en Provence en 1793,* Plon, Paris, 1908.

MOULINAS R., *Histoire de la Révolution d'Avignon,* Aubanel, Avignon, 1986.

VOVELLE M., chapitre sur la Révolution dans *Histoire de la Provence* (BARATIER et collaborateurs), Privat, Toulouse, 1969.

VOVELLE M., chapitre sur la Révolution dans *Histoire de Marseille* (BARATIER et collaborateurs), Privat, Toulouse, 1973.

VOVELLE M., chapitre sur la Révolution dans *Histoire de Toulon* (AGULHON et collaborateurs), Privat, Toulouse, 1980.

sieurs centaines de victimes dans les Bouches-du-Rhône et le Vaucluse. A Toulon, plus de 1 000 personnes furent exécutées, la plupart sans jugement. A l'inverse, la répression atteignit faiblement les Basses-Alpes et la plus grande partie du Var. Le lien avec les foyers du fédéralisme est évident.

La déchristianisation fut, en Provence, tardive et intervint surtout en ventôse et germinal an II (février-avril 1794). Les abdications de prêtrise furent nombreuses dans les Bouches-du-Rhône (250), dans le Vaucluse (180), dans les Basses-Alpes (140). Il y en eut moins dans le Var (une cinquantaine), peu dans les Alpes-Maritimes, et le secteur oriental montagnard des Basses-Alpes fut sensiblement épargné. Le culte cessa largement, mais peu d'églises furent détruites, le cas des églises de Marseille transformées pour avoir servi de siège aux sections fédéralistes étant exceptionnel. Les cultes révolutionnaires et les changements toponymiques intéressèrent davantage la Provence occidentale que la Provence orientale, ce qui souligne, comme la répartition des déprêtrisations, l'affaiblissement de la déchristianisation d'ouest en est. Citons, parmi les toponymes révolutionnaires, Port-la-Montagne pour Toulon, Port-Chamas pour Saint-Chamas, Marathon pour Saint-Maximin, Marat pour Sarrians, et très provisoirement Ville-sans-Nom pour Marseille.

Les Compagnons du soleil

Après Thermidor, la Provence devint un des foyers de la Terreur blanche. Les représentants thermidoriens épurèrent les administrations et les clubs, emprisonnèrent les jacobins. Le culte catholique se réveilla, les émigrés et les réfractaires rentrèrent. Des sursauts populaires furent durement jugulés. La réaction se marqua par des massacres de prisonniers jacobins : à Aix, le 21 floréal an III (10 mai 1795), à Marseille, au fort Saint-Jean, le 17 prairial an III (5 juin 1795), à Tarascon en juin encore. Les bandes des Compagnons du soleil faisaient la chasse aux patriotes dans les Bouches-du-Rhône, le Var, la vallée de la Durance, autour d'Avignon. Elles regroupaient de jeunes aristocrates et bourgeois, et des éléments plus populaires dont de nombreux déserteurs.

Sous le Directoire, la région subit le contrecoup des palinodies de la politique directoriale : réaction royaliste légale en l'an V, coup d'État du 18 Fructidor, retour à des élections républicaines en l'an VI et en l'an VII. Cependant, les troubles politiques tournèrent au brigandage, marquant l'épuisement d'une réaction dont les royalistes n'ont jamais réussi à profiter totalement : la Provence ne fut pas la Vendée.

Monique Cubells

• La Corse

En 1769, un an après le traité de Versailles et la « cession » de l'île à la France par la Sérénissime République de Gênes, les armées de Louis XV viennent à bout des « patriotes » corses et mettent un terme à l'éphémère indépendance qui avait couronné la longue lutte de libération de la tutelle génoise. Vingt ans plus tard, le 30 novembre 1789, à la demande des Corses eux-mêmes, l'Assemblée nationale décrète que la Corse « fait partie intégrante de l'Empire français ».

De la soumission forcée à l'intégration consentie

Le faisceau des causes directes ou des circonstances qui expliquent 1789 en France continentale peut s'appliquer à la Corse même en tenant compte d'interprétations différentes sur la nature et la portée de l'événement.

S'agit-il de considérations d'ordre économique ? Dans cette île peu urbanisée et faiblement ouverte sur l'extérieur, aux composantes agropastorales marquées par l'importance de la communauté villageoise et le poids des contraintes collectives, l'Ancien Régime français a vu s'aggraver les tensions et s'accélérer les mutations déjà perceptibles sous la domination génoise. Des mesures « réformistes » ont rendu plus audacieux les propriétaires « éclairés » animés par l'individualisme agraire. Il en résulta un rebondissement des conflits avec les bergers et les éléments les plus pauvres de la population attachés aux usages ancestraux. Nous retrouvons ici une ligne de force explicative de l'agitation dans les campagnes, et les doléances de 1789 émanant des communautés rurales de l'île ont un air de parenté avec celles de maintes régions continentales. Le cas de la Corse ne fait pas non plus exception pour ce qui est des difficultés conjoncturelles et de la poussée démographique qui a porté en vingt ans la population de 130 000 à 150 000 habitants. Des milieux urbains de l'île s'élèvent les mêmes plaintes contre le carcan d'une réglementation tatillonne. On condamne le caractère « arbitraire » et « despotique » du gouvernement de Versailles et de ses représentants locaux. Alors qu'ailleurs est mise en cause la lourdeur de la taille, ici, on n'est guère plus satisfait de la subvention territoriale, forme pourtant « moderne » de l'impôt direct.

Si on envisage les choses sous l'angle de la dynamique révolutionnaire et que les regards se portent sur la classe dominante des *principal* (notables), il apparaît que leurs frustrations et leurs aspirations sont semblables à celles qui, sur le continent, portent le germe d'un changement, voire d'une révolution. N'a-t-on pas affaire à une élite éclairée, imprégnée des idées nouvelles ? Elle a fréquenté les universités de la péninsule et elle est pénétrée des exemples de l'Antiquité grecque et romaine comme l'était déjà Paoli, héros de l'indépendance. Cette élite n'aura pas à faire en 1789 un long apprentissage du discours révolutionnaire. Et pourtant... il convient de corriger cette image et de mettre l'accent sur certains traits de spécificité du phénomène révolutionnaire en Corse.

A la différence du continent, la Corse a déjà fait l'apprentissage de la liberté. Sa « révolution » contre Gênes a pu être considérée comme le premier maillon des révolutions occidentales du XVIIIe siècle. Elle a connu sous « le principat de Paoli » un gouvernement autonome. Il n'est qu'à se référer à la *Giustificazione della rivoluzione di Corsica,* bréviaire des *insurgents* corses, pour voir déjà développée une thématique contestataire de l'ordre ancien. L'Europe des Lumières ne s'y est pas trompée lorsque Jean-Jacques Rousseau travaillait à une constitution pour cette île « capable de démocratie ». On comprend dès lors que l'Ancien Régime français ait été vécu comme une régression par rapport à cette expérience exaltante et valorisante pour tout un peuple. Imposé par les armes, il ramenait le joug de « l'oppression » et de « l'arbitraire ». Le jeune Napoléon Bonaparte à Brienne témoigne alors de la vigueur d'un patriotisme insulaire aspirant à une nouvelle libération.

Certes, le pragmatisme des élites prévalut largement et l'exemple est donné par Charles Bonaparte, le père de Napoléon, ancien fidèle de Paoli, rallié à la France monarchique, tirant parti pour lui-même et pour les siens de la faveur dont il jouissait auprès de Marbeuf, commandant en chef de l'île de Corse. Les notables ont vite compris qu'il ne servait à rien de s'entêter et d'encadrer les derniers sursauts de révolte nés spontanément dans le pays. En dehors de quelques nantis, ces nostalgiques du temps où ils détenaient les rênes du pouvoir n'en rongent pas moins leur frein en attendant des jours meilleurs.

En 1789 pourtant, l'adhésion à la Grande Nation est sincère et la volonté d'intégration réelle. C'est comme si le nationalisme insulaire se trouvait transcendé par les nouvelles perspectives qui se font jour : au-delà du pouvoir retrouvé à l'échelle locale, des intérêts bien pesés, de la « revanche » sur le « despotisme », de la réhabilitation et du retour des exilés, c'est l'espoir de participer à une œuvre de régénération universelle à laquelle cette élite corse, imbue de l'antériorité de l'exemple, n'est point insensible. Les griefs jusque-là porteurs tombent comme château de cartes à partir du moment où sont jetées les bases d'un régime qui efface la distinction entre Corses et Français.

Du côté du peuple, les motivations ne sont pas à proprement parler antiféodales. Point de phénomène « Grande Peur » en Corse, point de châteaux incendiés pour la bonne raison qu'il n'y existe plus de châteaux ni même de seigneurs et que la noblesse y est de création récente.

Plus préoccupante est la question des terres domaniales que la France de Louis XV a héritées des Génois et qu'elle continue à gérer à la manière de la Sérénissime en procédant à des concessions en faveur de particuliers et aux dépens des communautés rurales spoliées de cet espace vital que leur reconnaissait la coutume. En 1789 comme en 1730, les populations de l'arrière-pays s'ébranlent dans l'espoir de recouvrer leurs terres de la *piaghia* (le littoral). Sur fond de permanence, la révolte se fait au nom des principes du moment. Là où on arborait autrefois l'étendard à la tête de Maure, la cocarde tricolore devient symbole d'espérance.

Le second principat de Paoli

Révolution ou restauration paoline en 1790 et jusqu'au printemps 1793 ? On est en droit de se poser la question au vu, là encore, de connotations particulières.

L'adhésion au nouvel ensemble national est suffisamment profonde pour rendre compte de la fragilité du rêve indépendantiste qui sera relayé plus tard par cet autre mythe fondateur de 1789. Le revirement de Bonaparte, strictement patriote corse à cette date et dépassant progressivement son particularisme jusqu'à rompre avec le *Babbu* (le Père de la Patrie) en 1793, invite à la réflexion. Pourtant, la référence à la première révolution de Corse pèse sur le déroulement du changement et donne à la période une coloration propre, accentuée par la permanence de comportements traditionnels. En bien des domaines le « cas » de la Corse nous éloigne des modèles du continent. Le charisme de Paoli, son autorité, la mainmise qu'il exerce localement avec les siens sur l'appareil d'État évoquent son premier principat. Les assemblées de département prennent l'allure des traditionnelles « consultes » et au sein du Comité supérieur mis en place en janvier 1790 dans l'attente de l'application des textes de la Constituante, on trouve en nombre les paolistes et, comme président, Clément Paoli, le frère du héros. Lors du retour triomphal du « martyr de la liberté », sa « garde » lui fait escorte. *Eviva Paoli,* crie-t-on sur son passage en attendant qu'on propose de lui ériger une statue et de lui voter une liste civile. Tout naturellement le personnage est porté à la présidence du conseil de département en même temps qu'il assume le commandement de la garde nationale à l'échelle insulaire. C'est lui qui donne l'investiture aux candidats ; il s'occupe de tout, il intervient partout et profite de la décentralisation des pouvoirs voulue par la Constituante. Nombre d'oppositions du moment s'éclairent par le jeu traditionnel du *spiritu di partitu* (l'esprit de parti) toujours plus déterminant que le *spiritu publici* (l'esprit public). Certes, au goût du jour, on dresse çà et là en Corse des arbres de la Liberté, on exhibe la cocarde tricolore et, plus rarement, on chante le répertoire révolutionnaire... mais, plus couramment, les salves de mousqueterie et les agapes en forme d'*epulationes* ponctuent les actes de la vie publique et l'île se prête mal à l'étude de comportements relevant de la sociabilité ou du symbolisme propres à la Révolution.

Rupture et retour

La sécession de la Corse en 1793 s'inscrit-elle autant dans la logique de l'opposition entre girondins et montagnards que dans le réveil du vieux démon du nationalisme insulaire ? Dès 1792, la radicalisation de la voie révolutionnaire heurte la sensibilité de Paoli, homme de la première génération des Lumières. La guerre l'inquiète surtout lorsqu'il est amené à prendre position contre des puissances « amies de la Corse », le royaume de Piémont-Sardaigne d'abord, puis l'Angleterre où il a vécu vingt ans en exil. L'opposition des « jeunes » comme Saliceti, Arena ou les frères Bonaparte s'enhardit et s'appuie sur le jacobinisme de la Convention pour mettre en difficulté sur place le « vieux » chef contesté. Les choses se précipitent lorsque des représentants en mission – dont Saliceti – sont envoyés en Corse pour exercer un contrôle sur le conseil de département et sur son président. Le 23 juillet 1793, Paoli est mis « hors la loi » et la rupture est consommée. Alors s'ouvre une période transitoire où le mythe de l'indépendance reprend consistance puis s'efface au profit de la recherche d'une nouvelle forme d'autonomie interne sous le protectorat de l'Angleterre. L'expérience se révélera être un marché de dupes pour Paoli, écarté du pouvoir et contraint à un nouvel exil en 1795. L'année suivante, le vice-roi, Sir Elliot, considère que la Corse est ingouvernable et les Anglais, désabusés, abandonnent l'île à son sort.

Les républicains reviennent en force à la faveur de la campagne d'Italie et de la volonté déterminée de Bonaparte de faire « que cette île soit française une fois pour toutes ». Mais la républicanisation de la Corse au temps du Directoire ne va pas sans secousses et celles-ci mettent en lumière des forces que l'on peut qualifier de contre-révolutionnaires. Au prosélytisme républicain du *lobby* de l'armée d'Italie, volontiers revanchard à l'égard des paolistes et des partisans de l'Angleterre confondus dans la même suspicion, s'opposent différentes formes de résistance à la Révolution. La confrontation avec des mesures de déchristianisation, nouvelles

BIBLIOGRAPHIE

CARRINGTON D., *Sources de l'histoire de la Corse,* Public Record Office, La Marge, Ajaccio, 1983.

CASANOVA A. et ROVERE A., *Peuple corse, révolutions et nation française, problèmes-histoire,* Éd. sociales, Paris, 1979.

« La contre-révolution en Corse », *Annales historiques de la Révolution française,* 1975.

POMPONI F., « La Corse à l'heure de la contre-révolution », *Études corses,* n° 27, 1986.

Problèmes d'histoire de la Corse de l'Ancien Régime à 1815, colloque d'Ajaccio, 1969, Société des études robespierristes, Paris, 1971.

dans ce pays qui n'a pas connu la Terreur, engendre en 1798 la révolte connue dans le nord de l'île sous le nom de *« Crocetta »* parce que les insurgés arboraient – comme les *Viva Maria* de Toscane – une croix blanche à leurs coiffes et déclaraient se battre pour la défense de la *Santa Fede.*

Alors apparaît pleinement cette connotation italienne de la période révolutionnaire en Corse. Elle était déjà perceptible en 1789 où l'adhésion n'allait pas sans une certaine distanciation à l'égard des *confratelli* français ; elle se signalait en 1790 au moment des remous suscités à Bastia par l'application de la Constitution civile du clergé. Le grand nombre de Corses réfugiés dans la péninsule a encore accentué ce trait. C'est en liaison étroite avec la cour pontificale, la Toscane et le Piémont que les *fuorusciti* – plutôt que les émigrés – corses participent à l'agitation suscitée par la crise de subsistances, la présence de l'armée, la conscription, la fiscalité et diverses mesures coercitives du gouvernement de la République. Ces particularités s'insèrent pourtant dans le schéma général de la contre-révolution, modèle France de l'Ouest ou modèle toscan... selon les aspects sur lesquels on met plus ou moins l'accent. L'alternance entre les poussées de fièvre contre-révolutionnaire et les phases de reprise en main par les représentants du pouvoir central est, là comme ailleurs, liée à la situation nationale et internationale avec un certain décalage chronologique puisque c'est seulement en novembre 1800 que l'ordre consulaire et l'ombre de Bonaparte s'installent comme une chape sur l'ensemble de l'île.

Francis Pomponi

• Le Dauphiné

En 1369, le Dauphiné tombe dans l'escarcelle du roi Philippe VI de Valois. Aux marches de la France, cette province, pays de montagnes et de plaines, ne possède aucune unité géographique. Au nord, la Savoie et, au sud, la Provence la délimitent ; à l'ouest, les Baronnies, le Valentinois et le Viennois plongent sur le Rhône tandis qu'à l'est de hauts massifs dressent une barrière « naturelle ». En 1790, le Dauphiné a vécu ; l'Assemblée constituante le partage en trois départements : la Drôme, l'Isère et les Hautes-Alpes.

Comme dans les autres provinces du royaume, plus des trois quarts de la population résident à la campagne. Une « intense activité artisanale » anime bourgades et villages : travail du bois, papeteries, moulinage de la soie... Métallurgie, textile (préparation du chanvre), ganterie (à Grenoble) témoignent d'un début d'industrialisation moderne. Une industrialisation dont l'essor est essentiellement dû à des nobles comme les Barral ou les Marcieu. Mais ce sont les négociants – une vingtaine de grandes familles commerçantes – qui contrôlent la vie économique : les Dolles, les Rabby et, bien sûr, les Périer. Gantiers, couturiers, peigneurs de chanvre, tisserands, domestiques, en tout une centaine de métiers forme le gros du peuple grenoblois et gonflera les troupes de la « Journée des Tuiles », le 7 juin 1788. La capitale Grenoble – près de 23 000 habitants – possède un parlement fort jaloux de ses franchises provinciales. Or, depuis 1786, l'administration royale veut réduire le rôle des parlements qui s'opposent à son projet de réforme fiscale. Le 21 avril 1788, le parlement de Grenoble menace le souverain de faire sécession. Le 9 mai, il refuse d'enregistrer les nouveaux édits qui prévoient d'abaisser le nombre des membres du parlement de 72 à 46, de réduire leurs attributions juridiques, les roturiers étant désormais justiciables de « grands tribunaux de baillages », et enfin de donner au roi le droit de créer des impôts provisoires sans que le parlement ne puisse faire de remontrances – ceux qui accepteraient de telles conditions sont déclarés « traîtres à la patrie ». Le lendemain, le lieutenant général en Dauphiné fait enregistrer les édits et fermer le parlement.

Les « fauteurs du despotisme »

Dix jours plus tard, les magistrats réunis à l'hôtel du premier magistrat de Bérulle dénoncent les ministres comme « fauteurs du despotisme ». Versailles réagit par la mise à exécution des lettres de cachet prévues à leur encontre. Les « messieurs » se préparent alors à déménager. La nouvelle a tôt fait le tour de la cité. A l'agitation des avocats et des hommes de loi – on en dénombre 542 – succède la « fureur populaire ». Au petit matin du 7 juin, le peuple se porte à l'hôtel de « monsieur de Bérulle » pour empêcher le départ des parlementaires. A dix heures, on bat la générale tandis que deux bataillons s'installent sur la place d'armes (la ville en possède quatre). Alors que la foule assiège l'hôtel du gouverneur, on apprend qu'un soldat a tué un « émeutier ». C'est le signal du pillage du palais du gouverneur. Dans les rues, les troupes, notamment celles du Royal-Marine et de Clermont-Tonnerre, sont assaillies. Des toits, on leur jette pavés et tuiles. Le calme revient en fin d'après-midi, l'émeute a duré six heures.

Le 14 juin, une assemblée des notables regroupe les consuls de la ville, 9 ecclésiastiques, 3 nobles et 59 membres du tiers état (dont 17 avocats). L'Assemblée, dirigée par l'avocat Mounier, après avoir condamné les atteintes aux libertés, « supplie » Louis XVI de permettre la convocation des états provinciaux afin de remédier aux « maux de la nation ». Le nombre des députés du tiers état devant être égal à celui des deux ordres privilégiés. Trois semaines plus tard, le pouvoir casse la supplique. Néanmoins, le ministre Loménie de Brienne cède à la demande d'assembler les états, car la noblesse s'est alors unie à la bourgeoisie du tiers. Le 21 juillet, les 540 députés du Dauphiné (165 nobles, 50 ecclésiastiques, 325 membres du tiers état), réunis dans le château de Vizille du manufacturier Claude Périer, votent à l'unanimité des remontrances au monarque. Conséquences : le roi convoque pour le 2 août les états provinciaux dauphinois à Romans et annonce la convocation des États généraux pour mai 1789. À Romans, les avocats Barnave et Mounier se distinguent en évitant que l'assemblée ne se disloque. Trois mois après, le 19 octobre, se déroule la rentrée solennelle des parlementaires grenoblois. Le peuple qui a dénoué la crise parlementaire est écarté des élections aux états provinciaux de l'automne 1788 et de la désignation des députés aux États généraux en janvier 1789. Pourtant, la révolution des notables qui paraissait contrôler la situation se trouva fort dépourvue quand la révolte agraire menaça châteaux et propriétés.

« Des forteresses du tiers état » ?

Depuis le 25 juillet 1789, les nouvelles de la capitale, grossies et déformées, circulent en Dauphiné. Par le Bugey, les campagnards apprennent l'existence de « brigandages » en Franche-Comté. La Grande Peur naît le 27 juillet dans un village proche du château d'Aoste, des échauffourées ayant opposé des contrebandiers à des gardes- frontières. Bientôt l'alerte est générale, le tocsin sonne dans le moindre village. L'alarme se propage en direction de Lyon et le long de la vallée de l'Isère. En trois jours, les villes de La Tour-du-Pin, Bourgoin, Grenoble, Tullin, jusqu'à Gap sont sur le pied de guerre. Par milliers, les paysans s'arment et se portent au secours des villes aux rues illuminées qu'on dit sur le point d'être attaquées par des « brigands ». Quand on se rend compte, comme à Bourgoin, de la fausseté de cette peur, beaucoup pensent que des nobles ont berné le peuple. On s'emparera des châteaux de la noblesse pour en faire « des forteresses du tiers état », sinon on les pillera. Ainsi, surtout dans le bas Dauphiné, 80 châteaux sont visités et leurs terriers détruits ou confisqués. Neuf d'entre eux sont incendiés. La répression est sévère. Les officiers municipaux dressent des listes de suspects, et les troupes augmentées des « milices bourgeoises » sillonnent la campagne. Cent trois émeutiers sont arrêtés, et le 7 août 1789 deux paysans sont condamnés à être pendus. Le 20 août, le calme règne de nouveau. Pourtant bien des villages refuseront de racheter les droits seigneuriaux abolis lors de la nuit du 4 Août.

Hervé Luxardo

• La Savoie

Liée à une invasion étrangère et à de graves « nuisances », la Révolution n'a pas bonne presse en Savoie. Après les réformes « éclairées » de la monarchie sarde, étaitelle nécessaire dans une province en paix et réputée pour « l'innocence » de ses habitants ? Et la majorité de conclure à son inutilité et à l'intérêt pour la Savoie de ne pas s'occuper de « grande politique ».

L'annexion

En fait, la Révolution fut précédée d'une grave crise. La noblesse, déjà vaincue par le roi, essayait de maintenir ses derniers privilèges au détriment d'une bourgeoisie frustrée dans son souci de promotion. La diffusion massive des idées nouvelles dans ce pays de passage et d'émigration rendait toujours plus impopulaires l'autoritarisme et le centralisme du régime sarde. Quant aux paysans, très touchés par le renchérissement des prix lié à l'accroissement démographique et à des récoltes insuffisantes, ils s'agitaient contre tous les symboles de l'autorité.

En septembre 1792, Montesquiou entra en Savoie pour y former, de Chambéry à Genève et même Lausanne, une république allobroge. Seule la conquête de la Savoie réussit, et une assemblée de députés communaux vota l'annexion ; celle-ci fut ratifiée seulement en novembre par la Convention (mais bien avant celle de Nice, de la Belgique et de la Rhénanie !).

La province forma le département du Mont- Blanc, qui devait exister jusqu'en août 1798, avant que la partie nord reliée à Genève et au pays de Gex ne forme le département du Léman.

Terreur et contre-révolution

Au début, le nouveau régime ne connut qu'enthousiasme et euphorie : le premier représentant, Hérault de Séchelles, laissa à Chambéry le souvenir d'un mondain passionné de littérature et d'aventures galantes. Tout se gâta au printemps 1793 avec la question du serment constitutionnel, les premières réquisitions militaires, la division des jacobins, la fuite des émigrés en Suisse et en Piémont et, bien sûr, la déception populaire. Le représentant Simond n'ayant pu rétablir la situation, il fallut attendre l'énergique Albitte et la Terreur qui, en dépit de sa brièveté, de janvier à mars 1794, n'en frappa pas moins durablement les esprits, même si on ne décapita que les clochers. Thermidor redonna espoir aux modérés à un tel point que les jacobins, inquiets de la réaction religieuse et des mauvaises élections, ne se sauvèrent que par une nouvelle terreur, après le coup d'État de Fructidor, en 1797. Néanmoins, l'unité des révolutionnaires, réalisée lorsqu'il s'agit d'accélérer les ventes des biens nationaux et de persécuter les prêtres et les nobles, ne résista pas aux difficultés et aux divisions, de sorte qu'en 1799 les jacobins modérés, quoique vainqueurs des montagnards depuis Floréal (1798), furent bien incapables de s'imposer efficacement au pays.

En fait, sans argent, sans programme, réduits à suivre les impulsions politiques de Paris ou des chefs militaires, les jacobins n'avaient guère de possibilité face à une opinion globalement traumatisée par la question religieuse, les attaques contre les biens communaux et les structures villageoises.

Le poids de la guerre

L'entrée de Victor-Amédée III dans la coalition avait provoqué la rupture franco-sarde de l'été 1792. Fort de l'alliance autrichienne, il entendit prendre sa revanche et récupérer la Savoie, mais l'offensive sarde de l'été 1793 échoua faute de coordination avec les révoltés de Lyon. La guerre se localisa sur les crêtes jusqu'à la victoire des attaques françaises en 1796. L'effort de guerre se reporta rapidement contre Genève et la Suisse, l'arrivée des Autrichiens en Piémont et sur le Mont-Cenis en 1799 provoquant la panique.

Toutes ces opérations coupèrent la Savoie de ses partenaires piémontais et genevois, en même temps qu'elles la mettaient en première ligne, avec des cortèges de réquisitions en hommes et en nature, d'autant plus pénibles ici que l'on n'y avait pas du tout l'habitude du service armé et que chacun voulait ne rien perdre. C'est la guerre qui explique finalement le succès des révolutionnaires, car l'armée fut un excellent moyen d'assimilation d'une partie de la jeunesse et en même temps une assise fondamentale du régime, comme le prouve la répression sanglante de la révolte de Thônes en 1793.

Le bilan

Les belles figures ne manquent pas : l'exilé Joseph de Maistre, l'héroïque Marguerite Frigelet de Thônes, la délurée Adèle de Bellegarde, le pauvre évêque constitutionnel Panisset, ou le général François Doppet, mais on a peu, ici, de grandes scènes ou de beaux documents révolutionnaires. Fière de sa méfiance à l'égard du pouvoir central, de la fidélité de sa noblesse, de son clergé et de la plus grande partie de son opinion, la Savoie est indéniablement un bastion de la contre-révolution. Cela explique la force de la réaction du *Buon Governo* après 1815, même si l'Église et la noblesse

BIBLIOGRAPHIE

NICOLAS J., « Annecy sous la Révolution », *Revue Annesci*, 1966.

PALLUEL-GUILLARD A. (sous la direction de), *La Savoie de la Révolution à nos jours*, Éd. « Ouest-France », 1986.

sortaient très appauvries de la tourmente. Toutefois, il ne faut pas mésestimer la force et la valeur de la Révolution, qui suscita un brassage géographique, social et matériel unique dans l'histoire de la province. La mobilisation perturba durablement les familles, comme les biens nationaux modifièrent la hiérarchie sociale au profit d'une bourgeoisie ravie de cette aubaine et du système électif qui lui assura la puissance pour longtemps. La conjoncture des prix et des salaires favorisa aussi les petits paysans, de sorte qu'en fin de compte les bénéficiaires de la Révolution sont plus importants que ses victimes ; ce qui explique, surtout dans le bas pays, la nouvelle mentalité de la province secrètement ravie des acquis révolutionnaires, mais en même temps soucieuse de ne pas les compromettre dans de nouvelles aventures.

Sortie de son isolement politique, la Savoie se francisa irrévocablement, en dépit même de l'avis des contemporains. Elle se coupa davantage du Piémont et de la Suisse : malgré elle et malgré la timidité de sa Révolution politique, elle renonça définitivement à tout rêve d'autonomie et à toute possibilité de réaction et, traumatisée, n'aspira plus qu'à la paix intérieure...

André Palluel-Guillard

• La région lyonnaise

La région qui gravite autour de la seconde ville du royaume connaît, dans les deux dernières décennies du XVIIIe siècle, une des plus dramatiques périodes de son histoire.

Des espérances aux ruptures

Quand Louis XVI décide de convoquer les États généraux, Lyon subit une crise qui provoque, par comparaison avec l'époque Louis XV, de vives contestations – nées des tensions sociales dérivées des affrontements de 1786 dans la fabrique ou des jalousies entre les diverses provinces, et d'une méfiance à l'égard de la capitale régionale. Les provinces de la généralité de Lyon obtiennent la création d'une assemblée provinciale et les assemblées préparatoires connaissent en 1789 une atmosphère passionnée. Les maîtres-ouvriers affrontent les marchands-fabricants ; le Beaujolais et le Forez réclament leur autonomie avec leurs propres états, mais tous demandent la suppression des privilèges honorifiques et fiscaux ; le clergé et la noblesse de Lyon ainsi que les nobles du Valromey proposent cette renonciation, anticipant sur la nuit du 4 Août. Malgré les vœux des cahiers de doléances, la Constituante crée, en janvier 1790, un département de l'Ain qui réunit la plaine (Dombes et Bresse) et la montagne (Bugey et pays de Gex), et un département de Rhône-et-Loire, un des plus grands et des plus peuplés du royaume. La fête de la Fédération, le 30 mai 1790, essaiera d'estomper les rivalités.

Dès le serment du Jeu de paume, les nouvelles parisiennes déclenchent à Lyon une émeute que l'armée doit maîtriser : la foule renverse les barrières des octrois (3-7 juillet). La Grande Peur gagne le Bugey, le Dauphiné, le Mâconnais. Lyon reste un foyer d'agitation : le 7 février 1790, l'Arsenal est pris d'assaut, la garde bourgeoise doit intervenir contre les exclus de la fabrique et de la vie politique.

Résistances et affrontements

Dès les premières réformes, nobles, privilégiés, victimes de la crise économique, inquiets de l'insécurité ou de l'atteinte portée aux biens d'Église réagissent. En septembre 1789, un club aristocratique entre en relation, à Turin, avec le comte d'Artois : les royalistes veulent rétablir l'Ancien Régime, les monarchiens souhaitent une monarchie constitutionnelle. Tous espèrent que Louis XVI s'installera à Lyon, recouvrera son autorité, que la prospérité renaîtra ; Lyon serait capitale face à Paris déchu. En juillet 1790, une nouvelle « journée » des octrois permet de concentrer des troupes, commandées par un royaliste, autour de Lyon dans l'espoir qu'une insurrection du Sud-Est favoriserait l'entrée des Piémontais et d'un corps d'émigrés. Cette conspiration, préparée en Beaujolais, rassemble le maire de Lyon, Imbert-Colomès, des chanoines de la cathédrale, des francs-maçons, des anciens élèves de Juilly... Le camp de Jalès se reconstitue en Vivarais ; le Velay et le Gévaudan doivent se soulever à la mi-octobre. Certains conspirateurs indiscrets sont arrêtés mais d'autres, aidés par le maître-ouvrier Denis Monnet, veulent gagner l'appui du peuple en promettant la reprise des affaires ; des Auvergnats accourent ; la police arrête plusieurs chefs le 10 décembre 1790.

L'inquiétude religieuse apporte bientôt un renfort. Sans directive du pape, la majorité du clergé avait accepté la Constitution civile du clergé et prêté le serment, que refusent Mgr de Marbeuf, à Lyon, et Mgr Cortois de Quincey, à Belley. Ces évêques sont aussitôt remplacés, par élection, par l'abbé Lamourette et l'abbé Royer. Dès le début de 1791, la résistance s'organise sous l'impulsion de l'abbé Linsolas. L'Église est déchirée quand Pie VI condamne la Constitution civile. Les insermentés sont soutenus par la population ; le séminaire Saint-Irénée est un foyer de propagande anticonstitutionnelle ; des jureurs se rétractent. Les gardes nationales, les acquéreurs de biens nationaux perquisitionnent les châteaux ; à Poleymieux, le châtelain Guillin du Montet est massacré en juin 1791 et une insurrection rurale rappelle la Grande Peur.

Ces affrontements se produisent dans un climat de crise de subsistances, qui dure depuis 1788, et de crise économique. Les tissus de luxe ne se vendent plus, les négociants débattent de l'intérêt du protectionnisme, des méfaits de l'assignat ; les patriotes revendiquent la garantie d'un salaire minimal. Une société philanthropique secourt les indigents dès octobre 1789.

L'expérience rolandine

La dynamique révolutionnaire fait apparaître des forces nouvelles. A la fin de la Constituante, une partie des patriotes entraînée par Roland, inspecteur des manufactures, originaire du Beaujolais, conquiert la mairie de Lyon alors que les modérés demeurent dans les administrations des départements et des districts. Mme Roland devient l'égérie des brissotins. Un élément nouveau intervient : la naissance des clubs à vocation politique. Dans les départements, ces associations des Amis de la Constitution se transforment en « sociétés populaires », quand l'arrestation du roi rend caduque la monarchie constitutionnelle ; elles s'affilient au Club des jacobins, constituant un régime centralisé. Dès 1792, les patriotes des bourgs appellent à l'aide les sectionnaires de Lyon et désobéissent

BIBLIOGRAPHIE

GADILLE J., *Lyon, histoire des diocèses de France,* Beauchesne, Paris, 1983.

HERRIOT E., *Lyon n'est plus,* 4 tomes, Hachette, Paris, 1937-1940.

LATREILLE A., GASCON R., *Histoire de Lyon et du Lyonnais,* Privat, Toulouse, 1975.

LUCAS C., *The Structure of Terror. The Example of Javogues and the Loire,* Oxford University Press, Londres, 1973.

PIERRE R. et autres, *240 000 Drômois, la fin de l'Ancien Régime, les débuts de la Révolution,* Notre Temps, Valence, 1986.

TRENARD L., *Lyon, de l'*Encyclopédie *au préromantisme,* PUF, Paris, 1958.

aux directives des directoires de district et de département. La presse s'engage, le *Journal de Lyon* diffuse des mots d'ordre démagogiques. Violence, suspicion, volonté punitive se développent alors que la vente des biens nationaux soulève jalousie et conflits.

Tandis que la région reste fidèle aux modérés, Lyon risque, de décembre 1791 à mars 1793, l'expérience d'une municipalité rolandine avec le médecin Vitet et Joseph Chalier, un jacobin fougueux. Elle se heurte aux ressentiments suscités par la crise économique, l'inflation des assignats, la cherté des subsistances. Un utopiste, François-Joseph Lange, expose un plan d'organisation sociale, de coopération rationnelle entre producteurs et consommateurs, de fixation des prix selon de nouveaux critères. Aux inquiétudes s'ajoutent, en 1792, les exigences de la guerre, les septembrisades, les soulèvements royalistes contre les levées en masse dans la vallée du Rhône, dans les Cévennes, aux portes de Lyon même, les dissensions entre jacobins et girondins, entre l'administration du département de Rhône-et-Loire et le conseil général de la commune de Lyon. Dans une atmosphère d'émeutes féminines, de mutineries militaires, d'attaques de l'Hôtel de Ville, les élections à la Convention confirment les options girondines de Lyon et de la région. Chalier et les jacobins n'obtiennent pas la majorité, mais ils interviennent à la société populaire et dans les sections correspondant aux anciens quartiers. Les assemblées de section sont une originalité de la révolution lyonnaise.

L'état de grâce qui suit la proclamation de la République est de courte durée. Chalier, suivi par le Club central, s'engage dans la voie démagogique, joue les Robespierre, les Hébert, les Marat dans une cité girondine, il annonce la mise en place d'un tribunal révolutionnaire. Il préside, depuis décembre 1792, le tribunal du district. En mars, un de ses amis devient maire de Lyon ; des régions, comme Montbrison, passent aux mains des jacobins. Devant ces menaces et les violences, le grand Lyon industriel et commerçant rejoint le Lyon aristocratique. Les rolandins républicains et légalistes deviennent complices des royalistes. Cette convergence d'idéologies aboutit à des épurations antijacobines des sections avec l'appui de la garde nationale et des autorités départementales, à la journée du 18 février au cours de laquelle les sectionnaires dévastent le Club central, enfin à ce 29 mai 1793, « le 9 Thermidor lyonnais » où Chalier et les principaux meneurs jacobins sont arrêtés.

Lyon contre Paris

Cette péripétie dépasse le cadre lyonnais. Le même jour, les montagnards de la Convention essaient de mettre en accusation les députés girondins. Le 2 juin, les sans-culottes parisiens obtiennent, par la force, l'arrestation des girondins, coup d'État contre la représentation nationale. À Lyon, Villefranche, Bourg, Belley, on perçoit la gravité de la situation. La vertu du principe représentatif se trouve mise en cause par une minorité extrémiste. La résistance à l'oppression s'impose. Elle incite tous les districts à provoquer la réunion des suppléants des députés à Bourges, tout en affirmant respecter l'unité et l'indivisibilité de la République. Les départements situés autour de Lyon s'associent à ce « fédéralisme », à cette réaction contre Paris coupable d'avoir mutilé la représentation nationale. Les contre-révolutionnaires participent à cette « départementalisation », et leur présence déclenche l'intervention du Comité de salut public contre la « ville rebelle ».

La gravité de cette rupture, en une conjoncture dramatique, provoque des hésitations, puis des reculs : les ruraux du Forez ou de la Bresse s'inquiètent d'une opération qui peut favoriser Lyon, qui peut compromettre l'issue de la guerre, qui peut être inspirée par « Pitt et Cobourg ». Les Lyonnais, venus pour se justifier, sont mal accueillis dans les bourgs, et certains se rallient à la Convention. Lyon est de plus en plus isolée quand Kellermann l'assiège (8 août-9 octobre 1793).

Après la capitulation de la ville meurtrie, les représailles s'expriment par le décret de la Convention « Lyon n'est plus », par l'annonce de la destruction de « Ville-Affranchie », par le démantèlement du département ; les districts de Roanne, de Montbrison et de Saint-Étienne forment désormais le département de la Loire. Une Commission de surveillance républicaine instaure une déchristianisation, prend des mesures d'ordre social, sollicite les délations. Un tribunal militaire condamne, sans les entendre, les suspects, exécute au canon plusieurs centaines de condamnés dans la plaine des Brotteaux. Cette terreur rouge qui fit à Lyon 2 000 victimes a marqué durablement la mémoire collective, d'autant plus que le tiers des guillotinés et des mitraillés appartenaient aux classes populaires.

Dans les trois départements, les représentants en mission imposent une politique montagnarde avec plus ou moins de succès. La plaine du Forez, les pays de l'Ain subissent des représailles jacobines sous l'autorité d'Albitte et de Javogues. L'armée révolutionnaire du Puy-de-Dôme commet tant d'exactions à Montbrison que Javogues lui-même la dénonce à la Convention.

Une longue convalescence (1794-1799)

Du départ de Fouché au 9 Thermidor, la région est soumise aux décisions du Comité de salut public dominé par l'Incorruptible. Les représentants en mission à Lyon, Albitte, Reverchon, Delaporte, Meaulle, s'efforcent de ranimer l'économie, de stimuler le patriotisme par des fêtes, la presse, le théâtre. L'exécution de Robespierre, « ce nouveau tyran », apporte un sentiment de délivrance : c'est la réaction thermidorienne. Sur un fond de chômage et de misère, les options politiques et religieuses se radicalisent, les insoumis pullulent, des « machurés » pillent les boutiques ; les victimes des terroristes de l'an II, armés de gourdins, pourchassent les « mathevons ». Les jacobins sont voués aux gémonies, les insurgés sont glorifiés ; on élève, à Lyon, un monument à la mémoire des « martyrs de la liberté ». Des expéditions punitives aboutissent au massacre de prisonniers sur la route de Bourg à Lons-le-Saunier et en Beaujolais. Ce climat favorise le retour des émigrés, des contre-révolutionnaires, des réfractaires.

Désormais, jusqu'à Brumaire, la République cherche son équilibre. Le recul des jacobins marque le premier Directoire (octobre 1795-septembre 1797). Affrontements et violences se poursuivent, attaques de diligences dans la Bresse et le haut Bugey, excès des « chauffeurs » qui brûlent les pieds des paysans pour se faire révéler la cachette de leur trésor. Ces malheurs s'ajoutent à la guerre extérieure et aux difficultés économiques. Pour préparer les élections de l'an V, les agents royalistes fondent un Institut philanthropique de type maçonnique. Le résultat des élections incite le Directoire à lutter de plus belle contre l'Église réfractaire, il développe les cérémonies décadaires, les fêtes, spectacles en l'honneur de la jeunesse, des époux, des vieillards..., les parades militaires à l'occasion des victoires de Bonaparte. De leur côté, les autorités locales tentent d'arrêter la destruction du patrimoine architectural, créent les musées des beaux-arts, les bibliothèques publiques, les centres d'archives. Elles rétablissent des écoles élémentaires, innovent en matière pédagogique : les écoles centrales s'ouvrent à Lyon en automne 1796, à Bourg en décembre.

Le régime, faible, ne peut soutenir la poussée antijacobine ; le 11 mai 1798, il invalide des jacobins dans ses conseils et ce coup d'État encourage les royalistes qui préparent une insurrection dans le Sud-Est ; la victoire de Zurich fait échouer l'opération. Rien d'étonnant, avec un tel régime, que les Lyonnais acclament, à l'automne 1799, le général Bonaparte à son retour d'Égypte.

Louis Trenard

• L'Auvergne

Lorsque les États généraux furent convoqués, la situation de l'Auvergne et de ses marges bourbonnaises et vellaves passait au rouge. Les anciens ressorts judiciaires auvergnats et bourbonnais constituèrent les circonscriptions électorales (Clermont, Moulins, Riom, Saint-Flour, Saint-Pierre-le-Moûtier), ravivant des rivalités ancestrales (Aurillac/Saint-Flour), des ambitions contrariées (Calvinet, Carlat, Murat, Salers) ou créant des situations aberrantes (Cusset relevait ainsi de Saint-Pierre-le-Moûtier). Le Velay, pays d'états, ne connut pas ce genre de difficultés. Les assemblées électorales réunies en mars 1789 pour rédiger les cahiers de doléances et élire les députés étalèrent rapidement au grand jour les oppositions. Au Puy, le clergé suivit Mgr de Galard et refusa de siéger avec les deux autres ordres ; à Moulins la noblesse s'opposa à la rédaction d'un cahier en commun. Les nobles auvergnats rédigèrent des cahiers conservateurs et désignèrent comme députés des nobles de cour bien peu représentatifs, tel La Fayette, élu de justesse à Riom. Le clergé du bailliage de Riom, adoptant une attitude plus progressiste, amena l'évêque de Bonal à se faire réélire à Clermont. Les délégués du Tiers choisirent majoritairement leurs représentants chez les gens de robe. Les synthèses des cahiers de paroisses et de communautés élaborées aux bailliages ne fournissaient qu'un reflet pâle et remanié des préoccupations de la base.

Une conjoncture très critique

Les députés emportèrent à Versailles l'espoir de leurs mandants, mais le long immobilisme des États généraux, jusqu'à fin juin, contribua à tendre une situation déjà fortement dégradée depuis plusieurs décennies. Se conjuguaient en effet la pression d'une augmentation parfois forte de la population, la pulvérisation de la propriété paysanne, en basse Auvergne particulièrement, l'accroissement de la masse des domaines bourgeois et seigneuriaux, la charge éminemment variable des droits seigneuriaux, renforcée ici ou là par la réaction seigneuriale, la mauvaise conjoncture climatique enfin, qui faisait s'envoler le prix des subsistances (le prix du froment tripla à Clermont entre 1787 et fin 1789...). Tous dénonçaient l'impôt royal bien qu'il ne pesât pas également sur chacun. Le petit peuple des villes pâtissait aussi de cette situation qui éclatait parfois en émeute comme à Thiers, les 9 et 10 juin 1789, où « plus de 3 000 bas ouvriers » recherchèrent et taxèrent les grains chez ceux que l'on soupçonnait d'accaparement.

La nouvelle de la prise de la Bastille ne semble pas avoir suscité un grand émoi dans la région et la Grande Peur, d'intensité variable, n'entraîna pas, sauf exception, d'action antiseigneuriale. Fin août cependant, la région entière avait pris les armes. Si les brigands, partout annoncés, n'apparurent pas, les bourgeoisies des villes et des bourgs en profitèrent pour organiser des milices d'autodéfense. Ainsi le 17 août, à Moulins, un régiment de la garde nationale était créé, sous le commandement de l'aristocrate Giraud des Écherolles. Le mouvement de solidarité, né de la peur et de la réaction défensive qui s'ensuivit, culmina à l'approche du 14 juillet 1790, dans des fêtes fédératives rassemblant les gardes nationales dans les chefs-lieux des nouveaux départements et ailleurs.

Les débuts de l'émigration attestent cependant l'existence d'un refus précoce. Le mouvement s'accéléra début 1791 et la tentative de fuite du roi aggrava l'inquiétude. 308 émigrés auvergnats n'avaient-ils pas signé, dès le 10 avril à Fribourg, « l'acte de coalition d'Auvergne » ? Dès lors les manifestations antimonarchiques se multiplièrent comme dans cette pétition du Club des jacobins de Clermont demandant, le 14 juillet 1791, « que la souveraineté nationale exerce tout son empire ».

Parallèlement, la conscience politique se développait sous l'influence de quelques journaux, des lettres adressées par certains députés à leurs commettants (le *Journal des débats* puise ses origines dans la correspondance de Gaultier de Biauzat, député de Clermont), des clubs et sociétés des Amis de la Constitution, affiliés aux jacobins de Paris. Ainsi, la Société des amis de la Constitution de Moulins, bien que créée seulement le 6 mars 1791, ne tarda pas, grâce à ses correspondances avec les autres sociétés, à diriger la politique générale de son département. Dans la région, le suffrage censitaire à deux degrés joua parfaitement son rôle en envoyant siéger à la Législative des députés modérés. Certains, cependant évoluèrent rapidement vers des positions beaucoup plus radicales, tels Georges Couthon, Charles Romme ou Pierre Soubrany.

1792-1795 : le durcissement

Les années 1792 à 1795 connurent un durcissement de la situation sous l'action conjuguée du mouvement antiseigneurial, de la question religieuse et des problèmes économiques et sociaux liés à la guerre, à la monnaie et aux subsistances.

Si en Velay et en Bourbonnais le régime seigneurial semble avoir disparu sans soubresauts particuliers, il n'en alla pas de même en Auvergne où, de mars à mai 1792, se développèrent dans plusieurs districts du Puy-de-Dôme des mouvements populaires contre le « fanatisme », la vie chère et les droits féodaux ; le Cantal surtout, à partir de janvier, s'enflamma en une véritable jacquerie, au cours de laquelle de nombreux châteaux furent mis à sac et incendiés dans les régions de Jussac, Montsalvy et Arpajon. Le décret de juillet 1793 mit fin à la revendication paysanne.

La question religieuse eut des conséquences plus durables. L'application de la Constitution civile du clergé se heurta à l'opposition des quatre évêques ; les administrations départementales durent mettre en place un clergé constitutionnel en procédant à l'élection de leurs remplaçants, Périer, Thibault, Laurent et Delcher. L'obligation du serment suscita la résistance. Les réfractaires, plus nombreux dans le Cantal et en Haute-Loire, nourrirent l'hostilité à la Révolution chez leurs ouailles, alimentant de multi-

BIBLIOGRAPHIE

BAYON-TOLLET J., *Le Puy-en-Velay et la Révolution française,* Université de Saint-Étienne, Le Puy, 1982.

BIERNAWSKI L., *Un Département sous la Révolution française, l'Allier,* L. Grégoire, Moulins, 1909.

CORNILLON J., *Le Bourbonnais sous la Révolution française,* 5 tomes, Bougarel, Vichy et Riom, 1888-1895.

MANRY A.-J., *Histoire d'Auvergne,* Éd. Volcans, Clermont-Ferrand, 1965.

MERLEY J., *La Haute-Loire de la fin de l'Ancien Régime aux débuts de la IIIe République,* Cahiers de la Haute-Loire, Le Puy, 1974.

SOBOUL A. (sous la direction de), *La Révolution dans le Puy-de-Dôme,* Commission d'histoire économique et sociale de la Révolution française, Paris, 1972.

ples incidents, et fournirent aux républicains des motifs de pourchasser le fanatisme.

La campagne de déchristianisation se développa à l'automne 1793 sous l'influence des représentants en mission Couthon dans le Puy-de-Dôme, Bô dans le Cantal, Fouché dans l'Allier, Reynaud et Guyardin en Haute-Loire, activement soutenus par les sociétés populaires ou certaines municipalités comme Le Puy. La déportation de nombreux prêtres – pour l'Allier, on en dénombre soixante-seize dont une soixantaine périrent à l'île d'Aix –, des exécutions pendant la Terreur, renforcèrent, plutôt qu'elles n'en vinrent à bout, l'hostilité à cette politique. L'Église catholique désormais avait ses martyrs et les efforts pour implanter le culte de la Raison ou de l'Être suprême, en dépit de fêtes grandioses, d'ailleurs parfois perturbées comme à Beaumont, le 20 prairial an II (8 juin 1794), n'emportèrent pas la conviction des populations. Les rapports de Portal, commissaire du Directoire en l'an V, constataient qu'en Haute-Loire les trois quarts de la population tenaient au catholicisme romain. Des rébellions véritables naquirent à l'occasion de troubles religieux, par exemple à Yssingeaux à Pâques 1792 et en septembre 1795 ou dans la région de Rochefort en 1794... La vente des biens du clergé profita avant tout à la bourgeoisie urbaine, les paysans, en l'affaire, « ne changeant que de maîtres ». Ainsi, en Haute-Loire, la moitié des acquéreurs résidaient au Puy.

« A deux doigts d'une petite Vendée »

Si la question religieuse amena beaucoup d'eau au moulin de la contre-révolution, la guerre, avec les levées d'hommes et la mobilisation économique qu'elle suscita, la conforta aussi. La levée des 300 000 hommes de 1793 entraîna la plus forte opposition : les troubles de Vollore du 13 au 22 mars, attisés par des prêtres réfractaires, furent les plus violents. On était passé à deux doigts d'une petite Vendée. En Haute-Loire la situation était plus préoccupante encore. Dès juillet 1792, les insurgés du camp de Jalès avaient envisagé de s'emparer du Puy, la région de Saugues fut gravement agitée jusqu'en août 1793 au moment même où la révolte fédéraliste risquait de faire basculer le Puy-de-Dôme et trouvait de fortes sympathies dans les districts de Gannat et du Donjon dans l'Allier par solidarité avec Brissot, arrêté à Moulins le 10 juin.

Couthon prit des mesures énergiques de salut public : il fit d'abord partir 5 500 hommes du Puy-de-Dôme pour combattre Lyon insurgé, tout en accélérant la fabrication d'armes à Chamalières, et ensuite, pendant son second séjour, du 3 au 28 novembre, imposa une taxe sur les « riches égoïstes » pour alimenter une politique sociale d'avant-garde. Fouché à Moulins, appuyé sur le comité de surveillance, menait une politique identique tandis que, dans le Cantal, Chateauneuf-Randon faisait démolir les fortifications de Saint-Flour, soupçonné de résistance sourde.

La « débâcle économique » de l'an III

Tous ces événements se déroulaient sur un fond angoissant de crise de subsistances. Certes la question n'était pas nouvelle, mais elle se trouvait aggravée par la mauvaise récolte de 1791 et la dépréciation foudroyante de l'assignat. Les producteurs refusant cette monnaie n'approvisionnaient plus les marchés, et le « maximum » des prix, appliqué à l'automne 1793, renforça encore cette attitude. Les mesures terroristes décidées pendant l'automne et l'hiver 1793 et une partie de 1794 (au Puy, elles se prolongèrent largement au-delà de cette date), furent mises en œuvre avec plus ou moins d'énergie et de conviction par les administrations, comités de surveillance et sociétés populaires. Si la chasse aux suspects et accapareurs facilita les inévitables exactions en pareille conjoncture, la mobilisation économique, les réquisitions permirent de faire face, tant bien que mal, aux approvisionnements, n'empêchant pas cependant les districts bourbonnais de Montluçon, Moulins, Cusset et Cérilly de connaître de véritables disettes.

La chute de Robespierre donna le signal d'une palinodie générale des administrations. Aurillac et Le Puy continuèrent néanmoins quelque temps sur la lancée précédente. L'abandon du Maximum puis le retour à la monnaie métallique ne produisirent pas le redressement attendu. Ce fut, en Haute-Loire, « une véritable débâcle économique », et ailleurs à l'avenant. Les salaires s'effondrèrent, la spéculation se donna libre cours, une famine s'abattit sur l'Allier en 1795 et il fallut attendre l'extrême fin du Directoire pour qu'une série de bonnes récoltes rétablisse des conditions plus supportables aux gens modestes.

Une contre-révolution sanglante

L'instabilité politique issue des consultations électorales permanentes prévues par la Constitution de l'an III, la faillite financière, le Directoire ne réussissant pas mieux à faire rentrer les impôts paralysaient les services publics, l'insécurité s'aggravait, les travaux publics s'arrêtaient. La liberté de religion, garantie par la Constitution de l'an III, favorisa la réaction religieuse et les réfractaires, soutenus généralement par la population (à La Chaise-Dieu, à Salers), reprirent l'avantage. Le culte civique encouragé par les autorités ne rencontra qu'apathie ou indifférence. Les monarchistes relevaient aussi la tête et trouvaient un excellent terrain de propagande dans le refus du service militaire à la géographie cependant nuancée, beaucoup plus fort en montagne qu'en plaine ou à la ville. La contre-révolution se manifesta parfois de façon spectaculaire comme à Clermont, le 9 juillet 1797, en un affrontement sanglant pour les républicains, mais dès 1795, des bandes organisées terrorisaient les confins du Livradois et du Velay. Le coup de force de Bonaparte coupa court au vaste projet royaliste du colonel Sauvat qui devait se développer à partir du centre de la France. Il satisfit, dans la région, les républicains avancés, réceptifs à la propagande bonapartiste, et la masse des modérés voyant dans l'homme providentiel la garantie des droits de liberté, égalité, sécurité et propriété.

Daniel Martin

• La Bourgogne

Une géographie indécise hier autant qu'aujourd'hui, point de limites naturelles, une diversité de « pays » et de types agraires..., comme bien d'autres provinces, la Bourgogne est « une création de l'histoire » ; par conséquent, une entité changeante et une configuration floue tiraillée par des forces centrifuges.

Au moment de la convocation des États généraux, les grandes divisions administratives, judiciaires ou financières elles-mêmes dessinent une image brouillée. La Bourgogne des états – car la province a conservé ses états particuliers – ne coïncide ni avec le ressort du parlement de Dijon, auquel échappent l'Auxerrois et le Mâconnais relevant du parlement de Paris, ni avec la généralité de Dijon qui englobe la Bresse, le Bugey, le Valromey et le pays de Gex, anciens pays savoyards rattachés à la couronne depuis 1601, ainsi que l'ancienne généralité de Trévoux, depuis 1781. Quant au Nivernais, il ne fait pas partie du territoire bourguignon... sauf au XXe siècle où le département de la Nièvre a été intégré dans la région Bourgogne.

Des combats d'arrière-garde

Par-delà la diversité et l'irrationalité des découpages institutionnels, éminemment transitoires, la province semble se caractériser à la fin de l'Ancien Régime par l'archaïsme de ses structures économiques et sociales. Malgré la volonté – ou les velléités – des états et la construction, grâce à eux, d'un bon réseau routier – le creusement de canaux reliant les bassins du Rhône, de la Loire et de la Seine est seulement commencé –, la Bourgogne est restée à l'écart des grands mouvements du siècle. Elle est peu peuplée, plus cependant à l'est et au sud qu'à l'ouest et au nord, avec une densité d'ensemble nettement inférieure à la moyenne nationale ; peu de centres urbains d'envergure : Dijon compte environ 23 000 habitants ; quelques villes seulement ont une population avoisinant ou dépassant légèrement 10 000 âmes : Auxerre, Chalon-sur-Saône, Mâcon, Bourg-en-Bresse... C'est dire le caractère agraire de l'économie bourguignonne.

Les activités manufacturières textiles sont en déclin. Si la métallurgie se développe, en particulier dans le nord (forges de Buffon, hauts fourneaux du Châtillonais), elle repose elle-même sur des assises terriennes, dépendante qu'elle est du bois et de l'eau, donc de la propriété seigneuriale ; au surplus, la province manque d'une infrastructure bancaire permettant à la fois la concentration industrielle et les innovations techniques. Plus novatrice s'avère cependant l'installation dans une vallée proche d'Autun et de Montcenis, « au Crozot » (Le Creusot), d'un établissement métallurgique moderne utilisant le charbon de terre. N'est-il pas significatif cependant que la « Manufacture des fonderies royales d'Indret, Montcenis et des cristaux de la reine » demande en 1788 à être titulaire de la haute justice ? Cela, certes, pour mieux contrôler et discipliner une main-d'œuvre turbulente, mais l'utilisation d'une institution « féodale » par les promoteurs du capitalisme industriel demeure piquante.

Bien d'autres indices révèlent le poids de la féodalité et la vigueur de la réaction seigneuriale : dans la Franche-Comté voisine, la mainmorte, cet avatar du servage fort gênant pour ceux qui y étaient soumis parce qu'il engendrait des incapacités d'ordre patrimonial, successoral, voire matrimonial, n'a pas disparu malgré l'invite adressée aux seigneurs locaux par Louis XVI dans son édit de 1779. Avant août 1789, près d'un tiers des villages bourguignons, tant au nord qu'au sud, y compris dans les pays bressans de droit écrit, sont encore marqués d'une façon ou d'une autre par la « macule servile ».

Comment parler dès lors, dans les limites de cette province, du modernisme des élites et de la fusion en leur sein de nobles et de bourgeois éclairés ? L'attitude des parlementaires dijonnais, tant dans leur action politique que dans la gestion de leurs intérêts privés, démontre le contraire. Jaloux des prérogatives féodales les plus surannées, défenseurs des « libertés », donc des privilèges, ils mènent un combat d'arrière-garde dont l'ambiguïté explique les réjouissances urbaines lors du rétablissement de leur compagnie en 1788 et l'appui « populaire » éphémère dont ils bénéficièrent. Mais on comprend également la force des doléances paysannes telles qu'elles apparaissent dans les cahiers originaux des paroisses, réclamant entre autres l'allégement, le rachat ou la suppression des droits seigneuriaux et insistant sur la rareté et la cherté du bois. Si bien que tout en renvoyant l'écho — parfois atténué — des grands mouvements nationaux, la Révolution en Bourgogne s'y est développée aussi de manière autonome.

Émeutes et jacqueries

Comme ailleurs, juillet 1789 voit les campagnes bouger, avec des jacqueries violentes dans le sud (Mâconnais et Clunisois) où des châteaux sont brûlés (28-30 juillet). En ville, les troubles ont d'autres causes : à Dijon, le renvoi de Necker a provoqué une émeute, le 15 juillet, avant même l'annonce de la prise de la Bastille. Les deux mouvements sont indépendants, voire contraires, et les rapports entre les villes et la campagne seront tendus tout au long de la période révolutionnaire. Séjournant à Dijon à la fin de juillet et au début d'août, Arthur Young, parlant des événements avec Guyton de Morveau, ancien avocat général au parlement, chimiste renommé et futur député à la Législative et à la Convention où il siégera à la Montagne, se déclare « heureux... d'entendre M. de Morveau remarquer que les violences commises par les paysans proviennent de leur manque de Lumières... » (*Voyages en France,* 1er août 1789), et d'apprendre de la bouche de son interlocuteur que toutes ces brutalités ont été commises par des paysans et non par de prétendus brigands. D'où l'organisation des villes qui créent des comités, et mettent sur pied des milices bourgeoises pour protéger la propriété dont on déclarera bientôt qu'elle est un droit inviolable et sacré.

Ces institutions nouvelles de fait, nées de la « révolution municipale », comblent les vides laissés par l'effondrement des rouages administratifs et politiques anciens : l'intendant s'est enfui dès le milieu de juillet, le commandant militaire, « insulté par la canaille » et menacé de mort, a donné sa démission, le parlement est « mis en vacance » au début de novembre, les états sont supprimés en juillet 1790. La place est libre pour l'installation des institutions nouvelles et le modelage d'un nouvel espace.

Quatre départements doivent être constitués à partir de l'ancienne province ; découpage malaisé et comme partout propice aux querelles locales aussi bien pour tracer les limites départementales que pour fixer les divisions internes en districts. Finalement, après des péripéties inévitables, les quatre entités suivantes sont créées : l'Ain, regroupant les anciens pays savoyards, la Côte-d'Or et la Saône-et-Loire, réunissant les pays les plus anciennement bourguignons, et l'Yonne, conférant une unité à l'ensemble assez disparate des confins septentrionaux de la Bourgogne. La fédération, le 18 mai 1790, sous le commandement du fils de Buffon, de 3 000 gardes nationaux venus des quatre départements apparaît-elle comme l'ultime et illusoire figuration de la ci-devant province ? Toujours est-il que la vie politique se déroule désormais dans le cadre départemental, sans grande

BIBLIOGRAPHIE

BART J., *La Liberté ou la terre, la mainmorte en Bourgogne au siècle des Lumières*, Centre de recherches historiques de la faculté de droit et de science politique, Dijon, 1984.

BART J., *La Révolution française en Bourgogne*, Privat, Toulouse, à paraître en 1988.

DORIGNY M., *Autun dans la Révolution française. Première partie : économie et société urbaines en 1789*, Éditions d'art et d'histoire G. Metra, Autun, à paraître en 1988.

DROUOT H. et CALMETTE J., *Histoire de la Bourgogne*, Boivin, Paris, 1928.

KLEINCLAUSZ A., *Histoire de Bourgogne*, Hachette, Paris, 1924.

nostalgie du passé provincial et sans grand danger pour la nation.

On s'accorde à souligner le caractère relativement « modéré » de la « tourmente révolutionnaire » ; il s'agit d'une impression d'ensemble qui doit être, ici ou là, nuancée. De la multiplicité et de la diversité des événements locaux, quelques grands traits se dégagent.

« Une tourmente... modérée »

L'adhésion – spontanée ou non – des populations à la Révolution est assez facile. Les premières élections ont vu le succès de modérés et même des victoires aristocratiques, comme à Dijon où Chartraire de Montigny est élu maire en 1790 contre Guyton de Morveau. Ensuite, sous la pression populaire et/ou grâce à l'action des représentants en mission, les élus, surtout les élus municipaux, mais aussi ceux des districts, voire des départements, sont plus volontiers patriotes. En dehors du terrain électoral, le mouvement révolutionnaire se radicalise assez tôt. A cet égard, les événements d'Arnay-le-Duc sont symptomatiques : en février 1791, les habitants de ce bourg contraignent la municipalité à arrêter les tantes du roi, Adélaïde et Victoire, qui, prétextant un voyage pieux à Rome, voulaient quitter le territoire national ; soutenus par les sociétés des Amis de la Constitution de Semur, Dijon, Beaune, Autun, etc., les gens d'Arnay, transgressant les ordres venus du district, du département, du ministre de l'Intérieur, retiennent leurs prisonnières pendant une dizaine de jours, et l'on a vu là, à juste titre, un « suggestif prélude à l'épisode de Varennes ».

L'acceptation de la politique religieuse de la Constituante est majoritaire. La nationalisation des biens du clergé, la dispersion des couvents sont bien reçues ; la Constitution civile du clergé ne rencontre pas, du moins au début, d'opposition farouche. Sur les quatre évêques français ayant prêté le serment, deux se trouvent à la tête de diocèses bourguignons : Talleyrand (Autun) et Brienne (Sens). La proportion des prêtres jureurs atteint des chiffres élevés : 67,5 % dans le district de Dijon (mais avec de grandes distorsions villes/campagne) ; beaucoup plus dans l'Ain (86 % ?) ; moins en Saône-et-Loire, mais davantage dans l'Yonne. Nombreuses furent cependant les rétractations et certains îlots résistèrent fermement, notamment dans ces deux derniers départements.

La participation à la lutte contre les ennemis de la Révolution est active. A l'intérieur, la proximité de Lyon a provoqué une contagion fédéraliste qui a été assez facilement combattue grâce à l'action des envoyés de la Convention et à celle des sociétés populaires. Contre les ennemis de l'extérieur, la ci-devant Bourgogne a apporté également à la nation une aide efficace, par l'engagement de nombreux volontaires, puis par les réquisitions, malgré, ici ou là, des mouvements hostiles. Plusieurs Côte-d'Oriens demeurent célèbres pour leur participation aux succès de la République : Guyton de Morveau, Prieur de la Côte-d'Or, Lazare Carnot, « l'organisateur de la victoire »... Il faut souligner aussi l'effort industriel de guerre des fonderies et des établissements métallurgiques.

La grande gagnante

Est-ce à dire que l'économie bourguignonne a été profondément transformée ? L'exemple même de la propriété et de l'exploitation sidérurgiques permet d'en douter. Si les hauts fourneaux du Châtillonais ont changé de mains, ce sont des bourgeois locaux qui s'en sont rendus maîtres ; des familles qui avaient servi l'exploitation seigneuriale, qui s'étaient enrichies grâce à elle et qui, une fois à la tête d'établissements acquis aisément en spéculant à la baisse des assignats, ont continué une gestion routinière et timorée. Quant au Creusot, frappé par la crise de 1787, seule la réquisition à des fins militaires en mars 1794 a sauvé la fonderie de la ruine, mais à partir de la fin de la réquisition, sous le Directoire, l'établissement subit un déclin profond jusqu'au milieu du XIXe siècle, faute de capitaux privés et d'un encadrement technique compétent.

L'économie agraire n'a pas connu, elle non plus, de bouleversement. Les travailleurs de la terre, libérés des lourdes entraves de la féodalité, n'ont guère bénéficié des transferts immobiliers à la suite de la vente des biens nationaux. Dans le district de Dijon, par exemple, jusqu'en 1793, non seulement les grands domaines n'ont pas été morcelés, mais ils ont pu être regroupés entre les mains d'un petit nombre d'acquéreurs. Les lois de 1793 et de l'an II ordonnant le démembrement sont intervenues trop tard ; elles ont été peu efficaces. La constatation est identique dans le district de Mâcon, et ailleurs. La grande bénéficiaire de l'opération est la bourgeoisie, urbaine et rurale. Les inégalités s'accroissent à la campagne, et les conflits restent latents. En définitive, la Révolution en Bourgogne fut bien une « révolution bourgeoise à soutien populaire » (Albert Soboul).

Jean Bart

• La Franche-Comté

Récemment conquise par la France, la Franche-Comté révolutionnaire résiste à l'œuvre des centralisateurs jabobins désireux de placer les départements sur un pied d'égalité et d'en finir avec les particularismes provinciaux. Dès la période pré-révolutionnaire, l'ancienne Comté se distingue par un rythme propre.

La dernière révolte parlementaire

Frondeur et intransigeant, le parlement de Besançon tente une dernière fois de faire basculer le rapport de forces en sa faveur. Déjà l'édit d'août 1779 relatif à la suppression de la mainmorte sur le domaine royal n'est enregistré que grâce à l'intervention armée du maréchal de Vaux, gouverneur de la province, les 8 et 9 mai 1788. Dix années de résistances qui aboutissent à l'exil momentané des récalcitrants. Réinstallés pour la rentrée solennelle du 2 octobre 1788, les parlementaires réclament le retour aux états de 1666, c'est-à-dire d'avant la conquête française (1678), refusant ainsi toute réforme. L'arrêt du conseil du 1er novembre 1788 fixe la date du 26 novembre pour la réunion des divers ordres, chargeant chacun d'indiquer sous quelle forme il désire la réunion des États généraux.

Malgré ce désir de compromis évident, parlement, noblesse et haut clergé s'acharnent à réclamer la réunion des états provinciaux dans leur forme ancienne avec délibération et vote par chambre. La noblesse décide même d'exiger quatre quartiers et cent ans de noblesse pour avoir le droit de participer à son assemblée. Le doublement du tiers accordé le 31 décembre 1788, Louis XVI annonce son intention de réunir les États généraux dans le cadre des bailliages : les états provinciaux deviennent sans objet. Noblesse et majorité du clergé protestent. « Protestants », ils s'opposent aux « adhérents », les neuf membres du clergé et les vingt-deux gentilshommes qui se rallient à la décision royale. Les 5 et 6 janvier, les « adhérents » déposent copie de leur résolution devant notaire tandis que le parlement rallie les « protestants » et ordonne, le 12 janvier, la suppression de l'acte des « adhérents ». Véritable coup de force cassé par le conseil d'État le 21 janvier. Au total, les « adhérents » reçoivent l'approbation royale, sont renforcés par les anoblis exclus de la chambre de la noblesse et le bas clergé mécontent de sa faible représentation à l'assemblée du premier ordre ; ils sont acclamés par le tiers état. Par-delà la division en ordres, le parti patriote se constitue de fait contre la noblesse « protestante » et le parlement désormais discrédités.

Les revendications comtoises

Les cahiers de doléances de Franche-Comté ne se distinguent pas de ceux des autres provinces. Aux revendications communes s'ajoutent cependant le désir d'unification douanière de la France et la suppression des octrois intérieurs : il est vrai que la Franche-Comté, province « réputée étrangère », est isolée par une véritable muraille fiscale. Les doléances de Besançon contribuent à distinguer la capitale de la province : n'ayant pu obtenir une délégation spéciale aux États généraux, la ville réclame la conservation de ses « droits, libertés, privilèges, immunités, franchises, usances et coutumes », souhaite la prohibition de l'exportation des grains à l'étranger et le maintien de la seule « religion catholique, apostolique et romaine à l'exclusion de toute autre ». Cette dernière doléance est celle du premier ordre qui, dominé par les membres du bas clergé, inscrit le vœu de l'obligation de résidence et proclame son opposition à la mainmorte réelle et personnelle et à la pluralité des bénéfices. La noblesse « adhérente » enfin reste modérée : si elle réclame l'abolition de la mainmorte et le rachat des droits seigneuriaux les plus onéreux, elle ne désire ni la suppression du second ordre ni celle de ses prérogatives.

Les élections des délégués du tiers en vue d'assemblées générales des bailliages sont marquées par une relative unanimité pour désigner des hommes de loi : c'est la « revanche des robins sur les parlementaires » (Claude Fohlen). Les élections des représentants de la noblesse sont plus houleuses : les « protestants », s'ils participent aux assemblées de bailliage, se déjugent et, s'ils s'abstiennent, laissent la totalité des places aux « adhérents ». Exploitant leur avantage, ces derniers leur demandent une rétractation publique de leur attitude passée : reniement que refusent les « protestants » du bailliage d'Amont. Toutefois, les assemblées de Dole et Besançon élisent deux « protestants », tandis que la totalité des sièges revient aux libéraux à Lons-le-Saunier et Vesoul. La Franche-Comté légale reste confiante, même si se développe, à la faveur des intrigues « protestantes » et des menées du parlement, un fort sentiment antinobiliaire.

Pour la majorité des Comtois, la campagne électorale se déroule sur un fond de difficultés frumentaires. La Franche-Comté n'échappe pas aux aléas de l'agriculture traditionnelle. La récolte de 1788 s'annonce déficitaire et, dès l'automne, les grains sont moins nombreux sur les marchés. Un hiver particulièrement froid contribue à augmenter la tension : un gel continu affecte la province de la fin novembre au 20 janvier 1789, les moulins sont pris par les glaces et le flottage du bois de chauffage est impossible. Les prix s'envolent, passant pour les grains de 4 livres à plus de 6 livres la mesure entre décembre et mars 1789.

Un climat insurrectionnel

Disette, difficultés économiques et sentiment antinobiliaire coïncident alors dans les villes. A Besançon par exemple, les 30 et 31 mars sont journées d'émeutes : parce qu'une boulangère achète tout le chargement d'une voiture de blé à plus de 7 livres la mesure, les Bisontins présents renversent le chariot et crient contre les accapareurs. En différents quartiers, la foule des indigents se rassemble, marche sur les boulangeries et les hôtels particuliers des parlementaires : saccages, pillages et voies de fait qui ne prennent fin que par l'intervention de la cavalerie et la décision du marquis de Longeron de taxer le blé à 3 livres 50 sols la mesure. La réaction du parlement est cependant brutale : le 1er avril, 60 émeutiers sont arrêtés et emprisonnés sans jugement. Loin d'être unique en Franche-Comté, l'émeute des blés de Besançon a pris un aspect antiparlementaire.

Elle est relayée par les jacqueries. Du fait de l'absence des « protestants » qui avaient refusé de se rétracter, les élections des députés de la noblesse du bailliage d'Amont sont invalidées par le roi. A nouveau réunie le 27 avril, l'assemblée est l'occasion de heurts entre « protestants » et paysans venus en masse à Vesoul surveiller la réunion. Il est vrai que, dès le 23 avril, de véritables jacqueries éclatent contre les seigneurs qui prétendent faire saisir meubles et récoltes des paysans en paiement d'amendes prononcées par le parlement. Sur le pied de guerre et organisées, les campagnes du bailliage d'Amont convergent sur Vesoul, et les « protestants » réunis ne doivent leur salut qu'à la protection de la cavalerie qui couvre leur fuite : apeurés, ils ne rentrent pas chez eux et les paysans enlèvent le banc seigneurial de leur église. Les émeutes des villes comme le climat de jacquerie des campagnes répondent à l'intransigeance du parlement et de la noblesse « protestante ».

Le début de l'été voit se multiplier les menées paysannes contre les châteaux : les seigneurs et leur famille sont menacés, les chartiers brûlés, et les refus de paiement des droits seigneuriaux se multiplient. L'annonce de la prise de la Bastille est l'occasion de réjouissances et de rassemblements, comme à Besançon, où près de 2 000 personnes obtiennent la libération des emprisonnés du 1er avril, tandis que les parlementaires les plus compromis choisissent l'exil en Suisse.

Un incident fortuit déclenche en Franche-Comté l'un des six courants de Grande Peur de l'été 1789. Propriété du conseiller en parlement de Mesmay, le château de Quincey devient le symbole du complot aristocratique : l'explosion accidentelle d'un baril de poudre, le 19 juillet, qui fait plusieurs morts est le signal de nouvelles violences contre les châteaux. Les campagnes du bailliage d'Amont s'enflamment et la Grande Peur gagne le bailliage d'Aval. Partout le tocsin sonne à la moindre alerte et inquiète des régions entières. A la crainte des brigands et des vagabonds, coupeurs de blés verts, s'ajoute la peur du complot nobiliaire. La Grande Peur en Franche-Comté est marquée avant tout par ses caractères antiféodaux et antinobiliaires.

L'annonce de l'abolition du régime seigneurial apaise les tensions. Mais les décisions de la nuit du 4 Août ne sont publiées que le 20 novembre au parlement de Besançon, soit quelques jours après l'échéance des paiements des droits seigneuriaux fixée ordinairement à la Saint-Martin. Les paysans, qui avaient cru à l'abolition immédiate et complète de tous les droits, refusent le paiement et se soulèvent à nouveau pour une deuxième peur à

BIBLIOGRAPHIE

BRELOT C.-I., *Besançon révolutionnaire,* Les Belles Lettres, Paris, 1966.

BRELOT C.-I. et MAYAUD J.-L., *La Révolution en Franche-Comté,* collection « Histoire provinciale de la Révolution française », Privat, Toulouse, à paraître en 1988.

GIRARDOT J., *Le Département de la Haute-Saône pendant la Révolution,* Société d'agriculture, lettres, sciences et arts de la Haute-Saône, Vesoul, 1972.

MAYAUD J.-L., *La Franche-Comté au XIXᵉ siècle : 1789-1870,* Mars et Mercure, Colmar, 1979.

la fin de l'année 1789. Les agitations se prolongent pendant de longs mois.

Les échecs des nouvelles administrations

L'administration centralisée de l'Ancien Régime s'écroulait. L'intendant avait fui, le parlement était démantelé par l'émigration de ses membres. La vacance du pouvoir régional se doublait d'une crise d'autorité dans les villes : les magistrats étaient dépassés par les difficultés d'approvisionnement du printemps, les désordres provoqués par la peur de l'été et la naissance d'un pouvoir parallèle. Très vite les conflits se multiplient et aboutissent à des révolutions municipales. Les nouveaux pouvoirs permettent l'arrivée d'une nouvelle élite dont les membres, élus aux municipalités, aux directoires et aux conseils généraux des départements et des districts ou encore à l'Assemblée, proviennent pour la plupart du monde des hommes de loi et plus spécialement de celui des avocats au parlement.

Souvent contestées par les clubs et leurs journaux florissants, les nouvelles administrations se heurtent aux difficultés économiques. Les effets des médiocres moissons de 1789 se font sentir à la soudure du printemps 1790. Les prix flambent et les citoyens inquiets attribuent la hausse à l'exportation des grains : nombreux sont dès lors les convois arrêtés, pillés ou vendus par force à bas prix. Mais chaque incident révèle une crise de confiance dans les autorités, divisées, accusées de ne s'opposer ni à l'exportation ni à l'accaparement des grains et d'affamer les citoyens. De surcroît, le manque de confiance dans les assignats et leur dépréciation contribuent à l'inflation et, à partir de 1793, les réquisitions militaires accentuent les difficultés de ravitaillement. Les nouvelles administrations sont incapables de faire face, d'autant plus qu'elles sont débordées par l'agitation provoquée par les luttes religieuses.

La constitution civile du clergé divise profondément et durablement le clergé comtois. Contradictoires sont les chiffres proposés pour juger du poids respectif des prêtres réfractaires et jureurs..., mais une géographie s'esquisse qui distingue les plateaux du Doubs fortement insermentés. L'organisation d'une Église constitutionnelle dans la province est difficile. L'archevêque de Besançon, réfugié à Pontarlier avant de mourir en Suisse en mars 1792, affirme qu'il reste archevêque alors que les nouveaux évêques installés dans les trois capitales départementales parviennent difficilement à pourvoir au remplacement des prêtres réfractaires et à organiser le recrutement dans les séminaires. Leur tâche est d'autant plus difficile qu'à la mort de Mgr de Durfort, l'évêque de Lausanne assure l'administration de l'archevêché de Besançon tandis qu'un vicaire général crée dans le canton de Neuchâtel une « Société des prêtres émigrés » pour accueillir les prêtres comtois. La proximité de la frontière suisse permet à l'Église réfractaire de se reconstituer et de poursuivre, grâce à des allées et venues clandestines, l'action pastorale dans les paroisses. Désormais l'histoire religieuse de la province se perd dans les multiples épisodes des cultes clandestins, de la chasse aux prêtres réfractaires et de la guerre d'escarmouches que se livrent les deux Églises.

Tentations fédéralistes

Multiplicité des composantes, tel est le trait majeur du fédéralisme comtois. Composante girondine dans les trois départements, parmi lesquels le Jura se distingue très tôt en organisant dès le 29 mars 1793, deux mois avant le coup d'État de la Montagne, la levée de 12 000 à 15 000 volontaires pour soutenir la Convention. Composante insurrectionnelle urbaine, exclusivement à Lons-le-Saunier, elle est plus hétéroclite et rassemble des éléments actifs du directoire, des modérantistes, des feuillants et des éléments plus troubles. Il n'y a pas réellement d'insurrection armée mais, bien plus, des coups de main : à la fin juin cependant, les fédéralistes sont maîtres du Jura à l'exception de la ville de Dole. Composante insurrectionnelle rurale enfin, localisée sur les plateaux du Doubs : la « Petite Vendée » de la fin de l'été 1793 apparaît comme un mouvement paysan, autonome et catholique. Les attaques de dépôts d'armes et les tentatives de regroupement échouent devant la garde nationale le 6 septembre à Bonnétage, lorsque la fusillade laisse vingt morts parmi les insurgés, dont une grande part se réfugie en Suisse. Au total, les insurrections fédéralistes comtoises ont échoué. Lons-le-Saunier, réduite par deux commissaires à la tête de forces armées, est investie, déclarée en état de rébellion et accablée de réquisitions, tandis que deux cents personnes sont incarcérées. Dans le haut Doubs, la répression est plus sévère encore : 494 arrestations, 20 déportations, 46 incarcérations et 43 exécutions par la guillotine à Maîche.

Menée depuis Paris, Besançon et Dole, la réaction montagnarde réduit à néant les initiatives fédéralistes. Les sans-culottes comtois, désireux d'une revanche, justifient alors la Terreur par l'hydre du fédéralisme érigée en mythe. Les représentants en mission peuvent s'appuyer sur un réseau serré de comités révolutionnaires. Cette centralisation qui redonne vie au cadre régional n'est d'ailleurs pas le monopole des montagnards. Elle se prolonge avec la même énergie pendant la réaction qui suit la chute de Robespierre. Pendant quelques mois encore, la Franche-Comté est le théâtre de règlements de comptes, d'épurations et de vengeances qu'illustre l'attitude des « muscadins » qui, en avril-juin 1795, massacrent des convois de prisonniers montagnards transférés à Lons-le-Saunier. Il reste que le Directoire est l'occasion pour les Comtois de l'apprentissage de la vie politique légale. Dorénavant, les consultations électorales presque annuelles scandent la vie politique dont elles deviennent les temps forts.

Jean-Luc Mayaud

• L'Alsace

« Aucune province du royaume n'a dû désirer plus vivement l'établissement des assemblées provinciales que l'Alsace. Réputée province étrangère et ménagée dans les premiers temps où elle a passé sous la souveraineté du roi [...], elle a cessé de l'être depuis longtemps et s'est trouvée soumise à tous les inconvénients de l'autorité arbitraire [...]. Gouvernée par un intendant qui réunissait tous les genres de pouvoirs, excepté le militaire, elle a été constamment victime de tous les intérêts particuliers. D'un côté le secrétaire d'État de la Guerre faisait tomber sur elle une grande partie des dépenses extraordinaires de son département ; de l'autre, l'évêque de Strasbourg et les princes étrangers, qui réunissaient à eux seuls plus d'un sixième du revenu de l'Alsace, échappaient aux charges publiques et les faisaient supporter aux autres citoyens. »

Une extrême fermentation

Cet extrait d'un mémoire publié en 1788 par la commission intermédiaire du district de Colmar rappelle que la convocation de l'assemblée provinciale, l'année précédente, était perçue comme une impérieuse nécessité en Alsace, où l'idée de la suprématie de l'intérêt public avait fait son chemin au cours des décennies précédentes. En l'espace d'un siècle à un siècle et demi, selon les phases successives de la réunion au royaume, le Conseil souverain – haute cour de justice et parlement de la province – ainsi que l'intendant d'Alsace avaient donné à cet enchevêtrement complexe de seigneuries et de villes autonomes un cadre institutionnel commun, à la mesure de la vitalité démographique et économique d'une région cependant bridée par les structures de l'Ancien Régime.

Or les clivages qui s'étaient développés dans maints domaines de la vie sociale avaient atteint leur point critique. Dans cette province frontière, située au carrefour des circuits commerciaux européens comme des courants d'idées, où la population estimée à 340 000 habitants au début des années 1730 allait compter 703 612 personnes au recensement de 1790, les prétentions anachroniques de nombreux seigneurs fonciers et les pratiques oligarchiques des conseils urbains se heurtaient à l'efficacité d'un personnel administratif et judiciaire renouvelé en profondeur, rompu à la défense des intérêts des couches agissantes et productives.

Le gonflement d'une population plus jeune, plus mobile, souvent frustrée des moyens d'existence traditionnels, fournissant les effectifs de la sidérurgie renaissante et surtout de la nouvelle industrie textile, s'opposait à la sclérose des structures agraires et socioprofessionnelles. Quant à la mosaïque politique féodale de l'Alsace, avec sa pléthore de particularismes désuets, quel handicap pour les milieux d'affaires – en particulier la bourgeoisie protestante de Strasbourg et de Colmar – dont le dynamisme et le rayonnement étaient à l'échelle du continent !

Enfin, la « fermentation » des élites, attentives aux événements parisiens, trouvait dans les couches populaires un écho brusquement amplifié par la crise de subsistances et les effets désastreux du rigoureux hiver 1788-1789. Commença alors la naissance, certes difficile, de cette Alsace nouvelle, en grande partie déjà formée sous le carcan de l'ancienne province.

Naissance d'une Alsace nouvelle

Le découpage de l'Alsace en six districts, dotés chacun d'une assemblée composée de représentants des trois ordres, préluda à l'intense activité électorale dont l'objet était la mise en place des municipalités. Dans les petites villes constellant la région, les scrutins désignèrent généralement des adversaires déclarés des pouvoirs traditionnels, dont les prérogatives furent confisquées les unes après les autres. Ainsi les nouveaux élus s'employaient sans tarder à mener leurs actions dans l'esprit des cahiers de doléances, généralement modérés, mais marqués du sceau de l'opposition au régime seigneurial et de la nécessité de rendre plus équitable la répartition des impositions. Cette révolution municipale s'accompagna çà et là d'émeutes, de règlements de comptes entre clans rivaux.

A Strasbourg, les troubles s'enflèrent après que la nouvelle de la prise de la Bastille se fut répandue, et le pillage de l'hôtel de ville (21 juillet 1789), sous les yeux de la troupe immobile, frappa particulièrement les esprits. Le sud-ouest de la province fut secoué par l'équipée des paysans de la vallée de Saint-Amarin (26-29 juillet), à laquelle se joignirent des ouvriers du textile ; au nombre de 4 à 8 000 hommes, les insurgés s'en prirent essentiellement, de Thann à Guebwiller, aux agents forestiers et immeubles seigneuriaux. Plus fruste fut en revanche la « jacquerie » qui parcourut le Sundgau entre Mulhouse et Bâle, où des bandes de pillards s'attaquèrent aux caves des châteaux et aux biens des Juifs. A la fin de l'été, la tâche prioritaire des autorités était le maintien de l'ordre.

Mises en chantier à partir de la fin de 1789, les réformes administratives de la Constituante consacrèrent d'abord la division de l'Alsace en deux départements, le Bas-Rhin et le Haut-Rhin, calqués approximativement sur les anciens landgraviats et agrandis de quelques territoires distraits de la Lorraine et du Palatinat. Strasbourg et Colmar devinrent des chefs-lieux, et les sièges des nouveaux tribunaux remplaçant le Conseil souverain. Le recul des limites douanières aux frontières politiques, décidé par la loi du 12 mai 1790, bouleversa profondément la vie économique de l'Alsace en perturbant les marchés agricoles, désorganisant les circuits commerciaux, accentuant la première crise grave de la jeune industrie textile de Haute-Alsace ; le cours forcé des assignats ne fit que noircir encore ce tableau.

La question religieuse

Le débat politico-juridique sur l'indemnisation des princes possessionnés étrangers, ou des mesures comme la suppression des corporations ne suscitèrent guère de remous en comparaison de la saisie des biens de l'Église, du vote de la Constitution civile du clergé (avec la création de deux diocèses départementaux) et de la fermeture des couvents. Avec les missives du cardinal de Rohan, les diatribes de nombreux curés de campagne, les mouvements d'hostilité populaire contre les prêtres jureurs, la question religieuse allait compromettre l'adhésion à la Révolution de très nombreux catholiques alsaciens. En revanche, beaucoup de protestants, dont l'émancipation était parachevée et la liberté du culte confirmée, comptaient parmi les défenseurs des idées nouvelles. Les plus actifs d'entre eux étaient les représentants de la bourgeoisie d'affaires, naguère solidement représentée au sein des sociétés littéraires et des loges maçonniques, désormais présente dans les nouveaux organes politiques ainsi que les nombreux clubs jacobins. Élu maire de Strasbourg en février 1790, le banquier luthérien Philippe-Frédéric de Dietrich, grand capitaine d'industrie, fut la figure dominante de ce milieu avant d'être destitué, condamné et finalement exécuté en décembre 1793.

Une pépinière de généraux

Entre-temps, la situation générale s'était sensiblement dégradée. La déclaration de guerre (20 avril 1792) mobilisa les gardes nationales urbaines et déclencha la levée des bataillons de volontaires. Les réquisitions, qu'elles se heurtassent aux mauvaises volontés ou à un réel dénuement, furent souvent sources de suspicions, parfois tournèrent au drame. De la terreur politique, le peuple retint les redoutables tournées de l'accusateur public Euloge Schneider, tandis que les représentants en mission épuraient les directoires des districts et les sociétés jacobines.

Dans le domaine religieux, la lutte contre le christianisme passa par la poursuite des réfractaires et l'instauration du culte de la Raison. L'armée du Rhin — dont le chant de guerre, la future *Marseillaise,* était né en avril 1792 chez le maire de Die-

BIBLIOGRAPHIE

MARX R., *Recherches sur la vie politique de l'Alsace prérévolutionnaire et révolutionnaire*, Istra, Strasbourg, 1966.

OBERLÉ R., « L'explosion révolutionnaire et ses conséquences (1789-1798) », dans *Histoire de Strasbourg des origines à nos jours*, t. III, Éd. des « Dernières nouvelles de Strasbourg », Strasbourg, 1981.

SCHMITT J.-M., *Aux origines de la révolution industrielle en Alsace*, Istra, Strasbourg, 1980.

trich – fut confrontée en octobre 1793 à l'invasion du nord de l'Alsace par l'armée autrichienne... grossie d'officiers alsaciens émigrés et parfois accueillie en libératrice. Aussi son retrait, lors de la riposte victorieuse de décembre, s'accompagna-t-il de la « grande fuite » de milliers de personnes compromises ou apeurées.

Les guerres de la Révolution, en attendant celles de l'Empire, firent de l'Alsace une pépinière de généraux (François Kellermann, Jean-Baptiste Kléber, Mengaud, Schérer, etc.), tandis que la menace s'éloignait de la région après les traités de 1795.

La réaction thermidorienne vit l'amorce du retour des émigrés et de la renaissance religieuse. Avec le Directoire, un député alsacien entrait au gouvernement (octobre 1795) : ancien président de la Convention et désormais investi du portefeuille des Affaires étrangères, l'avocat colmarien Jean-François Reubell devait s'opposer fermement à la politique italienne du général Bonaparte – cependant que disparaissait en Alsace la dernière enclave étrangère avec la Réunion de Mulhouse (1798). Le renouveau de la vie intellectuelle s'étendit à partir de celui de l'enseignement (création des écoles centrales du Bas et du Haut-Rhin) ainsi que de l'émulation scientifique. D'une manière générale, cette période vit aussi progresser la langue française en Alsace.

En revanche, les premiers frémissements du renouveau économique ne peuvent être portés au crédit du Directoire. L'industrie était au plus bas et la crise financière demeurait profonde. Si les transferts de propriétés intervenus à la faveur de la vente des biens nationaux et du partage des communaux avaient permis un accroissement global de la production agricole, ce secteur restait encore très archaïque. En fin de compte, cependant, l'Alsace sortit de la période révolutionnaire avec une armature institutionnelle efficace, elle avait gagné son intégrité territoriale et parachevé son intégration à la France.

Jean-Marie Schmitt

• La Lorraine

Cinquante et un petits bailliages se partageaient, en 1789, le territoire de la Lorraine, du Barrois et des Trois-Évêchés, alors dépourvu d'unité administrative et douanière. Le nombre de députés aux États généraux fut abaissé de 204 à 56 dans les bailliages de Nancy, Mirecourt, Sarreguemines, Metz, Toul, Verdun et Sedan. Le clergé élut treize curés de campagne (notamment celui d'Emberménil : Henri Grégoire) et un seul des cinq évêques lorrains (celui de Nancy : La Fare). Le chevalier de Boufflers et le comte de Ludre, deux libéraux, figuraient parmi les quatorze députés de la noblesse. Vingt-sept hommes de loi et un médecin représentaient le tiers état.

Troubles civils et militaires

En juillet et août 1789, la crise des subsistances et l'impatience des paysans provoquèrent des troubles graves. Des émeutes frumentaires éclatèrent à Metz, Thionville, Mirecourt, Revigny, Verdun, etc. A Bar-le-Duc, le 27 juillet, la foule massacra le marchand de grains Pellicier. La peur des brigands agita en particulier Varennes et Hayange. Des séditions populaires contre les châteaux et les droits seigneuriaux eurent lieu aux environs de Sarreguemines, à Saint-Maurice, à Plombières, ainsi qu'au Val-d'Ajol. D'autres mouvements prirent pour cibles des abbayes (Flabécourt, Morizecourt, Haute-Seille), le chapitre noble de Remiremont et les employés des fermes dans la région de Thionville. La publication des décrets des 5-11 août, la formation de comités permanents ou patriotiques dans les villes et la création de gardes nationales contribuèrent au rétablissement d'un calme relatif.

La fixation des limites des quatre nouveaux départements (Moselle, Meuse, Meurthe et Vosges), qui comprenaient encore quelques enclaves étrangères, comme la principauté de Salm, intégrée au département des Vosges en 1793, souleva peu de contestations. Mais Nancy et Lunéville, Bar et Saint-Mihiel, Épinal et Mirecourt se disputèrent âprement l'honneur d'accueillir l'administration départementale. Varennes et Clermont rivalisèrent pour devenir chef-lieu de district. Hommes de loi, anciens officiers des bailliages, des chapitres ou des Eaux et Forêts, nobles libéraux et prêtres patriotes fournirent la majorité du nouveau personnel administratif, caractérisé par sa modération, son désir de concilier l'ordre et le changement, son attachement à la propriété, à la religion et à la monarchie constitutionnelle. Les fêtes de la Fédération célébrées à Épinal (7 mars 1790), Nancy (18-19 avril), Metz (4 mai) et Bar-le-Duc (24 mai) manifestèrent l'adhésion des Lorrains à la Révolution et à l'unité de la nation française.

De juin à août 1790, la misère, l'hostilité au rachat des droits seigneuriaux, le refus d'acquitter encore dîme ou impôts, la crainte d'une invasion autrichienne, l'agitation dans plusieurs régiments, privés de solde et mécontents de leurs chefs, engendrèrent des troubles civils et militaires. La peur des brigands mit en émoi Dompaire et Mirecourt (Vosges), Varennes, Revigny, Ligny et Bar (Meuse). Des paysans saccagèrent le château d'Aboncourt. La faim provoqua des émeutes à Bar (9 juillet) et à Metz (4 août).

A Nancy, des militaires de Mestre de Camp-Cavalerie, d'Infanterie du roi et de Lullin-Châteauvieux, entrés en conflit avec le commandement et liés à des gardes nationaux, se rebellèrent le 25 août contre Malseigne, l'envoyé de La Fayette. Le 31, le marquis de Bouillé amena les troupes de la garnison de Metz, renforcées par des compagnies mosellanes et meurthoises de la garde nationale. La lutte s'engagea à la porte Stainville, malgré le jeune lieutenant Désilles, qui fut mortellement blessé en tentant de s'interposer entre les deux camps. Les combats firent plus de 300 victimes. Vingt-deux mutins furent pendus, un, roué vif et quarante et un, condamnés aux galères. Bouillé ordonna la dissolution de la garde nationale et de la société populaire de Nancy, qui se reconstituèrent cependant bientôt dans un esprit résolument patriote.

Au début de 1791, le serment constitutionnel exigé des fonctionnaires ecclésiastiques divisa l'opinion. Les cinq évêques titulaires refusèrent de le prêter, ainsi que 63 % des curés et 81 % des vicaires de Moselle, 54 % des curés et 71 % des vicaires de la Meurthe, 32 % des curés et 38 % des vicaires des Vosges, 20 % des curés et 13 % des curés de la Meuse. Le clergé constitutionnel fut placé à partir de mars-avril 1791 sous l'autorité des évêques Maudru (Vosges), Lalande (Meur-

BIBLIOGRAPHIE

CLEMENDOT P., *Le Département de la Meurthe à l'époque du Directoire,* Fetzer, Raon-l'Étape, 1966.

LESOURD J.A., *La Lorraine dans l'unité française, 1789-1871,* Mars et Mercure, Wettolsheim, 1976.

TROUX A., *La Vie politique dans le département de la Meurthe d'août 1792 à octobre 1795,* G. Thomas, Nancy, 1936.

the), Francin (Moselle) et Aubry (Meuse) ; il se heurta – surtout dans les paroisses montagnardes ou germanophones – à l'hostilité d'une partie des fidèles, qui s'efforcèrent de conserver, souvent avec la complicité active des élus municipaux, leurs anciens prêtres devenus réfractaires et réduits à la clandestinité.

La fuite du roi et son arrestation à Varennes, connues dès le 23 juin 1791, inquiétèrent nombre de bourgeois et de paysans, acquéreurs de biens nationaux et partisans du nouveau régime. En réponse à la double menace de l'invasion et de la contre-révolution, la Lorraine leva dix-huit bataillons de volontaires au lieu des quinze demandés.

Après la déclaration de guerre (20 avril 1792), la montée des périls excita les passions. A Metz, le 14 mai, la population massacra l'abbé royaliste Ficquelmont. Des incidents se produisirent dans les districts de Blâmont, Vézelise, Boulay et Morhange. Alarmées par ces troubles, la plupart des administrations lorraines condamnèrent la journée parisienne du 20 juin et protestèrent (timidement), contre celle du 10 août.

Des dragées pour le roi de Prusse

L'invasion imposa des choix décisifs. La majorité des Lorrains opta pour la défense de la patrie et de la Révolution. Thionville résista victorieusement aux Autrichiens, qui prirent Sierck le 11 août, Longwy le 23 et Stenay le 31. Après le suicide du commandant de la place, Beaurepaire (ou après son assassinat par des notables favorables à la capitulation), les Prussiens entrèrent à Verdun le 2 septembre. Trente dames de la « bonne société » verdunoise allèrent solennellement offrir des dragées au roi de Prusse. A Saint-Mihiel, nobles et bourgeois royalistes firent fête à un détachement prussien venu arrêter Sauce, l'un des responsables de l'arrestation de Louis XVI à Varennes. Sauce resta introuvable. Sa femme, en voulant fuir, tomba dans un puits et se tua.

Après Valmy, des centaines de Lorrains, compromis avec l'occupant, suivirent les armées ennemies en retraite et émigrèrent. Ils évitèrent ainsi de subir la colère des paysans, exaspérés par les exactions des troupes étrangères et par les exigences réactionnaires des nobles et des prêtres temporairement rentrés en France avec elles.

Un comportement modéré

A la Convention, dix-neuf des trente-deux députés de la Lorraine siégèrent dans la Plaine ou le Marais. Comme eux, les autorités locales adoptèrent un comportement modéré, malgré les pressions exercées par quelques rares émules de Marat ou d'Hébert. L'action révolutionnaire se durcit néanmoins sous l'impulsion majeure des représentants en mission Faure et François Mallarmé. En l'an II, les tribunaux criminels envoyèrent 128 personnes à la guillotine. A Paris, 150 Lorrains furent également condamnés à mort. Plusieurs centaines de prêtres furent incarcérés, contraints d'abdiquer ou déportés sur les pontons de Rochefort. Cloches, objets et ornements du culte, habits sacerdotaux furent saisis. A Toul, sur un ordre de la municipalité du 26 janvier 1794, on démolit 130 statues de la cathédrale. Plusieurs communes changèrent de nom : Saint-Dié devint Ormont ; Remiremont, Libremont ; Neufchâteau, Mouzon-Meuse ; Bar-le-Duc, Bar-sur-Ornain ; Saint-Mihiel, Roches-sur-Meuses, etc. Cependant, la masse de la population resta attachée au catholicisme et bouda les cultes révolutionnaires.

Elle supporta tant bien que mal crises de subsistances, réquisitions civiles ou militaires et levées d'hommes. Du 1er au 3 septembre 1793, des milliers de ruraux en révolte envahirent Saint-Dié, pillèrent des maisons et assassinèrent l'ex-seigneur de Spitzemberg, puis un ancien huissier nommé Ribeaucourt. En octobre, seize patriotes de Saulxures (Voges) s'attelèrent à deux voitures de fourrages militaires et les traînèrent jusqu'à Colmar.

Avides d'ordre et de paix, les Lorrains acceptèrent sans grande difficulté le régime directorial, l'invalidation des députés de la Moselle et la destitution de l'administration de la Meurthe en fructidor an V, le coup d'État du 18 Brumaire enfin. Ils s'acquittèrent au mieux, surtout dans les Vosges, de leurs obligations fiscales et militaires. Leurs principaux sujets de préoccupation furent la crise des subsistances jusqu'en 1796, la recrudescence des persécutions religieuses en 1797 et l'apparition terrifiante de bandes de loups et de brigands de 1796 à 1799.

William Serman

• La Champagne : Varennes et Valmy

Dans cette province, où 70 % des hommes savent lire, qui est la première en France pour la métallurgie, tandis que Reims est en tête des villes textiles, les académies (Châlons, Troyes) et loges ont donné à la bourgeoisie l'envie de participer à la vie politique. Les pauvres, eux, victimes d'une agriculture aux faibles rendements, ne sont même pas assurés de leur subsistance.

Les réformateurs au pouvoir

L'assemblée de 1787 avait établi une « commission intermédiaire », inspirée par Edmond Dubois de Crancé, avec laquelle l'intendant d'Orfeuil avait partagé ses pouvoirs. Des bureaux d'élection avaient dès 1788 évincé les subdélégués, et les paroisses avaient élu des municipalités qui rédigèrent les cahiers de doléances.

Mais la rigueur de l'hiver de 1788-1789 engendra au printemps, dans les villes, des troubles frumentaires, souvent utilisés par des ambitieux (Hédoin de Pons-Ludon à Reims, Truelle de Chambouzon à Troyes). La prolongation de la disette provoqua à Troyes l'assassinat du maire Claude Huez. Et la Grande Peur se propagea de Romilly jusqu'à Boult-sur-Suippe. Les élections avaient donné dans tous les ordres la majorité aux réformateurs et les conseils de ville s'étaient ouverts aux forces nouvelles. En février 1790 quatre départements étaient constitués. Reims, ville sainte de la monarchie, coupée de son arrière-pays (les Ardennes), n'était plus qu'un chef-lieu de district. Huot de Goncourt avait amené Bourmont en Haute-Marne et Beugnot était passé dans l'Aube avec Bar-sur-Aube pour y faire carrière. L'intendant avait fait élire procureur général-syndic de la Marne son cousin et collaborateur Roze.

Les désaccords éclatent vraiment

avec l'imposition de la Constitution civile du clergé ; 60 à 75 % des prêtres, selon les anciens diocèses, ont prêté le serment. Les réfractaires sont nombreux autour de Langres. Parmi les nouveaux évêques départementaux, à peine remarque-t-on le métropolitain de Reims, Diot, pour qui les jacobins ont fait campagne. Car des Amis de la Constitution sont apparus dans les villes. A Reims, c'est un ancien moine picard, devenu journaliste révolutionnaire à Liège, Beaucourt, qui contrôle le mouvement...

Varennes

Le 20 juin 1791, Louis XVI, fuyant Paris, a traversé la Champagne ; il ne se cachait plus guère dès avant Châlons qu'il savait royaliste. Il ignorait que l'Argonne rejetait l'Ancien Régime, la gabelle et les traites et que la crainte d'une invasion ravivait les souvenirs de 1630-1650. Les cavaliers de Bouillé sont ici en pays ennemi. A Sainte-Menehould la municipalité feuillante devait compter avec un contre-pouvoir patriote. C'est l'un de ses meneurs, J.-E. Farcy, qui a pressé le maître de poste Jean-Baptiste Drouet de courir à Varennes. Le massacre du comte de Dampierre au retour de la berline précipite le mouvement d'émigration des nobles (ainsi Chamisso de Boncourt). Bien accueilli par les autorités châlonnaises, le roi est remis sur la route de son destin par la garde nationale rémoise.

Valmy

La guerre déclarée en avril 1792 tournait rapidement mal. La Fayette, de son quartier général de Sedan, essayait en vain le 15 août d'entraîner ses soldats sur Paris et devait le 19 passer en Belgique, après avoir compromis la municipalité de Georges Desrousseaux, qui avait arrêté les commissaires de l'Assemblée législative. Dumouriez, succédant à La Fayette, essayait de tenir la ligne de l'Argonne, que les Autrichiens forçaient à la Croix-aux-Bois. Cependant, il décidait de s'accrocher à la forêt, les Prussiens ne sachant combattre qu'en terrain dégagé. Mais la vue de 1 500 hussards prussiens mettait en déroute les 10 000 hommes de Chazot à Montcheutin le 15 septembre. Ayant rameuté son armée démoralisée aux abords de Sainte-Menehould, Dumouriez comptait sur Kellermann qui arrivait de Metz. C'est celui-ci qui subit la canonnade de Valmy le 20 septembre...

Mais Brunswick campait sur le champ de bataille, tandis que Kellermann se repliait en hâte à quatre lieues au sud. Le 22, Dumouriez invitait les administrations à quitter Châlons et les paysans de la région à passer la Marne avec leurs bestiaux après avoir incendié les villages. Le conseil général de la Marne décidait de se retirer à Sézanne. Mais devant l'affolement des Châlonnais, livrés à une masse de volontaires inorganisés, le conseil se ravisait, et Brunswick, qui n'était pas Blücher, allait se retirer au début d'octobre, laissant les villages infestés par une dysenterie, qui n'explique pourtant pas tout. Le mythe de Valmy, victoire symbolique, aux origines de la République, prenait son essor. Dans la fièvre de septembre, il y eut des victimes à Reims – des prêtres –, à Châlons, à Troyes et à Sedan. La Marne envoya comme député à la Convention un ouvrier, le fileur Armonville, caution populaire dans un groupe dominé par les hommes de loi – Prieur, Thuriot ; et l'évêque de la Haute-Marne, Wandelaincourt, choisit aussi ce moyen pour échapper à un sacerdoce trop lourd.

Servir l'armée des Ardennes

La proximité de la guerre allait faire subir aux paysans un régime de réquisitions diverses pour l'armée des Ardennes, voire pour celle de Rhin et Moselle, que l'on supportera mal en l'an II, dans des départements viscéralement disposés à sauver la patrie, mais épuisés. Il avait fallu de Paris décider d'approvisionner Reims, qui devenait un brûlot. L'éviction des girondins le 2 juin 1793 indigna les conseils généraux. Celui de la Marne vota un beau texte sur la liberté de parole des députés, mais le district de Sainte-Menehould se désolidarisa et les rédacteurs de la motion du 13 juin allèrent faire à Paris une autocritique humiliante. Moyennant quoi, Beaucourt fut nommé procureur général-syndic. En fait, depuis l'hiver de 1792, la principale autorité en Champagne est celle des représentants auprès de l'armée des Ardennes ; le plus énergique est le médecin aveyronnais Bô. D'ailleurs les conseils généraux des départements avaient disparu et les procureurs généraux-syndics furent supprimés après la loi du 14 frimaire an II. Les directoires n'eurent plus qu'une besogne contentieuse. Les anciens procureurs-syndics des districts et des villes, devenus « agents nationaux », sont des « proconsuls », appuyés par des sociétés populaires – quelque 200 pour 2 180 communes champenoises – de qui dépendent plus ou moins les comités locaux. L'autorité, qu'on dit centralisée entre les mains du Comité de salut public, est en fait confiée sur place à des hommes comme Rousselin à Troyes, Bablot à Châlons, Laloy à Chaumont, Varaigne à Langres.

La plupart ont laissé un mauvais souvenir, mais ils ont surtout « terrorisé » par des démonstrations spectaculaires pour n'avoir pas à sévir. Les violences inadmissibles ne se placent guère que dans la vallée de la Meuse ardennaise avec Delécolle à Givet, Mogue et Vassant à Sedan. Dans cette dernière ville, où la municipalité de 1792 périt sur l'échafaud parisien, il y eut plus de 700 arrestations pour 6 000 habitants. Les campagnes furent plus sereines, malgré les affrontements religieux et l'irruption d'équipes de casseurs venus des villes pour dévaster les églises. Le berger Étienne Lambert, d'Etoges (Marne), remarqué par Saint-Just, reçut une mission de surveillance qu'on a sans doute exagérée.

Métallurgie et textile travaillèrent pour les armées ; la quête du salpêtre fut réussie au moins dans l'Aube ; la manufacture d'armes de Charleville et la coutellerie nogentaise fabriquant des armes blanches, menées d'ailleurs par des hommes plus rudes que les patrons de naguère, ne chômèrent pas.

Dans les églises fermées, on célébra parfois des messes blanches. La Raison eut son culte dans l'hiver 1793-1794, la « déesse » parcourant la cité à la manière des processions d'antan. Mais l'Être suprême parut renouer avec le passé, d'ailleurs à Reims l'évêque Diot était présent à la cérémonie du 20 prairial an II.

Les propriétaires victorieux

La chute de Robespierre fut accueillie avec soulagement, quelques sociétés populaires mises à part. Des représentants en mission, chargés de « déjacobiniser », Charles Delacroix dans les Ardennes, Jean-Bernard Albert dans la Marne et l'Aube, y gardèrent une popularité durable. Ils rendirent souvent hommage aux autorités qu'ils remplaçaient. Il n'y eut de procès que dans les Ardennes, où sept condamnés à mort furent exécutés. Le catholicisme romain regagna vite du terrain, quand les responsables étaient accommodants – ainsi, l'ex-vicaire général Germain Dubois-Crancé à Châlons –, mais il avait partie liée avec le royalisme. La liberté économique retrouvée rendait difficile la vie des humbles et le journaliste rémois Delloye, pourtant « réactionnaire », traite les laboureurs qui s'enrichissent de « cannibales » !

L'ancien conventionnel Thuriot, devenu accusateur public, obtenait en l'an IV à Reims la tête de deux émigrés. Dans l'Aube on se contentait de reconduire à la frontière de tels « criminels ». La théophilan-

BIBLIOGRAPHIE

BABEAU A., *Histoire de Troyes pendant la Révolution,* 2 vol., Paris, Dumoulin, 1873-1874.

BERTAUD J.-P., *Valmy, la démocratie en armes,* PUF, Paris, 1970.

CRUBELLIER M. (sous la direction de), *Histoire de la Champagne,* Privat, Toulouse, 1975.

DESPORTES P. (sous la direction de), *Histoire de Reims,* Privat, Toulouse, 1983.

LAURENT G., *Reims et la région rémoise à la veille de la Révolution,* Matot-Braine, Reims, 1930.

thropie amusait à Châlons ou à Troyes, mais on continuait à démolir les églises inutiles. Celles de Troyes faillirent disparaître.

Les élections de l'an V tournèrent comme prévu, mais Fructidor sauva la République ! Des prêtres allèrent mourir à la Guyane, pourchassés par Jeannet, cousin de Danton, comme lui de Bar-sur-Aube. Dans la Marne, la révocation de François Debranges, qui à travers la Révolution avait été comme le symbole de la continuité, perdit dans l'opinion le système directorial. Les révocations successives bousculaient l'administration départementale et les candidats valables finissaient par manquer. On en oubliait que les écoles centrales fonctionnaient (200 élèves à Troyes, 125 à Châlons où l'on venait de loin préparer « Polytechnique ») et que François de Neufchâteau avait relancé l'économie : Reims a des fabriques textiles « intégrées » et les bonnetiers troyens sortent de l'anonymat.

En dix ans une nouvelle société s'est consolidée : la vieille noblesse — qui n'a guère émigré — s'est fondue dans la classe des propriétaires devant qui s'ouvre un XIXe siècle prospère.

Georges Clause

• L'Ile-de-France

Entre la banlieue parisienne et les provinces périphériques du Bassin parisien (Champagne, Picardie, Normandie...), l'Ile-de-France forme un ensemble « assez » homogène de plaines et plateaux de grande culture, soudé par la nature et l'histoire — l'attraction de Paris. La Révolution entraîne des mutations profondes pour des « pays » en proie à une grave crise sociale à la fin de l'Ancien Régime.

Les « pays » de l'Ile-de-France

L'Ile-de-France juxtapose des « pays » différents par le relief, les terroirs, les structures foncières et l'habitat. Aux plaines et plateaux dominants avec des champs ouverts et des villages groupés s'opposent les « coteaux », les « vals », les forêts. La grande culture céréalière règne sur les terres limoneuses de Beauce, Brie, Valois, Multien, Vexin français, mais avec des nuances. Les plateaux du Nord sont exploités par de véritables entrepreneurs capitalistes, affermant des seigneuries et concentrant des terres achetées aux paysans parcellaires qui deviennent leurs salariés agricoles ; alors que les fermiers laboureurs de la plaine de Beauce, « vice-rois » dans leurs villages, spéculent dans les foires et les marchés sans faire d'innovation majeure sur leurs exploitations moyennes. Les « pays » sans limon deviennent au XVIIIe siècle des terres d'expériences agronomiques : suppression de la jachère, adoption de prairies artificielles et de la polyculture intensive dans le Hurepoix ou le Noyonnais.

Les coteaux ou « montagnes » ont depuis longtemps fixé les villages sur leurs flancs. La base des activités agraires demeure la vigne, culture sociale par excellence, qui occupe jusqu'à 60 % des actifs (à Nozay, Juvisy...). Les larges vallées à fond plat (Seine, Oise, Orge, Marne) forment des axes essentiels de circulation, malgré les problèmes de drainage et de navigation. Les forêts (Rambouillet, Dourdan, Secquigny, Fontainebleau, Sénart, Compiègne), en marge des plateaux, suscitent les convoitises du roi pour ses chasses, des seigneurs qui les accaparent, des communautés rurales qui défendent les droits d'usage et des milliers de salariés « précaires » : bûcherons, charbonniers, verriers, manouvriers... qui y survivent.

Ces « pays » obéissent à des influences administratives complexes : généralités, diocèses, bailliages, parlements avec des découpages contradictoires et une « parfaite incohérence ». Les « capitales » comme Melun, Mantes, Senlis, Étampes, Corbeil, Compiègne (moins de 15 000 habitants chacune) semblent « frappées d'anémie » par la proximité de Paris (600 000 habitants vers 1789), à l'exception de Versailles qui, avec 50 000 habitants, a quintuplé sa population en soixante ans. Elles n'en restent pas moins les centres des foires et des marchés, des relais et des points d'accueil pour la population « flottante » des environs.

Marchés nourriciers et corbillards

Car l'Ile-de-France connaît à partir de 1730 une forte poussée démographique, à partir de provinces extérieures, l'accroissement naturel restant négligeable. Alors que la généralité de Paris augmente de 30 % sa population, celle des environs de Corbeil double ! Conséquence de l'évolution sociale (paupérisation) ou de l'attraction parisienne, cette poussée accentue le déséquilibre population/ressources disponibles, déjà exacerbé par les besoins de Paris et la crise rurale.

Dans un rayon de près de 80 km, les cultivateurs travaillent pour l'agglomération parisienne. Chaque jour des milliers de sacs de blé y convergent, par les fleuves, à partir des marchés nourriciers : Étampes, Dourdan, Montlhéry, Gonesse, Pontoise, Senlis, Noyon... Le « corbillard » transporte les pains, les croissants, le vin vers Paris. Quand l'approvisionnement de la capitale devient insuffisant, l'intendant de Paris (Bertier) envoie des troupes dans les campagnes. Les marges (zones de polyculture et de forêt) connaissent alors la disette, la montée de l'indigence (17 % de la population à Corbeil, plus de 40 % à Fleury-Mérogis !), de la petite délinquance quotidienne. Des « bandes » organisées autour de Rambouillet et Dourdan sévissent pendant près de quarante ans (de « Renard » vers 1760 à la bande d'Orgères en 1797, en passant par « Fleur d'Épine » en 1783) et s'attaquent aux fermiers « accapareurs ». Dans les riches plateaux du Valois et du Multien, des coalitions d'ouvriers agricoles, les « baccanals », exigent un salaire plus élevé au moment de la moisson, face aux fermiers réticents. Des forestiers luttent pour la survie...

Les tensions sociales sont accentuées par les pressions seigneuriales. Depuis le XVIe siècle, de nombreuses propriétés nobles et bourgeoises se sont implantées dans un rayon de 50 kilomètres (aller-retour commode à cheval en une journée) autour de Paris. A côté des institutions ecclésiastiques dotées au Moyen Age (abbayes ou communautés charitables possédant 20 % des terres comme à Longpont ou Sainte-Geneviève), les nobles de race et de robe (Condé, Villeroy), les fermiers et contrôleurs généraux ont racheté les terres, conçu des châteaux et parcs sur le modèle de Versailles. La propriété paysanne ne représente que 17 % des terres en moyenne (5 % près de Versailles) contre 37 % à la noblesse et 27 % à la bourgeoisie ! Tandis que les paysans parcellaires ou sans terre se multiplient, les moyens d'existence des prolétaires ruraux et les communaux sont restreints. C'est la toile de fond des grands soulèvements de 1789, 1792 et 1795.

Les foules paysannes

Pendant six années (1789-1795) les troubles de subsistances mobilisent d'importantes « foules paysannes » en Ile-de-France, et suscitent une prise de conscience politique et sociale. 1789 est l'époque de la Grande Peur (juillet). Un an avant, un violent orage de grêle (le 13 juillet 1788) a « sinistré » toute la région, détruisant les blés comme la vigne. Les cahiers de doléances, rédigés en avril 1789, pendant la « soudure », ne reflètent pas toujours la crise et la hausse exceptionnelle du prix du pain. Les citoyens « aisés » qui ont souvent tenu la parole et la plume ont exprimé de façon très inégale les revendications du « menu peuple » sur la baisse des prix, la récupération des droits d'usage en forêt et communaux, la division des grandes fermes. Mais dès avril, 8 000 affamés troublent le marché de Montlhéry. Surexcitées par l'écho déformé de la prise de la Bastille, les foules s'abandonnent en juillet à la Grande Peur, déclenchée souvent par la présence (?) des « brigands » ou de troupes venues de Paris pour réquisitionner les denrées. De village en village les voitures sont « déchargées » de leur blé, les prix sont taxés. Le « complot de famine » joue contre les fermiers alors que les châteaux sont épargnés (dans l'ensemble !). Les « responsables » (Bertier et son beau-père Foulon) sont arrêtés, l'un à Compiègne, l'autre à Viry, avant d'être mis à mort par les émeutiers parisiens. La peur est désamorcée par l'envoi de 12 000 hommes de troupe, mais surtout par la bonne moisson de l'été 1789 et l'abolition des privilèges de la nuit du 4 août (qui déclenche une « frénésie de chasse » dans les forêts « libérées ») !

Une deuxième vague de mouvements massifs, spécifiques cette fois à l'Ile-de-France, se développe au début de 1792. Les manifestations, préparées par des « meneurs » (réunions, courriers, pressions...) rompus aux luttes sociales et collectives, mobilisent des milliers de participants (jusqu'à 25, 30 000 autour de Noyon), contre l'accaparement et la vie chère. Au son du tocsin, des villages entiers défilent vers la ville ou les bateaux de grains destinés à la capitale par les compagnies privées parisiennes. Les autorités et certains curés marchent en tête, de gré ou de force. La farine et le blé sont alors « taxés » sans pillage, les bateaux « délestés », les autorités municipales débordées et chahutées. Un marchand est tué à Montlhéry et le maire d'Étampes, Simonneau, est exécuté après avoir donné l'ordre de tirer sur les émeutiers. Il sera le premier martyr. De Noyon à Étampes, toutes les régions de grande culture connaissent cette lutte de classes entre « affameurs » et « affamés », dont la justification théorique est apportée par Dolivier, curé de Mauchamps, au nom du « droit à l'existence » et qui fournit la base du premier programme « enragé » (taxation, réquisition, réglementation).

Les troubles s'achèvent dans ces régions avec les « journées de la faim » de l'an III, liées à l'hiver, à la liberté des prix, à l'accaparement et à la chute des assignats. L'Ile-de-France connaît une surmortalité. Les prisons (Dourdan, Pontoise) sont remplies de voleurs de bois ou de pain, tandis que des bandes de pauvres et de déclassés ravagent les campagnes (« chauffeurs de l'Oise », bande d'Orgères), à partir des repaires forestiers...

Des « régions patriotes »

Sur le plan politique, l'Ile-de-France a connu une refonte administrative totale et l'apprentissage de la « démocratie ». Le découpage de 1790 a donné lieu à d'âpres débats sur le poids de Paris et celui des « capitales intermédiaires ». Après l'abandon du projet d'un département parisien qui s'étendrait de Senlis à Fontainebleau (!), la Constituante tranche en créant trois départements inégaux autour de la banlieue de la capitale : la Seine-et-Oise (9 districts centrés sur Versailles, 700 communes, 850 000 habitants), l'Oise (9 districts, 600 communes, 400 000 habitants), la Seine-et-Marne (6 districts). Ce nouvel « espace » organise une vie politique locale intense dans les 2 000 communes. Entre les citoyens « actifs » (15 à 17 % des habitants), gros fermiers, professions libérales, et les « passifs », petits artisans, vignerons, journaliers, la lutte pour le pouvoir municipal peut traduire la continuité avec le temps des syndics et des fabriques, ou la rupture par de véritables règlements de comptes liés à la conjoncture parisienne ou nationale (comme à Ris et Mennecy en Seine-et-Oise).

Dans l'ensemble, l'Ile-de-France offre un modèle de « régions patriotes », antithèse du modèle de résistance vendéen. La mobilisation civique repose sur les acquis sociaux de la Convention (lutte antiféodale et économie dirigée). Il s'y ajoute l'influence croissante de la capitale avec l'envoi de commissaires, représentants en mission plus ou moins bien accueillis par les communautés locales. Les élections et la participation à l'effort de guerre (enthousiaste jusqu'à la levée de 300 000 hommes de mars 1793 qui suscite des résistances rurales) confirment l'analyse. Dès l'automne 1793 se met en place un réseau assez dense de sociétés populaires (plus de 20 % des communes en Seine-et-Oise) favorables à la politique de salut public. Elles peuvent fonctionner en assemblées générales des citoyens. Leur densité décroît lorsqu'on s'éloigne de la capitale. Il importe de noter que la Terreur a causé peu de victimes en Seine-et-Oise et dans l'Oise (moins de 50 !) et que de nombreuses communes ont traversé la Révolution sans « suspects » et sans exécutions.

« Torrent » déchristianisateur et Vendée briarde

Le domaine religieux est celui qui suscite les affrontements les plus spectaculaires, après les subsistances. Une partie de l'Ile-de-France paraît « mal christianisée » : forte mobilité démographique, pratique relativement faible, anticléricalisme anti-seigneurial ou anti-décimateur. Un fort courant de curés « démocrates », progressistes puis républicains, parfois élus maires ou présidents des sociétés populaires, mais partisans d'une religion rénovée et épurée, a joué un rôle paradoxal d'aiguillon révolutionnaire vers la « défanatisation ». Tout cela explique peut-être l'aspect « pionnier » affiché par certaines communes dans la déchristianisation de l'an II, qui traduit souvent des tensions religieuses et matérielles de longue durée. C'est de Gonesse en septembre et de Corbeil en octobre que partent les initiatives radicales : renvois de prêtres, fermetures d'églises, mascarades, dépôts des objets de culte à la Convention. L'armée révolutionnaire parisienne, certains représentants en mission ont pu contribuer, aux côtés des sociétés populaires, à ce « torrent » déchristianisateur. Mais d'autres communes restent passives (dans l'Oise, par exemple) ou se révoltent (« la Vendée briarde » de décembre 1793) et poursuivent un culte clandestin (Arpajon), avant d'être les premières à rouvrir les églises et participer à la « renaissance religieuse » du Directoire.

Un bilan ambigu

Le bilan de la Révolution dans les pays de grande culture autour de Paris est ambigu. Tandis que les fermiers capitalistes ont renforcé leurs domaines dans le Valois ou le Vexin ainsi que leur assise politique, la Beauce et la Brie ont connu les progrès de la petite et moyenne paysannerie acquéreuse de lots groupés ou de communaux partagés. Mais la dissociation des communautés rurales s'est poursuivie, et les progrès fonciers de la bourgeoisie parisienne sont évidents.

On ne peut parler pourtant de révolution « blanche » pour les masses rurales et urbaines en comparant les situations de 1789 et 1793 : les troubles de subsistances ont accéléré les prises de conscience politique et sociale ; les mentalités sortent transformées de la secousse religieuse ; une participation active au pouvoir local s'est opérée. Ces régions ont vécu intensément la Révolution, à un rythme proche de celui de la capitale. Elles ont été marquées par une mobilisation civique exceptionnelle et semblent avoir adhéré pour l'essentiel à une révolution qui, après la suppression des privilèges, n'a pourtant réglé aucune de leurs contradictions et de leurs inégalités sociales fondamentales.

Serge Bianchi

• Paris

Capitale d'une nation en révolution, Paris fut pendant la décennie 1789-1799 le théâtre et un temps le moteur des événements politiques majeurs. La fonction de capitale de Paris, un moment contestée avec le fédéralisme, devait-elle sortir renforcée de l'expérience révolutionnaire, ou au contraire serait-elle remise en question ? La réponse varie suivant le domaine considéré : continuités et ruptures marquent l'originalité de la période et son poids exceptionnel dans l'histoire générale de la ville.

Une ville d'immigrés

Avec 600 000 habitants à la veille de la Révolution, Paris, au regard des autres villes françaises, faisait figure de grande métropole. Deuxième ville d'Europe après Londres, qui comptait déjà un million d'habitants, Paris concentrait plus du sixième de la population urbaine, soit l'effectif humain des neuf plus grandes villes de province. Le mur d'enceinte, dit des « Fermiers-généraux », n'était qu'une simple barrière d'octroi, sans caractère militaire, de 23 kilomètres de tour, et jalonnée de bureaux de recette, les barrières. Sa construction à partir de 1785 et celle des pavillons de perception sur les dessins de l'architecte Ledoux, avaient déclenché une « guerre des barrières », notamment dans les quartiers de guinguettes ; plusieurs de ces pavillons furent incendiés en juillet 1789.

Les plans de l'époque reflètent la diversité du tissu urbain, et surtout le contraste entre la ville comprise dans la ceinture des boulevards, et les faubourgs, beaucoup moins construits, que les grandes propriétés religieuses, les marais et les vergers occupent encore en grande partie. Sur un peu moins de 3 500 hectares, la population était très inégalement répartie entre les 48 sections, qui avaient remplacé en mai 1790 les 60 districts, créés pour les élections aux États généraux. La densité pouvait atteindre plus de 1 000 habitants à l'hectare dans les sections du centre, Arcis, Marchés, Indivisibilité ou Fraternité ; en revanche, les faubourgs avaient des densités inférieures à 75 habitants : ainsi ceux de l'est, faubourg Saint-Antoine et faubourg Saint-Victor, et ceux de l'ouest, correspondant aux

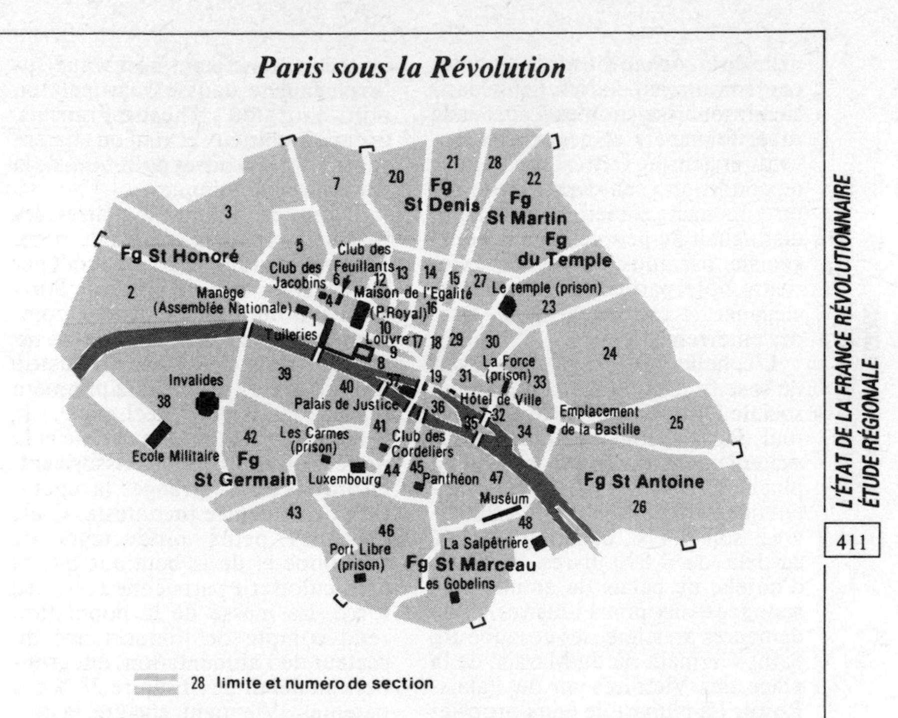

sections des Champs-Élysées et des Invalides, d'aspect encore champêtre.

Tout au long du XVIIIᵉ siècle, Paris avait exercé sur les provinciaux une attraction constante : le dépouillement des cartes de sûreté de 1793 montre que 27 % seulement des hommes adultes étaient parisiens de naissance. Le Paris des Parisiens était plutôt à l'est : la section du Finistère et celle du faubourg Saint-Antoine comptaient plus de 35 % d'hommes nés à Paris ; les artisans y étaient installés depuis longtemps.

Le renouvellement de la population était très fortement lié au flux régulier des immigrants, qui fournissent 28 % du nombre des naissances en 1760. Exception faite du Cantal, de la Creuse et du Rhône, ce sont surtout les régions situées au nord de la ligne Saint-Malo-Genève qui alimentent la capitale, principalement le Bassin parisien. Les cartes montrent une France de l'Est de tradition migratoire plus ancienne, et à l'Ouest, une région d'émigration récente ou saisonnière, mais jeune dans l'ensemble, puisque l'âge modal est autour de vingt ans. L'attraction de la capitale s'efface autour des grandes villes, Bordeaux, Toulouse et Marseille, qui semblent concurrencer Paris. Deux types d'émigration se dessinent : les régions de forte émigration alimentent les petits métiers, les tâches peu qualifiées, tandis que des secteurs de faible émigration, seule une minorité instruite vient tenter sa chance à Paris. On notera enfin la permanence des traditions migratoires des maçons limousins, des tailleurs du Sud-Ouest ou des porteurs d'eau auvergnats. La plupart de ces traits se maintiendront au XIXᵉ siècle. Paris, qui accuse au début du Consulat une perte de population de 50 000 habitants, dépassera à la fin de l'Empire le chiffre du début de la Révolution.

La société d'ordres éclatée

Plus que tout autre, le milieu parisien faisait apparaître, à la veille de la Révolution, le caractère dépassé de la conception traditionnelle de la société d'ordres. Pour les contemporains éclairés, l'élite parisienne réunissait nobles d'épée et de robe, financiers et négociants, savants et gens de lettres, tous « gens de condition », au-dessus de la roture. La haute société parisienne se distinguait du peuple et de la bourgeoisie par tous les signes extérieurs, hôtel particulier, train de vie, élégance et culture, jusqu'au faste des enterrements.

L'échelle des loyers, qui servait de base fiscale, reflète la hiérarchie sociale : sur 128 000 loyers pour tout Paris, seules 120 demeures avaient une valeur locative estimée à plus de 10 000 livres. On n'en comptait que 7 000 au-dessus de 1 200 livres, soit 5,4 %, et moins de 1 % au-delà de 4 000 livres. Il s'agit d'hôtels, de palais de grands personnages, aux noms illustres, et de demeures prestigieuses du faubourg Saint-Germain ou du Marais, de la place des Victoires ou du Palais-Royal. La plupart de leurs propriétaires émigreront assez tôt.

La pyramide des loyers repose sur une très large base, entre 40 et 200 livres, qui représente 58 % des loyers parisiens. Les catégories intermédiaires – de 200 à 400 livres – rassemblent 22 000 loyers. Au-dessus – de 400 à 1 200 –, les 25 000 logis des gens de moyenne bourgeoisie. La contribution foncière de l'an VII reflétera un peu plus tard le contraste entre les quartiers. À l'ouest, vers la Chaussée-d'Antin, les Tuileries et le faubourg Saint-Germain, la valeur moyenne des immeubles dépasse 4 000 francs, ne s'abaissant pas au-dessous de 2 000 francs. Aux faubourgs Saint-Antoine et Saint-Marcel, elle est d'environ 1 000 francs et descend à 765 francs dans les quartiers de Popincourt et des Gobelins.

La transition entre les diverses catégories bourgeoises était subtile, aussi imprécise vers le sommet que vers la base. En position intermédiaire honorable, la moyenne bourgeoisie comprenait les 2 000 gens de loi parisiens, les professions libérales et intellectuelles, journalistes, éditeurs-libraires, sculpteurs et architectes. Ils étaient nombreux sur la rive gauche, dans le Quartier latin, non loin du Théâtre-Français, groupe ambitieux et actif où allaient se recruter les cadres politiques de la révolution parisienne.

Parmi les hommes d'affaires, les banquiers tenaient le haut du pavé. Même si le grand négoce passait par les ports de mer, la place de Paris avait son importance dans le commerce international, colonial et intérieur. Mais c'est dans l'industrie de luxe que Paris tenait la première place ; la qualité technique, la beauté des créations, la variété et la perfection des produits assuraient, en province et à l'étranger, la réputation de ce centre incontesté. C'est chez les petits producteurs de l'échoppe et de la boutique que la sans-culotterie parisienne a puisé sa force. La masse de la population rend compte de l'importance du secteur de l'alimentation, qui groupera au début de l'Empire 28 % des patentés. Viennent ensuite la toilette et la mode (18 %), avec un nombre impressionnant de cordonniers et de tailleurs, puis l'ameublement et l'industrie des métaux. Le bâtiment ne vient qu'en sixième place, avec 4 %, mais occupe un grand nombre d'ouvriers.

Artisans, compagnons et petits boutiquiers formaient avec les salariés la masse du peuple parisien. Les demandes d'échange d'assignats en 1790-1791 révèlent la zone de plus fort peuplement ouvrier, sur la rive droite : 9 sections du centre et du nord concentraient plus de 40 % des ouvriers recensés : faubourg Saint-Denis, Bondy, Ponceau, Gravilliers, Beaubourg, Arcis, Bon-Conseil, Bonne-Nouvelle et Lombards. Dans les faubourgs historiques, Saint-Antoine et Saint-Marcel, le plus grand nombre de travailleurs relevait de l'artisanat. L'industrie de luxe et de précision l'emportait autour de la place Dauphine, quai des Orfèvres et dans le quartier des Lombards. Au-dessous de ces catégories bien définies de travailleurs, Paris, comme toutes les grandes villes, avait, outre une armée de laquais et de domestiques (autour de 50 000 en 1789), une foule de travailleurs marginaux, de « gagne-deniers » vivant des petits métiers de la rue et de la rivière ou tirant leurs ressources d'activités inavouables : masse misérable, assimilée aux classes dangereuses, souvent confondue avec elles dans les deux grands hôpitaux-prisons de Bicêtre et de la Salpêtrière.

La capitale de la Révolution

On sait comment la conjonction, à l'été 1789, de l'agitation sociale et de la revendication politique, déjà perceptible quelques mois plus tôt lors de l'émeute Réveillon, fit de Paris la capitale de la Révolution, tout en ruinant les chances d'un coup de force de la cour. Ce rôle central de Paris est aussitôt reconnu, par l'interprétation symbolique de l'événement — la prise de la Bastille perçue comme l'émancipation d'un peuple —, officiellement admis — le 17 juillet le roi se rend à l'Hôtel de Ville pour y recevoir de Bailly la cocarde tricolore —, unanimement accepté et consacré par la fête de la Fédération, lors du premier anniversaire du 14 juillet.

Avec l'installation à Paris de la famille royale et de l'Assemblée, en octobre 1789, Paris concentre l'initiative tandis que s'organisent les structures de la démocratie parisienne. Si l'histoire de Paris se fond pour un temps avec celle des assemblées révolutionnaires, c'est que la présence de la représentation nationale conditionne la vie politique de la capitale, en même temps que l'Assemblée subit les répercussions de la proximité physique de la population, dont l'attitude dans les tribunes n'est que l'effet le plus apparent. Paris, centre du gouvernement, devient aussi le centre de l'opinion, par le rayonnement de sa presse et l'essor spectaculaire, après la crise de l'été 1791, du réseau des sociétés politiques affiliées aux jacobins.

L'organisation politique particulière de la capitale assure ce rôle dirigeant. Les multiples relais d'un pouvoir à la fois décentralisé et hiérarchisé donnent à la pratique politique son efficacité et sa force. Telle que l'a analysée Albert Soboul, cette pratique politique populaire est née d'une expérience spontanée, s'est développée sous la pression des circonstances, et a atteint son plus haut degré de l'été 1792 à l'automne 1793, avec la permanence des sections. Si le militantisme sectionnaire ne touche qu'une minorité, la masse se retrouve dans la garde citoyenne : plus de 116 000 hommes en janvier 1793, soit en moyenne 2 400 par section. Naguère bourgeoise, elle était devenue l'expression du peuple en armes, dans sa force brute, ainsi le 20 juin, et l'instrument du maintien de l'ordre révolutionnaire : qu'on pense au fantastique déploiement de force armée ordonné par Santerre le jour de l'exécution de Louis XVI. Force insurrectionnelle enfin, son rôle au 2 juin 1793, sous les ordres d'Hanriot, contraint la représentation nationale à s'épurer sous la pression de Paris.

Point de non retour, le 2 juin marque la fin de la phase ascendante de l'influence parisienne, jugée démesurée par beaucoup. Et le 9 Thermidor (27 juillet 1794), qui met fin à la période démocratique, semble être ressenti comme la revanche du pays, à voir du moins le flot des pétitions qui inondèrent alors l'Assemblée.

Quel bilan tirer des dix années de la Révolution dans la capitale ? Dans le domaine économique, on ne peut parler de progrès mais des tendances se dessinent qui s'affirmeront sous l'Empire. L'effondrement du grand commerce maritime, l'essor de l'industrie cotonnière et le développement des techniques nouvelles donneront à Paris la première place dans l'espace français. Un milieu d'affaires stable et puissant se constitue, notamment grâce à la montée de riches provinciaux à Paris, tels Le Coulteux, Périer, Ternaux. Ils associent des activités complexes, où la banque joue le rôle essentiel, où les créations industrielles les plus neuves voisinent

BIBLIOGRAPHIE

Outre la bibliographie figurant à la suite des articles sur les sections parisiennes :

BLUM A. et HOUDAILLE J., « 12 000 Parisiens en 1793. Sondage dans les cartes de civisme », *Population*, n° 2, 1986.

avec les formes traditionnelles du grand négoce. Ces provinciaux viennent grossir les rangs des fortunes parisiennes.

A Paris, la vente des biens nationaux montre l'enrichissement de la bourgeoisie, gagnante un peu partout. La ruine du clergé est consommée et l'appauvrissement de la noblesse sensible. Les bourgeois constituent désormais la base d'une société conservatrice aussi hostile à la restauration de l'Ancien Régime qu'à la Révolution démocratique. Cette société avait soutenu le Directoire ; elle appuiera Napoléon, garant de la stabilité politique et de la prééminence bourgeoise. Les pauvres, privés de droits politiques, sont pour ainsi dire mis au ban de la société.

Raymonde Monnier

ACQUIS ET DÉBATS

LE MOUVEMENT DES IDÉES

Les déclarations du droit naturel 1789-1793

La Révolution française fut la première révolution du droit naturel, et produisit deux Déclarations des droits de l'homme et du citoyen, celle de 1789, celle de 1793. Mais la Constitution de 1795 rompit avec cette philosophie de la Révolution et remplaça les droits naturels par une autre conception du droit, construisant une théorie politique nouvelle. Qu'est-ce alors que la philosophie du droit naturel et pourquoi en vint-on à rompre avec celle-ci en 1795 ? Cette question renvoie à l'histoire des libéralismes de droit naturel du XVIIIe siècle.

Le préambule de la Déclaration des droits de l'homme et du citoyen de 1789 représente une magistrale synthèse de la théorie politique du droit naturel moderne, développée depuis le XVIe siècle, et centrée sur le concept de liberté humaine comme droit attaché à la personne, fondant le libéralisme.

Renouant avec le postulat antique de l'unité de l'espèce humaine et l'idée platonicienne que la légitimité de l'ordre politique ne peut être fondée sur la force, mais sur le droit ; nourrie de l'idée de liberté médiévale et des droits des vassaux à l'autonomie et au contrôle de l'État ; confrontée à la conquête des nouveaux mondes, l'extermination des Indiens, l'esclavage des Nègres, l'expropriation des petits producteurs, la philosophie du droit naturel moderne construisit, dans un effort cosmopolite, une éthique et une théorie politique centrées sur le droit naturel à la liberté, et prétendant libérer l'humanité du despotisme.

Les droits naturels

Le premier des droits de l'homme, le droit de tolérance (liberté de conscience et libre arbitre), fut le fruit des massacres des guerres de religion. Le droit naturel se séparait de la théologie : aucun État, aucune Église ne peut dicter sa conduite à un homme libre. Le droit se définissait alors exclusivement comme l'ordre des rapports externes entre les individus.

Ce fut avec la synthèse de Locke que la théorie politique du droit naturel, produit de la Révolution anglaise, passa à l'offensive. Le *Traité du gouvernement civil* de Locke (1690) connut une large publicité tout au long du XVIIIe siècle. Il fut le premier théoricien à affirmer la nécessité de *déclarer* le droit naturel, et de *subordonner* l'exercice des pouvoirs de l'individu, de la société et du gouvernement aux principes du droit naturel. Qu'est-ce que le droit naturel et pourquoi doit-il être déclaré ?

Le titre même de la Déclaration des droits de l'homme et du citoyen de 1789, qui réunit « homme et citoyen », renvoie à l'antériorité de la nature humaine par rapport à la société comme artifice dont la fin est de protéger les droits naturels. La société est vue non comme une rupture avec la nature, mais comme le perfectionnement de celle-ci. La nature de l'homme est la liberté sous un double aspect, liberté personnelle, liberté en société. « Être libre, c'est n'être soumis au pouvoir d'aucun autre homme », ce qui renvoie à une théorie des pouvoirs oppressifs. Étant donné l'universalité du genre humain, cette définition se complète par la réciprocité de la liberté : « et ne soumettre aucun autre homme à son pouvoir », c'est alors l'égalité. Dans cette théorie, malgré les contresens qui ont pu être faits, la liberté ne peut s'opposer à l'égalité, puisqu'il s'agit d'un droit individuel-universel, et donc réciproque : « *Art. 1.* Les hommes naissent et demeurent libres et égaux en droits. » La liberté en société, c'est d'obéir à des lois (et non aux hommes) et à des lois à l'élaboration desquelles on a participé. Sinon, l'on est soumis au pouvoir d'autres hommes, ce qui est précisément le despotisme.

La liberté en société est donc le droit naturel de citoyenneté, concevant les droits politiques comme une propriété de l'être humain. La citoyenneté universelle renvoie à la souveraineté populaire, seul fondement légitime de la *constitution d'un peuple* en société politique, c'est-à-dire dans *l'acte* du contrat initial d'association volontaire. Cet acte se réalisa en deux temps en 1789, lorsque les députés élus des États généraux s'érigèrent en Assemblée constituante, mettant fin à l'absolutisme, puis quand les citoyens s'armèrent en juillet pour protéger les députés menacés d'arrestation par la cour.

Le préambule de la Déclaration des droits de l'homme et du citoyen de 1789 affirme : « Les représentants du peuple français, constitués en Assemblée nationale, considérant que l'ignorance, l'oubli ou le mépris des droits de l'homme sont les seules causes des malheurs publics et de la corruption des gouvernements, ont résolu d'exposer, dans une déclaration solennelle, les droits naturels, inaliénables et sacrés de l'homme, afin que cette déclaration, constamment présente à tous les membres du corps social, leur rappelle sans cesse leurs droits et leurs devoirs ; afin que les actes du pouvoir législatif et ceux du pouvoir exécutif, pouvant être à chaque instant comparés avec le but de toute institution politique, en soient plus respectés ; afin que les réclamations des citoyens, fondées désormais sur des principes simples et incontestables, tournent toujours au maintien de la Constitution et au bonheur de tous. » La séparation, mais plus encore la *hiérarchisation,* des pouvoirs caractérise cette théorie politique : la souveraineté réside exclusivement dans le peuple, le pouvoir législatif est le pouvoir suprême, et l'exécutif lui est subordonné. Mais on remarque que le pouvoir législatif est, d'une part, *subordonné* au primat du droit naturel déclaré, et, d'autre part, *partagé* entre l'Assemblée législative élue et les citoyens : « *Art. 6.* La loi est l'expression de la volonté générale. Tous les citoyens ont droit de concourir personnellement, ou par leurs représentants à sa formation. »

Les agents publics sont responsables devant les citoyens : « *Art. 15.*

La société a le droit de demander compte à tout agent public de son administration. » Les citoyens sont eux aussi soumis au primat du droit naturel déclaré. Ainsi, la Déclaration des droits est-elle la *Constitution* elle-même.

Enfin, cette théorie refuse de construire un État comme appareil séparé de la société. Au contraire, elle met en pratique un *partage* de l'exercice des pouvoirs gouvernementaux entre les citoyens et les agents publics élus. C'est ce partage qui constitue la *civilité de la société et du gouvernement,* et qui *empêche l'autonomie* de l'exercice des pouvoirs en les subordonnant tous au primat du droit naturel déclaré. Telle est la spécificité, pourtant rarement aperçue, de cette théorie du droit naturel universel.

Il est nécessaire de remettre en mémoire que ce fut sur la question du droit naturel que s'opéra le clivage gauche-droite : historiquement, le côté gauche des assemblées législatives fut « la patrie » du droit naturel universel, comme on disait en ce temps.

« Il y a dans la Déclaration des droits, dans les principes fondamentaux qu'elle établit une fois pour toutes, en quelque sorte une logique immanente qui mène à des conséquences de plus en plus révolutionnaires » (Groethuysen).

L'universalité du genre humain

Ce postulat de la philosophie du droit naturel commença d'être mis en pratique lorsque le pouvoir législatif élargit l'appartenance au genre humain des comédiens et des protestants, des juifs, des hommes libres de couleur. Olympe de Gouges publia la *Déclaration des droits de la femme et de la citoyenne* en septembre 1791. Mais furent exclus du genre humain, en 1791, les esclaves des colonies, les femmes et les pauvres (avec le système censitaire instaurant une aristocratie des riches) et ce, en violation de la Déclaration de 1789.

Le débat reprit à la suite de la révolution du 10 août 1792, qui rétablit le suffrage universel et fonda la république. Si les femmes ne furent pas reconnues comme partie du genre humain, elles ne furent cependant pas exclues des assemblées de citoyens et participèrent fréquemment aux votes jusqu'à leur exclusion par les thermidoriens, qu'accompagnait la destruction des institutions démocratiques (mai 1795). Il n'en reste pas moins, en dépit de son échec, que le mouvement des femmes, de 1789 à 1795, mit en lumière le despotisme patriarcal et marital, et compléta la théorie du despotisme commencée par la philosophie des Lumières.

Ce fut le 4 février 1794 que le pouvoir législatif abolit l'esclavage dans les colonies ; mais l'échec du mouvement démocratique en France, qui entraîna la rupture avec la Déclaration des droits naturels, en 1795, permit à Bonaparte de le rétablir en 1802.

La Déclaration de 1789 définissait les droits naturels comme étant la liberté (et sa réciprocité l'égalité), la propriété des biens matériels, la sûreté et la résistance à l'oppression. On ne saurait réduire l'idée générale de propriété à celle des biens matériels sans mutiler la Déclaration : en effet, les droits naturels de liberté-égalité-citoyenneté sont des propriétés de l'être humain ; la souveraineté populaire et le gouvernement sont des propriétés communes à la société ; le droit de propriété des biens matériels, en revanche, s'il est un droit individuel, n'a pas de caractère universel puisque tous les hommes ne sont pas propriétaires.

Sous l'influence des économistes, l'Assemblée décréta la liberté du commerce le 26 août 1789, accompagnée de la loi martiale (21 octobre). Cette législation offensive violait les principes de la Déclaration des droits en établissant « l'aristocratie des propriétés », et mit à nu le caractère despotique du pouvoir économique. Le petit peuple luttant pour « l'abolition entière du régime féodal », la récupération des ses moyens de travail, contre la vie chère et la loi martiale, développa un vaste mouvement de critique du système de « liberté illimitée ». Droit à l'existence et liberté comme premiers droits de l'homme, telles furent les doléances du peuple pour son simple droit naturel.

Deux conceptions du libéralisme de droit naturel s'affrontèrent : le libéralisme économique faisant plier le droit de liberté devant le pouvoir économique ; le libéralisme politique subordonnant l'économique au politique, c'est-à-dire au primat du droit naturel à l'existence, selon le principe à l'œuvre dans la Déclaration de 1789. Ce faisant, la théorie des pouvoirs despotiques se complétait dans le cadre de la philosophie du droit naturel.

Dans son projet de déclaration des droits de l'homme et du citoyen, Robespierre, théoricien du droit naturel, proposait d'appliquer les principes de liberté et d'égalité au droit de propriété des biens matériels. Ce dernier n'était plus un droit naturel constituant, mais un droit de convention défini par la loi.

Au printemps 1793, l'enjeu du débat sur la Constitution porta dans un premier temps sur la question du maintien ou non d'une déclaration des droits naturels. En effet, un courant chez les libéraux économistes proposait de la supprimer, ayant saisi l'incompatibilité entre le droit universel de liberté et le droit particulier de propriété illimitée des biens matériels. Néanmoins, la Convention maintint la référence au droit naturel, mais produisit, dans la Déclaration votée le 24 juin 1793, un compromis entre la reconnaissance du droit universel de liberté-égalité-citoyenneté, l'introduction de droits sociaux (travail, instruction, secours publics), et l'affirmation du droit naturel illimité de propriété des biens matériels.

Le pouvoir législatif, sous l'effet de la doléance du peuple pour son droit à l'existence et sa liberté, vota en été-automne 1793 une série de lois agraires, redistribuant de vastes surfaces de terres aux paysans pauvres, abrogea la loi martiale le 23 juin et la liberté illimitée du commerce sur les denrées de première nécessité.

La citoyenneté universelle contre la conquête

Étant donné la liberté en société, la citoyenneté et le contrat d'association volontaire, l'Assemblée constituante avait, en 1789, solennellement renoncé à l'ambition des conquêtes. La Déclaration des droits « constituait » non seulement le peuple français, mais aussi ses rapports avec les autres peuples, par l'obligation de respecter leur droit à la libre détermination. Ce principe excluait conquête, colonisation, oppression des minorités.

Cependant, la déclaration de guerre, le 20 avril 1792, décidée par la cour dans l'espoir que les armées des tyrans coalisés contre la République rétabliraient les prérogatives royales, et soutenue dans une optique conquérante par les brissotins, allait dévoyer la Révolution du droit naturel. La première conquête menée par la Convention girondine, de septembre 1792 à mars 1793, échoua devant la résistance des peuples belge, hollandais et rhénan.

En 1792-1794, seuls les défenseurs du droit naturel s'opposèrent à cette violation de la souveraineté des peuples. Dans son projet de déclaration des droits, Robespierre, l'inventeur de la devise *Liberté-Égalité-Fraternité* (5 décembre 1790), définissait les principes de fraternité, en approfondissant ceux de 1789. En affirmant que « le genre humain est le souverain de la terre », Robespierre constituait la réciprocité du droit des peuples, en subordonnant l'exercice de la souveraineté du peuple français au primat du droit naturel de citoyenneté universelle.

A l'opposé, les défenseurs de la conquête de l'Europe affirmaient, en violation du droit naturel, *l'autonomie de la souveraineté nationale,* justifiant toute mesure politique dès qu'elle était commandée par *l'intérêt national.* Le nationalisme conqué-

BIBLIOGRAPHIE

BAYET A., *Histoire de la Déclaration des droits de l'homme,* Sagittaire, Paris, 1939.

BLOCH E., *Droit naturel et dignité humaine,* 1961, trad., Payot, Paris, 1976.

CASSIRER E., *La Philosophie des Lumières,* 1932, trad. 1966, rééd. G. Montfort, 1982.

FAYE J.-P., *Dictionnaire politique portatif en cinq mots,* coll. « Idées », Gallimard, Paris, 1982.

FOUCAULT M., « Interprétation du texte de Kant "Qu'est-ce que les Lumières ?" », *Magazine littéraire,* n° 207, mai 1984.

GAUTHIER F., *Triomphe et mort du droit naturel en révolution,* à paraître.

GROETHUYSEN B., *Philosophie de la Révolution française,* 1956, rééd. Gonthier « Médiations », Paris, 1966.

rant français se construisait contre les droits de l'homme.

La Déclaration hors la loi

Le 9 thermidor an II (27 juillet 1794) avait éliminé les défenseurs du droit naturel à l'existence, à la liberté et à la citoyenneté universelle. L'échec du mouvement démocratique permit à la Convention thermidorienne de transformer la victoire de Fleurus (26 juin 1794) en prélude à la seconde guerre de conquête, de supprimer la démocratie et la Constitution légale de 1793. La nouvelle Constitution de 1795 rompait avec la théorie politique du droit naturel déclaré, établissait une aristocratie des riches, et réduisait l'idée générale de propriété aux seuls biens matériels. La militarisation de la société et du gouvernement s'ensuivit. La loi du 16 avril 1796 punissait de mort « ceux qui par leurs discours ou par leurs écrits [...] provoqueraient [...] le rétablissement de la Constitution de 1791 ou 1793 ». Ce fut la mise hors la loi de la Déclaration des droits naturels de l'homme et du citoyen.

En dépit de son échec, la première révolution du droit naturel avait mis à l'ordre du jour de l'histoire de l'humanité la nécessité de constituer conjointement la *polis* et la *cosmopolis,* sur la base du droit civique, du droit international et du droit cosmopolitique, dans le respect de la réciprocité de la souveraineté des peuples, et dans le but de réaliser les droits naturels à l'existence, à la liberté-égalité-citoyenneté, et au libre développement des facultés humaines. Telle est l'actualité de la Révolution française comme révolution du droit naturel.

Les petits et les gros malins qui veulent faire croire que cette première expérience de révolution du droit naturel n'aurait été que la « matrice du totalitarisme » du XXe siècle, ou que la liberté se réduirait à celle du commerce, ou encore que le droit naturel universel ne serait qu'un droit bourgeois, parviendront-ils à faire oublier ce que les préambules des Déclarations des droits naturels de l'homme et du citoyen ont exposé en pleine lumière : « considérant que l'ignorance, l'oubli ou le mépris des droits de l'homme sont les seules causes des malheurs publics et de la corruption des gouvernements, ont résolu d'exposer, dans une déclaration solennelle, les droits naturels, inaliénables et sacrés de l'homme » ? Tel apparaît l'enjeu de ce bicentenaire.

Florence Gauthier

La physiocratie

La physiocratie débute avec les articles économiques que François Quesnay (1694-1774), premier médecin de Louis XV, écrit en 1755 et 1756 pour l'*Encyclopédie.* Quesnay prend position sur un sujet fondamental à l'époque : il se déclare en faveur d'une libéralisation du commerce des grains, d'un effort d'investissement dans l'agriculture – à ses yeux seule source de richesse parce que seule génératrice d'un surplus, le « produit net » – et d'une modification en profondeur du système fiscal, qui serait axé sur un impôt unique payé par les seuls propriétaires fonciers.

L'école de Quesnay

Ces thèses seront largement développées dans ses écrits ultérieurs – qui s'achèvent en 1769 – ou dans ceux des principaux membres de son école : le marquis de Mirabeau (1715-1789), père du célèbre comte du même nom, Pierre-Paul Le Mercier de la Rivière (1719-1801), intendant de la Martinique, Pierre-Samuel Dupont de Nemours (1739-1817), tour à tour publiciste, conseiller d'hommes d'État tels que Turgot et Calonne, député, imprimeur.

La doctrine est fondée sur une loi naturelle éternellement valable à laquelle la société française doit se plier : l'ordre social repose sur le respect des propriétés, condition indispensable au développement économique de l'agriculture et à la croissance du produit net. Cet ordre social est donc essentiellement économique. Or l'ordre économique réclame la liberté du commerce, c'est-à-dire de l'activité économique, et l'État doit se garder d'intervenir. C'est à l'État cependant qu'il revient de promulguer la loi naturelle et de la faire respecter. Deux rôles lui sont donc dévolus : diffuser le plus largement possible, par l'enseignement, les vérités éternelles découvertes par Quesnay et surveiller qu'aucun particulier, commerçant ou propriétaire notamment, ne dérange le fonctionnement de l'ordre économique.

Quant aux conséquences de ce système, trois points méritent l'attention. D'abord les thèses de Quesnay sont éminemment favorables aux propriétaires fonciers dans la mesure où une plus large commercialisation de leurs produits doit accroître leurs revenus. Ensuite, ces mêmes propriétaires sont désormais mis sur un pied d'égalité, puisque sont supprimées toutes sortes de privilèges dont pouvaient jouir les différents ordres, notamment en matière fiscale. Enfin, dès 1767, Quesnay estime que sont citoyens, c'est-à-dire membres de la société politique, les propriétaires et les riches laboureurs ; autrement dit, les fractions supérieures des classes représentant la propriété foncière et la propriété mobilière agricole.

Bref, la physiocratie, avec Quesnay, propose un plan de réforme de la société d'Ancien Régime pour en rapprocher les différentes parties (classées économiquement et non plus par ordres) grâce à une conception particulière de la propriété, lieu de la richesse et lien social.

Entre 1764 et 1770, période pendant laquelle le gouvernement royal promeut la libéralisation du commerce des grains, une des thèses fondamentales de l'école physiocratique aura une large audience. Elle resurgira, avec Dupont de Nemours, sous le ministère de Turgot (1774-1776) – penseur indépendant, influencé par la physiocratie, mais aussi par d'autres courants de pensée, notamment celui de Vincent de Gournay –, pour disparaître ensuite de la scène. Toutefois les idées de Quesnay se sont alors largement diffusées. Des termes clés de son analyse économique (produit net, avances, reproduction) s'implantent même dans le discours de

BIBLIOGRAPHIE

ALLIX E., « La rivalité entre la propriété foncière et la fortune mobilière sous la Révolution », *Revue d'histoire économique et sociale,* 1912.

BOULOISEAU M., *Bourgeoisie et Révolution, les Dupont de Nemours : 1788-1799,* Bibliothèque nationale, Paris, 1972.

MAY L.P., *Le Mercier de la Rivière, 1719-1801,* t. 1, CNRS, Paris, 1975.

MORILHAT C., *La Prise de conscience du capitalisme,* Klincksieck, Paris, 1988.

STEINER Ph., « Le projet physiocratique : théorie de la propriété et lien social », *Revue économique,* 1987.

THUILLIER G., *La Monnaie en France au début du XIXe siècle,* Genève, Droz, 1983.

WEULERSSE G., *La Physiocratie à l'aube de la Révolution : 1781-1792,* Éditions de l'École des hautes études en sciences sociales, Paris, 1985.

ses adversaires déclarés, comme, par exemple, Roederer ou Necker.

A la convocation des États généraux, les troupes physiocratiques sont maigres. Le marquis de Mirabeau, dont le caractère rétrograde s'accentue avec les années, prévoit l'anarchie, la spoliation du trône et l'établissement de l'anglicanisme politique. D'autre part, l'indifférentisme politique des physiocrates, dû à leur conception de l'ordre naturel reposant sur l'ordre économique, les rend peu enclins à formuler des positions sur ces questions, seul Dupont parle d'une autre voix. Plus caractéristique est le fait que la physiocratie de cette époque se tourne vers un propriétarisme de plus en plus marqué en n'accordant de droits politiques qu'aux seuls propriétaires. C'est aussi la position de Condorcet mais son évolution sera rapide après 1789, alors que Dupont restera attaché à cette thèse.

Dupont de Nemours

La personnalité la plus marquante de la physiocratie est Dupont de Nemours. Il appartient à la Société des Trente qui déploie une intense activité avant les États généraux. Dupont y sera élu député du Tiers de Nemours après la rédaction d'un cahier de mille pages ! Il devient un membre très assidu de la Constituante et surtout de ses comités. Toutefois ses espérances seront vites déçues : son rapport sur les finances et les impôts est rejeté en 1790 et bien d'autres de ses projets connaîtront le même sort. Encore attaché à certains aspects de l'Ancien Régime, ce « modéré » est dépassé par la trop rapide évolution politique et devient la cible à la fois des royalistes et des jacobins. Son influence décroît avant de disparaître totalement.

Après la Constituante il se fait imprimeur et, antijacobin viscéral, participe à la guerre des publications. Il doit bientôt se cacher, mais est emprisonné en messidor an II. Libéré après Thermidor, il retrouve une activité de conseiller auprès des comités où il défend de nouveau, avec vigueur, son propriétarisme politique. Élu au conseil des Anciens, il n'y exerce aucune influence et le coup d'État du 18 fructidor an V brise définitivement sa carrière politique. Après une nouvelle incarcération, il s'exile aux États-Unis (an VIII) où ses fils l'avaient précédé.

« Se débarrasser des physiocrates »

En 1815, Dupont écrira à Jean-Baptiste Say qu'à la Constituante, dès qu'il était question d'économie et de finance, après des invectives contre les économistes, les députés votaient en vrais disciples de Quesnay pénétrés qu'ils étaient des vérités de la physiocratie. Il est certain que l'influence de l'école a été grande sur les débats de cette génération, qu'ils portent tant sur le régime électoral que sur l'agriculture et, plus encore, sur deux thèmes centraux de la doctrine des physiocrates : l'éducation et le libéralisme économique. L'importance des discussions sur la première question tout au long de la Révolution ne pouvait que ravir le cœur d'un physiocrate – et Condorcet y participa plus que tout autre. Quant au libéralisme, on sait à quel point il fut défendu, puisque les jacobins eux-mêmes n'acceptèrent jamais la « taxation » et la mise en place des lois sur le Maximum que sous la pression de la rue.

Toutefois il ne saurait être question de prendre pour argent comptant le point de vue de Dupont. La doctrine physiocratique était à la fois dépassée et en porte à faux. Elle ne convenait plus à l'évolution politique ; la meilleure preuve en est le revirement de Le Mercier de la Rivière qui, après s'être fait le champion du « despotisme légal » en 1767, critiquera la royauté dès 1789. Elle subissait la concurrence d'une autre grande pensée économique, celle d'Adam Smith dont la *Richesse des nations* (1776) était de plus en plus lue. Enfin, elle était en porte à faux dans la mesure où les questions monétaires et financières qui occupèrent tant les différentes assemblées étaient un point faible de la doctrine physiocratique.

Plus fondamentalement cependant, la physiocratie marque de son empreinte toute cette période parce qu'elle devient le symbole de l'ancienne école libérale qui défend la primauté des propriétaires fonciers dans le corps politique. La question n'était pas circonscrite à la seule loi électorale, puisqu'il s'agissait surtout de savoir laquelle des deux classes – les propriétaires fonciers ou les possesseurs de fortunes mobilières, les « industriels » – jouirait de la prépondérance politique. Ce débat rémanent sous la Révolution et l'Empire explique pour partie les critiques faites à la physiocratie par Say ou par Roederer qui, eux, mettent l'accent sur les nouvelles classes. La nouvelle école libérale des Say, Charles Comte et Saint-Simon, pour chanter les vertus de l'industrialisme, devait se débarrasser des physiocrates.

Philippe Steiner

L'économie politique

L'évolution de l'économie politique pendant la Révolution française reste un domaine d'étude encore peu abordé. Le poids donné par les historiens aux événements politiques de la période explique en partie cette lacune. La conviction répandue chez la plupart des économistes que le flambeau de l'économie politique avait, dans les années soixante-dix, été transmis outre-Manche constitue une autre explication. La question demeure donc : cette fin de siècle mouvementée, pendant laquelle les problèmes économiques jouèrent un si grand rôle, n'a-t-elle rien produit d'intéressant au niveau théorique ? Faut-il vraiment attendre le *Traité* de Jean-Baptiste Say, dont la première édition paraît en 1803, pour que la science économique brille de nouveau en France, même d'une lueur bien faible à ce que beaucoup disent ?

A la fin du XVIIIe siècle, les expressions : *économie publique* (ou *sociale*), *économie politique* et *science économique* sont encore fort ambiguës. Elles entendent toutes désigner, bien entendu, les mêmes phénomènes, mais dans des optiques très différentes qu'il convient de distinguer.

Les deux premières expressions sont largement interchangeables. Elles ont la faveur du public, mais n'en sont pas plus claires pour autant. Sous ces appellations coexistent en effet au moins deux courants de pensée, aux poids inégaux suivant les périodes, qui mettent respectivement l'accent, explicitement ou non, sur le mot *économie* ou sur le mot *politique.* Ou encore, pour le dire brièvement, sur le Smith de *la Richesse des nations* ou sur le Rousseau du *Discours sur l'économie politique.* Nous retrouverons cette distinction.

La dernière expression, en revanche, tout comme les termes d'*économiste* ou d'*économisme* qui lui sont liés, est encore trop fortement connotée par la physiocratie et par les vives polémiques contre la « secte » fondée par Quesnay : elle est une injure, ou, au mieux, un brevet de passéisme. Car la physiocratie est grandement discréditée dès les années 1780. Ses excès font rire, sa doctrine irrite et ses conséquences politiques inquiètent. En 1790, Roucher, dans son *Introduction* à sa traduction de la *Richesse des nations,* note que les « écrivains économistes » n'ont apporté que des « lumières partielles sur les différents points de l'économie politique », mais que, « les jours de la détraction et du ridicule » étant passés, on pouvait songer à reconnaître leurs services. Dix ans plus tard, dans son *Dictionnaire universel de la géographie commerçante,* Peuchet parle du *Tableau économique* comme d'une « espèce de hiéroglyphe qui n'apprend rien, et semble établi sur de fausses bases ». Si les controverses demeurent encore vives pendant cette période, elles se déplacent cependant sur le plan politique pour une bonne part.

Par quoi remplace-t-on le système d'interprétation rejeté ? Un vide doit être comblé. On doit décider sur la dette publique, sur la fiscalité, sur la réglementation du commerce et de la production, sur la monnaie... Dans les débats, tous les grands noms du siècle se trouvent convoqués du moment qu'ils ont abordé, par un biais quelconque, les matières discutées. Locke, Hume, Montesquieu ou Rousseau sont aussi bien mentionnés que Law, Cantillon ou Turgot. Mais dans cette mêlée générale, et même si, par certains aspects, on peut se prévaloir des leçons tirées d'expériences antérieures (le système de Law, par exemple, ou encore les problèmes monétaires liés à la guerre d'indépendance des colonies anglaises d'Amérique), l'opinion surgit bientôt que ces leçons et ces expériences sont insuffisantes et que l'on vit aussi quelque chose de nouveau qui appelle des solutions nouvelles. On vous a parlé, déclare Saint-Just à la Convention (29 novembre 1792), « d'après Smith et Montesquieu. Smith et Montesquieu n'eurent jamais l'expérience de ce qui se passe chez nous ». Le prospectus de *La Décade philosophique,* quant à lui, affirme que « la véritable économie politique doit être, comme la vraie physique, le résultat des expériences, et la Révolution française est, en quelque sorte, la première expérience faite sur un grand corps de nation ».

Le gouvernement de l'industrie et des arts

Un clivage important, qui prend son sens avec la Terreur et Thermidor, tourne autour des places respectives que doivent prendre l'économique et le politique. Pour le dire de manière extrêmement lapidaire : si le politique modèle le citoyen, on sera volontariste en économie et, paradoxalement, on adoptera dans ce domaine les recettes de la monarchie déchue et tout leur cortège de réglementations et de contraintes, justifiés idéologiquement par des références constantes à des modèles politiques tirés de l'Antiquité gréco-romaine. Si l'économique doit prévaloir, au contraire, comme sphère d'activité fondamentale possédant ses lois propres de fonctionnement que l'on ne transgresse qu'au détriment de tous, alors c'est le politique qui doit se soumettre.

Après des fluctuations, c'est à cette seconde option que l'on assimile finalement l'économie politique. Héritière des idées fondatrices de Boisguilbert qui informent les débats du siècle, elle se pose comme théorie de la nouveauté, du progrès, de la modernité. C'est là le sens de l'intervention de J.A. Creuzé-Latouche à la Convention pour réclamer la création d'une chaire d'économie politique à l'École normale nouvellement installée. Les références constantes à l'Antiquité, déclare-t-il, sont hors de propos, trompeuses, et leurs conséquences néfastes. « Nous voyons fréquemment les journalistes et d'autres écrivains citer gravement les lois et la police des Romains lorsqu'il s'agit de subsistances, sans songer que les Romains n'eurent aucune notion du commerce et de l'industrie ; qu'ils faisaient cultiver leurs terres par des esclaves [...]. Citoyens, dans l'état actuel des nations, l'avantage de la force et de l'indépendance sera toujours [...] là où sera le meilleur gouvernement de l'industrie et des arts ». Vandermonde, le titulaire de la chaire, ne dira pas autre chose, non plus que Roederer dans le *Journal de Paris* en 1795 ou, plus tard, J.-B. Say.

L'économie politique étant identifiée à la modernité, il s'agit alors de savoir sur quelle base la penser. Ici intervient un fait important et relativement nouveau : les références essentielles deviennent étrangères. Il s'agit de l'ouvrage de James Steuart, d'abord, la *Recherche des principes de l'économie politique,* dont la traduction française paraît à la fin de 1789 à l'initiative de Vandermonde. « Il est certainement très fâcheux que cet ouvrage n'ait pas pu paraître plus tôt, l'Assemblée nationale ayant successivement saisi presque toutes les matières traitées dans cet ouvrage, qui doit être le code d'économie des nations modernes », lit-on dans *Le Moniteur* en 1790. En particulier, Steuart aurait bien prévu ce qui devait advenir des biens du clergé, et, ce qui n'est pas indifférent aux yeux des partisans des assignats (dont Vandermonde), il aurait été le seul à comprendre, et donc à réhabiliter, les idées de John Law.

Mais c'est surtout Adam Smith qui est lu, commenté, et chez qui l'on recherche idées et suggestions. En 1787, Roederer note que *La Richesse des nations* « est à la science de l'économie publique, ce que *L'Esprit des lois* est à la science du gouvernement politique et civil ». En 1790, parallèlement à la sortie de la deuxième traduction française de *La Richesse,* Condorcet en publie un résumé substantiel et percutant dans sa *Bibliothèque de l'homme public.* Et c'est surtout sur ce terrain, autour de Smith, qu'une partie essentielle va se jouer, et que vont s'opérer et la rupture et la continuité. Des idées nouvelles vont surgir, qui résultent d'un double mouvement, fort symptomatique, de contamination de la science politique par la science économique, et, inversement, celle de l'économie publique par les slogans politiques. Dans les deux cas, des avancées décisives vont s'opérer.

On pourrait trouver de multiples exemples du premier type d'influence, dans les débats parlementaires notamment ; mais le meilleur et le plus important est celui constitué par Sieyès lui-même, qui a lu Smith et s'en sert comme d'une arme dans ses combats politiques. L'un des premiers, il met l'accent sur ce qui sépare la *société commerçante,* à laquelle l'humanité était alors parvenue, des modèles antiques ; et, pour fonder sa théorie du gouvernement représentatif et rejeter l'idée de démocratie directe, il fait appel au principe de la division du travail sur lequel Smith avait fortement insisté. En de nombreux endroits, chez lui, transparaît le modèle économique concurrentiel qui sert de trame à ses raisonnements. Il n'est pas jusqu'à son discours sur la liberté de la presse (20 janvier 1790) qui ne le mette en œuvre : « Vous ne réduirez pas, messieurs, les moyens de communication entre les hommes : l'instruction et les vérités nouvelles ressemblent à tous les genres de produits ; elles sont dues au travail. Or, on sait que, dans toute espèce de travail, c'est la liberté de faire, et la facilité du débit qui soutiennent, excitent et multiplient la production : ainsi, gêner mal à propos la liberté de la presse, ce serait attaquer le fruit du génie jusque dans son germe [...]. Combien il serait plus naturel, au

BIBLIOGRAPHIE

ALLIX E., « J.-B. Say et les origines de l'industrialisme », *Revue d'économie politique,* avril-mai 1910.

ALLIX E., « L'œuvre économique de Germain Garnier, traducteur d'Adam Smith et disciple de Cantillon », *Revue d'histoire des doctrines économiques et sociales,* 1912.

ALLIX E., « La rivalité entre la propriété foncière et la fortune mobilière sous la Révolution », *Revue d'histoire économique et sociale* (anciennement RHDES), 1913.

FACCARELLO G., *Aux origines de l'économie politique libérale : Pierre de Boisguilbert,* Anthropos, Paris, 1986.

FACCARELLO G. (sous la direction de), *L'Économie politique pendant la Révolution française,* numéro spécial de la revue *Œconomia,* ISMEA, Paris, et PUG, Grenoble (à paraître en 1989).

HECHT J., « Une héritière des Lumières, de la physiocratie et de l'idéologie : la première chaire française d'économie politique (1795) », *Œconomia,* nº 6, ISMEA, Paris, et PUG, Grenoble, 1986.

PASQUINO P., « Emmanuel Sieyès, Benjamin Constant et le *Gouvernement des Modernes :* contribution à l'histoire du concept de représentation politique », *Revue française de sciences politiques,* nº 2, Presses de la Fondation nationale des sciences politiques, Paris, 1987.

contraire, surtout lorsqu'on montre avec raison, beaucoup d'intérêt aux progrès du commerce, de favoriser de toutes ses forces celui qui vous importe le plus, le commerce de la pensée ! »

La naissance de la valeur ajoutée

Le second type d'influence, celui de la pensée politique sur la pensée économique, existe tout autant. On peut en donner un exemple frappant. L'un des points principaux qui firent les beaux jours des controverses de la seconde moitié du siècle fut la théorie du « travail » productif avancée par Quesnay. Contre le principe de la productivité exclusive de l'agriculture et ses conséquences théoriques et pratiques, beaucoup d'auteurs, dont Smith, avaient proposé une optique plus large qui permettait d'intégrer les travaux d'industrie et de leur ôter le qualificatif, jugé infamant, de « stérile ». Mais les nouvelles propositions restaient partielles ou ambiguës, attachées à une notion de productivité centrée sur les objets matériels. On accorde généralement à Say le mérite d'avoir généralisé le concept aux « services immatériels », et de l'avoir centré sur une théorie subjective de la valeur héritée de Turgot, de Condillac et de Condorcet, corrigeant ainsi Smith et ouvrant la voie, tout à la fois, à l'*industrialisme* français du début du XIXe siècle et à la théorie économique dite *néo-classique.* Il faut cependant remarquer que Say n'est ici que l'héritier d'idées antérieures formulées dans les débats acharnés des années révolutionnaires.

L'accent a été placé sur l'œuvre de Germain Garnier, troisième traducteur de Smith, qui publie en 1796 un *Abrégé élémentaire des principes de l'économie politique* dans lequel la théorie en question est déjà présente. Mais peut-être n'est-il pas indifférent de la voir formulée encore auparavant par Vandermonde dans ses cours (publiés) de l'École normale, et surtout de constater la manière par laquelle elle a été établie : comme conséquence directe du principe fondamental de l'égalité des hommes entre eux. « Quant aux revenus, déclare-t-il à ses élèves le 3 mars 1795, ma façon de voir est peut-être un peu bizarre, mais vous m'avez promis l'indulgence. On les a beaucoup distingués [...] mais je crois plus utile de les montrer sous un seul point de vue. Je les attribue à une source unique. Ils proviennent des *équivalents obtenus par des servi-*

ces rendus. » Pourquoi opérer une différence entre le service fourni par un propriétaire foncier qui me loue sa terre et celui d'un chanteur dont j'apprécie le talent ? Car il n'en existe aucune « pour des républicains qui ont établi l'égalité ». Les républicains français « ne doivent pas plus mépriser un chanteur qu'un cultivateur. Ce sont des hommes payés par un équivalent, pour des services plus ou moins essentiels qu'ils nous rendent ». C'est bien cette notion de service que reprendra Say et qui se trouvera, plus tard, à la base de la théorie walrassienne.

Gilbert Faccarello

Les idéologues

Ceux qu'on appelle les « idéologues » doivent cette épithète, dit-on, à Bonaparte, leur ancien compagnon de route, qui voulait ainsi les discréditer en marquant le mépris dans lequel il tenait leur opposition. Mais la postérité ne fut pas plus tendre à l'égard de « la dernière génération des Lumières » (Georges Gusdorf). Balayés par la réaction politique et religieuse, et par le romantisme, puis dépassés par la pensée postrévolutionnaire, ils ne refirent un peu surface qu'à la fin du XIXe siècle. Mais ce n'est que depuis une trentaine d'années qu'ils sortent progressivement d'un très long purgatoire.

Sans doute n'avait-on pas totalement oublié que l'inventeur du mot « idéologie » avait été Antoine Destutt de Tracy, auteur des *Éléments d'idéologie* (1798-1801 et suivantes), mais qui les lisait encore, et qui se souvenait de son *Commentaire sur l'Esprit des lois* ? On pourrait en dire autant de son alter ego, Georges Cabanis, auteur de l'important *Rapports du physique et du moral de l'homme* (1796-1802). Quant aux autres grandes figures de ce qui fut peut-être moins une école qu'un mouvement, elles furent encore plus mal loties. On doit pourtant à Constantin Volney un *Voyage en Syrie et en Égypte* (1787) et *Les Ruines* (1791), qui firent date l'un et l'autre. Et Pierre Daunou, le plus « politique » de tous, accomplit un travail décisif aux Archives, donnant en outre un *Cours d'études historiques* au Collège de France, sous la Restauration, qui en fait un maître fondateur de l'historiographie.

Mais il faudrait encore citer Dupuis, Dominique Garat, Marie-Joseph Chénier, et bien d'autres qui se situaient dans leur mouvance. En particulier les hommes de *La Décade philosophique* (Ginguené, Horace et Jean-Baptiste Say, Andrieux, Lebreton) qui fut, sinon l'organe officiel des idéologues, du moins leur inconditionnel et efficace propagandiste. Plus généralement, tous les grands savants de l'époque (dont Pierre Pinel et Marie-François Bichat) sont des idéologues dans leur partie et professent les mêmes valeurs intellectuelles que les figures de proue de ce mouvement qui vont les codifier pendant le Directoire. C'est en effet sous ce régime que ce groupe s'est cristallisé, en réaction contre la république jacobine. Il comprend des intellectuels, des savants et des professeurs, dont beaucoup occupèrent des responsabilités politiques de premier plan comme députés ou ministres sous toutes les Assemblées. Et ce qui le définit, c'est un projet philosophico-politique.

La « science de l'homme »

Philosophiquement, les « idéologistes », comme ils s'appelaient entre eux, se réclament de Francis Bacon, de John Locke, de l'*Encyclopédie* et surtout d'Étienne de Condillac. « L'idéologie est une

BIBLIOGRAPHIE

BACZKO B., *Une éducation pour la démocratie,* Garnier, Paris, 1980.

GAULMIER J., *L'Idéologue Volney, 1757-1820,* 1951, rééd. Slatkine, Genève, 1980.

GUSDORF G., *La Conscience révolutionnaire. Les idéologues,* Payot, Paris, 1978.

« Les idéologues et les sciences du langage », *Histoire, Épistémologie, Langage,* t. 4, fasc. 1, 1982.

KITCHIN J., *Un journal philosophique : « La Décade » (1794-1807),* Lettres modernes, Paris, 1966.

PICAVET F., *Les Idéologues,* Alcan, Paris, 1891.

QUANTIN P., *Les Origines de l'idéologie,* Paris, Economica, 1987.

REGALDO M., *Un milieu intellectuel : « La Décade philosophique », 1794-1807,* Service de reproduction des thèses de l'université, Lille, 1976.

épistémologie, une théorie de la connaissance qui trouve dans la sensation son point de départ » (Gusdorf). En rupture avec la métaphysique traditionnelle qu'elle entend totalement liquider, la « science des idées », qui ne doit être et ne peut être qu'une partie et une dépendance de la physiologie » (Destutt de Tracy), s'annonce donc en premier lieu comme une épistémologie génétique dont l'« analyse » est le concept clé. Dans cette perspective, elle développe une riche conception du langage qui anticipe sur la linguistique saussurienne. Mais cette science « de la formation des idées » *(id.)* se veut aussi « la science des méthodes ; méthodes qu'elle fonde sur la connaissance des facultés de l'homme, et qu'elle approprie à la nature des différents objets » (Cabanis). Elle entend du même coup procéder à l'unification rationnelle de tous les champs du savoir dont la systématisation vise à assurer le progrès indéfini de la connaissance, et, si l'on peut dire, sa production réglée dans une perspective foncièrement utilitariste. Au total, elle veut assumer l'ambition d'être « la théorie des théories » (Destutt de Tracy).

Mais ce programme philosophique est aussi, et en tant que tel, un programme politique tout d'abord en ce qu'il exprime une vision du monde rigoureusement anthropocentrique où il s'agit de faire triompher les Lumières. L'idéologie est donc une « science de l'homme » (Cabanis) militante qui entend rationaliser toutes les sphères de la société et de l'activité humaine. Mais elle l'est également en ce que sa conception de l'émancipation par le développement et la propagation des Lumières s'identifie à une certaine idée de la Révolution qui n'est pas moins opposée à la souveraineté populaire qu'à l'absolutisme monarchique. Et c'est ce que traduit, dès la Constituante, leur engagement révolutionnaire. Destutt, Volney, Cabanis siègent aux côtés de Mirabeau, et ces partisans actifs de la Constitution de 1791 ne tarderont pas à devenir des émigrés de l'intérieur. Les deux premiers connaîtront la prison sous la Terreur, de même que Daunou, élu à la Convention, qui s'était opposé à la journée du 31 mai 1793. Quant aux autres futurs idéologues, ils connurent des fortunes diverses, subissant avec impatience la « dictature » du Comité de salut public. Après le 9 Thermidor, leur heure politique allait enfin sonner. Daunou fut en effet un des principaux rédacteurs de la Constitution de l'an III qui était censée instaurer le gouvernement des meilleurs, c'est-à-dire des propriétaires et des élites éclairées.

Et c'est lui qui fut également l'auteur de la loi du 3 brumaire an IV (25 octobre 1795) sur l'Instruction publique. On voit là généralement leur grand titre de gloire, et l'expression de leur préoccupation majeure. Sans doute, mais il s'agit d'une certaine conception de l'instruction publique qui abandonnait pratiquement le primaire, lequel cessait notamment d'être gratuit, au profit de la formation quasi exclusive des classes moyennes et dirigeantes. C'est ainsi que des écoles centrales, payantes, étaient ouvertes dans chaque département, que des écoles spéciales supérieures étaient décrétées, le tout couronné par un Institut national des sciences et des arts, conçu comme « une véritable encyclopédie vivante » (Cabanis). Mais l'idée de ces nouvelles institutions n'était nullement leur œuvre propre et exclusive : toutes furent imaginées, et souvent mieux conçues, avant la réaction thermidorienne, y compris l'École polytechnique. L'École normale est elle-même un avatar de l'« éducation révolutionnaire » de l'an II ; cela étant, la plupart des professeurs sont des idéologues ou en sont proches, et c'est bien aussi un idéologue, Garat, qui rédigea le rapport de Lakanal et en définit les objectifs avec une indéniable hauteur de vue.

Il serait donc faux de soutenir que les idéologues sont les seuls auteurs de la politique culturelle de la Révolution, tandis que leurs adversaires jacobins ne seraient responsables que du vandalisme révolutionnaire. Affirmer le contraire serait d'ailleurs tout aussi faux : ils y participèrent, et même très activement, mais sans avoir toujours une grande unité de vues et souvent en opposition avec des idées qu'ils reprendront ensuite partiellement à leur compte. C'est ainsi que Cabanis rédigea au moins en partie le plan d'« éducation publique » de Mirabeau qui est un des plus faibles qui ait été soutenu. Et Daunou fut un adversaire acharné des projets de Condorcet et de Bancal dont il s'inspira ensuite, mais après les avoir délestés de leur inspiration démocratique. Il soutint au contraire avec force, en juillet 1793, le plan de Sieyès qui ne prévoyait que des écoles primaires, il est vrai gratuites, et quelques établissements supérieurs dont il préconisait la suppression à terme. La loi qu'il fit voter en octobre 1795 constitue donc un revirement complet, mais s'explique par sa conception de la souveraineté et de la république.

La politique culturelle des idéologues s'inscrit en effet dans une stratégie des Lumières « par en haut », qui entend instaurer une république à leur image ; son avenir démocratique est désormais subordonné à la prééminence de la souveraineté de la raison dont seule une minorité serait dépositaire. C'est ce qui donne toute sa signification à la création de l'Institut, qui fut indiscutablement la place forte où ils élaborèrent l'idéologie comme doctrine et où ils s'institutionnalisèrent comme conscience de la Révolution. De cette position d'intellectuels organiques, incarnant la raison raisonnable, ils dirigèrent et défendirent les écoles centrales, pièces maîtresses de leur dispositif de rationalisation de la société.

Il convient donc de ne pas minimiser les réalisations pour lesquelles ils se dépensèrent et qui participent intégralement des idéaux des Lumières. Leur dévouement désintéressé ainsi que leur profond attachement à la république ne sauraient être mis en doute. Mais ils tenaient peut-être plus encore à leur libéralisme doctrinaire. De plus, ils s'opposèrent constamment aux tentatives de réforme de la loi de Brumaire dans un sens démocratique, ce qui traduisait une conception conservatrice des rapports sociaux, et donc du droit naturel, clairement affichée par Destutt de Tracy dans ses *Observations* sur l'Instruction publique au moment du 18 Brumaire. Cela n'est pas sans rapport avec leur participation directe au coup d'État : la raison libérale faisait appel à la dictature pour se maintenir au pouvoir et répandre la bonne parole. La conséquence en fut l'avènement d'un nouveau despotisme, auquel ils s'opposèrent, certes, mais sans que ce puisse être plus que la résistance platonique de consciences malheureuses, responsables hélas de leur sort et de celui des Français !

Le bilan des idéologues est donc assez contrasté. Intellectuels de grande qualité, ils ont largement contribué à transmettre l'héritage des Lumières et tenté, non sans étroitesse dogmatique, de le faire fructifier. Tant le rationalisme que le libéralisme du XIXe siècle leur seront redevables, et la IIIe République a reconnu en eux des ancêtres. Leur interprétation des idéaux des Lumières, y compris sur le plan de l'instruction publique, est, elle, plus problématique. Quant à l'aventure finale de leur politique, c'est une leçon pour l'histoire.

Alain Le Guyader

Kant, Fichte, Hegel

Les philosophes allemands sont les spectateurs d'une Révolution toute proche dans l'espace géographique et pourtant lointaine si l'on considère les situations sociales et politiques respectives du royaume de France et de la poussière des États allemands. Heine et Marx répètent à l'envi que la Révolution française n'avait été pour la philosophie allemande qu'une affaire de pensée. Elle fut pourtant d'abord affaire de sentiments et d'émotions. L'annonce de la prise de la Bastille aurait été le seul prétexte que se soit jamais donné le vieux Kant pour interrompre sa promenade quotidienne. La correspondance du jeune Fichte le montre enflammé tout à la fois par la soif de transformer l'état de choses existant et par l'amour pour sa très républicaine fiancée Jeanne Rahn. Quant au très jeune Hegel (dix-neuf ans en 1789), n'aurait-il pas planté nuitamment un arbre de la liberté dans la cour du collège de Tübingen en compagnie de Hölderlin et de Schelling ? Légendes ? simples faits biographiques ? Mais ce qui fut pensé par ces hommes, n'est-ce pas aussi leur enthousiasme, leurs espoirs et leur désarroi devant les dures réalités de la Terreur et de la guerre qui suivirent ce que Hegel nommait « l'aurore » ? La Révolution fut pour ces penseurs nourris de culture française et grands dévoreurs de gazettes un « principe espérance » à la source, parfois, de douloureuses déceptions.

Kant : morale et politique

La Révolution est, pour Kant, la fille de ces Lumières qu'il définit comme l'accession de l'homme à sa majorité. 1789 montre en effet que les éléments les plus avancés de l'humanité sont en mesure de constituer un « espace public » fondé sur la liberté de penser et l'autonomie de la volonté, espace au sein duquel l'homme peut décider raisonnablement de son avenir. Mieux, l'événement achève de mettre au jour ce que la raison découvrait dans la philosophie critique : l'idée (non le fait) du Contrat originaire. Identique à l'idée de Volonté générale, elle pousse au progrès du monde, inscrivant l'expérience humaine dans une histoire dont la réalisation de la morale livre le sens. La liberté donne sa signification morale à l'histoire humaine et confère sa valeur au contenu lumineux de la Révolution. L'Idée républicaine en est le corollaire politique.

Il y a cependant un abîme entre la République kantienne et la République française. Kant distingue « forme de gouvernement » et « forme de domination ». La République est pour lui une forme de gouvernement contraire au despotisme ; en revanche, elle admet plusieurs formes de domination telles que l'« autocratie » ou l'« aristocratie ». La République se définit essentiellement par la représentation politique et la séparation des pouvoirs. Kant peut ensuite montrer que la démocratie, excluant pratiquement l'une et l'autre, est une forme de domination incompatible avec le gouvernement républicain. Ce dernier trouve par excellence à se réaliser dans une autocratie éclairée, limitée, tolérante et réformiste, capable d'opérer la synthèse politique, fondée en droit, de la contrainte et de la liberté. On en perçoit immédiatement la conséquence : d'une part, l'Idée républicaine ne peut légitimement se réaliser que par la voie de la réforme ; d'autre part, la démocratie lui est contraire. Il en résulte que l'entreprise française est, comme révolution, illégitime et, comme tentative démocratique, antirépublicaine.

Toute cette argumentation politico-juridique s'adosse à une argumentation morale qui est pour Kant décisive. Affirmation de la liberté humaine, la Révolution en révèle la face d'ombre : la liberté est aussi liberté pour le mal. L'homme est par nature égoïste et insociable ; il a besoin d'un maître. Certes, l'âge des maîtres est révolu en droit comme dans le domaine de la pensée rationnelle ; il ne l'est ni en fait ni dans le champ de l'activité politique. Le contrat social étant un devoir moral, on ne peut le confondre avec les sociétés et les États réels, nés de la violence et de la contrainte. Toutefois, il rend illégitime et immoral de chercher à rompre ces associations. Certes, ces maîtres dont les hommes ont besoin ne sont guère meilleurs qu'eux ; il appartient donc aux peuples de les inviter à la réforme, mais en aucun cas de les renverser par des révolutions, car le droit rationnel ne saurait se lever comme un glaive contre le droit positif.

Enfin, le républicanisme kantien repose sur trois principes : liberté des hommes, égalité des sujets, citoyenneté. Or, la Révolution commet la faute de définir l'égalité en termes d'égalité politique active et d'égalité sociale. L'égalité est au contraire pour Kant passivité dans l'obéissance aux autorités légitimes : la doctrine kantienne réclame la liberté d'opinion mais non le droit de résistance. L'égalité sociale relève d'une aspiration au bonheur que la politique fondée sur le droit pur, dérivé de l'obligation morale, doit exclure de ses principes. Quant à la citoyenneté, les révolutionnaires n'ont pas compris que si tout citoyen doit jouir des droits de l'homme, il ne s'ensuit pas que tout homme puisse être citoyen, c'est-à-dire partie active de l'État. Tous les sujets n'ont pas l'indépendance requise, tous ne sont pas propriétaires au sens large. Comment des non-propriétaires légiféreraient-ils sur la propriété que l'autorité politique doit garantir ?

Kant ne parvient pas à rendre cohérents les critères de la citoyenneté et donc les éléments de la doctrine politique, même à reprendre la distinction de Sieyès entre citoyens actifs et passifs : comme si l'échec de Kant à assurer la cohésion d'une doctrine politique fondée en principe faisait écho au cynisme de la fraction la plus antidémocratique des révolutionnaires français.

Si en 1784 *(Idée d'une histoire universelle),* Kant tendait à confondre républicanisme et réalisation de la moralité dans un avenir indéfini, le souci de défendre l'idée républicaine contre la réaction suscitée par la Révolution l'amène à suggérer, en 1793 *(Théorie et pratique),* les orientations d'une politique concrète, au prix, cependant, d'un renforcement du thème de la soumission aux autorités légitimes. Ainsi la Révolution montre-t-elle contradictoirement que la synthèse de l'ordre et de la liberté doit être réalisable en dépit de la méchanceté de l'homme, mais que cette réalisation se paie du sacrifice de la liberté politique. D'où l'ambiguïté du jugement porté par Kant sur la Révolution dans *Le Conflit des facultés* (1798). Nul, dit-il, ne voudrait raisonnablement la recommencer bien qu'elle inspire une irrésistible sympathie dont la cause ne saurait être qu'une disposition morale du genre humain.

Fichte : la légitimation de la Révolution

Fichte, au début de ses *Considérations destinées à rectifier les jugements du public sur la Révolution française* (1793), fait de cette dernière le prolongement de la révolution philosophique kantienne. Toutefois, ce plaidoyer véhément en faveur de la Révolution relève d'un optimisme étranger au maître de Königsberg. Pour ce dernier l'homme ne peut attendre la réalisation de sa liberté morale dans l'histoire que du plan insondable d'une nature providentielle. Comme l'homme historique ne saurait s'identifier à cette providence, il ne lui est pas permis d'en tirer la justification d'un bouleversement radical de l'ordre établi. Chez Fichte, en revanche, la liberté émane d'un impératif d'action dans la réalité, et l'activité politique en tire sa légitimité morale.

La Révolution française suscite donc deux questions distinctes : est-elle légitime ? est-elle sage ? dont la première, parce qu'elle prend pour critère des principes et non des faits, a la primauté sur la seconde.

Critère de légitimité : la loi morale que l'on ne peut trouver que dans le Moi pur et qui exige que les formes changeantes de l'expérience s'accordent avec elle. De cette loi se déduisent des droits inaliénables, indépendants de toute relation contractuelle. Il en résulte que le contrat social ne jouit d'aucun privilège sur les autres contrats et dépend comme eux de la volonté changeante des contractants, lesquels peuvent le rompre à tout moment et ont même le devoir de le faire, pour peu que le régime en place fasse obstacle au progrès de la culture, c'est-à-dire au progrès moral de l'homme dans la liberté. Un peuple est donc légitimé à changer sa constitution, et les moyens, violents ou pacifiques, qu'il emploie, relèvent de la question de sagesse.

Cette mutabilité du contrat se comprend au regard du but final de toute union politique : la culture de la liberté passant par le desserrement de la contrainte politique et l'établissement d'une paix universelle entre les États.

Justifiée juridiquement, la Révolution française l'est aussi politiquement en raison de la nature même du régime qu'elle a renversé. Fichte démontre que les monarchies absolues tendent intérieurement à la souveraineté illimitée et, extérieurement, à la conquête universelle que seul empêche un prétendu équilibre des forces engendrant guerre sur guerre.

Lorsque les circonstances s'y prêtent, la voie de la réforme est assurément plus sage que celle de la révolution, mais Fichte n'oppose pas antithétiquement l'une à l'autre. D'une part, la réforme n'est possible que dans le cadre d'une constitution déjà conforme aux fins morales de l'homme ; d'autre part, le contenu moral de la Révolution française offre, comme élément décisif de l'éducation du genre humain, une sorte de prédication de la réforme procédant « de bas en haut » : les peuples font la leçon aux souverains.

La position adoptée par Fichte en 1793 minore considérablement le rôle de la communauté étatique, puisque le philosophe va jusqu'à admettre la légitimité de l'existence d'« États dans l'État ». Dès lors, l'écart entre la lettre de la Constitution et le gouvernement effectif de la République n'apparaît pas comme un signe d'échec. Fichte met en effet l'accent sur l'indépendance radicale de l'individu comme constitutive de la liberté dans le monde empirique, là où Kant rattachait cette dernière à un fondement social transcendant les sociétés historiques et où l'homme moral aurait le devoir de s'enraciner à titre de citoyen idéal.

Certes, Fichte modifie sensiblement sa conception de l'État dès les *Fondements du droit naturel* (1796-1797), mais sans revenir pour autant sur son approbation de la Révolution. Il reste légitime de transformer radicalement une constitution non conforme au droit naturel, le peuple tout entier conservant sa puissance active face aux autorités. Ce « tout entier » prend cependant un nouveau relief. L'individu moral se définit désormais par sa relation intersubjective avec autrui, donc à partir de la catégorie de communauté. La société devient le fondement de l'individu et l'État perd son caractère d'association contingente, toujours révocable et divisible. Du coup, le contrat social n'est plus un contrat ordinaire et le droit ne peut plus être maintenu indépendamment des lois positives. Fichte retombe ainsi inévitablement sur le problème kantien de la synthèse de l'ordre et de la liberté. Pour maintenir la légitimité de la Révolution il faut démontrer que le changement de constitution répond à une nécessité interne au droit.

Hegel : les Lumières, idéal insatisfait

La manière dont Hegel appréhende la Révolution française repose sur l'idée qu'une telle démonstration manque son objectif si la synthèse politique de la morale et du droit ne s'articule pas à une philosophie de l'histoire capable de fournir une compréhension circonstanciée des événements et des ensembles historiques déterminés. La Révolution française, ce qui la précède et ce qui la suit, constituent un tel ensemble, une telle expérience concrète de l'esprit comme unité de l'activité rationnelle et de l'action historique. Hegel en présente donc une analyse inséparablement philosophique et historique, une première fois dans la *Phénoménologie de l'esprit,* une seconde fois dans les *Leçons sur la philosophie de l'histoire.*

La Révolution est l'aboutissement d'un processus historique de longue durée prenant sa source dans les structures sociales et politiques de l'Ancien Régime, dans la spécificité des Lumières françaises (comparées à l'*Aufklärung*) et enfin, dans l'échec de la Réforme protestante en France.

Ce dernier point est capital. Hegel y voit une raison du divorce irrémédiable entre l'individu, auquel n'est pas reconnue la liberté intérieure de la conscience religieuse, et l'État, à la fois bras armé de l'intolérance et confronté à une Église qui, au nom du spirituel, représente une puissance temporelle indépendante de la nation. C'est pourquoi les Lumières, à la différence de l'*Aufklärung,* s'orientent vers le radicalisme antireligieux. Il y a là, pour Hegel, le signe d'une incapacité à penser véritablement ensemble l'individuel et l'universel. Du côté de l'universel, les « Philosophes » français promeuvent le concept de la « volonté générale » d'un « peuple » abstrait, privé de toute épaisseur historique et sociale mais aussi religieuse. Du côté de l'individuel règne le concept de l'« utilité » qui fait de l'intérêt individuel la pierre de touche de tout rapport au monde objectif : toute chose ne vaut qu'en tant qu'elle m'est utile, toute valeur se ramène à celle que détermine mon intérêt privé.

Fruit d'une telle continuité dans l'expérience historique du peuple français, la Révolution n'en reste pas moins une rupture radicale : événement « prodigieux » que Hegel célébrera en famille jusqu'à sa mort ; événement « ouvert » surtout, parce qu'il signe l'acte de naissance de la modernité. Quelle est la tâche de celle-ci ? Faire que la liberté devienne droit et que le droit devienne liberté ; rendre réellement effectif ce droit-liberté dans la fondation de l'État national qui, conforme à ce concept, saurait répondre à l'émergence d'une société nouvelle dans sa composition et dans ses besoins.

Une telle perspective tend chez Hegel à effacer la vieille question de la légitimité. Étant admis qu'il fallait que cette Révolution ait lieu, il s'agit désormais de comprendre pourquoi elle a échoué à libérer les hommes conformément à son propre principe. L'épisode de la Terreur est pour Hegel le symbole de cet échec et c'est pourquoi il prend chez lui un relief si accusé. Là viennent s'entrecroiser l'examen historique du cours de la Révolution et la compréhension philosophique du sens de l'événement du point de vue du développement rationnel de l'idée du Droit.

Lorsque Hegel périodise la Révolution française, il demeure fidèle à une dialectique du continu et du discontinu pour laquelle 1793 s'oppose à 1789 tout en en manifestant la vérité. 1789, résultat de la culture des Lumières et de l'opposition, dans l'Ancien Régime, de la « conscience noble » et de la « conscience vile » (bourgeoise), concrétise les deux principes contradictoires de la volonté générale et de l'utilité. En

BIBLIOGRAPHIE

FICHTE J.G., *Considérations destinées à rectifier les jugements du public sur la Révolution française,* Paris, 1858 ; trad. J. Barni, Payot, Paris, 1974.

FICHTE J.G., *Fondement du droit naturel selon les principes de la doctrine de la science,* trad. A. Renault, PUF, Paris, 1984.

HEGEL G.W.F., *La Phénoménologie de l'esprit,* t. II, chap. VI, trad. J. Hippolyte, Aubier-Montaigne, Paris, s.d.

HEGEL G.W.F., *Leçons sur la philosophie de l'histoire,* trad. J. Gibelin, Vrin, Paris, 1970.

KANT E., *La Philosophie de l'histoire,* éd. établie et traduite par S. Piobetta, Denoël, Paris, 1987.

1793, l'intérêt individuel (principe d'utilité) cède apparemment devant la volonté universelle d'un « Peuple » en fait introuvable : sa volonté n'exclut-elle pas toute revendication des particularités sociales ou politiques concrètes ? C'est un homme abstrait qui s'est érigé en citoyen, mais son droit universel ne peut se concrétiser en une organisation de droits sociaux et civiques, parce que ces derniers présupposent la particularité. L'individu devient donc suspect sans que la volonté générale puisse s'incarner dans un gouvernement effectif.

La Révolution est au fond la tentative de donner corps, sans médiation historique, à l'abstraction juridique de la personne dans le citoyen révolutionnaire. Lorsque la Révolution parle de l'intérêt général, elle ne fait en somme, pour Hegel, qu'universaliser le principe d'utilité en le retournant contre l'individu concret et ses droits légitimes. La Terreur réalise l'égalité devant la mort sous la guillotine. La liberté individuelle est ainsi sacrifiée sur l'autel d'un intérêt commun qui demeure privé de contenu réel. Ignorées des principes, les particularités sociales réapparaissent comme une menace permanente pour l'unité. Certes, placer le principe de liberté au fondement du droit est la raison même ; mais ce même principe se retourne en déraison dès qu'il prétend se réaliser dans l'histoire sans médiation historique. Tout le problème de la modernité se résume à ceci : effectuer la médiation entre le droit de l'individu – et réaliser sa singularité dans une société civile édifiée sur le principe de l'intérêt privé –, et le droit de l'universalité à se faire valoir dans une constitution rationnelle qui promeuve l'existence d'une communauté historique pourvue d'une véritable liberté politique.

Histoire universelle, singularité allemande

La question de Kant – une politique rationnelle peut-elle, dans le concret de l'histoire, concilier la liberté de l'homme et les contraintes de l'ordre civil ? – constitue, on le voit, le fil rouge unissant les diverses prises de position de l'idéalisme allemand. Aussi diverses qu'ambiguës, elles ont en commun la recherche d'une voie réformiste et le refus de donner prise à la réaction contre-révolutionnaire : combat de Kant pour l'instauration d'une véritable liberté d'opinion et contre les privilèges héréditaires qui étouffent les « talents » ; lutte de Fichte contre les publicistes allemands émules de Burke ; critique violente de Hegel contre l'Ancien Régime et tentative de penser les conditions d'émergence d'un État moderne non despotique. Les réflexions de nos philosophes allemands se développent toutes dans le cadre d'une philosophie de l'histoire universelle de la liberté. Entre le cosmopolitisme kantien visant une république supranationale, l'État-nation indépassable de Hegel et les oscillations de Fichte passant de la perspective d'un État pratiquement en voie d'abolition au rêve d'une bureaucratie tatillonne, les options politiques sont certes inconciliables. Mais la conscience aiguë de la singularité allemande, celle d'une nation sans État dont l'unité reste purement idéale demeure un trait commun. Spectateurs des actes de leurs turbulents voisins français, les philosophes d'outre-Rhin perçoivent dans l'enthousiasme le caractère mondial des transformations qui s'annoncent, mais ces transformations sont aussi pour eux l'occasion d'une réflexion sur soi qui marquera toute la postérité de la pensée allemande.

Michaël Soubbotnik

METAL
DE LA CLOCHE
GEORGES D'AMBOISE
FAITE EN 1501
DETRUITE EN 1793
A ROUEN

Protestants et Juifs

L'édit de 1787 fut appelé « édit de Tolérance ». En fait, il ne tolérait rien du tout et se contentait de régler, au moins mal, une situation absurde, qui résultait à la fois de la Révocation et de la législation de 1724, niant l'existence des protestants en France. Face à cette situation, le monde des « décideurs » restait divisé. Clergé et parlements souhaitaient le maintien des positions traditionnelles, tandis que les administrateurs, les milieux d'affaires et les militaires étaient favorables à une évolution.

Premier culte public depuis 1562 !

Le texte primitif de l'édit, œuvre de Malesherbes, avait été modifié par le Parlement de Paris qui y avait apporté de sérieuses restrictions. Une fois encore, il interdisait le culte, ne reconnaissait pas aux réformés le droit de constituer un « corps », leur interdisait l'accès aux fonctions publiques. Il se contentait de leur accorder un état civil légal en matière de naissances et de mariages, ces actes pouvant désormais être contractés devant un curé ou un juge royal. Strictement appliqué, l'édit eût marqué, sauf en ce qui concerne l'état civil, un recul par rapport à la pratique administrative. En fait, la Révocation ne fut pas révoquée...

L'édit fut appliqué, surtout par les magistrats, mais les restrictions continuèrent. Même dans les villes du Midi où ils détenaient la meilleure part de la richesse, les protestants furent systématiquement éliminés de tous les postes.

La période électorale fut marquée par une détente. Des protestants participèrent aux diverses délibérations et élections et une dizaine d'entre eux furent élus. Quant aux cahiers, ceux du Tiers et de la noblesse furent généralement silencieux, ceux du clergé, hostiles. L'émancipation des huguenots devait se heurter à l'hostilité des clercs et au désir passif de la grande majorité des Français de voir le catholicisme rester religion de l'État. Ces réserves expliquent qu'il n'y eut jamais de débat à l'Assemblée nationale sur un « statut » des protestants. Mais le problème de la liberté religieuse fut résolu par le biais de la Déclaration des droits du 22 août

1789 ; et celui de l'égalité, par la définition des conditions à réaliser pour être « citoyen actif » ou « électeur ». La Constitution du 3 septembre 1791 définit la « liberté des cultes » comme un « droit naturel et civil ». Enfin, quelques mesures réparatrices furent prises. Personne ne pensa à un retour pur et simple à l'édit de Nantes dont certaines clauses pouvaient paraître obsolètes.

On comprend que la grande masse des réformés ait été satisfaite et que leur option en faveur des « immortels principes » ait été largement majoritaire et le soit restée jusqu'à nos jours. Cela explique qu'ils se soient lancés avec ardeur dans le combat politique, non seulement en entrant dans les assemblées, mais aussi en participant aux comités, municipalités et clubs. De plus, tandis que l'Assemblée nationale légiférait sur le culte catholique, elle laissait les huguenots conserver leur organisation traditionnelle dont les mécanismes prirent ici et là un caractère semi-officiel. Enfin, certaines communautés purent, en profitant des réformes de l'Église catholique, acheter ou louer, voire se faire concéder par les pouvoirs publics, des édifices religieux, dont certains (Montauban, Nîmes) ont conservé la même affectation jusqu'aujourd'hui.

L'événement qui fit le plus d'impression fut, le 22 mai 1791, la prise de possession par l'Église de Paris et le pasteur Marron de l'église Saint-Louis du Louvre. Une foule nombreuse assista à ce spectacle remarquable de « tolérance civile », le premier culte public depuis 1562 !

Cette légalisation du culte réformé se heurta rapidement à l'hostilité d'une partie du monde catholique. Le professeur Timothy Tackett a noté la résurgence d'anciennes « frontières de catholicité » notamment dans le Sud-Est. Bien antérieurement à la Constitution civile du clergé, le peuple catholique, habitué aux formes de piété post-tridentines et baroques, que les bourgeois gallicans et jansénisants de l'Assemblée méprisaient, s'est montré hostile à la Déclaration des droits et aux lois réorganisant l'Église.

L'épreuve de la déchristianisation

Avec la fin de la Constituante commence la dispersion politique des protestants. Ils sont rares parmi les contre-révolutionnaires, plus nombreux parmi les feuillants et les girondins avec une minorité montagnarde. Les personnalités de qualité sont fréquentes dans tous les groupes depuis le feuillant Laffon de Ladebat jusqu'au montagnard Jeanbon Saint-André. C'est évidemment en ordre dispersé que les communautés protestantes allaient aborder l'épreuve de la déchristianisation.

Les travaux de Woodbridge, R. Cobb, M. Vovelle ou D. Robert nous permettent de bien la connaître. Elle n'était pas originellement dirigée contre les réformés, et il n'y

BIBLIOGRAPHIE

BLUMENKRANZ B. (sous la direction de), *La Révolution française et l'émancipation des juifs,* EDHIS, Paris, 1968.

LÉONARD E.G., « Économie et religion ; les protestants français au XVIIIe siècle », *Annales d'histoire sociale,* 1940.

LIGOU D., *Montauban à la fin de l'Ancien Régime et au début de la Révolution (1787-1794),* Rivière, Paris, 1958.

LIGOU D., « Le protestantisme français dans la seconde moitié du XVIIIe siècle », *L'Information historique,* n° 1, 1963.

LIGOU D., « Franc-Maçonnerie et protestantisme », *XVIIIe Siècle,* n° 17, 1985 (n° spécial sur le protestantisme).

ROBERT D., *Les Églises réformées de France, 1800-1830,* PUF, Paris, 1961.

eut jamais de mesure générale, mais des décisions prises au niveau local. Parfois, les « notables » préférèrent, dans un souci de sécurité, se contenter de suspendre le culte, lequel paraît s'être maintenu de façon privée. Quant aux « abdications », sous des formes très variées, elles touchèrent plus de la moitié du corps pastoral. Devant la pression jacobine (culte de la Raison ou de l'Être suprême), il n'y eut ni résistance ni réel enthousiasme. Mais que se serait-il passé si la Terreur avait duré plusieurs années ?

La loi Boissy d'Anglas du 3 ventôse an III (21 février 1795) permit la reconstitution des Églises et le rétablissement du culte, les pasteurs devant déclarer leur « soumission aux lois de la République », ce qui ne posait pour eux aucun problème. Cependant, la reconstitution fut lente. Selon les bons principes congrégationalistes, on songea d'abord à l'Église locale, et l'« union des Églises », c'est-à-dire les synodes, s'esquissait à peine quand survint le coup d'État de Brumaire. Les dates de reprise du culte s'échelonnèrent entre 1795 et 1798, mais quelques cas de reprise tardive, sous le Consulat, furent dus sans doute au manque de pasteurs puisque un bon tiers avaient quitté le ministère entre 1789 et 1799. Cette reconstruction fut aussi retardée par des oppositions politiques.

D'une façon générale, les dirigeants des consistoires sont des petits bourgeois, de sensibilité montagnarde. Les grands notables, eux, restent sur la réserve et ne reviendront qu'après le Concordat. Aussi, les schismes et les conflits internes sont-ils fréquents. Au moment où Bonaparte s'apprête à légiférer, le tissu des Églises est à peu près reconstitué, encore que la liaison synodale soit insuffisante. Mais ces Églises sont divisées, manquent de pasteurs et n'ont guère de rayonnement. A partir du moment où le premier consul garantira la liberté religieuse et l'égalité civile, ces descendants de camisards seront décidés à accepter n'importe quelle forme d'organisation qu'il plaira à Bonaparte de leur imposer. Ils auront tout le XIXe siècle pour s'en repentir.

L'émancipation des juifs

Les israélites étaient beaucoup moins nombreux que les protestants (quelque 50 000 contre 600 000) et étaient très divisés. Aux groupes bayonnais et surtout bordelais, formés de grands négociants en voie d'assimilation (l'exemple de Gradis est célèbre), s'opposaient les juifs de l'Est plus nombreux, restés très traditionalistes. De plus, quelques centaines de « juifs du Pape » avaient pu s'installer en Languedoc, voire en Provence et en Dauphiné.

Les « portugais » du Sud-Ouest étaient, dans l'ensemble, bien tolérés par les administrations municipales, malgré quelques difficultés à Bayonne, et protégés par le pouvoir royal. Les « avignonnais » finirent aussi par être acceptés. En revanche, il y avait un réel problème pour les juifs de l'Est qui, aux yeux des chrétiens de ces provinces, et souvent des administrateurs, formaient une « nation » inassimilable. A la fin de l'Ancien Régime, la monarchie avait fait un effort sincère pour essayer d'améliorer leur condition (lettres patentes de janvier et de juillet 1784). Mais ces tentatives se heurtaient à la mauvaise volonté du clergé et surtout à l'accusation, discutable mais sans cesse répétée, d'usure.

L'émancipation des juifs se fit en deux étapes. Les cahiers de doléances – sauf ceux de l'Est – avaient fait preuve d'une parfaite indifférence à la question. Le 28 janvier 1790, après les interventions de Talleyrand, de Sèze et Le Chapelier, la Constituante décida d'accorder les droits de citoyens aux juifs « portugais, espagnols et avignonnais ». L'influence de Maury, de Broglie et Reubell avait été assez forte pour empêcher l'Assemblée de donner une réponse favorable aux vœux des plus « éclairés » des juifs « allemands ». Ce n'est que le 27 septembre 1791 que Duport, député de Paris, fit voter le principe de l'égalité totale.

Bien entendu, les communautés juives furent entraînées dans la tourmente de la déchristianisation. Mais la plupart des juifs restèrent fidèles et prirent leur mal en patience, encore que la Terreur ait vu la recrudescence d'un antisémitisme « économique » en Alsace. La réaction thermidorienne permit la réouverture des synagogues, mais les difficultés furent nombreuses et les conflits incessants. Il fallut souvent faire appel à l'arbitrage du pouvoir civil...

Daniel Ligou

L'état civil

Jusqu'à la veille de la Révolution, les baptêmes, mariages et sépultures – actes de caractère mixte, religieux et civil – sont constatés par les ministres du culte catholique. Ce monopole est organisé et réglementé par le pouvoir royal, mais il n'est pas contesté. D'où des problèmes graves pour les non-catholiques. Certes, là où les communautés juives sont tolérées, les rabbins tiennent des registres, mais la force probante de ceux-ci n'est pas identique à celle des registres paroissiaux ; quant aux protestants, si les pasteurs se sont vu reconnaître les mêmes prérogatives que les curés en application de l'édit de Nantes, à partir du moment où celui-ci fut révoqué (1685) et les pasteurs bannis du royaume, les réformés ne purent plus faire constater leur état civil que par les curés de leur domicile, ce qui constituait un instrument indirect de conversion. Aussi beaucoup de protestants refusèrent-ils de recourir à ce moyen qui, au moins formellement, équivalait à une abjuration.

Devant le blocage de la situation et sous l'influence de l'opinion éclairée, Louis XVI, par un édit de novembre 1787 concernant l'ensemble des sujets qui ne professaient pas la religion catholique, adopta une solution qui amorçait la sécularisation des actes de l'état civil : naissances, mariages et décès pouvaient être constatés soit par les curés, soit par les premiers officiers des justices du lieu, et lorsque les premiers enregistraient les actes de non-catholiques, ils intervenaient non en tant que ministres du culte mais en qualité d'officiers de l'état civil.

La laïcisation

Promulguée moins d'un an avant la convocation des États généraux, cette mesure permettait donc la laïcisation de l'état des non-catholiques. Elle consacrait cependant une inégalité juridique puisque cette catégorie était définie par opposition à celle, très largement majoritaire, des fidèles de Rome.

Mais la Révolution allait réaliser la sécularisation des actes de l'état civil de tous les Français. Elle y fut contrainte par l'échec de la Constitution civile du clergé. Celle-ci, votée le 12 juillet 1790, remettait aux prêtres, fonctionnaires ecclésiastiques, le soin de constater naissances, mariages et décès. A la suite de l'hostilité de la hiérarchie et de la papauté, et du schisme qui s'ensuivit, beaucoup de catholiques refusèrent de s'adresser au clergé constitutionnel et se trouvèrent dans la même situation que les protestants avant l'édit de 1787 ; c'est pourquoi la Constituante prévit que des « officiers publics » seraient chargés de recevoir et de conserver les actes de la vie civile « pour tous les habitants, sans distinction » (titre II, art. 7 de la Constitution du 3 septembre 1791).

Après bien des atermoiements et à l'extrême fin de son existence, la

Législative vota, le 20 septembre 1792, deux lois très importantes, l'une qui admettait et réglementait le divorce, l'autre qui déterminait « le mode de constater l'état civil des citoyens ». Celui-ci était confié désormais aux municipalités. Dans chaque commune, le conseil général chargeait un ou plusieurs de ses membres de cette tâche. Contrairement à notre organisation municipale actuelle, le maire n'était donc pas officier de l'état civil, sauf à titre de suppléant, mais il le deviendra en l'an VIII, ainsi que ses adjoints.

Trois registres séparés durent être tenus pour les trois types d'actes ; sur le registre des mariages, l'« officier public » transcrivit les divorces qu'il lui revint d'ailleurs de prononcer. Des tables, d'abord annuelles puis décennales, furent dressées par ordre alphabétique afin de faciliter les recherches. Contrôlés par les administrations de district puis de département, les registres, établis en double, étaient conservés à la fois dans les archives du département et dans celles des communes... Organisation rationnelle et perfectionnée qui, sous réserve de légères modifications, est à la base du système contemporain : les rédacteurs du Code civil reprendront, en gros, les principes de 1792 et, malgré une tentative sous la Restauration, contemporaine de la suppression du divorce (1816), on ne reviendra pas sur la laïcisation de l'état civil.

« Changer la base même de la vie »

L'application de la loi nouvelle ne fut pas des plus faciles ; elle s'améliora progressivement. Mais l'essentiel n'est pas là ; il réside dans la signification même des mesures prises et dans leurs conséquences sur le plan social, politique et idéologique. « Première étape de la séparation de l'Église et de l'État », selon Aulard, la loi de septembre 1792 « changeait » aux yeux de Jaurès « la base même de la vie ». D'ailleurs, devant les résistances du clergé constitutionnel lui-même, plusieurs textes de caractère législatif ou réglementaire durent confirmer ou accentuer la laïcisation de l'état civil. Il fut ainsi interdit aux ministres du culte de tenir des registres des sacrements, parallèles en somme à ceux des actes civils tenus par les municipalités, comme de publier les bans de mariage (janvier 1793) ; les lois du 19 juillet et du 12 août 1793 prévoyaient la peine de déportation à l'égard de tout évêque ou prêtre qui ferait « la moindre opposition soit à la loi sur l'état civil, soit à la loi sur le divorce », et l'un des articles organiques (n° 54) ajoutés au Concordat de 1801 interdira aux prêtres de bénir les époux qui n'auraient pas déjà contracté un mariage civil.

Il en est encore ainsi aujourd'hui, malgré l'abrogation du Concordat et des articles organiques par la loi de séparation de l'Église et de l'État (9 décembre 1905) ; le Code pénal (art. 199 et 200), prévoit la punition du ministre du culte qui aurait béni une union non préalablement célébrée devant l'officier d'état civil.

En marge de ces mesures de sécularisation, s'ajoutèrent des cérémonies patriotiques, tels les baptêmes civiques, qui, liés aux cultes révolutionnaires, plaçaient les enfants « sous la protection légale de la République française ». Mais ces pratiques ne sont jamais devenues obligatoires ; leur destin fut celui des religions nouvelles : éphémères, même si les baptêmes civiques subsistent encore çà et là de nos jours.

Jean Bart

La première abolition de l'esclavage

L'abolition de l'esclavage noir aux Indes occidentales était un des buts de la Révolution française. Le caractère barbare et les injustices de ce système avaient déjà été dénoncés par des philosophes, notamment par Rousseau, Montesquieu, Diderot et Raynal, aussi bien que par la propagande tenace des réformateurs évangéliques anglais inspirés par Clarkson et Wilberforce. La société des Amis des Noirs, fondée en février 1788 dans le but de faire connaître le problème de l'esclavage, bénéficia de la notoriété de réformateurs aussi divers que Brissot, Condorcet, Clavière, Grégoire et Mirabeau. Adoptant les tactiques de leurs homologues anglais, les Amis des Noirs préconisaient d'abord la suppression de la traite et ensuite les droits civiques pour les gens de couleur libres. Mais, malgré cette approche graduelle, les idées des Amis des Noirs furent âprement contestées par le *lobby* bien organisé des planteurs des îles et des négociants des ports de la métropole, dont le porte-parole était le club Massiac à Paris.

La plupart des Français n'avaient que des idées vagues de l'esclavage ; les seuls esclaves vivants qu'ils eussent vus étaient des domestiques noirs qui accompagnaient leurs maîtres en visite dans la métropole. Le sujet de l'esclavage était plus apte à évoquer des images d'exotisme tropical puisées dans la littérature de voyage que les dures réalités d'une plantation de canne à sucre. De plus, les problèmes de quelques îles lointaines paraissaient peu importants en comparaison des grandes questions sociales et économiques qui requéraient alors l'attention de la métropole.

Peu de cahiers de doléances avaient abordé les maux de l'esclavage ; en revanche, une minorité organisée avait su faire ressortir le rôle essentiel joué par la main-d'œuvre esclave dans la prospérité non seulement des îles, mais surtout des ports atlantiques de la métropole et de leurs arrière-pays.

Saint-Domingue en guerre

La plus importante des colonies esclavagistes françaises était Saint-Domingue (Haïti). Les exportations de sucre et de café de cette seule île excédaient celles de toutes les îles anglaises réunies et dominaient les marchés continentaux européens. Avec 450 000 esclaves noirs en 1789, Saint-Domingue était la plus grande colonie esclavagiste des îles Caraïbes.

Cette situation se compliquait de la présence d'une minorité croissante de gens de couleur libres, dont le nombre (30 000) était égal à celui des Blancs sur l'île. Exclus des charges publiques et des professions libérales, ils bénéficiaient de réseaux familiaux efficaces pour leur promotion sociale. Beaucoup d'entre eux avaient acquis un métier et travaillaient dans les villes ; d'autres étaient éleveurs ou planteurs de café. Une minorité parmi eux possédait des esclaves, des plantations et des propriétés urbaines, et quelques-uns envoyaient leurs enfants en France pour leur éducation. Porte-parole de ce groupe, Julien Raimond et Vincent Ogé plaidaient à Paris pour obtenir les droits civiques des gens de couleur, sans pourtant demander l'abolition de l'esclavage.

Le 15 mai 1791, l'Assemblée nationale accorda des droits civiques intégraux aux enfants des gens de couleur des îles dont les parents avaient été libres. Pour la plupart des membres de l'Assemblée nationale, c'était une extension logique et équitable du système censitaire établi par la Constitution de 1791. mais pour les Blancs de Saint-Domingue, surtout les « petits blancs » pauvres, accorder aux gens de couleur le même statut légal qu'aux Blancs était inacceptable. De plus, à leurs yeux, ce décret était un premier pas vers l'abolition de l'esclavage. Dès l'arrivée du décret, l'île fut donc déchirée par de nombreux conflits entre les Blancs et les gens de couleur, et à peine deux mois plus tard (22 août 1791) par la révolte massive des esclaves dans la plaine du Nord. C'était le début de la guerre civile qui sévirait pendant treize ans pour aboutir à l'indépendance d'Haïti en 1804.

Retour à la case départ ?

Accaparé par d'énormes problèmes en Europe, le gouvernement n'était pas en mesure d'envoyer de larges renforts militaires pour imposer ses décrets. Les Blancs de l'île s'y opposaient avec acharnement et certains négocièrent avec les Anglais dans l'idée qu'une occupation anglaise leur permettrait de maintenir l'esclavage. En 1793, les Espagnols de Santo Domingo et les Anglais de la Jamaïque envahirent Saint-Domingue. L'île n'aurait sûrement pas pu tenir sans la décision de Léger Félicité Sonthonax, commissaire de la Convention, d'offrir leur liberté aux esclaves qui combattraient pour la République française. Puis, le 29 août 1793, Sonthonax proclama, de sa propre initiative, la libération générale des esclaves, en dépit de l'opposition des colons blancs, créant un fait accompli que la Convention jacobine confirma en l'étendant aux colonies françaises dans son décret du 4 février 1794 (16 pluviôse an II).

Il est certain que les idéaux de liberté des Lumières et l'exemple de la Révolution française de 1789 avaient inspiré la prise de conscience politique et la lutte pour l'égalité civile des gens de couleur. Par ailleurs, dans le cadre d'une rhétorique de plus en plus égalitaire, accompagnant la propagation du « message » révolutionnaire à l'étranger après 1792, les patriotes de la métropole ne pouvaient guère défendre l'esclavage. « Périssent les colonies, mais abolissons l'esclavage », tel fut l'impératif proclamé du haut de la tribune à Paris qui s'imposa jusqu'à la fin du Directoire et l'avènement de Bonaparte, date à laquelle les intérêts coloniaux réaffirmés conduisirent à rétablir l'esclavage.

Robert Forster

Les colonies devant les assemblées révolutionnaires

Le premier débat sur les colonies à la Constituante porta sur le fait d'admettre ou non une représentation coloniale ; les députés blancs de Saint-Domingue furent finalement acceptés (27 juin et 3-6 juillet 1789). Ce débat permit surtout à des députés comme Mirabeau de soulever la question de l'esclavage, de l'utilité des colonies et des droits des « hommes de couleur libres » (mulâtres). Mais l'alerte était donnée. Aussi, outre la pression des colons du club Massiac, l'Assemblée subit-elle celle des pétitions des villes maritimes négrières, entre septembre 1789 et février 1790 : toutes demandent la continuation « libre » de la traite et de l'esclavage.

Périssent les colonies plutôt qu'un principe

Coincée entre les principes de la Déclaration des droits de l'homme et cette bourgeoisie, négrière mais hostile à la cour, la majorité de la Constituante ne se prononcera pas explicitement, de sorte que le *statu quo* persistera.

Même tactique à la fin de 1789 devant la pétition des mulâtres du 22 octobre demandant, eux aussi, à avoir des députés. Le 3 décembre, contre Grégoire et Pétion, l'Assemblée refuse de trancher : les mulâtres n'auront pas de députés.

En revanche, elle est tout entière d'accord pour donner aux colonies le droit d'avoir leurs assemblées coloniales – droit que les colons ont déjà pris d'eux-mêmes avant que le décret du 8 mars 1790 ne le légalise tout en le limitant et aussi en garantissant les propriétés des colons... Accord presque général aussi pour maintenir l'« exclusif », c'est-à-dire l'obligation pour les colonies de ne vendre et n'acheter qu'à la métropole.

Le seul débat portera donc sur les droits politiques des mulâtres. Le 28 mars 1790, on croit comprendre que les mulâtres citoyens actifs auront le droit de vote. Les colons sur place et à Paris répondent : non. Le 12 octobre suivant, le second décret sur les colonies, voté sans débat comme le premier, condamne les « excès » indépendantistes de la première assemblée coloniale de Saint-Domingue ; mais déclare surtout que l'assemblée ne touchera à l'état des personnes que si les colons le veulent – autrement dit jamais.

Il faut attendre le 15 mai 1791 pour qu'après un véritable débat, un compromis octroie le droit de vote aux mulâtres de deuxième génération. C'est alors que Dupont de Nemours et Robespierre prononcent ces paroles que l'on résumera par la formule célèbre : Périssent les colonies plutôt qu'un principe ! Mais le principe ne concerne pas les esclaves. D'ailleurs, le décret du 15 mai dont les colons ne veulent pas sera abrogé le 24 septembre.

La Législative sera obligée de discuter de la situation à Saint-Domingue où l'insurrection des esclaves a éclaté. Mais tous les débats, du 27 octobre 1791 au 24 mars 1792, tourneront autour des décisions à prendre sur les mulâtres : le 24 mars, Brissot l'emporte enfin, et la pleine égalité des mulâtres est reconnue par la loi. Quelques jours après, l'Assemblée se dérobe devant une proposition d'abolition de la traite. Naturellement, la campagne contre l'esclavage et la traite se poursuit dans la presse, mais en dehors des assemblées.

L'abolition de l'esclavage

La Convention aura certes à débattre souvent de Saint-Domingue et des autres Antilles, et surtout à défendre les commissaires civils sans cesse attaqués par les représentants des colons à Paris ; mais c'est seulement le 4 juin 1793 qu'une tentative est faite pour arracher une décision sur l'esclavage : une délégation noire conduite par Chaumette se présente à l'Assemblée où Grégoire et Chabot l'appuient vivement ; la Convention renvoie la proposition à son comité où elle sera enterrée.

Au moins, la Convention se décide-t-elle enfin à supprimer les subventions à la traite, donc à l'abolir indirectement, au cours des séances des 27 juillet et 19 septembre 1793. Il faudra le coup de théâtre de l'arrivée des trois députés de Saint-Domingue, un Noir, Belley, un mulâtre, Mills, un Blanc, Dufay, pour que la question de l'esclavage soit traitée sérieusement.

Le 3 février 1794, ils sont accueillis par Camboulas, neveu de l'abbé Raynal. Le lendemain, 16 pluviôse an II, la Convention écoute le rapport de Dufay, approuve la décision unilatérale du commissaire civil, Sonthonax, qui a aboli l'esclavage à Saint-Domingue, et généralise la décision à toutes les colonies françaises. Ce jour-là, la Convention se retrouve unanime et enthousiaste. Et le souvenir persistera. Après la chute de Robespierre, des thermidoriens, tel Pelet le 23 janvier 1795, n'hésiteront pas à rappeler : « Le décret est rendu, il faut l'exécuter. »

La poussée esclavagiste

La Constitution de l'an III, adoptée en août 1795, ratifie implicitement l'abolition en reprenant une formule de celle de l'an I : aucun homme « ne peut se vendre ni être vendu » ; mais elle exclut les assemblées coloniales et uniformise les institutions des colonies avec celles de la métropole dans un souci d'assimilation.

En 1795, le débat colonial se transporte des séances de l'Assemblée à celles de sa commission chargée d'enquêter sur les accusations des colons contre les commissaires civils à Saint-Domingue, Sonthonax et Polverel (qui mourra cette année-là). Les commissaires sont innocentés par un décret rendu le dernier jour de la Convention.

Les assemblées du Directoire connaîtront encore de vifs débats sur les colonies, surtout en juillet 1797, lors de l'offensive parlementaire royaliste où le colon Vaublanc, appuyé par l'amiral Villaret de Joyeuse, prononce des discours esclavagistes d'une telle violence que Toussaint Louverture, quelques mois plus tard, protestera auprès du Directoire. Mais, dans l'intervalle, le coup d'État du 18 Fructidor aura stoppé et la poussée royaliste et la poussée esclavagiste. Il y aura encore des discussions vives sur la seconde mission de Sonthonax (1796-1797) : Garran-Coulon, qui avait présidé la commission de 1795, le défendra encore avec succès. En dépit de ces contre-attaques, qui n'ont jamais cessé complètement, assemblées et gouvernement respecteront en définitive la ligne qui avait été fixée par la séance historique du 16 pluviôse an II.

Au demeurant, dans son *Rapport sur les troubles de Saint-Domingue* dont le tome I paraît en mars 1797 (il y en aura quatre, le dernier en 1799), Garran-Coulon avait mis en garde contre tout retour en arrière et prédit que si on en tentait un, Saint-Domingue serait perdu pour la France et que rien ne pourrait sauver les Blancs qui s'y trouvaient.

Yves Benot

Toussaint Louverture et la victoire des esclaves

Du jour où il y a eu esclavage noir aux Antilles, il y a eu révoltes d'esclaves et de marrons. En 1789-1791, il s'agit encore de révoltes localisées et vite réprimées. Ce qui change dans la nuit historique du 22 au 23 août 1791, c'est que toute une région s'insurge, toute la riche plaine du nord de Saint-Domingue. Ce ne sont plus des bandes isolées, mais une véritable armée, qui tente de prendre Le Cap, échoue mais ne se disperse pas pour autant, et au contraire s'organise pour une lutte prolongée. Une autre insurrection éclate bientôt dans le Sud, qui aboutit les 6-7 août 1792 à une victoire contre l'armée régulière du gouverneur Blanchelande. L'Ouest s'insurge en mars 1792, pour quelques mois seulement.

Des dirigeants s'affirment. Du premier, Boukman, que les colons prétendent « magicien », on sait peu de choses ; il est tué au bout de quelques jours devant Le Cap. Pendant plusieurs semaines, trois hommes se partagent le commandement : Biassou, Jean-François et Jeannot. Ce dernier, trop enclin aux décisions sommaires, est exécuté par ordre de Jean-François. Tous trois sont catholiques, tout comme Toussaint Bréda – bientôt dit Louverture – qui rejoint le camp de Biassou à la fin de septembre et joue rapidement un rôle important.

L'insurrection franchit, non sans difficultés, le cap de la saison sèche. La contrebande avec le Saint-Domingue espagnol l'y aide, de même que les difficultés des autorités aux prises avec le soulèvement des mulâtres de l'Ouest et les conflits entre Blancs.

Militairement, la période la plus difficile pour les insurgés sera celle de novembre 1792 à janvier 1793 où le commissaire civil Sonthonax – pourtant antiesclavagiste – ordonne au général Laveaux de mener une offensive contre l'insurrection. Mais, en février 1793, Sonthonax signale à la Convention qu'il restera toujours un noyau de résistance irréductible et qu'il faut prendre une décision de fond sur le problème de l'esclavage.

Le soutien espagnol

A ce moment éclate la guerre avec l'Angleterre et l'Espagne. Sans souci de cohérence idéologique, cette dernière prend à sa solde l'armée noire insurgée. A côté de Biassou et de Jean-François, Toussaint, en principe subordonné de Biassou, dispose en fait de sa propre armée, environ 4 000 hommes bien disciplinés. Toutes les capacités militaires et politiques de cet homme de près de cinquante ans vont pouvoir s'exprimer.

L'insurrection se développe, mais en juin 1793, les trois commissaires civils envoyés par la métropole engagent des négociations secrètes avec les dirigeants noirs. Celles-ci expliquent que, lorsque le 21 juin, au Cap, les commissaires sont attaqués par une émeute contre-révolutionnaire dirigée par le gouverneur Galbaud, les Noirs insurgés et les esclaves qui tiennent la campagne viennent à leur secours et chassent Galbaud. Les commissaires décrètent alors que tout Noir combattant pour la République est affranchi, et ordonnent d'arrêter toute opération offensive contre les insurgés. Les ralliements restant limités, Sonthonax, le 29 août, décrète l'abolition de l'esclavage dans le Nord, mesure étendue à l'Ouest et au Sud le 21 septembre.

Le ralliement de Toussaint

Mais à cette date, Anglais et émigrés, aidés par des mulâtres esclavagistes, commencent à débarquer dans les villes côtières. Et ils y rétablissent l'esclavage, alors que leurs alliés espagnols, sans l'abolir, ont pour principale force l'armée noire insurgée. C'est peut-être ce paradoxe qui est à la source du ralliement de Toussaint à la République, le 6 mai 1794, à la suite de longues négociations avec le général Laveaux, menées sans doute par l'entremise du curé du Dondon, l'abbé Delahaye. L'annonce le 7 juillet du décret d'abolition de l'esclavage pris par la Convention le 4 février ne peut que conforter Toussaint dans sa décision, à laquelle se rallie assez vite la grande majorité des troupes noires.

Nommé commandant du cordon de l'Ouest, le général de brigade Toussaint Louverture va, à partir de Marmelade, chasser les Espagnols de la plaine du Nord : le 22 juillet 1795, quand le second traité de Bâle met fin à la guerre avec l'Espagne, cette tâche-là est pratiquement finie. La guerre contre les anglo-émigrés sera plus difficile. Non par manque de soldats, de compétences militaires ou de discipline, mais à cause des énormes pénuries en vivres, en armes et en animaux de trait. Tout dépend en effet du commerce avec les États-Unis qui fournissent notamment les farines. De 1795 à 1798, dans le Mirebalais et l'Arcahaye, succès et échecs alterneront. Au Sud, au contraire, les généraux mulâtres Beauvais et Rigaud réussiront à partir de 1794 à préserver cette partie de toute invasion. En fin de compte, Port-au-Prince sera réoccupé le 15 juin 1798, et c'est le 31 août 1798 seulement qu'est signée la convention d'évacuation avec le général anglais Maitland.

Dans l'intervalle, la guerre s'est compliquée des contrecoups de la politique des dirigants mulâtres et de celle de Paris. Au Nord, les autorités mulâtres du Cap, avec Villatte, ont tenté un coup de force en faisant arrêter Laveaux le 20 mars 1796 ; les troupes de Toussaint l'ont libéré, et Toussaint est devenu adjoint au gouverneur. Contre Rigaud, la guerre n'éclatera qu'en 1799, et il s'enfuira en juillet 1800. Paris, de son côté, envoie de nouveau Sonthonax en mai 1796, mais ses rapports avec Toussaint, promu commandant en chef et général de division en mai 1797 après le départ de Laveaux, député aux Anciens, seront vite difficiles. Le 23 août 1797, il repart pour la France, où il a été élu député aux Cinq-Cents. L'envoyé suivant, Hédouville, restera moins longtemps encore : du 8 mai au 22 octobre 1798. Ensuite seul reste Roume, représentant de fait, malgré lui. C'est dire que, si d'autres techniciens ou fonctionnaires viennent en mission de Paris (Malenfant, Vincent, etc.), Toussaint exerce en fait tous les pouvoirs d'un chef d'État, et cela pratiquement depuis 1796.

Un chef d'État

Depuis mai 1794, il ne s'est pas cantonné dans ses fonctions militaires, mais s'est occupé de l'organisation du pays libéré, et particulièrement du travail des paysans. Dès 1795, Blanc-Casenave, qui se serait permis de dire aux Noirs qu'il ne fallait pas travailler, est arrêté – il mourra en prison. Il faut assurer la subsistance de l'île et produire des denrées exportables aux États-Unis comme moyen de paiement des importations. La politique de Toussaint, codifiée par les règlements de culture des 15 novembre 1798 et 12 octobre 1800, mais mise en œuvre bien avant, repose sur le maintien des grandes exploitations, l'opposition au partage en lopins individuels, l'obligation du travail régulier en contrepartie de l'affectation d'un quart des revenus aux paysans. Les terres laissées vacantes par l'émigration des planteurs blancs sont affermées par l'État, aux généraux de l'armée noire notamment.

Moyennant quoi, Saint-Domingue libérée de toute invasion et indépendante en fait dans le cadre de la République française, retrouve peu à peu sa prospérité d'antan, à la nuance près que ses principaux partenaires commerciaux sont maintenant les États-Unis, et, très secondairement, les Anglais. Pour cette tâche de redressement, Toussaint accepte l'aide de tous : mulâtres, ex-planteurs y compris ex-émigrés, ecclésiastiques comme l'évêque Mauviel que lui envoie l'abbé Grégoire. Il y a d'ailleurs des Français dans l'armée, la justice et l'administration, comme dans la commission qui rédigera la Constitution de 1801, dans le cadre – en fait fédératif et symbolique – de la République française. Constitution que l'armée de Leclerc, en 1802, est chargée d'abolir.

Avant la reprise de la guerre voulue par Bonaparte, il y avait bien à Saint-Domingue une décolonisation réussie.

Yves Benot

Esclavage et colonies après la Révolution

Au 18 brumaire an VIII (9 novembre 1799), les colonies françaises comprennent : Saint-Domingue, la Guadeloupe et ses dépendances, la Guyane, l'île de France et la Réunion (ex-île Bourbon) dans l'océan Indien. En 1814, il ne restera rien. Les Anglais ont certes conquis la Martinique, Sainte-Lucie, Tobago, les villes de l'Inde, mais ils ne sont pas en mesure d'interrompre les communications maritimes avec la métropole. Officiellement aboli partout, et sans indemnisation des colons, l'esclavage subsiste dans les deux îles de l'océan Indien auxquelles le Comité de salut public avait accordé un sursis le 22 avril 1794, et où le bloc des Blancs et des mulâtres met en échec toute tentative d'abolition. En fait, ces îles mènent une existence pratiquement autonome, et continueront à le faire jusqu'à la conquête anglaise en 1810.

Il reste que si le Danemark a aboli la traite en 1792, avant la France de la Convention, si l'on prévoit déjà que les États-Unis l'aboliront en 1807 (et l'Angleterre le fera aussi à la même date), personne en dehors de la Convention n'a envisagé d'abolir l'esclavage.

Certes, tout le personnel politique de la Révolution n'a pas accueilli ces changements avec enthousiasme et le parti colonial et esclavagiste n'a pas disparu. Un exemple typique : celui de Talleyrand, qui, au début de juillet 1797 dans une conférence à l'Institut, accepte de mauvaise grâce le fait accompli de l'abolition, mais prône une nouvelle colonisation, dans deux directions principales, l'Égypte – où elle échouera – et le Sénégal avec l'avenir qu'on lui connaît... Mais enfin les champions de l'abolition veillent, dans les Conseils du Directoire, avec Garran-Coulon, Sonthonax, Laveaux, Dufay et les députés noirs présents jusqu'au coup d'État de Bonaparte, Mentor et Annecy. Grégoire reste actif comme il le restera sous l'Empire, correspond avec Toussaint Louverture et publie cette correspondance dans les *Annales ecclésiastiques.* Bref, l'idée avancée dès 1789 par Brissot de colonies s'administrant elles-mêmes et ne conservant avec la métropole qu'un lien fédératif a fait quelque chemin.

Le rétablissement de l'esclavage

Cependant, et surtout sous la dictature napoléonienne, les tendances racistes se manifestent de nouveau fortement, avec Virey qui en 1801 leur donne l'apparence d'une théorie scientifique en utilisant la notion d'angle facial. En 1802, le violent chapitre anti-Noirs du *Génie du christianisme* de Chateaubriand a une portée immédiate encore plus dangereuse.

Ainsi se crée le climat de régression dans lequel a lieu cette expédition de Saint-Domingue qui anéantit l'œuvre de la Révolution, mais qui, en définitive, ne fera que hâter l'indépendance d'Haïti. Le rétablissement de l'esclavage en 1802 ne sera réparé qu'avec l'abolition définitive de 1848, avec indemnisation des colons, quand les colonies esclavagistes françaises n'auront plus qu'une importance secondaire ; et alors que le nouvel empire colonial sera créé en Algérie avec l'accord des abolitionnistes de la IIe République...

Dans l'intervalle, il est vrai, la France, celle de Charles X, aura été la première des grandes puissances à reconnaître officiellement l'indépendance d'Haïti, mais contre une indemnité pour les colons dépossé-

BIBLIOGRAPHIE

BASTIDE R., *Les Amériques noires,* Payot, Paris, 1967.

BENOT Y., *La Révolution française et la question des colonies,* La Découverte, Paris, 1987.

BENOT Y., *Diderot, de l'athéisme à l'anticolonialisme,* Maspero, Paris, 1981.

CURTIN P., *The Atlantic Slave Trade : A Census,* Madison, Wisconsin, 1969.

FROSTIN C., *Les Révoltes blanches à Saint-Domingue aux XVIIe et XVIIIe siècles,* Éd. de l'École, Paris, 1975.

GISLER A., *L'Esclavage aux Antilles françaises (XVIIIe et XIXe siècles),* Karthala, Paris, 1981.

HOFFMANN L.F., *Le Nègre romantique,* Payot, Paris, 1973.

MINTZ S. (sous la direction de), *L'Esclave, facteur de production : l'économie politique de l'esclavage,* Dunod, Paris, 1981.

PLUCHON P., *Toussaint Louverture, de l'esclavage au pouvoir,* Éd. de l'École, Paris, 1980.

PLUCHON P. (sous la direction de), *Histoire des Antilles et de la Guyane,* Privat, Toulouse, 1982.

THÉSÉE F., *Négociants bordelais et colons de Saint-Domingue,* Société française d'histoire d'outre-mer, Paris, 1972.

dés, ce qui portera un coup sérieux à l'équilibre budgétaire du nouvel État (1825).

Malgré toutes ses hésitations, la Révolution avait été beaucoup plus loin que ce XIXe siècle français où on ne voit qu'Auguste Comte, criant dans le désert, pour exprimer une condamnation de principe de la colonisation.

Yves Benot

De l'impôt à la contribution

La faible place tenue par les problèmes de la fiscalité pendant la décennie révolutionnaire contraste avec la centralité de ceux-ci dans la « crise de l'Ancien Régime ». La complète destruction du vieil édifice fiscal et les principes devant présider à la construction du nouveau firent pourtant l'objet d'un consensus qu'on aurait peine à trouver ailleurs ; mais la conscience de l'ampleur de la tâche conduisit à chercher dans l'immédiat d'autres ressources pour l'État : dette publique, emprunts forcés, émission monétaire.

On ressent l'impression, peut-être à cause de l'absence de recherches sur la pratique réelle en ce domaine, d'une sorte de vide fiscal de plusieurs années entre l'époque de la Constituante, où s'éteignent les impôts de l'Ancien Régime et où s'élaborent les contributions (admirons le glissement linguistique...) nouvelles, et le temps de la dictature militaire où celles-ci commencent à fonctionner en un système qui demeurera inchangé jusqu'en 1914.

Plus les cahiers de doléances de 1789 sont de tonalité populaire, plus sont dénoncés le poids des impôts de la monarchie absolue et la perversité de leur mode de perception. Cependant l'opinion publique n'est pas obsédée par eux comme elle l'avait été au temps des grandes révoltes antifiscales du milieu du XVIIe siècle. C'est que la croissance économique et plus encore celle de la circulation monétaire, la meilleure administration, publique, de la fiscalité directe et, privée, de la fiscalité indirecte ont rendu les choses un peu moins douloureuses. Il n'empêche que le contentieux du peuple français avec l'impôt est gigantesque. La bourgeoisie révolutionnaire, quoique peu touchée par la fiscalité d'Ancien Régime – c'était sur le seul petit peuple rural que pour l'essentiel elle reposait –, met en 1789 l'accent sur le privilège fiscal des deux premiers ordres, sur l'incohérence technique du système, et surtout sur l'absence de consentement de la part d'une représentation nationale. Pour elle comme pour les parlementaires anglais du XVIIe siècle, la question de la fiscalité est en effet politique. Tous les adversaires de l'absolutisme, et les privilégiés eux-mêmes, sont d'accord là-dessus. L'Assemblée de Vizille de juillet 1788 a brandi la menace d'une grève de l'impôt ; du même mouvement qu'elles se proclament Assemblée nationale, les « communes » se donnent, le 17 juin 1789, le droit qu'elles soustraient au roi de décider que les impôts existants continueront d'être perçus tant qu'on n'en aura pas institué d'autres ; soit dit en passant, autant la survivance de la fiscalité indirecte, plus particulièrement de la gabelle, suscita l'indignation, autant la taille et la capitation ne rentrèrent pas plus mal en 1790 et 1791 qu'auparavant.

Les « quatre vieilles »

Comme les constituants attendaient beaucoup des contributions « patriotiques » lancées pendant l'été 1789 et de la vente des biens nationaux, et qu'ils savaient le roi impuissant, en particulier sur le plan de l'appel à l'armée, tant que le trésor était vide, ils ne s'empressèrent pas de procéder à la révolution fiscale. Les grandes lois fondatrices du nouveau système ne datent que de l'hiver et du printemps 1791.

Ces lois traduisent un état d'esprit : pas de fiscalité indirecte à l'exception de faibles droits d'enregistrement nécessaires au contrôle des mutations de propriété ; une fiscalité directe la plus faible possible car les besoins de l'État se limitent à ceux de la défense nationale, de la police et de l'administration, pas d'inquisition fiscale donc pas de déclaration, ce qui a pour conséquence la continuation du système de la *répartition* depuis le haut jusqu'au contribuable. Celui-ci sera taxé d'après des signes extérieurs de richesse qui n'approcheront d'une certaine objectivité, et encore pour la seule contribution foncière, qu'avec l'établissement du cadastre, tâche immense commencée seulement sous le Consulat et achevée au milieu des années 1830. Dans les débats, personne n'afficha un physiocratisme pur et dur qui eût conduit à la création de la seule contribution *foncière* pesant sur la terre, unique source, selon l'École, d'un produit net. Plus bourgeois que capitalistes, les constituants n'étaient pas prêts à épargner les manieurs de marchandises et d'espèces, toujours un peu suspects. On créa donc aussi une contribution *mobilière* et la *patente*. En 1798, le Directoire ajouta la contribution dite des *portes et fenêtres* (parce que le nombre de celles-ci était tenu pour l'indice de la valeur de l'immeuble). Telles furent les « quatre vieilles » qui, jusqu'à l'impôt sur le revenu (1914), constituèrent pendant plus d'un siècle l'essentiel de la fiscalité directe française. Elles étaient *proportionnelles* et non progressives, le seul abattement consenti l'étant au titre de la mobilière, pour les contribuables chargés de plus de trois enfants.

Naïveté quant au civisme fiscal, sous-estimation de la technique requise, ou au contraire appréciation réaliste de l'impuissance à mettre tout de suite sur pied une administration fiscale ? Toujours est-il que la Constituante laissa aux 38 000 municipalités de communes minuscules le soin d'établir les rôles et de percevoir les impôts. Au niveau du district, le receveur, comme tous les fonctionnaires, était élu. Il n'y eut guère que les payeurs généraux, au niveau du département, et les employés de la Trésorerie nationale, soit quelques centaines de personnes, pour préfigurer la vaste bureaucratie fiscale que l'on connut en-

BIBLIOGRAPHIE

BOUVIER J. et WOLF J. (sous la direction de), *Deux siècles de fiscalité française. XIX-XXe siècles - Histoire, économie, politique* (contribution de SCHNERB R. : « Les vicissitudes de l'impôt indirect de la Constituante à Napoléon »), Mouton, Paris-La Haye, 1973.

HINCKER F., *Les Français devant l'impôt sous l'Ancien Régime,* coll. « Questions d'histoire », Flammarion, Paris, 1971.

MARION M., *Histoire financière de la France depuis 1715,* t. II et III, Rousseau, Paris, 1919 et 1921.

suite. De celle-ci, le Directoire ressentit le besoin en créant les agences départementales des contributions qui échouèrent, faute de moyens et de personnel compétent. C'est le Consulat qui commença à l'édifier vraiment dans l'architecture qu'elle a encore (inspection, perception, contrôle).

La fiscalité invisible

L'autre grande innovation du Directoire fut en réalité une restauration : celle de la fiscalité indirecte pourtant si honnie en 1789. Il rétablit un *droit de passe,* taxe sur la circulation des marchandises. Le Consulat et l'Empire ajoutèrent des *droits réunis* sans cesse plus nombreux (sur les vins, en particulier), nouvelle mouture des *aides.* Après Thermidor, désormais soucieux de gestion et d'ordre, les révolutionnaires comprirent que, les premières résistances antifiscales matées par des régimes autoritaires et anesthésiées par une perception beaucoup moins critiquable que celle qu'avait pratiquée l'Ancien Régime, la fiscalité indirecte présentait d'éminents avantages dans un pays aussi sensible à l'impôt que l'était la France : elle est en partie invisible, elle rentre vite et bien. On sait que sa prééminence dans l'ensemble de la fiscalité caractérisera désormais la France.

L'inexistence d'une véritable administration et la conjoncture politique ne suffisent pas à expliquer l'insuffisance des ressources procurées par la fiscalité directe pendant la Révolution. La modestie de son taux, qui perdurera au XIXe siècle et, quoi qu'on dise, au XXe, rendait vain l'espoir initial des constituants de se passer des impôts indirects. Ils étaient persuadés en effet que la pression fiscale exercée par la monarchie absolue était énorme (alors que celle des régimes parlementaires anglais et néerlandais était en réalité très supérieure...) et qu'il suffisait qu'elle fût également répartie pour qu'on pût la diminuer. Cette conviction était erronée.

D'ailleurs, le rendement des nouveaux impôts dès 1792, et à plus forte raison à partir du Directoire, fut vite meilleur que sous l'Ancien Régime : en 1798, le retard moyen dans les rentrées est de moins d'un an, contre plus de deux, dix ans plus tôt.

Somme toute, apprécié du seul point de vue technique, le système fiscal créé par la Révolution, par sa productivité et son acceptabilité, fut excellent. Qu'il pût être l'instrument d'une politique économique, voilà qui était bien entendu hors du champ intellectuel à la fin du XVIIIe siècle. Il eût fallu pour cela que les révolutionnaires envisagent l'emploi des ressources procurées par l'impôt comme productif.

Un système fiscal équitable ?

Enfin, ce nouveau système fiscal fut-il équitable ? On ne saurait sous-estimer l'importance proprement révolutionnaire de la conquête désormais irréversible de « l'égalité devant l'impôt ». De ce point de vue, l'opposition d'un ancien et d'un nouveau régime garde toute sa pertinence. Désormais, aucun propriétaire, et dans la France patrimoniale du XIXe siècle, tout revenu de quelque importance provenant de la propriété, n'échappe à l'impôt. Le principe censitaire puis l'établissement, en vertu de la Constitution de l'an X, de listes départementales des 600 citoyens les plus imposés où puiser les membres des collèges électoraux supérieurs, furent aussi des instruments d'une pédagogie bourgeoise à double face : la richesse est seule susceptible de donner le pouvoir, mais inversement richesse et pouvoir obligent à des contributions maximales. La réconciliation relative mais incontestable des Français avec leur fiscalité, au XIXe siècle, ne s'expliquera pas seulement par la faiblesse de son poids, le caractère indolore de sa perception, la bonne qualité de son administration, mais aussi et peut-être surtout par la conviction partagée de son équité.

Cette conviction ne peut s'expliquer que par le souvenir répulsif de la fiscalité d'avant 1789, car la nouvelle n'est guère équitable. En effet, il est facile de montrer l'écart entre la réalité du système fiscal issu de la Révolution et les principes initiaux. « Pour l'entretien de la force publique et les dépenses d'administration, une contribution est indispensable ; elle doit être également répartie entre tous les citoyens en raison de leurs facultés » (article 13 de la Déclaration des droits de l'homme et du citoyen). En raison de leurs facultés ? Certes non, au XIXe siècle.

Comment expliquer l'iniquité de la fiscalité post-révolutionnaire ?

Elle est due d'abord à sa structure même. Contrairement à l'idée reçue formée par l'expérience postérieure de l'impôt sur le revenu, c'est la propriété foncière qui, au début du XIXe siècle, subit l'essentiel de la charge fiscale directe : la contribution foncière représente 65 % de celle-ci en 1799, 80 % en 1810, alors que la fortune foncière représente probablement un peu moins de la moitié de la fortune nationale. Cet état de choses provient de la tradition physiocratique qui imprègne la génération révolutionnaire et conduit au principe de *réalité* de l'impôt : celui-ci doit frapper les biens et non les personnes. Du bien immatériel, insaisissable, au bien foncier, étalé au grand jour, en passant par le bien mobilier et l'immeuble bâti, on a ainsi une hiérarchie croissante de la pression fiscale.

Cela semble contredire la loi sociologique selon laquelle le groupe social politiquement dominant fait retomber l'impôt sur les autres. Mais on retrouve ici les effets du cens : à partir du moment où la prépondérance de la « foncière » entraîne la prééminence politique des propriétaires fonciers, ceux-ci répugnent à faire passer au-delà de la barrière du cens des concurrents, certes riches mais tenus à l'écart par la modicité de leur contribution. On retrouve en revanche la loi sociologique dans la réintroduction à partir du Directoire de la fiscalité indirecte.

L'iniquité vient ensuite du maintien du principe de la *répartition,* comme mode d'établissement de l'impôt. Tant que le cadastre n'aura pas été confectionné (et même après), la répartition, subjective et coutumière, entraîne de grandes inégalités entre revenus équivalents : inégalités des cotes moyennes entre départements, entre communes, à l'intérieur d'une même commune. Comme c'est à ce niveau qu'elle est la plus visible pour les intéressés, Gaudin, ministre des Finances de l'Empire, conseillera l'uniformité des cotes dans chaque commune.

Le principe de fixité du montant de l'impôt est, aussi, injuste. Les propriétaires considéraient que le montant de l'impôt devait être indéfiniment reproduit, afin que la valeur marchande de la terre ne se trouve pas modifiée en cours de possession. A terme, une rente fiscale devait se dégager en faveur des parcelles dont la productivité s'accroîtrait.

Le jeu des structures sociales globales, enfin, aggravait la situation. En premier lieu, le propriétaire, juridiquement seul contribuable, a les moyens d'incorporer tout ou partie du montant de l'impôt à celui du bail. En second lieu, plus encore que la Constituante et contre les projets fiscaux « avancés » comme celui de Condorcet, le Directoire n'introduisit aucune progressivité et aucun quotient familial dans l'établissement des cotes. Il reprit même cette pratique de l'Ancien Régime qu'étaient les allégements et exemptions diverses, et la transmit à la France moderne.

François Hincker

La libre entreprise

Sous l'Ancien Régime, il était tout à fait possible de créer une entreprise industrielle. Christophe Oberkampf à Jouy, les Périer à Chaillot, de Wendel à Hayange et au Creusot en sont la preuve. Mais les obstacles rencontrés lors de l'établissement d'une entreprise autre que commerciale décourageaient plus d'un candidat. La mainmise seigneuriale, ou royale, sur les eaux et sur les forêts interdisait pratiquement aux roturiers toute entreprise utilisant le bois, comme combustible, et l'eau, comme source d'énergie, et donc la sidérurgie ou la verrerie. Un simple meunier restait toujours soumis, pour continuer l'exercice de son métier, aux caprices de son propriétaire qui, en fin de bail, pouvait démolir le moulin ou en changer l'affectation.

En ville tout au moins, le travail de la laine, de la soie, du lin, des cuirs et peaux, la fabrication des outils ou des armes s'effectuaient dans le cadre strict des communautés de métier : leurs membres, formés par la procédure traditionnelle de l'apprentissage et du chef-d'œuvre, veillaient jalousement au respect, finalement malthusien, des statuts et règlement de leur profession. Seuls les « enclos privilégiés », comme à Paris l'Arsenal ou le Temple, et les manufactures « privilégiées », dûment autorisées par lettres patentes royales, échappaient à ce système clos. Leurs productions restaient cependant assujetties aux droits de marque ou de plomb ordinaire avant de pouvoir circuler dans le royaume ; de plus, les innombrables vérifications et perquisitions des commis des Fermes (l'administration des contributions indirectes) entraînaient souvent des retards dans l'acheminement des marchandises. S'en plaindre aux inspecteurs des manufactures, chargés de l'application des règlements colbertistes, équivalait à introduire le loup de l'administration royale dans la bergerie de l'entreprise privée, perspective unanimement refusée.

Une « nouvelle donne »

En moins de deux ans, le mouvement révolutionnaire balaya toutes les entraves à la libre entreprise : dès 1789, abolition des traites et des péages, suppression du régime seigneurial, des règlements colbertistes et, surtout, du fâcheux traité de commerce de 1786 avec l'Angleterre ; mise à l'encan, en 1790, des biens du clergé, enfin, au printemps 1791, atomisation des producteurs patronaux par la loi d'Allarde, des salariés par la loi Le Chapelier, et début de la refonte des poids et mesures. La reconquête du marché intérieur, la libération totale des rapports de production et la création monétaire des assignats, génératrice d'inflation, offraient véritablement une « nouvelle donne » économique. « Quant à moi, écrivait Oberkampf à une cliente de Chartres le 29 janvier 1791, je n'ai nulle raison de me plaindre, j'ai toujours des acheteurs en abondance et peu de mauvaises affaires. »

Dans le secteur sidérurgique, la vente des 65 usines du clergé, soit 8 % des forges françaises, à une valeur réelle en numéraire, et non en assignats, très proche de leur estimation, bénéficia presque exclusivement à leurs anciens locataires. Ceux-ci, bien placés pour en connaître la rentabilité, étaient décidés à ne pas laisser à d'autres l'occasion exceptionnelle d'accéder à la propriété de leur exploitation, et, par là, à la notabilité. Bientôt, « l'émigration de la majorité des nobles propriétaires d'usines sidérurgiques (48 % des forges françaises en 1789) provoqua un gonflement des biens nationaux industriels », dont la plupart furent mis en régie par l'État, en attendant leur aliénation, plus difficile à réaliser que celle des biens du clergé. « A partir de l'an IV, c'est la ruée sur les forges ; une centaine d'usines sont vendues pendant le Directoire », dans des conditions particulièrement avantageuses pour les acquéreurs : vente sur soumission, sans enchères, et donc sans concurrence, paiement en papier-monnaie fortement déprécié. Cette seconde vague d'aliénations élargit le spectre social des acquéreurs à tous les négociants et détenteurs de capitaux, stimulés par la dégradation du papier et la spéculation sur ces moyens de production (Denis Woronoff).

Dans le secteur textile, la vente des biens nationaux aiguisa aussi l'appétit des entrepreneurs établis ou des candidats entrepreneurs, car les bâtiments conventuels se prêtaient magnifiquement à leurs fins. Entre 1790 et 1805, les entrepreneurs cotonniers revendiquèrent ainsi 82 biens nationaux, d'une valeur très inégale : la seule abbaye de Royaumont fut vendue pour 700 000 livres. Ce transfert de capital immobilier bon marché dans une conjoncture protectionniste explique notamment que les filatures mécaniques de coton passèrent de 6 en 1789 à 48 en 1800, et à 202 en 1805. A Beauvais, Lille, Grenoble, Paris, Reims ou Rouen, des fabricants drapiers ou toiliers, des marchands de tissus se lancèrent dans la production industrielle de fils et d'étoffes.

Le cas du négociant anglo-hollandais Henry Sykes (1743-1813), « marchand de nouveautés » au Palais-Royal depuis 1777, est exemplaire. Dès 1779, il cherche à acquérir un moulin dans la vallée de l'Avre pour y établir une filature à l'anglaise. En 1786, année de la signature du traité de commerce, il achète une ferme, à Saint-Rémy-sur-Avre, puis, au début de 1792, un moulin à papier voisin, à l'emplacement duquel il élève aussitôt une filature de quatre étages. Le mécanicien anglais James Milne lui fournit les machines. Pour suppléer à une main-d'œuvre rare et chère, comme d'autres concurrents, il obtient du ministre de l'Intérieur, en l'an IV, un contingent de soixante « enfants de la patrie », qu'il s'engage « à loger, nourrir, entretenir de vêtements, chauffer, éclairer et soigner ». Il leur apprendra « le talent qui s'exerce dans sa manufacture de manière qu'ils soient en état de gagner leur vie lorsqu'ils en sortiront ». Durant la période montagnarde, la Commission exécutive d'agriculture et des arts, composée de Claude Berthollet, Laugier et Tissot, encourage cette allocation de main-d'œuvre juvénile aux industriels, « en raison de la difficulté à maintenir dans des règles justes et honnêtes » la population des ateliers de charité. Les entreprises in-

BIBLIOGRAPHIE

CHASSAGNE S., *La Naissance de l'industrie cotonnière en France (1760-1840)*, à paraître.

WORONOFF D., *La Sidérurgie française sous la Révolution et l'Empire*, Éditions de l'École des hautes études en sciences sociales, Paris, 1984.

dustrielles jouent désormais, avec les hôpitaux et les prisons, un rôle éminent dans la moralisation sociale commencée au XVIIe siècle. « Il est juste et même pour l'intérêt de tous que je sois le maître chez moi », répond Oberkampf à ses ouvriers mécontents à l'automne 1796, quand le mouvement populaire n'est plus à redouter.

Serge Chassagne

La fraternité

La fraternité n'occupe que fort peu de place dans les études sur la Révolution française. Pour quelle raison ? On pensait jusqu'à ces dernières décennies que la prise en considération de la fraternité, autrement qu'à la manière hiérarchisée de l'Ancien Régime, relevait bien d'une révolution, mais pas de celle de 1789 à 1799. On tenait pour acquis qu'elle n'était devenue principe par excellence d'un processus révolutionnaire qu'à la faveur de la Deuxième République. Sans doute admettait-on que, du temps des « grands ancêtres », on en avait quelque peu parlé, mais seulement sur le mode sentimental, ne débouchant sur rien de vraiment substantiel, ni idéologiquement ni pratiquement. Pour 1848, on était, à coup sûr, dans le vrai. Or, de 1789 à brumaire an VIII, déjà, elle a joué un rôle important.

Or voici que nombre d'historiens, et non des moindres, affectent d'un caractère inéluctablement terroriste – et totalitaire avant la lettre – le jacobinisme de l'an II. Dans pareil environnement, la seule évocation des « doux liens de la fraternité » ne passe-t-elle pas, à leurs yeux, pour être d'une indécente incongruité ? D'autant plus inexcusable que, dans le même temps, la guillotine exerçait ses ravages et que les victimes de la guerre civile, notamment en Vendée, se comptaient par centaines de milliers.

Faudrait-il donc se rallier à l'assertion de Chamfort selon laquelle la fraternité des jacobins et sansculottes de l'an II aurait été du genre de celle dont Caïn usa à l'encontre d'Abel ? Serait-il vrai que la devise « la fraternité ou la mort » ait découlé du pire dévergondage d'une idéologie soi-disant vertueuse mais en réalité tout à fait insensée ?

La fraternité, outre qu'elle est déjà d'une importance non négligeable durant la Révolution française, requiert une analyse bien plus complexe et sereine que celle, indûment réductrice, d'un Chamfort.

D'abord parce que la présence de la fraternité ne se limite pas aux deux années qui vont des massacres de Septembre à la Grande Terreur robespierriste. De 1789 à 1792 la fraternité est déjà là, qui sollicite les patriotes et plus largement tous les Français susceptibles de se rallier au processus révolutionnaire. Encore pendant la période thermidorienne et le Directoire, on ne se fait faute de l'invoquer, fût-ce en trompe l'œil.

En l'an II, tout en coexistant avec une violence devenue affreusement mortifère, elle n'en continue pas moins à être mise en pratique et pensée, paradoxalement, comme un des fondements de leur nouvelle dignité par les sans-culottes et comme adjuvant de leur légitimité par les jacobins.

Enfin, elle n'a pas attendu les événements de 1848 pour opérer sa jonction avec la liberté et l'égalité et servir officieusement, avec elles, de banc d'essai à la triade républicaine, tout en s'adjoignant le plus souvent l'unité et l'indivisibilité de la République.

Parce que, enfin, s'il est vrai que la fraternité est partie intégrante de cet ensemble, encore convient-il d'en analyser l'impact spécifique, sans oublier les cas dans lesquels elle parvient à s'en dégager, pour évoluer de son propre chef.

Ambivalences

Un constat domine les vicissitudes qu'a connues la fraternité de 1789 à 1799 : celui d'une ambivalence généralisée.

Ambivalence, d'abord, quant à la nature des liens dont la fraternité est tissée, selon la période à laquelle on se réfère : durant la première qui couvre surtout les deux premières années, la fraternité est tolérante, confiante, de large regroupement, de recherche de toute la cohésion nationale compatible avec la poursuite de la Révolution, telle que la conçoivent les constituants dans leur grande majorité. Avec la seconde période, qu'inaugure le 10 août 1792 et qui s'achève le 9 thermidor de l'an II, elle devient aussi méfiante que soupçonneuse ; elle se fait agressive par crainte d'être agressée.

Dédoublement, ensuite, de la portée qui lui est conférée officiellement, durant les quelques mois où le robespierrisme l'emporte au Comité de salut public et à la Convention. Rarement double langage aura été aussi abrupt : d'un côté, on ne tarit pas d'éloges sur les « doux liens » que la fraternité sera susceptible d'engendrer quand la Révolution sera parvenue à ses fins : de l'autre, on met les patriotes en garde contre le risque de laisser les contre-révolutionnaires, sous prétexte de fraternité, effectuer leur travail de sape et préparer de l'intérieur les conditions de leur revanche sous le couvert d'une illusoire unanimité.

Dans les deux premières années de la Révolution, c'est une autre ambivalence qui caractérise le débat politique à l'Assemblée et dans le pays : tandis que les constituants s'emploient à ne voir dans la fraternité qu'une manière de se congratuler les jours de fête, en contrepoint, un langage plus musclé prône une fraternité susceptible de rendre l'égalité réelle, sociale et pas seulement juridique. Mais il est trop minoritaire, à cette date, pour inquiéter sérieusement les tenants du pouvoir révolutionnaire.

Dédoublement encore de la troisième phase, celle qui commence au 10 thermidor an II et s'achève au 18 brumaire an VIII. Très nette est la coupure entre les trois mois immédiatement postérieurs à la chute de Robespierre et les six années qui suivent. Jusqu'à brumaire an III le soulagement d'être débarrassé de la guillotine est tel qu'un regain d'unanimisme se manifeste. Après quoi les luttes reprennent au sein de la Convention et dans le pays entre néo-jacobins et sans-culottes d'un côté, modérantistes et royalistes de l'autre. Tour à tour, chacun des deux camps, en vue de forcer l'adversaire à s'incliner et le gouvernement à changer de cap, s'efforce de se concilier les faveurs des soldats. La douce fraternité s'efface devant les fraternisations, celles de la misère en floréal et prairial an III, celle à finalité royaliste, en vendémiaire an IV.

Ambivalence, enfin, des transformations dans les structures de la société et dans les mentalités : tandis qu'un certain nombre de tabous sont renversés, une bonne dose de rigueur morale se maintient, intégrant frugalité et fidélité à des mœurs beaucoup moins licencieuses qu'on ne l'a prétendu. Tandis que la fraternité, cédant à l'illusion lyrique, s'évade sinon dans le rêve, du moins dans l'idéal, elle fait l'objet de toute une série d'applications dans des domaines très concrets de la vie quotidienne.

Les banquets fraternels

Ce n'est donc pas à une sorte de « présence/absence » que la fraternité est réduite. Dès 1789, quand les fédérés se réunissent par dizaines de milliers et se jurent fraternité, celle-ci n'existe pas que dans les mots. Elle est présente aussi dans les gestes de « convivialité » et dans les résolutions, suivies d'effets pratiques, qui vont de la défense en commun au combat contre l'accaparement et pour la libre circulation des grains. Le 14 juillet 1790, les fédérés, en s'appelant frères, entendent bien établir entre eux le style de relation qu'implique habituellement la fraternité. A quoi s'ajoute, en maintes circonstances, la prise d'un repas en commun atteignant parfois la dimension de chaleureuses agapes, quoique en principe frugales. C'en fut au point qu'au pire moment de la Terreur, des sans-culottes eurent l'idée d'organiser des « banquets fraternels », pour commémorer tel événement d'ordre patriotique, ou pour faire preuve de solidarité civique à l'égard des pères, des femmes et des enfants des combattants. Le gouvernement et les autorités communales n'auraient probablement pas réprimé ces banquets s'ils n'avaient eu la crainte de voir des modérés réputés contre-révolutionnaires s'y infiltrer pour en détourner le sens au profit de leur cause respective.

Considérons les douze mois durant lesquels le Comité de salut public, remanié en juillet 1793, tint les rênes du gouvernement révolutionnaire. On aurait tort de penser qu'alors la fraternité, parce que largement dénaturée par la guillotine, se vida de toute substance. Quasi confondue avec l'union dans le combat de tous les défenseurs de la République, elle n'est pas loin de servir de justificatif à l'enrôlement des volontaires aux armées. Par ailleurs, elle s'est intégrée à l'opération de sacralisation et de mise au jour d'une symbolique ancestrale. Elle a pu ainsi récupérer au profit de la Révolution ce que la pratique religieuse et certaines célébrations populaires comportaient naguère de contrepoids à la peur et d'exutoire au trop-plein de vitalité. Il n'est guère de manifestations des cultes révolutionnaires qui n'aient fait une place à la fraternité.

Sans doute la Convention ne se risqua-t-elle pas à placer sous l'égide de la fraternité les secours publics en faveur des citoyens démunis, ni à faire dépendre de celle-ci les mesures de bienfaisance mises en œuvre par le Comité de mendicité. En revanche, ce fut bien en son nom qu'elle s'engagea législativement dans la voie de la suppression des discriminations sociales. Pour disqualifier de telles innovations, on fait parfois valoir qu'elles ne furent pas suivies d'effets pratiques. Il reste que leur seule promulgation vaut « anticipation » non dénuée d'efficacité comme précédent dont d'autres révolutions ne manqueront pas ultérieurement de se prévaloir.

Plus près de la base, dans les sections et les sociétés populaires, les sans-culottes ne virent, eux, aucun inconvénient à faire de la distribution de vivres, des collectes au profit des malheureux, de l'adoption des orphelins de guerre, de l'instruction mutuelle, de la rénovation des hospices « les conséquences de la fraternité ». C'est aussi en son nom qu'ils revendiquèrent une dignité égale à celle des autres citoyens. Ils entendirent substituer au mépris dont ils avaient toujours souffert la « familiarité » associée au tutoiement, et réclamèrent la suppression des insignes distinctifs tant des rangs que des grades.

Et puis n'est-il pas inadéquat de présenter la fraternité comme « l'Arlésienne de la Révolution », alors que nous disposons d'au moins trois types d'estampes qui, allégoriquement, lui prêtent les traits d'une femme : ici, les seins nus, elle porte deux oiseaux et un cœur enflammé ; là, drapée à l'antique, elle enserre un faisceau de baguettes tandis que brûlent des cœurs posés sur une sorte d'autel. Et c'est encore une fraternité féminine qui s'emploie à faire se serrer la main et s'embrasser deux enfants : l'un blanc et l'autre noir !

La fraternité ou la mort

Qu'en est-il, par ailleurs, de l'opinion assez couramment admise selon laquelle l'alternative « la fraternité ou la mort » a été utilisée comme telle au plus fort de la Terreur, en contribuant à tant exacerber les passions qu'elle les a rendues sanguinaires ? A quelques exceptions près, il n'est guère de preuve pleinement convaincante du caractère autonome de « la fraternité ou la mort » en tant que devise. D'une façon générale, l'éventualité de la mort n'est admise qu'en cas de violation tout à la fois de la liberté, de l'égalité, de l'unité et de l'indivisibilité de la République. La fraternité vient d'ordinaire à la fin de l'énumération. Si une priorité devait être observée dans l'ordre des affinités mortifères, ce serait plutôt aux autres composantes de la devise qu'il conviendrait de se référer. Quand l'alternative est envisagée entre la mort et une seule de ces valeurs, c'est bien plus souvent de la liberté, ou mieux encore de l'unité et de l'indivisibilité qu'il s'agit. La fraternité n'en sort pas lavée de toute connivence avec la mort. Mais sa responsabilité dans le choix d'une issue aussi cruelle qu'irrémédiable est diminuée d'autant.

Dès l'an II, il arrive d'ailleurs que la fraternité soit évoquée, sans que la mort voisine aucunement avec elle. Il en est ainsi dans une série d'estampes qui font état, sans plus, de la liberté, de l'égalité et de la fraternité. Celle-ci prend encore ses distances à l'égard de la mort par le rôle de modération qu'elle joue dans la « fraternisation » mise en œuvre par les sans-culottes des sections « d'avant-garde ». Le serment de fraternité leur donne, grâce à l'étroite union qu'il suscite, un sentiment de sécurité et de force, propice au maintien du militantisme dans un cadre exempt de violences excessives : sauf dérapage en ce sens, consécutif aux « techniques de régénération », mais dont l'issue mortifère est due moins au serment de fraternité qu'à celui de poursuivre les tyrans et leurs adeptes d'une haine inexpiable. On ne saurait pourtant affirmer que le coude à coude fraternel des sans-culottes dans le feu de l'action révolutionnaire ne fût pour rien dans le déchaînement d'une joie malsaine et parfois sadique à se faire les pourvoyeurs de la guillotine.

Une valeur discréditée ?

La fraternité indubitablement a un fondement d'ordre affectif et l'a gardé dans une large mesure. C'est comme sentiment qu'elle incite les individus à instaurer entre eux les « doux liens » de l'union la plus étroite, ou simplement à les resserrer. Elle n'est point érigée en principe par la Constitution de 1791, mais elle s'en rapproche. Il est même arrivé que l'Assemblée nationale l'ait invoquée comme principe fondateur d'une disposition législative. Ce ne fut, sur le plan juridique, que virtualité. En revanche, la fraternité a commencé à s'imprégner d'un contenu politique et social profondément perturbateur des normes et des mœurs établies. Ainsi s'explique qu'une fraternité présentée d'ordinaire comme assez inoffensive et mièvre, de 1790 à 1792, ait été perçue comme une menace pour le nouveau régime.

Lors de la fondation de la République, la fraternité en arrive à constituer l'un des enjeux du combat révolutionnaire, et subit le contrecoup des vicissitudes qui affectent celui-ci. Elle s'affirme comme valeur civique et connaît une brusque et large extension de son champ d'application. Mais ni sa teneur ni ses limites ne font l'objet d'un consensus entre révolutionnaires.

On peut notamment regretter que jacobins et sans-culottes n'aient pas réussi à rendre complémentaires leurs façons d'ériger la fraternité en objectif politique, social et culturel. La part de violence qu'impliquait la lutte fraternelle aurait peut-être pu alors être contrôlée fermement pour ne donner aucune prise à la mort. Mais il aurait fallu que les patriotes, plutôt que de s'entre-déchirer, s'emploient à préserver la Révolution des affres d'une Terreur qui n'était pas inéluctable.

De toute façon d'ailleurs, la fraternité aurait connu le discrédit. Mis à part les trois mois consécutifs à la chute de Robespierre, les thermidoriens et le Directoire se sont chargés de le lui infliger, en usant et abusant des faux-semblants à son encontre. Haine civique, zizanie religieuse, exploitation des républiques sœurs ont joint leurs effets pour aboutir à pareil résultat. La fraternité en sortit si déconsidérée qu'il lui fallut près d'un demi-siècle pour reprendre vigueur. Mais ce fut, cette fois, pour devenir le principe par excellence d'une nouvelle République.

Marcel David

BIBLIOGRAPHIE

AULARD A., « La devise *Liberté, Égalité, Fraternité* », *Études et leçons sur la Révolution française*, 6e série, Alcan, Paris, 1910.

DAVID M., *Fraternité et Révolution française, 1789-1799*, Aubier, Paris, 1987.

DAVID M., *La Solidarité comme contrat et comme éthique*, Berger-Levrault, Paris, 1982.

NOUVELLES LECTURES DE L'ESPACE ET DU TEMPS

CONVENTION NATIONALE
REP. FRA.

Un espace national

Même si la monarchie lui a largement frayé la voie, comme l'a bien montré Tocqueville, la Révolution marque un pas décisif dans l'édification d'un espace national. Non pas tant dans la fixation des frontières, qui est acquise depuis Louis XV et ne sera pas remaniée durablement malgré les conquêtes. L'apport le plus stable de la période est la disparition des principales enclaves étrangères : Avignon et le comtat Venaissin réunis en 1791, Montbéliard en 1793, Mulhouse en 1798. Dans le domaine des annexions, les aquisitions sont éphémères, bien qu'elles soient justifiées par la recherche de frontières naturelles, que Danton fixe en janvier 1793 aux « quatre coins de l'horizon » du côté du Rhin, de l'océan, des Pyrénées et des Alpes. Mais la Belgique, l'évêché de Bâle, la rive gauche du Rhin, la Savoie et le comté de Nice seront perdus en 1815. Néanmoins, la guerre contre les puissances étrangères et la contre-révolution fortifient le sentiment national et le patriotisme. Elle doit protéger l'œuvre d'unification intérieure entreprise par les législateurs. C'est en effet dans ce domaine que les révolutionnaires réalisent les progrès les plus considérables.

Selon un postulat paradoxal, c'est en divisant qu'ils espèrent obtenir l'unité. L'abolition des privilèges provinciaux (4 août 1789) crée les conditions favorables à la mise en place de la grille départementale, à la fois égalisatrice et hiérarchique. Le quadrillage géométrique achève de briser les provinces en leur substituant une division indifférente à tout tracé ancien. Les départements et leurs subdivisions ne sont plus que de simples parties, toutes équivalentes, du « grand tout national » régi par la volonté générale. Ils servent de cadre unique à l'exercice des différents pouvoirs et de la vie politique. Depuis Paris, la chaîne d'exécution descend uniformément et sans résistance jusqu'aux échelons les plus bas. Le 14 juillet 1790, la fête de la Fédération consacre dans l'allégresse la fraternisation des provinces et l'adhésion librement consentie de tous les Français à cette unité nationale.

Mais les révolutionnaires étendent à tous les domaines leur œuvre d'unification du royaume, proclamé « un et indivisible » en septembre 1791. La justice est réorganisée et calquée sur les nouveaux cadres. Pour remédier à la confusion d'une France partagée en provinces régies par des droits coutumiers disparates au nord et en pays de droit écrit au sud, on met en chantier l'élaboration d'un code de jurisprudence unique. La réforme ecclésiastique place un évêché dans chaque département, et fait du clergé un corps de fonctionnaires chargés de diffuser l'idéologie révolutionnaire. Les échanges interrégionaux sont facilités par la suppression des barrières douanières intérieures et des octrois (5 novembre 1790). On remplace la diversité géographique des régimes d'impôts par un système de contribution uniforme et proportionnel. De la Révolution datent aussi l'institution du système métrique et sa nouvelle nomenclature : le mètre calculé d'après la longueur du méridien terrestre, le litre, l'are et le stère sont fixés en juillet 1792 par la Commission des poids et mesures. Pourtant, l'usage des anciennes mesures, qui variaient d'une région à l'autre, perdurera au-delà de la Révolution.

Les particularités culturelles n'échappent pas non plus à l'effort de nivellement général. Sous la Convention, les dialectes et les patois sont accusés de favoriser la contre-révolution et le fédéralisme. A la suite des célèbres rapports des députés Grégoire et Barère (janvier 1794), le français est rendu obligatoire dans tous les actes publics, et son enseignement est encouragé à l'école. Mais les progrès dans ce sens ne se feront que lentement.

Le gouvernement développe aussi l'usage de la statistique, conçue comme l'outil essentiel d'une bonne maîtrise du territoire. A partir d'août 1797, le ministre de l'Intérieur François de Neufchâteau lance une série d'enquêtes. On dénombre les hommes et les ressources, et l'on fait l'inventaire descriptif des particularités locales, afin de mieux mesurer les efforts à accom-

L'évolution territoriale

BIBLIOGRAPHIE

BRAUDEL F., *L'Identité de la France. Espace et histoire,* Arthaud-Flammarion, Paris, 1986.

Histoire des Français, XIXe-XXe siècles, t. 1 : *Un peuple et son pays,* sous la direction d'Yves LEQUIN, Armand Colin, Paris, 1984.

plir en vue de l'unification parfaite de l'espace français.

Des résistances à ce mouvement d'égalisation demeurent. L'inertie des anciennes pratiques et des convictions n'est pas vaincue. Mais la Révolution fait un pas décisif dans l'établissement d'un État national dont la cohésion spatiale est un rouage essentiel.

Marie-Vic Ozouf-Marignier

Le calendrier républicain : un échec ?

L'adoption en l'an II du calendrier « républicain » peut passer à la fois comme l'une des réformes les plus logiques et les plus essentielles de la Révolution française et celle qui a laissé le moins de trace dans la mémoire collective. Comment expliquer ce paradoxe et l'échec relatif des révolutionnaires dans la maîtrise du temps, alors qu'ils réussissent dans celle de l'espace et des poids et mesures ?

L'an I de la liberté ou de l'égalité ?

Les origines de ce calendrier sont inséparables de la marche de la Révolution. Dès qu'il est question d'un Ancien Régime (1788-1789) apparaît la volonté de rupture avec l'« ère vulgaire ». L'histoire doit prendre un nouveau départ en 1789, « l'an I de la liberté » (le 1er janvier ou le 14 juillet ?). La chute de la monarchie (août 1792) appelle à son tour l'an I de la république et de l'égalité. Le 22 septembre 1792, la Convention décrète simultanément l'état civil et « l'ère nouvelle », mais il faudra plus d'un an de débats entre artistes, savants et écrivains (David, Romme, Monge, Chénier, Fabre d'Églantine) pour la mise au point du projet définitif, adopté le 24 octobre 1793. Il prend immédiatement effet dans la période la plus radicale de la Révolution, celle de la déchristianisation, de la Terreur et du double pouvoir jacobins-sans-culottes !

« Floréal », « Germinal », « Prairial »...

Il s'agit de régénérer le peuple « pour l'éternité » en imprimant d'un « burin neuf et vigoureux » le livre d'histoire de la maîtrise révolutionnaire du temps. Pour liquider la religion, au nom de la raison, la science, la nature, la poésie, l'idéologie et l'utopie ! Le calendrier républicain abolit « par décret » le dimanche, les saints, les fêtes chrétiennes. Au nom de la raison, il rompt avec une nomenclature jusque-là fondée sur la « superstition et le fanatisme ».

Les mathématiciens créent un découpage égal des mois (12 mois de 30 jours), un système décimal de décades et d'heures (jusqu'aux horloges républicaines à double cadran). Les astronomes font débuter l'année le jour de l'équinoxe d'automne, lorsque l'égalité est parfaite entre le jour et la nuit. Les poètes construisent une petite « encyclo-

BIBLIOGRAPHIE

BACZKO B., « Le calendrier républicain », *Les Lieux de mémoire,* t. I, Gallimard, Paris, 1984.

BIANCHI S., *La Révolution culturelle de l'an II,* Coll. « Floréal », Aubier, Paris, 1982.

FORTUNET F., « Le temps à l'épreuve de la Révolution, les avatars du décadi », *Mouvements populaires et conscience sociale,* « Actes », Maloine, 1985.

pédie rurale » en donnant aux jours des noms de plantes, d'animaux domestiques et d'outils plutôt que de symboles (jugés trop religieux ?). Ils font rimer les mois, trois à trois, selon la tonalité saisonnière – germinal, floréal, prairial. Les idéologues font coïncider le premier jour avec la proclamation de la république (22 septembre, 1er vendémiaire), et terminent l'année par les fêtes sans-culottides ! En tentant de fonder la Cité nouvelle sur les temps révolutionnaires, l'utopie devient en partie réalité.

Un dimanche tous les dix jours

On peut parler de « succès » du nouveau calendrier qui se propage rapidement en l'an II. Toutes les institutions révolutionnaires sont en effet mobilisées à cet effet : administrations, justice de paix, 5 500 sociétés populaires, armées, collèges et écoles primaires. Des milliers d'almanachs civiques et de calendriers républicains circulent dans tout le pays. Réalisés par les meilleurs peintres et graveurs subventionnés, ils résument les martyres, les symboles et les devises de la Révolution présente. On comprend que le calendrier ait été alors « bien reçu », dans le contexte de l'an II. On supprime même les concordances avec l'« ère vulgaire », après l'incroyable flottement des trois premiers mois, surtout pour l'état civil. Intégré à la déchristianisation et aux cultes révolutionnaires, il est adapté au vécu des sans-culottes et des cultivateurs qui l'adoptent.

Mais il suscite dès sa création de profondes résistances que les sources ne révèlent qu'en partie. Les ouvriers protestent quand la réduction des jours de repos (41 au lieu de 52) favorise leurs employeurs. Les paysans refusent de modifier des comportements économiques séculaires : foires, marchés. Des croyants entendent préserver une pratique rythmée par le calendrier et les fêtes liturgiques. Malgré des milliers de prénoms inspirés par le temps républicain – Floréal, Jasmin... –, 80 % des prénoms de l'an II renvoient aux saints. Les représentants en mission doivent multiplier les décrets pour le repos du décadi. Un reflux supplémentaire s'amorce avec le déclin de la déchristianisation et du mouvement sans-culotte, en dépit de la rationalité de la réforme et des succès dans les régions patriotes.

La peau de chagrin

La réaction thermidorienne de l'an III détruit tous les symboles de l'an II (montagnes, piques, bonnets), mais conserve le calendrier républicain. La Constitution est même promulguée le 1er vendémiaire an IV ! Mais c'est comme un rempart face au christianisme qu'il poursuit une carrière paradoxale : obligatoire dans tous les actes officiels, mais de moins en moins respecté par la population ! Après la poussée royaliste de fructidor an V (1797), le Directoire impose le respect absolu du décadi. De lourdes amendes, voire de la prison, sanctionnent les travailleurs et les citoyens qui célébreraient le dimanche. Des fêtes décadaires grandioses sont mises sur pied. En vain ! Les résistances passives des ruraux, la

« renaissance religieuse » et la réouverture des églises condamnent à terme un calendrier qui ne serait plus observé que par les administrations. Le phénomène de peau de chagrin se poursuit sous le Consulat. Le repos du dimanche est rétabli après le Concordat, les almanachs sont rechristianisés. Le calendrier républicain est aboli sous l'Empire, le 11 nivôse an XIV (1er janvier 1806), après une durée officielle de 12 ans, 2 mois et 27 jours !

Faut-il conclure à l'échec de révolutionnaires impuissants « à maîtriser le temps » ? Le calendrier républicain a duré trop peu pour bouleverser les mentalités séculaires, ou trop longtemps après la perte de sa dimension idéologique de l'an II. Mais l'échec est relatif quand ceux qui le suppriment proclament sa supériorité rationnelle sur l'ancien calendrier (et Napoléon le premier). Ses mois marqueront durablement la mémoire collective : floréal, germinal. Le calendrier républicain demeure une tentative originale de conciliation de l'histoire et de l'utopie, le moment où l'homme révolutionnaire tenta de devenir « majeur » (Michelet).

Serge Bianchi

Le système métrique

En 1789, existent en France quelque 800 mesures différentes ! D'une région à l'autre, au sein d'une région, un même nom recouvre des réalités diverses. La livre pèse 489,5 g à Paris, mais 414,8 g à Lyon et 388,5 g à Marseille. Pour les Grenoblois, la livre « poids de ville » vaut 442,8 g et celle « poids de Savoie » 551,9 g ! Le setier contient 12 boisseaux de grains, mais 16 de sel, 24 d'avoine et 32 de charbon. A Brie-sur-Marne, on dispose de cinq arpents de valeurs différentes. La mesure et ses divisions ont des rapports variés. La toise de Paris, soit 1,949 mètre, vaut 6 pieds, le pied 12 pouces et le pouce contient 12 lignes... Une mesure de capacité, le muid de Paris, équivaut à 2 feuillettes, ou tonneaux d'environ 130 l chacun, à 48 quartants ou 36 veltes. La livre contient 2 marcs, le marc vaut 8 onces, et l'once 4 gros... A Paris, l'étalon de poids est la « pile de Charlemagne », série de poids en forme de godets emboîtés et valant au total 50 marcs. L'étalon de longueur est la « toise du Châtelet », une barre de fer, scellée en 1668 dans le mur extérieur du Grand Châtelet, terminée par deux redans en retour d'équerre, entre lesquels une toise doit entrer exactement. Modèle de la « toise du Pérou » et de la « toise du Nord », qui en 1736-1737 serviront à mesurer l'arc terrestre sous l'équateur et en Laponie, elle est remplacée en 1776 par la « toise du Pérou ».

Un tel système de mesures correspond au monde émietté de la petite région, du « pays », où paysans et artisans effectuent l'essentiel de leurs transactions. Au XVIIIe siècle, il constitue une entrave au développement du négoce et de l'industrie. La bourgeoisie manufacturière et commerçante a besoin d'un marché plus vaste, donc d'un système unifié. Et le développement récent des sciences exactes, en particulier de la chimie, nécessite un système de mesures universel, précis et pratique.

Mille ans pour une réforme

L'idée de réforme n'est pas neuve. Dès 789, Charlemagne impose l'uniformité des mesures. En 864, l'édit de Pistes y ajoute la conformité aux « étalons » déposés dans le palais royal. En 1540 et

BIBLIOGRAPHIE

GUEDJ D., *La Méridienne, 1792-1799*, Seghers, Paris, 1987.

KULA W., *Les Mesures et les hommes*, Éditions de la Maison des sciences de l'homme, Paris, 1984.

1575, l'uniformisation est décrétée, mais en vain. En 1576, les cahiers de doléances pour les États généraux de Blois réclament un système unique. En 1670, l'abbé Mouton préconise que l'unité de mesure soit la distance découpée par la minute d'arc d'un méridien, le milliare, dont la millième partie est la virgula. Jean Picard en 1671, Huyghens deux ans plus tard, La Condamine en 1748 préfèrent la longueur du pendule à la seconde sous l'équateur. En 1720, Cassini définit le pied comme le centième d'arc de seconde mesuré sur le méridien. Enfin, en 1787, l'Académie des sciences de Paris nomme des commissaires pour rédiger un plan d'uniformisation des poids et mesures.

Le 8 mai 1790, la Constituante adopte l'idée de l'unification proposée par Talleyrand. Une commission de l'Académie composée de Lavoisier, Tillet, Borda, Lagrange et Condorcet doit élaborer un projet. L'Angleterre et les États-Unis, invités à s'associer aux travaux, refusent. Comme unité de longueur, la commission choisit la « longueur du pendule à la seconde », et, décision capitale, recommande, le 27 octobre 1790, l'emploi de la numération décimale. Le 19 mars suivant, la commission augmentée de Laplace et Monge se ravise et adopte la solution « méridien terrestre » dont le mètre serait la dix millionième partie du quart.

L'Académie désigne Borda et Coulomb pour mesurer la longueur du pendule à la seconde, Delambre et Méchain pour la mesure de l'arc de méridien et Lavoisier et Haüy pour déterminer le poids d'eau correspondant à l'unité de volume dans la nouvelle graduation. L'unité de longueur doit être calculée à partir de la différence de latitude entre Dunkerque et Barcelone. Delambre s'occupe de la partie Dunkerque-Rodez, Méchain du reste. Accusés en 1791, par Marat, d'avoir touché 100 000 francs, qu'ils se sont partagés en frères, pour mesurer un degré de méridien, Delambre et Méchain sont de plus gênés en 1792 par la guerre. Les échafaudages de triangulation, les signaux, les allées et venues, l'utilisation de matériel d'observation alarment les populations qui suspectent Delambre d'être un ennemi de la Révolution. En 1793, l'invasion du sud de la France par l'Espagne ralentit les travaux de Méchain.

Ils travaillent encore, quand, le 1er août 1793, s'appuyant sur d'autres travaux antérieurs, la Convention crée provisoirement le système métrique. Le degré de méridien retenu est de 57 027 toises à 6 pieds de Paris. La numérotation décimale est adoptée, et les nouvelles mesures dénommées mètre, gravet (futur gramme) et cade (futur mètre cube). Le poids de l'unité de volume d'eau distillée, pesée dans le vide à la température de la glace fondante, devient l'unité de poids. Des étalons fabriqués par l'Académie doivent être envoyés dans le pays avant l'entrée en vigueur le 1er juillet 1794.

Mais, le 8 août, l'Académie est supprimée et, le 28 novembre, Lavoisier arrêté comme ex-fermier général. Le 23 décembre, il est destitué en même temps que Laplace, Delambre, Borda et Brisson, accusés d'antirépublicanisme. Leurs travaux, repris par Prieur de la Côte-d'Or, sont à la base de la loi du 18 germinal an III (7 avril 1795), qui institue définitivement le système métrique décimal. Les étalons de poids et de longueur sont prêts le 22 juin 1799, légalisés le 10 décembre et deviennent obligatoires en décembre 1801.

Les résistances

L'adoption de ces nouvelles mesures est lente tant elle heurte des habitudes multiséculaires. De plus, le décret du 13 brumaire an IX (novembre 1800) ajoute à la confusion en assimilant la perche au décamètre, le mille au kilomètre, l'once à l'hectogramme, le denier au gramme ! D'ailleurs, le décret du 12 février 1812 met fin au monopole du système décimal ! Les anciennes mesures peuvent être réutilisées : ainsi la toise (2 mètres) et ses subdivisions, l'aune pour mesurer les étoffes et le boisseau pour les capacités. Le système métrique reste tout de même le seul qui soit enseigné et employé par les administrations. Cette tolérance est abolie le 4 juillet 1837 et le système métrique décimal devient exclusif de tout autre à partir du 1er janvier 1840.

Bien que prétendant appuyer leurs mesures sur des données scientifiques, les savants ont commis des inexactitudes. La Terre n'étant pas un sphéroïde parfait, l'arc d'un degré n'a pas la même longueur partout sur le même méridien : l'unité de longueur est donc tout à fait arbitraire. Il n'y a pas de lien exact entre l'unité de longueur et l'unité de poids, le mètre étalon est exact à 0 degré, alors que l'unité de volume d'eau est pesée à 4 degrés.

Quoi qu'il en soit, le système métrique décimal est appelé à un bel avenir. Dès 1799, l'Europe profrançaise l'adopte. L'Italie ne s'y range qu'à la fondation du royaume en 1861 et l'Allemagne à la fondation de l'empire en 1871. La Grande-Bretagne attendra 1965.

Jean Sandrin

VALEURS ET ANTICIPATIONS

ÉGALITÉ. LIBERTÉ.

De nouvelles valeurs

• Le régime représentatif

Bien que le régime représentatif ait entamé sa carrière en Grande-Bretagne et dans son ancienne colonie, les États-Unis (les Provinces-Unies et la Suisse étant dirigées par des oligarchies sans caractère véritablement représentatif), on peut dire que la Révolution française a donné au monde le spectacle d'une expérience entièrement originale en ce domaine. Les deux pays précités n'ont en effet à ce moment-là qu'un système représentatif limité, censitaire, établi en l'absence de toute transformation sociale de grande ampleur.

Le pays en réduction ?

Lorsque, contre toute attente, la paysannerie fait son entrée comme force politique autonome sur la scène de la Révolution, dès 1789, c'est l'immense majorité des vingt-cinq millions de Français qui devient partie intégrante de la vie politique du pays. Les révolutionnaires sont confrontés ainsi, d'une façon toute pratique, au problème débattu par les auteurs du XVIIIe siècle : est-il possible d'établir une république dans un État vaste et peuplé ? Rousseau avait répondu non et, d'une certaine manière, la position des communes telle qu'elle résulte de la Constitution de 1791 est pour les constituants une façon de répondre à la question. En établissant au niveau des relations locales une incontestable démocratie, alors que l'instauration du cens et l'élection à plusieurs degrés (plus de quatre millions de citoyens actifs, mais seulement 50 000 vrais électeurs) prouvaient la défiance de la bourgeoisie à l'égard du peuple au plan des institutions nationales, les constituants avançaient une conception bien précise de la représentation.

Les effets du système censitaire se font vite sentir quant à la faiblesse de la représentation paysanne. Ainsi en Bretagne, sur quarante et un députés à la Législative, quatre sont cultivateurs (et encore faudrait-il voir en détail ce que recouvre cette appellation), et parmi les vingt-neuf conventionnels élus pour la première fois, on compte un seul cultivateur. Quant aux ouvriers des villes, ils sont encore plus mal représentés dans les assemblées. Il en résulte que la représentation n'est en rien le pays en réduction, chaque classe ou groupe social envoyant ses représentants ; les classes populaires sont représentées par un autre groupe social, la bourgeoisie.

Le caractère faiblement représentatif des assemblées révolutionnaires est encore aggravé par le petit nombre des votants. En septembre 1791, les 9/10 des citoyens actifs se sont abstenus. Malgré l'instauration du suffrage universel masculin (à deux degrés), les élections à la Convention n'ont pas davantage mobilisé les électeurs.

Ce constat peut être tempéré cependant par le fait que l'Assemblée nationale n'est pas la seule instance de représentation : les assemblées municipales, de district, de département, jouent un rôle à cet égard, ainsi que les sociétés populaires et les sections où la sans-culotterie parisienne et provinciale s'organise. L'assemblée centrale des sections, créée le 27 mars 1793, et qui va jouer un rôle clef dans l'élimination des girondins les 31 mai et 2 juin, se pose face à la Convention comme la Commune s'était dressée face à la Législative. Cette intervention du peuple révolutionnaire dans la composition même de la représentation nationale prouve bien que celle-ci n'était pas alors en dehors du mouvement social. Les coups d'État qui de 1797 à 1799 modifieront la composition de l'Assemblée se feront de l'intérieur de la sphère politique, et le dernier, le 19 brumaire an VII, sera – même s'il fut préparé par des civils – l'œuvre des militaires, qui échappent à cette sphère politique elle-même.

Les risques de confiscation du pouvoir

Le système représentatif que les révolutionnaires avaient imaginé de 1789 à 1791 a été déséquilibré parce que la place de l'exécutif, occupée par le « roi des Français », est laissée vide par la trahison de Louis XVI et la radicalisation de la Révolution. A partir de juin 1791 (tentative de fuite du roi), l'Assemblée est mal à l'aise ; la mise au point du 10 août 1792 n'a pas été – c'est le moins que l'on puisse dire – acceptée de gaieté de cœur par les députés. On sait combien sera courte (une voix) la majorité pour la condamnation de Louis Capet. Sous les nécessités de la guerre intérieure et extérieure, la Convention a dû cumuler les fonctions législative et exécutive (les comités ne forment pas un gouvernement), ce qui l'a placée en porte à faux par rapport au système représentatif. Le déséquilibre va jusqu'au point où la représentation apparaît comme une confiscation du pouvoir. Robespierre voit le problème et le 24 avril 1793, présentant son projet de Déclaration des droits devant la Convention, dit : « Dans aucun cas la volonté souveraine ne se représente, elle est présumée. Le mandataire ne peut être représentant... » Mais le problème allait bien au-delà d'une question de termes.

Les victoires du printemps 1794 rendent inutile et néfaste aux yeux de beaucoup (pas nécessairement contre-révolutionnaires) la dictature des comités. Après Thermidor, le problème à la fois constitutionnel et pratique de l'exécutif, loin d'être résolu, ne deviendra que plus aigu. L'armée finira par trancher.

La Révolution fondatrice

Pourtant, la Révolution a réussi. Lors d'un colloque tenu à Rennes en 1985 sur « les résistances à la Révolution », Claude Mazauric proposa de distinguer de la contre-révolution l'anti-révolution, forme ponctuelle ou diffuse d'opposition qui ne remet pas en cause le processus révolutionnaire dans sa globalité. Or il apparaît que ni la contre-révolution ni l'anti-révolution ne furent capables de présenter aux Français un autre modèle représentatif que celui qui s'imposait aux révolutionnaires. A part un quarteron d'irréductibles, nul ne songeait au retour de la monarchie de droit divin ; même Louis XVIII finira par le comprendre. Mais surtout, une part notable de l'anti-révolution avait fait du régime représentatif à l'anglaise son idéal. Cela avait commencé dès septembre 1789 avec l'âpre bataille du mono- et du bicamérisme. En 1875, le Sénat marquera la victoire définitive de cette dernière solution ; mais alors, on sera loin de la Révolution.

En fait, il était impossible que, dans les dix années que dura la Révolution, s'instaurât un régime représentatif stable. Les tensions politiques, sociales et économiques, les affrontements intérieurs et extérieurs étaient trop forts, les oppositions trop inconciliables. Pour qu'existe un régime représentatif, il faut que puissent coexister des forces antagonistes certes, mais non au point de chercher à se détruire. C'est pourquoi ce qui l'a emporté sur le plan de la représentation, à l'époque révolutionnaire, n'est pas d'ordre constitutionnel ou politique au sens étroit. Ce qui s'est mis en place a donné aux citoyens, quels qu'ils soient et où qu'ils soient, une forme de conscience collective où les significations qu'ils expriment immédiatement en tant que patriotes se retrouvent au niveau de la nation. Cette forme est *la France,* que Michelet définira comme *une personne.* Le mouvement à l'œuvre depuis l'établissement de la monarchie absolue trouve ici son achèvement : la France se dégage définitivement des carcans de l'Ancien Régime. A l'heure où les armées révolutionnaires déferlent sur l'Europe, c'est la Grande Nation qui l'incarne. Le Directoire l'avait compris, qui tenta de rassembler républicains et monarchistes modérés. Mais Bonaparte y parviendra mieux.

Le destin de la représentation découle de l'attribution de la souveraineté. Un survol des constitutions françaises est éclairant à cet égard. En 1791, la souveraineté est dévolue à la nation ; en 1793, elle réside dans le peuple ; pour la Constitution de l'an III, elle « réside essentiellement dans l'universalité des citoyens ». La Constitution de l'an VIII, que Sieyès voulait « courte et obscure », ne définit pas la souveraineté, et le titre I s'intitule éloquemment « De l'exercice du droit de cité ». Le glissement de citoyen et citoyenneté à cité marque le recul provisoire du système représentatif. En contradiction avec l'essence même de toute constitution, celle de l'an VIII désigne nommément les trois consuls. En l'an X, Bonaparte seul est nommé, et en l'an XII, c'est toute la famille qui fait son entrée dans le texte constitutionnel. Il faudra attendre 1848 pour que la souveraineté soit de nouveau attribuée à l'universalité des citoyens français. Notons au passage que la nation est, en termes propres, singulièrement discrète dans tous ces textes.

En définitive, la Révolution française a été fondatrice en instaurant un état de choses qui interdit à tout individu ou à toute faction d'occuper le lieu de la souveraineté d'une façon qui contredise durablement les fondements de la citoyenneté. C'est cette dernière notion qui est au cœur même de tout système véritablement représentatif.

Jean-Yves Guiomar

• La nation

Un exposé spécifique sur la nation procède implicitement de l'idée que la Révolution française a été un moment important, sinon *le* moment important de l'avènement de la nation. C'est là une position courante dans l'historiographie : la nation prend lentement conscience d'elle-même au sein de la société d'ordres par l'alliance entre le roi et la partie supérieure du tiers état, puis elle se pose face au roi (Louis XV dénie aux parlements, en 1766, le droit de se considérer comme un ensemble unique qui représenterait la nation comme « un corps séparé du monarque ») ; entre 1789 et 1791, la nation se place en partenaire du roi (« la nation, le roi, la loi ») ; enfin, ayant transformé le monarque de droit divin Louis XVI en citoyen Louis Capet, la nation acquiert en 1792-1793 la plénitude de la souveraineté.

Mais la nation est une donnée stable, structurelle, qui relève du temps long. Aussi, pour certains historiens, elle apparaît beaucoup plus tôt : pendant la guerre de Cent Ans ; au XIe siècle ; lors de l'arrivée des Francs en Gaule ; sous Vercingétorix... Pourtant, c'est la première position que l'on retiendra ici. Quoi qu'il en soit de la lente construction d'un espace sociogéographique et politique par accumulation de strates, ce qu'on voit émerger du morcellement féodal au XIe siècle, c'est le royaume de France. Son accroissement territorial jusqu'au XVIIIe siècle, par la guerre et la diplomatie, entraîne la monarchie à se doter d'« yeux » et de « mains » qui concourent à sa maturation politique. L'unité de pouvoir (et aussi de religion, facteur clef) prépare l'avènement de la nation qui est la conséquence logique de la monarchie absolue. La bourgeoisie (et la noblesse de robe, fortement gallicane, en grande partie issue des rangs de la haute bourgeoisie) s'insère dans les contradictions entre le pouvoir royal et la classe dont il émane, l'aristocratie ; peu à peu, à partir des états généraux ratés de 1614, elle dégage sa revendication à être la classe dirigeante. La nation est l'expression, l'instrument et le symbole de cette revendication.

Sphère du travail contre privilèges

Bourgeoisie n'est pas le terme par lequel cette classe se désignait elle-même à la fin du XVIIIe siècle. Le groupe social qui se préparait à proclamer la souveraineté nationale était le tiers état. Mais ce groupe, défini selon les principes de la société d'ordres, comprenait la quasi-totalité des vingt-cinq millions de Français. Quel rapport y avait-il, en fait, entre l'avocat Danton, le philosophe Condorcet, et le plus pauvre métayer du Limousin ou l'ouvrier des mines d'Anzin ? Leur relation objective tenait à ce que tous vivaient du travail. Or le royaume, avec ses enchevêtrements de codes et de droits, ses obstacles de toute nature à la circulation des biens, ses archaïsmes (corporations, ferme des impôts, etc.), ne permettait pas au travail – celui des bras comme celui de l'argent, et aussi celui des capacités intellectuelles – de prendre son essor.

Beaucoup de revendications exprimées dans les cahiers de doléances et l'immense entreprise de libération et d'unification accomplie par la Révolution et consolidée par le Consulat concernent la sphère du travail. C'est le mode majeur par lequel la nation est sortie du domaine des idées et des aspirations pour s'incarner dans des relations concrètes – harmonieuses ou conflictuelles – entre les sujets devenus citoyens.

Pour autant, ce rapport objectif n'a pas été ce qui a cristallisé l'avènement de la souveraineté nationale, même si c'en fut le moteur. Le détonateur est à chercher dans la conscience d'une insupportable différence d'être au sein du peuple français : d'un côté, quelques centaines de milliers d'individus tirant leur position sociale d'une qualité née du « sang » et confirmée par le privilège ; de l'autre, une masse roturière méprisée, pourvoyant à l'intendance. Ainsi lorsque, en 1781 et 1788, le pouvoir ferme l'accès aux grades supérieurs de l'armée en exigeant quatre quartiers de noblesse, on a là l'un des ressorts qui forgeront la conscience nationale de l'armée face à ses cadres aristocratiques.

Mais l'extrême diversité du tiers état et les contradictions entre les intérêts de ses membres allaient rapidement faire éclater l'unanimité antimonarchique et antiaristocratique. Celle-ci disparaît dès le lendemain de la proclamation de l'Assemblée nationale, le 23 juin 1789. Très vite, ce sont les classes qui apparaissent, ou plutôt – car la société de classes ne deviendra une évidence qu'à partir de 1830 –, apparaissent des clivages quant à la situation des groupes sociaux par rapport à leur position réelle dans le jeu de la production et des échanges : capacités financières, intellectuelles et, dans un sens plus large mais décisif, capacité de concevoir et d'intégrer la notion de « chose publique ». On distingue aujourd'hui, à côté de la contre-révolution, l'anti-révolution et les résistances à la Révolution (qui expliquent que, sur un total d'environ 100 000 émigrés, les nobles ne comptent que pour le cinquième). Ces diverses positions recoupent largement le degré de rejet ou d'intégration de la nation comme garant juridique et symbolique de l'union entre les membres du corps politique et social.

Mourir pour la nation ?

Et pourtant, la nation n'est pas apparue comme la chose d'une classe, elle a gardé sa valeur subversive. Pour le comprendre, une distinction s'impose entre patrie et nation. Bien que les enquêtes sémantiques sur le XVIIIe siècle et la Révolution ne permettent pas de conclusions exhaustives, tout indique que nation appartient au vocabulaire des élites constituées et se lie aux institutions et à l'État, tandis que patrie réfère essentiellement à la conscience populaire et à des liens de type fraternel. Nation est dans un ordre hiérarchique, patrie dans un ordre égalitaire. Dans un ouvrage récent sur Valmy, E. Hublot indique que le cri de « Vive la nation ! » poussé par les soldats français « est l'écho de celui du général [Kellermann] et non l'inverse ».

Même si les deux notions s'interpénètrent (ce qui conduit de nombreux auteurs à les utiliser comme synonymes), bien des formulations montrent qu'elles sont nettement distinctes. Les monuments aux morts portent « Morts pour la patrie » ou « Morts pour la France », jamais « Morts pour la nation ». Chacun peut dire « ma patrie », « ma nation » ne pourrait être dit que par un diplomate, comme « Au nom de la nation », « la nation déclare... » ne peuvent émaner que de bouches officielles. Ce sont les « patriotes de 89 » qui réalisent l'unité nationale, ce sont les « patriotes de 93 » qui la sauvent. L'hymne national s'ouvre par un appel aux « enfants de la patrie », et Bertrand Barère pourra écrire : « Les aristocrates n'ont point ici de patrie et nos ennemis ne peuvent être nos frères. »

Patriotisme est dans une continuité sémantique avec patrie, il n'en va pas de même pour nation avec nationalisme. C'est seulement sur le mode adjectif (souveraineté nationale, Assemblée nationale, volontaires nationaux, etc.) que nation est dans le droit fil révolutionnaire. Nous retrouvons ici ce qui est apparu quant à la commune dans l'édifice institutionnel : la Constituante a créé le département, le district, le canton, mais elle a bien davantage ratifié que créé les communes, foyer le plus vivant de l'existence nationale. Le 17 juillet 1789, c'est des mains du maire de Paris, Jean-Sylvain Bailly, que Louis XVI reçoit la cocarde tricolore.

Les auteurs qui veulent faire remonter très haut dans le passé la nation ne font en réalité que donner à la fidélité monarchique un sens patriotique. Celui-ci, depuis le XIVe siècle et les états généraux de 1357, est écartelé entre cette fidélité et l'élargissement du gouffre qui sépare les intérêts du peuple et ceux de l'aristocratie. Lorsque, à la fin du XVIIIe siècle, le patriotisme cessera de conforter la monarchie et ses instruments, alors le temps de la nation sera venu. Le mouvement est très spectaculaire dans une province comme la Bretagne, agitée tout au long du siècle. Jusqu'à l'automne de 1788, le tiers état, déjà en rupture avec le pouvoir royal, soutient avec enthousiasme la fronde du parlement et des états contre ce même pouvoir. Soudain, le tiers état comprend que parlement et états sont des pièces de l'édifice monarchique, et en quelques semaines il les abandonne pour faire son unité patriotique au nom de la nation.

La nation se nourrit de la patrie, mais elle est autre chose. Elle exige une mise en œuvre conceptuelle, car elle occupe le lieu laissé vide par la royauté. Dans la suite de l'histoire nationale, chaque fois que la nation sera en continuité avec la patrie, elle montrera sa puissance subversive, chaque fois qu'elle sera en rupture avec elle, elle ne sera que l'instrument de la bourgeoisie.

Il y a là un problème fondamental, source de difficultés dans l'ordre constitutionnel et politique à partir de 1792.

Jean-Yves Guiomar

• La démocratie ?

La démocratie, c'est le régime dans lequel les ressortissants d'un État sont tous des sujets de droit fondés à intervenir dans tous les mécanismes de la prise des décisions qu'ils auront à exécuter. La démocratie politique découle directement de cette définition, mais dès la Révolution furent posés les termes de la démocratie économique, sociale et culturelle.

« Un ensemble de transformations inouïes »

L'accessibilité de tous à tous les emplois, l'élection à toutes les fonctions publiques furent instaurées, même si les modalités du scrutin donnèrent à la vie démocratique une extension plus ou moins grande. Les rapports de civilité furent modifiés dans un sens égalitaire par l'abolition des formules d'Ancien Régime, aspect des relations interindividuelles qu'il ne faut pas minimiser. Dans les milices communales, la garde nationale, les corps de volontaires, les sociétés populaires et les sections, un égalitarisme vivifiant s'instaura, stimulé par la liberté de la presse et ancré dans la vie quotidienne. Les fédérations, les fêtes révolutionnaires, les manifestations de la fraternité renforcèrent, jusqu'en 1795, le ciment démocratique. Les grandes transformations sociales, comme l'abolition définitive de la féodalité (17 juillet 1793), sont contemporaines de cet essor démocratique.

Cela représentait, dans l'Europe et dans le monde d'alors, un ensemble de transformations inouïes, sujet d'enthousiasme et exemple pour les uns, d'épouvante et de haine pour d'autres.

L'idéal démocratique portait ainsi sur la totalité de l'existence, mais la dangereuse et presque fatale levée d'oppositions à partir du printemps 1793 ainsi que la première coalition imposèrent au mouvement démocratique un sens bien précis : défendre les conquêtes politiques et sociales de 1789-1792 et les étendre en donnant aux citoyens les moyens économiques et culturels de les intégrer à leur vie personnelle. Ainsi, dès le départ, la démocratie est un mouvement et un combat, qui va au-delà du politique au sens étroit.

La démocratie bloquée

La grande mobilisation de 1793-1794 a porté au plus haut cet élan (la collecte du salpêtre est un bon exemple pris dans la vie quotidienne), mais c'est aussi dans ce vaste effort que se sont mises en place les conditions qui vont bloquer la marche en avant de la démocratie. Comme l'écrit Marc Bouloiseau, « la machine de guerre conçue et démarrée en l'an II forme un complexe socio-économique qui se vide lentement de son sens révolutionnaire ». A partir de la fin de 1793, la démocratie doit sa survie au fait qu'un noyau de dirigeants de la Révolution est démocrate. L'épuration des directoires de départements et de districts, des communes, des sociétés populaires, enfin le décret du 14 frimaire an II (4 décembre 1793), véritable charte du gouvernement révolutionnaire, tendent, à travers une subversion totale de l'édifice institutionnel, à prolonger dans le pays la volonté démocratique de ceux qui se tiennent au-dessus des factions. Dès le printemps 1794, avec le retour des victoires militaires, le divorce éclate entre la société et ses cadres révolutionnaires dont la pensée et la volonté excèdent largement les projets de la bourgeoisie dans son ensemble. Après Thermidor, celle-ci a la situation en main, et elle ne trouvera plus en face d'elle que des groupes minoritaires, tels ceux qui se rassemblent autour de Babeuf.

La république sans la démocratie ?

Il faut cependant réagir contre la tendance à ne voir dans la période 1795-1799 qu'une réaction. Bien des thermidoriens, les girondins réintégrés dans la Convention, beaucoup de membres des assemblées créées par la Constitution de l'an III, sont des républicains résolus, qui s'engagent à fond dans la lutte contre la Chouannerie et les autres foyers contre-révolutionnaires. Sur bien des points, la Révolution s'approfondit et s'enracine. Les grands établissements d'enseignement, l'Institut, les écoles centrales des départements – la connaissance est l'un des fondements majeurs de la démocratie – datent de cette époque (mais l'enseignement primaire est négligé). Enfin, les armées et la diplomatie révolutionnaires dictent leur loi aux monarchies.

Mais de 1795 à 1799, ce n'est plus le terme de démocratie qui permet de rendre compte de cette phase de la Révolution, c'est celui de république. L'État, en grande partie issu du complexe économique et financier né de la guerre, domine désormais. Les « républiques sœurs » servent de banc d'essai au renforcement de l'exécutif : c'est là que la fonction de préfet est mise au point. En revanche, il devient difficile de trouver des républicains pour remplir les fonctions administratives dans les communes et les départements.

En même temps, la dynamique sociale se fige en rituels qui exaltent une figure républicaine vidée de tout esprit révolutionnaire. Les fêtes qui avaient scandé l'essor démocratique sont remplacées par des cérémonies qui, bien souvent, rencontrent une adhésion mitigée et provoquent la raillerie. Les projets grandioses de fêtes républicaines d'un Louis-Marie de La Revellière-Lépeaux ne sont que pure manipulation de masses.

Seule l'armée conserve un esprit républicain vivifié par le sens patriotique. Mais elle fortifie une vision du pouvoir édifiée en dehors de tout édifice constitutionnel. Lorsque, à l'automne de 1799, la contre-révolution semble devoir l'emporter, l'armée tranche la question du pouvoir.

Grâce à l'élan démocratique de 1793-1794, les conquêtes de 1789-1792 sont passées presque tout entières dans l'héritage de la République ; Brumaire a empêché le retour de l'Ancien Régime, mais au prix de l'édification d'un pouvoir exécutif qui se place au-dessus de tout contrôle du pays. Le solide édifice administratif et institutionnel créé ou renforcé entre 1799 et 1804 sera purement conçu comme l'instrument de cet exécutif.

Jean-Yves Guiomar

• La Révolution ?

On sait la fortune de l'analyse de Tocqueville qui, sans nier la Révolution, la voit sur bien des points, surtout négatifs à ses yeux, comme une continuation de l'Ancien Régime. D'autres vont beaucoup plus loin, tel Pierre Chaunu exaltant *« la seule révolution jamais réussie, sur ce sol,* celle qui, du Xe au XIIIe siècle, a fait de ce peuple un peuple libre de décideurs enracinés dans la glèbe ». Ce jugement a un grand mérite : celui de mettre l'accent sur le temps long, et c'est ce qu'il convient de faire aussi à l'égard de la Révolution française.

Du hasard au contrat régulier

Essayons de prendre la mesure de la « révolution copernicienne » dont cet événement a donné à l'échelle planétaire le coup d'envoi. « Jusqu'ici, écrit Volney dans *Les Ruines* (1791), nous avons vécu en une société formée au hasard [...]. Aujourd'hui nous voulons, de dessein réfléchi, former un contrat régulier. » C'est là le but même des révolutionnaires français, contre lequel se dressèrent et se dressent encore bien des forces. L'entreprise consiste à ramener toutes relations sociales au contrat, c'est-à-dire à un échange juste et reconnu comme tel, sous l'empire de la raison, pour les contractants. S'oppose à ce projet tout ce que Volney range sous le mot de « hasard », c'est-à-dire en fait la force pure, l'irrationnel des passions, des chimères humaines, Dieu enfin : tout ce qui agit sans donner de raison (Goethe : « Au commencement était le Verbe ? Non, au commencement était l'Action »).

Installer l'empire de la raison pose de redoutables questions. L'historien catholique Bernard Plongeron situe bien le problème en distinguant le contrat, le *vinculum,* et « cet "être" juridique, antérieur aux liens contractuels, qui est un véritable signifiant par rapport à un signifié (les conventions du contrat). Certains juristes l'appellent le *consortium* ». Plongeron donne l'exemple du Code civil : celui-ci définit les modalités du *vinculum,* mais tous les articles sont subordonnés à l'article 6 (« On ne peut déroger, par des conventions particulières, aux lois qui intéressent l'ordre public et les bonnes mœurs »), qui, lui, relève du *consortium.*

En d'autres termes, nulle société ne peut se constituer et demeurer cohérente sans un référent ontologique, celui-là même par lequel et au nom duquel le pouvoir, qui résulte toujours d'un rapport de forces, entend définir les modalités suprêmes du fonctionnement social. C'est justement ce que la Révolution, dans sa visée la plus radicale, avait voulu abolir. Une vision courte ferait conclure que ce projet a échoué (quand il n'est pas jugé blâmable dans son principe même). Mais il est permis de penser que la Révolution a ouvert là une question fondamentale, de celles qui engagent le devenir des sociétés humaines pour des siècles, même si la réalisation du projet emprunte des voies et revêt des formes auxquelles ses initiateurs n'avaient point pensé.

Les révolutionnaires ont cru résoudre le problème en donnant à la société comme seul référent la société elle-même. Ainsi Sieyès écrit-il : « Pour la nation, il ne peut y avoir que la nation. » Mais ils n'ont pu éviter que ce référent à peine posé — et avant même qu'il ne le soit explicitement — se recharge des valeurs ontologiques chassées ailleurs (le trône et l'autel).

Vision universaliste : à revoir

Les conséquences sont capitales. La bourgeoisie, entre 1789 et le début du XIXe siècle, a conquis le pouvoir, mais aussi la terre — entravant l'émancipation de la petite paysannerie —, et elle s'est empressée de s'y enraciner. Malgré l'indéniable progrès industriel accompli sous Napoléon, la France du XIXe siècle se ruralise intensément, ce que Balzac a fort bien vu. Louis Bergeron en donne de nombreux exemples à propos de l'Ouest nantais et angevin. Le clergé lui aussi, qui devient après 1830 l'auxiliaire précieux de la bourgeoisie, se ruralise fortement. Cette situation apparemment paradoxale, renforcée par

BIBLIOGRAPHIE

BERGERON L., *L'Épisode napoléonien (politique intérieure),* Seuil, Paris, 1972.

BERTAUD J.-P., *Bonaparte prend le pouvoir,* Éd. Complexe, Bruxelles, 1987.

BOULOISEAU M., *La République jacobine,* Seuil, Paris, 1972.

CHAUNU P., *La France,* Éd. Pluriel, Paris, 1983.

DUPUY R., « Du pseudo-fédéralisme breton au pseudo-anarchisme parisien : révolution et structures », *Actes du Colloque : Girondins et montagnards,* Société des études robespierristes, Paris, 1980.

GUIOMAR J.-Y., *L'Idéologie nationale,* Champ Libre, Paris, 1974.

HUBLOT E., *Valmy,* Fondation pour les études de défense nationale, Paris, 1987.

PLONGERON B., *Théologie et politique au siècle des Lumières,* Droz, Genève, 1973.

Colloque de Rennes, 17-21 septembre 1985, *Les Résistances à la Révolution,* Imago, Paris, 1987.

SOBOUL A., *Comprendre la Révolution,* Maspero, Paris, 1981.

l'essor du thème du sol natal propagé par les émigrés de retour et illustré par la littérature et les arts, contredit la vision universaliste de la Révolution française. Seules, avec quelques intellectuels et artistes, les couches sociales développées par le capitalisme et qui ne bénéficient pas des améliorations de la société reprendront cet universalisme.

Ce qui domine au sein des groupes sociaux portés au pouvoir par la Révolution, c'est une véritable involution. Augustin Thierry, ancien libéral, l'exprime fort bien en 1853 dans sa préface au tome II du *Recueil des monuments inédits de l'histoire du tiers état*: « Les anciennes provinces détruites politiquement et administrativement se rétabliront, et déjà se rétablissent au point de vue de l'histoire. » L'extraordinaire essor de Paris au XIXe siècle exprime un certain triomphe de la liberté, mais c'est une face de la médaille dont le revers est façonné par les « capacités » et les notables qui tous se reconnaissent dans 1789. La fête en 1889, mais point en 1893.

Cet enracinement a commencé très vite. Jacques Cambry, révolutionnaire girondin, effectue en 1794-1795 une tournée officielle dans le Finistère pour faire le bilan du vandalisme dans ce département. Il en tire un *Voyage dans le Finistère* (1799) qui va nourrir toute l'imagerie, édifiée au XIXe siècle, d'une civilisation rurale bretonne traditionnelle.

Bien des exemples montreraient comment les girondins et leurs héritiers ont été les constructeurs d'une anthropologie qui, en fournissant les éléments d'un nouveau *consortium,* a servi l'enracinement des nouvelles élites, non point dans la glèbe, mais dans la nation vue comme association naturelle du sol et du peuple.

Jean-Yves Guiomar

Les « socialismes » sous la Révolution française

A trop relever l'anachronisme des références à un prétendu socialisme des acteurs de la Révolution française, tant en faisant valoir le primat du monde rural dans la France de 1789 qu'en montrant comment, dans les cahiers de doléances, à l'attaque antiféodale se joint le souci de sauvegarder le droit de propriété, ou en soulignant à quel point, pour les constituants, la propriété est l'une des formes de la liberté, on sous-estime l'importance croissante du mouvement populaire et des anticipations dont il a été porteur.

Une révolution bourgeoise

De même, si l'Assemblée constituante, par le vote, le 14 juin 1791, de la loi Le Chapelier, fait prévaloir la liberté du travail, favorable à la bourgeoisie, sur la liberté d'association, on ne doit pourtant pas méconnaître l'apparition d'un autre discours, d'une sensibilité collective modifiée, où l'opposition du riche et du pauvre et l'exigence égalitaire deviennent constitutives de la thématique révolutionnaire.

Certes, le terme de « révolution bourgeoise » n'est pas un lieu commun. Canaliser, au profit du nouveau droit bourgeois, la force immense de l'insurrection paysanne, tel fut, on le sait, l'objet de la nuit du 4 Août. La Grande Peur avait effrayé les bourgeois. En offrant de déclarer rachetables les « droits réels » qui pesaient sur la terre, la bourgeoisie sauvait, en le reformulant, le droit de propriété, et imposait à la lutte paysanne contre les prélèvements seigneuriaux l'image de son terme souhaitable, celle d'une France de petits propriétaires émancipés des séquelles du féodalisme. Le même schéma vaut pour les mouvements urbains : dans un pays où le prolétariat industriel de type moderne ne tient qu'une place très limitée, une classe faite de roturiers engagés dans des rapports sociaux capitalistes, mais bien souvent aussi de rentiers ou de propriétaires d'offices de profession libérale, tente de contrôler l'énergie de classes populaires dont le groupe le plus actif est fait de producteurs indépendants, gens de l'échoppe et de la boutique accompagnés de leurs compagnons.

« La liberté n'est qu'un vain fantôme... »

Mais elle n'y parvint pas sans concessions. La conjuration des Égaux, en 1796, en pleine réaction thermidorienne, est un ultime témoignage de l'audace théorique et pratique d'un mouvement populaire un temps renforcé par ses victoires, conforté par la bourgeoisie jacobine qui jugeait son appui nécessaire et fécondé par des publications qui, par-delà la portée sociale de mesures conjoncturelles, fournirent les éléments d'une doctrine de la démocratie sociale et, amplifiant quelquefois la critique, allèrent jusqu'à définir les principes d'une réorganisation communiste de l'ordre social.

Dès le 14 juillet 1789, les masses populaires urbaines sont entrées en scène. Avec la marche des femmes sur Versailles, en octobre de la même année, un nouvel équilibre entre notables et mouvement populaire s'est dessiné. L'ouverture du Club des cordeliers, en avril 1790, la politisation croissante des masses en 1791, donnent à la Révolution un caractère de plus en plus clairement démocratique. Le mouvement en faveur de l'accès aux droits politiques des citoyens passifs se développe. A la veille de la chute de la royauté, les proclamations révolutionnaires prennent un ton nouveau. Robespierre et Marat leur font écho aux Jacobins. La république jacobine, sous l'empire des circonstances, met en œuvre une politique sociale inédite dont elle dégage simultanément les principes : sans être socialiste, elle parvient à fonder une tradition de la démocratie sociale dont la portée socialiste s'est développée après coup dans les interprétations qu'en ont présentées les théoriciens socialistes du XIXe siècle.

D'avril à août 1792, tant à la tribune que dans la presse, la lutte du petit peuple contre les possédants est constamment exaltée. Le 27 avril 1792, le curé Dolivier juge « révoltant que l'homme riche et tout ce qui l'entoure, gens, chiens, chevaux, ne manquent de rien dans leur oisiveté, et que ce qui ne gagne sa vie qu'à force de travail, hommes et bêtes, succombe sous le double fardeau de la peine et du jeûne ». A Paris, Jacques Roux réclame la taxation des marchandises de première nécessité, cependant qu'à Lyon, L'Ange exige un maximum des grains.

S'il est vrai qu'en période révolutionnaire, l'importance d'une doctrine se mesure à son efficacité, on peut comprendre la célébrité de Jacques Roux, le Curé Rouge, dont la popularité au sein de la section des Gravilliers ne put pourtant assurer l'élection à la Convention. Les principaux Enragés, Varlet, Roux, Chalier, Leclerc, portent témoignage des violents mouvements de protestation populaire contre la vie chère. Ils réclament la mort pour les agioteurs et les accapareurs, soulignent que « la liberté n'est qu'un vain fantôme quand une classe d'hommes peut affamer l'autre impunément. L'égalité n'est qu'un vain fantôme quand le riche, par le monopole, exerce le droit de vie et de mort sur son semblable ».

Le « Manifeste des Enragés »

Né le 21 août 1752 à Pranzac (Charente), prêtre, vicaire de Saint-Thomas-de-Couac en 1789 et 1790, Jacques Roux déclara en chaire que le 14 juillet était le « triomphe des braves Parisiens sur les ennemis du bien public ». Dix jours après son départ, les paysans de Saint-Thomas-de-Couac se soulevèrent contre les droits seigneuriaux rachetables et brûlèrent deux châteaux...

Il gagna Paris. Le 16 janvier 1791, dans l'église Saint-Sulpice, il prêta serment à la Constitution civile du clergé : vicaire constitutionnel de Saint-Nicolas-des-Champs, il habitait la section très pauvre des Gravilliers, tout en fréquentant le Club des cordeliers. En mai 1792, en chaire, il demanda la peine de mort contre les accapareurs et les fabricants de faux assignats, ainsi que l'interdiction de l'exportation des grains et l'établissement de magasins publics. Commentant la journée du 25 février 1793, où les magasins furent pillés, il jugea « que les épiciers n'ont fait que restituer au peuple ce qu'ils lui faisaient payer beaucoup trop cher depuis longtemps ». Le 25 juin 1793 il vint lire à la Convention un texte qualifié de « Manifeste des Enragés » par l'historien Albert Mathiez. Il y évoquait « le combat à mort que l'égoïste livre à la classe la plus laborieuse de la société ». Il alla jusqu'à écrire que « les productions de la terre, comme les éléments, appartiennent à tous les hommes. Le commerce et le droit de propriété ne sauraient consister à faire mourir de misère et d'inanition ses semblables » (*Le Publiciste de la République française*, n° 249, 18 juillet 1793). Attaqué par Robespierre aux Jacobins, radié du Club des cordeliers, il fut arrêté le 5 septembre 1793 et traité en suspect. Le 10 février 1794, il se suicida pour ne pas comparaître devant le Tribunal révolutionnaire.

Jacques Roux pressentait que la vie chère conduit à la révolution, et sa lutte contre les accapareurs le portait intuitivement à mettre en question le droit de propriété, mais les aspirations confusément socialistes du Curé Rouge ne prirent jamais la forme d'une doctrine cohérente.

L'aspiration égalitaire s'exprime sous des formes autrement élaborées dans les systèmes de Dolivier et de L'Ange — hostiles à la violence des sans-culottes — que Jean Jaurès admira dans son *Histoire socialiste de la Révolution française.*

Dolivier et la loi agraire

Né à Neschers en octobre 1746, le citoyen Pierre Dolivier, curé de Mauchamps (dans la région d'Étampes), donne en juillet 1793 son *Essai sur la justice primitive pour servir de principe générateur au seul ordre social qui peut assurer à l'homme tous ses droits et tous ses moyens de bonheur.*

L'inégalité des biens le scandalise : « Quoi ! de deux enfants qui viennent au monde, dont l'un est fils de riche propriétaire, et l'autre d'un infortuné manouvrier qui ne possède que ses bras pour subvenir à sa subsistance, le premier naît avec des droits immenses, et le second n'a pas même celui de reposer nulle part sa chétive existence ! » Dans ces conditions, l'égalité juridique est démentie par l'inégalité de fait, et n'est qu'un leurre. Les déshérités « peuvent acquérir, dira-t-on, ils ne sont exclus de rien. La loi nouvelle a banni toute acception de personnes et a ouvert à tous indistinctement les portes de l'avancement. Voilà donc ce qu'on entend par le mot d'*égalité*? Comme on a besoin d'illusion, comme on s'en laisse imposer par des noms ! Ceux qui n'ont rien peuvent acquérir, *mais d'abord pourquoi n'ont-ils rien ?* ».

Importante question, trop rarement posée, qui dispose à une juste appréciation des effets sociaux de la vente des biens nationaux : « On vient de vendre, et l'on vend encore tous les jours beaucoup de biens nationaux ; qui est-ce qui en a profité, et qui est-ce qui en profite ? Ne sont-ce pas les seuls riches, ou les seuls qui se sont emparés des moyens de le devenir ? »

La justice sociale dont rêve Dolivier se fonde sur deux principes : le premier énonce que « la terre est à tous en général et n'est à personne en particulier ». Le second, que « chacun a un droit exclusif au produit de son travail... ». Ainsi, « la terre, prise en général, doit être considérée comme le grand communal de la nature, où tous les êtres animés ont primitivement un droit indéfini sur les productions qu'il renferme ». Dans l'ordre social, le droit indéfini doit cesser, « mais en échange chaque individu doit y trouver son droit de partage au grand communal ».

De même que, lorsqu'ils meurent, les hommes rendent leur être à la nature, de même chaque génération n'est que l'usufruitière des terres partagées. La nation seule est véritablement propriétaire des terrains dont les générations ont la propriété viagère. A chaque génération, le domaine commun est également réparti entre tous. En revanche, chacun « ayant sur le produit de son industrie un domaine absolu, il peut le transmettre à sa volonté ou dans l'ordre de succession que la loi établit ». La propriété mobilière est donc transmissible, Dolivier, comme le reconnaît Jaurès, s'imaginant « que l'écart entre les fortunes mobilières serait bien faible quand la propriété du sol serait également répartie entre tous ». Dolivier propose, en somme, de détruire les grands corps de ferme et de diviser la terre en autant de petites exploitations rurales qu'il y aura de familles. Cette *loi agraire* qui n'ose dire son nom excède largement la lutte pour l'égalité telle que les jacobins l'envisageaient. L'égalité sociale ne se confond plus avec la destruction des aristocraties et des privilèges, elle tend vers l'égalité des biens, et menace le principe même de la propriété en se proposant d'instaurer, au prix d'une expropriation dont il ne fixe pas les modalités, une répartition systématique des propriétés individuelles.

Reste que Dolivier, au contraire de L'Ange, ne se déprend pas de l'image d'une société de petits propriétaires.

Le communisme rural de L'Ange

Les anticipations de L'Ange, comme ses bizarreries et la singularité de ses termes, ne sont pas, assure Jaurès, sans faire pressentir Fourier. François-Joseph Lange, dit L'Ange, était né en 1743 dans le ressort de Kehl. Il alla se fixer à Lyon, où il exerçait en 1784 le métier de décorateur en soieries. Dès 1790, dans sa brochure *Plaintes et Représentations d'un citoyen décrété passif aux citoyens décrétés actifs,* il protestait contre la privation des droits politiques qui frappait les pauvres. En 1792, officier municipal, il préside le Club de la Fédéra-

BIBLIOGRAPHIE

BUONARROTI P., *La Conspiration pour l'égalité, dite de Babeuf,* Librairie romantique, Bruxelles, 1828.

DOMMANGET M., *Babeuf et la conjuration des Égaux,* Spartacus, Paris, 1969.

DOMMANGET M., DALINE V.-M. et SOBOUL A., *Babeuf et les problèmes du babouvisme,* Colloque international de Stockholm (21 août 1960), Éd. Sociales, Paris, 1963.

LEGRAND R., *Babeuf et ses compagnons de route,* Société des études robespierristes, Paris, 1981.

MAITRON J. (sous la direction de), *Dictionnaire biographique du mouvement ouvrier français,* t. 1, *1789-1871,* 1962, Éd. Ouvrières, Paris.

MAZAURIC C., *Babeuf et la conspiration pour l'égalité,* Éd. Sociales, Paris, 1962.

tion et se consacre au problème des subsistances. Le 9 juin, il présente à la mairie de Lyon des *Moyens simples et faciles de fixer l'abondance et le juste prix du pain.* L'Ange est sensible à l'incohérence des exploitations foncières. Il vise la coordination, l'harmonisation des efforts. De là l'idée d'un vaste bâtiment central, commun à plusieurs domaines, sorte de grenier fournissant partout pain, blé et farine à un prix identique.

Ces greniers coopératifs, au nombre de trente mille, correspondent aux cellules qui constituent la nation, les « centuries ». Ils sont alimentés par les producteurs. L'exploitation individuelle est ainsi rationalisée par ses liens avec le grenier de la centurie, selon des vues qui ne s'éloignent pas encore de celles de l'abbé Dolivier.

Mais l'année suivante, L'Ange s'aventure sur des terres inconnues. Dans *Remède à tout, ou Constitution invulnérable de félicité publique, projet donné maintes fois, sous différentes formes,* imprimé à Lyon, il envisage ce que les sans-culottes étaient encore loin de concevoir : la fin de la propriété individuelle. L'Ange ne croit plus, en effet, que les producteurs de denrées agricoles porteront d'eux-mêmes leur récolte au grenier de la centurie. La liberté économique, l'expérience l'a prouvé, affame le peuple. Les coopératives ne devront donc pas se borner à acheter et à distribuer les produits, elles devront organiser la production. L'exploitation sera assurée en grand par chaque centurie, sorte de phalanstère, dans le cadre d'un communisme rural.

Les montagnards lyonnais ne furent pas séduits par les audaces de leur concitoyen, et cette ultime brochure ne fut guère diffusée. Au reste, les vues à long terme de L'Ange ou de Dolivier, les transitions lentes qu'ils souhaitaient ne pouvaient résoudre les problèmes urgents posés par la cherté croissante et par les souffrances d'une multitude inquiète et irritée. C'est beaucoup plus sous la pression du mouvement populaire, exprimée un temps par les Enragés, que les jacobins allaient prendre les grandes mesures à propos desquelles on a pu parler de démocratie sociale.

Les décrets de Ventôse

Plus encore que le vote de la Constitution de 1793, et l'instauration du Maximum général des prix et des salaires, les décrets de ventôse (26 février et 3 mars 1794), que fit voter Saint-Just, marquent le point culminant de la politique sociale des jacobins. Ils ordonnaient la confiscation des biens des suspects et l'établissement de listes de patriotes pauvres auxquels les biens confisqués seraient distribués gratuitement. Mais le principe effectivement retenu ne fut pas celui d'une distribution gratuite des terres – forme d'application limitée de la « loi agraire » – mais celui d'une indemnisation. Bientôt, au lieu de « démanteler les riches pour couvrir et revêtir les pauvres », comme le prévoyait Saint-Just dans ses *Institutions républicaines,* on en revint à un plan de bienfaisance nationale destiné à vaincre la mendicité.

Mais autant il est évident que la république jacobine est démocratique et égalitaire, autant il est constant que l'agressivité contre les riches ne suscite jamais le dépassement de l'égalitarisme du sans-culotte parisien, dont l'idéal réside dans la généralisation du statut de petit producteur indépendant. Robespierre, Marat et les robespierristes ne furent pas des précurseurs du socialisme.

Défenseur intransigeant du peuple, démocrate avant d'être républicain, le député d'Arras avait combattu les privilèges politiques des riches et réclamé le suffrage universel. Son égalitarisme moral lui inspira des mesures qu'on aurait tort d'attribuer exclusivement aux circonstances. Il est certain aussi qu'il a de plus en plus ressenti que le peuple — entendons le petit peuple — est détenteur de l'authenticité révolutionnaire. Mais jamais il n'a entendu proscrire la propriété individuelle, cette convention sociale utile et bienfaisante dont l'État souverain est le garant dès lors qu'elle ne porte pas atteinte au droit de tout homme à subsister.

« La terre n'est à personne »

Telles sont donc les limites théoriques de la politique sociale montagnarde. La pensée révolutionnaire allait cependant, grâce à Babeuf et aux Égaux, prendre un nouvel essor, par l'élaboration théorique et la tentative de mise en œuvre d'une révolution à caractère communiste.

Les anticipations de L'Ange n'avaient pas suscité beaucoup d'échos, la mise en question de la propriété héréditaire du sol par Pierre Dolivier restait en deçà du communisme agraire. Précurseur, selon Jaurès, de Saint-Simon, Boissel avait, dès 1789, fait connaître son communisme en s'attaquant vivement, dans son *Catéchisme du genre humain,* à la religion, la famille et la propriété, ces institutions de « l'ordre mercenaire, homicide et antisocial ». Mais il appartenait à Babeuf d'assurer la rencontre d'un esprit utopique issu du siècle des Lumières et du processus révolutionnaire. Comme Buonarroti l'a relaté en 1828, Babeuf et ses amis conspirèrent pour renverser le Directoire. Dénoncée par le capitaine Grisel, la conspiration échoua. Babeuf fut arrêté en mai 1796, condamné puis exécuté en 1797.

Le *Manifeste des Égaux,* dû à Sylvain Maréchal, expose la doctrine sociale des babouvistes, dont les thèmes fondamentaux sont rassemblés dans les passages souvent cités qui annoncent, après la Révolution française, « une autre révolution bien plus grande, ... et qui sera la dernière ». Préoccupés d'égalité réelle, les Égaux, dépassant la « loi agraire », touchent à « quelque chose de plus sublime et de plus équitable : le *bien commun ou la communauté des biens*! Plus de propriété individuelle des terres, *la terre n'est à personne.* Nous réclamons, nous voulons la jouissance commune des fruits de la terre : *les fruits sont à tout le monde* ».

Peut-on déterminer l'influence respective de Babeuf, de Buonarroti et de Maréchal dans l'élaboration de la doctrine? Et le *Manifeste* exprime-t-il authentiquement la pensée de Babeuf? Si la réponse à la première question n'est pas acquise, la seconde ne fait pas problème : les articles de l'ancien feudiste dans *Le Tribun du peuple* exposent une organisation collective du travail et du sol, fondée sur la communauté des biens et des travaux. Lecteur de Rousseau et du *Code de la Nature* de Morelly, Babeuf, dont la pensée se précise au cours des événements révolutionnaires, est donc à la source d'une théorie et d'une pratique originales. Le souvenir des droits collectifs et des habitudes communautaires des paysans picards a joué son rôle dans l'édification de la doctrine, et les limites des solutions économiques babouvistes – « malthusianisme », méconnaissance du travail industriel – sont connues. Reste que la constitution d'un noyau de conspirateurs escomptant l'appui des masses pour établir un régime communiste est une première.

A côté des intuitions préfouriéristes de L'Ange et des tentatives des robespierristes pour soumettre la propriété au bien commun et au droit de chacun à l'existence, on doit donc aux Égaux la troisième des grandes familles d'idées égalitaristes de la Révolution française.

Jean-Paul Thomas

LA RÉVOLUTION EXPORTÉE

Les jacobins en Europe

La Révolution qui avait débuté aux États-Unis vers 1770 s'était propagée en Europe avec les révolutions genevoise (1782), batave (1783), brabançonne (1787), mais celles-ci avaient été matées par les armées de la réaction. Un grand nombre de patriotes avaient dû émigrer, surtout en France. La Révolution française de 1789 leur rendit l'espoir. Dans d'autres pays, qui n'avaient pas été troublés par des révolutions avant 1789, beaucoup espérèrent que la Révolution française entraînerait chez eux aussi des changements.

Les jacobins brabançons

En 1790 la révolution brabançonne et liégeoise avait été vaincue par les armées allemandes d'autant plus facilement que les révolutionnaires s'étaient divisés. Les progressistes, ou vonckistes (du nom de leur chef), voulaient former une république sur le modèle des États-Unis. Ceux d'entre eux qui étaient réfugiés en France publièrent dans ce sens un *Manifeste des Belges et Liégeois unis.* Les statistes dirigés par l'avocat Van der Noot désiraient essentiellement l'annulation des réformes introduites par l'empereur Joseph II. Ils songeaient à créer une monarchie gouvernée par le jeune duc de Béthune-Charost. Les uns et les autres, toutefois, poussèrent les révolutionnaires français à la guerre, afin d'instaurer en Belgique le régime auquel ils aspiraient.

Après les victoires de Valmy (20 septembre 1792) et de Jemmapes (6 novembre), les troupes françaises entrèrent en Belgique suivies des patriotes belges réfugiés en France. Des clubs jacobins furent ouverts dans toutes les villes. Ainsi, à Bruges, les Français aidèrent-ils le petit groupe des démocrates, anciens vonckistes, à former un club jacobin, qui, pour commencer, réclama l'annexion de la Flandre à la France. Les jacobins brugeois étaient essentiellement des intellectuels, disciples des « philosophes », et quelques maîtres artisans. Lorsqu'en 1793, après la défaite de Neerwinden (18 mars), les armées françaises évacuèrent la Belgique, beaucoup de jacobins belges passèrent en France, mais ils revinrent l'année suivante, après Fleurus (26 juin 1794), et se montrèrent les plus ardents partisans de l'annexion à la France. Ils n'étaient cependant qu'une minorité. Combien ? Peut-être une cinquantaine à Bruxelles, une centaine à Gand, dix mille, dit-on, à Anvers. C'est dans le pays de Liège qu'ils étaient les plus nombreux.

Mais la masse des paysans et des artisans belges était peu touchée par la propagande révolutionnaire. Le lieutenant-colonel Thouvenot écrivait à Monge, alors ministre de la Marine : « Le peuple retarde, par rapport à nous, de près d'un siècle au point de vue des connaissances et de l'instruction », et un agent français, Alexandre Courtois, notait : « Le peuple s'agite plus pour ses bourgmestres et ses chapelles que pour l'abolition de la dîme et des droits féodaux. » Les généraux français traitèrent durement la Belgique après la seconde invasion. Cette politique provoqua de nouvelles demandes de réunion à la France, car l'annexion, pensait-on, mettrait fin à l'exploitation. Des « plébiscistes » eurent lieu, mais commune par commune, et à des dates différentes. Il y eut d'ailleurs beaucoup d'abstentions. Néanmoins, au vu des résultats, la Convention vota, le 1er octobre 1795, l'annexion de la Belgique à la France. Dès lors les jacobins belges suivront le sort des patriotes français et prendront ou perdront le pouvoir au gré des coups d'État parisiens.

Les patriotes bataves

Les patriotes bataves connurent un sort différent. Ils avaient participé à la révolution batave de 1783-1787, et tenté de renverser le stathouder. Après leur défaite devant les forces anglo-prussiennes, ils s'exilèrent en grand nombre, et beaucoup se réfugièrent en France, surtout dans la région du Nord. Ils adhérèrent aux clubs français de jacobins et publièrent, à partir du 15 février 1793, un journal, *Le Batave,* qui compte parmi les feuilles les plus jacobines de la Révolution. Ils formèrent aussi un *Comité révolutionnaire batave* et organisèrent une *Légion batave* de 2 000 hommes environ, commandée par le patriote hollandais Daendels.

Lorsque, pendant le rude hiver 1794-1795, les troupes françaises purent pénétrer dans les Provinces-Unies en franchissant la Meuse et le Rhin gelés, la légion et les jacobins bataves les accompagnèrent. Ils créèrent des clubs, publièrent des journaux, proclamèrent la « République batave, une et indivisible » et convoquèrent une Convention nationale pour lui donner une constitution. Dans cette Convention réunie le 1er mars 1796, les jacobins, menés par Valckenaer, Blauw, Gogel et quelques autres, étaient toutefois en minorité. Ils étaient à la tête du parti unitaire qui voulait faire des Pays-Bas une république unifiée et centralisée à l'image de la France, alors que les fédéralistes, majoritaires, souhaitaient maintenir pour chaque province le maximum d'autonomie. La Constitution, terminée en juillet 1797, tenta un compromis entre les deux tendances. Soumise à un référendum, le 8 août 1797, elle fut rejetée par 108 761 voix contre 27 955. Une nouvelle Convention fut élue, qui se réunit le 1er septembre 1797. Les fédéralistes en furent éliminés par un coup d'État, le 22 janvier 1798, et les jacobins unitaires dominèrent désormais la Convention. Toutefois, l'ambassadeur de France, Delacroix, les empêcha d'adopter une Constitution très démocratique analogue à la Constitution française de 1793. Ils durent s'inspirer de la Constitution de l'an III en la transformant dans un sens plus démocratique. Elle fut adoptée par le référendum du 23 avril 1798 par 155 913 suffrages contre

11 597. C'était le triomphe des jacobins. Ils voulurent se maintenir au pouvoir en occupant les deux tiers des sièges dans les nouveaux conseils législatifs. Mais le général Daendels les désapprouva, et avec l'appui du gouvernement français et du général Joubert qui commandait les troupes françaises de Hollande, il fit le 12 juin 1798 un coup d'État qui élimina les jacobins bataves du pouvoir, préfigurant ce qui allait se passer en France, l'année suivante, le 18 brumaire an VIII (9 novembre 1799).

Les jacobins allemands

En Allemagne, on avait suivi jour par jour les développements de la Révolution française, notamment les événements de juillet 1789 et le vote de la Déclaration des droits de l'homme. Des Allemands accoururent en France pour y constater les effets de la Révolution. A Koenigsberg, le philosophe Kant se détourna pour la première fois du chemin qu'il suivait depuis des années pour se rendre à l'université lorsqu'il apprit la chute de la Bastille ; on le traita de jacobin. A Hambourg, le 14 juillet 1790, Georges Henri Sieveking, grand voyageur et esprit distingué, organisa une réunion pour commémorer l'anniversaire de la prise de la Bastille. Le poète Friedrich Klopstock y lut une ode à la Liberté.

Lorsqu'à l'automne de 1792 les troupes françaises pénétrèrent en Allemagne, sur la rive gauche du Rhin, elles furent très bien accueillies par les jacobins qui formèrent rapidement des clubs. Le plus important fut celui de Mayence, animé par George Forster, bibliothécaire de l'université. A Worms le médecin Wedekind et l'ancien directeur du gymnase Böhmer se mirent à la tête des jacobins. Ces clubs groupèrent surtout des intellectuels, mais peu d'artisans, et pas de paysans.

Comme dans la République batave, les jacobins allemands se partagèrent en deux tendances, l'une réformiste, libérale et majoritaire, l'autre radicale et minoritaire. Les jacobins rhénans, menés par un Mayençais, Görres, et soutenus par le général Hoche, auraient voulu former sur la rive gauche du Rhin une République cisrhénane indépendante. Le Directoire français cependant préférait l'annexer. D'ailleurs une République cisrhénane eût été trop faible pour résister aux forces de l'Empire germanique très conservateur. Finalement les jacobins rhénans se rallièrent à ce projet d'annexion.

La révolution des nobles

Dès le début, les idées de la Révolution française furent accueillies avec sympathie dans les milieux « éclairés » de la monarchie des Habsbourg. Ce sont surtout les fonctionnaires autrichiens qui, satisfaits des réformes de Joseph II et de Léopold II, et mécontents ou même victimes de la politique de leur successeur, François II, espérèrent abolir le régime féodal et moderniser l'État. On les appela « patriotes » ou « démocrates », puis « jacobins ». Les loges maçonniques fournirent aussi des adhérents au mouvement. Ces jacobins se réunissaient dans des appartements privés, à Vienne, à Innsbruck, en Styrie, Carinthie ou Carniole. Mais le qualificatif de « jacobin » était très vague. Le poète Johann Baptist Alxinger écrivait à Wieland en 1792 que les ministres autrichiens traitaient de « jacobins » tous ceux qui « critiquaient l'ancienne mode ». Les plus notoires étaient le baron Andreas Riedel, ancien précepteur des fils de l'empereur Léopold, le lieutenant de police Franz Hebenstreit de Streitenfeld et le poète Aloys Blumauer. Dans leurs réunions, ils discutaient des événements de France, échangeaient des journaux, des livres interdits,

Les républiques sœurs

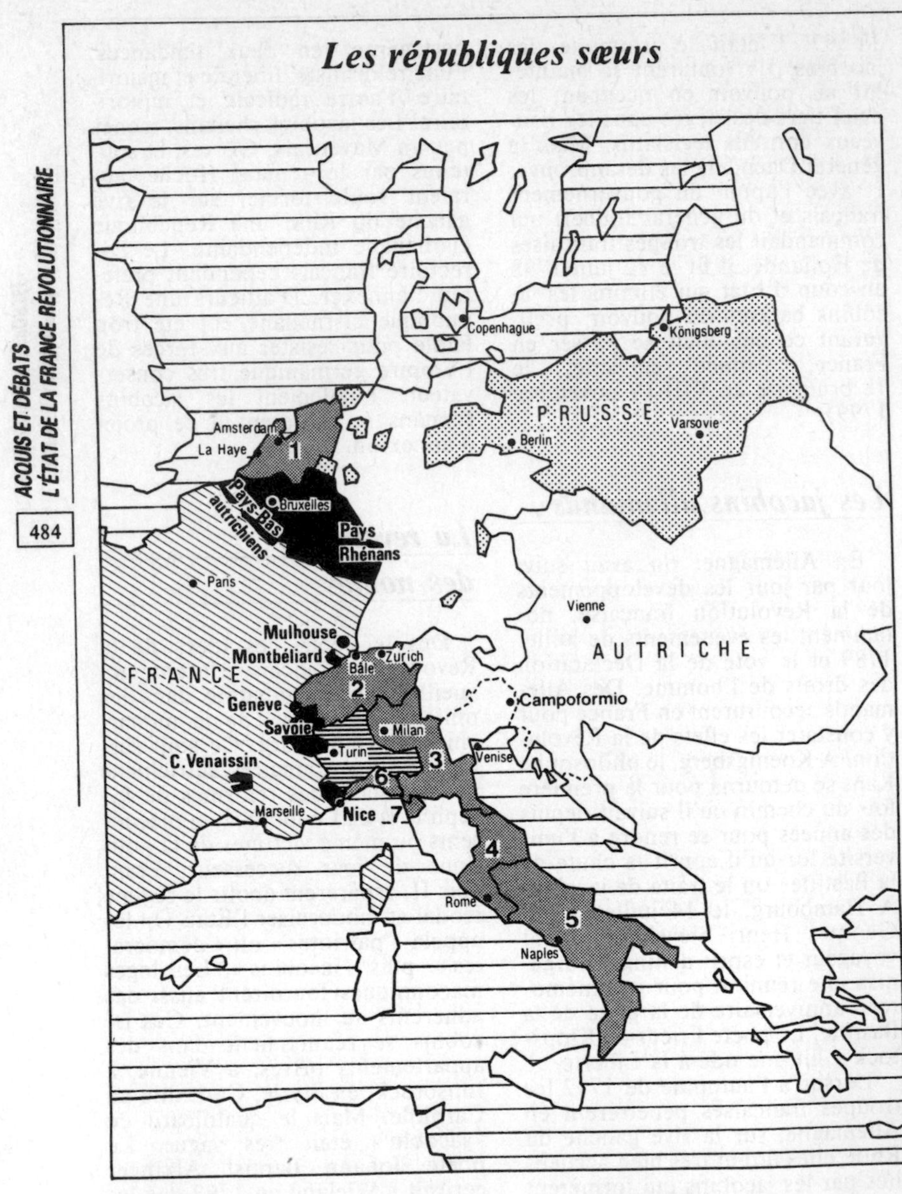

chantaient parfois des hymnes révolutionnaires, rédigeaient des projets de constitution.

Plus dangereux peut-être pour la monarchie des Habsbourg furent les « jacobins » hongrois. En effet, il s'agissait de nobles, et qui dirigeaient une opposition nationale hongroise à la politique de germanisation des empereurs autrichiens. Dès 1791, la police signala le comte Fekete comme « un homme violent et dangereux... fanatique pour le système français... un des chefs de la Loge rouge, ou soi-disant américaine de Bude où il a été fait tous les projets de révolte ». La Diète hongroise, composée uniquement de représentants de la noblesse, prépara, en 1793, une Déclaration des droits de l'homme et du citoyen et un Acte constitutionnel. L'empereur François II s'étant opposé à leur publication, quelques nobles groupés autour du professeur Martinovics en une Société de l'égalité et de la liberté fomentèrent un complot contre la monarchie. La police arrêta une soixantaine de jacobins autrichiens et hongrois. Martinovics et sept de ses amis furent condamnés à mort et exécutés, et les autres emprisonnés. Le jacobinisme, c'est-à-dire l'opposition libérale, disparut pour cinquante ans des territoires de la monarchie des Habsbourg.

Les jacobins italiens

Si les jacobins autrichiens et hongrois n'étaient qu'une poignée, les jacobins italiens, eux, furent nombreux et participèrent au pouvoir à l'époque révolutionnaire. Après la France, c'est en Italie que le jacobinisme eut la plus grande importance.

Là comme partout ailleurs, on désigna par le nom de « patriotes » les admirateurs de la Révolution française. Dès 1789, ils furent poursuivis par la police. Pour lui échapper, Philippe Buonarroti quitta Pise et passa en Corse où Ranza, ayant abandonné Verceil, le rejoignit en 1791. Des réunions de patriotes, bientôt nommé « jacobins », furent signalées à Milan, Plaisance, Pavie, Vérone, Bologne. Dans le Piémont, lors de manifestations provoquées par la disette en 1791, à Rueglio et à Dronero, on cria : « Vive Paris ! Vive la France ! »

Au début de la guerre, en décembre 1792, l'escadre de Toulon vint croiser dans la baie de Naples dans l'espoir d'empêcher le royaume de se joindre à la coalition. Les jacobins napolitains reçurent les marins français avec enthousiasme et formèrent alors un club jacobin « sans compromission » qui s'affilia aux jacobins de Marseille. Ignazio Ciaia en était le principal membre.

Mais l'année suivante, la plupart des États italiens entrèrent en guerre contre la France. Les troupes françaises ayant occupé Oneglia, un territoire piémontais sur la côte ligure, les représentants en mission y nommèrent Buonarroti commissaire de la République. La majorité des jacobins qui avaient pu fuir les États italiens se réfugièrent à Oneglia (aujourd'hui un quartier d'Imperia) : notamment Ranza, Andrea Vitaliani, un Napolitain dont le frère avait été pendu comme jacobin, le Piémontais Cerise, futur secrétaire de Buonarroti, le Napolitain Matteo Galdi, les Génois Serra et Sauli, le Romain Michel Laurora. C'étaient pour la plupart des robespierristes. Aussi la Convention thermidorienne fit-elle arrêter Buonarroti au printemps 1795. Transféré à Paris et incarcéré à la prison du Plessis, il y fit la connaissance de Babeuf, et organisa avec lui une conspiration qui devait établir en France — et dans les autres pays — la communauté des biens. Libéré au début du Directoire, il resta à Paris tandis qu'à Oneglia ses amis songeaient à unifier l'Italie sous un régime démocratique. Il allait y retourner pour se mettre à leur tête lorsque la conspiration de l'Égalité fut découverte et Babeuf arrêté. Il dut se cacher.

Bonaparte, nommé général en

BIBLIOGRAPHIE

Annales historiques de la Révolution française, numéro spécial sur les jabobins allemands, janv.-mars 1984.

BENDA K., « Les jacobins hongrois », *Annales historiques de la Révolution française,* Paris, 1959.

CATHELIN J., *La Vie quotidienne en Belgique sous le régime français,* Hachette, Paris, 1967.

DEVLEESHOUVER R., *L'Arrondissement du Brabant sous l'occupation française, 1794-1795,* Université libre de Bruxelles, Bruxelles, 1964.

GODECHOT J., *La Grande Nation,* Aubier, Paris, 1983.

LESNODORSKI B., *Les Jacobins polonais,* Société des études robespierristes, Paris, 1965.

MEJDRICKA K., « Les paysans tchèques et la Révolution française », *Annales historiques de la Révolution française,* 1958.

RAO A.-M., « Les réfugiés italiens en 1799 », *Annales historiques de la Révolution française,* 1980.

REINALTER H., « Le jacobinisme dans la monarchie des Habsbourg », *Annales historiques de la Révolution française,* 1984.

RUFER A., *La Suisse et la Révolution française,* Société des études robespierristes, Paris, 1973.

chef de l'armée d'Italie, prit l'offensive en avril 1796 et battit les Autrichiens et les Piémontais. La Lombardie et l'Émilie furent libérées. Dans toutes les villes se formèrent des clubs jacobins, ainsi qu'en Ligurie, à Gênes et sur la côte. En février 1798, Rome et les États pontificaux furent occupés par les troupes françaises ; une république y fut créée. Un an plus tard, ce fut le tour de Naples où les jacobins proclamèrent la République parthénopéenne. Des journaux jacobins furent publiés, notamment le *Monitore napoletano,* dirigé par une femme, Eleonora de Fonseca Pimentel. Mais, au printemps 1799, une nouvelle coalition se forma contre la France. Les armées russe et autrichienne battirent les troupes républicaines, qui durent évacuer toute l'Italie, sauf Gênes. Alors commença la réaction des « treize mois ». Les jacobins italiens qui n'avaient pu se réfugier en France furent pourchassés, emprisonnés, tués dans les rues ou exécutés après jugement. Toutefois le jacobinisme italien ne disparut pas. Les survivants réapparurent après la victoire de Bonaparte à Marengo (14 juin 1800). Ils fourniront ses chefs au mouvement du Risorgimento, qui aboutira, en 1870, à l'unification de l'Italie.

« Unitaires » contre « fédéralistes »

Beaucoup de ses ressortissants, soldats, concierges ou artisans, vivant en France, la Suisse fut mêlée de très près à la Révolution. De plus Genève et Mulhouse, alliées aux cantons suisses, étaient enclavées dans le territoire français. A Genève, les démocrates qui avaient tenté sans succès de prendre le pouvoir en 1782 y parvinrent le 5 décembre 1792. Aussitôt les jacobins créèrent des clubs, un comité révolutionnaire et un tribunal révolutionnaire, qui prononça onze condamnations à mort. Dans le canton de Zurich, le peintre Füssli, le pédagogue Pestalozzi, le pasteur Lavater, l'ingénieur Escher, le médecin Usteri furent considérés comme des jacobins, et le « cercle de lecture » qu'ils formèrent en 1794, comme un club clandestin. A Bâle, Pierre Ochs, gendre du maire de Strasbourg, de

Dietrich, et greffier du gouvernement bâlois, adhéra avec enthousiasme dès 1789 à la Révolution française. Très lié avec les girondins, désapprouvant la Terreur, il se réjouit de la chute de Robespierre et applaudit à la Constitution de l'an III. C'était un jacobin dans le sens qu'on donnait à ce mot en France, en 1790-1791. Il en allait de même du Vaudois Frédéric-César de Laharpe, ancien précepteur du futur tsar de Russie Alexandre Ier. A partir de 1796, ces jacobins suisses rêvèrent de transformer leur patrie en une république une et indivisible à l'image de la France ou de la République batave et, un peu plus tard, de la Cisalpine. Ils n'étaient toutefois pas assez nombreux ni assez influents pour provoquer une révolution. Il leur fallait l'aide de la France.

L'intervention française fut décidée le 8 décembre 1797 au cours d'un dîner qui réunit, chez Reubell, Bonaparte et Pierre Ochs. Les patriotes ou jacobins devaient déclencher des mouvements révolutionnaires dans le pays de Vaud – alors soumis aux patriciens du canton de Berne – et dans le canton de Bâle. Si les patriciens résistaient, l'armée française interviendrait. C'est ce qui se produisit le 26 janvier 1798. Une République helvétique une et indivisible fut proclamée, des clubs jacobins de tendance modérée créés à Lausanne, à Bâle, à Zurich et dans quelques autres villes. Mais il y eut des insurrections. Les paysans, surtout dans les cantons « primitifs » (Zug, Uri, Unterwalden), ne voulaient pas d'une république centralisée et désiraient conserver le régime fédéraliste qui était le leur depuis des siècles. Il s'ensuivit une guerre civile entre « unitaires » et « fédéralistes », entre jacobins et conservateurs. Elle empêcha ou retarda la mise en place des institutions nouvelles créées par les assemblées législatives (Sénat et Grand Conseil). En 1799, la guerre étrangère relaya la guerre civile. Autrichiens et Russes soutinrent les fédéralistes conservateurs. Malgré la victoire de Masséna à Zurich, la République helvétique ne trouva pas la stabilité. La médiation de Bonaparte, le 19 février 1803, remit les fédéralistes au pouvoir et les anciens jacobins durent se cacher, ou se taire.

La « jacobinière » de Varsovie

Le 3 mai 1791, le roi de Pologne, Stanislas Poniatowski, promulguait la première constitution écrite d'Europe, celle de la France datant seulement du 3 septembre. Elle était l'œuvre de quelques patriotes, Jan Potocki, Malachowski, Kollontai, Czartoriski. D'allure libérale, elle abolissait le *liberum veto* (c'est-à-dire la nécessité de l'unanimité pour le vote des lois), rendait la monarchie héréditaire et transformait la diète en un véritable parlement moderne. Mais les droits de la bourgeoisie, peu nombreuse d'ailleurs, n'étaient que faiblement étendus. La condition des juifs, très misérable, n'était pas modifiée et les paysans – qui formaient l'immense majorité de la population – restaient serfs. Cette révolution ne brisait pas les structures sociales du pays, mais y introduisait seulement un premier souffle de liberté. Cependant elle fut traitée de « jacobine » par la Russie, la Prusse et l'Autriche. La tsarine Catherine II déclara qu'il fallait « écraser la jacobinière » de Varsovie.

En mai 1792, la Russie et la Prusse attaquèrent la Pologne, le roi capitula et rétablit les institutions anciennes, mais les chefs des patriotes tentèrent de résister, et particulièrement l'un d'eux, Tadeusz Kosciuszko. Beaucoup se réfugièrent en Saxe. Ils y préparèrent une insurrection nationale qui éclata en mars 1794, et dont le chef fut Kosciuszko. Un gouvernement jacobin, établi à Varsovie, prépara une nouvelle constitution qui eût émancipé les paysans. Mais elle se heurta à l'aristocratie. Les insurgés se divisèrent en « royalistes » et en « amis de la liberté » ou jacobins. Ces divisions les affaiblirent. Pour résister aux forces russes, prussiennes et maintenant autrichiennes, il eût fallu l'aide d'une autre puissance. Kosciuszko rechercha celle de la France, et envoya une délégation à Paris. Mais Robespierre lui fit répondre par le Comité de salut public que toutes les forces de la France étaient employées sur les frontières du pays, et qu'il lui était également impossible d'aider financièrement la Pologne. Il conseillait seulement aux Polonais de rechercher l'alliance de la Turquie.

Les jacobins polonais, abandonnés, succombèrent. Un troisième partage, en 1795, fit disparaître la Pologne de la carte de l'Europe. Et pourtant, l'insurrection des jacobins polonais, en retenant à l'Est de nombreuses troupes russes, autrichiennes et prussiennes, avait facilité les victoires françaises de 1794 et 1795.

Jacques Godechot

La diaspora des idées révolutionnaires

Le vote, le 26 août 1789, de la Déclaration des droits de l'homme et du citoyen résonna comme un coup de tonnerre dans tout le monde occidental. Les pays où les journaux étaient nombreux et assez libres en suivirent la discussion presque au jour le jour – avec un décalage dû naturellement au délai de transmission des nouvelles. Ce fut le cas de l'Angleterre, de la Belgique, des Provinces-Unies, de l'Allemagne, des États-Unis.

Imprimée sur des foulards

Les Anglais considérèrent que cette Déclaration ne faisait que reprendre ce qui existait chez eux depuis un siècle en Grande-Bretagne. Cependant Thomas Paine montra la supériorité de la Déclaration française en rédigeant son célèbre pamphlet *Les Droits de l'homme* en 1791. La Belgique, en pleine révolution, suivit attentivement la rédaction de la Déclaration. Aux Provinces-Unies, tous les journaux rendirent compte des débats de la Constituante, mais surtout la *Gazette de Leyde,* rédigée en français, et qui était alors, non seulement le plus important journal de Hollande, mais un des plus lus en Europe. La *Gazette* reproduisit intégralement la Déclaration française, tandis que le *S'Gravenhaagse Courant* du 2 septembre et le *Leydse Courant* du 7, en donnaient la traduction partielle.

En Allemagne, où on discutait depuis une vingtaine d'années du problème des droits de l'homme, on put la lire avec avidité, traduite en allemand, trois jours seulement après son adoption. Le *Frankfurter Reichsoberpostamzeitung* en publia les six premiers articles le 29 août, les autres du 31 août au 5 septembre. Le journal de Francfort fut imité par ceux de Bonn, de Mayence, de Deux-Ponts, de Worms. Après le vote, le 3 septembre 1791, de la nouvelle Constitution française, que la Déclaration précédait sans aucune modification, il y eut en Allemagne une nouvelle vague de traductions, mais elles furent plus critiques. Un journal de Coblence se demanda si des théories formulées par des hommes dans leur cabinet de travail, pourraient être appliquées. D'autres journaux, après avoir adressé quelques louanges à la Déclaration, exprimèrent la crainte qu'elle ne développe l'anarchie et le meurtre. En 1791, les journaux de la rive droite du Rhin, qui n'en avaient guère parlé, commencèrent à le faire. Ainsi ceux de Kiel ou de Brunswick. Mais aussi la réfutèrent, comme le pamphlet publié en 1794 par un certain Mathias Claudius. Néanmoins, on imprima la traduction sur des foulards, et on les vendit à la foire de Francfort jusqu'en 1794.

Les pays de l'Europe méridionale furent beaucoup moins informés. En Espagne, sa traduction et sa diffusion furent rigoureusement prohibées par la censure et par l'Inquisition. Il n'en circula que des exemplaires manuscrits, en français. La première traduction en espagnol parut en Amérique du Sud, à Bogota, en 1794. C'était l'œuvre d'un haut fonctionnaire, Nariño. Il fut arrêté avec une dizaine de ses amis, transféré en Espagne et emprisonné. Il ne semble pas qu'une traduction espagnole de la Déclaration ait circulé dans la péninsule Ibérique avant 1812, où elle servit de modèle aux articles 1 à 9 de la Constitution de Cadix.

En Italie, si les journaux, notamment ceux de Venise, de Milan et de Naples, donnèrent des nouvelles, parfois assez détaillées, de la Révolution française, aucun d'eux ne paraît avoir fourni la traduction intégrale de la Déclaration. Mais nombreux étaient les Italiens qui lisaient le français, et étaient abonnés au *Journal de Paris* ainsi qu'au *Moniteur.*

En Pologne le texte fut traduit et imprimé avant la fin de 1789. En Hongrie, le *Besci Magyar Kurir* imprima la traduction des premières versions, avant même la rédaction définitive du 26 août 1789.

Mais en Russie, les deux journaux qui paraissaient à Saint-Pétersbourg y firent seulement allusion.

En Amérique du Nord, le *New York Daily Gazette* publia, le 17 octobre 1789, la première traduction en souhaitant qu'elle se répande dans le monde entier. D'autres journaux, à Boston, Philadelphie, Charleston, lui consacrèrent des articles. Si un certain nombre d'États des États-Unis avaient fait précéder leur constitution d'une déclaration des droits, il n'en était pas de même pour la Constitution des États-Unis de 1787. Aussi le Congrès vota-t-il, le 25 septembre 1789, les dix premiers amendements à cette Constitution qui formèrent le *Bill of Rights* ou Déclaration américaine des droits de l'homme. Le Canada connut le texte français grâce à la *Gazette de Québec* qui le reproduisit dans son entier, en français et en anglais, dans son numéro du 4 février 1790.

Ainsi la Déclaration du 26 août 1789 fut-elle connue de tout le monde occidental. Celle, « jacobine », du 24 juin 1793 connaîtra moins de succès. Elle influencera cependant la Constitution de la République batave du 23 avril 1798, qui reprendra ce que nous appelons les « droits sociaux » énumérés dans les articles 21 et 22 de la Déclaration du 24 juin : droit à la santé, droit à l'instruction.

L'exportation des institutions

Les institutions créées en France depuis 1789 furent intégralement appliquées dans les pays annexés : Avignon et le comtat Venaissin le 13 septembre 1791, la Savoie et le comté de Nice les 27 novembre 1792 et 31 janvier 1793, la région de Porrentruy qui forma le département du Mont-Terrible le 23 mars 1793, Montbéliard (possession du duc de Wurtemberg) le 11 octobre 1793, Genève et Mulhouse, alliées aux cantons suisses, les 1er mars et 15 avril 1798.

Pour la Belgique ce fut plus long. Après de vives discussions à la Convention, l'annexion ne fut votée que le 1er octobre 1795. Mais, dès le mois de décembre 1794, les représentants en mission en Belgique, Lefebvre, Pérès et Portiez de l'Oise, reçurent l'ordre de précipiter l'introduction dans ce pays de la législation française. La Belgique fut divisée en neuf départements et les lois sur le mariage civil, la procédure criminelle, l'assistance publique, l'administration locale, promulguées. Après le vote de l'annexion, le commissaire Bouteville-Dumetz fut chargé de terminer l'œuvre d'assimilation administrative et législative commencée depuis un an. Lorsque l'Autriche reconnut l'annexion de la Belgique à la France par le traité de Campoformio, le 17 octobre 1797, il n'y avait pratiquement plus alors de différence entre l'administration des départements belges et celle des anciens départements français.

Il en alla de même, avec un certain retard, pour la rive gauche du Rhin. Certaines parties de cette région, sous la pression des troupes françaises, avaient demandé, par des « plébiscites » très contestés, leur annexion à la France dès la fin de 1792 et le début de 1793. Mais, lors des négociations de Campoformio, Bonaparte ne put obtenir de l'Autriche la cession de ce territoire. Il fut décidé que cette question serait discutée par un congrès où tous les princes allemands seraient représentés, congrès qui s'ouvrit à Rastadt, dans le pays de Bade. Le général Hoche, qui commandait l'armée de Sambre-et-Meuse stationnée en Rhénanie, pensa que, plutôt que l'annexion à la France, la création d'une république sœur, une République cisrhénane, rallierait plus aisément la majorité de la population. Beaucoup de patriotes rhénans étaient partisans de cette République cisrhénane. Mais le Directoire français, sous l'influence de Reubell, préférait l'annexion. Sans attendre les décisions du congrès, il envoya en Rhénanie, le 4 novembre 1797, le commissaire Rudler afin d'y introduire la législation française. La Rhénanie fut divisée en quatre départements, et les lois françaises progressivement appliquées. Le régime féodal notamment fut aboli, et plus radicalement même qu'en France. Les quatre départements rhénans étaient administrés comme ceux de la France, dans ses limites anciennes, lorsque l'Autriche reconnut l'annexion de la Rhénanie à la France par le traité de Lunéville, le 9 février 1801.

Les républiques-sœurs

Pour assurer le maintien du régime républicain en France, la Convention, et surtout le Directoire entourèrent l'hexagone de républiques-sœurs. La République batave (ou hollandaise) fut créée la première, en janvier 1795, la République cispadane (dans le sud de la plaine du Pô) le 27 décembre 1796, la République cisalpine (qui absorba la cispadane) et la République ligure (ancienne République de Gênes) en juin 1797, la République romaine et la République helvétique en février 1798, la République napolitaine (ou parthénopéenne) le 26 janvier 1799. Toutes ces républiques se dotèrent, à l'instar de la France, de constitutions. Certaines furent originales, d'autres des copies très proches de la Constitution française de l'an III (22 août 1795) qui établissait le régime du Directoire. Deux constitutions surtout furent originales : la Constitution batave qui instituait le suffrage universel et reconnaissait certains « droits sociaux » (droit au travail, à la santé, à l'assistance) ; la Constitution napolitaine qui créait une espèce de Conseil constitutionnel, celui des « Éphores », chargé chaque année d'examiner si les lois votées respectaient la Constitution. Elle créait aussi des « censeurs » dans chaque canton pour surveiller les mœurs.

Les autres constitutions, rédigées d'ailleurs souvent par des Français (Bonaparte en Cisalpine ; Daunou, Faipoult et Florent à Rome), n'offrent que quelques variantes par rapport à la Constitution française de l'an III. Ainsi le suffrage est-il en général plus large qu'en France, à peu près universel, pour les hommes du moins. La Constitution ligure reconnaît le catholicisme comme religion d'État, plusieurs de ces constitutions sont précédées d'une invocation à Dieu. Toutes furent d'ailleurs éphémères, elles ne survivront pas à la présence des Français en Italie, et disparaîtront lors de l'invasion austro-russe de 1799.

Mais parallèlement, beaucoup

d'institutions inspirées de la France républicaine furent introduites, surtout en Cisalpine et en Ligurie, institutions qui, malgré une éclipse pendant les treize mois de réaction (mai 1799-juin 1800), furent rétablies par la victoire des Français à Marengo (14 juin 1800) et se maintinrent pendant les quinze années du Consulat et de l'Empire. Elles furent même, en Lombardie-Vénétie, ainsi qu'à Parme, prolongées sous la Restauration.

« Barbets », « sanfédistes », « Viva Maria »

L'introduction rapide des constitutions et des institutions françaises entraîna des réactions hostiles, de la part des paysans plus que des citadins. Certes, les *Réflexions sur la Révolution de France* de Burke, livre de chevet des ultras français après 1814, furent aussi traduites en allemand et en italien dès 1791. Mais ce sont moint ces exposés théoriques qui déclenchèrent des émeutes contre-révolutionnaires et antifrançaises que les nouveautés institutionnelles, les réquisitions, les contributions de guerre, les exactions de toutes sortes commises par les troupes françaises, et surtout leurs actions hostiles à l'Église catholique.

L'entrée des troupes françaises en Italie provoqua des émeutes violentes, à Pavie à la fin de mai 1796, à Lugo, en Romagne, en juin, à Vérone le lundi de Pâques 1797. En même temps, sur les arrières des troupes françaises, dans les chemins traversant les Apennins et les Alpes maritimes, les Barbets s'attaquaient aux isolés ou aux convois. Mais les plus grands soulèvements italiens eurent lieu en 1799, lorsque les armées françaises furent battues et durent se replier. En Calabre, sous la direction du cardinal Ruffo, ministre du roi de Naples replié en Sicile, des bandes de paysans formèrent l'armée de la Sainte-Foi ou des sanfédistes, qui marcha sur Naples, reprit la capitale du royaume et força les petites garnisons françaises laissées dans les forts à capituler. En même temps, en Toscane, d'autres bandes, les Viva Maria, s'attaquaient aux jacobins, ou prétendus tels, et par exemple à tous ceux qui avaient les cheveux courts, ou encore aux juifs, dont l'égalité avec les autres citoyens avait été proclamée par les Français. Le 28 juin 1799, les Viva Maria s'emparèrent de Sienne et brûlèrent sur la Piazza treize juifs, parmi lesquels trois femmes et deux enfants. D'autres juifs et des patriotes furent massacrés dans leur maison.

L'Italie ne fut pas le seul pays occupé par les Français à connaître ces révoltes paysannes. En Allemagne, lors de la retraite des armées françaises pendant l'été de 1796, des paysans attaquèrent les traînards et les convois militaires. Ils capturèrent ainsi près de Wetzlar le trésor de l'armée de Sambre-et-Meuse.

En Belgique, une grave révolte paysanne éclata en octobre 1798 dans le pays de Waes, entre Gand et Anvers. Elle s'étendit à la région de Malines et au Luxembourg belge. Elle fut provoquée, comme la révolte de la Vendée, par la décision de soumettre la Belgique à la loi sur la conscription militaire votée le 5 septembre précédent. La guerre des paysans en Belgique (Boerenkrijg) se termina par leur massacre près de Hasselt. En Suisse, les Français eurent à faire face, en 1798, à la résistance des paysans armés, notamment dans les petits cantons du centre de la Suisse (Uri, Zug, Unterwalden) et dans le Valais.

En Hollande, enfin, une insurrection paysanne coïncida avec le débarquement des troupes anglo-russes en août 1799. Mais les insurgés furent rapidement battus par les troupes franco-bataves du général Brune, de sorte que celui-ci put se retourner contre les Anglais et les Russes et les rejeter à la mer après la bataille de Castricum, le 6 octobre 1799.

Ainsi, les insurrections antifrançaises — urbaines (assez rares) ou paysannes — échouèrent-elle. A l'automne de 1799 la France était certes, partout, sur la défensive. Mais les idées qu'elle avait répandues, les institutions nouvelles qu'elle avait créées laissaient des regrets. Elles seront pour la plupart remises en vigueur après les victoires de Bonaparte, en 1800, et d'autant plus facilement que la France se sera réconciliée avec l'Église catholique.

Jacques Godechot

Thomas Muir, un martyr écossais de la Révolution

Comme pour témoigner de leur portée universelle, toutes les grandes révolutions ont attiré l'active sympathie des étrangers, et notamment des intellectuels ; que ce soit à Moscou en 1918, à Pékin en 1949, sous la Commune de Paris en 1871, et déjà pendant la Révolution française. Les assemblées révolutionnaires accueillirent le Vénézuélien Miranda, le Prussien Anacharsis Cloots, « ami du genre humain », des patriotes et des démocrates polonais, et le plus célèbre de ces sympathisants étrangers, l'Américain « Citizen Paine ». D'autres affirmèrent à distance leur solidarité envers la Révolution et propagèrent chez eux ses idées. La Société de correspondance de Londres est le plus connu de ces clubs pro-révolutionnaires, mais d'autres se constituèrent au Chili, en Russie, et jusque dans l'Asie coloniale, dans le Dekkan, à Batavia même. Quand Ram Mohun Roy, le premier grand théoricien du nationalisme indien, s'embarqua de Bombay pour l'Angleterre en 1830, afin de plaider la cause de son pays, il avait choisi une frégate française, en geste de solidarité politique avec la Révolution.

La figure romantique et romanesque de Thomas Muir est peut-être le symbole le plus fort de ce double mouvement d'attraction vers le Paris révolutionnaire et de solidarité planétaire avec ses idéaux. La Révolution française, c'est bien autre chose qu'une affaire franco-française...

Né en 1765, fils d'un riche bourgeois de Glasgow, ce jeune et brillant avocat plaidait volontiers gratis pour les déshérités. Avec d'autres sympathisants de la Révolution française, il soutient en 1792 la campagne réformatrice de la *London Society of the Friends of the People.* Arrêté une première fois pour sédition en janvier 1793, relâché sous caution, il part pour Paris avec mandat d'intercéder pour Louis XVI au nom de ses amis. Mais il arrive le lendemain de l'exécution du roi. Fêté comme les autres Citoyens du monde venus affirmer leur solidarité avec la Convention, il choisit de revenir en Écosse, où il est immédiatement arrêté, en août 1793.

Il est à nouveau jugé pour sédition. Chauvinisme antifrançais et fanatisme contre-révolutionnaire se cristallisent autour de sa personne. Son procès resté célèbre est expédié en vingt-quatre heures dans une atmosphère de « chasse aux sorcières » après maintes entorses aux traditions judiciaires britanniques. Il est condamné à quatorze années de déportation en Australie.

Il s'installe à la colonie pénale de Botany Bay, six années seulement après sa fondation, dans une petite ferme qu'il nomme *Hunter's Hill,* en souvenir de ses domaines familiaux d'Écosse. Son sort ayant soulevé beaucoup d'émotion aux États-Unis, des démocrates new-yorkais lui envoient un navire, grâce auquel il s'évade en février 1796. Mais son voyage de retour est riche en épisodes romanesques. Ayant fait naufrage dans les parages de Vancouver, il est retenu prisonnier par des tribus indiennes, puis il gagne Mexico où il est fêté par les démocrates de cette colonie espagnole, avant d'être emprisonné à La Havane, autre colonie de Madrid. Il est renvoyé en Europe sur une frégate espagnole, qui est attaquée au large de Cadix par deux bâtiments anglais. Laissé pour mort, il est identifié par un camarade d'enfance grâce à une inscription biblique agrafée à son poignet et emprisonné à Cadix comme sujet britannique ; mais le Directoire lui décerne la citoyenneté française et le fait libérer. Fêté à son passage à Bordeaux, il arrive à Paris en février 1798, où le Directoire l'accueille solennellement. Mais ses blessures sont incurables et il meurt à Chantilly le 27 septembre, à trente-trois ans. La même année était parue à Paris *L'Histoire de la tyrannie exercée contre Muir.*

Un monument d'Édimbourg, érigé en 1844, lui rend hommage comme à un défenseur des droits démocratiques de l'Écosse.

Jean Chesneaux

LA RÉVOLUTION APRÈS LA RÉVOLUTION

L'idéologie de la Restauration

La Révolution avait eu son idéologie, fondée sur les idées de Montesquieu, de Voltaire, de Rousseau, de l'*Encyclopédie.*

La Restauration voulut avoir la sienne. Il n'était plus possible en 1814-1815 de revenir à l'Ancien Régime, tel qu'il existait avant le 5 mai 1789. Ni non plus d'appliquer le programme exposé par Louis XVI aux États généraux, le 23 juin 1789, et qui était resté longtemps celui de Louis XVIII pendant son émigration. Ce programme, élaboré en grande partie par Jacob Nicolas Moreau, historiographe de France, prévoyait des états généraux périodiques délibérant tantôt en trois chambres séparées, tantôt en assemblée générale, avec vote par tête, selon les problèmes discutés. L'assemblée votait les impôts et les emprunts, répartissait les subsides entre les services publics, attribuait la liste civile et les pensions des courtisans. Le roi consentait à l'égalité fiscale, à la liberté individuelle, à la liberté de la presse. Il admettait que l'on créât des états provinciaux, composés de représentants des trois ordres, avec double représentation du Tiers, et acceptait quelques réformes dans l'administration financière, la justice, les douanes. Il abolissait la mainmorte, dernier vestige du servage, dans tout le royaume.

Mais, en 1814, ce programme n'était plus applicable. Il fallait tenir compte des nombreuses institutions créées par la Révolution et par l'Empire.

Sans doute l'Anglais Edmund Burke, dont les *Réflexions sur la Révolution de France,* parues en novembre 1790, avaient pendant longtemps été le bréviaire des contre-révolutionnaires, avait-il fait l'éloge de la tradition et condamné les institutions construites sur une « table rase ». Mais ces institutions existaient bel et bien et on ne pouvait les détruire sans provoquer une révolte générale des Français, qui déjà supportaient mal les Bourbons « revenus dans les fourgons de l'étranger ».

L'idéologie sur laquelle s'appuya la monarchie restaurée admit donc leur maintien, mais elle y ajouta une orientation spirituelle très marquée.

Celle-ci fut exposée dès les premières années de la Révolution, essentiellement par Joseph de Maistre et Louis de Bonald qui tous deux voyaient en Dieu le souverain maître de l'univers et donc de la France. C'est en fonction de cette donnée qu'il fallait orienter la politique. Aussi les a-t-on appelés des *théocrates,* auxquels on peut d'ailleurs adjoindre le professeur suisse Karl Ludwig von Haller.

Joseph de Maistre

Joseph de Maistre, né à Chambéry le 1er avril 1753, était donc, à cette époque, un sujet du roi de Piémont-Sardaigne. Son père était président du Sénat de Savoie, une cour de justice analogue aux parlements de France. Sa mère, très pieuse, eut dix enfants, parmi lesquels Xavier, qui devint un écrivain célèbre. Joseph de Maistre, après des études de droit, fut nommé procureur fiscal au Sénat. De 1774 à 1789, il adhéra à la franc-maçonnerie et fut un adepte du martinisme, courant mystique animé par Louis-Claude de Saint-Martin, le « philosophe inconnu ». Néanmoins il fut un excellent catholique, inscrit à la Confrérie des Pénitents noirs de Chambéry. Il s'efforcera de concilier toute sa vie le mysticisme hérité du martinisme avec le catholicisme.

Il accueillit avec intérêt la Révolution française et fut convaincu, après la publication de la Déclaration des droits de l'homme, que l'Ancien Régime ne pourrait plus être rétabli, mais qu'il faudrait lui substituer un régime analogue, plus solidement construit. Cette idée fut renforcée par la lecture des *Réflexions* de Burke.

Lorsqu'en 1792 la Savoie fut envahie par les troupes françaises, accueillies d'ailleurs avec enthousiasme par la population, Joseph de Maistre partit pour Lausanne. Il y représenta le roi de Sardaigne tout en publiant des brochures contre-révolutionnaires et antifrançaises. C'est là qu'il rédigea son œuvre majeure, les *Considérations sur la France,* publiée à Neuchâtel en 1796 et Londres en 1797.

Il y développe une théorie de la contre-révolution : tous les gouvernements et nations de l'Europe étaient, en 1789, dans un état moral et religieux extrêmement médiocre. La Révolution qui a éclaté en France et s'est propagée dans la plus grande partie de l'Europe est la conséquence de cette décadence. Il ne faut donc pas punir la France pour avoir fait cette révolution, il ne faut pas l'amputer territorialement, puisque tous les États européens sont également responsables. La paix doit se construire dans le respect de l'équilibre européen. Mais, pour qu'elle soit durable, il faut une profonde restauration morale et religieuse.

Joseph de Maistre ne demande pas qu'on rétablisse l'Ancien Régime mais qu'on bâtisse un régime nouveau, essentiellement fondé sur la religion, et donc théocratique.

Ce régime devra tenir compte d'une part de la nature de l'homme, être intelligent, religieux et social, et d'autre part de sa raison qui, pour de Maistre, se confond avec ses préjugés.

En conséquence, il condamne les constitutions écrites et les Déclarations des droits, qu'il estime absurdes. « La constitution nationale, affirme-t-il, est toujours antérieure à la constitution écrite, et toute bonne constitution écrite ne saurait être que la transcription d'un dogme politique issu de la raison nationale... Plus on écrit, plus les institutions sont faibles, car on n'écrit que pour défendre des institutions qui tremblent. » Il attaque avec violence la Constitution de l'an III, qui commence à être appliquée au moment où il écrit son livre. Il examine ensuite le problème de la guerre entreprise par la France contre l'Europe. Si en 1796 la France est victorieuse, la contre-révolution finira immanquablement par l'emporter. Il suffit d'être patient. Car la providence veut la contre-révolution.

Les *Considérations sur la France* eurent une grande influence sur les émigrés, notamment Louis XVIII et son conseiller favori, le duc de Blacas, mais un petit nombre d'exemplaires seulement put pénétrer en France.

Joseph de Maistre composa beaucoup d'autres ouvrages, dont certains n'ont été publiés qu'en 1884. Parmi eux ses *Réflexions sur le protestantisme dans ses rapports avec la souveraineté.* Il y condamne le protestantisme, « insurrection contre la raison générale » et approuve les persécutions des rois de France, justifiées d'ailleurs par leur résultat : Louis XIV qui a révoqué l'édit de Nantes est mort dans son lit, à l'apogée de sa gloire ; Louis XVI qui a rendu leurs droits civils aux protestants en 1787 a été guillotiné.

En 1802, Joseph de Maistre fut nommé ministre plénipotentiaire du roi de Sardaigne à Saint-Pétersbourg. Il y resta jusqu'en 1817 et y écrivit ses œuvres majeures : *Essai sur le principe générateur des constitutions politiques* (1808), *Du pape* (1819), *Les Soirées de Saint-Pétersbourg ou Entretiens sur le gouvernement temporel de la providence* (3 vol., 1821). Il y reprend les idées exprimées dans les *Considérations,* les développe et les précise : à la raison des philosophes, il oppose le sens commun ; à l'œuvre des hommes politiques, la volonté divine ; à la république, la monarchie de droit divin ; au gallicanisme, l'infaillibilité du pape et l'ultramontanisme. A la fin de sa mission, de Maistre passa par Paris, avant de regagner Chambéry. Il rendit visite à Louis XVIII, mais fut déçu : le roi avait concédé à la France une charte, c'est-à-dire une constitution écrite, et celle-ci instituait un régime qui, dans son ensemble, consolidait les conquêtes de la Révolution, au lieu d'établir une théocratie. Revenu à Chambéry, Joseph de Maistre ne fut pas même nommé à un poste important. Il mourut à Turin en 1821.

Bonald ou la « Déclaration des droits de Dieu »

Louis de Bonald est né à Millau, en Rouergue, le 20 octobre 1754. Il appartenait à une famille noble qui avait donné de nombreux magistrats à la monarchie et était aussi un grand propriétaire féodal. En 1789, 91 % de ses revenus étaient constitués par des droits féodaux et seigneuriaux, qui furent totalement abolis en 1793 et pour lesquels, fera-t-il remarquer plus tard, il ne reçut jamais la moindre indemnité.

Après des études chez les oratoriens de Juilly, il rentra à Millau et en fut nommé maire en 1787. Comme Joseph de Maistre, il accueillit d'abord favorablement la Révolution et prit l'initiative, le 6 août 1789, d'organiser une des premières fédérations de France : celle des gardes nationales de Millau, Rodez et Villefranche-de-Rouergue. Mais, à partir de 1790, il devint hostile aux réformes votées par l'Assemblée nationale et, après le vote de la Constitution civile du clergé, à la fin de 1791, il émigra en Allemagne. C'est à Constance qu'il publia, anonymement, en 1796, son ouvrage capital, qui aura une grande influence en France au début de la Restauration : la *Théorie du pouvoir politique et religieux dans la société civile, démontrée par le raisonnement et par l'histoire.*

Cet ouvrage en trois tomes est austère, difficile à lire, mais il apporte une doctrine à la contre-révolution. Bonald étudie successivement le rôle de la religion dans l'État, la place de la société, celle de l'individu, et enfin le pouvoir. Il s'agit d'une démonstration, conduite comme celle d'un théorème.

Pour Bonald, la religion domine tout, et par là, il se rapproche de Joseph de Maistre : « Dieu est l'auteur de tous les États, l'homme ne peut rien sur l'homme que par Dieu et ne doit rien à l'homme que pour Dieu. » Il est très hostile au protestantisme, avec lequel il avait été en contact, d'assez nombreux protestants, venus des Cévennes voisines, vivent à Millau. « La Réforme, écrit-il, a divisé la société religieuse et elle a apporté le même désordre dans la société politique. » Elle est à l'origine de la Révolution, car elle a rompu l'unité religieuse de la société.

Cette société est « constituée » sans qu'elle ait besoin d'une constitution écrite, dont il estime l'idée « absurde ». Ainsi, des États-Unis : malgré sa Constitution, le pays, selon lui, ira à sa perte. La véritable constitution est issue de l'histoire. Les sociétés despotiques, aristocratiques ou démocratiques, elles, ne sont pas constituées. La société constituée par excellence est la société royale monarchique faite de traditions politiques et religieuses, elle s'impose par sa « force naturelle ».

La société est composée d'individus. L'individu, selon Bonald, n'a pas de droits, il n'a que des devoirs, envers la nature humaine, envers la société et envers Dieu. La Révolution doit se terminer par une Déclaration des droits de Dieu, qui annulera la Déclaration des droits de l'homme. Quant au droit du peuple à se gouverner lui-même, c'est un défi à toute vérité. Le peuple a seulement le droit d'être gouverné. Bonald condamne donc toute la philosophie individualiste qui aboutit à ce qu'il appelle la « société moderne » formée de « grains de sable », image que reprendra Bonaparte. Il faut revenir à la « société ancienne » composée de groupes sociaux et de familles. La famille est le premier noyau de la société et le premier groupe social. Au-dessus viennent les métiers, puis les corporations. L'ensemble de ces groupes sociaux compose la société de production et de conservation publique.

Au sommet de la pyramide sociale, réside le pouvoir, monarchique bien entendu. « Il n'est de société publique que la monarchie royale, monarchie absolue et héréditaire », mais non despotique. La monarchie royale s'incarne dans le pouvoir qui doit « être unique, indivisible, général, indépendant et absolu ». Bonald rejette donc la séparation des pouvoirs et toute assemblée législative délibérante, qu'il appelle « polygamie politique ». « Le pouvoir, affirme-t-il, doit être indépendant des sujets, mais non des lois, car s'il est indépendant des lois, il devient despotique, et s'il est dépendant des sujets, il devient démocratique... Les sujets doivent être soumis à l'action du pouvoir, sinon les sujets seraient pouvoir et le pouvoir sujet. »

Entre les sujets et le pouvoir, Bonald place les « corps intermédiaires », ministres, cours de justice, administrations locales et surtout les communes auxquelles il attache une importance particulière. Ces corps intermédiaires empêcheront la monarchie royale de devenir despotique. Cette idée semble avoir séduit Napoléon, qui a insisté sur l'importance des corps intermédiaires. Toutefois, lorsque Bonald parle de la commune, c'est à la commune rurale qu'il songe. Il condamne la ville, la concentration industrielle destructrice de la famille, donc de la société.

Bonald rentra en France peu après la publication de son livre. Beaucoup d'exemplaires en avaient été saisis par la police, de sorte que très peu d'hommes politiques avaient pu en prendre connaissance. Cependant, parmi eux figuraient Fontanes, qui devint en 1808 Grand Maître de l'Université, c'est-à-dire ministre de l'Instruction publique, et Chateaubriand. Napoléon aurait emporté ce livre pendant la campagne d'Italie de 1800 et aurait écrit à Bonald pour lui dire son estime. Bonald se réinstalla à Millau et publia, durant l'Empire, quelques ouvrages développant des questions abordées dans la *Théorie du pouvoir*, mais sans exprimer d'idées vraiment nouvelles. En 1808, Napoléon l'appela au Conseil de l'Université, qu'il venait de créer. Bonald refusa d'abord, puis accepta en 1810. Louis XVIII le nomma, en 1814, au Conseil supérieur de l'instruction publique, et l'année suivante, il fut élu député de l'Aveyron ; à la chambre il obtint l'abolition de la loi sur le divorce, conformément à ses théories. En 1823 il fut nommé pair de France. Il publia encore plusieurs ouvrages, notamment des *Observations sur les « Considérations sur la Révolution française de Mme de Staël »* qui sont une critique acerbe

BIBLIOGRAPHIE

GODECHOT J., *Un jury pour la Révolution,* Laffont, Paris, 1974.

MICHEL H., *L'Idée de l'État,* Hachette, Paris, 1896.

et un renouvellement de ses attaques contre les protestants.

En 1830, refusant de prêter serment à la monarchie bourgeoise de Louis-Philippe, il se démit de la pairie et ne conserva que le titre de membre de l'Académie française qui lui avait été dévolu en 1816 par une ordonnance de Louis XVIII. L'idéologie des théocrates n'était plus de mise sous Louis-Philippe. Bonald mourut en 1840.

Karl Ludwig von Haller

Karl Ludwig von Haller peut aussi être considéré comme un des maîtres de l'idéologie contre-révolutionnaire de la Restauration. Suisse, né à Berne en 1768, il devint professeur de droit public en 1806, et dans ses cours, exposa les idées de Joseph de Maistre et de Louis de Bonald. Il les reprit dans sa *Restauration de la science politique,* parue de 1816 à 1825, et voulut leur donner un fondement scientifique : « Les rois légitimes sont replacés sur le trône, nous allons y replacer la *science légitime,* celle qui sert le souverain maître, et dont tout l'univers accepte la vérité. » Replacer sur le trône la science légitime, c'est-à-dire faire la contre-révolution de la science, et opérer la recherche de la vérité non dans l'expérimentation scientifique, mais dans la tradition historique. Les affirmations de Haller procèdent, en effet, de l'étude du passé et non d'une métaphysique, comme celles de Maistre ou de Bonald, mais le résultat est le même. Le XVIIIe siècle avait pensé que le droit se façonnait au gré des hommes, qu'on pouvait, par le raisonnement, élaborer une loi juste ou une constitution. Haller, à la suite de Burke, pense que le droit, les institutions ont une vie propre, la raison pure ne peut les construire, ils se développent naturellement « par des forces intérieures et silencieuses ».

En 1820, Haller se convertit au catholicisme, ce qui fit scandale à Berne. Il dut s'exiler et vint à Paris où il collabora au *Journal des débats.* Il entra au ministère des Affaires étrangères, comme traducteur et agent de liaison avec la presse française et suisse. Après la révolution de 1830, il rentra en Suisse, où il mourut à Soleure en 1854.

Au total, ces trois théoriciens politiques, et d'autres de moindre valeur, ont donné leur programme à l'ultra-royalisme : dans une société « naturelle » issue de Dieu ou de l'histoire, la monarchie absolue est fondée en droit ; elle repose sur les institutions avec lesquelles elle est née et par lesquelles elle a vécu : un clergé propriétaire de terres, détenteur de l'état civil, maître de l'éducation, une aristocratie foncière qui, par la substitution et le droit d'aînesse, conserve le régime de la grande propriété, et par la décentralisation, administre les sujets du roi. Ceux-ci n'ont aucun droit, seulement des devoirs. Pour parvenir à ce résultat, il faut revenir sur la législation issue de la Révolution et de l'Empire. Quant à l'évolution économique, à l'industrialisation, à la formation d'une classe ouvrière, on ne s'en occupe pas, ou plutôt on s'y oppose.

Jacques Godechot

Un héros de roman

Au soir de Valmy, Goethe disait sa conviction qu'une ère nouvelle s'ouvrait dans l'histoire du monde. De fait, toute la culture européenne du XIXe siècle a été ébranlée par l'onde de choc de la Révolution française, dont s'inspirèrent les poèmes de Leopardi, les symphonies de Beethoven, les romans de Tolstoï, les opéras de Verdi, les ballades de Schiller. Cette fascination fut particulièrement vive chez les romantiques anglais, Wordsworth, Shelley, Coleridge, Keats, dont les événements d'outre-Manche venaient stimuler la volonté de critique sociale radicale.

A Tale of Two Cities (Conte de deux villes), roman publié en 1859 par Dickens et qui est resté presque inconnu en France, est plus qu'un écho attardé de la Révolution française. C'est une des œuvres majeures que celle-ci a suscitées dans la littérature européenne.

Un affrontement de classes impitoyable ! Le très classique Charles Dickens, en proposant cette vision si tranchée de la Révolution française, se rangerait-il par anticipation du côté d'Albert Mathiez et d'Albert Soboul, et démentirait-il Augustin Cochin et François Furet ! Tout le roman, dont Dickens agence avec sa maîtrise habituelle les épisodes, les héros et les rebondissements, et qu'il serait vain de résumer ici, se fonde sur le face-à-face entre deux figures qui sont plutôt deux archétypes, celle de « Monseigneur » et celle de « Jacques ».

Monseigneur, tantôt désigné par cette seule référence générique et tantôt personnifié par le marquis de Saint-Évremond, ne connaît que frivolité, férocité, plaisirs. « Monseigneur avait une noble idée fondamentale relativement aux affaires publiques, c'était de laisser les choses aller à leur guise [...] quant à ses plaisirs généraux et particuliers, il considérait que le monde n'avait été créé que pour cela » (p. 1078 [trad. de Jeanne Métifeu-Béjeau, « Bibliothèque de la Pléiade », Gallimard, Paris, 1970]). Le brillant Œil-de-bœuf de la cour de Versailles, accuse ironiquement Dickens, « longtemps obscurci par l'orgueil de Lucifer, l'abandon luxurieux de Sardanapale et l'aveuglement de la taupe » (p. 1201), n'avait jamais vu bien clair dans les affaires françaises.

Monseigneur ne voulait rien savoir de la « condition abjecte » du peuple, « de ce lent et sûr amenuisement des corps et des visages sous l'effet de la misère qui devait rendre la maigreur des Français proverbiale en Angleterre près de cent ans après qu'elle eut disparu » (p. 1086). C'est autour de la cruauté des Saint-Évremond et de la haine de leurs victimes que se noue l'intrigue du roman.

Horreur de l'oppression, horreur de la révolte. La passion fiévreuse et forcenée de Dickens donne ici toute sa mesure. Au matin de la prise de la Bastille, « le faubourg Saint-Antoine avait été une énorme et sombre masse d'épouvantails, ondulant çà et là sous l'éclair des lames et des baïonnettes agitées au soleil... forêt de bras nus qui se débattaient dans les airs comme des rameaux flétris secoués par le vent d'hiver » (p. 1186). Quand les paysans incendient le château des Saint-Évremond, « un vent chauffé au rouge venu tout droit des régions infernales semble vouloir disperser l'édifice et dans la fournaise fluctuante les masques de pierre de la façade paraissent souffrir les tortures des damnés » (p. 1204). Pendant les massacres de Septembre, on affûte sur une gigantesque meule les armes des émeutiers ; « leurs longs cheveux volaient en arrière à chaque tour de roue... leurs faces hideuses étaient tachées de sueur et de sang, convulsées par leurs hurlements, et leurs yeux étaient fixes et dilatés par la frénésie bestiale et le manque de sommeil » (p. 1234). Quant à la guillotine « en qui se sont matérialisés et fondus tous les monstres dévorants et insatiables que l'imagination humaine a jamais pu engendrer », elle tranchait tant de têtes « que sa charpente rougie pourrissait et que la terre qu'elle souillait était saturée de sang » (p. 1344 et 1246). Dans ces pages d'anthologie, dont l'intense émotion éclipse l'emphase, Dickens ne présente ni acte d'accusation ni plaidoyer. Il est comme emporté, quasiment contre son gré, par la montée de cette violence élémentaire que son émotivité ressent comme une *souffrance* personnelle – dit-il dans son introduction – tandis que sa raison cherche à en analyser les mécanismes et surtout les origines, à savoir l'affrontement des Monseigneurs et des Jacques.

Au village comme au faubourg, les Jacques ne sont pas des victimes résignées. Ils transmettent les nouvelles, diffusent les mots d'ordre, organisent les ripostes. Entre ces Jacques Un, Jacques Deux, Jacques Trois, Jacques innombrables, s'est nouée une chaîne de complicités anonymes que matérialise le tricot de Mme Defarge, tricoté de ses mailles à elle selon son code à elle, et qui enregistre les crimes passés et les châtiments à venir, les débits et les crédits de la vengeance populaire. Son mari, le cabaretier Defarge, est installé au cœur de ce faubourg Saint-Antoine vers lequel Dickens avait si souvent dirigé ses promenades nocturnes quand il séjournait à Paris dans les années 1840. De crise politique en crise politique, du 14 juillet 1789 aux grands jours de la guillotine, Defarge débite le vin, il fait couler le sang, il célèbre une Eucharistie de l'abîme qui rougit les rues du faubourg et les pages du roman, avec la même violence implacable. Dickens s'en indigne-t-il, s'en étourdit-il ?

Paris et la France sont emportés dans la tourmente, Londres et les Anglais restent sereins. Au fil des chapitres, Dickens fait habilement alterner les scènes de violence du faubourg Saint-Antoine et les paisibles soirées que passent dans leur résidence de Soho plusieurs figures clés du roman. Jerry Lorry, le vénérable fondé de pouvoirs de la banque franco-anglaise Tellson, passe et repasse d'une rive à l'autre de la Manche à mesure que se développe la crise révolutionnaire et que se compliquent les affaires de ses clients. Il négocie, il apaise, il rassure, il dénoue les situations désespérées. *A Tale of Two Cities* n'est-il donc qu'une banale dénonciation de la sauvagerie française, au nom de la mesure et du savoir-vivre britanniques ? Il serait un peu facile de s'en tenir à cette lecture manichéenne et simpliste.

Si ni les faubourgs londoniens ni l'aristocratie anglaise n'apparaissent dans *A Tale of Two Cities,* ce n'est pas que Dickens s'acharne sur la France pour idéaliser l'Angleterre. Il détestait les milords qu'il a souvent ridiculisés, il connaissait bien la misère du petit peuple de Londres au XVIIIe siècle, qu'il a évoquée dans *Barnaby Rudge,* son autre grand « roman historique ». Mais son vrai propos était de saisir dans tout ce qu'elle avait de singulier la violence révolutionnaire, au point d'en faire son seul vrai héros. Il n'a pas cherché à tracer un parallèle historique rigoureux entre la société anglaise et la société française, mais il s'est laissé emporter avec fougue et outrance par la Révolution devenue le caractère central du roman, les aventures des protagonistes individuels n'intervenant finalement que comme des faire-valoir ; que ce soient le cabaretier Defarge, le banquier Lorry, le chevalier Darnay, un Saint-Évremond qui a renié sa caste et s'est réfugié à Londres bien avant 1789, le docteur Manette enfermé à la Bastille pour avoir été témoin des turpitudes de « Monseigneur ». Entre le cadre historique et les intrigues individuelles, le rapport s'est comme inversé. Le va-et-vient du roman entre Paris et Londres n'a pas comme fonction principale de valoriser l'Angleterre aux dépens de la France, mais de situer la Révolution dans une perspective plus large, d'en prendre toute la mesure ou plutôt la démesure.

Bien plus qu'une reconstitution romanesque du passé à la Walter Scott, *A Tale of Two Cities* dit la fascination que, dans une Angleterre désormais gouvernée par les bourgeoises vertus victoriennes, la Révolution française continuait à exercer sur l'imagination d'un homme de cœur et de passion.

Jean Chesneaux

Les libéraux (1815-1830)

1815 marque la naissance d'une historiographie révolutionnaire : la chute de l'Empire (incluse dans la Révolution) coupe en deux le bloc de l'histoire moderne. Dès lors les libéraux seront aussi hommes publics, journalistes, universitaires (avec un public enthousiaste), militants (surtout à partir du ministère Villèle en 1821, qui interdit les grands cours de la Sorbonne et marque le début de la dissidence des intellectuels de gauche ; à partir de 1824, *Le Globe* fédère et orchestre tous leurs efforts). Écrire l'histoire de la Révolution et en proposer une interprétation fait partie intégrante de leur combat politique. Ils ne s'en cachent jamais. Mieux même : s'ils sont tout simplement historiens, c'est parce qu'ils sont attachés à la liberté. La base scientifique est encore faible, mais on s'éloigne d'une histoire sommairement polémique ou apologétique en direction d'une histoire interprétative éclairée.

Cette première historiographie professionnelle et spécialisée ne connaît nulle frontière avec la littérature. En 1821, dans un article du *Censeur français,* Augustin Thierry salue en *Ivanhoe* une œuvre historique capitale et déclare avoir plus appris chez Scott à propos des révolutions de l'Angleterre que chez les historiens professionnels. En 1826, dans son *Histoire des ducs de Bourgogne* (préface), Barante déclare que « les héros fictifs de l'épopée, du drame et du roman sont souvent plus vivants à nos yeux que les personnages réels de l'histoire » et que « le cadre d'un roman [comporte] plus de vérité que le cadre d'une histoire ». Dès lors, il convient de narrer, mais aussi d'expliquer : mais est-ce bien facile avec la Révolution française ?

« 93 » : le clivage

« Dans l'année 1814 se réveilla tout à coup la Révolution française » (A. Thierry, *Lettres sur l'histoire de France,* 1820). « Je n'ai jamais conçu qu'on pût lire l'Histoire de France sans penser constamment à la Révolution française » (préface de Rémusat à la réédition de 1860). « Les révolutions de la France n'ont jamais créé une vraie et solide garantie ; mais à chaque fois la convulsion a cessé, l'état de la société s'est trouvé changé, et les progrès de l'égalité ont compensé l'incurable défaut de liberté fondé sur les lois » (Barante, préface des *Ducs de Bourgogne*). Donc : en parler parfois, y penser toujours. La Révolution a achevé l'histoire de France et elle donne un fondement nouveau au droit et à la mission de l'écrire. Elle n'est pas venue brouiller mais éclairer. C'est déjà une prise de position politique.

Tous expliquent la Révolution, en 1789, par l'extension des Lumières, le développement du commerce, de l'« industrie », la progression de la propriété mobilière (les « capitalistes »), la poussée des valeurs familiales et privées. Les « fautes » stratégiques et tactiques de la monarchie sont certes retenues (et notamment par Mignet en 1824 dans son *Histoire de la Révolution française*) dans une perspective polémique avec le pouvoir en place, mais elles sont considérées comme secondaires par rapport à la poussée générale de la « civilisation ». Il est capital que dans cette poussée ne soient pris en compte ni les paysans ni les pauvres des villes, qui ne sont jamais que supplétifs ou menace.

Marx et Engels ont proclamé ce

qu'ils devaient aux historiens libéraux pour qui la Révolution s'explique en grande partie par la lutte entre les descendants des conquérants francs et des conquis Gaulois, le problème Saxons-Normands en Angleterre jouant le rôle de relais et d'inducteur. Mais, séculairement, les luttes de classes ne sont « valables » qu'à l'étage supérieur de la société : « Au-dessous de cette aristocratie bourgeoise s'agitait une démocratie turbulente et barbare, toujours prête aux plus sanglantes séditions, ennemie impitoyable de la noblesse et de la chevalerie, qui lui semblait la cause de tous ses maux » (Barante, *loc. cit.*).

Une ligne de clivage apparaît autour de la période conventionnelle. Pendant longtemps la période 1793-1794 demeure taboue mais, peut-être, surtout, sans intérêt. La « vraie » révolution, la seule intéressante est celle du début, la révolution civile dont le constitutionnalisme se veut l'héritier. Il s'agit là pour les libéraux d'un double problème : non seulement il ne faut pas tomber dans le piège ultra de la réduction de la révolution à 1793 et à la mort du roi (on serait tout près de l'apologie du crime), mais aussi et surtout, 1793, pour eux, n'est en aucune façon fondateur et annonciateur ; il n'y a là qu'erreur et déviation démagogique dont ils entendent bien qu'on ne se serve pas contre eux, mais aussi qui leur fait horreur, humainement, intellectuellement et politiquement. Il faudra une certaine radicalisation du combat libéral et la naissance d'un esprit para- ou pré-républicain pour que cède la barrière et s'étende le champ de la réflexion. Ce sera dans les quelques années qui conduisent à 1830 : une nouvelle génération libérale cessera de limiter la Révolution aux années 1789-1790.

Madame de Staël

Les *Considérations sur la Révolution française* sont éditées en 1817 peu après sa mort. Le combat libéral n'est pas encore engagé, mais on craint déjà les entreprises ultras contre la Charte. Or l'auteur part d'une idée : ce que Necker a proposé à l'ouverture des États contient en germe toute la déclaration de Louis XVIII à Saint-Ouen. Le « reste » de la Révolution était donc inutile et aurait pu être évité. L'entreprise de légitimation est ainsi éclatante et habile : qui, fidèle à la Charte, pourrait contester la première Révolution ? Celle-ci fut l'œuvre de la nation éclairée, et qui le demeure. Le modèle anglais est sans cesse allégué, la Terreur pratiquement passée sous silence et désignée par ce néologisme intéressant : « le fanatisme politique ». Toute la dérive montagnarde et bonapartiste (la moitié du livre est consacrée à la période 1799-1814) s'explique par le fait que le pouvoir rénové n'a pas été exercé par les patriciens libéraux. La « caste révolutionnaire », plébéienne et carriériste, qui a renoué avec les pratiques d'ambition, d'avidité, et « la fatuité des cours », s'est emparée de la Révolution et l'a défigurée. Un risque demeure : que par peur de la réaction, comme on l'a vu aux Cent-Jours, la nation ne se tourne à nouveau vers cette « caste révolutionnaire ».

Guizot et les doctrinaires

Pour construire la nouvelle France libérale, il faut comprendre la Révolution et ce n'est qu'en la comprenant qu'on pourra enfin la clore : telle est l'idée maîtresse. La Révolution, née de la société, y vit encore ; « On ne lutte pas avec les faits sociaux » (*De la peine de mort,* 1822). C'est ainsi que la Révolution a continué malgré la chute des partis successifs avec pour résultat qu'« il n'y a plus d'abîme entre les classes supérieures et la masse des habitants ». Elle a donc produit la société civile qui ne connaît plus le crime mais la régulation parce que « les mêmes chances s'offrent à tous ». L'humanité qui en est issue est pacifique parce qu'« elle ne vit point de salaires journaliers ». En d'autres termes, la Révolution en a fini avec les monstres, populace comme grands seigneurs, et n'est donc point monstrueuse. Elle a créé le non-état de guerre sociale. La Convention a commis une erreur : renoncer « à la durée ». Mais la Convention n'est pas la Révolution. En 1814 il n'y avait plus de « lutte des classes » (première apparition de l'expression ?) ; on comprend la fameuse proclamation du cours de 1828 : à Waterloo, c'est la civilisation qui a gagné. La Révolution avait fait tout ce qu'elle pouvait faire. A ses héritiers de la stabiliser par les institutions.

Thiers ou « l'école fataliste »

L'*Histoire de la révolution française* de Thiers paraît de 1823 à 1827. C'est une histoire savante, qui utilise les archives parlementaires, militaires, etc., et académique, qui raconte la Révolution sérieusement comme un événement historique semblable à d'autres. Le sujet est donc dédouané. Mais Thiers va plus loin. Il reprend les analyses sur la « logique » de 1789, mais multiplie les analyses « matérialistes » sur l'événement, hors de tout jugement. Il tente ainsi d'expliquer la Vendée par la géopolitique.

Surtout, pour la première fois, se trouve *expliqué* le « gouvernement révolutionnaire » : « il avait reçu son existence de la nécessité seule ». Thiers salue le génie de Robespierre, incarnation d'un *moment* et dont l'échec n'est dû qu'à l'immaturité de la situation ; Bonaparte seul pouvait devenir maître absolu. Reste que Robespierre serait « l'un des êtres les plus vils et les plus odieux que les hommes aient connus, s'il n'avait eu une conviction forte et une intégrité reconnue »... La Révolution devait finir par Bonaparte, parce qu'« il fallait qu'elle se constituât d'une manière solide et forte ». Celui-ci venait, « sous des formes monarchiques, continuer la Révolution dans le monde ». On accusa Thiers d'avoir fondé « l'école fataliste ». Il ne parlait que de nécessité. C'était un langage bien nouveau que celui d'une science et d'une logique de l'histoire. Le libéralisme, dans sa marche en avant, forgeait une nouvelle logique de la Révolution.

La radicalisation

Dans *Le National,* fondé par Carrel (républicain), Thiers et Mignet, une formule descriptive mais aussi politique apparaît début 1830 : *« France révolutionnaire » et « France révolutionnée ».* La France a déjà changé, mais elle doit changer encore. Des forces existent pour ce faire, qui exigent qu'on sorte du marais, c'est-à-dire de l'idée doctrinaire et ancienne – libérale – de la Révolution. Cette « France révolutionnaire » n'est nullement « populaire », mais elle n'écarte pas le recours au peuple. L'une des solutions envisagées est le changement de dynastie lorsque le pacte politique n'a pas été respecté. *Le National* récrit en quelque sorte la saga de la Révolution dans le mouvement même du combat politique. Il déclasse les vieilles analyses du libéralisme doctrinaire mais aussi le fidéisme « militaire » et un peu platement tricolore du *Constitutionnel,* qualifié d'« ancienne et respectable tribune ». La radicalisation commencée avec Thiers historien avance. L'objet Révolution française bouge, compte tenu des circonstances évolutives du combat de la bourgeoisie.

L'ombre du coup d'État produit des effets logiques. Mathilde de la Mole se demandera bientôt, admirative, à propos de Julien Sorel : « Serait-ce un Danton ? » En 1828, le saint-simonien Laurent de l'Ardèche dans sa *Réfutation de l'histoire de France de l'abbé de Montgaillard* prenait la défense de Robespierre, « qui avait su garantir du criticisme délirant de plusieurs de ses collègues et qui conçut le projet de fonder un nouvel ordre moral sur une base religieuse ». Ce n'était pas l'apologie de la Terreur, mais c'était une audacieuse réhabilitation de l'homme Robespierre et de sa pensée. Or, au début de 1830, le jeune Honoré de Balzac, qui avait lu Laurent, publie *Les Deux Rêves :* Robespierre a vu en rêve Catherine de Médicis qui lui a révélé le sens de la Saint-Barthélemy, acte profond de gouvernement, et qui lui a prédit qu'il achèverait ce qu'elle avait commencé ; il serait ainsi « l'un des maçons de l'édifice social commencé par les apôtres ». Dans le même texte, le médecin Marat, en rêve lui aussi, s'est vu plonger un bistouri dans une cuisse grouillante malgré les protestations du malade. L'idée d'une opération chirurgicale fait son chemin et Catherine parle de « deux cents manants tués à propos ». La température monte donc encore dans les marges de la gauche officielle. La Révolution civilisée, c'est fini, et le fantasme vient au secours de l'idée.

Les libéraux ont commencé doucement avec la Révolution : elle leur était nécessaire et il fallait l'encadrer. Le combat se durcissant, ils se sont faits, de philosophes, historiens. Mais ils n'ont pu maîtriser le flot : la Révolution recommençait avec le mouvement même de la société révolutionnée. Nul, avant 1830 n'est encore allé jusqu'au peuple cependant : qu'il puisse intervenir ne lui conférait pas la légitimité. On restait dans la « classe pensante » (Stendhal).

Pierre Barbéris

Age d'or et crise de l'historiographie romantique

Les historiens libéraux de 1829, les historiens romantiques de 1847 sont des révolutionnaires frustrés ; une question domine leurs études de la grande Révolution : comment mener à bien l'entreprise ébauchée en 1789 ? Révolutionnaires frustrés, donc futurs révolutionnaires : leur lecture du passé reconnaît la tâche à poursuivre – de l'histoire à la politique le pas sera bientôt franchi.

1830 : avec la monarchie de Juillet, la génération de Thiers et de Guizot accède au pouvoir politique. La révolution de 1830 a marqué pour la bourgeoisie la reconquête des libertés politiques, et de la liberté d'entreprendre : garantie de la propriété léguée par la Révolution, et accession des affairistes aux leviers de l'État.

1848 : Lamartine, Louis Blanc, Michelet, Quinet, les historiens de la Révolution ont préparé la révolution qui se fait. Le suffrage censitaire, les lois scolaires réactionnaires et tant d'émeutes populaires pour un peu de pain les ont dressés contre la monarchie ; ils veulent l'égalité, la démocratie, la justice sociale, l'abolition de l'esclavage, le droit au travail...

« Deux soleils au ciel ! »

Entre les historiens libéraux de 1830 et les historiens romantiques de 1848, une autre différence concerne la méthode elle-même. L'historiographie romantique se réclame de Voltaire, de Victor Cousin, de Herder, de Vico ; la même année (1827), Edgar Quinet préfaçait une traduction du philosophe allemand, et Michelet écrivait une introduction originale et substantielle à l'œuvre du philosophe napolitain. Ce qu'elle contient de plus neuf, c'est l'intuition de l'unité de l'humain, donc de l'unité de la science : philosophie, philologie, psychologie, droit, histoire communiquent et se fondent dans la *Scienza nuova.*

L'historien romantique, qui rêve de cette science humaine totale, incarne des idées dans les hommes et les situations du passé ; tout personnage, tout fait devient symbolique. Voici le face-à-face de Louis XVI et de la foule révolutionnaire, décrit par Michelet : « Grand spectacle ! où disparaissent les hommes. Restent en présence deux idées, deux fois, deux religions ! chose inouïe, effrayante, comme si, en plein midi, nous voyions deux soleils au ciel ! » Lamartine interprète dans un sens prophétique la rencontre de deux courriers : « Pendant que l'armée française combattait et triomphait à Valmy, la Convention décrétait la république à Paris. Le courrier qui portait à l'armée la nouvelle de la proclamation de la république et le courrier qui portait à Paris la nouvelle de l'échec de la coalition se croisèrent aux environs de Châlons. Ainsi la victoire et la liberté se rencontraient, comme pour présager à la France que la fortune lui serait fidèle si elle restait fidèle elle-même à la cause du peuple et aux principes de 89. »

Les idéaux romantiques

Les idéaux développés par les historiens romantiques dans leur vision de la Révolution dessinent un humanisme généreux, mais fort éloigné du socialisme naissant.

Voici leurs thèmes de prédilection :

L'unité du peuple. Dès 1824, Mignet avait entrevu l'importance de la lutte des classes dans la Révolution, sans toutefois parvenir à définir nettement les classes antagonistes. Michelet juge son *Histoire,* en 1843, « si vraie dans les détails, si fausse dans l'ensemble », précisément à cause de cette idée : il défend, lui, la thèse de l'unité du peuple réclamant ses droits. Il reproche également à l'*Histoire parlementaire* de Buchez et Roux de trop expliquer par la misère les soulèvements populaires ; or, Buchez était un des rares historiens contemporains à avoir lu Buonarroti, disciple de Babeuf – donc à avoir connu l'influence du premier communisme.

La liberté des nations. L'intérêt grandissant pour l'idée de révolution, dans les années précédant 1848, avait une dimension internationale. Au Collège de France, où il professait depuis 1845 un cours mouvementé sur la Révolution française, Michelet était entouré d'Adam Mickiewicz, en qui s'incarnait la Pologne démembrée, et de Quinet, qui publia en 1847 un livre sur *Les Révolutions d'Italie.* L'auteur y cherchait l'âme de l'Italie dans ses révolutions littéraires et religieuses, annonciatrices de révolutions politiques. Chez Michelet, le thème de la résurrection des nations sœurs couronne d'un accent quarante-huitard le magnifique récit de la fête de la Fédération : « Allez dire à toutes les nations qu'aujourd'hui, au solennel banquet de la liberté, nous n'aurions pas rompu le pain sans les avoir appelées... »

Un plaidoyer pour la République. Lamartine, Michelet, Quinet sont d'ardents républicains. C'est Lamartine qui s'engage le plus nettement dans son *Histoire des girondins* (1848) : « Si la Révolution qui se poursuit toujours avait eu son gouvernement propre et naturel, la République, cette république eût été moins tumultueuse et moins inquiète que nos cinq tentatives de monarchie. »

L'année « 47 »

Le député Lamartine prenait date, en réclamant la République. Quelques mois après le succès de son *Histoire des girondins,* il siégeait au gouvernement provisoire. Non seulement ce livre s'inscrit dans sa stratégie politique, mais on peut y lire les raisons de son échec comme homme d'État. Il met en scène la Révolution comme une grandiose

BIBLIOGRAPHIE

KNIBIEHLER Y., *Naissance des sciences humaines, Mignet et l'histoire philosophique au XIXe siècle,* Flammarion, Paris, 1973.

MICHELET J., *Histoire de la Révolution française,* Gallimard, Paris, 1952.

QUINET E., *Le Christianisme et la Révolution française,* Belin, Paris, éd. 1987.

REIZOV B., *L'Historiographie romantique française,* Moscou, s.d.

VIALLANEIX P., *La « Voix royale », essai sur l'idée de peuple dans l'œuvre de Michelet,* Paris, Flammarion, 1971.

tragédie à méditer : poète et moraliste, Lamartine n'est ni l'homme de la révolte sociale ni l'homme de la répression ; c'est pourquoi il sera sans prise sur les événements à partir de juin 1848.

En 1847, peu de temps après Lamartine, Michelet publiait le premier tome de son *Histoire de la Révolution* ; il en poursuivit la rédaction jusqu'en 1853. L'ouvrage contient l'écho des événements auxquels l'historien participait depuis sa chaire au Collège de France. Un étudiant – Jules Vallès – se souvient : « Le cours de Michelet était notre champ de bataille. » Le cours fut suspendu en janvier 1848, rétabli en mars, et de nouveau supprimé en 1851 ; l'historien de la Révolution s'y posait en précepteur de la jeunesse républicaine ; il rêvait de fonder sur l'éducation et la compréhension entre les classes sociales une démocratie sans terreur ni violence.

Son ami Edgar Quinet s'attache également aux problèmes de la Révolution. L'échec de la Deuxième République rend cette réflexion plus nécessaire que jamais à ses yeux ; c'est pourquoi il écrit, entre 1854 et 1865, *Le Christianisme et la Révolution française.*

C'est en 1847 que Louis Blanc avait commencé sa propre *Histoire de la Révolution* ; interrompue par les événements politiques, elle sera menée à bien en exil et publiée en 1862 à Londres. Tous ces livres sont des livres d'actualité, de conviction, qui appellent à l'action. Les historiens romantiques veulent transmettre l'héritage de 1789 pour le faire fructifier. Oui, mais quel est-il ?

Les nouveaux évangiles

Aux yeux des romantiques, la Révolution est une révélation ; c'est un héritage moral et religieux qu'ils entreprennent de défendre, chacun à sa manière. Pour Lamartine, « la Révolution française était au fond un spiritualisme sublime et passionné [...]. Un évangile des droits sociaux. Un évangile des devoirs. Une charte de l'humanité ».

Edgar Quinet pense la question sociale comme une étape historique dans l'histoire du christianisme : « Nous frappons à la porte de l'Église, pour que ce qu'on appelle avec indignité le Dieu du peuple ne reste pas immobile sur sa croix de bois, [...] qu'il ne se laisse pas dépasser par le Dieu des riches et des philosophes ; et nous faisons cela pour que l'antique égalité ne soit pas atteinte dans sa racine. » L'Église ayant trahi l'Évangile, c'est à la Révolution de lui donner corps « dans les institutions, dans le droit vivant ».

Michelet s'est brouillé avec son ami, ardent protestant, au sujet de l'interprétation religieuse de la Révolution ; ce qui les sépare, c'est « l'épaisseur du christianisme, rien de moins, rien de plus ». Michelet condamne à mort l'ancienne religion, et, dans la Révolution, il en entrevoit une nouvelle, la future religion des hommes libres, la justice. « Qu'est-ce que la Révolution ? La réaction de l'équité, l'avènement de la justice éternelle ; c'est le règne de la justice qui se substitue au règne de la grâce. »

La question refoulée : l'injustice sociale

« Temps étrange, soupirait Quinet, que celui où toute élévation morale passe aisément pour un commencement de sédition ! » Devant la misère ouvrière, ces historiens républicains expriment une révolte toute morale. Michelet proclame sa « sympathie pour la pauvre humanité » ; mais il rejoint Quinet et Lamartine pour condamner la bassesse des raisonnements matérialistes, qui prétendent faire de « l'odieuse question du pain » l'âme de la révolte populaire. Le choc des émeutes de juin 1848, en brisant l'illusion d'une république fraternelle, les emplit d'amertume : c'était donc cela, la Révolution ? Ils ne peuvent se résigner, et, pleins d'une répulsion violente pour l'idée même de lutte des classes, ils continuent à construire de l'utopie. Michelet après 1852 (dans *Le Banquet*), Quinet en 1864 aspirent toujours à une révolution morale et religieuse. Pour exorciser le spectre de la violence populaire, Michelet impute la Terreur aux Jacobins — un « clergé » fanatique — et au système politique de Rousseau, dans lequel il dénonce une nouvelle forme de despotisme. Cette interprétation l'oppose violemment à Louis Blanc ; mais, à ce prix, les idéaux de 1789 sont saufs pour les républicains de l'avenir.

Les querelles entre historiens font apparaître des clivages profonds sur deux questions essentielles : la religion, le socialisme. Malgré cela, il y a une unité de ton dans les livres des historiens de cette génération, qui tient au romantisme du style (tout fait est symbole d'une idée) et au romantisme de leur pensée sociale, d'un idéalisme généreux.

Politiquement, leur entreprise fut un échec : ils ont vécu durement l'opposition entre la Révolution dont ils rêvaient en retraçant la naissance de la Première République, et la brutalité des affrontements sociaux de 1848. Mais leur idéalisme a contribué à entretenir l'amour de la liberté et de la république avec le souvenir de la Grande Révolution : en témoigne le respect dont Michelet fut entouré en 1871.

Ils ont transmis l'héritage des Lumières : droits de l'homme et suffrage universel. Ils l'ont vu confronté à une nouvelle donne : société industrielle, misère et révolte du prolétariat.

Claire Gaspard

Les réveils politiques : 1830-1848

Dans un texte enthousiaste écrit à la nouvelle de la proclamation de la république le 4 septembre 1870, George Sand s'écriait : « ... Voici le troisième réveil ; il est idéalement beau. C'est même le quatrième, car il ne faut pas oublier que 1830 fut républicain au début... »

Ainsi, dans cette suite de « réveils », George Sand alignait non seulement le 21 septembre 1792, le 24 février 1848 et le 4 septembre 1870, qui ont inauguré respectivement les Ire, IIe et IIIe Républiques, mais encore les journées de Juillet 1830, bien qu'elles n'aient amené que Louis-Philippe. Elle avait bien raison ! 1830 est le tournant du XIXe siècle.

La Révolution avait été grandement bouleversée et en partie contredite par le coup d'État du 18 brumaire an VIII (10 novembre 1799). Puis la Restauration des Bourbons avait remplacé l'insidieuse contre-révolution napoléonienne par un projet de contre-révolution complète, marquée symboliquement, entre autres signes, par le drapeau blanc.

Louis-Philippe, le restaurateur de la Révolution

La révolution de Juillet 1830 a fermé la porte de la contre-révolution, entrouverte en l'an VIII, grande ouverte en 1815, et remis notre vie morale et politique sur la voie de 1789.

Le signe éclatant en est le rétablissement définitif du drapeau tricolore. On imagine mal aujourd'hui l'enthousiasme avec lequel il fut célébré : les trois couleurs, c'était le rappel des grandes heures de 1789, mais c'était aussi le signe, tenu déjà pour définitif, de la fierté nationale si hautement affirmée dans les guerres (même cruelles ou contestables) de 1792-1815.

Toute la Révolution réapparaît, et d'abord avec ses survivants. C'est La Fayette, qui commande la garde nationale parisienne en 1830 comme il l'avait commandée quarante ans plus tôt. Le roi lui-même, Louis-Philippe, tire une part de son prestige de sa présence, à dix-neuf ans, aux combats de Valmy et de Jemmapes ; les vieux maréchaux napoléoniens dont il s'entoure peuvent se flatter d'avoir été des volontaires de 1792 ; tout ce qui survit de la Révolution, de Talleyrand à Dupont de l'Eure, est recherché, flatté, valorisé.

La Révolution avait fait du Panthéon un temple des grands hommes, la Restauration l'avait rendu au culte catholique, 1830 le laïcise à nouveau.

La Révolution avait détaché l'État de la religion, Napoléon les avait réaccordés par le système contractuel du Concordat, en maintenant le principe de la laïcité ; la Restauration de 1814 était allée jusqu'à remettre dans la Charte le principe du catholicisme religion d'État, comme avant 1789. 1830 abolit cet article, et fait sortir de notre histoire la religion d'État. On s'en aperçoit très vite : contrastant avec Charles X, le roi détrôné, qui s'était fait sacrer à la cathédrale de Reims, Louis-Philippe prononce seulement un serment profane devant les députés réunis au Palais-Bourbon.

On n'en finirait pas d'énoncer ainsi les actes symboliques de la révolution de 1830 – et l'on voit bien l'objection qui nous attend ici : l'ampleur et l'éclat de cette révolution symbolique n'étaient-ils pas là pour faire oublier la minceur des changements effectifs ? et il est vrai que la libéralisation du régime (par la révision de la Charte) fut timide, que la base électorale du système fut peu élargie, et que le pouvoir aristocratique ne fut abaissé que pour faire place à un pouvoir bourgeois exhaussé. Sans oublier encore l'objection majeure, que nous suggérait George Sand : 1830, qui était logiquement républicain, fut tout de même capté par un nouveau monarque.

Mais on ne joue pas impunément avec les symboles. Voyons un signe encore, monumental celui-là : Louis-Philippe ne pouvait pas éviter de reprendre le vieux projet révolutionnaire de mettre un monument à la place de la Bastille rasée, et d'en faire du même coup la commémoration des combattants de Juillet 1830. Ainsi s'éleva, de 1830 à 1840, la colonne de la Liberté (ou de Juillet, ou de la Bastille) avec son caveau funéraire, son lion et son génie. Or ce monument ne fut ni dédaigné comme un ornement dérisoire ni perçu comme une célébration orléaniste ; avant même d'être inauguré, il était adopté par le peuple et fonctionnait comme un point de ralliement, pour ne pas dire de culte, pour le Paris républicain.

Cette histoire est symbolique au plus haut degré. En se faisant le roi d'une révolution, et le restaurateur de la Révolution, Louis-Philippe permettait à l'esprit de celle-ci de déployer toutes ses conséquences, jusqu'à emporter son propre pouvoir lorsqu'il aurait tenté de leur faire barrage.

On ne saurait trop insister sur la portée de 1830. Dans le court terme, l'élan des Trois Glorieuses se prolonge dans le dynamisme du parti républicain, contre qui Louis-Philippe engagera après 1834-1835 une lutte résolue, qu'il finira, comme on sait, par perdre. Tout un côté (symbolique même) de la révolution républicaine de Février 1848 consistera à rendre hommage à la révolution de 1830, à la reconnaître, à la relancer, depuis le refus de changer le drapeau tricolore jusqu'à la reproclamation de la république par le Gouvernement provisoire en corps, le 27 février, devant la colonne de Juillet. 1848 commencera par honorer 1830 pour pouvoir, du même mouvement, pousser plus loin encore l'impulsion de 1789.

De 1814 à 1830, il avait été admis que cette impulsion-là était mauvaise. Depuis 1830 et 1848, elle est officiellement réputée bonne, c'est la voie reconnue, indissolublement, libre, moderne et nationale. Et cette reconnaissance d'origine ne sera plus jamais reniée, sauf au cours de trois brèves parenthèses : de 1852 à 1859, partiellement ; en 1873-1874, fugitivement ; et surtout de 1940 à 1944, sous Vichy.

« La politique au village »

1830 a relancé la Révolution d'abord en instaurant deux ou trois années de libre expression totale. Tout est placé sous le signe de la liberté, comme l'illustre le célèbre tableau de Delacroix. Mouvements de rue, presse, réunions, associations, tout explose. Après le tournant répressif (1834-1835), il sera trop tard, les années d'effervescence politique et intellectuelle les plus fécondes peut-être du XIXe siècle auront eu lieu. Elles laissent en héritage et l'affirmation romantique, et le parti républicain, et la légende napoléonienne, et les missions saint-simoniennes, et le « socialisme » (le mot est de ce temps) et la première tentative d'unir catholicisme et liberté (Lamennais).

De la Révolution de 1789, on parle d'autant plus librement que 1830 a brisé le tabou. Cela permet à ceux qui avaient courbé la tête de 1799 à 1830 de la relever. Des souvenirs de 1789 ou de 1793, qui ne s'étaient transmis jusque-là que dans l'intimité des familles ou des cercles d'amis sûrs, peuvent faire l'objet de conversations publiques, d'articles de journaux. Tel vétéran en sa petite ville de province, tenu à l'écart comme un pestiféré, montré du doigt comme une bête curieuse, redevient respectable et, s'il ne gagne pas d'emblée l'adhésion des voisins, du moins ne risque-t-il plus la brimade officielle. Cette restitution d'honorabilité fait réfléchir l'entourage.

Étant réputée légitime et fonda-

BIBLIOGRAPHIE

AGULHON M., *1848 ou l'apprentissage de la république*, Seuil, Paris, 1973.

AGULHON M., « 1830 dans l'histoire du XIXe siècle français », Flammarion, *Romantisme*, n°s 28-29, Paris, 1980.

JARDIN A. et TUDESCQ A.J., *La France des notables*, Seuil, Paris, 1973.

REMUSAT Ch. de, *Mémoires de ma vie*, 5 vol., Hachette, Paris, 1958-1962.

SEWELL W., *Gens de métier et Révolution*, trad. de l'américain, Aubier-Montaigne, Paris, 1983.

WEILL G., *Histoire du parti républicain en France (1814-1870)*, nouvelle édition, Alcan, Paris, 1928.

trice, la Révolution peut être étudiée non plus seulement, comme sous la Restauration, dans des ouvrages modérés, circonspects, et limités au public lettré, tels qu'avaient été ceux de Mignet, de Thiers ou de Guizot. L'étude fera un bond en avant, favorisée par l'impulsion donnée globalement par le régime aux études historiques (archives, sociétés savantes, monuments sauvegardés ou érigés). Au terme, il y aura les retentissantes histoires des années 1840, dont il est parlé par ailleurs.

1830 a fait plus encore pour le réveil révolutionnaire et, de façon plus profonde quoique moins directe : les Trois Glorieuses ont réintroduit la politique au village.

On ne vote plus maintenant en effet pour élire les seuls députés, on vote pour les conseils généraux et d'arrondissement, ainsi que pour les conseils municipaux. Élections censitaires sans doute, et d'intérêt local. Toutefois il est un intérêt local qui est en même temps affaire de haute politique, c'est celui de la religion. Avant 1830, le poids de l'État monarchique et celui de l'Église catholique pesant presque toujours ensemble et dans le même sens, il ne restait guère de place, sauf dans les grandes villes, et ailleurs par exception, à l'affirmation et à l'action d'un parti laïque.

Après 1830, le changement est énorme puisque l'État affirme son indépendance et que le clergé romain se montre mécontent et parfois opposant. Du coup toutes les minorités religieuses peuvent relever la tête elles aussi, non seulement les protestants, les juifs et les agnostiques affirmés (qu'on appelle encore « philosophes » plutôt que « libres penseurs »), mais aussi la masse plus considérable des catholiques tièdes, acceptant le libéralisme ou cultivant la tradition gallicane. Plus encore que sur le souvenir révolutionnaire, c'est sur l'actualité du combat laïque que la politique se réinjecte dans la France profonde. Monsieur Homais, ou plutôt la position hégémonique de Monsieur Homais dans sa bourgade, est un résultat de 1830. Même si la polémique a parfois « volé bas », qui ne voit que globalement la liberté en a profité ?

« Jacobins » contre « socialistes »

On est aussi, il est vrai, à l'époque de la révolution industrielle, donc à l'orée des luttes de classe contemporaines. Mais même à cet égard la résurgence révolutionnaire de 1830 a compté. Dès 1829, à Bruxelles, pays de refuge, Philippe Buonarroti avait publié *La Conspiration pour l'Égalité, dite de Babeuf*.

Cette extrême avancée du jacobinisme vers la revendication de justice sociale trouve son public, après les Trois Glorieuses, dans les sociétés républicaines. Ceux qui pensent que l'on n'a pas renversé Charles X pour avoir à nouveau un roi pensent aussi que l'on ne peut pas appeler les ouvriers à se battre pour la liberté politique sans s'intéresser à leur misère ou à leur précarité de vie de chaque jour. Cela avait été le raisonnement de Babeuf, mais déjà, avant lui, celui de certains montagnards. Dans les sociétés militantes des années 1830 (des Droits de l'homme, des Amis du peuple, etc.), on s'avise alors de la portée sociale de la Déclaration des droits de 1793, de la composante démocratique et humanitaire qu'elle ajoutait à celle de 1789, et l'on découvre un Robespierre qui n'est plus seulement l'homme de la Terreur et de l'Être suprême, mais aussi quelque chose comme un socialiste avant la lettre. Ce qui lui vaudra le respect d'hommes aussi différents que Blanqui ou Louis Blanc, et qui ouvrira à sa mémoire une nouvelle carrière.

Et ce n'est pas seulement affaire d'idéologues. L'historien américain W. Sewell a récemment suggéré que 1830 pouvait bien avoir été une étape décisive de la prise de conscience de la classe ouvrière. La solidarité et la camaraderie de groupe avaient depuis longtemps dépassé le stade de l'atelier pour celui du métier, et même des solidarités de métier de ville à ville, par le compagnonnage. Mais il restait à voir que les métiers eux-mêmes étaient les parties d'un même ensemble. Or l'exaltation, au lendemain des Trois Glorieuses, du peuple de Paris, peuple de travailleurs manuels, de pauvres et de combattants, pourrait avoir fourni ce déclic : ce « peuple », après tout, c'est nous, monde du travail, c'est *la* classe ouvrière.

Quoi qu'il en soit, il est notoire que, sous la monarchie de Juillet, le mouvement ouvrier existe, fût-ce avec, déjà, des contradictions internes. Pour un Blanqui, en effet, la justice sociale s'établira lorsqu'un nouveau Comité de salut public, un gouvernement révolutionnaire, aura conquis le pouvoir. A cet égard, le communisme de Blanqui peut paraître alors comme un républicanisme avancé, un néo-jacobinisme. Mais d'autres, inspirés par les utopistes (Saint-Simon, Fourier, Cabet, Pierre Leroux,...), se sont convaincus que le problème majeur est celui de l'organisation du travail par l'association (réseau de coopératives, où l'on échapperait aux méfaits du profit et de la concurrence), et que celle-ci pourrait être tentée sans plus attendre, fût-ce en tournant le dos à la lutte politique, à ses violences et à ses déceptions. De fins observateurs du temps, comme Émile Ollivier, notaient alors que, dans le mouvement démocratique des années 1840, « jacobins » et « socialistes » étaient virtuellement opposés, les premiers étant politiques, les seconds utopistes, les premiers étant violents, les seconds pacifiques – intuition exacte, *grosso modo.*

1848 : « la Révolution moins la Terreur »

L'une des composantes de l'esprit de 1848, y compris de la culture *ouvrière* de 1848, est bien cet humanitarisme, que nous appellerions « non-violence », et que les gens de ce temps appelaient de préférence fraternité, ou même religion.

On comprend alors que le problème de « la Révolution moins la Terreur » ait été posé avec clarté en 1848.

Comparons : en décembre 1830, les pairs orléanistes avaient déjà pris soin de sauver la tête des ministres de Charles X en les condamnant seulement à la prison perpétuelle. Mais sous leurs fenêtres, le peuple parisien indigné réclamait la mort et conspuait le jugement.

En 1848, climat changé ! La République de Février 1848 refait la Révolution en abolissant la monarchie, en donnant le droit de vote à tout le peuple masculin, en supprimant l'esclavage aux colonies, mais elle la désavoue, ou la corrige, en supprimant la peine de mort en matière politique, et en annonçant aux peuples d'Europe une politique de paix.

Restait à savoir comment la fraternité revendiquée affronterait les épreuves conjuguées de la contre-offensive des conservateurs et de la lutte des classes en plein drame économique. On sait que la confrontation fut cruelle.

Maurice Agulhon

« 89 » dans les almanachs parisiens en 1849-1851

La Déclaration des droits de l'homme et du citoyen a connu un immense retentissement au cours du XIXe siècle où la politique n'est pensée qu'à travers l'histoire de la Révolution française. Les principes de 1789 sont véhiculés dans les almanachs républicains, petits livres de propagande publiés à Paris entre 1849 et 1851. Pendant les années quarante, plusieurs intellectuels, journalistes, leaders et porte-parole républicains des classes laborieuses partagent l'opinion que la Déclaration de 1789 avait suscité des espérances qu'elle n'avait pu concrétiser à l'époque. Bien que le parti républicain demeure profondément divisé sur le plan idéologique, la répression politique des années 1849-1851 oblige la plupart des républicains à s'unir sous la bannière de la démocratie sociale. Le suffrage universel ayant été acquis en février 1848, cette union vise aussi à mobiliser la population en vue des élections présidentielles et législatives de 1852.

« La République démocratique est nécessairement sociale »

Armand Cuvillier soulève l'hypothèse que les républicains ne veulent pas « faire autre chose que ce qu'ont fait les grands ancêtres de la Révolution de 1789, mais [...] continuer, [...] prolonger leur œuvre, [...] appliquer au domaine social ce qu'ils ont fait sur le plan purement politique ». Si les auteurs des almanachs désirent remémorer les principes de 1789, le contexte historique les amène nécessairement à dépasser ces idées lointaines. Toute la stratégie politique à laquelle se rallient les diverses factions républicaines est résumée dans un discours prononcé à l'Assemblée nationale par Félix Pyat à l'automne 1848 : « Entre tous les vrais républicains, il n'y a pas de distinction possible [...], la république démocratique est nécessairement sociale [...], car elle a pour mission la solution pacifique et fraternelle du problème social que nos pères ont posé en 1789 ; elle est appelée à résoudre le problème de la misère et à donner une réponse définitive à la question de la faim » *(1849. Almanach républicain).* Les républicains considèrent donc la question sociale de leur programme politique comme le prolongement et l'application pratique des principes juridiques et théoriques de 1789.

Le socialisme est l'élément fondamental de la solution politique et sociale que propose le parti républicain. A la fin de l'été 1849, exception faite d'un petit groupe de modérés joignant le parti de l'Ordre, tous les républicains se disent socialistes. Dans l'*Almanach démocratique et social (1849),* Gustave Mathieu écrit qu'il faut s'« engager sûrement dans les routes du socialisme » et dans *1851. La République du peuple. Almanach démocratique,* Alexandre Rey souligne qu'« un mot nouveau est apparu dans le langage politique, ce mot est socialisme. Tout le parti démocratique l'a adopté ». Mais « les socialistes ne sont pas si novateurs qu'on croit : ils continuent l'œuvre de leurs pères ; ils ne veulent pas *faire une révolution,* mais bien plutôt accomplir *la Révolution* » *(L'Almanach du peuple, 1850).* Dans l'*Almanach populaire de la France (1850),* Émile Littré ajoute : « Le socialisme, au contraire, est le descendant, le prolongement de cette même révolution » [1789] ; et Louis Blanc dans l'*Almanach républicain, 1849 : « Le socialisme a la toute-puissance d'une loi historique. »* Selon

Martin Nadaud, il s'agit d'achever « la fameuse révolution de 1789 qui [...] proclam[ait] l'égalité politique de tous les hommes [car] quoique tous les hommes soient égaux en droit, ils ne le sont pas encore en fait » *(1850. Almanach républicain démocratique).*

Si les républicains veulent compléter l'œuvre de 1789, les moyens qu'ils suggèrent pour instaurer l'égalité sociale relèvent d'un dépassement complet par rapport à la pensée bourgeoise de la Déclaration, dont les lacunes « témoignent de son caractère historique » (G. Lefebvre). Véritable slogan républicain, l'organisation du travail par l'association et le droit au travail est le principal moyen de résoudre la misère du peuple. Charles Brunier écrit dans *1852. Almanach phalanstérien :* « Soixante années d'expériences politiques, soixante années de travaux intellectuels, les innombrables conquêtes de l'industrie [...] nous ont faits assez forts pour inaugurer enfin le régime du travail associé. » Idée neuve, le principe d'organisation du travail n'était pas inscrit dans la Déclaration de 1789.

« Si en 1789 nos pères s'étaient arrêtés... »

Sur le plan des libertés publiques, les émeutes de juin 1848 et 1849 et les succès électoraux toujours croissants des démocrates socialistes parisiens entraînent une répression de plus en plus vigilante contre les libertés individuelles. De nombreux leaders et militants républicains sont emprisonnés ou condamnés à l'exil. Pour empêcher la démobilisation des troupes, le parti rattache ses doléances aux difficultés qu'ont connues ses ancêtres de 1789 : « Nous savons tous qu'un système d'intimidation et d'espionnage pèse sur vous, mais, permettez-moi de vous le dire, si, en 1789, nos pères s'étaient arrêtés devant les énormes obstacles que les classes privilégiées élevaient contre le mouvement des réformes, ils n'auraient pas obtenu [...] toutes ces mesures révolutionnaires qui ont fondé le droit et la liberté » (*1852. Almanach populaire de la France.* A. Esquiros). La répression policière s'attaque aussi à la presse républicaine, bafouant l'article 11 de la Déclaration. Les républicains s'appuient encore sur leurs devanciers : ainsi Félix Pyat écrit-il dans *1849. Almanach républicain :* « La liberté, c'est le premier des droits [...] elle est l'aînée de la révolution, car la liberté c'est le droit d'être, le droit de vivre, et qui dit vivre dit penser. » Tout compte fait, dans le domaine judiciaire et de la presse, les républicains ne revendiquent que les droits prévus par la Déclaration. Quant à la liberté individuelle de la propriété, s'ils apprécient que la « grande révolution française en 1789 [... ait] fait d'abord de la propriété un droit commun, accessible à tous » (Lamartine dans *1851. Almanach de la République française*), ils pensent toutefois que le socialisme doit davantage la multiplier au sein du peuple (Lamennais. *1849. Almanach démocratique et social*). Cette idée implique une mise en pratique réelle du droit de propriété dans un système totalement inconnu et impensable pour les législateurs de 1789.

« Le suffrage universel rend la violence impie » (Martin Laulérie)

Entre 1849 et 1851, le suffrage universel devient l'arme des républicains pour qui une société s'édifiant sur les principes de 1789 doit agir dans la légalité, selon l'article 3 de la Déclaration portant sur la souveraineté nationale. Ils répètent à l'unisson qu'« une nation, en possession du suffrage universel, n'a plus besoin de recourir aux armes pour l'exercice entier de ses droits » *(1850. Almanach populaire de la France).* Soixante longues années de luttes leur fournissent enfin « la liberté politique pour fonder l'ordre nouveau » (*1852. Almanach phalans-*

térien. Ch. Brunier). Ce légalisme les rapproche en vue des élections de 1852 : « Le vote, le vote, tout est là, notre union fera notre force. » S'ils se reconnaissent une étroite filiation avec les principes de 1789, ils s'en démarquent toutefois par la place essentielle qu'ils donnent à l'instruction du peuple, ce que ces principes ne faisaient pas. Or, elle constitue à leurs yeux le moyen idéal pour que « les majorités électorales comprennent bien l'importance de leurs votes » *(1850. Almanach de l'égalité).* En outre, pour Victor Considérant, « l'instruction du peuple se fait au profit du socialisme » *(1852. Almanach phalanstérien).* Cette stratégie, non seulement dépasse la conception théorique de la souveraineté nationale de la Déclaration, mais elle vise à organiser une société nouvelle tout à fait inconcevable en 1789.

L'utilisation des idées de 1789 dans les almanachs républicains des années 1849-1851 prouve l'existence d'une tradition révolutionnaire « quatre-vingt-neuviste » au sein du parti républicain. Cette période est d'ailleurs unique en son genre car elle correspond à des années où les républicains doivent s'unir s'ils veulent gagner les élections prévues pour le printemps 1852. Le coup d'État de Louis-Napoléon Bonaparte au soir du 2 décembre 1851 empêchera finalement ces élections tant attendues par un parti uni pour la première fois depuis les débuts de la Révolution française. Puisque « les tribuns [...] entraînent sans le vouloir les masses à se grouper autour des faits historiques » *(1852. Le peuple-Almanach),* l'union républicaine exigeait une certaine cohésion face aux origines révolutionnaires. De sorte que les querelles idéologiques diminuent, les discours changent et les références à la tradition révolutionnaire sont moins polémiques. Dans l'ensemble, 1789 devient le point de repère principal pour toutes les tendances. Cette trêve entre les forces républicaines met en évidence la fonction unificatrice de la tradition révolutionnaire « quatre-vingt-neuviste » qui transcende dans cette lutte décisive les différends politiques. Au dire de François Furet, seule la IIIe République témoignera « d'une solidarité d'hommage à une origine commune ». Or, les années 1849-1851 présentent déjà une « solidarité d'hommage » à la Déclaration de 1789 que les républicains considèrent comme le point de départ du passage d'une société politique typiquement bourgeoise à une société démocratique et sociale beaucoup plus près du peuple *(1850. Almanach républicain démocratique).* Les contemporains sont bien conscients que les changements se font dans la continuité avant d'en arriver à la société nouvelle. Émile Littré, dans *La République du peuple, Almanach démocratique,* écrit : « Depuis 1789, à chaque crise révolutionnaire, l'idée révolutionnaire est entrée plus avant dans les croyances, dans les mœurs, dans les volontés du pays ; à chaque crise, elle apparaît plus vivante, plus agissante, plus puissante [...]. Voilà, depuis l'ère nouvelle, depuis 1789, notre bilan [...], le passé est l'histoire de l'avenir. L'idée révolutionnaire chemine incessamment. Elle procède par voie de conversion et de prosélytisme et le nombre de ses adeptes s'accroît partout et toujours [...]. Chaque génération arrive plus révolutionnaire que son aînée. »

Ronald Gosselin

Un historien de la « longue durée » : Tocqueville

Publié en 1856, *L'Ancien Régime et la Révolution* devait être le premier volume d'une œuvre plus vaste, consacrée à l'histoire de la société française de la fin de l'Ancien Régime à la chute de l'Empire. La mort de Tocqueville, en 1859, l'a empêché de mener à bien son projet, mais, entre-temps, le succès de son livre, comparable à celui de *De la démocratie en Amérique,* lui garantissait déjà un avenir glorieux et une postérité nombreuse.

Pour les historiens d'aujourd'hui, l'intérêt premier du livre de Tocqueville réside dans la mise au jour de la *continuité* paradoxale entre la France de l'Ancien Régime et la société nouvelle que l'on croyait issue de la Révolution. C'est pourquoi, si l'œuvre de Tocqueville est une référence familière de la pensée libérale (elle s'insère dans une longue tradition de dénonciation du caractère « absolutiste » de la tradition politique française), elle est également admirée, de façon plus surprenante, par certains historiens « jacobins » ou « marxistes » de la Révolution (de Lefebvre à Soboul), dans la mesure où elle met au jour le caractère à la fois *nécessaire* et *légitime* de la Révolution, considérée comme un simple moment de l'évolution sociale. Pour les contemporains de Tocqueville, *L'Ancien Régime et la Révolution* est avant tout une œuvre politique, dont le sens est lié à la situation de la France d'alors (soumise au régime « despotique » du second Empire) ; le paradoxe de Tocqueville, c'est que, s'il fait preuve d'un ardent amour de la« liberté », aussi éloigné du « césarisme » moderne que de la rhétorique contre-révolutionnaire, il semble souvent manquer de sympathie et même de considération pour la Révolution, dont l'objet réel n'était pas pour lui la liberté politique mais la centralisation, et dont les résultats auraient sans doute pu être atteints sans elle (*L'Ancien Régime et la Révolution,* t. I, liv. I, chap. v, p. 95-96). Pour Tocqueville lui-même, les préoccupations politiques ne peuvent être séparées du projet, affirmé dès la *Démocratie...,* de fonder « une science politique nouvelle » adaptée à un « monde nouveau », et l'interrogation sur la Révolution française constitue depuis toujours un des thèmes centraux de sa réflexion, ne serait-ce qu'à travers l'opposition entre l'esprit démocratique américain et l'esprit révolutionnaire français : pour comprendre *L'Ancien Régime et la Révolution,* il faut donc partir du problème des rapports entre la liberté et la démocratie, avant d'analyser ce qui fait l'originalité de Tocqueville parmi les *historiens* de la Révolution.

La liberté en Révolution

On trouve dans *L'Ancien Régime...* un contraste frappant entre deux types d'analyses. D'un côté, la Révolution y apparaît comme un fait exceptionnel par sa vigueur, sa radicalité et sa prétention quasi « religieuse » à l'universalité (*L'Ancien Régime..., op. cit.,* p. 87-90) ; d'un autre côté, si on la comprend du point de vue de la longue durée, elle ne fait qu'achever un développement qui, même sans elle, serait parvenu à son terme : « Ce que la Révolution a été moins que toute autre chose, c'est un événement fortuit. Elle a pris, il est vrai, le monde à l'improviste, et cependant elle n'était que le complément du plus long travail, la terminaison soudaine et violente d'une œuvre à laquelle dix générations ont travaillé. Si elle n'eût pas eu lieu, le vieil édifice social n'en serait pas moins tombé partout, ici plus tôt, là plus tard ; seulement, il aurait continué à tomber pièce à pièce au lieu de s'effondrer tout à coup. La Révolution a achevé soudainement, par un effort convulsif et douloureux, sans transition, sans précaution, sans égards, ce qui se serait achevé peu à peu de soi-même à la longue. Telle fut son œuvre » (*L'Ancien Régime...*, *op. cit.*, I, p. 96).

Tocqueville est ici fidèle à l'orientation commune à la plupart de ses contemporains : elle repose en fait sur une *philosophie de l'histoire,* à la fois déterministe et providentialiste, qui enveloppe elle-même une certaine *justification* des *résultats* de la Révolution, en même temps qu'une critique des illusions activistes des révolutionnaires. Or, on trouve déjà la même conception de l'histoire dans l'*Introduction* de la *Démocratie* (« Le développement graduel de l'égalité des conditions est un fait providentiel ») ; de ce fait, les deux livres proposent une même analyse des rapports entre la monarchie et la Révolution, qui reprend d'ailleurs un thème classique dans l'historiographie libérale : la ruine des privilèges et les progrès de l'égalité ont été en France le résultat de l'action de la monarchie, qui n'a pu établir son pouvoir absolu que sur les ruines de l'aristocratie.

De là, entre 1835 et 1856, une certaine continuité dans la réflexion de Tocqueville.

Dans *De la démocratie en Amérique,* l'analyse historique est avant tout le corrélat logique du principe de la souveraineté populaire. Pour Tocqueville en effet, la « démocratie » n'est pas seulement un fait social ; malgré tout ce qui le sépare de ses contemporains républicains ou radicaux, elle est aussi pour lui, d'une certaine façon, la « vérité » de la politique, et son avènement traduit la conscience que prennent les hommes de leur liberté (cf. *De la démocratie en Amérique,* I, p. 54) ; la différence essentielle entre la France et l'Amérique vient donc de ce que, pour la première, l'égalité apparaît comme le résultat d'une révolution, alors que pour la seconde, elle est pour ainsi dire naturelle, donnée d'emblée avec l'« égalité des conditions » qui régnait chez les immigrants. Le problème central de la politique française est alors de dépasser les formes primitives du sentiment démocratique pour que l'égalité des conditions puisse jouer son rôle civilisateur, en purifiant la démocratie de l'« esprit révolutionnaire ».

Dans *L'Ancien Régime et la Révolution,* l'accent porte moins sur les déchirements et les passions provoqués par la Révolution que sur sa dépendance secrète à l'égard de l'absolutisme : plutôt que de fonder la liberté, la Révolution française a continué l'œuvre centralisatrice et niveleuse de la monarchie, qui constitue en fait un obstacle à la liberté.

Ces deux analyses ne sont pas contradictoires mais complémentaires, car elles se rattachent toutes deux à une des idées centrales de la *Démocratie...* : le destin de la Révolution française montre la complexité des relations entre les deux principes modernes, l'« égalité » et la « liberté ». D'un côté en effet, l'« égalité donne naturellement aux hommes le goût des institutions libres » et, plus profondément encore, la parfaite égalité (où nul ne peut dominer autrui) ne peut se concevoir sans liberté ; d'un autre côté, en revanche, le goût de l'égalité produit des passions plus communes et plus violentes que l'amour de la liberté. Or, ce qui caractérise l'histoire européenne, c'est que l'aspiration à la liberté y est tardive, et qu'elle est une conséquence de l'égalisation des conditions accomplie par les monarchies absolues : le risque de préférer l'égalité à la liberté est donc ici aggravé par l'absence d'une vraie tradition de liberté politique.

S'il en restait là, Tocqueville ne ferait que formuler de la manière la plus élégante une interprétation libérale assez classique des rapports entre les trois grandes révolutions occidentales : en Amérique, la société est d'emblée pleinement démocratique, radicalement égalitaire, mais sans turbulences révolutionnaires superflues ; en Angleterre le développement de l'égalité n'est qu'une lointaine conséquence de la liberté politique, arrachée à la monarchie sans conflit majeur entre le peuple et l'aristocratie ; en France, la radicalité de l'esprit révolutionnaire dissimule l'absence d'une vraie culture libérale, et n'empêche pas la survie de l'esprit de l'absolutisme dans la Révolution. Ces thèses ne sont pas étrangères à Tocqueville, mais il leur confère cependant une signification nouvelle, qui tient à la fois à sa conception générale de l'histoire et de la démocratie, et à sa relation très complexe avec les principes modernes.

Démocratie moderne

Dans une note posthume de son ouvrage sur la Révolution, Tocqueville relève les équivoques qui pèsent sur le sens du terme « démocratie », pour exiger que l'on en donne une définition *politique* (par la participation au pouvoir) et non pas *sociale* (par l'égalité des conditions) : « [...] les mots *démocratie, monarchie, gouvernement démocratique* ne peuvent vouloir dire qu'une chose, selon le sens vrai des mots : un gouvernement où le peuple prend une part plus ou moins grande au gouvernement. Son sens est intimement lié à l'idée de la liberté politique. Donner l'épithète de gouvernement démocratique à un gouvernement où la liberté politique ne se trouve pas, c'est dire une absurdité palpable, suivant le sens naturel de ces mots » (*L'Ancien Régime...*, t. II, p. 198).

D'une certaine manière, comme le remarque François Furet dans *Penser la Révolution française,* Tocqueville dénonce en fait ici ce qu'il ne cesse lui-même de faire dans la *Démocratie en Amérique.* D'un autre côté, cependant, il approfondit aussi la problématique de son premier livre ; ce que montre clairement la continuité entre l'Ancien Régime et la Révolution produite par la centralisation, ce n'est rien d'autre, en effet, que la dissociation entre la dynamique de l'égalité et les conditions de la liberté politique. C'est là ce qui fixe les limites du « providentialisme » de Tocqueville : la substitution progressive de la « démocratie » ou de l'« égalité des conditions » à l'« aristocratie » est bien un fait universel et nécessaire, mais la survie de la liberté politique, quelles que soient les affinités de celle-ci avec la société « démocratique », constitue en dernière analyse un phénomène autonome, irréductible au développement de la civilisation ; à cette ouverture de l'histoire, correspond la dualité interne du concept de « démocratie », qui désigne à la fois le *régime social* vers lequel cheminent toutes les sociétés modernes, et la *forme politique* qui peut seule y préserver la liberté.

Reste à comprendre, cependant, pourquoi Tocqueville parle ici de « démocratie », et non pas seulement d'institutions libres. C'est là, semble-t-il, que l'on voit la nature réelle de son rapport à la Révolution. Dans son premier grand texte sur la Révolution, qui date de 1836 (*État social et politique de la France depuis 1789,* reproduit dans *L'Ancien Régime...,* I, p. 31-66), Tocqueville distingue deux types de liberté : à la liberté-privilège du monde aristocratique (qui, insuffisamment fondée, inspire néanmoins des passions fortes et durables) s'oppose, dit-il, « la notion moderne, la notion démocratique, et j'ose le dire, la notion juste de la liberté », d'après laquelle « chaque homme, étant présumé avoir reçu de la nature les lumières nécessaires pour se conduire, apporte en naissant un droit égal et imprescriptible à vivre indépendamment de ses semblables, en tout ce qui n'a rapport qu'à lui-même, et à régler comme il l'entend sa propre destinée » (*L'Ancien Régime..., op. cit.,* p. 62). Cette distinction trouve elle-même un écho dans la *Démocratie...,* avec l'analyse de la dialectique de la liberté et de l'égalité, qui n'est pas dénuée d'aspects rousseauistes : les principes démocratiques, et ceux de la Révolution française, sont donc légitimes parce qu'ils sont *vrais,* et la liberté

BIBLIOGRAPHIE

FURET F., *Penser la Révolution française,* Bibl. des histoires, Gallimard, Paris, 1978.

GAUCHET M., « Tocqueville, l'Amérique et nous », *Libre,* n° 7, Payot, Paris, 1980.

LAMBERTI J.-C., *Tocqueville et les deux démocraties,* coll. « Sociologies », PUF, Paris, 1983.

MANENT P., *Tocqueville et la nature de la démocratie,* coll. « Commentaire », Julliard, Paris, 1982.

aristocratique, au contraire, devient contradictoire si elle nie la possibilité d'universaliser la liberté, ce qui ne va pas sans un minimum d'égalité civile.

Dans un autre texte de la *Démocratie en Amérique,* Tocqueville développe néanmoins une analyse très différente ; il montre que, du fait même de la logique démocratique (désir de stabilité pour les situations acquises, repli sur les affaires privées, déclin du prestige nécessaire à l'exercice de fortes influences individuelles), « les grandes révolutions deviendront rares » dans le monde démocratique ; or, loin d'être une garantie de liberté, cette érosion de l'esprit révolutionnaire par l'esprit démocratique lui semble au contraire un danger pour la cité : le risque est que les hommes « aiment mieux suivre mollement le cours de leur destinée que de faire au besoin un soudain et énergique effort pour se redresser », « que l'homme s'épuise en petits mouvements solitaires et stériles, et que, tout en se remuant sans cesse, l'humanité n'avance plus » (*De la démocratie en Amérique, op. cit.,* II, p. 268). C'est là l'inspiration (« machiavélienne » si l'on veut) que l'on retrouvera dans l'hommage inattendu que *L'Ancien Régime...* (*op. cit.,* I, p. 247-248) rend à la Constituante – et qui surprenait tant Gobineau.

La dynamique révolutionnaire

Malgré certains déplacements, l'analyse de la Révolution repose donc chez Tocqueville sur un système de concepts rigoureux et constant, de la *Démocratie en Amérique* à *L'Ancien Régime et la Révolution.* Au point de départ de la pensée de Tocqueville, on trouve une réflexion sur le contraste entre l'Amérique et la France, qui laisse deviner que le « fait providentiel » de l'égalité des conditions conduit à une alternative entre deux types distincts de collectivités politiques. Cette alternative, cependant, ne se réduit pas à l'opposition entre la paisible démocratie américaine et la turbulence française, puisque, si la première est elle-même menacée d'un déclin du civisme, la seconde n'est pas dénuée d'une certaine grandeur. Ce n'est donc pas, ou pas seulement, dans l'esprit révolutionnaire que l'on doit chercher la raison de la réapparition du despotisme en France après la Révolution, mais plutôt dans la dialectique immanente de l'idéologie moderne, qui affirme l'autonomie de l'individu, mais qui, par sa recherche de l'unité, tend aussi à la détruire (voir sur ce point, dans la *Démocratie,* l'admirable analyse des tendances « panthéistes » dans le monde moderne ; *op. cit.,* II, p. 37-38).

C'est cet arrière-plan contextuel qui fait l'unité de *L'Ancien Régime et la Révolution.*

L'analyse, devenue classique, des difficultés insolubles de l'Ancien Régime, et de ce que celui-ci a transmis à la France révolutionnaire, développe avec profondeur les thèses de la *Démocratie...* sur la genèse de l'égalité des conditions, et présuppose aussi que, malgré les illusions des révolutionnaires, la Révolution a eu une certaine rationalité. D'un côté, la crise de l'« Ancien Régime » est celle d'un système social dont les principales institutions meurent parce qu'elles ont perdu leurs raisons d'être : les « privilèges » deviennent d'autant plus intolérables qu'ils ont cessé de correspondre à un pouvoir réel (*De la démocratie..., op. cit.,* I, p. 105-106) ; les tentatives de « libéralisation » de l'absolutisme, loin de le rendre plus supportable, minent sa légitimité. D'un autre côté, l'absolutisme français incarne une difficulté permanente des systèmes hiérarchiques centralisés, où la prétention à une domination intégrale se paye par une impuissance généralisée (*De la démocratie..., op. cit.,* I, p. 130-138).

D'où vient dans ces conditions la *radicalité* de la Révolution française, qui en fait autre chose qu'une simple réponse à la crise de l'Ancien Régime ? Tocqueville l'explique en partie par l'échec des réformes tentées par la monarchie, mais il insiste surtout, dès *L'Ancien Régime et la Révolution,* sur les particularités de l'*idéologie* française, dont l'« abstraction » traduit la position particulière de la classe intellectuelle (*op. cit.,* I, p. 193-201) ; dans ses manuscrits posthumes, il revient avec insistance sur ce problème, en montrant comment, dès les premières années de la Révolution, la pensée des modérés et des « aristocrates » est dominée par les catégories révolutionnaires – la Nation, l'Égalité, la Régénération, etc. – (*L'Ancien Régime...,* II, p. 139-170), et en esquissant (à propos de Thermidor) une analyse de la dégradation progressive de l'idéologie révolutionnaire en rhétorique (*L'Ancien Régime...,* II, p. 276-279).

Tocqueville a perçu mieux que tout autre les paradoxes de l'expérience révolutionnaire française, dont le radicalisme est secrètement lié à la tradition de l'Ancien Régime, et dont la dynamique incarne de façon tragique les antinomies de la politique démocratique ; il est à la fois un historien de la « longue durée » et un philosophe de la démocratie moderne : c'est cette dualité d'intérêts qui explique la division de sa postérité.

Philippe Raynaud

Taine, l'incompris

Une tradition tenace fait remonter à Hippolyte Taine (1828-1893) tout ce qui, dans l'historiographie moderne, pense contre la Révolution ; et il est vrai que de Drumont au *Figaro Magazine,* les disciples ne se font guère prier pour reconnaître leur filiation et compromettre encore davantage leur « maître » avec la réaction politique. On ne saurait imaginer plus grand malentendu : toute sa vie, où il eut effectivement à se plaindre de tous les régimes, Taine s'est échiné à expliquer qu'il ne fallait surtout pas confondre la question politique avec celle de la « meilleure constitution », mirage où il voyait avec tristesse tant d'énergie se consumer en vain. Et il n'est que de considérer sa vie pour reconnaître qu'il n'a jamais fait de compromis sur ce point.

En 1849, jeune normalien, il refuse d'aller voter, ne se jugeant pas assez informé. En 1851, il voit avec horreur réussir le coup d'État, et écrit à sa sœur : « Les choses vont au rétablissement de l'Inquisition, et bientôt on ne pourra plus ni écrire, ni penser en France. » Le régime de Napoléon III supprime l'agrégation de philosophie à laquelle il allait se présenter ; la faculté des lettres de Poitiers refuse ses thèses, qui sentent le soufre du « matérialisme athée ». Et pourtant, Taine, tracassé par le recteur et les parents d'élèves (il a parlé de Danton en classe), n'hésite pas à prêter le serment obligatoire à l'empereur, puisqu'il se souvient, au bon moment, de Stendhal qui disait : « Sous un gouverment absolu, la première condition pour réussir est de n'avoir ni enthousiasme, ni esprit. » Mais aussi parce que la résistance populaire au coup de force – professeur à Nevers, il assiste à l'insurrection de Clamecy le 4 décembre 1851 – lui apparaît pire que le coup lui-même. Sa haine et sa peur de la foule, déjà latentes chez ce grand angoissé, vont définitivement se cristalliser alors.

Un Aristote moderne

Riche héritier, il s'avise qu'il n'est nullement contraint de subir l'arbitraire et l'injustice des autorités universitaires et des notables cléricaux. Il démissionne donc pour se livrer à sa véritable vocation : celle d'un Aristote moderne, reconstruisant la science de l'homme, mutilée par le spiritualisme dominant, à partir de l'observation expérimentale, et à partir de cette base solide, « passer de l'accidentel au nécessaire, du relatif à l'absolu, de l'apparence à la vérité ».

Le modèle de toute science humaine future est pour Taine la physiologie qui a toujours passionné ce « littéraire » ; il y a une anatomie dans l'histoire humaine comme dans l'histoire naturelle : voilà le postulat de base. Le projet portera d'abord sur l'explication scientifique de ce qui, pour les irrationalistes, y échappe plus que tout autre fait de civilisation : la littérature, l'art. Aussi les grands sujets de Taine, très anglophile – comme son maître François Guizot –, seront l'*Histoire de la littérature anglaise* et la *Philosophie de l'art.*

Dès 1857 il s'était fait connaître par ses *Philosophes du XIXe siècle* où il analysait la métaphysique d'État et les mécanismes de l'imposture intellectuelle en France, et où s'annonçaient bien des thèmes majeurs des *Origines.* La cible de Taine est – et restera – le « classicisme », cette idole de tous les partis et de toutes les familles de pensée.

Vivant de ses rentes, Taine l'*outsider* subit la tentation du retrait hautain comme du dandysme. Les événements vont en décider autrement. L'année terrible 1870-1871 n'est plus propice au « culte du moi » mais plutôt à la pathologie politique *in vivo.*

Crime et châtiment

La visée de Taine est en effet essentiellement pratique : il s'agit de comprendre les causes de la défaite, pour former de nouvelles élites. La réforme intellectuelle et morale proposée par Renan s'adresse aux corps constitués et prêche l'union de toutes les aristocraties. L'auteur des *Origines* voit des corps à constituer, et ne ménage pas ses critiques aux procédures d'héritage et de sélection existant dans la société française ; car, enfin, c'est un curieux « défenseur » de l'Ancien Régime que l'homme qui écrit, en conclusion d'une analyse fouillée de la « structure de la société » à la veille de 1789 : « Bref le centre du gouvernement est le centre du mal ; toutes les injustices et toutes les misères en partent comme d'un foyer engorgé et douloureux ; c'est ici que l'abcès public a sa pointe, et c'est là qu'il crèvera. » Et plus loin : « Tandis qu'en Allemagne et en Angleterre, le régime féodal conservé ou transformé compose encore une société vivante, en France son cadre mécanique n'enserre qu'une poussière d'hommes. On y trouve encore l'ordre matériel, on ne trouve plus l'ordre moral. Une lente et profonde révolution a détruit la hiérarchie intime, ses hiérarchies acceptées et des déférences volontaires... Comment trouverait-on cette persuasion dans une armée dont l'état-major, pour toute occupation, dîne en ville, étale ses épaulettes et touche double solde. » La conclusion tombe : « Déjà, avant l'écroulement final, la France est dissoute, et elle est dissoute parce que les privilégiés ont oublié leur caractère d'hommes publics. » On le voit, Taine, n'a aucune complaisance pour la France monarchique et féodale qu'idolâtreront ses futurs « disciples ».

Ce n'est pas non plus vraiment un adepte de la thèse réputée « libérale » et désidéologisée de la Révolution-accident. Il voyait un enchaînement nécessaire entre Ancien Régime et Révolution, l'un engendrant l'autre comme sa punition. *Les Origines de la France contemporaine* auraient pu d'ailleurs s'intituler aussi bien « Crime et châtiment ». Le rapport avec Edgar Quinet est ici très probable, même si les conclusions divergent entre les deux grands penseurs. Une source capitale pour l'un et l'autre est Alexis de Tocqueville, grâce à qui aucun esprit sérieux ne peut plus ignorer la continuité profonde, pour le meilleur et pour le pire, de l'histoire française aux XVIIIe et XIXe siècles.

Mais alors que nos modernes concluent de *L'Ancien Régime et la Révolution* qu'il eût été possible de faire « l'économie » de la Révolution – au moins de ce qui a suivi le 23 juin 1789 –, Taine est sensible à toutes les bombes à retardement qu'une enquête sérieuse, largement amorcée par l'auteur de *La Démocratie en Amérique,* permet de déceler dans les flancs de cet édifice si aisément « réformable ». Car Taine, qui conviendrait, avec Edmund Burke, qu'un abus apparent peut cacher une sagesse inaperçue, et qui d'ailleurs admire pour cela la société anglaise et ses institutions, ne voit nulle sagesse immanente dans le privilège tel qu'il fonctionne en France à la veille de 1789. Tout tient en effet dans la conception qu'il a des élites, une fois récusée l'égalité comme « utopie ». Le service se paie en inégalité consentie. C'est ainsi que les choses se passent en Angleterre. Les « privilégiés » y sont éduqués dans la conscience de leurs devoirs.

Aussi Taine s'efforce-t-il, au moment même où il esquisse ses *Origines,* de créer avec François Guizot, Émile Boutmy et un certain nombre d'autres libéraux anglophiles une « École des sciences politiques » qui soit à notre pays ce que les grands collèges sont à la Grande-Bretagne. Les *Origines* sont donc conçues comme le manuel par excellence du futur homme d'État, du futur administrateur d'une France sortie de ses délires.

Ni « supra » ni « infra-histoire »

« Ancien Régime, Révolution, régime nouveau, je vais tâcher de décrire ces trois états avec exactitude. J'ose déclarer ici que je n'ai pas d'autre but ; on permettra à un historien d'agir en naturaliste ; j'étais devant mon sujet comme devant la métamorphose d'un insecte. D'ailleurs l'événement en lui-même est si intéressant, qu'il vaut la peine d'être observé pour lui seul, et l'on n'a pas besoin d'effort pour exclure les arrière-pensées. » L'enchaînement implacable des événements conduit évidemment leur observateur « scientifique » à en rechercher le moteur, « les forces intimes qui conduisent l'étonnante opération ».

« Ces forces seront-elles la race, le milieu, le moment », comme savent le décliner ceux qui n'ont pas lu Taine ? Pas exactement, parce que le « naturalisme » de l'histoire privilégie maintenant la subjectivité des acteurs sociaux sur les déterminismes objectifs qu'il a longtemps mis au cœur de sa méthode, pour comprendre la littérature anglaise, la peinture hollandaise, l'intelligence humaine... Mais cette subjectivité n'est pas celle du sujet « libre » et désincarné des spiritualistes. Pour reprendre des catégories connues, l'historiographie tainienne ne sera, pour expliquer la Révolution, ni une « supra-histoire » providentialiste (Joseph de Maistre : la Révolution est voulue par Dieu pour réaliser un « plan » de refonte d'une civilisation malade) ni une « infra-histoire » en termes de causes souterraines (abbé Barruel : la Révolution est le produit d'un complot des francs-maçons et des « illuminés » qui remonte aux origines mêmes de la lutte éternelle entre le bien et le mal).

Il se fixe donc pour but « l'intelligence et par suite la réforme du vice essentiel de nos trois machines morales, Église, État, université ». Cette réforme ne peut être accomplie ni par la démocratie qui lâche le « gorille à face humaine » et menace la civilisation, ni par une aristocratie à la façon de l'Ancien Régime, qui ne fut qu'un « État-major en vacances pendant un siècle autour d'un général qui reçoit et qui tient salon ». Taine, qui rêvait d'une nouvelle Réforme (il se convertit d'ailleurs au protestantisme), a-t-il vraiment apprécié de devenir l'auteur de chevet des douairières et des vicaires de campagne ?

Comme Fustel de Coulanges et bien d'autres, incompris de la gauche qui n'a pas vu la radicalité de sa critique de la vieille intelligentsia, il a été habilement « récupéré » par une nouvelle droite – Paul Bourget, Maurice Barrès, Charles Maurras. Dans le domaine purement historiographique, Aulard a déclenché en 1907 une polémique remarquée en l'accusant d'avoir utilisé des sources insuffisantes et de les avoir surinterprétées. Augustin Cochin a répondu à ces critiques avec vigueur. Or, l'œuvre qui est née dans la foulée de ce plaidoyer, *La Révolution et les Sociétés de pensée,* éclaire toujours notre lanterne, même si elle est le patrimoine de la « réaction », car elle est une contribution décisive, dans la lignée de la méthode tainienne, sur la question des intellectuels et de l'organisation révolutionnaire. Mais qui lit Aulard aujourd'hui ? Où est la « science » ? Où est l'idéologie ?

Les signes du « retour » de Taine auquel nous assistons ? On peut dire de cet « isolé », de ce « marginal peu récupérable » (Pierre Nora), ce que lui-même disait de François Guizot : « Ni curieux, ni artiste... Peut-être. Mais il est politique et philosophe. On ne peut rien souhaiter de mieux. »

Daniel Lindenberg

Marx

La réflexion de Karl Marx sur la Révolution française a pris forme dans le contexte politique et idéologique allemand des années 1830. Elle s'insère plus précisément dans le courant de pensée de la gauche hégélienne. De jeunes philosophes radicaux ressentent, comme leurs aînés libéraux, de l'attrait pour les événements de la Révolution française, mais, dans le même temps, ils critiquent le caractère essentiellement politique de cette révolution au nom de l'émancipation universelle et sociale. A vrai dire, l'attitude, à l'égard de la Révolution française, de ces intellectuels contemporains de Marx est complexe : d'une part, il s'agit de rompre avec le modèle révolutionnaire français, considéré comme illusoire du fait d'une hypertrophie du politique, puisque ne concernant pas la vie intellectuelle et sociale de l'homme ; d'autre part, il importe que la « science de la liberté », ou « science de la politique », s'appuie sur l'expérience révolutionnaire française si elle veut se constituer en tant que telle (L. Calvié, 1979).

Le peuple en marche

En 1842, Marx connaît la Révolution française de manière très indirecte, essentiellement à travers ses discussions avec ses amis berlinois. Il s'enthousiasme pour « l'esprit politique » des Français, qui manifeste « le sentiment de dignité de la nouvelle vie ». Ainsi écrit-il, en 1843, à son ami Ruge que la Révolution française, en détruisant la monarchie fondée sur « l'homme déshumanisé », a « restauré l'homme » ; elle s'identifie au « régime de l'humanité libre ». Marx s'intéresse tout particulièrement au « sage législateur » qui, au sein de l'Assemblée nationale de 1789 en tout premier lieu, a libéré « l'esprit nouveau ». En formulant « les lois intimes des rapports spirituels », et en élevant l'homme à une possiblité réelle de droits, le législateur de la Révolution française a incarné « l'intelligence populaire », il n'est pas le simple représentant du peuple, il est la vérité de l'État politique, le peuple lui-même.

Marx approfondit son analyse du pouvoir législatif pendant la Révolution française dans la *Critique du droit politique hégélien* (1843). Nous pouvons résumer son approche à partir des deux énoncés suivants : « C'est le peuple (français) qui crée la Constitution », « Le pouvoir législatif a fait la Révolution (française) ». En détruisant les « états » de la monarchie absolue, la Révolution a permis la séparation de l'État politique abstrait et de la société civile-bourgeoise réelle. Il revient au pouvoir législatif d'avoir poussé la contradiction entre l'État politique et la société civile jusqu'à la rendre apparente, permettant ainsi l'émergence de la démocratie, de l'autodétermination du peuple à travers sa constitution. Marx ébauche, dans ce texte, sa définition ultérieure de la Révolution française en tant que « révolution à l'état permanent » dont nous trouvons une première formulation dans *Sur la question juive* : « Au moment où l'État prend particulièrement conscience de lui-même, la vie politique cherche à étouffer ses conditions primordiales, la société bourgeoise et ses éléments, pour s'ériger en vie générique véritable et absolue de l'homme. Mais elle ne peut atteindre ce but qu'en se mettant en contradiction violente avec ses propres conditions d'existence, en déclarant la révolution à l'état permanent. »

Entre-temps, Marx s'est familiarisé avec l'histoire de la Révolution française. Pendant son séjour à Kreuznach (été 1843), il lit les travaux les plus récents des historiens allemands sur la Révolution française et à Paris, où il réside pendant l'année 1844, des textes de la Révolution française, surtout des journaux d'époque. Il envisage d'écrire une *Histoire de la Convention.* Ce projet n'aboutira pas. Il n'en subsiste qu'une ébauche sous la forme de quelques pages, inspirées des *Mémoires* du conventionnel Levasseur de la Sarthe, sur la lutte entre les girondins et les montagnards (*Exzerpte und Notizen 1843 bis Januar 1845,* Mega, Vierte Abteilung, Band 2, Dietz Verlag Berlin, 1981, p. 289-298).

Une révolution incomplète

Tout au long de cette période parisienne, Marx élabore une critique de la politique des « émancipateurs politiques » de la Révolution française du point de vue de la révolution radicale, de l'émancipation humaine totale. La Révolution française est ainsi qualifiée de « révolution partielle, seulement politique qui laisse debout les piliers de la maison » *(Contribution à la critique de la philosophie du droit de Hegel).* Certes elle fut un « moment d'enthousiasme » où coïncidèrent la révolution d'un peuple et l'émancipation de la classe bourgeoise, « un moment où le sacrifice de tous les intérêts de la société bourgeoise est mis à l'ordre du jour (1793) » *(Sur la question juive).*

Mais elle incarne avant tout une forme d'intelligence politique qui pense dans les limites de la politique, incapable donc de découvrir la source des inégalités sociales. Pour Marx, la vision du monde des « émancipateurs politiques » procède d'une illusion d'optique : elle a inversé le but et le moyen, la société civile-bourgeoise et la vie politique. En mettant les droits politiques du citoyen à l'ordre du jour, les révolutionnaires ont voulu supprimer les manifestations vitales de la société bourgeoise, tout en proclamant les droits de l'homme égoïste. Voilà une tragique illusion qui fait la grandeur de la Révolution française. François Furet (1986) insiste à juste titre sur le fait que Marx « a construit une critique systématique de la Révolution française, selon laquelle celle-ci représente l'apogée de l'esprit politique, c'est-à-dire de l'illusion caractéristique du politique ».

Cependant l'expérience révolutionnaire demeure nécessaire dans l'élaboration d'une science de la politique. Marx s'appuie, à ce stade de sa réflexion, sur le constat de la traductibilité réciproque entre le langage jacobin, « langue de la politique et de la pensée intuitive », et la philosophie allemande. Il met en évidence, dans *La Sainte Famille*, les capacités réflexives de la langue politique des révolutionnaires. Il crédite tout particulièrement les jacobins d'avoir découvert « la loi selon laquelle un principe se réalise par sa négation », donnant par là même une dimension théorique à la contradiction explicite entre l'État politique et la société civile-bourgeoise. Au-delà de l'imaginaire idéologique de la Révolution française, révélé par l'étude de l'intelligence des « émancipateurs politiques », Marx désigne le réel de la politique révolutionnaire à partir de la portée réflexive de la langue politique des jacobins et de sa traductibilité dans la pensée philosophique allemande. Il peut ainsi énumérer la série des catégories explicatives de l'histoire de la Révolution française : « Mouvement populaire/mouvement révolutionnaire », « Terreur/révolution permanente », « Langue populaire/porte-parole ». La science de la politique, fondée par l'expérience révolutionnaire, commence par la caractérisation de cet ensemble de concepts explicatifs de la réalité conjoncturelle et de la valeur organique de la Révolution française (Jacques Guilhaumou, 1988).

Les révolutions dans l'histoire

Les années 1845 et 1846 marquent un tournant décisif dans l'évolution intellectuelle de Marx. Nous assistons à l'émergence des principes fondamentaux du matérialisme historique sur la base d'une critique de la philosophie spéculative post-hégélienne et du « socialisme vrai ». Dans *L'Idéologie allemande*, rédigée de concert avec Engels, Marx affirme : « Nous ne connaissons qu'une seule science, la science de l'histoire. » Désormais, il s'agit d'étudier le mouvement historique, l'évolution des rapports sociaux du point de vue de la lutte des classes. Une nouvelle enquête historique et théorique est ouverte. Elle a pour thème : « L'histoire de la naissance de l'État moderne ou la Révolution française. » C'est ainsi que Marx propose, entre 1845 et 1852, une conception cohérente de la Révolution française en tant que *révolution bourgeoise*. Cette conception est particulièrement mise en valeur dans les articles de la *Nouvelle Gazette rhénane* où Marx compare la Révolution française de 1789 et les révolutions allemande et française de 1848.

Tout d'abord Marx associe la Révolution française de 1789 et la Révolution anglaise de 1648 au sein de ce qu'il appelle « les révolutions de style européen ». Ces révolutions ont instauré la nouvelle société européenne, et concrétisé le triomphe du nouveau système social de la bourgeoisie, « classe qui se trouvait réellement à la tête du mouvement révolutionnaire ». On comprend pourquoi la Révolution française a été avant tout une « révolution bourgeoise » : elle « a aboli la propriété féodale au profit de la propriété bourgeoise » *(Le Manifeste communiste)*, elle a permis l'instauration de « l'ordre bourgeois », de la domination de la bourgeoisie, et de son corollaire « l'esclavage des ouvriers ».

Mais la bourgeoisie française n'a pu imposer sa domination qu'au terme d'une lutte de classes acharnée contre la noblesse, et avec l'appui des masses rurales et urbaines. Pour détruire la féodalité, il a fallu en particulier « créer une classe paysanne libre, possédante des terres », en associant à la révolution bourgeoise une « révolution paysanne ». Ainsi, l'attention de Marx se focalise-t-elle de nouveau sur la politique d'alliance de l'Assemblée nationale constituante en 1789. Cependant la bourgeoisie, poussée par le peuple, adopte, à travers ses représentants les plus avancés (les girondins, puis les montagnards), une attitude de plus en plus démocratique. Les années 1793 et 1794 constituent, selon Marx, le second moment fort de la Révolution française. Elles sont marquées en effet par « la victoire passagère du prolétariat » : « La Révolution (française) se développe ainsi sur une ligne ascendante » *(Le 18 Brumaire de Louis Bonaparte).*

La première originalité historique de la Révolution française n'est autre que la formation, en 1789, d'une « représentation de la classe bourgeoise souveraine », à travers une Assemblée nationale « essentiellement active », véritable « organe central du mouvement révolutionnaire ». Marx insiste tout particulièrement sur la fameuse nuit du 4 Août (« Il suffit d'un seul jour au peuple français pour avoir raison des charges féodales »).

En 1793, la lutte de classes prend un nouveau visage. L'opposition entre la bourgeoisie et le prolétariat est désormais visible. Seule la fraction la plus démocratique de la bourgeoisie continue à pratiquer une politique d'alliance avec le peuple. Mais le triomphe passager du « droit des masses populaires », grâce aux bourgeois révolutionnaires du Comité de salut public, n'est qu'un facteur de plus à mettre au profit de la révolution bourgeoise : « Toute la Terreur en France ne fut rien d'autre qu'une méthode plébéienne d'en finir avec les ennemis de la bourgeoisie, l'absolutisme, le féodalisme et l'esprit petit-bourgeois », elle « ne servit qu'à faire disparaître par enchantement sous ses terribles coups de marteau les ruines féodales du territoire français ». Enfin Marx définit le « terrorisme révolutionnaire » des années 1793 et 1794 comme « la mise en pratique d'un libéralisme énergique » et en énumérant les moyens déployés par la Terreur sur le terrain révolutionnaire : la levée en masse, la guerre populaire, la guillotine, etc.

Une histoire à répétition

A partir du concept de « révolution bourgeoise », Marx circonscrit le mouvement réel, selon lui, de la Révolution française. Mais il propose également une étude de l'imaginaire idéologique propre à cette révolution dans la continuité de ses analyses de jeunesse sur l'illusion politique des révolutionnaires. L'« illusion tragique » des jacobins de 1793, née de la confusion entre l'État antique et l'État représentatif moderne, se répercute dans l'attitude des héros, des partis et des masses de la Révolution française : ils accomplissent leur tâche historique, « l'éclosion et l'instauration de la société bourgeoise moderne », à l'aide de la phraséologie et du costume romains *(Le 18 Brumaire de Louis Bonaparte).* Marx s'interroge aussi sur les « illusions des républicains de la tradition de 1793 », attestées sur la scène politique française entre 1848 et 1851. Ces « pédants de la vieille tradition révolutionnaire de 1793 » prennent appui sur l'esprit de fraternité et le patriotisme des hommes de la première Révolution française pour camoufler sous « un vernis patriotique » la lutte entre le prolétariat et la bourgeoisie. Marx s'insurge contre la « superstition traditionnelle en 1793 » de la nouvelle Montagne, qui magnifie les phrases sans contenu et les poses démagogiques.

A ce propos, Marx remarque, à la suite de Hegel, que les événements révolutionnaires se répètent toujours deux fois : la première fois de manière tragique, la seconde fois sous les traits de la farce. Ainsi les révolutions de 1848 parodient-elles tantôt 1789, tantôt 1793. En 1851, Marx a écrit sur la Révolution française, en tant que révolution politique, l'essentiel de ce qu'il écrira à ce propos. Il résume, dans une lettre à Engels du 8 août 1851, sa vision définitive de la France en révolution dans les termes suivants : « La Révolution de 1789 a fait tomber l'Ancien Régime. Mais elle a omis de créer la nouvelle société ou de renouveler la société existante. Elle ne

BIBLIOGRAPHIE

BRUHAT J., « La Révolution française et la formation de la pensée de Marx », *Annales historiques de la Révolution française,* n° 184, 1966.

CALVIÉ L. *Les Intellectuels allemands, les réalités politiques allemandes et l'idée de Révolution (1789-1844),* thèse de doctorat d'État, université de Paris-III (1979), Lille (microfiches), 1984.

CORNU A., « Karl Marx et la Révolution française », *La Pensée,* n° 81, sept.-oct. 1966.

FURET F., *Marx et la Révolution française,* et textes de Marx présentés, réunis et traduits par Lucien CALVIÉ, Flammarion, Paris, 1986.

GUILHAUMOU J., « Le jeune Marx et le langage jacobin », *Reprises allemandes,* Ellug, 1988.

JAECK H.P., *Die französische bürgerliche Revolution von 1789 im Frühwerk von Karl Marx,* Akademie-Verlag, Berlin, 1979.

« Marx et la Révolution française », *Cahiers d'histoire de l'IRM,* n° 21, 1985.

songeait qu'à la politique au lieu de songer à l'économie politique. » Désormais, dans les quelques textes où il est explicitement question de la Révolution française, Marx porte son attention sur deux points : d'une part sur les lois antisociales des révolutionnaires, qui « ont dépouillé la classe ouvrière du droit d'association » (*Le Capital,* livre I) ; d'autre part sur le rôle accélérateur de la Révolution française dans le développement de la centralisation et de l'organisation du pouvoir d'État *(La Guerre civile en France, 1871).*

Mais la France en révolution continue à apparaître, dans une problématique des voies de transition du féodalisme au capitalisme, comme « la voie réellement révolutionnaire ». Elle symbolise le capitalisme démocratique, le libre développement de la petite exploitation et la transformation du producteur en commerçant et capitaliste.

Jacques Guilhaumou

Jaurès

Jean Jaurès occupe une place exceptionnelle dans toute tentative de commémorer la Révolution française, et ce à un double titre. Comme politique, il situe son projet, unanimiste mais intransigeant, dans son droit fil. Il annonce dans un contexte laïque qu'il vient non pour la révoquer, mais pour l'accomplir... Comme historien, il tient le pari risqué de faire l'histoire *socialiste,* et fonde du même élan, tactique et visionnaire, une lignée prestigieuse d'historiens-citoyens. Peut-être n'est-il pas superflu de rappeler pourtant que, étranger par sa formation à la politique et à l'histoire « professionnelles », il dut batailler pour s'y faire reconnaître. Devenu parlementaire parce que les chamailleries des caciques républicains du Tarn l'écœuraient, il se fait rapidement une réputation de franc-tireur et d'inclassable ; capable un jour de défendre Jules Ferry contre la meute bigarrée qui sonne l'hallali contre lui, il étonne par ses propositions, irrespectueuses des dogmes du « laisser-faire », en faveur des paysans pauvres ou des prolétaires de la mine. Renvoyé en 1889 à « ses chères études », parce que le mode de scrutin a changé, et qu'il favorise à nouveau les barons et les marquis qui « tiennent » le département, il s'y consacre en effet, ce qui est plutôt rare. Durant ce retour forcé à la vie professorale, Jaurès est maître de conférences à Toulouse. Sortiront les « thèses » qui sont aussi des œuvres de combat. *La Réalité du monde sensible* dirigée contre les modes intellectuelles du moment (« symbolisme », néo-christianisme) veut fonder une métaphysique du socialisme, parce que c'est là son talon d'Achille, et donc un obstacle à son expansion dans « la jeunesse pensante ». Mais il est un pays où un tel accord existe entre la vraie philosophie et un socialisme enraciné dans la plus authentique tradition nationale : l'Allemagne. Aussi la « thèse latine » du jeune impétrant n'a-t-elle rien de « secondaire » ; *Les Origines du socialisme allemand* sont un concentré de sa pensée, on y lit jusque dans leur outrance ses obsessions. Il y développe une admiration sans bornes pour la Réforme et Luther, prophète du socialisme à divers titres.

Si l'on substitue au mot « socialisme » celui de République, l'idée apparaît comme un emprunt à Michelet, un auteur que le philosophe occitan place très haut dans son panthéon personnel. L'auteur de l'*Histoire de France* pensait en effet que la Réforme luthérienne était le véritable antécédent, et un modèle, qui plus est, de la longue marche de l'humanité vers la lumière. Jaurès montre, à la suite de Luther théologien « démocrate », Frédéric II roi « socialiste » et, finalement, Hegel « plus proche de Bebel et de Liebknecht que de Bismarck », l'immanence du « socialisme critique révolutionnaire » à l'idéologie allemande.

La preuve par 89

Au collectivisme historiquement et scientifiquement fondé des Allemands, l'auteur des *Origines du socialisme allemand* – un titre qui sent son Taine – oppose d'ailleurs le *socialisme moral* des Français, qui n'est pas l'apanage d'un parti (à l'époque Jaurès est encore un républicain sans étiquette), mais un idéal qui découle des conditions mêmes dans lesquelles s'est forgée leur nation. Le socialisme est l'avenir de la République et... réciproquement. Dans un article publié en première page de *La Dépêche de Toulouse* (22 octobre 1890), Jaurès fait usage de la preuve par 89 : « Pour moi, écrit-il, je me sens plus près par la raison et par le cœur d'un républicain, si modéré soit-il, qui verra dans la République non seulement le fait mais le droit, que des prétendus socialistes qui ne se réclameraient pas de la République ou qui se tiendraient à l'écart du grand parti républicain. Notre but doit être, non pas de fonder des sectes socialistes en dehors de la majorité républicaine, mais d'amener le parti de la révolution à reconnaître hardiment et explicitement ce qu'il est, c'est-à-dire un parti socialiste. Avant peu il y sera contraint. » L'histoire n'a pas vérifié cet audacieux pronostic, pourtant celui qui le formule restera toujours fidèle à la philosophie de l'histoire qui le sous-tend. Il y a, à l'œuvre depuis que le procès d'hominisation a commencé, une idée de justice aussi « matériellement » agissante que les besoins physiologiques et les instincts prédateurs. En d'autres termes, Jaurès, marqué par la Bible comme par Platon, refuse le darwinisme élémentaire.

Dès l'École normale, le jeune admirateur de Gambetta l'a compris : entre la logique du droit et celle de la force, fût-elle force des « masses » populaires, il faut choisir. Mais il n'y a qu'une réalité, la réalité du « monde sensible ». Jaurès ne prêche donc pas une nouvelle version du spiritualisme ou du dualisme historique, mais un « idéo-réalisme ». Pour parvenir à penser en termes rationnels cette fusion intime de l'idéal et du réel, il aura recours au concept d'« idée directrice » emprunté à Claude Bernard, qui, dans le domaine des sciences de la vie, tente de dépasser la vieille querelle du mécanisme et du finalisme.

De deux choses l'une en effet : ou bien ce sont les « lois » qui président inexorablement aux rapports de production et de propriété qui permettent de prévoir l'avènement inéluctable du socialisme ; ou bien il y a un autre facteur, qui est l'assimilation par l'espèce humaine de nouvelles normes, à travers des mouvements d'idées qui deviennent de grands mouvements sociaux et politiques, et qui, loin de dépendre des évolutions économiques, en sont une des conditions. De telles idées, même dans une culture politique marxiste ou libérale, nous semblent aujourd'hui banales, mais à la fin du XIXe siècle, il était rare de récuser à la fois le matérialisme et le spiritualisme historique « purs ». Bien entendu, Jaurès étant avant tout un « philosophe », on peut rattacher tout cela à son « panthéisme », c'est-à-dire à son dessein bien arrêté de concevoir ce qui existe et arrive dans le monde comme des « modes » d'une Intelligence toujours à la recherche d'un plus de conscience, autrement dit de vérité, de beauté, de justice, etc. Aveuglement naïf au problème du mal ? Beaucoup, depuis Péguy, l'ont dit.

On a aussi remarqué que les formulations de *L'Armée nouvelle* marquent un certain affinement de la pensée de Jaurès, plus sensible à la sinuosité du processus historique (cet ouvrage capital est écrit à partir de 1907...).

Mais il n'aura pas varié sur la Révolution française, toujours tenue pour le moment par excellence où la raison dans l'histoire cesse de coïncider avec l'intervention des *élites.* Contre Taine, et en général tout le courant positiviste, il valorisera donc la bourgeoisie et l'esprit des Lumières.

Les amants de « la Sociale »

N'oublions pas enfin de quel contexte intellectuel est issue l'*Histoire socialiste* et à quel moment fatidique elle a été « lancée ». Nous sommes exactement le 10 février 1900. Quelques semaines avant, la République était menacée par un coup d'État militaire. La grâce du capitaine, suivant une deuxième condamnation, ne clôt pas vraiment l'affaire Dreyfus, mais libère les énergies pour d'autres tâches. Autour de l'École normale de la rue d'Ulm et du quartier Latin, on annonce la couleur : ce sera la « conspiration permanente des savants », l'alliance de la science et du peuple, que Renan avait fugitivement évoquée en 1869, et les populistes russes des années 1870 (après les saint-simoniens) tenté de mettre en pratique. Autour de Lucien Herr, de Charles Andler, de Charles Péguy, d'Eugène Fournière, fleurissent donc les projets encyclopédiques : socialisme d'éducation contre socialisme de catastrophe. Car tous les précités « roulent » pour Jaurès et son grand rêve unitaire : une seule grande organisation pour les amants de « la Sociale » !

Ces derniers sont très divisés par la question irritante, ravivée par l'Affaire : « Qu'est-ce que la république ? » D'aucuns répondent qu'elle n'est que le masque trompeur de l'exploitation capitaliste, sans toutefois oser vraiment aller contre le sentiment populaire instinctif qui veut qu'on descende dans la rue et qu'on vote pour ses candidats dès lors qu'elle est menacée.

Approche scientifique ou œuvre d'art ?

Jaurès et les siens, qui s'appuient sur ce sentiment, conçoivent l'*Histoire socialiste* comme sa mise en forme systématique. En cet hiver 1900, où tout semble possible, des affiches rouge sang-de-bœuf annoncent donc la parution par fascicules et en souscription d'une histoire socialiste chez l'éditeur Jules Rouff, spécialiste de la reproduction à bon marché des grandes figures démocratiques. Les rédacteurs appartiennent tous à la mouvance socialiste avec une forte tonalité « possibiliste » et universitaire. Jaurès ne devait primitivement analyser que la période 1789-1793, mais Jules Guesde, pressenti pour traiter la Convention, se récusera. L'*Histoire socialiste* s'adresse « aux ouvriers, aux paysans », mais il ne s'agit pas pour autant de vulgarisation. Jaurès va aux Archives et recevra pour cela le quitus du « pape » de l'histoire républicaine de la Révolution, Alphonse Aulard.

Toutefois la canonisation, la sacralisation à la fois académique et militante de l'*Histoire socialiste* ne peut masquer les particularités, voire les étrangetés et pour tout dire les limites importantes, de cet ouvrage génial. Ainsi, le plan, en principe chronologique, du récit historique, est-il perpétuellement entrecoupé de digressions philosophico-sociologiques. Ailleurs, c'est le journaliste militant qui perce sous l'universitaire entraîné aux vastes synthèses, et des pages, justement célèbres, consacrées aux grandes personnalités révolutionnaires, à Mirabeau, Condorcet, Danton, Robespierre, Hébert, Babeuf, ne sont compréhensibles que si l'on est à même de situer la position de Jaurès dans le champ républicain et socialiste de son temps, dans sa nécessité de lutter pour l'unité des sectes d'extrême gauche et pour la transformation de la « révolution dreyfusienne », en élargissant la démocratie républicaine. C'est ainsi également qu'un éloge de l'intransigeance démocratique de Robespierre va de pair avec la critique acerbe de sa ligne en matière de religion, et que son opposition de principe à l'exportation de la Révolution par les armes est louée, dans la mesure même où l'expansionnisme des jacobins en Europe est déploré parce qu'il fait le lit du despotisme futur de Bonaparte. Paradoxe que ne manquera pas de relever Aulard. « Scientifique [par sa base documentaire], l'*Histoire socialiste* [...] est aussi une œuvre d'art qui échappe tout autant que *Guerre et Paix* de Tolstoï à la critique purement académique. » Mais ce faisant, Jaurès annonce-t-il seulement Lefebvre, Mathiez et toute l'école néo-jacobine qui se réclamera (partiellement...) de lui, ou plutôt Lucien Fèbvre, Braudel et toute la prestigieuse lignée de nos historiens-artistes ? On ne se place pas en vain sous le patronage de Michelet.

Les deux conditions essentielles du socialisme

C'est que le projet d'une histoire « socialiste » de la Révolution française vient de loin : des origines mêmes du mouvement de ce nom, où deux tendances irréductibles se sont définies précisément par leur rapport à 1789 ou 1793. Pour les uns, dont Fourier et son école offrent de bons spécimens, la Révolution est le stade suprême d'un délire (la *Civilisation,* la « fausse industrie ») dont la découverte du « mouvement social » offre le contrepoison.

Le socialisme qui se construira sur les ruines des partis n'a rien à apprendre des « politiques », fussent-ils révolutionnaires. Si Fourier – mais déjà moins sûrement ses disciples – peut être tenu pour un réactionnaire en politique, on n'en saurait dire autant des anarchistes et des marxistes. Or, que font ces derniers depuis longtemps sinon reprendre la structure même de ses raisonnements, et parfois, la lettre même de ses anathèmes ? Opposer en effet la politique et l'économie « bourgeoises », qui ne sont qu'illusion et fétichisme, à la certitude de la science révolutionnaire, voilà qui suffit à Marx, à Proudhon, à Bakounine pour donner congé aux vains principes jacobins, à la « creuse rhétorique » des Droits de l'homme dissimulant le martyre poursuivi et aggravé des prolétaires et des gueux. Mais dès les débuts de l'Idée il y avait eu d'autres voix pour exalter le caractère providentiel de ces principes et de ces droits.

Avec un des premiers socialistes chrétiens, Philippe Buchez, apparaît le thème de la sainte égalité. Référence christique ou pas, il devient évident pour Louis Blanc (*Histoire de la Révolution,* 1847) que « la Révolution est issue des plus lointains soulèvements de l'esprit ». Un ésotérisme de type maçonnique investit la recherche des causes de la Révolution. Partisans inconditionnels et adversaires futurs y communient. Angoissés par des luttes civiles dont nul ne voit le terme, tous cherchent à déchiffrer le « problème français ». À partir de Tocqueville (1856), le début se clarifie : 1789 ou 1793 sont-ils des ruptures absolues ou masquent-ils une continuité secrète. Et si oui, la continuité et la permanence de quoi ?

N'oublions pas que l'*Histoire socialiste* entend « raconter au peuple, aux ouvriers, aux paysans », non pas seulement la Révolution *stricto sensu,* mais bien « les événements qui se développent de 1789 à la fin du XIXe siècle ». Et de fait les volumes rédigés personnellement par Jaurès — qui ne couvrent d'ailleurs pas la période révolutionnaire tout entière : il ira jusqu'à la fin de la Convention, et passe la main à Gabriel Deville pour le Directoire — ne sont qu'un prologue à une entreprise beaucoup plus vaste dont il donne lui-même la clef, et ce dès les premières lignes de son introduction. « La Révolution française a préparé indirectement l'avènement du prolétariat. Elle a réalisé les deux conditions essentielles du socialisme : la démocratie et le capitalisme. »

Poser le capitalisme comme une condition nécessaire du socialisme est évidemment un lieu commun marxiste. Nous verrons pourtant qu'il faut, en l'occurrence, y regarder de plus près. Pour ce qui a trait à la démocratie, c'est une tout autre affaire ! Ni Marx ni ses disciples orthodoxes n'y ont jamais vu une condition *essentielle* de « l'avènement du prolétariat ». En effet, ce n'est pas dans « les régions nuageuses de la politique », encore une fois, mais bien sur le terrain solide de l'infrastructure économique que se décident les destinées historiques des classes fondamentales qui « font » l'histoire. La démocratie, en tant que démocratie « bourgeoise », donc illusoire et mystificatrice par définition, ne peut être qu'une *occasion* (à saisir par les cheveux !) pour le prolétariat d'instaurer sa dictature, en tordant le cou à la démocratie sous couleur de l'étendre et d'en accélérer le cours. C'est ce que Marx appelait, dès 1850, la « révolution permanente ».

L'« évolution révolutionnaire »

C'est contre cette conception, toujours réaffirmée depuis par les marxistes qui ont compris la pensée intime de leur maître (guesdistes, bolcheviks), que Jaurès bâtira sa propre théorie politique du passage au socialisme. Au moment même où il rédige sa contribution à l'*Histoire socialiste,* il répond à ceux qui l'accusent de trahir la cause du prolétariat par un magistral *Question de méthode* publié (en 1901) dans les *Cahiers de la Quinzaine.* Il y dénonce la « méthode de révolution » propre à Marx. Jaurès juge cette méthode « surannée », parce que procédant « d'hypothèses historiques épuisées, ou d'hypothèses économiques inexactes ». Il y relève aussi, derrière le style flamboyant, de grosses incohérences : « [...] Ainsi c'est par une révolution violente contre la classe bourgeoise que se greffera la révolution prolétarienne. Mais en même temps, il paraît à Marx que c'est la bourgeoisie elle-même qui, ayant à compléter son propre mouvement révolutionnaire, donnera le signe de l'ébranlement. » Bref, Jaurès a un mouvement de recul autant éthique et esthétique que politique devant une telle apologie du mensonge et de la violence, dissimulant mal une certaine confusion intellectuelle. « Expédient de révolution d'une classe impatiente et faible », la « méthode du *Manifeste* débouche sur des apories », et, pratiquement, sur un « chaos de barbarie et d'impuissance ». Il faut donc choisir un tout autre chemin : « l'organisation méthodique et légale de ses propres forces [par le prolétariat] sous la loi de la démocratie et du suffrage universel ». Ce qui ne veut pas dire d'ailleurs que le grand tribun s'interdise, dans une situation d'exception (grand péril national, viol de la légalité par des forces réactionnaires, etc.), le recours aux armes ou à la grève insurrectionnelle pour *défendre* la démocratie, ni qu'il voie dans le parlementarisme de la France de 1900 la forme absolument intangible de la démocratie. Aussi le nom de sa théorie politique n'est-il pas le « réformisme », mais l'*évolution révolutionnaire.* Jaurès, même s'il refuse jusqu'en 1905 les anathèmes contre eux – il fera de même plus tard pour les gauchistes et les anarchistes d'Hervé ou de la CGT –, n'est ni Millerand ni Briand.

En refusant de ruser avec la démocratie, Jaurès ne défend pas seulement un principe : il refuse de « diaboliser », comme nous dirions aujourd'hui, une classe, et partant une période de l'histoire où cette classe a montré son ambiguïté fondamentale. La position des guesdistes avait en effet le mérite de la logique : si la « bourgeoisie » est intrinsèquement perverse, son œuvre, 1789, ne peut être que radicalement mauvaise, elle aussi. Ou alors, il faut, comme Kropotkine, imaginer une *Grande Révolution,* paysanne et ouvrière, « confisquée » par la nouvelle classe exploiteuse issue du tiers état ; mais ce subterfuge ne saurait retenir une « boîte à fiches » qui sommeille sous le leader charismatique ! Il est donc amené à réitérer une position qu'il avait dans les années incertaines où il évoluait du républicanisme socialisant au collectivisme affirmé, mais qu'il avait laissée dans l'ombre alors qu'il sillonnait la France à la conquête des auditoires populaires. La grande coupure politique, expliquait-il inlassablement dans *La Dépêche de Toulouse,* vers 1889-1890, ne passe pas entre le prolétariat et la bourgeoisie, mais à l'intérieur de cette classe. Il y a une bourgeoisie rentière, parasitaire, propriétaire et une « bourgeoisie laborieuse » qui est l'alliée naturelle du peuple ouvrier et paysan ; un patronat productif que ses « misères » inclinent fatalement du « bon côté », celui de « la démocratie sociale ». Jaurès reprendra les mêmes thèses dans *L'Armée nouvelle* (achevée en 1910). Il ne faut donc pas s'étonner de ce que le noyau dur de l'*Histoire socialiste* puisse ainsi s'énoncer : en 1789 la bourgeoisie est révolutionnaire, le prolétariat ne peut *pas encore* l'être. D'où l'apologie parfois mal comprise de Condorcet et de Danton, et la critique de Marat, pour la démagogie « gauchiste » duquel il n'a pas de mots assez durs. Définissant la bourgeoisie par sa volonté révolutionnaire, il est amené à y faire rentrer assez arbitrairement les catégories les plus hétérogènes : les fermiers généraux parce qu'ils dépensent leurs revenus pour promouvoir les Lumières et le progrès technique ; les rentiers parce qu'ils ont intérêt à un fonctionnement optimal de l'État et que la dette publique est un levier de développement économique (?) ; mais aussi les « légistes, médecins, fabricants, négociants et philosophes ». A ce point, le concept de classes sociales perd toute pertinence. A vouloir faire à toute force de la bourgeoisie un simple « fonctionnaire de l'humanité », Jaurès ne lui dénie-t-il pas à son insu toute existence réelle ?

En fait il y a chez lui une théorie, jamais avouée, selon laquelle les classes ont le choix entre incarner une idée, ce qui fait progresser l'histoire, ou être des supports d'intérêts, ce qui l'enlise dans la barbarie.

« En un mot la bourgeoisie parvenait à la conscience de classe pendant que la pensée parvenait à la conscience de l'univers. Là sont les deux ressources ardentes, les deux sources de feu de la Révolution. C'est par là qu'elle fut possible et qu'elle fut éblouissante » *(Causes de la Révolution).*

Daniel Lindenberg

Lénine : un fils de 89

A Petrograd, en février 1917, les foules révolutionnaires qui veulent s'arracher à la misère, à l'oppression et qui provoquent la chute de l'autocratie tsariste chantent *La Marseillaise*. Pour tous ceux qui luttent pour la liberté, la Révolution française n'est-elle pas un exemple ? Déjà en 1905, lors de la première révolution russe, tous les partis – du parti Constitutionnel démocrate (ou Cadet) au Parti ouvrier social-démocrate russe (POSDR) – réclament une Assemblée constituante sur le modèle de la Constituante de 1789. Mais entre les opposants au tsarisme il y avait plus que des nuances : Lénine souhaitait une poussée de la violence de masse, la tâche de fond demeurant le renforcement de l'organisation révolutionnaire centralisée, du parti. La dictature jacobine et la terreur, tels sont en effet, pour Lénine, les aspects positifs de la Révolution française : « Les historiens du prolétariat voient dans le jacobinisme l'un des points culminants les plus élevés atteints par une classe opprimée dans la lutte pour son émancipation » (**25** : p. 124). (Nous renvoyons aux *Œuvres* en français, en **47** volumes.) Il traite les jacobins de bolcheviks du XVIIIe siècle et affirme être leur descendant (cette légitimation facilitera l'implantation du communisme en France où elle a des échos directs dans les querelles historiographiques).

Une référence stratégique

Quand, après le coup d'État d'octobre, les bolcheviks instaurent la dictature de parti unique, ces analogies, et la peur d'une Vendée contre-révolutionnaire, sont déterminantes pour leurs décisions. Lénine n'hésite pas en janvier 1918 à dissoudre l'Assemblée constituante, seule assemblée élue à peu près démocratiquement dans l'histoire de la Russie ; il rédige la *Déclaration des droits du peuple travailleur et opprimé* qui prend le contre-pied de la *Déclaration* de 1789 en rejetant l'égalité en droits des hommes pour réserver les droits civils aux seuls prolétaires et paysans pauvres. En imposant l'hégémonie du parti, la répression brutale, Lénine agit selon les leçons qu'il tire de l'expérience française qui confortent sa vision de la politique comme un combat de classes tendant à la guerre civile. Sans y consacrer de texte, il fait à 1789 une multitude de renvois qui sont plus que le résidu d'une éducation marquée par l'histoire et qu'un héritage de la tradition socialiste (outre les classiques du marxisme, Lénine lit Jaurès, Aulard). Dans le système de référence et de légitimation léniniste, la Révolution française n'est pas qu'un réservoir de formules populaires et pédagogiques, comme le « De l'audace, encore de l'audace, toujours de l'audace », son leitmotiv à la veille de l'insurrection d'Octobre.

Lieu commun de l'énergie révolutionnaire, elle est surtout le paradigme stratégique à validité universelle du renversement d'une classe. Bourgeoise, la Révolution française est néanmoins le prototype de toute révolution possible, car elle seule donne l'exemple du passage victorieux d'une classe à une autre. Même si Lénine trouve le modèle de la dictature du prolétariat dans la Commune de Paris de 1871, c'est la Révolution française, en montrant que « la lutte de classes est la base et la force motrice du développement » (**19** : 17), qui permet d'énoncer des lois générales de l'histoire.

Une classe se caractérise par un quantum de forces, d'intensité variable, qui entrent en composition ou en opposition avec d'autres forces de classes. Leçon essentielle de 1789 pour la cinétique de la révolution : une classe ne quitte jamais d'elle-même la scène de l'histoire ; après son renversement, elle résiste. Les classes sociales ne sont pas des individus capables de réflexion et doués de volonté qui pourraient comprendre que leur temps est révolu. Mues par la logique aveugle de leur intérêt (qui exprime le développement des forces productives), elles se défendent, et la virulence de leur combat ne diminue pas avec leurs premiers échecs : plus une classe est sur le point de mourir et plus son énergie est mobilisée. La lutte des classes se transforme inévitablement en une guerre de classes qui redouble avec la prise du pouvoir, conquis par l'insurrection des ouvriers conscients et conservé par une répression sans faiblesse sur les « ennemis du peuple ».

La Révolution française n'appartient pas au passé mais à l'avenir de l'humanité. Selon la vision léniniste du développement économique et politique (qu'il transgressera en avril 1917), toutes les nations doivent emprunter le même chemin que l'Occident : passage du féodalisme au capitalisme, puis au socialisme. Le moment de 1905 pour la Russie est le même que 1789 pour la France. Le schéma vaut pour la plupart des nations qui n'ont pas encore accompli leur révolution bourgeoise ou bien ont seulement entamé ce processus. Ainsi la révolution chinoise de 1911 s'interprète comme une révolution démocratique analogue à 1789.

Mais les révolutionnaires russes ont-ils encore un rôle à jouer sinon passif? Si toute révolution traduit l'état des forces productives, comment imaginer en Russie autre chose qu'une révolution bourgeoise ? Or 1789 fournit et le problème et les éléments de sa solution : pour constituer les ouvriers en classe sociale politiquement efficace, il faut créer un parti centralisé, capable de déployer la violence révolutionnaire.

Un modèle pour le bolchevisme

Lénine, et il n'est pas le premier révolutionnaire russe à le faire, se réclame de la tradition jacobine et accuse de girondisme (une forme de l'opportunisme) ses adversaires. En organisant les ouvriers, le parti multiplie leur force et les transforme en agent historique efficace. Cette sublimation de la faiblesse numérique du prolétariat en une force capable de modifier le rapport entre les classes et d'accélérer le cours de l'histoire naît de l'« unité de la volonté », impératif catégorique de la politique léniniste. Le parti est érigé en démiurge, d'autant plus qu'il détient le savoir vrai sur l'histoire et le communique aux ouvriers, qui accèdent ainsi à la conscience de classe social-démocrate.

La rupture, en 1903, entre bolcheviks et mencheviks a pour enjeu essentiel les principes d'organisation qui engagent leur conception de la révolution. Lénine se bat pour un parti qui trouve ses idéaux dans l'armée et l'usine, et dont les adhérents soient des militants disciplinés et pliés à une division stricte du travail : des révolutionnaires professionnels qui acceptent d'être les rouages d'une machine à commande centrale. Ces choix sont des options stratégiques : les théoriciens du parti-processus veulent cantonner les ouvriers dans les luttes économiques à la remorque de la bourgeoisie, alors que Lénine revendique pour le prolétariat révolutionnaire le rôle politique moteur dans le combat contre l'autocratie. L'apparition du « centralisme démocratique » dans le POSDR — un temps réunifié avant que les bolcheviks ne forment un parti distinct en 1912 — ne signifie pas un changement de structure, mais un nouveau mode de désignation du centre : il n'est plus coopté mais élu. L'idéal d'un groupe cohérent dont les éléments soient sous dépendance d'un centre oligarchique est inentamé. Lénine le réaffirmera avec une netteté brutale dans les conditions d'adhésion à l'Internationale communiste en 1920.

La centralisation vaut aussi dans la société socialiste en son entier où le parti jouit d'un monopole du pouvoir qui n'a d'autres limites que ses forces. Hypercentralisation dictatoriale : l'efficacité maximale du commandement est atteinte quand le pouvoir revient à un seul. Pourquoi, demande Lénine, dans une référence claire à Robespierre, si la bourgeoisie dans sa propre révolution a recouru à la dictature individuelle, le prolétariat n'en aurait-il pas le droit (**27** : 277) ? Et il se bat contre la direction collective pour la direction personnelle : il souhaite la multiplication de dictatures partielles (dans l'armée, dans les usines), subordonnées à l'appareil central de parti. Il refuse toute méthode de style parlementaire qui le transformerait en « club de discussion » : l'instance décisive, plus que le Congrès, est le Comité central, qui, après 1917, perd de son importance au profit du Bureau politique et du Bureau d'organisation ; avant que le secrétariat du Comité central et son titulaire Staline ne s'approprient la formidable accumulation de pouvoir voulue par le fondateur du bolchevisme, qui avait toujours prôné comme remède aux maux du régime l'ultracentralisme, méconnaissant qu'il était souvent la cause des dysfonctionnements bureaucratiques qu'il dénonçait.

En 1903, Trotski, qui plus tard se ralliera au point de vue de Lénine, avait dénoncé dans sa conception du parti une « robespierrade caricaturale ». Le dirigeant bolchevik, loin de s'indigner de ce genre d'attaque, a toujours revendiqué cette filiation : il a cependant renié — tardivement — la centralisation quant à la question nationale. Avant 1917, d'un côté il se bat contre une structuration fédérale du parti (le regroupement d'un parti des ouvriers juifs, d'un parti des ouvriers géorgiens, etc.) et s'oppose à la revendication d'une « autonomie culturelle » ; de l'autre, il critique le « centralisme bureaucratique » du tsarisme et intègre à sa stratégie les ferments de dissolution de l'Empire que recèlent les revendications nationales. Après 1917, les bolcheviks font régner un centralisme de fer dans le nouvel État, symbolisé par l'invasion de la Géorgie en 1920. Mais Lénine, écarté du pouvoir en 1922 par la maladie, se reproche de ne pas avoir assez lutté contre le « chauvinisme grand-russe » et craint que la centralisation brutale n'aliène à la Révolution les sympathies des peuples opprimés, spécialement d'Asie, vers qui il porte ses espoirs. Mais il ne pourra infléchir son œuvre vers le « girondisme ».

Une réflexion sur la Terreur

Lénine, qui se réclame des jacobins en matière d'organisation, s'appuie sur leur précédent pour légitimer la terreur. Il a voulu en impulser une pratique nouvelle : non pas la terreur individuelle, conspirative des populistes russes, mais la terreur de masse. Lui, dont le frère aîné fut pendu pour complot contre le tsar, ne condamnait pas la terreur individuelle en soi, mais il la jugeait une forme de lutte inférieure et inadaptée, qui traduisait plutôt le désespoir que la confiance dans la force du peuple. Il lui préfère, proclame-t-il en 1906, « la terreur authentiquement nationale, véritablement régénératrice, celle qui rendit la Révolution française célèbre » (**13** : 497). Un trait constant chez Lénine : l'exaltation de la violence, l'espoir que la « haine accumulée » par les masses se transforme en une énergie dévastatrice, l'irritation quand des bolcheviks pusillanimes freinent la violence de la foule.

La violence de masse dans la révolution « démocratique » de 1905 devait permettre la radicalisation antiautocratique car la bourgeoisie n'est pas « conséquente » : pressentant qu'une fois le tsarisme renversé, elle sera menacée par le prolétariat, elle hésite et n'ose pas mener jusqu'au bout sa propre révolution, la lutte pour les libertés, pour la république. Afin que le cours de la révolution ne soit pas celui de la France de 1848 à 1851 (que Lénine oppose à 1789-1793) où la bourgeoisie se retourne contre le prolétariat, celui-ci doit être non pas un élément d'appoint mais l'acteur hégémonique de la révolution, quoiqu'il ne s'agisse pas encore d'une révolution socialiste. Le mot d'ordre est : « Dictature démocratique révolutionnaire du prolétariat et de la paysannerie », dictature qui doit naître de la fusion du mouvement de masse et de la terreur.

Après octobre 1917, la terreur a également une fonction stratégique. Bien plus qu'une réponse à une situation d'urgence, elle est un mode régulier de gouvernement dont le choix préexiste aux attaques conduites contre le régime soviétique. Du reste, et Lénine l'affirme hautement, elle doit se poursuivre même quand, après la victoire sur les blancs dans la guerre civile, la fin du communisme de guerre et la Nouvelle Politique économique (NEP, mars 1921), le régime s'engage dans une alliance entre prolétariat et paysannerie. En avril 1917, Lénine affirme — à l'étonnement rétif de la plupart des bolcheviks — que la révolution socialiste est à l'ordre du jour, alors même que la révolution de février, le 1789 russe, est inachevée. Profitant de la crise généralisée où la vieille société implose, il s'affranchit d'une théorie qui juge nécessaire que la révolution bourgeoise et le développement capitaliste soient d'abord complètement aboutis avant qu'on puisse passer au socialisme. Si, en octobre, la prise du pouvoir reste, selon Lénine, dans le cadre d'une révolution bourgeoise faute d'une révolution agraire, en juillet 1918, il lance une croisade contre les koulaks (les supposés paysans riches), que l'extension de la guerre civile stoppera. Le schéma est clair : la terreur permet un passage forcé vers l'avenir. Le parti est une organisation multiplicatrice de l'énergie, la terreur est une destruction accélératrice. Faute d'avoir connu une révolution démocratique bourgeoise (accompagnée d'une transformation capitaliste de la paysannerie), la Russie est encombrée de résidus du passé qui exigent une « épuration » ; celle-ci vise des institutions (l'Église) et des groupes sociaux (bourgeois, koulaks).

En 1913, Lénine rappelait que dans la France de la fin du XVIIIe siècle s'était déroulée « une lutte décisive contre le fatras du Moyen Age » (**19** : 14). En 1921, célébrant le 4e anniversaire d'Octobre, il avoue un modeste bilan quant à la construction du socialisme, mais il vante l'ampleur du « nettoyage » de la terre russe, épurée mieux que ne l'avait fait « la Grande Révolution française » (**33** : 43) ; la réussite de la révolution est jugée selon un critère défini comme « démocratique bourgeois » et le bolchevisme est présenté comme un jacobinisme accompli.

On pourrait en chercher la raison dans le rôle joué chez Lénine par un modèle plus prégnant que Robespierre : Napoléon. Dans un de ses derniers textes, Lénine explique qu'il revient au pouvoir soviétique de créer la base du socialisme, car la révolution a eu lieu sans que les conditions économiques et culturelles en soient réunies. Mais il fallait prendre le pouvoir car, selon le mot de Napoléon, « on s'engage et puis... on voit » (**33** : 493). Le forçage opéré par le leader bolchevik s'appuierait ainsi sur une logique de la puissance conduite à l'aide des moyens proposés par le jacobinisme. Ce faisant, Lénine impose un démenti à Marx qui, au début du *18 Brumaire de Louis Bonaparte,* affirme, en reprenant une formule de Hegel, que l'histoire a lieu une première fois comme tragédie et une seconde fois comme farce : à preuve Robespierre et Louis Blanc, la Montagne de 1793 et celle de 1848. Mais, pour la Révolution russe, en tant qu'on peut y voir une répétition de la Révolution française, on n'a nullement le sentiment d'une comédie bouffonne. Bien plutôt, le contre-exemple de 1848-1851 conduit Lénine, sous le couvert d'une répétition du jacobinisme, à inaugurer une nouvelle ère tragique de l'histoire, celle du totalitarisme.

Dominique Colas

Les utopistes : Saint-Simon, Fourier, Proudhon

Saint-Simon, Fourier et Proudhon n'énoncèrent pas des jugements analogues sur la Révolution française : mêlant avec bonheur spéculation et action civique, Saint-Simon adhéra aux principes de la Révolution, puis en apprécia la portée – limitée – en référence avec son projet de reconstitution du corps social ; Fourier, victime des soldats de la Convention, demeura sa vie durant indifférent à tout changement strictement politique ; Proudhon, né en 1809, ne cessa de se proclamer fils de la Révolution, tout en déplorant l'absolutisme, qui avait revécu dans les décrets et les œuvres des dictateurs révolutionnaires.

Cette diversité, qui tient à leur irréductible individualité, résiste à toute lecture modélisante. L'opposition de la révolution libérale et de la terreur jacobine reste sur ce point, *mutatis mutandis,* aussi peu éclairante que les abstractions par lesquelles l'histoire des idées désigne les œuvres de Saint-Simon et Fourier, réputées utopiques, et de Proudhon, père incontesté de l'anarchie.

Ainsi, point de catéchisme pro- ou antirévolutionnaire chez ces grands initiateurs. Tel est leur paradoxal point commun : la distance à l'égard du vécu révolutionnaire. Aucun ne s'identifie purement et simplement aux valeurs des acteurs historiques, aucun ne joue naïvement 1789 contre 1793. Mais chacun, à sa manière, entreprend une conceptualisation critique de la Révolution. De sorte qu'ils pourraient anticiper sur les actuelles entreprises de démystification de l'histoire commémorative, si leur projet n'était tout autre : essentiellement tournées vers l'avenir, leurs analyses de la Révolution témoignent de l'éclairage intérieur par lequel chacun d'eux à sa manière exprime le pressentiment d'un monde juste et libre.

Vivent les technocrates !

Sans-culotte ardent et fervent républicain, le comte de Saint-Simon, né en 1760, renonça solennellement à son titre nobiliaire, le 7 février 1790, devant l'assemblée des habitants de Falvy. En septembre de la même année, il purifia « par un baptême républicain la tache de son péché originel », abandonna son nom comme il avait abandonné son titre et devint, devant le conseil général de la commune de Péronne, le citoyen Bonhomme. Le 12 mai 1791, il rédigea pour les électeurs du canton de Marchélepot une adresse à l'Assemblée constituante où étaient flétries « les distinctions impies de la naissance » et célébrées la volonté générale et l'égale admissibilité de tous les citoyens à toutes les charges. Cette adhésion aux principes de la Révolution, plusieurs certificats de civisme décernés par la société populaire de Péronne, ou par les Amis de la République de Cambrai le 28 octobre 1793 l'attestent. Ces pièces, qui figurent dans son dossier de police, n'empêchèrent pas son incarcération à

Sainte-Pélagie, le 19 décembre 1793.

Il aurait été arrêté comme ami d'un étranger de marque, le comte de Redern, son associé dans les spéculations immobilières qu'il fit sur les biens nationaux. Saint-Simon fut en effet, comme l'a montré Maxime Leroy, un audacieux marchand de biens : trois mois après le vote du décret de mise en vente des biens d'Église, il avait déjà fait pour 800 000 livres d'achats. Grâce au système légal de paiement par annuités, il acquit en quelques années plus de quatre millions de terres avec un capital d'environ 600 000 francs. Revendant parfois aux paysans une partie de ses acquisitions, il crut participer ainsi à la diffusion de la propriété dans tout le corps social. Remis en liberté par le Comité de salut public le 9 octobre 1794, il continua ses opérations sur les biens nationaux et resta un sans-culotte passionné.

Plus tard, il minimisera son rôle : « La Révolution française était commencée lorsque je revins en France, je ne voulus pas m'en mêler, parce que, d'un côté, j'avais la conviction que l'Ancien Régime ne pouvait être prolongé, et que, d'un autre côté, j'avais de l'aversion pour la destruction... » De fait, il n'occupa aucun poste électif, mais son témoignage tardif illustre surtout la place qu'il assigne à la Révolution française au sein de « l'ensemble des principaux faits politiques depuis sept ou huit cents ans ».

La Révolution s'inscrit à titre d'étape au sein d'un changement fondamental qui en est la véritable cause : « Les forces temporelles et spirituelles de la société ont changé de mains. La force temporelle véritable réside aujourd'hui dans les industriels, et la force spirituelle dans les savants » (*Du système industriel,* Paris, 1821). Le fait fondamental est le passage du système féodal et théologique au système industriel et scientifique. Modificatrice et transitive, la Révolution a « rompu les liens de l'organisation ancienne, et n'a point été un obstacle à la réorganisation sociale » (*Lettres d'un habitant de Genève à ses contemporains,* Paris, 1803, t. I, 1, p. 11-48). Son œuvre fut essentiellement critique, alors que la grande question était d'organiser le système industriel et scientifique et de mettre ainsi fin à la crise dans laquelle le corps politique était engagé par la ruine déjà ancienne des pouvoirs théologiques et féodaux. Dans cette perspective, la transition révolutionnaire n'a fait qu'énoncer les problèmes : « La Déclaration des droits de l'homme, qu'on a regardée comme la solution du problème de la liberté sociale, n'en était véritablement que l'énoncé... Certainement, la forme du gouvernement parlementaire est très préférable à toutes les autres ; mais ce n'est qu'une *forme* et la constitution de la *propriété* est le fond » (*ibid.,* t. II, 1, p. 81-84).

Impuissante à créer un nouveau lien social, la Révolution s'engagea en outre dans la dangereuse voie que lui ouvrait la passion de l'égalité. Mettant le « pouvoir entre les mains des ignorants », faisant de tous les membres de la société des « délibérants », elle en vint tout naturellement à des « atrocités épouvantables ». Sur cette passion abstraite de l'égalité, les « légistes » et les « métaphysiciens » s'appuyèrent pour faire triompher leur cause : « L'ancien gouvernement ayant été inversé, ce fut Robespierre qui s'empara du pouvoir ; et qui était Robespierre ? Encore un légiste... Il est constant que ce sont les légistes qui ont gouverné la France pendant l'époque la plus orageuse et la plus affligeante de la Révolution. »

Et Saint-Simon de déplorer l'absence des industriels de la scène politique : « Ce ne sont point les industriels qui ont fait la Révolution, ce sont les bourgeois, c'est-à-dire, ce sont les militaires qui n'étaient pas nobles, les légistes qui étaient roturiers, les rentiers qui n'étaient pas privilégiés. » En se substituant aux industriels dans leur rôle historique, en ne s'effaçant pas assez rapidement, les légistes ont en définitive différé l'avènement de la « révolution générale » qui seule importe à Saint-Simon ; « révolution commune à tous les peuples civilisés », celle par laquelle « les gouvernements ne conduiront plus les hommes », leurs fonctions se bornant à « empêcher que les travaux utiles ne soient troublés », étant entendu que « l'économie politique est le véritable fondement de la politique ». Tel est donc le message pour lequel le nouveau christianisme doit susciter l'enthousiasme : administrée par les industriels les plus compétents, l'humanité s'acheminera vers la prospérité et éprouvera « une grande et générale amélioration ».

« Les lois de l'attraction passionnée »

Fourier décelait, dans une lettre du 19 septembre 1831, les pièges d'une telle doctrine : « Si le régime saint-simonien s'organisait, on n'est point du tout sûr que l'amélioration du sort de la classe laborieuse en fût le résultat. Le seul effet certain serait de concentrer, au bout d'un demi-siècle, toutes les propriétés, capitaux, domaines, usines, fabriques, entre les mains des nouveaux prêtres. » Refusant de s'en remettre au gouvernement des sages, il ne se fiait pas plus aux « billevesées des philosophes dont la révolution est l'épreuve ».

Fourier avait dix-sept ans en 1789. Ce qu'il y a de certain, assure son biographe, Pellarin, « c'est qu'il se tint complètement en dehors de tous les partis, et qu'il ne se fit jamais illusion sur la nullité de ce grand mouvement, accompagné de tant de désastres, pour une amélioration décisive dans le sort des masses ».

En 1793, il faillit être emporté par la Terreur. A son retour de Besançon, où il avait recueilli sa part d'héritage, il acheta à Marseille des denrées coloniales qu'il fit venir à Lyon, où il voulait s'établir. Alors commença le siège de la ville de Lyon, coupable de s'être rebellée contre la Convention. Les balles de coton, le riz, le sucre furent réquisitionnés par les autorités lyonnaises qui l'enrôlèrent dans l'armée des rebelles. Le 9 octobre 1793, les troupes conventionnelles pénétraient dans Lyon. Ses marchandises étaient perdues, et Fourier tenu pour suspect. Il parvint à s'enfuir, gagna Besançon où il fut arrêté et passa huit jours en prison. Relâché, il fut incorporé dans le 8e régiment des chasseurs à cheval, le 11 juin 1794. Ainsi fut-il ruiné et contraint, comme le souligne Émile Lehouck, « à quelques mois d'intervalle, chaque fois contre son gré, de se battre pour des causes opposées ». L'événement laissa en lui des traces douloureuses et suscita sa réflexion.

De la Révolution, Fourier retint les flots de sang versés par « le bourreau maniaque d'Arras ». Il écrivit pour « délivrer le monde de la civilisation, plus révolutionnaire et plus odieuse que jamais » (*Quatre Mouvements,* p. 225). Il savait que « le volcan ouvert en 1789 » n'était pas éteint, et mesurait combien la guerre du pauvre contre le riche fait le jeu des agitateurs et des intrigants. Il voulut éviter des révolutions prévisibles, c'est-à-dire à ses yeux des violences parfaitement inutiles puisqu'elles laissent intacts les piliers de la civilisation, le commerce et la famille. La banqueroute, la misère du peuple et le cocuage, ces pièces maîtresses du désordre civilisé, disparaîtraient en Harmonie, mais une révolution comme celle de 1789 ou de 1793 ne change rien dans l'organisation de la société et dans les rapports humains en civilisation, fondés sur la fourberie et la contrainte. L'échec des révolutionnaires est celui des philosophes, « ces enragés philosophes qui... s'écrieront avec Robespierre : Périsse le genre humain pour sauver les principes de nos 400 000 volumes ». Pour voie de salut, il veut une théorie qui vaille d'abord par les garanties expérimentales et demande « qu'un prince affecte une armée aux travaux préparatoires du canton d'essai » (*ibid.,* p. 129). L'édification d'un phalanstère persuadera les plus sceptiques : Fourier est convaincu d'être l'« inventeur du calcul mathématique des destinées, calcul sur lequel Newton avait la main et qu'il n'a pas même entrevu ;

il a déterminé les lois de l'attraction matérielle, et moi, celles de l'attraction passionnée, dont nul homme avant moi n'avait abordé la théorie » (*ibid.*, p. 349).

L'intrépide utopiste attendit la visite du mécène, le « candidat », qui bâtirait les premiers palais harmonieux. Son irréalisme fit sourire, agaça ses disciples, et l'on oublia ses géniales intuitions, que René Schérer résumait ainsi en 1971 : « Le changement radical de la vie échappe, quoi qu'on fasse, à la contrainte, ressortissant à l'ordre du désir. »

« Le troisième âge de l'humanité »

Proudhon ne s'y était pas trompé. Sans pénétrer vraiment les visées de Fourier, sans comprendre que la passion est relationnelle, que l'amour, « flamme toute divine », est notre « fanal », il admirait le « génie exclusif, indiscipliné, solitaire » de Fourier. Né comme lui à Besançon, Proudhon, issu du peuple et défenseur de la cause du pauvre, soutiendra toujours que « le troisième âge de l'humanité a son point de départ dans la Révolution française ». Contemporain de Marx, il participe à la révolution de 1848, qu'il ne désirait pas : « Dans la bagarre, il n'y a plus de place pour la raison », note-t-il dans ses Carnets, le 17 janvier 1848. Le 2 mars 1849, il écrira encore : « Je n'ai pas provoqué la révolution de Février : je voulais le progrès lent, rationnel, philosophique. » Il fut pourtant élu député par les ouvriers parisiens, le 8 juin 1848, puis incarcéré, de juin 1849 à juin 1852, pour avoir pris violemment le parti de l'Assemblée contre le prince-président.

La prison, assure-t-il, porte à la réflexion : « Ne pouvant plus prendre part à la politique active, j'ai étudié le mécanisme des révolutions. » La révolution de 1848 délivre le sens de celle de 1789, puisqu'elle en répète la méprise : le gouvernement, en définitive, s'oppose à la révolution, la volonté du peuple est dévoyée et la dictature des comités fait revivre l'absolutisme. Dans les *Confessions d'un révolutionnaire,* Proudhon assure que « toutes les péripéties révolutionnaires dont nous avons été témoins, à partir du 14 juillet 1789, ont eu pour cause cette erreur ». L'illusion des révolutionnaires est toujours de compter, pour la liberté et la prospérité publiques, beaucoup plus sur l'action du pouvoir que sur l'initiative des citoyens, et d'attribuer à l'État une « intelligence et une efficacité qui ne lui appartiennent pas ». Ce problème, comme l'a relevé B. Voyenne, était clairement formulé dès le premier mémoire sur la propriété.

Les *Confessions* poursuivent cette analyse en notant qu'une révolution, pour être efficace, doit être spontanée. Elle doit sortir, « non de la tête du pouvoir, mais des entrailles du peuple ». Aussi ne peut-elle concerner des problèmes sur lesquels le temps n'a pas éclairé les masses. Si le génie révolutionnaire a soufflé en 1789, c'est parce que la Révolution « était faite dans l'opinion quand elle fut déclarée par le pouvoir ». Portée par les vœux de 1789, la Convention fut grande et sublime « tant qu'elle combattit pour l'unité de la République, la liberté du pays, l'égalité des citoyens ». Le défaut de la révolution de 1848 fut d'être une révolution sans idée, donc incapable de continuer celle de 1793. Or la tâche n'était plus la même : « La Révolution en 1793 était surtout politique... en 1849 elle est surtout sociale. » La révolution manquée de 1848 avait pour but d'abolir le prolétariat, et par suite de transformer la propriété. Les plagiaires du vieux jacobinisme ne savaient comment s'y prendre, et dans la conception des ateliers nationaux s'avoue leur impuissance.

Méconnus par les socialistes, « sifflés par les économistes, déclarés inintelligibles par les démocrates, factieux par les doctrinaires, et sacrilèges par les jésuites », la Banque du peuple et le Crédit gratuit, proposés par Prou-

BIBLIOGRAPHIE

DEBOUT S., « Saint-Simon, Fourier, Proudhon », *Histoire de la philosophie,* sous la direction d'Yvon BELAVAL, Gallimard, Paris, 1974.

FOURIER Ch., *Théorie des quatre mouvements et des destinées générales,* J.-J. Pauvert, Paris, 1967.

FOURIER Ch., *Œuvres,* 6 vol., Bureau de « La Phalange », Paris, 1841-1845.

LEROY M., *La Vie du comte de Saint-Simon,* Grasset, Paris, 1925.

PROUDHON P., *Œuvres complètes,* 8 vol., Rivière, Paris, 1923.

SAINT-SIMON H. de, *Œuvres,* 6 vol., Anthropos, Paris, 1966.

SCHERER R., *Fourier,* Seghers, Paris, 1971.

VOYENNE B., *Proudhon et la Révolution,* Éditions de l'École des hautes études en sciences sociales, Paris, 1986.

dhon, suscitèrent une ironie déplacée. La formule avait ses limites, mais Proudhon plaçait ses propositions dans une perspective – l'établissement d'une démocratie socialiste fondée sur le principe de la mutualité – qui mérite encore examen. Lui-même insistait sur le caractère antigouvernemental de ses projets et s'en prenait avec vigueur à l'« autorité politique et propriétaire ». Il professait sa foi, pour établir l'égalité, en une « révolution par le concert des citoyens » – mais non des citoyennes –, « par l'expérience des travailleurs, par le progrès et la diffusion des lumières... par la liberté ».

Ni Saint-Simon, ni Fourier, ni Proudhon ne furent partisans de la terreur révolutionnaire, et chacun d'eux rêva d'un ordre social établi pacifiquement et qui réconcilierait la nation avec elle-même. Furent-ils alors des révolutionnaires ? Nul doute, car en relevant que Saint-Simon tenait la Déclaration des droits de l'homme pour le simple énoncé d'un problème non résolu, que Fourier la jugeait dérisoire au vu de la misère du peuple, que Proudhon identifiait dans la souveraineté du peuple la menace d'un nouvel autoritarisme, on évoque seulement l'envers de leurs efforts pour édifier, portés par le souffle de liberté de 1789, un monde souverainement juste et heureux. Ainsi, comme l'écrit Simone Debout, demeurent-ils vivants « par ce qu'ils eurent d'extrême, quand irrespectueux et destructeurs, naïfs et conquérants, ils faisaient montre d'une mégalomanie créatrice ».

Jean-Paul Thomas

La Révolution dans les manuels d'instruction civique

Les manuels d'instruction civique, promus par l'école républicaine depuis sa fondation (1880), servirent constamment à propager des thèses, des images et des textes de, sur, et autour de la Révolution française. A relire un siècle d'édition de manuels, engageant trois républiques, il apparaît que, plus on s'éloigne des problèmes posés à une république en cours d'enracinement et de stabilisation, moins l'instruction civique prend en charge la relation des événements proprement dits. Certes, les républiques successives retiennent de la Révolution l'œuvre qui leur semble fondatrice : la Déclaration des droits de l'homme et du citoyen (1789). Mais, très vite, l'étude de la Révolution est déplacée des ouvrages d'instruction civique vers les ouvrages d'histoire. Ceux-là se cantonnent à l'examen du fonctionnement d'institutions dont on se contente d'indiquer qu'elles constituent, comme telles, un héritage révolutionnaire.

En revanche, depuis 1984, à la conjonction de l'approche du bicentenaire et de la préoccupation du ressourcement d'un corps social en crise, la Révolution française revient à l'honneur en même temps que des manuels nouveaux d'instruction civique, qui font une large part au récit et au mythe révolutionnaires. Elle prend ici figure de creuset de formation de l'idéal des droits de l'homme, contre lesquels plus personne n'est censé s'élever, et qui est, dès lors, proposé à nouveau au monde entier.

Une exception : Vichy

Seule exception, la « révolution nationale », programme idéologique du gouvernement de Vichy, s'est présentée comme une négation de 1789. Les manuels édités à cette époque rompent violemment avec le discours républicain forgé dans les années 1880-1900. Ils minimisent la place de la Révolution dans l'histoire nationale. Des directives imposent même aux professeurs d'histoire la suppression des majuscules dans cette dénomination : « révolution ». C'est ainsi qu'un retour s'organise vers le commentaire réactionnaire du début du XIXe siècle, ou concomitant de l'événement ; par exemple ceux d'Edmond Burke (1790) ou de l'abbé Barruel (1797).

Ainsi, le manuel d'instruction civique de Bernard Faÿ, en 1941, reprend-il à ce dernier la thèse du complot franc-maçon et protestant, sur la base d'un catholicisme réactionnaire.

C'est en fait contre cette exception dans le discours des manuels scolaires que la Libération remet à l'honneur la Révolution française, la démocratie et les droits de l'homme, ignorés par Vichy. Le programme du CNR (Comité national de la Résistance) en témoigne, dès 1944. Les textes distribués alors dans les écoles reviennent à la doctrine fixée par la IIIe République.

La IIIe République et les manuels fondateurs

Sitôt victorieuse, et stabilisée à partir de 1879, la IIIe République accorde, au travers de ses manuels, une place centrale à la Révolution française. L'enseignement de l'instruction civique multiplie les marques de filiation à l'égard de sa matrice politique : le 14 Juillet, devenu (par référence à 1790) fête nationale en 1880, prend alors plus de relief dans les ouvrages, et la mise en images de la Révolution est maintenant confiée aux dessinateurs : ainsi le moulin de Valmy entre-t-il dans toutes les iconographies.

L'enseignement de l'instruction civique et morale a été créé en 1882 afin, entre autres raisons, de mieux enraciner le régime, et ce au détriment du pouvoir idéologique de l'Église. Il est chargé non seulement d'expliquer les institutions, mais encore de faire aimer la république, c'est-à-dire de sauver les institutions. Dans cette optique, la Révolution française est appelée à jouer un rôle certain : confirmer la division de l'histoire nationale en deux phases, en deux France, irréconciliables : celle de l'Ancien Régime et celle de la République.

A ce titre, la Révolution participe essentiellement d'un enjeu politique et culturel. La preuve en est qu'à la coupure politique qui intervient en 1902 (lorsque s'instaure la « république radicale », marquée par la fin de l'épisode Dreyfus, et l'émergence d'un mouvement socialiste mieux structuré) fait écho, dans les manuels, une vision légèrement infléchie de 1789.

Relativement nombreux, les manuels fondateurs se distribuent en trois genres : catholiques, républicains « prononcés » ou « modérés ». Ces deux derniers cristallisent les positions postérieures, et contribuent à forger l'imagerie républicaine de la Révolution, qui est enseignée de la IIIe à la Ve République.

Bâtie sur le même modèle, l'étude de ce passé paraît d'autant plus nécessaire dans les manuels républicains qu'elle a pour rôle d'attacher les enfants à la république. La volonté de filiation et d'identification est patente ; c'est pourquoi on y propose les révolutionnaires comme les « pères », la Révolution comme la « mère » des régimes postérieurs. Au lieu de raconter la Révolution, beaucoup de manuels la chantent, la glorifient. Elle marque l'aube d'une société libre et fraternelle. Elle a en quelque sorte arrêté le temps, dans sa réussite même. La raison a trouvé en elle un passage susceptible de percer le mur de l'obscurantisme.

Les manuels « modérés » dominent à l'école, après 1890. La république, moins menacée, fait de la Révolution un éloge plus prudent. Certes, elle reste un événement de toute première importance, mais il n'est plus messianique. L'idée d'une coupure de la France en deux est refusée. On se rend compte qu'exalter sans limites le souvenir de la Révolution risque de l'ériger en modèle, et ce serait alors s'exposer à mal défendre l'ordre établi.

Au fond, la Révolution est une « mère » encombrante. Les « seigneurs » étaient devenus indignes de gouverner, mais la Révolution fut un déferlement de violence. Il faut donc trouver une voie moyenne entre ces deux écueils. C'est pourquoi le discours scolaire républicain affirme que la Révolution est un événement que la « générosité » des uns, la « retenue » des autres auraient pu éviter. La violence est le signe d'un égarement profond ; les révolutions finalement sont inutiles ; et, en vérité, il n'existe pas d'oppositions sociales, il n'est que des malentendus.

La Révolution ayant instauré l'État social parfait, celui du contrat entre individus juridiquement égaux, elle est, de ce fait, la dernière des révolutions possibles.

Le discours des héritiers

Après 1902, l'apologie sans réserve n'est plus du tout de mise. 1789 doit rester l'exception qui confirme la règle. Les « erreurs » désormais réparées ne justifient plus aucun mouvement social. L'événement, d'ailleurs, n'a plus la valeur d'un « bloc » (Clemenceau). Il faut distinguer la phase raisonnable (1789-1792) et le « délire égalitariste » (1793). L'idée d'une révolution considérée en « bloc » (1789 et 1793, Terreur incluse) n'a eu sa place qu'au temps du danger que courait la république. La IIIe République ayant surmonté Panama (1893), et surtout l'affaire Dreyfus, elle est bien enracinée. La défense inconditionnelle de *toute* la Révolution ne s'impose plus.

Il faut cependant noter, dans ce contexte, l'élaboration marginale de manuels socialistes d'instruction civique. Ils voient dans la Révolution, non l'aboutissement de l'histoire (à la manière de leurs homologues républicains), mais, au contraire, un point de départ. 1789 désigne la première Révolution française, anticipatrice de la république sociale à construire. Mais l'usage de ces manuels demeure restreint.

Deux thèmes essentiels parcourent tous les manuels des républiques successives. D'une part, l'histoire progresse des ténèbres vers la lumière. Et, depuis la Révolution, après quelque soixante-dix ans de chaos, la République a enfin renoué avec le grand élan de 1789. Liberté, Égalité, Fraternité (devenue Solidarité) gouvernent tous les jours. La Révolution a aboli les classes pour ne laisser en place que des citoyens égaux, tous détenteurs d'une parcelle égale du pouvoir d'État.

D'autre part, le présent, fruit de l'héroïsme des ancêtres, est établi définitivement sur des bases stables, incontestables. L'héritage doit être recueilli, mais pas remis en cause.

La Révolution a épuisé le champ de l'égalité possible. Vouloir aller plus loin serait aller à contre-courant de « l'égalité naturelle ».

La conception globale de la Révolution s'articule autour de l'idée du Bien. La conscience humaine s'est affranchie des « ténèbres du passé ». Toutefois, retenons la leçon : quelque bien qu'ait fait la Révolution, il lui faut toujours préférer l'évolution tranquille.

Culturellement, l'enseignement de la Révolution française offre trois visages. L'un sous-tend le nationalisme républicain : c'est dans les campagnes de la Révolution que la France entend puiser le souvenir de sa valeur nationale et militaire, compromise après 1870, et régénérée par la Grande Guerre (dernière des campagnes de la Révolution ?). L'autre reprend politiquement le combat des Lumières contre le camp cléricalo-monarchiste. Le dernier, socialement conservateur, justifie l'ordre présent : l'homme désormais progresse sans violence par la vertu d'un bon contrat, et l'idéologie du mérite consacre l'ordre social. 1789, matrice de la République, irréprochable image progressiste, présente la république comme indépassable et éternelle. La Révolution cesse d'être histoire, pour devenir mythe.

Le poids des manuels d'instruction civique dans l'enseignement diminue au fur et à mesure de l'incorporation sociale de la doctrine républicaine. La Ve République n'éprouve plus le besoin de remanier ces images bien inculquées. Les parents peuvent les transmettre eux-mêmes à leurs enfants.

Et pourtant, il sera question de restaurer l'instruction civique à l'école, notamment face au problème des « Beurs », en 1984. Le visage de la Révolution reste, à cette date, identique à celui décrit ci-dessus : « Espérons, mes amis, que vous en avez fini, en France, avec les révolutions, et que votre pays aura désormais la tranquillité dont il a si grand besoin » (G. Bruno, *Les Enfants de Marcel,* 1887, manuel républicain).

Christian Ruby
Georges Bensoussan

Un siècle d'historiographie révolutionnaire (1880-1987)

A partir de quand peut-on parler d'une histoire « scientifique » de la Révolution ? Entendons d'une approche qui entre encore dans nos bibliographies au titre des sources, et non principalement pour des qualités de pensée et d'écriture littéraire (soit dit sans offenser la mémoire de Michelet et de quelques autres, toujours bons à consulter, et souvent utiles). Au risque de paraître cultiver le paradoxe, c'est aux contemporains de Taine que j'accorderai ce privilège. Les *Origines de la France contemporaine* publiées entre 1875 et 1893 restent certes un recueil de grandes pages littéraires, et une thèse, violente dans l'anathème qu'elle jette sur la Révolution française aux origines du déclin de la France moderne. A ce titre, la postérité de Taine n'est pas encore éteinte. Mais Alphonse Aulard comme Albert Mathiez l'ont lu et critiqué avec attention, et avec le respect que l'on doit à un historien qui a consulté des sources précises.

Cette histoire engagée, qui à la veille et à l'époque du premier centenaire prend parti sans retenue, est contemporaine de tout le courant d'une érudition positiviste qui rassemble alors les documents, publie les textes et inaugure les premiers chantiers. Monographies d'histoire politique, souvent très narratives, ces ouvrages ont défriché le terrain de l'histoire révolutionnaire, et à ce titre nous leur devons encore une réelle reconnaissance. Érudits positivistes, ces chercheurs ne sont pas pour cela plus sereins que Taine ; dans les dernières décennies du siècle, ils se passionnent pour l'histoire religieuse, dans l'un ou l'autre camp, prêtres attachés à décrire la persécution religieuse contre pédagogues francs-maçons. Mais pour la plupart, ils respectent déjà les règles du jeu d'une historiographie révolutionnaire qui, depuis 1886, a pignon sur rue à la Sorbonne.

L'âge d'or de l'historiographie révolutionnaire

On peut parler d'un âge d'or de l'historiographie de la Révolution, quand Jaurès non seulement mène à bien l'ample saga de l'*Histoire socialiste de la Révolution* – écrivant, dit-il, à la triple lumière de Michelet, de Marx et de Plutarque, introduisant en tout cas, ne fût-ce qu'à titre d'anticipation, la pratique d'une approche résolument scientifique –, mais aussi fait créer sous l'égide des chambres parlementaires la célèbre Commission de recherche et de publication de textes et de documents relatifs à l'histoire économique et sociale de la Révolution française. Sur un chantier où se rencontrent des savants de tous pays – Minzes, Loutchisky, Kareiev, défricheurs de l'histoire agraire de la Révolution –, s'inscrit l'enchaînement, alors, des grandes silhouettes de l'école française : Aulard, premier occupant en 1886 de la chaire d'histoire de la Révolution à la Sorbonne, poursuit avec Mathiez un débat d'idées par héros interposés – Danton contre Robespierre –, lecture « radicale » contre lecture « socialiste ». Mais cet aspect polémique ne masque pas l'extrême fécondité d'une recherche qui, d'Albert Mathiez à Georges Lefebvre, à Albert Soboul jusqu'à hier, a posé les bases d'une école, diverse dans sa continuité, porteuse d'un discours progressivement élaboré sur la Révolution.

Une historiographie conquérante et sûre d'elle-même ?

Sûre d'elle-même cette école jacobine ? On l'a dit, et peut-être avec trop d'insistance. Conquérante, à coup sûr : depuis les études de l'histoire politique, à laquelle ils ont su ne pas se tenir, ces maîtres, à commencer par A. Mathiez *(Mouvement social et vie chère sous la Terreur)* pour poursuivre par G. Lefebvre (celui des *Paysans du Nord sous la Révolution française* ou de *La Grande Peur*), et achever avec les *Sans-Culottes parisiens en l'an II* d'A. Soboul, ont élaboré une lecture sociale de la Révolution française, introduisant progressivement sur la scène les masses rurales, puis urbaines, proposant le schéma explicatif d'une « Révolution bourgeoise à soutien populaire », qui constituerait l'originalité de la vie révolutionnaire française, en un modèle où se réunifient « les » Révolutions – bourgeoise, urbaine et paysanne – dont G. Lefebvre avait dit la diversité.

Marxiste, ce modèle jacobin ? Oui et non : adoptant certes le présupposé d'une mutation nécessaire, fondée sur le changement des structures sociales et des forces de production à la fin du XVIIIe siècle, autant et plus peut-être que sur l'évolution des idées ; mais suffisamment large et convaincante pour retenir l'adhésion d'historiens qui, de Marcel Reinhard à Jacques Godechot, pour n'en citer que quelques-uns, restent plus jacobins que marxistes. Et l'on a le sentiment d'un véritable épanouissement dans les années cinquante, quand les dernières années de G. Lefebvre s'éclairent du rassemblement à Paris de toute une pléiade de chercheurs : A. Soboul, J.-R. Suratteau, mais aussi venus de l'étranger, G. Rudé, A. Saïtta, R. Cobb, K. Tønnesson, W. Markow ou K. Takahashi. La Révolution française, dirait-on, n'a jamais attiré tant de monde : et c'est alors pourtant que, jeune historien entrant dans la carrière, je me vis répondre par A. Soboul que je consultais : « Pourquoi veux-tu travailler sur la Révolution ? Cela n'intéresse plus personne. » Soboul avait raison : à cette époque déjà, la crise était ouverte.

Un autre climat historiographique

A la fin des années cinquante, on se trouve au moment même du triomphe des *Annales ESC,* ces « secondes Annales », animées par Fernand Braudel qui rédige alors son article célèbre sur « La longue durée » (1958). Pour lui comme pour tout le courant qu'il représente, la Révolution est de l'ordre des épiphénomènes, petite vague de l'histoire, reportée aux « dérives de longue durée », aux « masses d'histoire lente » qui constituent l'essentiel : ressortissant en somme à ce qu'il range au rang de l'« importun pathétique ».

Triomphe de la longue durée sur les chantiers de l'histoire sociale, triomphe de l'histoire de la civilisation matérielle, puis des mentalités et bientôt d'une anthropologie historique qui tendra à se figer dans l'« histoire immobile » d'Emmanuel Le Roy Ladurie. La tentation fut grande pour nombre de chercheurs de s'investir dans la longue durée. Dans le domaine précis des études révolutionnaires, cette conjoncture défavorable allait se doubler, dans ces années soixante, d'une attaque frontale contre les positions reçues.

La grande attaque

Cette offensive est partie de plusieurs points : elle a trouvé dans les écoles anglo-saxonnes ses premiers champions (chez A. Cobban dans le *Mythe de la Révolution,* ou outre-Atlantique chez G. Taylor *Non Capitalistic Wealth at the Origins of the French Revolution).* Mais ce courant a été très vite relayé en France où le livre de François Furet et Denis Richet, *La Révolution française,* mit en 1965 le feu aux poudres. Si l'on résume en quelques propositions une série d'arguments, désormais entrés dans l'histoire de l'historiographie, l'attaque portait sur plusieurs thèmes, au demeurant très liés :

– Sur les causes et sur l'interprétation sociale de la Révolution : là où Cobban avait dénié toute causalité sociale à un affrontement pour lui essentiellement de l'ordre du politique, d'autres contestaient la réalité d'une réaction nobiliaire aux sources de la Révolution, et plus encore l'existence ou la consistance d'une bourgeoisie véritable dans la France de la fin du XVIIIe siècle, soulignant qu'une part importante du capital industriel et des entreprises tournées vers l'avenir était aux mains des nobles... (G. Taylor). Entre une noblesse « progressiste », libérale et ouverte aux idées nouvelles, et la couche supérieure de la bourgeoisie, un consensus de fait n'existait-il pas dans le cadre des « élites » que l'on découvrait alors, et dans ces conditions la Révolution était-elle nécessaire, ne pouvait-elle être évitée ou stabilisée au stade d'un compromis réformiste et d'une monarchie constitutionnelle ?

– Étonnant retournement si l'on y réfléchit... : moins de vingt ans plus tôt, en 1948, Daniel Guérin dans *Bourgeois et bras nus, la lutte des classes sous la Révolution française,* écrivant à la lumière des théories de la Révolution permanente, avait vu dans la dynamique révolutionnaire un mouvement trop tôt arrêté par la politique non sans machiavélisme de la bourgeoisie montagnarde, alors qu'il était porteur de son propre dépassement en termes de Révolution prolétarienne. Hypothèse aventureuse, que l'analyse concrète du contenu social de la sans-culotterie parisienne par A. Soboul devait ruiner par la suite. Désormais, dans la pensée des historiens que l'on commence à dénommer « révisionnistes » car ils se proposent de réviser de fond en comble les certitudes reçues, c'est bien au contraire d'un mouvement trop loin poursuivi qu'il s'agit. Le compromis était possible, on l'a frôlé en 1790, « l'année heureuse » ; le « dérapage » de la Révolution française qui s'opère de 1791 à 1794 est dû à l'intrusion incongrue des masses populaires urbaines ou paysannes, mobilisées sur la base de leurs revendications traditionnelles, en matière agraire ou de subsistances, sur un programme passéiste.

– Cette notion du « dérapage » de la Révolution entraîne la remise en cause de l'idée même d'un mouvement ascendant, de la révolution bourgeoise à la révolution démocratique de l'an II, où François Furet (dans son *Catéchisme de la Révolution française*) voit des relents de finalisme, comme elle remet en question la *théorie des circonstances,* jusqu'alors admise, selon laquelle c'est pour faire face à la contre-révolution intérieure, comme à la coalition des puissances monarchiques, que la radicalisation aurait dû se faire, fondée sur l'alliance momentanée, mais un temps efficace, d'une partie de la bourgeoisie et du mouvement populaire. La Révolution aurait-elle rêvé ces périls, créant des tigres de papier, pour se livrer à un délire dont elle s'est intoxiquée elle-même ? Un second discours du révisionnisme est déjà en germe dans ce faisceau de critiques.

Une nouvelle phase, une nouvelle donne ?

Toute une génération a accusé sévèrement le choc de cette attaque, combinée à l'air du temps, du triomphe des nouvelles *Annales.* On a pu alors prendre conscience du recul de la place de la Révolution française, non seulement dans la recherche, ou dans l'enseignement, mais dans une sensibilité et une culture qui lui devenaient étrangères.

Dira-t-on qu'une nouvelle phase commence avec 1968, celle de la Révolution rêvée ? L'argument serait trop facile sans doute. Et pourtant, c'est dans les années qui ont suivi ce mouvement qui se voulait une fête autant qu'une révolution qu'on a vu se multiplier les études sur la fête révolutionnaire : colloque à Clermont-Ferrand en 1974, ouvrages de Mona Ozouf et de moi-même en 1976. Comme fête, mais point seulement à ce titre, l'événement révolutionnaire refait surface. La querelle des « jacobins » et des « révisionnistes » qui semblait s'enliser dans une sorte de guerre de tranchées, souvent sans élégance, s'anime à nouveau pour le bien de la recherche.

Dans le camp « jacobin »...

Dans ce que l'on peut appeler, pour faire simple, le camp jacobin, les provocations (au bon sens du terme) reçues ont conduit à d'utiles réflexions : ainsi sur le concept de bourgeoisie que, de... Guizot à Lefebvre, on n'avait pas suffisamment précisé, l'employant dans des acceptions, larges ou étroites, parfois contradictoires. Des travaux comme ceux de Régine Robin *(La France en 1789 – Semur-en-Auxois)* ont fortement contribué à éclaircir le problème en proposant les traits d'une bourgeoisie mixte, ou de transition caractéristique de cette phase, où le monde de la rente l'emporte encore sur celui du profit. C'est chez elle aussi qu'on peut chercher – ainsi dans telle réflexion sur le concept de « liberté » dans le discours des parlementaires lors des édits de Turgot sur la liberté des grains en 1774 – une analyse sans complaisance des ambiguïtés et des contradictions de la notion d'élites à la veille de la Révolution. En même temps que Soboul et ses élèves approfondissaient leurs recherches dans le champ de l'histoire agraire (études sur le prélèvement seigneurial et la fin de la féodalité) comme urbaine (travaux sur le mouvement populaire parisien), d'autres chercheurs de même sensibilité proposaient une nouvelle lecture de l'histoire religieuse ou culturelle de la Révolution et s'efforçaient de poser les bases d'une histoire des mentalités révolutionnaires, annexant de nouveaux territoires à la recherche.

Dans les rangs des révisionnistes...

Entre-temps, les choses ont également changé dans les rangs de l'école « révisionniste », dont le succès est incontestable non seulement en France, mais dans le monde anglo-saxon, et dans toute une partie de l'Europe. Ce discours est toutefois en renouvellement. *Penser la Révolution française* que F. Furet publie en 1978 prolonge en les modifiant singulièrement les propositions de 1965. Certes il revient sur la condamnation de la théorie des circonstances mais pour dire, citant Quinet : « Non ce n'est pas la nécessité des choses qui a fait le système de la Terreur. Ce sont les idées fausses », ou même parlant en son nom propre : « Le vrai est que la Terreur fait partie de l'idéologie révolutionnaire. » Pour analyser ces sources endogènes de la dérive révolutionnaire, F. Furet s'appuie sur les historiens du XIXe siècle qu'il redécouvre parfois : sinon Tocqueville, ou Quinet, qui n'étaient pas des oubliés, du moins Augustin Cochin, historien conservateur du début du siècle, auquel il emprunte l'idée que la nouvelle sociabilité démocratique et rousseauiste des loges maçonniques et sociétés de pensée fraie la voie à la reprise en main et à la confiscation totalitaire de la Révolution par la « machine » jacobine, ouvrant ce concept de souveraineté populaire dont il fait la « matrice du totalitarisme », estimant que « 1789 ouvre une période de dérive de l'histoire ».

La Révolution française reprend dans cette nouvelle lecture une cohésion (on est loin du « dérapage) puisqu'elle acquiert le statut d'événement fondateur, mais, hélas, ce n'est pas en bien puisqu'elle se trouve contenir en germe les dérives totalitaires du XXe siècle. Par-delà Cochin, F. Furet inscrit ici sa réflexion en continuité avec celle de Talmon *(Origins of the Totalitarian Democracy).* Rousseau est en procès comme celui qui a porté les thèmes de volonté collective et de souveraineté nationale dont se sont nourris les jacobins : « C'est la faute à Rousseau », conclut Jacques Julliard qui partage ce point de vue (1986).

Le réveil de l'histoire contre-révolutionnaire

F. Furet ne se reconnaît pas, et l'a dit avec force, dans le réveil récent, provoqué par l'approche du bicentenaire, d'une historiographie ouvertement contre-révolutionnaire. A vrai dire, avait-elle jamais disparu ? Elle avait gardé ses positions fortes, de tradition depuis le XIXe siècle, à l'Académie française (dans le sillage de Pierre Gaxotte) ou dans les bibliothèques des gares. Vieille chanson un peu fatiguée, elle a connu tout récemment un regain de vitalité remarquable. Petite monnaie caricaturale des réflexions de F. Furet, l'image d'une Révolution totalitaire, antichambre du goulag, fait florès. La Révolution assimilée à la Terreur et au bain de sang devient le mal absolu. Toute une littérature se développe sur le thème du « génocide franco-français » à partir d'appréciations souvent audacieuses du nombre des morts de la guerre de Vendée : 128 000, 400 000 et pourquoi pas 600 000 ? Certains historiens, sans être spécialistes de la question, ont mis tout le poids de leur autorité morale à développer ce discours de l'anathème, disqualifiant d'entrée toute tentative pour raison garder. Telle histoire tient beaucoup de place dans les médias comme dans une partie de la presse. Elle ne saurait cacher la vitalité d'une historiographie de l'époque révolutionnaire aujourd'hui en plein réveil.

Michel Vovelle

Bibliographie sélective

Grands classiques

AULARD A., *Histoire politique de la Révolution française,* Alcan, 1901, rééd. 1926.

BLANC L., *Histoire de la Révolution française,* 12 vol., Langlois et Leclercq, Paris, 1847, 1862.

BUCHEZ P. et ROUX P., *Histoire parlementaire de la Révolution française,* 40 vol., Paulin, Paris, 1834-1838.

JAURÈS J., *Histoire socialiste de la Révolution française,* Paris, 1901-1908, rééd. Éd. Sociales, 4 vol., revue et annotée par A. Soboul, 1970.

MATHIEZ A., *La Révolution française,* Armand Colin, Paris, 1922-1927, rééd. Denoël, 1985.

MICHELET J., *Histoire de la Révolution française,* Paris, 1847-1862, rééd. La Pléiade, Gallimard, Paris, 1961.

SAGNAC P., *La Révolution (1789-1792). Histoire de la France contemporaine,* t. I, sous la direction d'E. LAVISSE, Hachette, Paris, 1920.

TAINE H., *Les Origines de la France contemporaine,* 1876-1893, Paris, rééd. Hachette, Paris, 1947.

TOCQUEVILLE A. de, *L'Ancien Régime et la Révolution,* 1856, rééd. « Idées », Gallimard, Paris, 1964.

Synthèses

FURET F. et RICHET D., *La Révolution française,* 2 vol., Hachette, Paris, 1965-1966, rééd. 1973.

GODECHOT J., *Les Révolutions (1770-1799),* PUF, t. 36 de la coll. « Nouvelle Clio », Paris, 1963.

GOUBERT P., *L'Ancien Régime,* Armand Colin, Paris, 1969 et 1973.

GUÉRIN D., *La Lutte des classes sous la Ire République. Bourgeois et bras nus (1793-1797),* 2 vol., Gallimard, Paris, 1946.

HINCKER F. et MAZAURIC C., *1789-1799, Histoire de la France contemporaine,* t. I, Éd. Sociale, Paris, 1978.

LEFEBVRE G., *La Révolution française,* PUF, Paris, nouvelle rédaction, 1951 et rééd. 1963.

MOUSNIER R., LABROUSSE E. et BOULOISEAU M., *Le XVIIIe siècle. Révolution intellectuelle, technique et politique (1715-1815),* t. V de l'*Histoire générale des civilisations,* sous la direction de M. CROUZET, PUF, Paris, 1953.

SOBOUL A., *Précis d'histoire de la Révolution française,* Éd. sociales, Paris, 1975.

TRAHARD P., La sensibilité révolutionnaire (1789-1794), Boivin, Paris, 1936.

Dans la collection « Points Histoire » au Seuil :

VOVELLE M., *La Chute de la monarchie (1787-1792),* Seuil, Paris, 1972.

BOULOISEAU M., *La République jacobine (10 août 1792-9 thermidor an II),* Seuil, Paris, 1972.

WORONOFF D., *La République bourgeoise (de Thermidor à Brumaire),* Seuil, Paris, 1972.

Pour l'histoire économique, un ouvrage essentiel :

LABROUSSE E., LÉON P., GOUBERT P., BOUVIER J., CARRIÈRE C., HARSIN P., *Histoire économique et sociale de la France (1660-1789),* PUF, Paris, 1970.

FILMOGRAPHIE

1897-1914

1897 G. Hatot : *Mort de Robespierre, Mort de Marat.*
1904 G. Blache : *Le Courrier de Lyon.*
1908 A. Capellani : *Sous la Terreur ;* G. Denola : *La Fin de Robespierre ;* S. Blackton : *Napoléon.*
1909 L. Feuillade : *Le Collier de la reine.*
1910 L. Feuillade : *Au temps de la Chouannerie, André Chénier ;* A. Capellani : *Cagliostro.*
1911 Rodolfo : *La presa de la Bastiglia ;* A. Capellani : *Madame Tallien ;* A. Calmettes : *Camille Desmoulins, Madame Sans-Gêne ;* G. Bourgeois : *Cagliostro.*
1912 A. Capellani : *Le Courrier de Lyon, La Fin de Robespierre ;* C. de Morlhon : *L'Affaire du collier ;* M. Desfontaines : *Vaincre ou mourir.*
1913 Blom : *Un mariage sous la Terreur ;* A. Capellani : *Quatre-Vingt-Treize ;* E. Chautard : *La Marseillaise.*

1914-1940

1917 Lloyd : *A Tale of Two Cities.*
1919 E. Lubitsch : *Madame du Barry ;* M. Desfontaines : *La Naissance de la Marseillaise.*
1920 C. Dreyer : *Blad of Satan Dagbog (Les Feuillets arrachés au livre de Satan).*
1922 D. Griffith : *Orphans in the Storm (Les Deux Orphelines).*
1923 Buchowestski : *Danton ;* Poirier : *L'Affaire du courrier de Lyon ;* Ingram : *Scaramouche.*
1924 J. Kemm : *L'Enfant-roi ;* D. Griffith : *America (Pour l'Indépendance).*
1925 L. Perret : *Madame Sans-Gêne ;* Luitz-Morat : *Jean Chouan.*
1926 A. Gance : *Napoléon ;* Marodon : *Les Dieux ont soif ;* H. Roussel : *Destinée.*
1927 Ravel : *Madame Récamier.*
1929 Ravel : *Le Collier de la reine, Figaro ;* R. Oswald : *Cagliostro.*
1930 Taylor : *Du Barry ;* Robertson : *Captain of the Guard.*
1931 Behrendt : *Danton.*
1932 A. Roubaud : *Danton.*
1933 Tourneur : *Les Deux Orphelines.*
1934 Conway : *A Tale of Two Cities ;* Forzano : *Sous la Terreur ;* Young : *The Scarlet Pimpernel (Le Mouron rouge).*
1935 Derosne : *La Fille de Madame Angot.*
1936 J. Renoir : *La Marseillaise.*
1937 M. Lehmann et C. Autant-Lara : *L'Affaire du courrier de Lyon ;* S. Guitry et Christian-Jaque : *Les Perles de la couronne.*
1938 Van Dyke : *Marie-Antoinette ;* S. Guitry : *Remontons les Champs-Élysées ;* M. de Canonge : *Vive la nation ou les Trois Tambours.*

FILMOGRAPHIE

1940-1968

1941 S. Guitry : *Le Destin fabuleux de Désirée Clary;* R. Richèbe : *Madame Sans-Gêne.*
1944 P. Lestringuez : *Pamela.*
1946 M. L'Herbier : *L'Affaire du collier de la reine;* H. Calef : *Les Chouans.*
1948 S. Guitry : *Le Diable boiteux.*
1949 A. Mann : *Reign of Terror (Le Livre noir).*
1951 R. Pottier : *Caroline chérie.*
1952 Sidney : *Scaramouche.*
1953 S. Guitry : *Si Versailles m'était conté;* Cottafavi : *Il cavaliere di Maison-Rouge (Le Prince au masque rouge).*
1954 Koster : *Désirée;* Christian-Jaque : *Madame du Barry;* Fracassi : *Andrea Chénier.*
1955 S. Guitry : *Napoléon.*
1956 J. Delannoy : *Marie-Antoinette;* S. Guitry : *Si Paris m'était conté.*
1958 S. Lorenzi : *Le Procès de Marie-Antoinette* (TV) ; Hurst : *Dangerous Exile (Louis XVII).*
1960 Bruckberger et Agostini : *Le Dialogue des carmélites;* Christian-Jaque : *Madame Sans-Gêne;* S. Lorenzi : *La Nuit de Varennes* (TV).
1961 J. Dreville : *La Fayette;* Christian-Jaque : *Madame Sans-Gêne.*
1964 S. Lorenzi : *La Terreur et la Vertu* (TV) ; Christian-Jaque : *La Tulipe noire.*
1967 A. Gance et J. Chérasse : *Valmy et la naissance de la République* (TV) ; P. Brook : *Marat-Sade* (d'après une pièce de P. Weiss).

1968-1986

1968 D. de la Patellière : *Caroline chérie.*
1970 Yorkin : *Start the Revolution without me.*
1972 J.-P. Rappeneau : *Les Mariés de l'an II.*
1974 A. Mnouchkine : *1789.*
1975 P. Cardinal : *Saint-Just ou la Force des choses* (TV).
1976 V. Norton : *Babeuf ou le Journal parlé;* M. Favart : *La Grande Peur de 1789* (TV).
1978 M. Failevic et J.-D. de la Rochefoucauld : *1788* (TV).
1982 E. Scola : *La Fuite à Varennes.*
1983 A. Wajda : *Danton.*

L'ÉTAT DU MONDE

LA RÉVOLUTION FRANÇAISE, 1789-1799

1789

	FRANCE	EUROPE	AMÉRIQUE + ANTILLES	AFRIQUE + OCÉANIE	PROCHE-ORIENT	ASIE
POLITIQUE	*24/ 1 :* convocation des États généraux. *Mars/avril :* révoltes agraires en Picardie, Cambrésis, Provence. *Mars :* élections aux États généraux. *27/ 4 :* émeute chez Reveillon. *17/ 6 :* le Tiers en Assemblée nationale. *20/ 6 :* Serment du Jeu de paume. *6/ 7 :* Comité de Constitution. *9/ 7 :* Assemblée nationale constituante. *11/ 7 :* renvoi de Necker. *12/ 7 :* brûlement des barrières de Paris. *13/ 7 :* création des gardes nationales de Paris. *14/ 7 :* prise de la Bastille. *16/ 7 :* émigration du comte d'Artois et de Condé. Rappel de Necker. *Juillet/août :* Grande Peur. Émeutes rurales. *17/ 7 :* cocarde tricolore. Formation des gardes nationales et de municipalité. *4/ 8 :* nuit du 4 Août. *Août :* création du Club des Bataves et du Club helvétique. *26/ 8 :* Déclaration des droits de l'homme et du citoyen. *11/ 9 :* veto royal suspensif. *5-6/10 :* le roi ramené à Paris. *12/10 :* l'Assemblée nationale à Paris. *21/10 :* vote de la loi martiale. *14/12 :* loi sur les municipalités. *24/12 :* les protestants admissibles à tous les emplois.	**Belgique.** *7/1 :* annulation de la « Joyeuse Entrée » (privilège de 1356). Le Hainaut et le Brabant refusent les subsides à Joseph II. Émeutes contre Joseph II. *18/8 :* insurrection à Liège. La prise de la Bastille acclamée. *24/10 :* victoire de la révolution brabançonne. **Suisse.** Émeutes de Fribourg réprimées. *Août-novembre :* révoltes paysannes antiféodales. Résistance aux dîmes. **Allemagne-Prusse.** Frédéric-Guillaume II, roi depuis 1786. **Espagne.** Fermeture des frontières. **Portugal.** Traité de commerce avec la Russie. *19/12 :* la reine Dona Maria défend aux marins français de porter la cocarde tricolore. **Italie.** Dans le Nord et à Naples, apparition de clubs révolutionnaires. **Autriche.** Prise de Belgrade. **Hongrie.** Soulèvements de nobles. Agitation paysanne. **Suède.** Acte d'union et de sécurité de Gustave III. Égalité de tous les Suédois. **Russie.** Catherine II et Joseph II s'entendent pour se partager l'Empire ottoman.	**États-Unis.** *4/3 :* élection de G. Washington, président. **Brésil.** *10/5 :* arrestation de Joachim Jose da Silva Xavier préconisant l'indépendance et le partage des fortunes. Conspiration de Tiradentes (Minas).	Décadence du **Bénin,** un des États négriers.	**Arabie.** Abd al-Wahhab interdit le café, le tabac et le culte des saints. **Turquie.** Catherine II et Joseph II s'entendent pour se partager l'Empire ottoman. Début du règne de Selim III.	**Chine.** Kien-Long est empereur (1736-1796). **Japon.** Shogunat de Tokugawa Ienari depuis 1787. Empereur Kokaku depuis 1780. Début de l'ère Kansei. **Inde.** Règne de l'empereur Shàh Alàm II (1759-1806). **Siam.** Règne de Râma Ier Chakri. **Vietnam.** Chute de la dynastie Lê. Les trois frères Tay se partagent le pays. Victoire de Nguyên Huê sur les Mandchous. Nguyên Huê devient l'empereur Quang Trang.

ÉCONOMIE ET SOCIÉTÉ	*4/ 8* : abolition des privilèges personels. Rachat des droits féodaux. *29/ 8* : liberté du commerce des grains. *31/ 8* : fermeture des ateliers de charité. *8/10* : suppression de la question préalable. *19/12* : création des assignats avec intérêt à 5 %.	**Royaume-Uni.** *27/4* : mutinerie du *Bounty*. Le second, Fletcher Christian, met à la mer le capitaine Bligh.				
RELIGION	*26/ 8* : liberté religieuse. *28/10* : suppression provisoire des vœux monastiques. *2/11* : vente des biens du clergé. *17/12* : les biens du clergé garantissent les dettes de l'État.		**États-Unis.** Création de l'Église épiscopalienne.			
SCIENCES ET TECHNIQUES	A.L. Lavoisier : *Traité élémentaire de chimie.* A.L. de Jussieu : *Genera plantorum.* *10/10* : Guillotin propose un nouveau mode de peine capitale.	**Pays-Bas.** Johannes Ingen-Housz : expérimentation sur la conductibilité thermique des métaux. **Royaume-Uni.** William Herschel, astronome, découvre les deux satellites saturniens, Encelade et Mimas. **Allemagne.** M. H. Klaproth découvre le zirconium et l'uranium C. C.F.S. Hahnemann fonde l'homéopathie. J. Gärtner crée la carpologie (étude de plus de mille fruits).				**Japon.** Shiba Kohân (1738-1818) publie des cartes astronomiques et une description géographique de l'Occident. Mort de Ajima Naonobu, mathématicien qui, le premier au Japon, fit des calculs intégraux et différentiels.
ART ET LITTÉRATURE	M.-J. Chénier : *Charles IX* (tragédie). *4/11* : énorme succès. *Chant du départ.* David : *Brutus; Serment du Jeu de paume.* Babeuf : *Le Cadastre perpétuel.*	**Allemagne.** Goethe : *Torquato Tasso.* **Italie.** Naissance à Saluces de Silvio Pellico, auteur de *Mes prisons.*	**États-Unis.** Peinture. James Peale (né en 1749), Joshua Johnston, Edouard Hichs. James Audubon (1785-1851) étudiera dans l'atelier de David en France.			**Chine.** Restauration du palais impérial de Pékin et de « l'autel du ciel » au sud-est de Pékin. **Japon.** Utamaro (1754-1806). Scènes de la vie quotidienne et paysages : *Les Dons de la marée basse.* **Inde/Ceylan.** Traduction du drame *L'Anneau de Çakuntalâ* par l'Anglais Jones.

1790

	France	Europe	Amérique + Antilles	Afrique + Océanie	Proche-Orient	Asie
Politique	*Janvier* : jacqueries en Périgord, Quercy, Bretagne. *15/ 2* : 83 départements. *28/ 2* : l'armée est destinée à combattre les ennemis extérieurs. *2/ 3* : création d'un Comité des colonies. *8/ 3* : les assemblées coloniales (blanches) autonomes. *15/ 3* : abolition du servage. *27/ 4* : création du Club des cordeliers. *10/ 5* : émeute contre-révolutionnaire à Montauban. *21/ 5* : Paris divisé en 48 sections. *19/ 6* : abolition de la noblesse. *21/ 6* : Avignon demande son rattachement à la France. *14/ 7* : fête de la Fédération. *Août* : camp contre-révolutionnaire de Jalès. *24/ 8* : réorganisation de la justice. *31/ 8* : Bouillé écrase la mutinerie de Nancy. *4/ 9* : démission de Necker. *22/ 9* : institution des tribunaux militaires.	**Belgique.** *11 janvier* : proclamation d'indépendance. Les états généraux (des provinces) proclament la République des États-Belgiques-Unis. Discorde des partisans de Vonck et de Van der Noot. *Février* : l'Autriche réoccupe les « Pays-Bas ». Fuite des patriotes en France. *Juillet* : l'Ancien Régime rétabli aux « Pays-Bas ». *Octobre* : l'Ancien Régime rétabli à Liège. **Allemagne.** Agitation paysanne et bourgeoise en Rhénanie. *Février* : mort de Joseph II. Avènement de Léopold II. **Suisse.** Les paysans de Schaffhouse et du Valais en révolte contre le régime féodal. *Août* : troubles d'Ajoie et de Porrentruy. Demande de convocation d'états. *Octobre* : soulèvement de l'Ajoie. **Prusse.** Alliance avec l'Autriche et la Turquie. **Épire.** Révolte de Souli contre les Turcs. **Portugal.** Décret : les prêtres doivent combattre en chaire les idées révolutionnaires. **Autriche.** *Octobre* : prise de Belgrade. **Suède.** *29/4* : victoire navale de Walkiala contre les Russes. **Russie.** *Octobre* : prise de Bucarest.	**États-Unis.** Un chef Seneca dénonce le traité de Fort Stanwix. **Antilles.** *8-18/3* : création d'assemblées coloniales interdites aux gens de couleur. *28/3* : droits politiques aux hommes de couleur. *16/4* : assemblée générale de la partie française de Saint-Domingue. *Octobre* : soulèvement des affranchis et mulâtres. *25/11* : soulèvement des esclaves noirs de Saint-Domingue.	Ntaré fonde le royaume Bamoun du Cameroun. **Maghreb.** Crise politique au Maroc sous le règne du sultan Moulay al-Yazid.		*1/6* : alliance des Anglais avec les Marathes ennemis de Mysore. Alliance des Anglais avec le Nisam.
	8/ 3 : maintien de l'esclavage dans les colonies. *15/ 3* : suppression des droits féodaux usurpés.					

Économie et société	*21/ 3 :* suppression de la gabelle. *3/ 4 :* suppression du monopole de la Compagnie des Indes orientales. *29/ 4 :* libre circulation des grains. *8/ 5 :* unification des poids et mesures. *14/ 5 :* biens nationaux vendus en bloc. *29/ 9 :* transformation des assignats en papier-monnaie. *31/10 :* suppression des douanes et traites intérieures. *23/11 :* contribution foncière. *28/ 1 :* droit de cité pour les juifs du Midi. *31/ 1 :* interdiction du carnaval de Paris. *28/ 2 :* accès de tous aux grades militaires supérieurs. *6/ 9 :* suppression des parlements. *21/10 :* drapeau tricolore.	**Royaume-Uni.** *Juillet :* mort de l'économiste Adam Smith. Interdiction des coalitions ouvrières. **Allemagne.** *Juillet :* mort du pédagogue J.B. Basedow. **Espagne.** Suppression de la « Casa de la Contractacion ».	**États-Unis.** Premier recensement de la population.			
Religion	*13/ 2 :* interdiction des vœux monastiques. *29/ 3 :* Pie VI condamne la Déclaration des droits de l'homme. *6/ 4 :* début des troubles entre catholiques et protestants en Languedoc. *14/ 4 :* frais du culte catholique à la charge de l'État. *12/ 7 :* Constitution civile du clergé. *27/11 :* serment civique imposé au clergé.		**États-Unis.** Premier évêque catholique d'origine américaine.			
Sciences et techniques	Le chlore remplace le babeurre pour blanchir les textiles. Lagrange et Monge, fondateurs de la géométrie descriptive. Coulomb étudie le magnétisme et l'électrostatique. Expérience publique du télégraphe optique de Claude Chappe. Réorganisation du Jardin des plantes par Jussieu. Invention du célérifère (comte de Sivrac). *1790-1800 :* introduction en médecine de la digitale et de la térébenthine. Lavoisier : *Sur la respiration des animaux.*	**Allemagne.** Goethe crée le mot et le concept de morphologie : *Métamorphose des plantes.* **Angleterre.** E. Cartwright conçoit une machine à peigner la laine. **Italie.** Galvani : électricité statique. **Suède.** Linné, botaniste : classification végétale.	**États-Unis.** Mort de Benjamin Franklin.			
Art et littérature	*Février :* succès du *Philinte de Molière,* de Fabre d'Églantine. Étienne Méhul : *Euphrosine et Coradin,* à l'Opéra-Comique.	**Royaume-Uni.** William Blake : *Marriage of Heaven and Hell.* A. Young : *Voyage en France.* Burke publie en novembre ses *Réflexions sur la Révolution française.* **Allemagne.** Beethoven : *Cantate sur la mort de Joseph II.* Kant : *Critique de la faculté de juger.*	**États-Unis.** Peinture : Rufus Hathaway (1770-1822) : *Portrait de Molly Whales Leonard.*			**Chine.** Arts décoratifs surchargés. Déclin de la céramique. Ateliers de Canton : ivoires, « boules de Canton ». **Japon.** Utamaro : *Poèmes satyriques sur les oiseaux ;* on l'appelle « le peintre de la femme ».

	FRANCE	EUROPE	AMÉRIQUE + ANTILLES	AFRIQUE + OCÉANIE	PROCHE-ORIENT	ASIE
ART ET LITTÉRATURE		Goethe : *Fragments de Faust, Élégies romaines.* **Suisse.** J.D. Antoine, architecte français : *hôtel des Monnaies,* à Berne. **Italie.** F. Guardi : *Vue vers la lagune.* **Autriche.** *26/1 :* première représentation de *Cosi Fan Tutte* (Mozart). J.G. Albrechtsberger : *Méthode de composition;* élèves : Beethoven et Czerny. **Russie.** Radichtchev déporté en Sibérie pour avoir publié *Le Voyage de Saint-Pétersbourg à Moscou,* où il dénonce servage et despotisme.				

1791

	FRANCE	EUROPE	AMÉRIQUE + ANTILLES	AFRIQUE + OCÉANIE	PROCHE-ORIENT	ASIE
POLITIQUE	*28/ 2 :* conspiration des Chevaliers du poignard. *2/ 4 :* mort de Mirabeau. *11/ 6 :* transfert des cendres de Voltaire au Panthéon. *20-21/6 :* fuite du roi. Arrestation à Varennes. *6/ 7 :* suspension du roi. *16/ 7 :* Club des feuillants. *17/ 7 :* fusillade du Champ-de-Mars. *4/ 8 :* levée des premiers bataillons de volontaires.	**Allemagne.** *Juin :* les révolutionnaires fuient en France. **Suisse.** Cinq paysans du Valais condamnés à mort. *30/5 :* échec de l'insurrection fomentée par Rengguer et le Club des patriotes (région de Porrentruy).	**Canada.** *10/6 :* l'Acte constitutionnel crée deux provinces : une anglaise, une française. **États-Unis.** Création par Jefferson du Parti républicain démocrate. Création de l'État du	Houghton remonte la Gambie.	Traité de Svishtor avec l'Autriche, qui rétablit la situation d'avant 1791.	**Népal.** Traité de commerce avec les Anglais. *22/3 :* le général Cornwallis fait tomber le Bangalore. *15/5 :* bataille de Arikera. Victoire de Cornwallis, mais il ne peut

Politique	*5/ 8 :* définition du citoyen. *6/ 8 :* suppression du droit d'aubaine. *20/ 8 :* création du club Massiac. *27/ 8 :* déclaration de Pillnitz. *4/ 9 :* texte définitif de la Constitution. *12/ 9 :* annexion d'Avignon et du comtat Venaissin après plébiscite. *13/ 9 :* Louis XVI sanctionne la Constitution. *24/ 9 :* les Noirs déclarés non-citoyens. *29/ 9 :* les sociétés populaires interdites de pétition. *30/ 9 :* séparation de l'Assemblée nationale constituante. *1/10 :* Assemblée législative. *14/10 :* service dans la garde nationale. *16/10 :* massacre de la Glacière. *9/11 :* décret contre les émigrés. *11/11 :* veto royal sur ce décret. *16/11 :* Pétion, maire de Paris. *9/12 :* ministère feuillant.	**Belgique.** *Janvier :* les troupes autrichiennes à Liège. **Portugal.** La reine Maria Ire doit accepter à ses côtés son fils, Dom João. **Autriche.** *27/8 :* déclaration de Pillnitz. Alliance prusso-turque et prusso-autrichienne. Paix austro-turque. Josef von Sonnenfels, Andreas Riegel, G.F. Haas pour un gouvernement constitutionnel. **Suède.** *21/10 :* alliance défensive russo-suédoise. **Pologne.** *3/5 :* le roi Stanislas Poniatowski promulgue une Constitution. La Diète devient un vrai parlement. La Confédération de Targowica pro-russe contre la Constitution de mai. Les nobles de la Confédération appellent l'armée russe.	Vermont. Victoire indienne sur l'armée d'Arthur Saint-Clair. **Antilles.** *25/2 :* Ogé et Chavannes, suppliciés. *7/5 :* débat sur les colonies en France. *22-23/8 :* soulèvement des esclaves. *24/9 :* les assemblées coloniales, libres de régler le problème des affranchis.			faire prisonnier Tippoo Sahib (sultant du Mysore). Révolte des Cipayes. **Malaisie.** Accord militaire du sultan Kedha avec la Grande-Bretagne.
Économie et société	*13/ 1 :* contribution mobilière. *20/ 1 :* réorganisation de la justice criminelle. *19/ 2 :* octroi de Paris, supprimé. *2/ 3 :* loi d'Allarde. *11/ 3 :* suppression de la dîme. *18/ 3 :* maintien du système de l'exclusif avec les colonies. *20/ 3 :* suppression de la Ferme générale. *27/ 3 :* les mines à la disposition de la nation. *15/ 5 :* maintien de l'esclavage dans les colonies. *17/ 5 :* le commerce de l'argent est reconnu légal (en concurrence avec les assignats). *14/ 6 :* loi Le Chapelier intéressant coalitions et grèves. *20/ 7 :* interdiction de la concertation sur les salaires et les prix. *23/ 8 :* loi sur la presse. *2/ 9 :* suppression de l'ordre des avocats. *14/ 9 :* suppression de la censure. *25/ 9 :* le Code pénal. *27/ 9 :* droit de cité aux juifs de l'Est. *1/11 :* 1,9 milliard d'assignats.	**Pays-Bas.** Fin de la Compagnie hollandaise des Indes occidentales.	**États-Unis.** Organisation de la Banque fédérale.			

	FRANCE	EUROPE	AMÉRIQUE + ANTILLES	AFRIQUE + OCÉANIE	PROCHE-ORIENT	ASIE
RELIGION	*2/ 2 :* début de l'élection des évêques jureurs. *10/ 3 :* Pie VI condamne la Constitution civile du clergé. *7/ 5 :* le culte réfractaire autorisé. *29/11 :* obligation du serment civique par les réfractaires. *19/12 :* veto du roi sur le décret précédent.	**Royaume-Uni.** *23/2 :* mort de Welsley, fondateur du méthodisme. Les catholiques obtiennent la liberté du culte et le droit d'ouvrir des écoles. **Russie.** Les juifs sont confinés dans les provinces occidentales.			**Arabie.** Mort de ibn Abd al-Wahhab (fondateur de la secte wahhabite).	**Corée.** Premiers martyrs catholiques.
SCIENCES ET TECHNIQUES	Nicolas Leblanc obtient de la soude artificielle. Lavoisier : *Travaux sur la transpiration.* De Fourcroy : *La Médecine éclairée par les sciences physiques.*	**Royaume-Uni.** William Gregor : titane. **Prusse.** Montage des premières machines à filer. **Italie.** Galvani : *Des forces électriques dans le mouvement musculaire.*				
ART ET LITTÉRATURE	Sade : *Justine.* *13/ 1 :* liberté théâtrale. Chateaubriand : *Essai sur les révolutions.* Percier et Fontaine fondent une école d'architecture. Bernardin de Saint-Pierre : *La Chaumière indienne.* Lenoir crée le musée des Monuments français. David : *Serment des Horaces* et *La Mort de Socrate.* Gérard : *L'Enrôlement des volontaires.* Houdon sculpte les bustes de Voltaire, Mirabeau, Barnave, Bailly. Moitte, élève de Pigalle, sculpte le fronton du Panthéon. A. Chénier : *Ode sur le Jeu de paume.* M.-J. Chénier : *Henri VIII,* drame. *Septembre :* Sedaine et Grétry, *Richard Cœur de Lion.* Volney : *Les Ruines ou Méditations sur les révolutions des empires.*	**Royaume-Uni.** *Avril :* Thomas Paine (Américain d'origine) publie *Les Droits de l'homme.* **Allemagne.** Kant : *Critique de la raison pure.* F. von Klinger : *Vie, exploits et descente aux Enfers de Faust* (mouvement du *Sturm und Drang*). **Autriche.** *30/9 :* Mozart : *La Flûte enchantée, Requiem, La Clémence de Titus.* *5/12 :* mort de Mozart. Haydn : *Orfeo.*	**États-Unis.** G. Stuart peint *John Forster.*			**Chine.** Porcelaine de Jingdezhen. Émaux cloisonnés et peints à sujets européens (exportés). **Japon.** Hokusai, maître de l'estampe. Motoori : étude du *Kojiki,* première traduction en langue moderne.

1792

	France	Europe	Amérique + Antilles	Afrique + Océanie	Proche-Orient	Asie
Politique	*23/ 1 :* émeutes du café et du sucre à Paris. *Mars :* complot de La Rouërie dans l'Ouest. *3/ 3 :* meurtre de Simoneau, maire d'Étampes, hostile à la taxation. *15/ 3 :* ministère girondin. *20/ 4 :* déclaration de guerre au « roi de Bohême et de Hongrie ». *27/ 5 :* déportation des prêtres réfractaires. *29/ 5 :* dissolution de la garde du roi. *8/ 6 :* camp de fédérés à Paris. *11/ 6 :* veto royal aux décrets des 27 mai et 8 juin. *12/ 6 :* renvoi des ministres girondins. *15/ 6 :* nouveau ministère feuillant. *20/ 6 :* « journée révolutionnaire » des sans-culottes. *11/ 7 :* « la patrie en danger » *25/ 7 :* manifeste de Brunswick. *27/ 7 :* confiscation des biens des émigrés. *30/ 7 :* admission des citoyens passifs dans la garde nationale. *10/ 8 :* Commune insurrectionnelle de Paris. Prise des Tuileries. *17/ 8 :* Tribunal criminel. *23/ 8 :* Longwy aux Prussiens. *30/ 8 :* siège de Verdun. *2-6/9 :* « massacres de Septembre ». *20/ 9 :* victoire de Valmy. *21/9 :* la Convention nationale. Abolition de la royauté. *22/9 :* AN I DE LA RÉPUBLIQUE *6/11 :* victoire de Jemmapes. *19/11 :* décret accordant secours aux peuples opprimés. *20/11 :* découverte de l'armoire de fer. *21/11 :* annexion de la Savoie.	**Allemagne.** L'électeur de Trèves disperse les émigrés. **Prusse.** *5/5 :* mobilisation contre la France. **Belgique.** *27/12 :* Dumouriez s'empare de Liège. **Royaume-Uni.** *25/1 :* création de la Société correspondante de Londres (jacobine). *18/11 :* le Club révolutionnaire britannique fête les victoires françaises. *13/12 :* préparatifs de guerre. **Écosse.** Multiplication des clubs révolutionnaires. *Novembre :* à Sheffield, Manchester, Edimbourg, manifestations profrançaises. **Allemagne.** *Automne :* révolution sur la rive gauche du Rhin à l'arrivée des troupes françaises. **Suisse.** Mouvement national rauracien (5 000 soldats français dans la région). *5/12 :* constitution d'un pouvoir révolutionnaire à Genève. **Espagne.** *Février :* le libéral Aranda remplace Florida Blanca. *15/11 :* Manuel Godoy devient Premier ministre. **Autriche.** *1/3 :* mort de Léopold II. François II lui succède. Doléances paysannes contre les châteaux. *Mars :* création de clubs de jacobins.	**Canada.** Élection de 35 députés français dans le Bas-Canada et de 15 anglais. L'anglais est la seule langue officielle, puis égalité des deux langues. **États-Unis.** Fondation du Kentucky. Réélection de G. Washington. **Brésil.** *21/3 :* pendaison de Joachim Jose da Silva Xavier. **Vénézuela.** Miranda, général en France. **Antilles.** *4/4 :* ratification du décret accordant la liberté politique à Saint-Domingue.	**Maghreb.** **Maroc :** règne de Moulay Suleïman qui établit de bonnes relations avec la France. Influence britannique. **Oran** prise par les Turcs. **Océanie.** D'Entrecasteaux explore la Nouvelle-Calédonie.	**Turquie.** Paix de Jassy avec la Russie. Le Dniestr nouvelle frontière. Les Russes obtiennent Ozü et le Dniestr.	**Chine.** Conquête du Tibet. Suzeraineté sur le Népal. Les Mandchous refoulent les Gurkhas du Népal et ferment le Tibet aux étrangers. **Inde.** *19/3 :* capitulation de Tippoo Sahib, qui doit abandonner 43 de ses États. **Vietnam.** Début du règne de Nguyên Anh.

	France	Europe	Amérique + Antilles	Afrique + Océanie	Proche-Orient	Asie
Politique	*10/12* : ouverture du procès de Louis XVI. *15/12* : décret imposant la Révolution dans les pays conquis.	*14/7* : manifeste de Brunswick. Kaunitz démissionné. **Hongrie.** Début du règne de François II. **Suède.** *16/3* : des aristocrates assassinent Gustave III. *29/3* : Gustave IV Adolphe, roi à 14 ans. **Russie** : traité d'Iassy. Protectorat sur les terres turques de Moldavie et de Valachie.				
Économie et société	*8/ 3* : manifestations de la faim dans l'Eure. *Mars* : troubles ruraux en Languedoc, Quercy, Périgord. *14/ 8* : partage des biens des émigrés et des communaux en petits lots. *25/ 8* : suppression des redevances seigneuriales. *26/ 8* : abolition des droits féodaux réels. *9/ 9* : recensement des grains. *20/ 9* : état civil laïque. Divorce. *25/ 9* : suppression du système des substitutions successorales. *19/11* : refus de la taxation des grains par l'Assemblée. *22/11* : troubles en Beauce pour la taxation des grains. *8/12* : interdiction d'exporter les grains. *Décembre* : 3,5 milliards d'assignats en circulation.		**États-Unis.** *2/4* : création du dollar. Bourse de Wall Street.	**Sierra Léone.** Installation d'esclaves affranchis grâce à des philanthropes britanniques.		
Religion	*3/ 4* : suppression de la faculté de théologie de la Sorbonne. *6/ 4* : suppression des congrégations. *27/ 5* : déportation des prêtres si 20 citoyens de leur canton le demandent. *18/ 8* : suppression des congrégations enseignantes et hospitalières. *26/ 8* : serment civique ou déportation des prêtres en Guyane. *10/ 9* : réquisition de l'or des églises. *25/12* : messe de minuit à Paris malgré l'opposition municipale.	**Royaume-Uni.** Création du Comité catholique irlandais.				

Sciences et techniques	Introduction de l'oxygène dans le traitement de l'asthme. Vicq d'Azyr : *Système anatomique des quadrupèdes.* R.-J. Haüy : fondateur de la minéralogie moderne.	**Allemagne.** M.H. Klaproth découvre la strontiane (avec Hope). **Autriche.** Hoffmann met au point les procédés à la base du clichage. Auenbrugger découvre le procédé de percussion pour détecter les affections du thorax.	**États-Unis.** Rumford : expérience sur la conductibilité calorique des corps.			
Art et littérature	M.-J. Chénier : *Caïus Gracchus* (tragédie). A. Chénier : *Hymne aux Suisses de Châteauvieux.* *25/4 :* Rouget de Lisle compose *Le Chant de guerre pour l'Armée du Rhin.* *19/9 :* création du musée du Louvre. *20/9 :* Goethe à Valmy. Florian : *Fables.* Beaumarchais : *La Mère coupable.* A. Vestris : nouvelles figures de danse (pirouettes, entrechats, fouettés). Mort du sculpteur J.-J. Caffieri.	**Royaume-Uni.** Mort de Reynolds. Sir T. Lawrence devient peintre du roi (portraitiste – 1790 : portrait de la reine Charlotte). Mary Godwin : *Revendications des droits de la femme.* **Allemagne.** Schiller : *Sur l'art tragique.* **Espagne.** Surdité de Goya : *Le Préau des fous, L'Enterrement de la Sardine.* **Italie.** A. Canova : *monument funéraire d'Alphonse XIII* (sculpteur néoclassique, pureté grecque). **Autriche.** Première représentation du *Mariage secret* de Cimarosa. **Bohême.** J. Dobrovsky : *Histoire de la langue et de la littérature tchèques.* **Russie.** Nicolas Karamizine : *Lettres d'un voyageur russe. 1791-1792* (reportage sur l'Europe occidentale).	**États-Unis.** Jefferson termine le Capitole de Richmond (d'après la Maison carrée de Nîmes). **Brésil.** Achèvement de l'église rococo Saint-François d'Ouro Preto par A.F. Lisbõa, dit O. Aleijadinho.			**Japon.** Mort de Katsukawa Shunsho (1726-1792). Mouvement Ukiyo. Mouvement Ukiyo-e : portraits d'acteurs Kabuki (estampes). Peintres : – réalistes : Maruyama Okyo (1733-1795) applique le procédé des lanternes magiques d'Occident au paysage japonais ; Goshun (1752-1811) ; Ito Jakuchu (1716-1800). – Idéalistes : Urakami Gyokudo (1745-1820) ; Mokubei (1767-1833).

1793

	France	Europe	Amérique + Antilles	Afrique + Océanie	Proche-Orient	Asie
Politique	*20/ 1* : assassinat du régicide Le Peletier de Saint-Fargeau. *21/ 1* : exécution de Louis XVI. *1/ 2* : déclaration de guerre à l'Angleterre et à la Hollande. *21/ 2* : amalgame militaire de la ligue et des volontaires. *23/ 2* : levée des 300 000 hommes. *7/ 3* : déclaration de guerre à l'Espagne. *9/ 3* : la Vendée se soulève. *9-10/3* : échec d'émeutes antigirondines à Paris. *10/ 3* : Tribunal révolutionnaire. *11/ 3* : massacre de républicains à Machecoul. *14-15/3* : prise de Cholet par les Vendéens. *16/ 3* : défaite française de Neerwinden. *28/ 3* : les émigrés bannis de France. *1/ 4* : trahison de Dumouriez. *6/ 4* : création du Comité de salut public (CSP). *19/ 4* : les Mauges aux royalistes. *24/ 4* : acquittement de Marat. *29/ 4* : Lyon contre la Convention. *31/5-2/6* : proscription de 21 chefs girondins. *7/6* : révolte fédéraliste en Normandie et à Bordeaux. *10/ 6* : les Vendéens prennent Saumur. *30/ 6* : échec vendéen devant Nantes. *10/ 7* : Danton écarté du CSP. *13/ 7* : assassinat de Marat. *17/ 7* : défaite républicaine à Vihiers (Vendée). *24/ 7* : Constitution de 1793. *27/ 7* : Robespierre au CSP. *28/ 7* : capitulation de Valenciennes. *29/ 7* : Chalier guillotiné par les fédéralistes lyonnais. *1/ 8* : décret de Barère sur « la terre brûlée » en Vendée. *4/ 8* : ratification de la Constitution. *14/ 8* : Carnot au CSP. *27/ 8* : Toulon livré aux Anglais. *30/ 8* : l'armée de Mayence en Vendée.	**Allemagne.** *Février* : la Diète dissout les associations étudiantes. Interdiction de Kant. *21/3* : annexion de la Rhénanie à la France. **Belgique.** Vote favorable à l'annexion à la France. **Royaume-Uni.** Le réformiste T. Muir condamné à la déportation à Botany Bay (Australie). **Suisse.** *17/12* : première Assemblée nationale de Rauracie. **Prusse.** Partage de la Pologne. **Espagne.** *Janvier* : guerre avec la France. Le général Ricardos conquiert le Roussillon. **Portugal.** Participation portugaise à la guerre contre la France. **Autriche.** *7/3* : première coalition contre la France. *18/3* : Neerwinden. Reconquête de la Belgique. Deuxième partage de la Pologne. **Hongrie.** François II interdit la Déclaration hongroise des droits de l'homme. **Russie.** Deuxième partage de la Pologne. Le poète Raditchev exilé en Sibérie pour avoir lu *Le Père Duchesne* et avoir proposé l'abolition du servage. **Pologne.** « Diète muette » de Brodno. Révoltes de Vylna et de Varsovie. Résistance à l'occupant russe dirigée par Kollontaj et Ignace Potochi. *Septembre* : la Russie et la Prusse prennent à la Pologne	**Canada.** Publications anti-anglaises. **États-Unis.** Fondation de la ville de Washington. *22/ 4* : déclaration de neutralité américaine. **Antilles.** Débarquement des Anglais à Saint-Domingue et Tobago. *5/ 5* : Code noir sur l'esclavage. *29/ 8* : le commissaire Sonthonax affranchit les esclaves de Saint-Domingue. **Bolivie.** Narino publie une *Déclaration des droits de l'homme et du citoyen.*			**Chine.** Tentative anglaise d'ouverture des ports. *30/ 9* : ambassade de lord Mac Cartney. **Inde/Ceylan.** *6/7* : capitulation de Mahé. *23/8* : Floyd s'empare de Pondichéry. *1793-1797* : John Shore, gouverneur, s'empare des établissements hollandais à Ceylan et aux Moluques.

Politique	*5/ 9 :* manifestation sans-culotte. Arrestation de J. Roux, l'Enragé. *6/ 9 :* Collot d'Herbois et Billaud-Varenne au CSP. *17/ 9 :* loi des Suspects. AN II *30/ 9 :* l'armée de Mayence battue à Torfou. *1/10 :* Carrier en Vendée. *9/10 :* Lyon reprise par les Républicains. *10/10 (19 vendémiaire) :* « Le gouvernement révolutionnaire jusqu'à la paix. » *16/10 :* exécution de Marie-Antoinette. Victoire de Wattignies. *31/10 :* exécution des chefs girondins. Les Vendéens battus à Cholet. Début de la virée de Galerne. *14/11 (24 brumaire) :* arrestation des députés compromis dans le scandale de la Compagnie des Indes. *4/12 (14 frimaire) :* décret sur « le gouvernement révolutionnaire ». *5/12 :* 1er numéro du *Vieux Cordelier* de Desmoulins. *19/12 :* reprise de Toulon. *23/12 :* défaite vendéenne à Savenay.	300 000 km^2 et 3 millions d'habitants.				
Économie et société	*21/ 2 :* J. Roux réclame la peine de mort contre les accapareurs. *24-25/2 :* révolte du savon (Paris). *7/ 3 :* partage égalitaire des successions. *18/ 3 :* peine de mort contre les partisans de la loi agraire. *19/ 3 :* organisation des secours charitables. *21/ 3 :* abolition de la patente. *29/ 3 :* loi sur les délits de presse. *30/ 3 :* obligation d'ouvrir une école dans les communes de plus de 400 habitants. *11/ 4 :* cours forcé de l'assignat et interdiction de la vente du numéraire. *4/ 5 :* le premier Maximum (grains). *9/ 5 :* marchandises des navires neutres saisies. *20/ 5 :* emprunt forcé de 1 milliard sur les riches. *3/ 6 :* biens des émigrés vendus en petites parcelles. *10/ 6 :* partage des biens communaux. *28/ 6 :* assistance aux enfants trouvés et aux filles mères.	**Belgique.** Les Belges protestent contre les décrets du 15-12. **Royaume-Uni.** Les catholiques irlandais ont le droit de vote.				**Inde/Ceylan.** Les percepteurs d'impôts deviennent propriétaires de leur village. Les Anglais s'emparent des comptoirs français jusqu'en 1802.

	France	Europe	Amérique + Antilles	Afrique + Océanie	Proche-Orient	Asie
Économie et société	*17/ 7 :* abolition des droits féodaux. Suppression des péages. *27/ 7 :* l'accaparement des denrées est un crime capital. *1/ 8 :* bases du système métrique. *Août :* adoption des enfants mineurs. *24/ 8 :* livre de la dette publique. Suppression des sociétés par actions. *5/ 9 :* armée révolutionnaire. *15/ 9 :* suppression des universités. *24/ 9 :* Maximum général. *9/10 :* interdiction du commerce avec les pays en guerre. *2/11 :* loi sur les enfants naturels. *22/11 (2 frimaire) :* vente parcellaire des biens nationaux. *19/12 (29 frimaire) :* obligation et gratuité scolaires.					
Religion	*6/ 1 :* fête des Rois célébrée à Paris. *19/ 7 :* traitement des prêtres mariés. *22/ 9 :* fête de Brutus à Nevers. *5/10 :* calendrier républicain. *7/10 (16 vendémiaire) :* la sainte ampoule brisée à Reims. *10/10 (19 vendémiaire) :* Fouché fait enlever les emblèmes religieux des cimetières. *21/10 (30 vendémiaire) :* les prêtres jureurs inciviques, déportés. *28/10 (7 brumaire) :* les ecclésiastiques interdits d'enseignement. *5/11 (15 brumaire) :* création des fêtes civiques. *6/11 (16 brumaire) :* les communes peuvent renoncer au culte catholique. *7/11 (17 brumaire) :* l'évêque de Paris se déprêtrise. *10/11 (20 brumaire) :* fête de la Raison à Notre-Dame de Paris. *16/11 :* les presbytères donnés aux écoles. *20/11 (30 brumaire) :* manifestation bouffonne anticatholique à la Convention. *21/11 (1er frimaire) :* Robespierre contre le catholicisme et l'athéisme.					

Religion	*22/11 (2 frimaire) :* Danton contre les mascarades religieuses. *23/11 :* les édifices du culte deviennent temples de la Raison. *6/12 :* décret contre les violences antireligieuses.					
Sciences et techniques	*12/ 4 :* Claude Chappe, expérience du télégraphe optique. Lakanal décide la création d'une ligne Paris-Lille en 16 relais. *10/ 6 :* fondation du Muséum national d'histoire naturelle. *Janvier :* Lavoisier et R.J. Haüy déterminent la valeur du grave ou kilo. *1/ 8 :* décret sur le système métrique. J.-L. Giraud-Soulavie, fondateur de la paléontologie stratigraphique. Geoffroy St-Hilaire, professeur de zoologie au Muséum.	**Royaume-Uni.** Bentham invente la scie circulaire. Young montre le premier la relation vision-déformation du cristallin. **Italie.** Volta : *Classification électrique des métaux.* **Russie.** Les premières machines à filer sont montées.	**États-Unis.** G. Vancouver explore la côte Pacifique. Mackenzie traverse les Rocheuses et atteint le Pacifique le *22/7/1793.*			
Art et littérature	Sylvain Maréchal : *Le Jugement dernier des rois.* Condorcet : *Esquisse d'un tableau des progrès de l'esprit humain.* Volney : *La Loi naturelle ou le Catéchisme du citoyen.* Restif de La Bretonne : *Les Nuits de Paris.* Boilly : *Le Triomphe de Marat.* David : *Le Triomphe du peuple français* (frise) ; *Le Peletier, martyr de la Liberté ; Marat assassiné.* Percier et Fontaine : retour d'Italie, influence antique sur l'architecture. A. Canova (sculpteur) : *L'Amour et Psyché.* Prud'hon : *L'Union de l'Amour et de la Liberté.* Danse : P. Gardel, *Le Jugement de Pâris.* E.L. Boullée : *Essai sur l'art.*	**Belgique.** Mallet du Pan publie *Considérations sur la nature des événements de France.* **Angleterre.** Thomas Paine publie *Le Siècle de raison.* W. Godwin : *Essai sur la justice politique.* **Allemagne.** F. Schiller : *Histoire de la guerre de Trente Ans.* Kant : *Théorie et pratique.* Fichte : *Considérations destinées à rectifier le jugement du public sur la Révolution française.* J.R. Zumsterg : *Colma,* ballades sur des textes de Goethe. Kant : *La Religion dans les limites de la simple raison.* **Espagne.** Goya : les *Caprices.* **Italie.** Paganini se produit pour la première fois. N. Puccini : composition d'opéra, *La Griselda.* **Russie.** Derjavine (poète) : *La Cascade.* **Pologne.** J. Potocki (1761-1815), fondateur de l'ethnologie slave : *Chroniques... pour servir à l'histoire de tous les peuples slaves.*	**États-Unis.** J.S. Copley (peintre réaliste) : *The Red Cross Knight.*			**Chine.** Li Ruzhen (1763-1830) : *L'Alliance prédestinée du miroir et des fleurs,* roman exotique pour l'égalité des femmes. **Japon.** École Ukyo-e : Kiyonaga Torii (1752-1815), peintre d'estampes. Reprend l'atelier de peinture officielle des Kabuki (estampes sur la femme). Laques : glaçure et décoration des porcelaines parfaites. Tissus brochés or et argent.

1794

	France	Europe	Amérique + Antilles	Afrique + Océanie	Proche-Orient	Asie
Politique	*Janvier* : début des massacres des « colonnes infernales ». *12/1 (23 nivôse)* : arrestation de Fabre d'Églantine. *4/2 (16 pluviôse)* : suppression de l'esclavage. *10/2 (22 pluviôse)* : suicide de J. Roux. *4/ 3* : les cordeliers en insurrection. *22/3 (4 germinal)* : exécution des hébertistes. *5/4 (16 germinal)* : exécution des dantonistes. *13/5* : suspension des colonnes infernales de Turreau. *22/5 (3 prairial)* : Admirat tente d'assassiner Collot d'Herbois. *23/5 (4 prairial)* : Cécile Renault tente d'assassiner Robespierre. *10/6 (22 prairial)* : la Grande Terreur. *26/6 (8 messidor)* : victoire de Fleurus. *27/7 (9 thermidor)* : 22 robespierristes arrêtés. *28/7* : 105 robespierristes exécutés. *1/8 (24 thermidor)* : Fouquier-Tinville arrêté. *24/8 (7 fructidor)* : le Comité de salut public moins puissant (création de 16 comités). AN III *12/11 (22 brumaire)* : fermeture du Club des jacobins. *23/11 (3 frimaire)* : procès de Carrier. *8/12 (18 frimaire)* : les 73 députés exclus le 2 juin 1793 sont réintégrés. *16/12 (26 frimaire)* : Carrier exécuté.	**Allemagne.** Les réformateurs écartés de la fonction publique. En **Bavière,** procès de jacobins. **Belgique.** *27/7* : Liège reconquise par les Français. *Octobre* : guérilla antifrançaise menée par Vesque. **Royaume-Uni.** *16/5* : le ministère Pitt obtient la suspension de l'*Habeas Corpus.* *15/10* : le conspirateur Robert Watt pendu et décapité à Édimbourg. **Suisse.** *18/1* : seconde Assemblée rauracienne. *Été* : Mémorial des intellectuels, des artisans pour l'abolition des droits féodaux. **Espagne.** Invasion de la Catalogne par les Français. **Italie. Naples :** arrestation de 56 jacobins. Trois exécutions. **Autriche.** Découverte de complots jacobins. Les chefs sont condamnés à mort. *18/5* : l'Autriche est battue à Tourcoing. *20/6* : l'Autriche est battue à Fleurus. *6-8/9* : les Autrichiens sont battus à Hondschoote. *26/12* : Hoche bat Würmser au Geisberg. **Hongrie.** *Août* : arrestation de chefs jacobins. 18 condamnés à mort dont Martinovicz. **Pologne.** *4/4* : victoire polonaise de Roclawice. Insurrection de Varsovie menée par Jan Kilinski et le chanoine Kollontaj.	**Brésil.** Échec du complot révolutionnaire à Rio. **Amérique latine.** *1/11* : saisie à Caracas de la *Déclaration des droits de l'homme.* Arrestation de Narino et de deux médecins français. **États-Unis.** *Août* : bataille du Fallen Timbers, défaite des tribus du Nord-Ouest. Traité de Canandaigua avec les « 6 Nations ». *19/11* : traité Jay avec la Grande-Bretagne (fin du traité franco-américain). **Antilles.** *4/2* : la Convention abolit l'esclavage. Victor Hugues abolit l'esclavage à Saint-Domingue. Lutte entre planteurs et hommes de couleur.		**Perse.** Agha Muhammad, chef de tribu urkmène, victorieux du dernier zend, bat les Turkmènes. Se fait couronner à Téhéran (1794). Fonde la dynastie des Qādjars.	**Chine.** Soulèvement dans le Hunan. **Cambodge.** Ang-Eng couronné à Bangkok à cause de troubles.

Politique		*Mars :* acte insurrectionnel de Kosciuszko. *Juin :* bataille de Szczkocing. *10/10* défaite polonaise de Maciejowice. Kosciuszko vaincu. *4/11 :* chute de Varsovie.				
Économie et société	*6/1 (17 nivôse) :* loi sur les héritages. *23/1 (4 pluviôse) :* les effets mis au Mont de Piété seront retirés sans remboursement. *1/2 (13 pluviôse) :* vote de 10 millions pour les indigents. *21/2 (3 ventôse) :* tableau général du Maximum. *26/2-3/3 :* décrets de Ventôse. *Mars :* 5,5 milliards d'assignats. *27/3 (7 germinal) :* suppression de l'armée révolutionnaire. *1/4 (12 germinal) :* suppression des commissaires aux accaparements. *2/5 (13 floréal) :* création du grand livre de la Bienfaisance nationale (tourne les décrets de Ventôse). *4/5 (15 floréal) :* réquisition des ouvriers s'occupant des marchandises de première nécessité. *10/5 (21 floréal) :* suppression de la contribution mobilière. *1/6 (13 prairial) :* École de mars. *2/7 (23 messidor) :* mise en vente des biens des hôpitaux. *23/7 (5 thermidor) :* la Commune de Paris : nouveau Maximum défavorable aux pauvres. *1/8 (14 thermidor) :* abolition de la loi de Prairial. *24/9 (3 vendémiaire) :* École centrale des travaux publics (Polytechnique). *15/10 (24 vendémiaire) :* interdiction de la mendicité. *24/10 (9 brumaire) :* École normale supérieure. *17/11 (27 brumaire) :* suppression de l'obligation scolaire. *24/12 (4 nivôse) :* abolition du Maximum. *Décembre :* 11 milliards d'assignats.	**Belgique.** *27/5 (8 prairial) :* l'armée française doit vivre aux dépens de l'ennemi. **Royaume-Uni.** *16/5 :* suppression de l'*Habeas Corpus* jusqu'en 1801.	**États-Unis.** Rébellion dite du whisky.			
Religion	*17/ 4 :* martyre des carmélites de Compiègne. *7/5 (18 floréal) :* la Convention reconnaît l'Être suprême et l'immortalité de l'âme. *8/6 (20 prairial) :* fête de l'Être suprême. *18/ 9 :* suppression du budget des cultes.					

	France	Europe	Amérique + Antilles	Afrique + Océanie	Proche-Orient	Asie
Sciences et techniques	*10/10* : création du Conservatoire national des arts et métiers. A.M. Legendre : *Éléments de géométrie* (20 rééditions de son vivant). D. de Dolomieu, géologue, théorie sur la structure des Alpes, classification moderne des laves. J.-B. Lamarck, professeur de zoologie au Muséum, recherches sur les invertébrés, enchaînement des espèces.	**Royaume-Uni.** Erasmus Darwin (grand-père de Charles) : *Zoonomia,* théorie de la formation graduelle du règne animal. **Allemagne.** Ernst Chladni, le premier à donner l'origine cosmique des aérolithes.				**Japon.** Mort de Motoki Ryoli, auteur du premier ouvrage exposant l'héliocentrisme en Extrême-Orient.
Art et littérature	*27/ 1* : langue française obligatoire dans les actes publics. Dupuis : *De l'origine de tous les cultes.* Lebrun (poète) : *Ode sur le vaisseau Le Vengeur.* M.-J. Chénier : *Le Chant du départ* (musique de A. Méhul) ; *Timoléon.* A. Chénier : *La Jeune Captive* et *Iambes.* Suicide de Chamfort. Le Théâtre-Français devient le Théâtre du peuple. Transfert des cendres de J.-J. Rousseau au Panthéon *(4/4).* Houdon : *La Philosophie.* F. Verly : architecture révolutionnaire pour Lille. Danse. Gardel : *La Rosière républicaine,* sur une musique de Grétry. Fabre d'Églantine : *Les Précepteurs.*	**Royaume-Uni.** S.T. Coleridge : *The Fall of Robespierre* (échec). **Allemagne.** Hölderlin suit à Iéna les cours de Fichte. Rencontre Schelling. J.M. von Dannecker, sculpteur néoclassique : *buste de Schiller.* F.G. Klopstock, poète pro-Révolution française : *Entretiens grammaticaux.* Fichte : *Principes de la théorie des sciences.* **Italie. Naples.** Cimarosa donne *Les Ruses féminines.* **Russie.** A.N. Voronikhine, peintre et architecte : *Galerie Stroganov.*				**Chine.** Schen-Fu (1763-1816) écrit *Six mémoires sur une vie flottante.* **Japon.** Mort d'Ippitsusaï Bunchô (né en 1725), peintre d'estampes (Ukiyo-e).

1795

	France	Europe	Amérique + Antilles	Afrique + Océanie	Proche-Orient	Asie
	19/1 (30 nivôse) : Le Réveil du peuple ou contre-*Marseillaise.*	**Luxembourg** devient le département des Forêts.	**États-Unis.** Traité de Greenville signé par	**Afrique du Sud.** Occu-	**Perse.** Agha Muhammad	**Chine.** Rébellion du Lotus blanc.

POLITIQUE	*23/1 (4 pluviôse)* : capture de la flotte hollandaise. *4/2 (19 pluviôse)* : Babeuf arrêté à Arras. Début de la Terreur blanche. *17/2 (29 pluviôse)* : accords de La Jaunaye (Hoche-Charette). Liberté de culte aux Vendéens. *2/3 (12 ventôse)* : arrestation de Barère, Collot d'Herbois, Billaud-Varenne. *8/3 (18 ventôse)* : rappel des girondins proscrits de la Convention. *1/4 (12 germinal)* : insurrection populaire. *2/4 (13 germinal)* : répression par Pichegru. *5/4 (16 germinal)* : paix de Bâle (France-Prusse). *4/5 (15 floréal)* : massacre des jacobins de Lyon. *7/5 (17 floréal)* : Fouquier-Tinville guillotiné. *16/5 (25 floréal)* : traité de La Haye (France-Hollande). *20-23/5 (1er-4 prairial)* : échec des journées insurrectionelles. *31/5 (12 prairial)* : suppression du Tribunal révolutionnaire. Fin de la Terreur blanche. *8/6 (20 prairial)* : Louis XVII meurt au Temple. *23/6 (5 messidor)* : les émigrés à Quiberon. *24/6* : manifeste de Vérone (Louis XVIII). *14/7 (26 messidor)* : *La Marseillaise* jouée tous les jours à l'armée. *21/7 (3 thermidor)* : victoire de Hoche à Quiberon. *22/7 (4 thermidor)* : paix de Bâle (France-Espagne). *8/8 (19 thermidor)* : 10 députés montagnards décrétés d'arrestation. *22/8 (5 fructidor)* Constitution de l'an III. Décret des deux tiers. AN IV *1/10 (9 vendémiaire)* : annexion de la Belgique. *5/10 (13 vendémiaire)* : Barras et Bonaparte répriment une insurrection royaliste. *25/10 (3 brumaire)* : les parents d'émigrés interdits de fonction publique. *26/10 (4 brumaire)* : début du Directoire. Bonaparte général en chef de l'armée de l'Intérieur. La place de la Révolution devient la place de la Concorde. *31/10 (9 brumaire)* : les Cinq-Cents et les Anciens élisent cinq directeurs.	**Belgique.** *18 fructidor* : décret de déportation de 820 prêtres belges. *1/10* : Liège, chef-lieu du département de l'Ourthe. Annexion de la Belgique par la France. *Octobre* : résistances paysannes notamment en forêt de Soignes. **Royaume-Uni.** Émeutes à Londres, Birmingham, Dundee. George III refuse le droit de vote aux catholiques irlandais. *27/10* : le roi est conspué. En Irlande, séminaire catholique de Maynooth. **Pays-Bas.** *23/1* : l'armée française capture la flotte irlandaise au Helder. H.W. Daendels constitue une légion batave. *16/5* : création de la République batave. **Prusse.** *6/4* : signature de la paix de Bâle avec la France. Partage de la Pologne. **Espagne.** Le jacobin madrilène Picornel y Gomila est arrêté. *5/4* : paix de Bâle avec la France. **Autriche.** Alliance avec les Russes et les Anglais. Troisième partage de la Pologne. *27/7* : prise d'Anvers par les Français. *6-23/10* : prise de Cologne et de Coblence. **Russie.** Souvorov : *La science de la victoire.* Troisième partage de la Pologne. **Pologne.** Troisième démembrement.	12 tribus. Frontière permanente établie dans le territoire du Nord-Ouest. Adresse de Washington contre les clubs jacobins. **Antilles.** *22/7* : la partie espagnole de Saint-Domingue revient à l'Espagne. **Équateur.** L'Indien Espejo, favorable à la libération des colonies espagnoles, est emprisonné.	pation anglaise.	combat les Russes en Géorgie.	**Ceylan.** Début de la conquête anglaise. **Malaisie.** Les Anglais occupent Malacca.

	France	Europe	Amérique + Antilles	Afrique + Océanie	Proche-Orient	Asie
Économie et société	*25/2 (7 ventôse)* : création des écoles centrales départementales (lycées). *7/4 (18 germinal)* : le système métrique obligatoire. *31/5 (12 prairial)* : accélération de la vente des biens nationaux en faveur des riches. *13/ 7* : création du Collège de France. *3/ 8* : création du Conservatoire national de musique. *25/10 (3 brumaire)* : les élèves paient l'instituteur. Institut national des sciences et des arts. *26/10 (4 brumaire)* : abolition de la peine de mort (à la paix). *13/11 (22 brumaire)* : réquisition des grains en acompte de la contribution foncière. *20/11 (30 brumaire)* : rétablissement des Compagnies de fournisseurs. *6/12 (15 frimaire)* : emprunt forcé en numéraire. *Frimaire* : grèves ouvrières à Paris.	**Royaume-Uni.** *26/5* : création d'un minimum des salaires. L'entrée dans les Work-Houses cesse d'être obligatoire pour les pauvres. *14/12* : suppression du droit de réunion.	**Brésil.** Autorisation de la fabrication du fer (entorse à l'Exclusif).			
Religion	*21/2 (3 ventôse)* : séparation de l'Église et de l'État. Culte privé permis. *30/5 (11 prairial)* : libre usage des églises non vendues. *23/10 (3 brumaire)* : législation anti-réfractaires.	**Royaume-Uni.** Les méthodistes se séparent des anglicans. Fondation de la London Missionary Society.				
Sciences et techniques	Prix de 12 000 F offert par le Directoire à qui trouvera une méthode de conservation des aliments (en 1803, N. Appert découvre un procédé de conservation). P.S. Laplace commence sa *Théorie analytique des probabilités.* Fondation de l'Académie des sciences morales et politiques. G. Monge : *Feuilles d'analyse.*	**Royaume-Uni.** J. Bramah invente la presse hydraulique.				
Art et littérature	*30/3 (10 germinal)* : création de l'École des langues orientales. *25/10 (5 brumaire)* : création de l'Institut national. É. de Sénancour : *Aldomen.* N. Lemercier : *Tartuffe révolutionnaire* (théâtre). F. Gérard : *Isabey et sa fille.* X. de Maistre : *Voyage autour de ma chambre.*	**Royaume-Uni.** Haydn : *La Création.* T. Girtin : *La Cathédrale de Peterborough,* fonde le romantisme anglais en peinture. Mort de J. Wedgwood, céramiste. **Allemagne.** Hölderlin et Schelling : *Programme de l'idéalisme allemand.*	**États-Unis.** G. Stuart (1795-1796) : portraits de G. Washington.			**Chine.** Z. Xuecheng (1738-1801), historien, fait revivre les études historiques. **Japon.** Théâtre kabuki, école Ukiyo-e (représentations d'un monde mouvant). Shara Ku

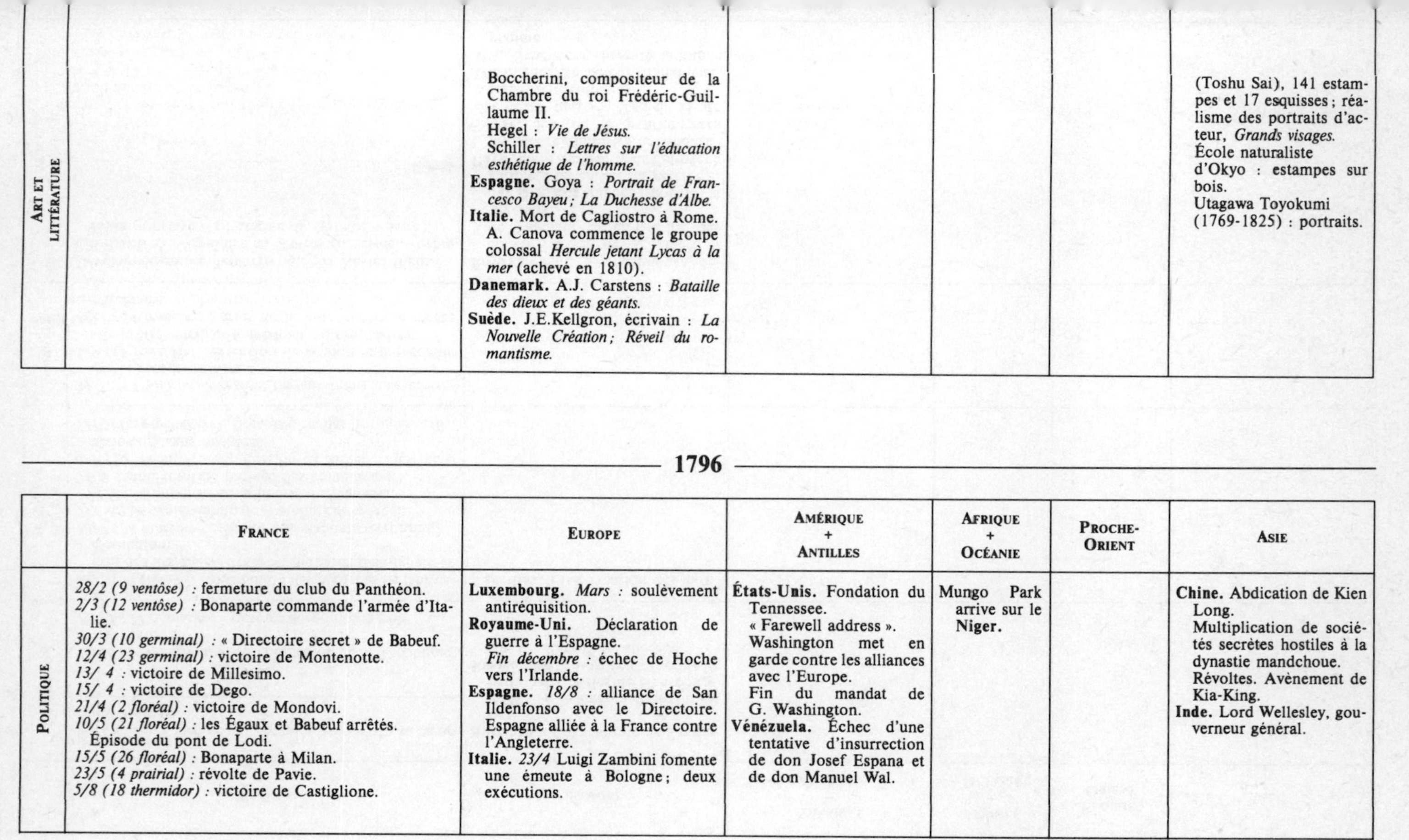

Art et littérature		Boccherini, compositeur de la Chambre du roi Frédéric-Guillaume II. Hegel : *Vie de Jésus.* Schiller : *Lettres sur l'éducation esthétique de l'homme.* **Espagne.** Goya : *Portrait de Francesco Bayeu; La Duchesse d'Albe.* **Italie.** Mort de Cagliostro à Rome. A. Canova commence le groupe colossal *Hercule jetant Lycas à la mer* (achevé en 1810). **Danemark.** A.J. Carstens : *Bataille des dieux et des géants.* **Suède.** J.E.Kellgron, écrivain : *La Nouvelle Création; Réveil du romantisme.*				(Toshu Sai), 141 estampes et 17 esquisses ; réalisme des portraits d'acteur, *Grands visages.* École naturaliste d'Okyo : estampes sur bois. Utagawa Toyokumi (1769-1825) : portraits.

1796

	France	Europe	Amérique + Antilles	Afrique + Océanie	Proche-Orient	Asie
Politique	*28/2 (9 ventôse)* : fermeture du club du Panthéon. *2/3 (12 ventôse)* : Bonaparte commande l'armée d'Italie. *30/3 (10 germinal)* : « Directoire secret » de Babeuf. *12/4 (23 germinal)* : victoire de Montenotte. *13/ 4* : victoire de Millesimo. *15/ 4* : victoire de Dego. *21/4 (2 floréal)* : victoire de Mondovi. *10/5 (21 floréal)* : les Égaux et Babeuf arrêtés. Épisode du pont de Lodi. *15/5 (26 floréal)* : Bonaparte à Milan. *23/5 (4 prairial)* : révolte de Pavie. *5/8 (18 thermidor)* : victoire de Castiglione.	**Luxembourg.** *Mars* : soulèvement antiréquisition. **Royaume-Uni.** Déclaration de guerre à l'Espagne. *Fin décembre* : échec de Hoche vers l'Irlande. **Espagne.** *18/8* : alliance de San Ildenfonso avec le Directoire. Espagne alliée à la France contre l'Angleterre. **Italie.** *23/4* Luigi Zambini fomente une émeute à Bologne; deux exécutions.	**États-Unis.** Fondation du Tennessee. « Farewell address ». Washington met en garde contre les alliances avec l'Europe. Fin du mandat de G. Washington. **Vénézuela.** Échec d'une tentative d'insurrection de don Josef Espana et de don Manuel Wal.	Mungo Park arrive sur le **Niger.**		**Chine.** Abdication de Kien Long. Multiplication de sociétés secrètes hostiles à la dynastie mandchoue. Révoltes. Avènement de Kia-King. **Inde.** Lord Wellesley, gouverneur général.

	France	Europe	Amérique + Antilles	Afrique + Océanie	Proche-Orient	Asie
Politique	*9-10/9 (23-24 thermidor)* : complot babouviste au camp de Grenelle. AN V *16/10 (25 vendémiaire)* : proclamation de la République cispadane. *17/11 (27 brumaire)* : victoire du pont d'Arcole.	**Autriche.** *20/5* : rupture de l'armistice. *24/8* : à Amberg, Jourdan est battu par Charles de Habsbourg. **Russie.** *7/11* : mort de Catherine II, son fils Paul Ier lui succède.				
Économie et société	*19/2 (30 pluviôse)* : destruction des planches de fabrication des assignats. Reste 34 milliards d'assignats en circulation. *18/3 (28 ventôse)* : création des mandats territoriaux. *21/ 3* : le papier-monnaie n'a plus cours légal. *16-17/4* : limitation de la liberté de la presse. *9/ 6* : annulation du partage des communaux. *6/9 (20 fructidor)* : suppression de la vente des biens nationaux sans enchères. *7/10 (16 vendémiaire)* : organisation des hospices civils.	**Pays-Bas.** Émancipation des juifs.				
Religion	*31/5 (12 prairial)* : restitution des biens aux prêtres exilés volontairement. *5/9 (19 fructidor)* : extension de la mesure précédente aux prêtres vieillards, infirmes ou réfractaires. *4/12 (14 frimaire)* : arrêt de la lutte contre le clergé réfractaire.					
Sciences et techniques	Développement de l'embryologie par Xavier Bichat. P.S. Laplace : *Exposition du système du monde* (« nébuleuse primitive » à l'origine du système solaire).	**Royaume-Uni.** I. Ingenhousz découvre l'action de la lumière et de l'air sur la croissance des végétaux. *14/ 5* : Ed. Jenner inocule la variole à un enfant (la vaccine). **Pays-Bas.** Découverte de l'éthylène par quatre chimistes hollandais. **Suisse.** Fin de la parution des *Voyages dans les Alpes* de H. de Saussure (géologue). **Allemagne.** Un auteur dramatique, A. Senefelder, invente la lithographie.				

	France	Europe	Amérique + Antilles	Afrique + Océanie	Proche-Orient	Asie
Art et littérature	J. de Maistre : *Considérations sur la France.* L. de Bonald : *Théorie du pouvoir politique et religieux.* Ch. de Wailly : projets grandioses pour Paris, création des quais. Thomas Paine (citoyen français) termine *Le Siècle de raison* (1794-1796).	**Royaume-Uni.** Mort de R. Burns, poète écossais, admirateur de la Révolution française. E. Gibbon : *Mémoires.* S.T. Coleridge : *Poems.* M.G. Lewis : *The Monk.* **Allemagne.** Fichte : *Fondements du droit naturel.* **Grèce.** Rhigas Velestinlis (1757-1798), écrivain révolutionnaire : *Carte de la Grèce* à Vienne ; *Un catéchisme démocratique ; Pour une fédération balkanique.* Exécuté par les Turcs à Belgrade en juin 1798.				**Japon.** Utagawa Kunimasa (1773-1810) : *Portraits d'acteurs.*

1797

	France	Europe	Amérique + Antilles	Afrique + Océanie	Proche-Orient	Asie
Politique	*14/1 (25 nivôse) :* victoire de Rivoli. *2/2 (14 pluviôse) :* capitulation de Mantoue. *19/2 (1er ventôse) :* traité de Tolentino avec Pie VI. *Avril (germinal) :* renouvellement du tiers des députés. *18/4 (29 germinal) :* préliminaire de paix de Leoben avec l'Autriche. *16/5 (28 floréal) :* Venise occupée par les Français. *20/5 (1er prairial)* le royaliste Barthélémy devient directeur. *27/5 (8 prairial) :* Babeuf est guillotiné. *9/7 (21 messidor) :* proclamation de la République cisalpine. *4/9 (18 fructidor) :* coup d'État antiroyaliste, soutien militaire de Hoche et Augereau. Nouvelle Terreur (53 députés déportés). *8/9 (22 fructidor) :* 42 journaux interdits.	**Royaume-Uni.** Les Anglais détruisent la flotte espagnole à Saint-Vincent. *15/4 :* révolte de la flotte de la Manche à Spithead. *11/5 :* mutinerie de la flotte de la mer du Nord. **Prusse.** *Novembre :* couronnement de Frédéric-Guillaume II hostile à la Révolution. **Espagne.** Perte de l'île de la Trinité. **Grèce.** En Dalmatie, émeutes anti-françaises, antipropriétaires et antirépublicaines à Sebenico, Trau, Spalato. A Makarska et aux îles, révoltes antinobiliaires et pro-autrichiennes.	**Canada.** Nouvelles résistances à la voirie et à la conscription. *21/7 :* pendaison de l'indépendantiste David Mac-Laine à Québec. **États-Unis.** Le fédéraliste John Adams, président des États-Unis. Alien Bill : expulsion des suspects de jacobinisme. *Sedition Act* contre la presse. **Vénézuela.** 50 conjurés exécutés, Bolivar part pour l'Europe.	**Afrique.** Fin de la prospérité du **Dahomey.** Régence sanguinaire Adangza.	**Perse.** Assassinat d'Agha Muhammad. Fath Ali Shah (son successeur) perd des territoires au profit de la Russie.	**Inde/Ceylan.** Richard Colley gouverneur.

	France	Europe	Amérique + Antilles	Afrique + Océanie	Proche-Orient	Asie
Politique	AN VI *17/10 (26 vendémiaire) :* paix de Campformio.	**Italie.** *6/6 :* Gênes devient la République ligurienne. *9/7 :* Milan devient la République cisalpine. *Septembre :* insurrection des « Viva Maria » à Gênes. **Portugal.** *10/8 :* traité entre la France et le Portugal (la Guyane française est délimitée). **Autriche.** Annexion de Corfou, Céphalonie, Zante et les îles Ioniennes. **Pologne.** *26/1 :* le royaume de Pologne est supprimé.	**Amérique latine.** Préparation du soulèvement des colonies. Création d'une junte (à Paris) avec Jose del Pozoy Sucre. *18/11 :* acte d'ouverture des ports aux neutres.			
Économie et société	*4/2 (16 pluviôse) :* fin des « mandats territoriaux ». *14/3 (24 ventôse) :* contrainte par corps en matière commerciale. *21/5 (2 prairial) :* interdiction aux communes d'aliéner ou d'échanger leurs biens. *9/6 (21 prairial) :* rétablissement de la libre circulation des grains. *5/9 (19 fructidor) :* la presse soumise à l'inspection de la police pendant un an. *10/9 (24 fructidor) :* droit d'octroi sur les routes. *30/9 (9 vendémiaire) :* banqueroute des deux tiers. *12/11 (22 brumaire) :* agence des contributions directes dans chaque département. *16/11 (26 brumaire) :* grève des charpentiers à Paris. *17/11 (27 brumaire) :* les candidats aux fonctions publiques doivent prouver qu'ils ont fréquenté les écoles de l'État et que leurs enfants y sont.	**Royaume-Uni.** Cours forcé de la livre (suppression de l'étalon-or). **Russie.** Réduction de la corvée.				
Religion	*15/8-12/11 :* concile de l'Église gallicane. *24/8 (7 fructidor) :* arrêt des persécutions cont[illegible] prêtres réfractaires. *5/9 (19 fructidor) :* reprise des persécutions contre le[illegible] prêtres réfractaires. *Été :* les théophilanthropes peuvent célébrer leur culte à Paris.	**Royaume-Uni.** Suppression des *penal laws* à caractère économique [illegible]ontre les Irlandais catholiques. [illegible] Émancipation des juifs.		**Tahiti.** Arrivée de la London Missionary Society. **Australie.** La Church Missionary		

Religion				Society en Nouvelle-Galles du Sud.		
Sciences et techniques	J.L. Lagrange : *Théorie des fonctions analytiques.* J.-B. Lamarck : *Mémoires de physique.* Lacépède : *Histoire naturelle des poissons.* Gay-Lussac, physicien et chimiste : professeur à Polytechnique. N.L. Vauquelin, chimiste, découvre le chrome et le béryllium. Firmin Didot : brevet de la *stéréotypie.*					
Art et littérature	Abbé Barruel : *Mémoires pour servir à l'histoire du jacobinisme.* Chateaubriand : *Essai sur les Révolutions.* Restif de La Bretonne : *Monsieur Nicolas ou le Cœur humain dévoilé* (16 tomes de 1794 à 1797). M.-J. Chénier : *Épître sur la calomnie.* P. Guérin, peintre : *La Mort de Caton d'Utique.* E. Méhul : *Le Jeune Henri.* Sénac de Meilhan : *L'Émigré.*	**Allemagne.** Hölderlin : *Hyperion* (roman). Schelling : *Idées pour une philosophie de la nature.* Wackenroder : *Effusions du moine amateur d'art* (précurseur du romantisme). Kant : *Métaphysique des mœurs.* Goethe : ballades ; *Hermann et Dorothée* (épopée bourgeoise) ; *Les Années d'apprentissage de Wilhelm Meister.* Schiller : *Ballades.* **Italie.** Casanova rédige ses *Mémoires.* L. Cherubini : *Médée.* **Espagne.** J. Valdes Mélendez (1754-1817), école de Salamanque : *Poésies complètes* (poésie lyrique pastorale). Goya : fresques de *San Antonio de la Florida* (près de Madrid).		**Afrique.** Peintures murales dans les palais royaux d'Abomey au **Dahomey.**		**Japon.** Naissance d'Hiroshije (peintre d'estampes).

1798

	France	Europe	Amérique + Antilles	Afrique + Océanie	Proche-Orient	Asie
Politique	*11/5 (22 floréal) :* annulation d'élection de jacobins. *19/5 (30 floréal) :* Bonaparte part pour l'Égypte. *17/6 (29 prairial) :* F. de Neufchâteau, ministre de l'Intérieur. *21/7 (3 thermidor) :* bataille des Pyramides. *1/8 (14 thermidor) :* victoire anglaise à Aboukir. AN VII *11/10 :* désastre naval français au large de l'Irlande. *21/10 (30 vendémiaire) :* émeutes au Caire contre les Français.	**Belgique.** *Printemps :* conscription obligatoire décidée par le Directoire. *Mai :* début de résistance à la conscription. *12/10 :* émeutes à Tielt et Oudenaarde. *24/10 :* soulèvement du Luxembourg dit « guerre des Gourdins ». *27/10 :* toute la Belgique est soulevée. *11/12* insurrection écrasée. **Royaume-Uni.** Insurrection irlandaise et répression féroce. *22/8-8/9 :* échec de l'expédition du général Imbert. Wolfe Tone capturé. **Suisse.** *16/3 :* fondation de la République helvétique (18 cantons). *15/ 4 :* la République de Genève est conquise par les Français. *22/ 4 :* première séance de l'Assemblée nationale helvétique avec Ochs. *Octobre :* échec du russe Souvorov en Suisse. **Espagne.** Minorque occupée par les Anglais. Godoy démissionne. **Italie.** *Décembre 1797-5/2/1798 :* République romaine. **Malte.** *12/6 :* Malte réunie à la France. *2/ 9 :* insurrection paysanne antifrançaise. **Russie.** Paul Ier adhère à la deuxième coalition.	**Brésil.** Échec d'un complot à Bahia. Six condamnations à mort.		**Arabie.** Traité d'amitié entre l'Angleterre et Mascate et Oman. **Turquie.** Début de la guerre avec la France.	**Inde.** Désarmement du Nizam.

Économie et société	*5/9 (19 fructidor)* : loi Jourdan, la conscription militaire obligatoire. *Vendémiaire* création du Conseil supérieur de l'instruction publique. *18-21/9* : Exposition nationale des produits industriels à Paris. *16/10 (25 vendémiaire)* : rétablissement de l'octroi à l'entrée des villes. *17/10* : les biens nationaux doivent être payés en numéraire. *22/10 (1er brumaire)* : réorganisation de la patente ; impôt sur les portes et les fenêtres. *1er/11 (11 brumaire)* : publicité et spécialité des hypothèques. *3/11 (13 brumaire)* : création du droit de timbre. *17/11 (27 brumaire)* : les biens nationaux non soldés doivent l'être en numéraire. *12/12 (22 frimaire)* : les droits d'enregistrement sont codifiés.	**Pays-Bas.** Fin de la Compagnie hollandaise des Indes orientales. Création du ministère de l'Eau. **Royaume-Uni.** Nathan Rothschild s'installe à Manchester.				
Religion	*3/4 (14 germinal)* : calendrier révolutionnaire obligatoire. *6/7 (18 messidor)* : perquisitions pour découvrir les prêtres réfractaires, plus une prime accordée aux dénonciateurs. *9/9 (23 fructidor)* : création du culte décadaire.	**Belgique.** *4/11* : proscription de 8 000 prêtres belges. **Italie.** *20/2* : emprisonnement du pape Pie VI.				
Sciences et techniques	J.L. Lagrange : *Traité de la résolution des équations numériques.* J. de Lalande : positions de 50 000 étoiles recueillies entre 1789 et 1798 ; *Histoire céleste française.* Pinel : *Traité médico-philosophique sur l'aliénation mentale ou la manie.* A.M. Legendre : *Théorie des nombres.* N. Robert : brevet de la machine à papier en continu. Premiers tuyaux pour les canalisations de Paris. Bonaparte fonde l'Institut du Caire.					
Art et littérature	J.A. Gros : *Bonaparte au pont d'Arcole.*	**Royaume-Uni.** W. Wordsworth : *Lyrical Ballads.* T. Malthus : *Esai sur le principe de population.* S.T. Coleridge : *Caïn errant ; Frimas à minuit ; Le Dit du vieux marin.*	**États-Unis.** B.H. Latrobe, architecte américain d'origine anglaise : à Philadelphie, banque en forme de temple ionique. *Capitole* de Washington. Cathédrale de Baltimore.			**Chine.** Mort du poète Yuan Mei (1716-1798) : mouvement « libertin » du XVIIIe siècle chinois *Shi Dan*, manuel de recettes culinaires, réclame l'égalité pour les femmes.

	France	Europe	Amérique + Antilles	Afrique + Océanie	Proche-Orient	Asie
Art et littérature		**Allemagne.** Kant : *Le Conflit des facultés.* Hölderlin : *La Mort d'Empédocle* (tragédie). Schelling : *L'Âme du monde.* F.M. von Klinger : *Histoire d'un Teuton d'aujourd'hui.* Wackenroder : *Fantaisies sur l'art.* Hegel : *L'Esprit du christianisme et son destin.* Fichte : la *Doctrine des mœurs.* **Russie.** I.P. Kotlaziewski (1769-1838) : publication à Saint-Pétersbourg des trois premiers chants de *L'Énéide travestie en langue petite russienne* (base de la littérature ukrainienne moderne, parodie en langue populaire du poème de Virgile).				**Japon.** H. Ryoetsu, Rangakusha (expert en science hollandaise) construit un squelette de bois (anatomie).

1799

	France	Europe	Amérique + Antilles	Afrique + Océanie	Proche-Orient	Asie
Politique	*23/1 (4 pluviôse) :* le général Championnet à Naples. *26/1 (7 pluviôse) :* proclamation de la République parthénopéenne. *25/2 (7 ventôse) :* Bonaparte à Gaza. *7/ 3 :* prise de Jaffa. *24/3 (4 germinal) :* Jourdan battu à Stokach (Allemagne). *10/4 (21 germinal) :* le pape Pie VI transféré en France. *27/4 (9 floréal) :* Moreau battu à Cassano (Italie). *28/ 4 :* deux délégués français assassinés à Rastatt. *16/5 (27 floréal) :* Sieyès, élu directeur. *18/6 (30 prairial) :* coup d'État antiroyaliste. *4-25/8 :* insurrection dans le Sud-Ouest. *25/8 (28 thermidor) :* Joubert tué à la bataille de Novi.	**Pays-Bas.** *Septembre :* le général Brune écrase un régiment russe débarqué en Hollande. **Italie.** Révolte des « Rayons » du Piémont ; troubles des « Viva Maria » en Toscane. *26/1 (7 pluviôse) :* proclamation à Naples de la République parthénopéenne. *24/5-14/6 :* siège victorieux de Naples par l'armée de la Sainte-Foi. Le Russe Souvourov conquiert l'Italie du Nord.	**Canada.** L'Assemblée du Bas-Canada vote 20 000 livres pour aider l'Angleterre contre la France. **États-Unis.** Mort de G. Washington.	**Afrique.** Fondation du **Swaziland.**	**Palestine.** Siège de Saint-Jean d'Acre. Bachir II refuse de s'engager aux côtés de Bonaparte. **Turquie.** Le sultan déclare le Monténégro indépendant.	**Inde.** *25/3 :* victoire des Anglais sur le Mysore, qui devient État vassal. Début du règne de Ranjitsingh.

Politique	*23/8 (6 fructidor) :* Bonaparte quitte l'Égypte. *19/9* (3e jour complémentaire) : Brune bat le duc d'York à Bergen. AN VIII *Septembre :* réunion de 200 chefs royalistes à la Jonchère. *27/9 (5 vendémiaire) :* victoire de Masséna à Zurich. *9/10 (17 vendémiaire) :* Bonaparte à Fréjus. *14/10 (26 vendémiaire) :* Le Mans pris par les Chouans. *23/10 (1er brumaire) :* Lucien Bonaparte élu président du Conseil des Cinq-Cents. *9/11 (18 brumaire) :* Bonaparte, commandant des troupes de Paris. Les deux Conseils à Saint-Cloud. *10/11 (19 brumaire) :* coup d'État. N. Bonaparte, Sieyès et Ducos nommés consuls.	**Portugal.** Régence de dom João. **Autriche.** Insurrection des îles Ioniennes contre l'Autriche.				
Économie et société	*27/6 (9 messidor) :* emprunt forcé de 100 millions.	**Royaume-Uni.** *12/7. Conspiration Act* voté contre les grèves.	*18/ 4 :* l'Espagne tente de fermer les ports de ses colonies aux neutres.			
Religion		**Italie.** *20/8 :* mort du pape Pie VI.				
Sciences et techniques	Gauss : *Études sur l'équation algébrique.* S.F. Lacroix *Éléments de géométrie.* Monge : *Traité de géométrie descriptive.* Laplace : début de la publication de la *Mécanique céleste.* Ph. Lebon invente la *thermolampe,* premier éclairage au gaz.	**Royaume-Uni.** Première insémination artificielle pratiquée sur l'espèce humaine par Hunter. **Allemagne.** A. Humboldt commence son voyage vers l'Amérique du Sud.				
Art et littérature	É. de Senancour *Rêveries sur la nature primitive de l'homme.* N. Lemercier : théâtre Pinto. L.P. Baltard, architecte et peintre, expose au Salon entre 1791 et 1835. Mlle Mars entre à la Comédie-Française. David ; *Les Sabines; Mme de Verninac* (portrait).	**Royaume-Uni.** T. Bewick : début de *History of British Birds* (gravure). **Allemagne.** Schelling : *Première esquisse d'un système de philosophie de la nature.* Beethoven : *Souabe pathétique ; Première Symphonie.* Schiller : *Wallenstein.* **Italie.** Cimarosa : *Hymne républicain,* en l'honneur de la République parthénopéenne. **Espagne.** Publication de croquis de Goya : les *Caprices.*				**Chine.** Mort de Lo Ping, un des « Huit Excentriques », peintre individualiste s'opposant aux peintres de cour de Pékin (région de Yang-Tchéou).

Table des cartes

Les cartes suivantes ont été effectuées spécialement pour cet ouvrage et sont inspirées de sources diverses.

MORT AUX TYRANS; PAIX AUX PEUPLES.
COMMISSION DES ARMES ET POUDRES
RÉPUBLIQUE FRANÇ
UNE ET INDIVISE

INDEX

Index

Cet index répertorie les noms de tous les acteurs de la période révolutionnaire cités dans l'ouvrage, en indiquant en règle générale leurs dates de naissance et de mort. D'autre part, figurent les noms cités des historiens de la Révolution, ainsi que les périodiques de l'époque (en italiques).

A

B

C

D

E

F

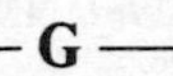

G

H

I

J

K

L

M

Q

R

S

W

Y

Z

Achevé d'imprimer le 31 mars 1988
dans les ateliers de Normandie Impression S.A.
à Alençon (Orne)
N° d'imprimeur : 871594
ISBN 2-7071-1748-X
Premier tirage : 15 000 exemplaires
Dépôt légal : avril 1988